坂部隆芳

Takayoshi Sakabe

「ゴッホ」 53×53㎝

画廊 大千

〒541-0046
大阪市中央区平野町 2-4-11　KC I 平野町ビル1階
TEL.06-6201-1337
http://www.garou-daisen.com/
uematsu@garou-daisen.com

小杉小二郎「祝花」2017年　20号　60.8×72.7cm

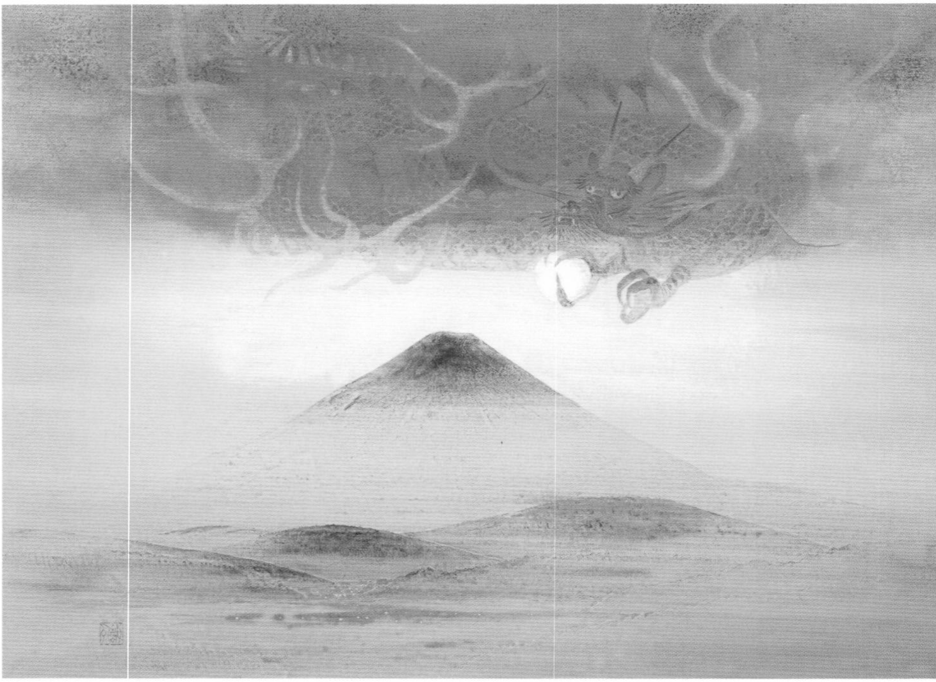

吉村誠司「陽昇」P20

絹谷幸二「朝陽陝間富士山」サムホール

Tsutomu Fujii

藤井勉「朝の仔」(部分) 50×117cm

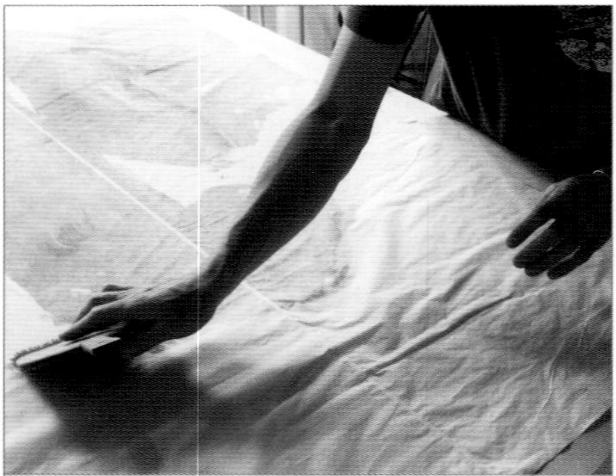

掛軸・屏風・額
「表装・修理」各種承ります。

書画用・修復用・保存文書用
「かみ」各種ご用命承ります。

書画等でご使用頂く
「墨」各種ご用命承ります。

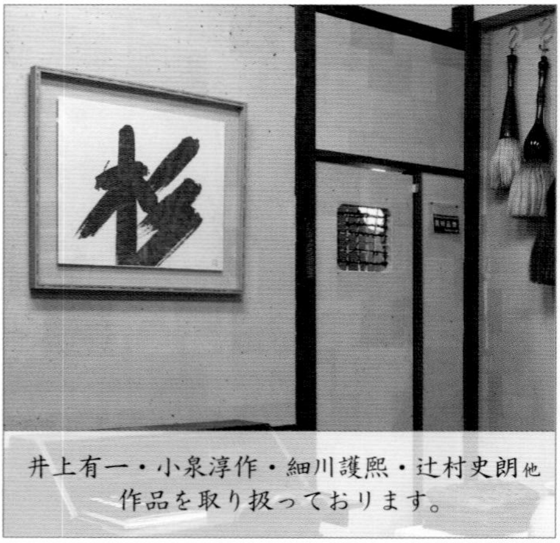

井上有一・小泉淳作・細川護熙・辻村史朗他
作品を取り扱っております。

株式会社かみ屋では、自社楮畑にて
楮から一貫生産しております。

株式会社 かみ屋

〒 103-0023
東京都中央区
日本橋本町 4-7-1
三恵日本橋ビル1F
Tel. 03-3231-2886
Fax. 03-3231-2882
info@kamiya-art.com
www.kamiya-art.com

かみ屋

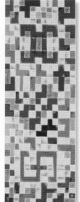

美術界データブック

2020

THE FINE ARTS &
CONTEMPORARY ARTS

生活の友社

美術界データブック 2020

THE FINE ARTS & CONTEMPORARY ARTS

CONTENTS

名簿 1　399

名簿 2　425

PRIZE　487

索引

●本書に記載のデータは、小社の依頼に応じて各作家･団体・企業からご回答いただいた資料に基づいて作成したものですが、都合によりご回答いただけなかったり、発行日の関係で、やむを得ず旧データのままのものがあります。ご了承ください。
●記載内容に誤記･誤植、また変更等ございましたら、小社内「美術界データブック」係までご一報くだされば幸いです。

●表紙 田渕俊夫「里の詩」50号F

絵画標準寸法表（単位＝cm）

号数	F（人物）	P（風景）	M（海景）
0	17.9 × 13.9	17.9 × 11.8	17.9 × 10.0
1	22.1 × 16.6	22.1 × 13.9	22.1 × 11.8
サムホール	22.7 × 15.8	——	——
2	24.0 × 19.0	24.0 × 16.1	24.0 × 13.9
3	27.3 × 22.0	27.3 × 19.0	27.3 × 16.1
4	33.4 × 24.3	33.4 × 22.0	33.4 × 19.1
5	35.0 × 27.3	35.0 × 24.3	35.0 × 22.1
6（尺3幅）	40.9 × 31.8	40.9 × 27.3	40.9 × 24.3
8（尺5幅）	45.5 × 37.9	45.5 × 33.3	45.5 × 27.3
10（尺8幅）	53.0 × 45.5	53.0 × 40.9	53.0 × 33.3
12（2尺幅）	60.6 × 50.0	60.6 × 45.5	60.6 × 40.9
15	65.2 × 53.0	65.2 × 50.0	65.2 × 45.5
20	72.7 × 60.6	72.7 × 53.0	72.7 × 50.0
25	80.3 × 65.2	80.3 × 60.6	80.3 × 53.0
30	90.9 × 72.7	90.9 × 65.2	90.9 × 60.6
40	100.0 × 80.3	100.0 × 72.7	100.0 × 65.2
50	116.7 × 90.9	116.7 × 80.3	116.7 × 72.7
60	130.3 × 97.0	130.3 × 89.4	130.3 × 80.3
80	145.5 × 112.1	145.5 × 97.0	145.5 × 89.4
100	162.1 × 130.3	162.1 × 112.1	162.1 × 97.0
120	193.9 × 130.3	193.9 × 112.1	193.9 × 97.0
130	193.9 × 162.1	——	——
150	227.3 × 181.8	227.3 × 162.1	227.3 × 145.4
200	259.1 × 193.9	259.1 × 181.8	259.1 × 162.1
300	290.9 × 218.2	290.9 × 197.0	290.9 × 181.8
500	333.3 × 248.5	333.3 × 218.2	333.3 × 197.0

ジャンル別 作家略歴・住所録

ジャンル別 作家略歴・住所録

日本画
水墨画

[凡例]

英字 作家名	販売価格	技法　所属、肩書き、受賞歴、個展、外遊等、師、最終学歴、出身、生年 住所　H.P.アドレス　電話番号

- 時期と作品内容によって、販売価格が異なる場合があります
- 原則として、10号を基準にした1号あたりの販売価格を算出しています
- ふりがな（英字）は原則としてヘボン式で統一しています

OKI HEKIUN	青木 碧雲	2万	ドラード国際芸術文化連盟会員、アトリエ雲んーも主宰、坂の上の雲メッセージ展優秀賞、ドラード創作表現者展大賞、国際展参加　〒790-0914 愛媛県松山市三町3-12-6
ONO AMANATSU	蒼野 甘夏	4万	損保ジャパン美術財団選抜奨励展秀作賞、第6回・第7回東山魁夷記念日経日本画大賞展入選、個展（日本橋三越）、北海道女子短期大学卒　http://amanatsu.rossa.cc/
OYAMA NOBUYOSHI	青山 亘幹	12万	無所属、シェル美術賞展1等、山種美術館賞展招、現美展、21世紀展、横の会展、両洋の眼展他、個展多、東京藝大大学院修、神奈川、1945　〒247-0053 神奈川県鎌倉市今泉台2-11-10　0467-46-4413
OYAMA HIROYUKI	青山 博之	12万	日本美術院特待、院展入17、春の院展入12・無、セントラル招1・入2、山種美術館賞展招2、東京藝大卒、広島、1952　〒173-0031 東京都板橋区大谷口北町51-7　03-3958-8401
OYAMA HIROYUKI	青山 浩之	5万	創画展出品、上野の森美術館大賞展佳作賞、個展・グループ展多数、多摩美大卒、神奈川、1963　〒239-0806 神奈川県横須賀市池田町1-21-4
OYAMA YOSHIKO	青山 美子	4万	無所属、臥龍桜日本画大賞展優秀賞、青垣日本画展審査委員長賞、多摩美大卒、神奈川、1970　〒239-0806 神奈川県横須賀市池田町1-21-4
KIBA YOKO	秋葉 陽子	6万	無所属、個展、翔の会展出品、文化庁芸術家留学（ベルギー）、東京藝大大学院修、東京、1970　〒130-0004 東京都墨田区本所3-17-7　03-3622-3798
KIMOTO KOICHI	秋本 幸一	6万	無所属、'90東京セントラル日本画大賞展入、青垣日本画展佳作賞、個展、宝塚造形芸大大学院修、広島、1966　〒732-0047 広島県広島市東区尾長西1-6-9　082-262-6071
SAKURA TAKAFUMI	朝倉 隆文	18.5万	日展会員、新日春会会員、日展審査員・委嘱・特選2・入4、日春展入5、個展9、師福田千惠、多摩美大大学院修、神奈川、1978　〒107-0062 東京都港区南青山2-6-12　アヌシー青山1F　西福ギャラリー気付　03-5411-2900
SANO TADASHI	浅野 忠	7万	日本美術院特待、東京日本画新鋭選抜奨励賞、個展（横浜高島屋・名古屋松坂屋本店）、愛知芸大大学院修、愛知、1962　〒480-0304 愛知県春日井市神屋町1390-64　0568-88-7788
SANO NOBUYASU	浅野 信康	15万	日本美術院院友、春の院展入、有芽の会展出品、東京藝大大学院修、埼玉、1967　〒352-0011 埼玉県新座市野火止5-21-23　048-477-3167
SANO HITOSHI	浅野 均	15万	創画会会員、京都市立芸大教授、北京国際美術ビエンナーレ優秀賞、京都府文化賞功労賞、山種美術館賞展大賞、東山魁夷記念日経大賞展大賞、京都市立芸大大学院修、大阪、1955　〒621-0231 京都府亀岡市東本梅町大内大坪107-36　0771-26-2296
SHIDA HIROAKI	芦田 裕昭	10万	日展特別会員・審4、新日春会審、日春展日春賞・奨励賞、京展審、師山口華楊、京都市立美大卒、島根、1935　〒610-1113 京都府京都市西京区大枝南福西町3-6-9　075-331-0660
ZUMI SAYURI	安住 小百合	4万	宮城県芸術協会運営委員、日展入、日春展入、個展、多摩美大大学院修　〒242-0002 神奈川県大和市つきみ野4-7-D2-106
BE KAZUMASA	河部 一雅	5.5万	日本美術院研究会員、院展入、愛松会展、香流会展、他グループ展出品、愛知芸大卒、愛知、1962　〒480-1328 愛知県長久手市早稲田918　0561-61-0187
BE SHUZABURO	安倍 修三郎	6万	無所属、ハワイ美術院賞、個展、師松尾敏男、阿佐ヶ谷美校卒、長崎、1943　〒410-0022 静岡県沼津市大岡817-13-202　055-920-2426
BE TAKAHIRO	河部 貴弘	3万	無所属、春の院展入、長野県展入、東北芸術工科大卒、長野、1977　〒393-0034 長野県諏訪郡下諏訪町高浜6191-12　0266-28-3020
BE TADAHIRO	河部 任宏	6万	日本美術院院友、東京セントラル美術館日本画大賞展、愛松会展出品、愛知芸大大学院修、広島、1953　〒454-0028 愛知県名古屋市中川区露橋町1-20-6　052-352-1039
BE CHIZURU	河部 千鶴	4万	創画会准会員、創画展創画会賞·奨励賞、臥龍桜日本画大賞展2、個展・グループ展多数、東京藝大大学院修、神奈川、1970　〒252-0234 神奈川県相模原市中央区共和4-20-2　042-733-7026
BE YUKO	河部 友子	4万	無所属、日展入、日春展日春賞・奨励賞、個展、師川島睦郎、京都市立芸大卒、京都、1980　〒602-0891 京都府京都市上京区上御霊馬場町376-1　アトリエアミ　075-221-3708

ABE YUTAKA
阿部　穣　8万
無所属、三溪日本画大賞展、レスポワール展、個展、サロン・ド・プランタン賞、東京藝大大学院修、東京、1975　〒278-0033 千葉県野田市上花輪816-7　04-7128-691

ABE YOSHIKATSU
阿部　好克　5万
日本美術院院友、院展入、有芽の会展出品、東京藝大大学院修、東京、1959　〒340-0831 埼玉県八潮市南後谷501-12　フローラルアサイC-103　0489-35-621

ARAI KEI
荒井　経
東京藝大大学院教授、VOCA展（2000・05年）・日経日本画大賞展（2015・18年）入、個展・グループ展多数、東京藝大大学院修士課程修（修了制作サロン・ド・プランタン賞）・同博士後期課程単位取得退学の後博士（文化財）取得、栃木、1967

ARAI TAKASHI
荒井　孝　15万
日本美術院特待、栃木県文化功労者、院展奨励賞3・無2・入42、春の院展無・入42、外務省買上5、師平山郁夫、東京藝大大学院修、栃木、1938　〒320-0073 栃木県宇都宮市細谷1-7-28　028-624-620

ARAI MASAAKI
新井　政明　5万
日本美術院院友、春の院展入、個展、二人展、東京藝大大学院修、埼玉、1953　〒359-1146 埼玉県所沢市小手指南5-26-7　042-949-392

ARAKAWA KIMIKO
荒川　喜美子　3.5万
日本画院常務理事、師望月春江・志村立美、太平洋美術学校修、栃木、1937　〒166-0011 東京都杉並区梅里2-35-15-707　03-3313-732

ARAKI AI
荒木　愛　3万
個展（画廊くにまつ・大丸京都）、グループ展（日本橋三越他）、師中島千波、東京藝大大学院修、神奈川、1984　www.aispy-art.com

ARAKI KYOKO
荒木　亨子　3万
創画会会員、創画展創画会賞3・奨励賞、春季創画展春季展賞2、京都市立芸大卒・東京藝大大学院後期博士課程、広島、1971　〒733-0842 広島県広島市西区井口3-19-3

ARAKI KEISHIN
荒木　恵信　5万
日本美術院院友、金沢美術工芸大学准教授、春の院展奨励賞、有芽の会法務大臣賞、個展（西武池袋・香林坊大和他）、グループ展多数、東京藝大大学院博士学位取得、金沢美術工芸大学修士、石川

ARIMOTO YOKO
有元　容子　5万
無所属、春季創画展春季展賞、両洋の眼展河北倫明賞、菅楯彦大賞展佳作賞、日本秀作美術展等出品、東京藝大卒、愛媛、1949　〒110-0001 東京都台東区谷中3-13-18

ANDO SOJU
安堵　蒼樹　6万
日展会員、新日春会会員、県展審査員、日展審査員2・特選2・無鑑査1・入18、日春展日春賞1外務大臣賞2・奨励賞2、外務省買上2、師鈴木竹柏、福島、1944　〒975-0027 福島県南相馬市原町区上北高平字東高松385　0244-22-729

IIDA SAEKO
飯田　小枝子　8万
日本美術院特待、院展無・入32、春の院展入22、現代展入、東京藝大、愛知、1930　〒466-085 愛知県名古屋市昭和区川名町2-45-3　052-761-238

IIDA SHIRO
飯田　史朗　10万
白士会委員（創立会員）、名古屋市芸術奨励賞、愛知県芸術文化選奨文化賞、中日新聞夕刊挿画担当、中部国際形象展・朝日美術展・中日展招待、山種美術館賞展・日本画の裸婦展等出品、古稀展（松坂屋他個展、師中村岳陵、愛知、1934　〒465-0028 愛知県名古屋市名東区猪高台2-224　052-774-178

IEMOTO KAORU
家本　佳生琉　7万
日本美術院院友、有芽の会展出品、東京藝大大学院修、神奈川、1960　新潟県南魚沼市在住　0257-83-241

IGI SHIJIN
井木　紫人　3.5万
無所属、臥龍桜日本画大賞展入、日本表現派展入、師土屋雅裕、愛知、1968　〒470-0552 愛知県豊田市乙ヶ林422-2　0565-65-242

IKUTA KUNIKA
幾田　邦華　2.7万
元展美術協会理事、元展元展賞、知事賞、個展、道教寺襖絵、大阪芸短大卒、1966　〒597-0033 大阪府貝塚市半田264　072-427-011

IGUCHI TOMOKO
井口　朋子　6万
日本美術院研究会員、個展、有芽の会展出品、愛知芸大卒、東京藝大大学院修、愛知、196
〒455-0014 愛知県名古屋市港区港楽1-1-513　052-652-277

IGUCHI HIDEO
井口　英夫　5万
日本美術院研究会員、岐阜日本画協会会員、春の院展入、臥龍桜日本画大賞展入、県展入、193
〒501-0236 岐阜県本巣郡穂積町本田1552-128

IKUNO KAZUKI
生野　一樹　6万
無所属、日版協展・春陽会展・神奈川版画アンデパンダン展出品、神奈川、1943　〒247-006
神奈川県鎌倉市山崎868　0467-45-915

IKEUCHI AKIYOSHI
池内　璋美　10万
日展会員、新日春会会員、日展審・委嘱・特選2、日春展奨励賞、東丘社、山種美術館賞展、師三輪晁勢、京都市立美大卒、兵庫、1947　〒615-8037 京都府京都市西京区下津林大般若町125-15　075-391-815

KEDA AKIHIKO	池田　彰彦	5万	創画会会友、創画展入、春季創画展春季展賞、個展、東京藝大大学院修、東京、1948　〒360-0044 埼玉県熊谷市弥生2-40　内田方　048-577-3527
KEDA MIKIO	池田　幹雄	10万	創画会会員、日本美術家連盟理事、春季創画展春季展賞、新制作展新作家賞、現代日本美術展受賞2、師吉岡堅二、多摩美大卒、北海道、1928　〒352-0017 埼玉県新座市菅沢1-5-1　048-478-3115
KEDA MICHIO	池田　道夫	10万	日展特別会員、日展審11・特選2・白寿賞2・菊華賞、京都市立美大卒、京都、1925　〒606-0811 京都府京都市左京区下鴨中川原町71　075-781-2560
KENAGA YASUNARI	池永　康晟	13万	無所属、菅楯彦大賞展佳作賞一席、大分県立芸術短期大学附属緑丘高校美術科卒、大分、1965　http://ikenaga-yasunari.com
SA MASAYUKI	伊砂　正幸	5万	日展会友、日展特選・無鑑査、金沢美工大卒、京都、1965　〒606-0832 京都府京都市左京区下鴨萩ヶ垣内町21　075-721-1392
SHII SUZU	石井　鈴	5万	無所属、京都造形芸大卒、松藤藝術賞、個展、大阪、1981　https://ishiisuzu.com/
SHIODORI KOICHI	石踊　紘一	13万	無所属、元創画会会友、春季創画展春季展賞、新制作展新作家賞2、東京藝大卒、鹿児島、1941　〒255-0005 神奈川県中郡大磯町西小磯732-16　0463-61-9680
SHIODORI TATSUYA	石踊　達哉	25万	無所属、春季創画展春季展賞、両洋の眼展河北倫明賞、パリ三越エトワール、渋谷区立松濤美術館他個展多、金閣寺方丈杉戸絵・客殿天井画、妙法院門跡障壁画、寂聴現代語訳『源氏物語』装幀担当、東京藝大大学院修、1945　〒151-0053 東京都渋谷区代々木5-52-13　http://www.ishiodori.co.jp　03-3469-4152
SHIHARA SUSUMU	石原　進	12万	日展会員・審2、新日春会会員、日展特選2・入選、日春展日春賞・奨励賞・外務大臣賞、紺綬褒章、個展7、外遊6、師児玉希望・佐藤太清、岐阜、1942　〒331-0074 埼玉県さいたま市西区宝来360-10　048-625-7880
SHIHARA TSUTOMU	石原　孟		創画会会員、東京藝術大学教育研究助手、創画展創画会賞、レスポワール展（銀座スルガ台画廊）他個展、グループ展、東京藝大大学院博士後期課程修、京都、1983　〒115-0043 東京都北区神谷1-3-3-802
SHIHARA MASATO	石原　正人	8万	日展会友・特選、富山県展賞、京展出品、晨鳥社、京都芸術短大卒、富山、1956　〒520-0503 滋賀県大津市北比良1189-6　077-596-0918
SHIMURA MASAYUKI	石村　雅幸	6万	日本美術院特待、茨城美術会副会長、県展委員、院展奨励賞4・無2・入29、春の院展奨励賞4・無2・入24、東京日本画新鋭選抜展、大三島美術館買上2・外務省買上3、師森田曠平・伊藤彭耳、玉川大学卒、愛媛、1965　〒300-1636 茨城県北相馬郡利根町羽根野880-173　0297-68-8074
ZUMI HARUOMI	泉　東臣	6万	無所属、臥龍桜日本画大賞展奨励賞、師中島千波、東京藝大大学院修、千葉、1979
SOBE KOTARO	磯部　光太郎	4万	無所属、ART AWARD NEXT審査員賞、狂言師野村萬斎長男初舞台記念扇制作、師堀越保二、東京藝大大学院修、東京、1970　〒247-0063 神奈川県鎌倉市梶原3-20-16　0467-91-2732
SOBE SHIGEKI	磯部　茂亀	8万	日展入、日春展入、画家協会展知事賞、個展、川端龍子展出品、青塔社、京都、1952　〒520-0522 滋賀県大津市和邇中浜126
DA MASAAKI	井田　昌明	6万	日本美術院院友、春の院展春季展賞、有芽の会展、聿の会日本画展出品、東京藝大大学院修、群馬、1969　〒371-0825 群馬県前橋市大利根町2-16-1　027-251-1741
TAMI YASUO	伊丹　靖夫	4万	白士会会員・審査員、白士会展会員賞5・森田賞2他受賞、豊田芸術選奨、個展多数（ラ・ポーラ・中日画廊他）、グループ展（朝日アートギャラリー・紀伊國屋画廊）他、インド外遊、英国在住（3年）、師飯田史朗、岡山、1944　〒470-0471 愛知県豊田市石畳町梅ヶ夫174-3
ICHI AKIKO	イヂチ　アキコ	2.5万	JIASイタリア美術賞展イタリア美術記者賞、個展、ART TAIPEI、ART KYOTO、アートフェア東京他出品、女子美大卒　http://akiko-ijichiweb.jimdo.com/
CHIHASHI TOYOMI	市橋　豊美	7万	日本美術院特待、院展入23、春の院展入25、個展2（京王プラザロビーギャラリー）、グループ展年2回、二人展、画廊企画展、外遊2、東京藝大絵画科大学院修、神奈川、1954　〒230-0061 神奈川県横浜市鶴見区佃野町29-39　045-571-3403
CHIHARA YOSHIYUKI	市原　義之	10万	日展特別会員、日展審査4・委嘱3・特選2・内閣総理大臣賞・入16、日春展賞3、京展賞3、関展賞3、外遊2、金沢美工大卒、師下保昭、徳島、1943　〒612-0809 京都府京都市伏見区深草願成町13-3　075-561-7225

IDE BUNYO 井出 文洋	8万	無所属、個展、現代日本代表作家展、川端龍子賞展出品、多摩美大大学院修、神奈川、195 〒254-0821 神奈川県平塚市黒部ヶ丘7-11　0463-32-194
ITO AKIRA 伊藤 彬	20万	元創画会会員、新制作展新作家賞、春展賞、毎日現代展、日本秀作美術展、目展、横の会展他 東美卒、兵庫、1940　〒259-1325 神奈川県秦野市萩が丘3-33　0463-88-260
ITO KAKO 伊藤 嘉晃	10万	日本美術院特待、院展無2・入31、春展入32、個展、師郷倉千靱・今野忠一、武蔵野美大中退 仏大卒、三重、1939　〒500-8221 岐阜県岐阜市天池2-8-12　058-248-333
ITO SATOSHI 伊藤 哲	8万	無所属、損保ジャパン東郷青児美術館選抜奨励展、武蔵野美術大学αMプロジェクト（鷹見明 企画）、個展多数、東京藝大大学院修士課程修、千葉、1962　〒286-0041 千葉県成田市飯田 96　0476-26-608
ITO HARUMI 伊藤 はるみ	10万	創画展入18、春季創画展春季展賞、東京セントラル美術館大賞展佳作賞2、京都府文化賞奨 賞、京都市立芸大卒、大阪、1948　〒616-8417 京都府京都市右京区嵯峨大覚寺門前六道町45-4 075-862-903
ITO HOJI 伊藤 髟耳	20万	日本美術院同人・評議員、院展総理大臣賞・文部大臣賞・院賞大観賞・奨励賞・春季展賞、 森田曠平、多摩美大卒、神奈川、1938　〒245-0016 神奈川県横浜市泉区和泉町2053 045-802-518
ITO MASATSUGU 伊東 正次	5万	日展準会員、日展特選2・審1、日春展奨励賞、臥龍桜日本画大賞展優秀賞、雪舟の里墨彩画 募展奨励賞、トリエンナーレ豊橋星野眞吾賞展審査員推奨、個展（なびす画廊他）、多摩美大 学院修、愛媛、1962
ITO MEISEI 伊東 明生	5.5万	無所属、日本水墨画協会展・県展・市展入、個展多数（静美洞画廊3・三越1他）、禅画、仏画 東京、1937　〒425-0022 静岡県焼津市本町5-7-5　054-620-048
ITO YOSHIZUMI 伊藤 由純	5万	無所属、元日府展評議員、新人賞、奨励賞、中日展入、東京、1937　〒462-0032 愛知県名古 市北区辻町1-43-1　曽根方　052-914-075
ITO YOSHIHISA 伊東 良久	4万	創画展入、春季創画展入、神奈川県展特別奨励賞、東京藝大卒、東京、1955　〒236-0027 神 奈川県横浜市金沢区瀬戸7-16　045-786-218
INATSUNE KANA 稲恒 佳奈	1.8万	Art Award Next2・3入、三菱アート・ゲート・プログラム第18回チャリティーオークション出品 個展（銀座三越・日本橋三越本店）、東北芸術工科大大学院修、北海道、1987　〒861-4106 熊本 県熊本市南区南高江1-18-127　http://sorako0801.wixsite.com/kana-inatsune
INOUE KIYOHARU 井上 清治	6万	無所属、元日本美術院院友、院展入、春季展入、師須田洪中、東京藝大大学院修、福岡、194 〒187-0043 東京都小平市学園東町2-10-35　042-343-817
INOUE MIKI 井上 美紀	7万	創画会会友、創画展入、京都日本画家協会展協会賞、松伯美術館花鳥画展、個展、嵯峨美短 卒、大阪、1962　〒665-0807 兵庫県宝塚市長尾台2-14-7　072-757-003
INOUE MINORU 井上 稔	10万	日展準会員、日展特選2・入20、日春展奨励賞、京展受賞5、関西展受賞4、京都学芸大卒、京都 1936　〒612-0856 京都府京都市伏見区桃山町正宗44-11　075-611-825
INOKUMA KEIKO 猪熊 佳子	7万	日展会友、日展特選1、日春展奨励賞、川端龍子賞展優秀賞、山種美術館賞展優秀賞他、京都市 立芸大大学院修、京都、1958　〒607-8004 京都府京都市山科区安朱屋敷町14-1　山羽方 075-595-994
IMAI MORIHIKO 今井 守彦	9万	元日展・日春展会員、晨鳥社、元池坊文化学院教授、外遊8、師山口華楊、京都市立絵画専門学 校、京都、1923　〒606-0842 京都府京都市左京区下鴨北芝町33-2　075-781-698
IMAGAWA KYOKO 今川 教子	4万	無所属、JAXA主催「日本画は宇宙を描く」最優秀賞、康耀堂美術館賞、個展、グループ展多数 卒業制作学長賞・混沌賞、京都造形芸大卒、静岡、1981　〒107-0062 東京都港区南青山5-4-3 新生堂気付　03-3498-838
IMOTO ICHIWA 井本 一倭	5万	無所属、日展入、個展、グループ展、大阪芸大卒、兵庫、1974　〒583-0882 大阪府羽曳野市 鷲4-9-3-602　若尾方
IWAKI DAISUKE 岩城 大介	3万	日本表現派同人、日本表現派展2003年新人賞・04年日本表現派賞、個展多数（東邦アート・大 京都店他）、富山、1964
IWASA JUNKO 巌佐 純子	9.5万	兼ミクストメディア　彩の会主宰、日本美術家連盟会員、日本建築美術工芸協会会員、谷尾美術館大賞展奨励賞、美育文 協会指導者賞、昭和会展・セントラル日本画大賞展・上野の森大賞展他、国立台湾清華大学美術館他国内外個展・グルー 展多数、1981～85年渡米、大阪教育大学美術学科卒、著書3、大阪　http://junko-iwasa.com/　092-843-425

WASAKI ERI
岩崎 絵里　6万
無所属、京都市芸術新人賞、京展市長賞、嵯峨美術短大専攻科修、個展、グループ展、兵庫、1968　〒604-0031 京都府京都市中京区押小路通新町東入頭町21　http://iwasakieri.jp/

WATA SOHEY
岩田 壮平　15万
日展会員、新日春会会員、日展特選2・無鑑査2、日春展日春賞・奨励賞2、菅楯彦大賞展大賞、東山魁夷記念日経日本画大賞、上野の森美術館大賞展、臥龍桜日本画大賞展出品、金沢美工大大学院修、愛知、1978　〒107-0062 東京都港区南青山5-4-30　新生堂気付　03-3498-8383

WANAGA TERUMI
岩永 てるみ　10万
日本美術院特待、愛知芸大准教授、院展奨励賞3・天心記念茨城賞、春の院展外務大臣賞・奨励賞4、第4回・第6回東山魁夷日経日本画大賞展、損保ジャパン美術財団選抜奨励展、愛知芸大大学院修、東京藝大大学院博士課程修、大分、1968　〒444-2824 愛知県豊田市池島町井戸神21-1

WANAMI AKIHIKO
岩波 昭彦　12万
日本美術院院友、院展奨励賞、長野県展知事賞、個展（ニューヨーク・ドイツ他）、師松尾敏男、多摩美大卒、長野、1966　〒285-0845 千葉県佐倉市西志津6-3-1　043-463-8523

EDA KAZUHO
植田 一穂　7万
創画会会員・理事、創画展創画会賞、東京藝大教授、師稗田一穗、東京藝大大学院修、広島、1961　〒273-0048 千葉県船橋市丸山2-21-8　047-438-1664

EDA KATSUYA
上田 勝也　10万
日展特別会員・審査員8、新日春会運営委員、日展特選2・入13、日春展日春賞・奨励賞、九州産業大大学院教授、日本画大賞展佳作賞、師髙山辰雄、東京藝大大学院修、京都、1944　〒615-8084 京都府京都市西京区桂坤町41-16　075-391-6808

EDA SEIKO
植田 清子　5.5万
元展常任理事、元展元展賞、新人賞、大阪府知事賞、爽樹会、個展（そごう・京王）、師満田竹水　〒596-0825 大阪府岸和田市土生町1538　0724-26-2877

ENO NAOMI
上野 直美　3.5万
日本美術院院友、東京藝大安宅賞、院展入、春の院展入、松伯美術館花鳥画展入、有芽の会日本更生保護女性連盟会長賞、東京藝大大学院修、長野、1983

EMURA ATSUSHI
上村 淳之　80万
文化功労者、日本藝術院会員、創画会会員・理事長、京都市立芸大名誉教授・元副学長、日本藝術院賞、創画展創画会賞・新作家賞、京都美大専攻科修、京都、1933　〒631-0803 奈良県奈良市山陵町754　0742-45-4655

KAI MASAKI
鵜飼 雅樹　7万
日展会員、新日春会会員、日展審・委嘱・特選2、日春展日春賞・奨励賞、東丘社、師堂本元次、金沢美工大卒、滋賀、1961　〒520-0242 滋賀県大津市本堅田2-15-25　077-574-3765

SHITSUKA KAZUO
牛塚 和男　7万
無所属、元日本美術院院友、佐賀大学名誉教授、院展入、春の院展入、個展、師平山郁夫、東京藝大大学院修、鹿児島、1949　〒840-0033 佐賀県佐賀市光2-7-40　0952-22-9688

SUI HIROKI
臼井 弘毅　4.5万
無所属、青楓会同人、美協展佳作賞、県展特選、個展、宝塚造形芸大卒　〒655-0022 兵庫県神戸市垂水区瑞穂通2-6

TOO SEI
烏頭尾 精　12万
創画会会員、京都教育大名誉教授、新制作展新作家賞、奈良県文化賞、京都市芸術功労賞、地域文化功労者、奈良県立万葉文化館・京都府文化芸術会館他にて個展、京都美大卒、奈良、1932　〒634-0111 奈良県高市郡明日香村岡1153　0744-54-2048

NIGAME TOSHIHIKO
雲丹亀 利彦　5万
創画会会員、京都精華大准教授、創画展創画会賞4、姫路市芸術文化賞芸術年度賞、兵庫県芸術奨励賞他、文化庁現代美術選抜展2、大阪芸大卒、兵庫、1966　〒679-2115 兵庫県姫路市山田町西山田615　0792-63-2665

MEHARA YUKIO
梅原 幸雄　25万
日本美術院同人・評議員、東京藝大名誉教授、愛知県立芸大客員教授、院展総理大臣賞・文部科学大臣賞・院賞大観賞、青邨賞、東京セントラル大賞展優秀賞、師平山郁夫、東京藝大大学院修、三重、1950　〒152-0023 東京都目黒区八雲5-18-11　03-3725-9848

NPEKI HIDEO
雲碧 秀郎　10万
写実画壇会員、個展、日伊友好展出品、フィレンツェ国立美術学校卒、神奈川、1950　〒243-0121 神奈川県厚木市七沢167-4　046-247-2079

NOMOTO TOKIKO
榎本 時子　4万
日本美術院院友、春の院展入、無名会展出品、グループ展、師松尾敏男、玉川大卒、東京、1959　〒150-0002 東京都渋谷区渋谷4-1-16-3A　03-3409-9387

BI YO
海老 洋　6万
創画会会員、創画展創画会賞3、春季創画展春季展賞2、美の予感展、文化庁新進芸術家国内研修制度研修員、損保ジャパン美術財団選抜奨励展、個展、グループ展、東京藝大大学院博士後期課程単位修得退学、山口、1965　〒110-8714 東京都台東区上野公園12-8　東京藝術大学美術学部絵画科

JAN BO
袁 波　5万
中国国際連盟協会会員、日中水墨画交流展最優秀賞、日本国際美術展新人賞、個展、中国、1955　〒350-0808 埼玉県川越市吉田新町1-2-2-8-504　0492-34-6189

NDO MAKIKO
遠藤 麻木子　3万
無所属、創画会展入、21世紀アート大賞展熊本文化協会賞、個展（さいか屋藤沢店・渋谷東急本店・仙台三越）、武蔵野美大大学院修、神奈川、1972　〒253-0031 神奈川県茅ヶ崎市富士見町9-44　0467-26-0266

WANG QING
王　青 5万
無所属、上野の森美術館絵画大賞、神奈川県展大賞、個展、中国美術学院卒、東京藝大大学院修、上海、1960　〒270-1144 千葉県我孫子市東我孫子1-39-5　グリンパレスB棟107室　http://www.q-artspace.com/　03-3688-123

OURA MASAOMI
大浦 雅臣
個展、グループ展、武蔵野美大大学院修、東京、1977　http://oura.jimdo.com

OKAWARA NORIKO
大河原 典子 6万
日本美術院院友、桜花賞展奨励賞、個展、アートフェア東京、東京藝大大学院博士修、東京、1976　〒201-0015 東京都狛江市猪方3-35-1

OKUBO TOMOMUTSU
大久保 智睦 6万
日本美術院院友、院展奨励賞3・天心記念茨城賞、東京藝大安宅賞、グループ展多数、師手塚雄二、東京藝大大学院修、東京、1978　http://tomomutsu-okubo.com

OTA KEI
太田　圭 5万
創画会会友、安宅賞、個展、師稗田一穂・工藤甲人、東京藝大大学院博士後期課程単位取得満期退学、長野、1957　〒305-0035 茨城県つくば市松代5-7-24　090-4603-152

OTAKE AYANA
大竹 彩奈 4万
台東区長賞、サロン・ド・プランタン賞、個展（ぎゃらりぃ朋・日本橋三越本店・新宿伊勢丹）、東京藝大大学院修・博士号取得、埼玉、1981　ayana-otake.com

OTAKE SHISUI
大竹 紫水 3万
無所属、日春展入、日本画院入賞、個展7、師三谷青子、女子美大卒、岡山、1947　〒110-001 東京都台東区竜泉3-6-1　03-3874-572

OTAKE SUGURU
大竹　卓 5万
無所属、創画展入、個展、武蔵野美大卒、筑波大大学院修、1958　〒167-0054 東京都杉並区松庵3-40-9-302　03-3334-88

OTAKE SEIHO
大竹 正芳 4万
無所属、個展70回以上、グループ展、東京藝大卒、神奈川、1965　〒248-0023 神奈川県鎌倉市極楽寺2-1-12　0467-24-262

OTAKE HIROKO
大竹 寛子 6万
第19期佐藤国際文化育英財団奨学生、東京藝大エメラルド賞、平成27年度文化庁新進芸術家海外研修制度、国内外個展多数、東京藝大大学院修・博士号取得、岐阜　http://www.hiroko-otake.com/

OTAKE FUSAYO
大竹 ふさ代 3.5万
無所属、大潮会展出品、個展（三越・サンフランシスコ総領事館・新宿伊勢丹他）、フェリス女学院大卒、神奈川、1940　〒250-0045 神奈川県小田原市城山3-5-43　0465-22-27

OTSUKA AKINORI
大塚 揚紀 3万
無所属、瀞展出品、個展、グループ展、東京藝大大学院修、茨城、1976　03-6321-852

OTSUKA CHIAKI
大塚 千聰 5万
日本美術院院友、有芽の会展出品、東京藝大大学院修、神奈川、1962　〒606-0015 京都府京都市左京区岩倉幡枝町1122　075-741-80

OTSUBO YOSHIAKI
大坪 由明 8万
日本美術院特待、院展無・奨励賞3・入20、春の院展奨励賞5・無・入22、龍生会会員、個展、外遊8、師郷倉和子・今野忠一、金沢美工大卒、富山、1947　〒305-0004 茨城県つくば市柴崎5　0298-57-252

OTOYO SEIKI
大豊 世紀 7万
日展会員、新日春会会員、日展審・委嘱・特選2・無2・入23、日春展日春賞3・奨励賞、師西山英雄、金沢美工大卒、大阪、1950　〒612-8001 京都府京都市伏見区桃山町日向32-22　075-602-951

ONISHI MORIHIRO
大西 守博 5万
日展会員、新日春会会員、日展審査員・特選2、日春展日春賞・奨励賞、佐藤美術館奨学生コレクション展、大阪　〒580-0016 大阪府松原市上田8-6-10　072-337-07

ONUMA NORIAKI
大沼 憲昭 7万
無所属、京都嵯峨芸大教授、京都新聞日本画賞展大賞、山種賞展他出品、個展20（髙島屋他）、石川、1954　〒610-0332 京都府京田辺市興戸北落延55　0774-63-692

OHNO ASAKO
大野 麻子 3.5万
無所属、臥龍桜日本画大賞展優秀賞、個展、グループ展、多摩美大卒、神奈川、1969　〒25-0813 神奈川県藤沢市亀井野4-17-15　0466-82-75

OHNO ITSUO
大野 逸男 15万
日本美術院同人、院展文部科学大臣賞・院賞大観賞・奨励賞5・足立美術館賞・無2・入29、春の院展外務大臣賞・奨励賞5、個展、山種美術館賞展、渡欧、師田中青坪・福王寺法林、埼玉、1941　〒346-0105 埼玉県久喜市菖蒲町新堀293-2　0480-85-12

OHNO TOSHIAKI
大野 俊明 10万
無所属、京都市立芸大特任教授、シェル美術賞3等、山種美術館賞展優秀賞、両洋の眼展推挙、タカシマヤ新鋭作家奨励賞、京都市芸術新人賞、個展、京都市立芸大専攻科修、京都、194　〒606-8144 京都府京都市左京区一乗寺堂ノ前町23-4　075-722-55

HNO HIROKO 大野 廣子	9万	無所属、川端龍子賞展優秀賞、目黒雅叙園アートプライズ美術館賞、個展（日本橋高島屋・NY·Radiohouse gallery）、師麻田鷹司・毛利武彦、武蔵野美大大学院修、東京、1956 在米 http://www.hirokoohno.com/	03-3337-7793
BAYASHI SETSUKO 大林 せつ子	5万	全日本美術協会代表、AMSC本部会員、日本美術家連盟会員、全展総理大臣賞・文部大臣賞・全展賞2、外遊8（アメリカ・ヨーロッパ等）、個展多数、師竹内稲穂、東京、1932	
HIRA YUKARI 大平 由香理		東北芸術工科大卒業作品展最優秀賞、アーティクル賞グランプリ、東北芸術工科大大学院修了作品展学長奨励賞、個展、グループ展、東北芸術工科大大学院修、岐阜、1988 https://hirahirahicchi-home.jimdo.com	
MORI TAKASHI 大森 隆史	5万	無所属、枕崎国際芸術賞展枕崎市民準大賞、堂島リバーアワード堂島リバーフォーラム賞、信州高遠の四季展奨励賞、新生展入選、上野の森美術館大賞展入選、うしくビエンナーレ入選、日本の絵画展入選、東京藝大卒、東京、1967　〒245-0014 神奈川県横浜市泉区中田南3-28-42-102	
MORI MASAYA 大森 正哉	7万	創画会会友、創画展入、松伯美術館花鳥画展優秀賞、川端龍子賞展入、京都芸大大学院修、京都、1972　〒603-8151 京都府京都市北区小山下総町31-5	075-441-2560
YA AKIRA 大矢 亮	5万	日本美術院院友、個展（名古屋松坂屋他）、愛知芸大大学院修、愛知、1974　〒487-0035 愛知県春日井市藤山台1-4-2　115棟201号室	
YA SHINJI 大矢 真嗣	5万	日展入、日春展入、第1回奈良県万葉大賞展大賞、個展、グループ展、多摩美大卒、神奈川、1972 〒215-0021 神奈川県川崎市麻生区上麻生7-33-7	044-988-3294
YA TAKAYUMI 大矢 高弓		日展会友、日展特選1・入22、日春展入16・奨励賞3、前田青邨記念大賞展奨励賞、切手採用多数、川崎市アゼリア輝賞、多摩美大大学院修、新潟、1969　〒215-0021 神奈川県川崎市麻生区上麻生7-28-16	
YA TOSHIHIKO 大矢 十四彦	20万	日本美術院招待、院展奨励賞15・無6・入49、春の院展春季展賞2・奨励賞15・無5・入48、日展2、師今野忠一、東京藝大卒、新潟、1940　〒215-0021 神奈川県川崎市麻生区上麻生7-33-7	044-988-3294
YA NORI 大矢 紀	25万	日本美術院同人、院展総理大臣賞・文部科学大臣賞・院賞大観賞・奨励賞・白寿賞・青邨賞、春の院展春季展賞・外務大臣賞、紺綬褒章他、文化庁買上、師前田青邨・平山郁夫、新潟、1936 〒215-0021 神奈川県川崎市麻生区上麻生7-28-16	044-988-1366
KA CHIEKO 岡 ちえこ	1.5万	春季創画展、個展（長寿禅寺・アートスペース羅針盤）、グループ展（FEI ART MUSEUM YOKOHAMA他）、東大寺本坊襖プロジェクト参加、師小泉淳作、東京藝大卒、神奈川、1984 〒220-0003 神奈川県横浜市西区楠町5-1　深作眼科ビル1F　f.e.i art gallery気付	045-325-0081
KA NOBUTAKA 岡 信孝		無所属、元青龍社社人、青龍社展奨励賞9・春展賞5、川崎市文化賞、個展（高島屋・三越・成川美術館他）、師川端龍子、神奈川、1932　〒225-0005 神奈川県横浜市青葉区荏子田2-10-3	045-904-1858
KAE SHIN 岡江 伸	5万	日展会員、新日春会会員、日展審・委嘱・特2・入21、日春展日春賞3・奨励賞2・入14、山種美術館賞展、文化庁現代美術選抜展、個展6、師佐藤太清、女子美大卒、愛知、1953　〒187-0021 東京都小平市上水南町2-1-29	042-321-9922
OGASAWARA HAJIME 小笠原 元	8万	創画会会友、創画展入、春季創画展春季展賞、山種賞展優秀賞、武蔵野美大大学院修、埼玉、1954　〒111-0042 東京都台東区寿1-11-18	03-3844-6720
OKADA SHINJI 岡田 眞治	8万	日本美術院特待、愛知芸大教授、院展大観賞・天心記念茨城賞・奨励賞5・入31、春の院展入21、師片岡球子・松村公嗣、愛知芸大大学院修、愛知、1962　〒480-1132 愛知県長久手市上川原9-8	0561-62-5240
OKADA HIROAKI 岡田 博明	10万	無所属、個展、花紅会展出品、東京藝大大学院修、東京、1962　〒132-0035 東京都江戸川区平井1-10-18-501	03-3683-5828
OKAMURA KEIZABURO 岡村 桂三郎	13万	多摩美大教授、元創画会会友、創画展創画会賞2、山種美術館賞展優秀賞、五島記念文化賞、タカシマヤ美術賞、芸術選奨文部科学大臣新人賞、東山魁夷記念日経日本画大賞、目展、東京藝大大学院後期博士課程満期退学、東京、1958　〒350-0416 埼玉県入間郡越生町大字越生702-5	049-292-5848
OKAMURA TOMOHARU 岡村 智晴	6万	個展（新宿高島屋・西武池袋）、岐阜県美術館・郷さくら美術館収蔵、東京藝大卒、愛知、1984 http://www.OKAMURATOMOHARU.com/	
OKAMURA RINKO 岡村 倫行	10万	日展特別会員、新日春会運営委員、日展内閣総理大臣賞・会員賞・特選、日春展日春賞・奨励賞、京都府文化賞功労賞、山種美術館賞展優秀賞、京都、1944　〒617-0857 京都府長岡京市高台西4-1	075-952-9519
OGAWA KUNIAKI 小川 国亜起	7万	日本美術院特待、院展無・入29、春の院展無・入27、長湫会・雄雄会・うづら会他出、愛知芸大大学院修、愛知、1961　〒470-0372 愛知県豊田市井上町9-32-3	0565-45-5189

OGIWARA KIMIKO 荻原 季美子	10万	無所属、東京セントラル美術館大賞展、山種美術館賞展、裸婦大賞展、個展・グループ展、愛知芸大卒、長野、1947　〒234-0056 神奈川県横浜市港南区野庭町621-2-226	045-841-861
OKUDA SHIKO 奥田 紫光	4万	全国水墨画美術協会評議員、東方展大賞、日本画21世紀展優秀賞、静岡、1961　〒275-0017 千葉県習志野市藤崎1-17-17	047-475-013
OKUMURA MIKA 奥村 美佳	7万	創画会会員、京都市立芸術大学准教授、創画展創画会賞3・奨励賞2、東山魁夷記念日経日本画大賞、京都市芸術新人賞、京都府文化賞奨励賞、菅楯彦大賞展、京都造形芸大大学院修、奈良、1974　〒606-8307 京都府京都市左京区吉田上阿達町30-12-209	075-751-800
OKUYAMA KANAKO 奥山 加奈子	3万	神奈川県展入、個展・グループ展多数、武蔵野美大造形学部卒、東京、1974　神奈川県藤沢市在住	
OKUYAMA TAKAKO 奥山 たか子	5万	日本美術院特待、川端龍子賞展、有芽の会展、東京藝大大学院修、愛知、1947　〒242-0014 神奈川県大和市上和田181-1　相鉄コープ3-506	046-263-017
OGURA AYAKO 小倉 亜矢子	4.5万	無所属、フィレンツェ賞展優秀賞、新生展、個展、グループ展、東京藝大卒、1974　〒247-005 神奈川県鎌倉市今泉3-12-6	
OSADA YOSHIKO 長田 佳子	6.5万	松伯美術館花鳥画展大賞、奈良県万葉日本画大賞展奨励賞、個展多数（渋谷東急・岡山天満屋他）、東京藝大卒、東京、1984　〒104-0061 東京都中央区銀座7-2-22　同和ビル1F　ギャラリー田中気付	03-3289-249
OSHIMOTO KAZUTOSHI 押元 一敏	6万	東京藝大准教授、三溪日本画賞展大賞、郷さくら美術館桜花賞大賞、東京藝大デザイン科卒・同大学院修、千葉、1970　〒264-0012 千葉県千葉市若葉区坂月町206-3	
ODANO NAOYUKI 小田野 尚之	20万	日本美術院同人、尾道市立大学名誉教授、院展内閣総理大臣賞・文部科学大臣賞・院賞大観賞2・足立美術館賞、春の院展春の足立美術館賞、東京セントラル美術館日本画大賞展優秀賞、MOA岡田茂吉賞優秀賞、東京藝大大学院修、神奈川、1960　〒230-0018 神奈川県横浜市鶴見区東寺尾東台19-19	045-583-851
OTABE MASAKUNI 小田部 正邦	8万	創画会所属、創画展入、春季創画展春季展賞、シェル美術展佳作、個展、京美大卒、京都、193　〒611-0021 京都府宇治市宇治里尻49-114	0774-22-123
ODAWARA CHIKAKO 小田原 千佳子	6万	日本美術院院友、院展奨励賞1・入15、春の院展入13、有芽の会、東の会、新樹会、日伊文化交流展、東京セントラル美術館日本画大賞展、個展、英国外遊、師平山郁夫、東京藝大大学院日本画科卒、東京　〒113-0022 東京都文京区千駄木5-19-11	03-3822-887
OCHI HARUKA 越智 波留香	1万	「今日の墨表現展」（佐藤美術館）出品、個展・グループ展多数、東京学芸大大学院修、東京、198　〒192-0353 東京都八王子市鹿島22-1-215	
ONODERA IBUN 小野寺 以文	4万	無所属、個展、山種美術館賞展、東京セントラル美術館日本画大賞展、多摩美大大学院修、東京、1949　〒989-1501 宮城県柴田郡川崎町前川字北原49-2	0224-84-462
OYAMADA NORIHIKO 小山田 典彦	8万	無所属、日仏現代展入、個展（大丸他）、武蔵野美大卒、宮城、1946　〒794-0035 愛媛県今治市枝堀町2-3-17	0898-31-640
KAGITANI SETSUKO 鍵谷 節子	8万	日展会員、新日春会会員、日展特選2・無鑑査2・入25、日春展入24・奨励賞2・外務大臣賞、京展市長賞、関西展審招・賞6、個展、青塔社、師池田遙邨、大阪、1944　〒599-8104 大阪府堺市東区引野町3-153-3	072-287-150
KAKU BANSHU 加来 万周	15万	日本美術院院友、春の院展奨励賞、臥龍桜大賞展優秀賞、墨彩画展雪舟大賞、文化庁買上優秀作品展、文化庁現代美術選抜展、師手塚雄二、東京藝大大学院修士課程修、熊本、1973　〒336-0918 埼玉県さいたま市緑区松木1-25-15	048-876-005
KASAHARA YOSHIYUKI 笠原 芳幸	1万	無所属、個展、多摩美大卒、東京、1978　〒220-0003 神奈川県横浜市西区楠町5-1　深作眼科ビル1F　f.e.i art gallery気付　http://y-kasahara.jimdo.com/	045-325-008
KAJIOKA MOMOE 梶岡 百江	4万	創画会会員、創画展創画会賞3・奨励賞、春季創画展春季展賞、第5回日経日本画大賞展、京都造形芸大大学院修、京都、1977　〒520-0053 滋賀県大津市音羽台3-4	
KATAOKA SENKYU 片岡 宣久	12万	無所属、院展・春の院展出品、個展、東京セントラル美術館大賞展入、遊星展参加、東京藝大大学院修、高知、1943　〒785-0046 高知県須崎市桑田山甲837-2	0889-45-016
KATAYAMA YUIN 片山 侑胤	5万	日展会員、新日春会会員、晨鳥社所属、京都日本画家協会会員、日展特選・入17、日春展奨励賞4・入20、京展市長賞、全関西展第2席・読売新聞社賞、川端龍子賞展佳作賞、ゆう美術研究所開設、師中路融人、京都、1961　〒612-8124 京都府京都市伏見区向島吹田河原町61	075-611-835

ATO ASAHIKO
加藤 亜作彦 5万
日本美術院研究会員、青垣日本画展佳作賞、香流会展出品、愛知芸大大学院修、愛知、1962
〒479-0841 愛知県常滑市明和町3-90 0569-35-4631

ATO ATSUSHI
加藤 厚 6万
日本美術院院友、春の院展奨励賞、香流会展出品、知の会展出品、愛知芸大大学院修、愛知、1957 〒470-0111 愛知県日進市米野木町南山973-77 0561-73-4387

ATO KEI
加藤 恵 5万
日本美術院院友、春の院展外務大臣賞、師松尾敏男、多摩美大大学院修、東京藝大大学院修、神奈川、1967 〒225-0022 神奈川県横浜市青葉区黒須田10-9 045-974-1739

ATO SHIN
加藤 晋 6万
日展会員、新日春会会員、日展審査員・委嘱3・特選2・無鑑査2・入11、日春展奨励賞、師加藤東一、多摩美大卒、東京、1955 〒351-0104 埼玉県和光市南1-2-40 048-465-5862

ATO TOMO
加藤 智 5.5万
日展会員、新日春会会員、日展審・委嘱・特2・入24、日春展日春賞2・入20、外務省買上、師奥田元宋、東京、1947 〒275-0014 千葉県習志野市鷺沼4-2-10 047-452-5269

ATO YOICHIRO
加藤 洋一朗 4万
日本美術院院友、個展、師松村公嗣、愛知芸大大学院修、愛知、1968 〒486-0844 愛知県春日井市鳥居松町7-44-1

ATO RYOZO
加藤 良造 5万
創画会会員、創画展創画会賞4、星野眞吾賞展大賞、東京日本画新鋭選抜展奨励賞、臥龍桜日本画大賞展優秀賞、文化庁買上優秀美術作品披露展、東山魁夷記念日経日本画大賞展、川端龍子賞展、個展･グループ展多数、多摩美大卒･研究生修、岐阜、1964 〒240-0105 神奈川県横須賀市秋谷1-1-1-207 046-856-9566

ADOSHIMA NAOKI
角島 直樹 12万
日本美術院特待、院展足立美術館賞・奨励賞14、春の院展奨励賞8、個展、師片岡球子、愛知芸大大学院修、大阪、1947

ANAZAWA SHOBU
金澤 尚武 4万
日本美術院院友、第3回信州伊那高遠の四季展奨励賞、第6回雪梁舎フィレンツェ賞展佳作賞、個展（松坂屋名古屋・池袋東武）、師片岡球子・松村公嗣、愛知県立芸大大学院修、愛知、1978 〒480-1124 愛知県長久手市戸田谷118 エルグランデ203

ANE MIKIE
兼 未希恵 3万
無所属、京都造形芸大卒、菅楯彦大賞展出、個展、東京、1977 〒185-0034 東京都国分寺市光町2-14-9 042-571-3833

ANEKI MASAKO
金木 正子 4万
無所属、Artist Group―風―入賞、前田青邨記念大賞展入選、雪梁舎フィレンツェ賞展入選、世界堂絵画大賞展名村大成堂賞、師中島千波、東京藝大大学院修、千葉、1976

ANEKO ERI
金子 絵理 4万
日展入、日春展日春賞、青垣日本画展兵庫県知事賞、名古屋芸術大卒、石川、1980 〒921-8024 石川県金沢市白菊町16-1 076-247-7333

ANEWAKA KAZUYA
兼若 和也 4万
無所属、尖展出、個展、グループ展、京都市立芸大卒、香川、1971 〒606-8447 京都府京都市左京区鹿ヶ谷上宮ノ前町67

AMIMURA TOSHIAKI
上村 俊明 7万
創画会会友、東京セントラル美術館日本画大賞展入、個展(日本橋高島屋他)、大阪、1947 〒509-0116 岐阜県各務原市緑苑西2-130 058-370-4494

AMEI MICHIYO
亀井 三千代 1.6万
从会会員、損保ジャパン美術財団奨励展出、日本水墨画大賞展2015準大賞、個展（羽黒洞他）、「座の会」展（O美術館）他グループ展、慶応義塾大学卒、東京、1966 http://blog.goo.ne.jp/michika-6

AMEYAMA YUSUKE
亀山 祐介 5万
日展会員、新日春会会員、日展審3・委嘱・特2、日春展奨励賞2、上野の森美術館大賞展特別優秀賞、臥龍桜日本画大賞展・川端龍子賞展・三浦美術館大賞展佳作賞、フィレンツェ賞展大賞、現美選展2、師川﨑春彦、多摩美大大学院修、埼玉、1958 〒350-0235 埼玉県坂戸市三光町31-5 049-289-5043

ARIMATA KOSUKE
狩俣 公介 8万
日本美術院院友、院展奨励賞3、春の院展奨励賞3、個展、有芽の会展・五線譜の詩出品、東京藝大大学院修、千葉、1978 〒266-0005 千葉県千葉市緑区誉田町2-23-257 043-488-5992

AWAI SHIGEMASA
河合 重政 8万
日本美術院特待、院展無2・入30、春の院展入32、外務省買上、師片岡球子、愛知芸大大学院修、愛知、1945 〒451-0041 愛知県名古屋市西区幅下1-15-8 052-562-5177

AWASAKI ASAKO
川﨑 麻児 12万
日展特別会員、日展審・特選、日春展奨励賞・日春賞、山種美術館賞展優秀賞、MOA岡田茂吉賞優秀賞、文化庁派遣在外研修（渡伊）、個展、武蔵野美大卒、東京、1959 〒166-0001 東京都杉並区阿佐谷北2-16-7 03-3338-5105

AWASAKI SUZUHIKO
川﨑 鈴彦 12万
日展特別会員、日展内閣総理大臣賞、MOA美術館岡田茂吉賞大賞、旭日小綬章、個展数回、師川﨑小虎・東山魁夷、東京美術学校卒、東京、1925 〒166-0001 東京都杉並区阿佐谷北2-26-6 03-3330-7144

KAWASHIMA JUNJI 河嶋　淳司	40万	無所属、創画展入、両洋の眼展推奨2、五島記念文化賞新人賞、山種美術館賞展入、個展・グループ展・企画展多、東京藝大大学院修、東京、1957　〒251-0033 神奈川県藤沢市片瀬山3-2-8　HSG有限会社気付　0466-28-72
KAWASHIMA MUTSUO 川島　睦郎	20万	日展特別会員、新日春会運営委員、日展特選、師下保昭、京都市立美大専攻科修、京都、19　〒612-0809 京都府京都市伏見区深草願成町40-16　075-531-66
KAWASHIMA WATARU 川嶋　　渉	8万	日展準会員、新日春会会員、京都市立芸大准教授、日展審1・特2・無2・入11、京都市芸術新賞、京都迎賓館作品制作、京都精華大卒、京都、1966　〒612-0809 京都府京都市伏見区深草願成町40-16　075-525-14
KAWASE YOSHIHITO 川瀬　伊人	6万	日本美術院院友、院展奨励賞・天心記念茨城賞、徳川美術館「源氏物語絵巻」模写、日枝神社天井画制作参加、個展（日本橋高島屋・春風洞画廊）、東京藝大大学院後期博士課程修、東京、1973　〒30-0813 茨城県筑西市大塚595-8　ザ・ヒロサワ・シティ　東棟 奥 川瀬スタジオ　0296-48-88
KAWADA KYOKO 川田　恭子	8万	日展会員、新日春会会員、日展審・委嘱・特選2、日春展奨励賞、上野の森美術館大賞展、東京藝大大学院修、東京、1966　〒203-0021 東京都東久留米市学園町1-3-16　0424-24-52
KAWACHI FUJIKO 川地　ふじ子	3万	日本美術院院友、院展入、日春展入、中日展入、上野の森美術館大賞展入、師太田龍一、愛知、1948　〒485-0815 愛知県小牧市篠岡1-45　スカイステージ1908　0568-79-10
KAWADE KONOSUKE 河出　幸之助	20万	元創画会准会員、創画展創画会賞・入選30、春季創画展春季展賞2、中部新制作賞5、愛知県芸術選奨文化賞、愛知、1933　〒494-0001 愛知県一宮市開明字洗心19-1　0586-62-34
KAWANA NORIAKI 川名　倫明	3万	無所属、春の院展入、フィレンツェ賞入、個展（松坂屋他）、東京藝大大学院修（博士号）、千葉、1979　http://noriaki-kawana.wix.com/
KAWABATA TAKESHI 川畑　　毅	4.5万	無所属、スペイン美術賞展優秀賞、川端龍子賞展出品、個展、師工藤甲人、東京藝大大学院修、東京、1951　〒143-0021 東京都大田区北馬込1-15-9　03-3775-62
KAWAMATA SATOSHI 川又　　聡	8万	無所属、個展、グループ展、東京藝大大学院博士課程修・学位取得、神奈川、1978　http://www.kachofugetsu.net
KAWAMATA YUKIKAZU 河股　幸和	8万	日展会友、晨鳥社会員、京都新聞日本画賞展優秀賞、京都美術工芸展京都府買上、師山口華楊、京都芸術短大卒、京都、1960　〒601-1123 京都府京都市左京区静市市原町472-8　075-741-18
KAWAMURA GENZO 河村　源三	10万	日展特別会員、新日春会会員、日展審査員3・会員賞1・特選2・無鑑査・入21、京展依・賞4、関西美術展賞2、府買上、山種美術館賞展、現代選抜展、外遊、京都、1949　〒610-1101 京都府京都市西京区大枝北沓掛町4-22-7　075-333-13
KAWAMURA TAKUMI 河村　卓見	5万	無所属、無何有展出品、個展、グループ展、東京学芸大卒、滋賀、1958　〒520-0242 滋賀県大津市本堅田1-23-34　077-572-15
KAWAMOTO TADASHI 河本　　正	8万	日府展副理事長・専務理事・愛知支部長、三鈴賞、日府賞、県知事賞、師川端龍子、兵庫、192　〒465-0051 愛知県名古屋市名東区社が丘1-1507　052-701-08
KAN KAORU 菅　かおる	6万	無所属、新生賞、松藤芸術賞、京都文化博物館新鋭選抜展優秀賞、京都造形芸大卒、大分、1976　http://www.kaorukan.com/
KISHINO KAORI 岸野　　香	12万	日本美術院同人、女子美大教授、院展院賞大観賞2・足立美術館賞・無2・奨励賞10、春の院展春季展賞3・奨励賞9・無、有芽の会、女子美大、東京藝大大学院修、栃木、1966　〒113-002 東京都文京区本駒込1-11-6-507　03-5976-57
KISHINO KEISAKU 岸野　圭作	15万	日展特別会員、新日春会運営委員、日展特選2・委嘱・審査員6、日春展奨励賞、外務省買上、文化庁現代美術選抜展、「百富士」展（東京セントラル美術館他）、個展（井上百貨店・高島屋・京都醍醐寺霊宝館）、師加藤東一、和歌山、1953　〒399-8102 長野県安曇野市三郷温6033　0263-77-83
KIJIMA KUMIKO 木島　久美子	3.5万	個展・グループ展多数、多摩美大卒、埼玉、1972　〒350-1233 埼玉県日高市下鹿山494　高麗川団地2-5-103　042-985-92
KISHIMOTO AKIRA 岸本　　章	4万	日展会友、日展特選・入22、日春展奨励賞、菅楯彦大賞展大賞、個展、グループ展、師川崎春彦、鳥取、1951　〒680-0007 鳥取県鳥取市湯所町1-220-2　0857-22-57
KISHIMOTO HIROKI 岸本　浩希	4万	日本美術院院友、院展入10、春の院展入9、2015郷さくら美術館桜花賞展奨励賞、個展（池袋東武・阪急うめだ本店）、愛知県立芸大大学院修、愛知、1982　〒454-0871 愛知県名古屋市中川区柳森町1309-1　090-9121-966

TA HITOSHI
喜多　均　6万
無所属、春季創画展出品、京展出品、県展受賞、東京セントラル美術館日本画大賞展出品、ケニア画廊新人展優秀賞、サロン・ナショナル・デ・ボザール展招待、韓国水彩画展招待、上野の森美術館日本の自然を描く展受賞、他受賞多数、個展多数、奈良、1948　〒639-2254 奈良県御所市古瀬215　http://www.kitahitoshi.com/　0745-67-0221

TA YOSHIHIRO
喜多　祥泰　7万
創画会会友、女子美術大学非常勤講師、創画展奨励賞、春季展賞、東京藝大大学院博士修、徳島、1978

TAGAWA AKIKO
北川　安希子　2.5万
無所属、京都日本画新展大賞、Seed山種美術館日本画アワード奨励賞、成安造形大卒、滋賀、1983　http://akikokitagawa.jimdo.com/

TADA KATSUMI
北田　克己　20万
日本美術院同人、愛知芸大教授、院展院賞大観賞・奨励賞他、春の院展春季展賞・奨励賞、山種美術館賞展大賞、師平山郁夫、東京藝大大学院修、東京、1955　〒158-0086 東京都世田谷区尾山台2-3-13　03-3705-5743

TADA HIROKO
北田　浩子　3万
元日本画院同人、日本画院展日本画院賞2・佳作1・奨励賞4、東京セントラル美術館裸婦大賞展出品、個展、師三谷青子・山下保子、女子美大卒、東京、1963　〒166-0015 東京都杉並区成田東4-14-21　03-3315-0613

TANO AJISA
北野　あぢさ　7万
無所属、創画展創画会賞・入20、京都美術展新人賞、川端龍子賞展優秀賞、京都府買上、京都市立芸大大学院修、京都、1959　〒603-8478 京都府京都市北区大宮釈迦谷10-59　075-492-6668

TAMURA KIMIMASA
北村　公正　4万
日本美術院院友、翔羊会出品、師福井爽人、金沢美工大卒、秋田、1947　〒357-0021 埼玉県飯能市双柳802-85　042-972-5981

TAMURA SAYURI
北村　さゆり　6万
創画展出品、春季創画展春季展賞、富嶽文化賞展大賞、個展、多摩美大大学院修、静岡、1960　http://kitamurasayuri.jp/

NUTANI KANAKO
絹谷　香菜子　6万
無所属、吉野石膏美術振興財団在外研修員として渡英、成都ビエンナーレ、個展・グループ展多数、東京藝大大学院博士課程満期退学、東京、1985　〒157-0066 東京都世田谷区成城4-6-15

NOSHITA IKUO
木下　育應　10万
創画会展・新制作展入、春展賞、個展、京都市立美大卒、京都、1944　〒525-0045 滋賀県草津市若草4-6-9　077-563-0840

NOSHITA CHIHARU
木下　千春　3万
日本美術院特待、院展日本美術院賞大観賞、春の院展春季展賞、個展、東京藝大大学院修、千葉、1972　〒270-0102 千葉県流山市こうのす台633-7　http://chiharu.chu.jp/　04-7154-9568

NOSHITA HIROKATSU
木下　弘勝　6万
無所属、個展、師片岡球子、愛知芸大大学院修、京都、1947　〒506-1432 岐阜県高山市奥飛騨温泉郷一重ヶ根　0578-9-2436

NOSHITA MEIKO
木下　めいこ　3万
無所属、万葉日本画大賞展準大賞、第3回郷さくら美術館桜花賞展優秀賞、多摩美大大学院修、東京、1977　〒248-0013 神奈川県鎌倉市材木座3-17-38-2F　0467-22-7243

MURA KEIKO
木村　恵子　8万
日本美術院特待、院展無1・入30、春の院展無2・入25、うづら会・長湫会・雄々会他、師片岡球子、愛知芸大大学院修、愛知、1949　〒466-0053 愛知県名古屋市昭和区滝子町4-11　052-881-4293

MURA KEIGO
木村　圭吾　43万
無所属、シェル美術佳作賞、菅楯彦大賞展市民賞、山種美術館大賞展他、画集『森羅万象日本画の世界』(淡交社刊)、木村圭吾さくら美術館、カンヌ市主催木村圭吾展、京都、1944　〒411-0931 静岡県駿東郡長泉町東野駿河平608-112　055-988-7834

MURA TOMOHIKO
木村　友彦　5万
日展会友、新日春会準会員、日展特選、日春展外務大臣賞・日春賞・奨励賞2、臥龍桜日本画大賞展大賞、山種美術館賞展出品2、上野の森美術館大賞展ニッポン放送賞、岐阜、1954　〒502-0911 岐阜県岐阜市北島7-3-26　058-233-6514

MURA MITSUHIRO
木村　光宏　12万
日展会員、新日春会会員、東丘社所属、日展審査員2・委嘱7・特選2・無鑑査2・入選8、日春展日春賞・奨励賞、山種美術館賞展大賞、愛知芸術文化選奨文化賞、関展1席賞2、京展賞、長野、1947　〒463-0093 愛知県名古屋市守山区城土町13-5　052-792-8221

YOSAWA TAKAYUKI
清沢　孝之　6万
創画展入、個展、蒼粒展出品、東京藝大大学院修、長野、1957　〒339-0068 埼玉県さいたま市岩槻区並木2-7-3-406　048-756-3179

N XINGSHI
金　醒石　9万
東京画派発起人、醒墨会主宰、読売日本TV文化センター講師、中国重彩・岩彩画展(北京中国美)優秀賞、全日中展(埼玉近美)大賞、日仏現代美術展(東京都美術館)名誉総裁賞、他出品多数、個展国内外多数、師毛利武彦・川崎鈴彦・滝沢具幸・姚有多他、武蔵野美大卒、北京、1963　〒279-0014 千葉県浦安市明海3-2-2-401　海園の街　http://www.xingshi-gallery.com　047-381-0806

NBARA YASUNORI
金原　保則　3.5万
現代童画会会友、現代童画展現代童画会賞、日本童画展新人賞、個展、独学、静岡、1940　〒616-8346 京都府京都市右京区嵯峨天龍寺油掛町3-19　075-872-4956

KUGIMACHI AKIRA
釘町　彰
無所属、文化庁海外派遣芸術家としてパリに滞在、個展、グループ展、多摩美大大学院・パリ8大学大学院修、神奈川、1968　在仏

KUNISHI HANAKO
國司　華子　15万
日本美術院同人、院展内閣総理大臣賞・文部科学大臣賞・日本美術院賞大観賞2・足立美術賞・天心記念茨城賞・奨励賞4、春の院展春季展賞・無鑑査、有芽の会展法務大臣賞他、東京大大学院修、東京　〒300-0201 茨城県かすみがうら市柏崎1546-14　0298-96-05

KUBO REIJI
久保　嶺爾　15万
日展会友、日展特選、京展依、市長賞、関展賞、京都府買上、個展、師下保昭、京都市立美修、京都、1940　〒612-0874 京都府京都市伏見区深草東伊達町57　075-641-71

KUMAZAKI KATSUTOSHI
熊崎　勝利　7万
日展会友、日展特1・入31、日春展奨励賞・入12、中日賞、外遊5、師加藤東一・嶋谷自然、三大卒、岐阜、1943　〒500-8381 岐阜県岐阜市市橋1-10-12　058-272-92

KUME TOMOKO
久米　伴香　4万
日展準会員、新日春会会員、晨鳥社所属、日展特選2・無鑑査2・入16、日春展入22、第3回奈県万葉日本画大賞展大賞、2014京展京展賞、師中路融人、嵯峨美術短期大学専攻科修、兵庫1967　〒673-0703 兵庫県三木市細川町垂穂609　0794-88-23

KURASHIMA SHIGETOMO
倉島　重友　20万
日本美術院同人、院展内閣総理大臣賞・文部科学大臣賞・院賞大観賞・奨励賞、東京セントラ美術館日本画大賞展大賞、師平山郁夫、東京藝大大学院修、長野、1944　〒301-0043 茨城龍ケ崎市松葉4-12-7　0297-66-05

KURIHARA YUKIHIKO
栗原　幸彦　13万
無所属、元日本美術院院友、中日展大賞、山種美術館賞展、東京セントラル美術館大賞展招待師松尾敏男、多摩美大卒、静岡、1951　〒431-2101 静岡県浜松市北区滝沢町2477　053-428-39

KUROIWA YOSHITAKA
黒岩　善隆　12万
無所属、サロン・ド・プランタン賞、個展多数（日本橋三越・横浜髙島屋）、東京藝大大学院修神奈川、1951　〒210-0808 神奈川県川崎市川崎区旭町2-21-12　044-233-38

KUROMITSU SHIGEAKI
黒光　茂明　20万
無所属、創画展入・春季展賞2、東京セントラル美術館日本画大賞展招、山種美術館賞展出、展、京都市立芸大卒、京都、1946　〒520-0533 滋賀県大津市朝日1-20-7　077-594-25

GUNJI SHINICHI
郡司　伸一　4万
無所属、元美術文化協会会員・新人賞・奨励賞、県芸術祭賞、栃木、1949　〒329-2735 栃県那須塩原市太夫塚 1-193　0287-36-05

KOIZUMI TOMOHIDE
小泉　智英　60万
無所属、川越市初雁文化章、文化庁全県展選抜展文部大臣賞、東京セントラル美術館大賞展待、山種美術館賞展2、川越市立美術館他個展、師横山操・加山又造、多摩美大大学院修、島、1944　〒350-1103 埼玉県川越市霞ケ関東4-22-2　049-231-40

JIANG YUN
江　雲　10万
無所属、個展（日本橋東急他）、東京国際アートエキスポ展出品、上海芸大卒、上海、1950　〒110003 東京都荒川区南千住8-8-1-526　03-3807-79

KOKUFU KATSU
國府　克　12万
日展会友、関展審査員、日展特選1・白寿賞1・入35、日春展賞2、京展依・賞4、関展賞4、文庁選抜展出、師堂本印象、京都、1937　〒610-1152 京都府京都市西京区大原野北春日町1067　075-331-24

KOKUBU KEIKO
國分　敬子　5万
日展会友、東丘社展京都府知事賞、第三文明展京都新聞社賞、京都芸大卒、香川、1948　〒580868 大阪府羽曳野市学園前4-14-1-309　072-958-85

KOSHIHATA KIYOMI
越畑　喜代美　4万
無所属、個展、日韓美術交流展、かわさき平和美術展、多摩美大大学院修、神奈川、1960　〒210035 神奈川県川崎市麻生区黒川623　044-987-06

KOJIMA KAZUO
小島　和夫　10万
日本美術院特待、元札幌市立高等専門学校副校長、院展奨励賞5、春の院展奨励賞4、東京セトラル美術館大賞展招待、個展7、師平山郁夫、東京藝大卒、北海道、1945　〒113-0022 東都文京区千駄木4-6-5-102　03-3821-85

KOJIMA BANSEI
小島　万靖　6万
日展会友、日春展入、師加藤栄三・加倉井和夫、岐阜、1928　〒500-8273 岐阜県岐阜市加納場町1-34　058-271-83

KOTAKI MASAMICHI
小滝　雅道　4万
無所属、個展、山種美術館賞展、形象展、東京藝大大学院修、東京、1961　〒270-2241 千県松戸市松戸新田449-3　0473-62-46

GOTO JUNICHI
後藤　順一　15万
日本美術院特待、院展奨励賞8、春の院展外務大臣賞・奨励賞8、日仏現代展3席、山種美術展、シェル美術賞展、京都市立芸大卒、京都、1948　〒603-8063 京都府京都市北区上賀茂井河原町10-10　075-722-02

GOTO JIN
後藤　仁　4万
無所属、東京藝術大学講師、東京造形大学講師、日本美術家連盟会員、日本児童出版美術家連盟会員・理事、F展大阪市立術館館長奨励賞、ミュンヘン国際児童図書館 ザ・ホワイト・レイブンス国際児童図書目録2014選定、個展（赤穂市立美術工館 田淵記念館・丸善丸の内本店）、師後藤純男、東京藝大卒、兵庫、1968　千葉県松戸市在住　http://gotojin.web.fc2.co

OTO SHINYA
後藤 紳也 7万
日本美術院院友、青林会日本画展・武蔵野会展・瑠璃会展出品、千葉、1961　〒270-0111 千葉県流山市江戸川台東3-256　090-9640-4357

ONISHI MICHIHIRO
小西 通博 8万
創画会会員・理事、創画展創画会賞、京展紅賞他、文化庁現代美術選抜展、京都市立芸大大学院修、京都、1955　〒540-0033 大阪府大阪市中央区石町2-1-7-1415　06-6946-0376

OBATA KAORU
小畑 薫 4万
院展院友、個展（新生堂）、グループ展多数、東京藝大大学院修（修了模写台東区買上）、和歌山、1978

OBAYASHI KIKO
小林 希光 7万
日本美術院院友、院展入19、春の院展入23、福島、1955　〒243-0406 神奈川県海老名市国分北1-7-18　046-234-8880

OBAYASHI TSUKASA
小林 司 4万
日本美術院院友、上野の森美術館大賞展優秀賞、秋田大卒、筑波大大学院修、秋田、1968　〒018-1523 秋田県南秋田郡井川町坂本字三嶽下46-32　018-874-3565

OBAYASHI NORIYUKI
小林 範之 3万
無所属、樂三展出品、個展、グループ展、東京藝大大学院修、千葉、1986　〒103-0025 東京都中央区日本橋茅場町1-11-8　紅萌ビル1F　Gマークウェル気付　03-5640-8584

OBAYASHI HITOSHI
小林 済 12万
無所属、プランタン賞、上野の森美術館大賞展佳作賞、彫刻の森美術館収蔵、個展18、海外個展5、師吉田善彦、東京藝大大学院修、栃木、1941　〒195-0061 東京都町田市鶴川2-19-11　042-736-6899

OBARA YUSUKE
小原 祐介 4万
無所属、個展（ちばぎんひまわりギャラリー・帝国ホテル絵画堂他）、武蔵野美大大学院修、千葉、1978

OBARI ASUKA
小針 あすか 3万
日本美術院院友、新樹会展、有芽の会展、瀞展、東京藝大卒、東京、1982

OMATSU KENICHI
小松 謙一 6万
無所属、創画展・春季創画展・東京セントラル美術館日本画大賞展出、福島県展奨励賞、グループ展、師中野嘉之、多摩美大大学院修、福島、1959　〒251-0052 神奈川県藤沢市藤沢853　0466-22-0898

OMATSU MASANI
小松 正二 8万
日展準会員、日展特選2・無鑑査2・入4、京展依・賞3、関西展賞3、師堂本印象、京都市立美大卒、大阪、1940　〒611-0042 京都府宇治市小倉町山際68　0774-22-6432

OYANO NAOKI
小谷野 直己 8万
日本美術院院友、県展特別奨励賞、個展多数、師下田義寛、東京藝大卒、埼玉、1963　〒251-0027 神奈川県藤沢市鵠沼桜が岡1-17-37　https://www.naokikoyano.com　046-650-0719

OYAMA MIWAKO
小山 美和子 4万
無所属、花鳥画展優秀賞、墨彩画展特選、京都芸術短大専攻科修、京都、1971　〒524-0041 滋賀県守山市勝部2-2-26　西嶋方　077-575-5252

ON MIREI
今 美礼 3.5万
トリエンナーレ豊橋星野眞吾賞展審査員推薦、佐藤国際育英財団第21期奨学生、個展、グループ展、師中島千波、東京藝大大学院修、大阪、1983　〒113-0031 東京都文京区根津2-14-9　ダイナシティ文京根津609号　03-5809-0255

ONDO JUNJI
近藤 隼次 6万
創画会、前田青邨記念大賞展入選、東京藝大卒業制作帝京大学買上、東京藝大大学院修、東京、1980

AI MASAKI
齋 正機 8万
無所属、新生展優秀賞、昭和会展昭和会賞、個展（成川美術館他）、東京藝大大学院修、福島、1966　http://masaki-sai.jimdo.com/

AITO KAZU
斉藤 和 9万
無所属、京都美術工芸展大賞（京都府買上）、前田青邨記念大賞展奨励賞、百貨店等個展多数、京都市立芸大卒、京都、1960　京都府京都市右京区在住　http://www.saitoukazu.com/　090-1146-0463

AITO KATSUMASA
齋藤 勝正 7万
日本美術院院友、院展奨励賞、春の院展奨励賞、画廊企画展、万葉日本画大賞展準大賞、中央大学法学部中退、福島、1944　〒960-8165 福島県福島市吉倉字桜内36-1　024-546-7840

AITO TETSUO
西藤 哲夫 10万
日本美術院特待、院展無・入35・奨励賞2、春の院展入31・外務大臣賞・奨励賞、現代美術選抜展、北日本新聞社賞、個展多数、師今野忠一、金沢美術工芸大卒、石川、1952　〒933-0843 富山県高岡市永楽町8-10　090-3764-1038

AITO NORIHIKO
斉藤 典彦 8万
無所属、元創画会会員、東京藝大教授、成安造形大学客員教授、創画展創画会賞4、春季創画展春季展賞4、山種美術館賞展優秀賞、タカシマヤ美術賞、文化庁買上、個展多数、東京藝大大学院修、神奈川、1957　〒254-0052 神奈川県平塚市平塚2-29-7　0463-34-9343

SAITO HIROYASU
斉藤 博康 15万
日本美術院特待、元筑波大学大学院教授、埼玉県展審査員、院展無鑑査3、春の院展奨励賞、埼玉県文化奨励賞、埼玉県展特別賞、昭和世代日本画展他出品、個展、師平山郁夫、東京藝術大学大学院修、埼玉、1941 〒346-0037 埼玉県久喜市六万部504 0480-22-048

SAITO MITSUEI
齋藤 満栄 18万
日本美術院同人、院展文部科学大臣賞・日本美術院賞大観賞・天心記念茨城賞、青邨賞、春の院展春季展賞・外務大臣賞他、師堅山南風・松尾敏男、多摩美大（横山操教室）卒、新潟、194 〒214-0023 神奈川県川崎市多摩区長尾6-29-7 044-877-040

SAITO YOO
齋藤 陽 8万
本名 陽（あきら）、日本画院顧問、日本美術家連盟会員、第三文明展奨励賞、ハマ展横浜市会議長賞、上野の森美術館大賞展、日本画21世紀展他、個展（ギャラリー毎日他）、招待出品多数、師加山又造・横山操、多摩美大卒、東京、1943 〒143-0011 東京都大田区大森本町1-8-12-W202 090-4520-416

SAEKI TAKUYA
佐伯 拓也 4万
日本美術院院友、上野の森美術館大賞展賞候補、刻の会展、師下田義寛、倉敷芸大大学院修、愛媛、1979 〒791-0524 愛媛県西条市丹原町高松597

SAEKI CHIHARU
佐伯 ちはる 3万
院展研究会員、上野の森美術館大賞展入、刻の会展、師下田義寛、倉敷芸大大学院修、愛媛、1982 〒791-0524 愛媛県西条市丹原町高松597

SAEGUSA ATSUSHI
三枝 淳 3万
無所属、個展、波濤の會展、レスポワール展、東京藝大大学院修、長野、1979 〒262-0032 千葉県千葉市花見川区幕張町3-1692-1-306 043-275-31

SAEGUSA MITSUKO
三枝 美津子 10万
無所属、創画会展入、個展、多摩美大大学院修、東京、1952 〒194-0041 東京都町田市玉川学園5-3-43 042-729-361

SAKAI NOBORU
坂井 昇 7万
創画展入、春季創画展入、伊美術賞展他出、個展、武蔵野美大卒、京都、1950 〒602-812 京都府京都市上京区森中町595 075-823-25

SAKAI HIROKO
酒井 弘子 5万
日本美術院院友、個展（玉川髙島屋）、上野の森美術館展入、日仏現代展出、多摩美大大学院修、奈良 〒106-0041 東京都港区麻布台3-3-15-603 03-3589-14

SAKAI RYUICHI
酒井 龍一 3万
日本美術院院友、佐賀県展県知事賞、雪舟の里総社墨彩画展入、シェル美術賞展入他、個展（トーキョーワンダーウォールトーキョーワンダーサイト）・グループ展、師今井珠泉、尾道大学大学院修士課程修（修了作品買上賞）、佐賀、1984 〒701-4302 岡山県瀬戸内市牛窓町牛窓3187-7 090-5725-15

SAKAGAMI NANSEI
坂上 楠生 12万
無所属、全国公募展入・受賞・招待、個展（西武・三越・日動他）、東京藝大卒、三重、194 〒197-0827 東京都あきる野市油平141-7 042-558-54

SAKAMOTO IKKI
坂本 一樹 6万
無所属、三溪日本画賞展優秀賞、東京日本画新鋭選抜展奨励賞、上野の森美術館大賞展、個展28、多摩美大卒、岐阜、1966 〒299-2512 千葉県南房総市岩糸653-2 http://sakamoto-ik com/ 0470-46-21

SAKAMOTO TOKURO
阪本 トクロウ 4万
無所属、VOCA展、日経日本画大賞展入、東京藝大卒、早見芸術学園卒、山梨、1975

SAKAMOTO BUDEN
坂本 武典 4万
日展入、日春展入、個展、師高山辰雄、日大芸術学部中退、静岡、1976 〒413-0014 静岡県熱海市渚町3-5 0557-85-85

SAKAMOTO YUKISHIGE
坂本 幸重 10万
日展特別会員、新日春会運営委員、日展審・特選2、日春展奨励賞、山種美術館賞展大賞、五島記念文化賞、師川崎春彦、熊本、1954 〒375-0014 群馬県藤岡市下栗須961 0274-37-15

SAKAMOTO YOSUKE
坂元 洋介 8万
日本美術院院友、院展入16、春の院展入17、瑠璃色会展、武蔵野会日本画展、青林会日本画展、雪舟の里総社墨彩画公募展特選、個展、師田中青坪・福王寺法林、早稲田大学法学部卒、岡山、1951 〒270-0034 千葉県松戸市新松戸4-32-1 東パークハウスB棟1401

SAKURA KOKI
佐倉 功起 7万
日展入22、日春展入13・奨励賞、中日賞、個展8、欧米遊2、師大山忠作、岐阜、1931 〒27 0137 千葉県市川市福栄4-19-12 047-395-72

SAKURAI KEISHI
桜井 敬史 5万
院展入、前田青邨記念大賞展大賞、雪舟総社墨彩画展大賞、個展（日本橋三越本店・池袋東武）、東京藝大卒、群馬、1974 〒131-0031 東京都墨田区墨田4-39-1 03-3618-15

SAKURAI MOTOHARU
櫻井 基晴 6万
無所属、各展入賞、個展、第三文明展出品、海外展出品、師運平、1928 大阪府大阪市在住 06-6412-37

SASAKI KEIJI
佐々木 経二 7万
京都日本画家協会、京展受賞、上野の森美術館大賞展、東京セントラル美術館日本画大賞展招待、日本画百人展、全国百貨店にて個展50以上、師武藤彰、京都、1947 〒607-8466 京都府京都市山科区上花山桜谷1-2-301 075-582-13

ASAKI YUJI 佐々木 裕而	30万	無所属、安宅賞、ミニチュア日本画大賞展住友ビル賞、東京セントラル美術館大賞展他、東京藝大大学院修、北海道、1951　〒350-0808 埼玉県川越市吉田新町2-12-11	049-232-4208
ASAKI YO 佐々木 曜	10万	日展特別会員・審査員2、新日春会会員、日展特選2・無鑑査・入21、日春展日春賞2・奨励賞2、外務省買上、山種美術館大賞展出品、師高山辰雄、東京、1941　〒195-0064 東京都町田市小野路町2580-1	042-735-1971
ASAKI RIEKO 佐々木 理恵子	4万	無所属、川端龍子賞展、上野の森美術館大賞展入、個展（町立湯河原美術館）、師平松礼二、多摩美大大学院修、福島、1976　〒251-0028 神奈川県藤沢市本鵠沼3-11-30	
ASAMOTO KATSUHIKO 笹本 克彦	5万	日本美術院特待、院展無1・入27、春の院展入20、富嶽ビエンナーレ展佳作賞、東京藝大卒、静岡、1938　〒115-0056 東京都北区西が丘1-37-15	03-3900-0573
ASAMOTO MASAAKI 笹本 正明	7万	無所属、元日本美術院院友、有芽の会展法務大臣賞、アートフェア東京出品（2008～）、東京藝大大学院修、東京、1966　〒409-3842 山梨県中央市東花輪1364-23 http://masaaki-sasamoto.com/	090-4724-3146
ADAIE AYUKO 定家 亜由子	7万	日展入、高野山大本山寳壽院襖絵奉納等、個展、京都市立芸大大学院修、滋賀、1982	
ATO SHOZO 佐藤 昭三	5万	日展入20、日春展入8・佳作賞1、美協賞1、画院賞3、師加藤栄三、福島、1928　〒202-0015 東京都西東京市保谷町6-8-19	0424-63-3717
ATO SOTA 佐藤 草太	2万	創画展入、春季創画展入、新生展新生賞、個展・グループ展多数、東京藝大大学院修、埼玉、1985　埼玉県在住	
ATO YOSHI 佐藤 叔	4.5万	元展常任理事、元展元展賞、努力賞、大阪市教育委員会賞、個展（そごう）、爽樹会、師満田竹水　〒590-0117 大阪府堺市南区高倉台2-32-9	072-291-0262
AWANO SHINPEI 澤野 慎平	7万	日展会員、新日春会会員、日展審・委嘱・特選2・無2、日春展日春賞・奨励賞、師堂本印象、金沢美工大卒、京都、1947　〒615-8073 京都府京都市西京区桂野里町50-31	075-392-1286
AWAMURA SHINOBU 澤村 志乃武	4万	日本美術院研究会員、臥龍桜日本画大賞展山中賞、新樹会展出品、東京藝大大学院修、千葉、1970　〒285-0812 千葉県佐倉市六崎1314-7	0434-85-7050
ANDA TAKAHIRO 三田 尚弘	4万	無所属、個展（松坂屋上野店・名古屋店・GALLERY小暮）、グループ展多数、東京藝大大学院博士後期課程修・博士号取得、愛知、1980	
HIINA TAMOTSU 椎名 保	10万	日本美術院院友、院展入、有芽の会展出品、東京藝大大学院修、千葉、1958　〒124-0006 東京都葛飾区堀切7-11-3	03-3603-3343
HIOZAKI KEN 塩崎 顕	6万	無所属、光明院山門天井画制作、個展、グループ展、多摩美大大学院修、東京、1972　〒194-0014 東京都町田市高ヶ坂3-29-10　http://www.atelier-aun.com/	042-722-7367
HIGEOKA YOSHIKO 重岡 良子	10万	無所属、日展特選1・無1、日春展日春賞・奨励賞、京都府日本画新人展大賞、京展市長賞、山種出品、外務省・京都府・京都迎賓館買上、個展24、京都市立芸大日本画専攻科、京都、1953　〒616-8212 京都府京都市右京区常盤山下町1-125	075-864-5660
HINAGAWA NARIAKI 品川 成明	6.5万	日本美術家連盟会員、臥龍桜日本画大賞展入、日仏交流展、個展（パリ3回含む）、師中島清之・千波、武蔵野美大卒、神奈川、1955　〒242-0029 神奈川県大和市上草柳3-8-5	090-8489-0249
HINO RIKI 士農 力	6万	日展会員、新日春会会員、青塔社会員、金沢学院大学教授、日展審・委嘱・特2・会員賞、日春展賞4、文化庁現美選展2、京展市長賞2、全関西美術展招待、NY・西長期滞在、外遊多、個展・グループ展数回、金沢美工大大学院、旧号・中町力、石川、1966　〒920-0941 石川県金沢市旭町1-17-36-401	076-232-7528
HINOZAKI YUMIKO 篠崎 悠美子	5万	無所属、個展、グループ展、師田渕俊夫、東京藝大大学院修、東京、1957　〒874-0844 大分県別府市火売八組3-C	
HINODA MASANORI 篠田 雅典	4万	無所属、銀座大賞展3席、個展、東京藝大卒、埼玉、1964　〒350-0838 埼玉県川越市宮元町11-53	049-225-3554
HIBA YASUHIRO 芝 康弘	7万	日本美術院院友、春の院展奨励賞、師片岡球子・松村公嗣、愛知芸大大学院修、徳島、1970　〒487-0005 愛知県春日井市押沢台5-6-3	0568-95-3141

SHIBATA NAGATOSHI **柴田 長俊**	15万	創画会会員・常務理事、創画展創画会賞3、春季創画展春季展賞4、文化庁全国県展選抜展文部大臣賞、上野の森美術館大賞展優秀賞・佳作賞、文化庁在外研修員、多摩美大大学院修、新潟、1949 〒389-011 長野県北佐久郡軽井沢町長倉字千ヶ滝3974 http://www.shibata-n.com/ 0267-46-455
SHIBUSAWA SEI **澁澤 星**		秀桜基金留学賞、院展・春の院展入、個展・グループ展・アートフェア出品多数、東京藝大卒（卒業制作サロン・ド・プランタン賞、台東区長賞）・同大学院博士後期課程修、東京、1983 http://shibusawa.noor.jp/
SHIMAUCHI SHIRO **島内 史朗**	10万	無所属、日展入、師松林桂月、富山、1927 〒156-0054 東京都世田谷区桜丘5-34-10 03-3428-742
SHIMADA TOMOHIRO **島田 智博**	5万	無所属、日本水墨画百人展選出大賞、臥龍桜日本画大賞展入、個展（星ヶ丘三越・名鉄百貨店本店）、岐阜、1961 〒509-2311 岐阜県下呂市乗政3952-1 (FAX)0576-26-327
SHIMIZU TATSUZO **清水 達三**	30万	日本藝術院会員、日本美術院同人・理事、日本藝術院賞・恩賜賞、院展日本美術院賞大観賞・文部大臣賞・内閣総理大臣賞・奨励賞6、春の院展外務大臣賞他、紺綬褒章2、旭日中綬章、個展多数、師中村貞以・長谷川青澄、和歌山、1936 〒640-8392 和歌山県和歌山市中之島向ノ芝2301 073-422-346
SHIMIZU NOBUYUKI **清水 信行**	16万	無所属、京都日本画家協会会員、日展入（京都市立芸大在学中に4回連続）、日仏現代美術展二席、個展32、京都市立芸大大学院修、京都、1950 〒606-8312 京都府京都市左京区吉田上大路町1-18 075-761-675
SHIMIZU MISAO **清水 操**	7万	日本美術院特待、院展奨励賞2、春の院展外務大臣賞・奨励賞1、東京セントラル美術館日本画大賞展優秀賞、文化庁現代美術選抜展出品、個展、師平山郁夫、東京藝大大学院修、東京、195 〒110-0001 東京都台東区谷中7-5-4 寺内方
SHIMIZU YOSHIRO **清水 由朗**	10万	日本美術院同人、創価大学教育学部教授、院展内閣総理大臣賞・文部科学大臣賞・院賞大観賞・奨励賞、個展、師平山郁夫・田渕俊夫、東京藝大大学院博士課程満期退学、和歌山、196 〒192-0014 東京都八王子市みつい台2-22-5 042-692-033
SHIMURA TADASHI **志村 正**	8万	日展入、日春展入、関展受賞、個展、京展入、京都芸大卒、京都、1949 〒605-0902 京都府京都市東山区鞘町通五条下3-352-1 075-561-303
SHIMOKAWA TATSUHIKO **下川 辰彦**	5万	日本美術院特待、院展入31、春の院展入23、西日本芸術奨励賞、福岡県展最高賞、熊日総合展記念賞、愛知芸大大学院修、熊本、1946 〒464-0072 愛知県名古屋市千種区振甫町2-25-3 052-721-820
SHIMOJIMA HIROMICHI **下島 洋貫**	7万	日本美術院特待、院展無1・入25、春の院展入18、師奥村土牛・塩出英雄、武蔵野美大卒、長野、1942 〒166-0004 東京都杉並区阿佐谷南3-18-9 03-3392-547
SHIMODA YOSHIHIRO **下田 義寛**	70万	日本美術院同人・理事、倉敷芸術科学大学名誉教授、院展総理大臣賞・文部大臣賞他、山種美術館賞展大賞、外遊10数回、師郷倉千靱・岩橋英遠、東京藝大大学院修士課程修、富山、194 〒107-0061 東京都港区北青山3-15-13-205 03-3407-559
SHIMODORI SHINOBU **霜鳥 忍**	7万	無所属、院展入、春の院展入、春季創画展入、師松尾敏男・中島清之・千波、横浜国大美術科卒、大分、1947 〒254-0823 神奈川県平塚市虹ヶ浜7-1-302 0463-57-734
SHIMOMURA KOH **下村 貢**	8万	日本美術院特待、院展入22・奨励賞4、春の院展入25・奨励賞1、東京セントラル美術館日本画大賞展、興人会他、大三島美術館・郷さくら美術館収蔵、武蔵野美大大学院修、鹿児島、195 〒185-0033 東京都国分寺市内藤1-2-7-218 042-571-298
SHAMOTO NAMI **社本 奈美**	2万	2010年土岐市美術展市長賞、第2回美の起原展銀賞、愛知県立芸大大学院修、愛知、198 〒456-0076 愛知県名古屋市熱田区切戸町2-76-2 http://shishamomorimori.jimdo.com/
JIANG YI **江 屹**	8万	千葉国際美術協会理事長、千葉市文化振興財団評議員、千葉市芸術文化新人賞、千葉市美術館ファサードレリーフコンペ優秀賞、個展（日本橋三越本店・松屋銀座他）、東京藝大絹谷幸二研究室にて研究、学術博士 〒260-0034 千葉県千葉市中央区汐見丘町9-13 043-243-232
JURI KAORI **重里 香**	4万	日本美術院院友、昇龍会会員、師荘司福、女子美大卒、1955 〒277-0831 千葉県柏市根戸617-19
SHIRAI SUSUMU **白井 進**	10万	日本美術院特待、九州産業大学教授、院展無・入29、春の院展外務大臣賞・奨励賞・無・入29、シェル賞展佳作、個展、師岩橋英遠・吉田善彦、東京藝大大学院修、新潟、1941 〒250-004 神奈川県小田原市城山3-10-7
SHIRAISHI SHIGEMA **白石 繁馬**	4.3万	新興美術院理事、新興展文部科学大臣賞・O氏賞（小川洗二賞）・準会員奨励賞・会員努力賞（杉風賞）・新興美術院賞2・全日本美術新聞賞他、個展7、グループ展9、企画展2、師白石計雄、関東短期大学卒、栃木、1953 〒326-0831 栃木県足利市堀込町1001-53 0284-71-037
SHIRAGA YU **白髪 悠**	5万	無所属、個展、公募展入、仏教美術研究、鳥取、1928 〒660-0077 兵庫県尼崎市大庄西町2-3- 06-6416-672

HIRATORI JUNJI
白鳥 純司 4.5万
第33回佐久平の美術展最優秀賞、ART AWARD NEXT2012準大賞、第32回上野の森美術館大賞展入選、三菱商事アート・ゲート・プログラム入、東京藝大卒、長野、1983　〒384-0033 長野県小諸市市町5-4-47

HEN HENIAN
沈 和年 5万
水墨　東京海派書画院名誉院長、師唐雲、上海大学美術学院卒、日中間で活動、中国、1955　〒215-0023 神奈川県川崎市麻生区片平2-24-1-509　080-5545-1599

HINE MISAKO
新恵 美佐子 3.5万
無所属、天竜川絵画展準大賞、星野眞吾賞展大賞、東山魁夷記念日経日本画大賞展、個展、グループ展（両洋の眼展・今日の墨表現展・現代水墨作家展）、多摩美大大学院修、大阪、1963　〒240-0105 神奈川県横須賀市秋谷1-1-1-207　046-856-9566

HINJI KEI
宍道 圭 5万
日本美術院院友、有芽の会展、新樹会展、師福井爽人、東京藝大大学院修、福岡、1970　〒271-0064 千葉県松戸市上本郷3863　047-367-5535

INJO KANA
新生 加奈 3万
日本美術院院友、広島市立大大学院博士後期課程満期退学、東京、1977　〒230-0015 神奈川県横浜市鶴見区寺谷1-25-28　090-1182-6785

HINYAMA TAKU
新山 拓 8万
無所属、前田青邨記念大賞展入、菅楯彦大賞展、個展、多摩美大大学院修、鳥取、1975　〒220-0023 神奈川県横浜市西区平沼1-4-28　横浜藤和ビル5F

JENAGA TOSHIAKI
末永 敏明 7万
無所属、東北芸術工科大学教授、上野の森美術館大賞展大賞、両洋の眼展河北倫明賞、東京藝大大学院修、デュッセルドルフ芸術アカデミー（ドイツ）修、神奈川、1964　http://suenaga.jimdo.com/

JGAHARA MOMOKA
菅原 百佳 5万
無所属、臥龍桜日本画大賞展奨励賞、三溪日本画展大賞、個展、多摩美大大学院修、神奈川　〒605-0073 京都府京都市東山区祇園町北側301　大雅堂気付

JGAWARA SACHIYO
菅原 さちよ 6万
無所属、上野の森美術館大賞展、日展入選、女流画家協会展他出品、個展、グループ展、多摩美術大学卒、東京　〒520-0247 滋賀県大津市仰木6-11-25　077-574-2916

JGAWARA TAKEHIKO
菅原 健彦 7万
無所属、京都造形芸大教授、MOA岡田茂吉賞展優秀賞、五島記念文化賞、第2回東山魁夷記念日経日本画大賞、両洋の眼展倫雅賞他、多摩美大卒、東京、1962　〒520-0247 滋賀県大津市仰木6-11-25　077-574-2916

JGAWARA MANABU
菅原 学 5万
無所属、Painting of year 2016、オランダ・ベルギー共同公募展入選、個展（ぎゃらりぃ朋）、多摩美大卒、ベルギー、1976　アムステルダム在住　〒135-0063 東京都江東区有明1-4-20-1721（国内連絡先）　http://sugawaramanabu.com/　03-5530-0366

JGIURA SACHI
杉浦 左知 6万
日本美術院院友、埼玉県展、さいたま市展受賞、個展、グループ展、師今野忠一　〒336-0911 埼玉県さいたま市緑区三室711-7　048-876-1672

JGIMURA SHINGO
杉村 眞悟 5万
日本美術院院友、春の院展奨励賞、新樹会展出品、東京藝大大学院修、愛知、1967　〒224-0065 神奈川県横浜市都筑区高山19-8-701　045-941-8931

JGIMOTO HIROSHI
杉本 洋 10万
無所属、文化庁文化交流使、元横浜美術大学教授、個展32、出雲大社襖絵制作、秋篠宮家扇面制作、師加藤東一、東京藝大大学院修、東京、1951　〒198-0063 東京都青梅市梅郷1-74-1　0428-76-1620

JZUKI KAZUMASA
鈴木 一正 8万
日展会友、晨鳥社会員、日展入21、日春展奨励賞、川端龍子賞展優秀賞、東京セントラル美術館日本画大賞展、両洋の眼・現代の絵画展、美の予感展、師星野眞吾、京都芸術短大日本画専攻科卒、愛知県、1964　〒440-0004 愛知県豊橋市忠興1-8-17　0532-61-5561

JZUKI KIWAKO
鈴木 紀和子 10万
日本美術院院友、有芽の会展出品、東京藝大大学院修、東京、1957　〒344-0062 埼玉県春日部市粕壁東5-12-21　048-754-1002

JZUKI CHIKUHAKU
鈴木 竹柏 20万
文化功労者、日本藝術院会員、日展顧問・名誉会員、新日春会顧問、元日展会長・理事長、日本藝術院賞、日展文部大臣賞他、勲三等瑞宝章、個展（兼素洞・日本橋三越・心斎橋大丸他）、師中村岳陵、神奈川、1918　〒240-0111 神奈川県三浦郡葉山町一色200　046-875-1705

JZUKI TSUYOSHI
鈴木 強 6万
個展・グループ展多数、多摩美大大学院修、静岡、1957

JZUKI MIE
鈴木 美江 8万
日本画院理事長、師望月春江、東京藝大美術学部日本画科卒、東京、1932　〒110-0008 東京都台東区池之端4-23-17　ジュビレ池之端201　03-3828-9744

JTO KAZUYUKI
須藤 和之 5万
日本美術院院友、前田青邨記念大賞展奨励賞、個展、多摩美大卒、東京藝大大学院修、群馬、1981　〒371-0804 群馬県前橋市六供町741-4

SEINO KEIICHI	清野　圭一	6万	創画会会友、春季創画展春季展賞、文化庁芸術インターンシップ研修員、武蔵野美大大学院修 神奈川、1963　〒359-0021 埼玉県所沢市東所沢5-1-8-505　04-2946-035
SEKI NAHOKO	関　菜穂子	6万	無所属、個展、臥龍桜日本画大賞展、三溪日本画賞展出品、京都精華大卒、神奈川、1967　〒25(0854 神奈川県小田原市飯田岡44-1-102　㈲大宥美術気付　0465-39-322
SEKIZAKI ETSUKO	関崎　悦子	4万	無所属、中国工筆画研究、国際水墨芸術大展準大賞、グループ展、師山田玉雲、愛媛、193 〒164-0001 東京都中野区中野6-28-1　03-3362-651
SEKIMOTO MAKIKO	関本　麻己子	5万	日本美術院院友、野村賞、個展（松坂屋・大丸）、新樹会展出品、グループ展、東京藝大大学院修、東京、1974　〒064-0954 北海道札幌市中央区宮の森四条7-2-40　http://makikosekimoto com/
SEKIYA OSAMU	関谷　理	5万	沖縄県立芸術大学専任講師、個展（岡山天満屋・池袋西武）、東京藝大卒（卒業制作首席・サロン・ド・プランタン賞・台東区長賞・平山郁夫奨学金授与）、同大学院博士課程修了・博士号取得 新潟、1982
SENJU HIROSHI	千住　博	140万	無所属、京都造形芸大教授（前学長）、1995年ヴェネツィア・ビエンナーレ名誉賞、2002年MOA大賞、大徳寺聚光院襖絵、201 年軽井沢千住博美術館開館、2016年外務大臣表彰、薬師寺「平成の至宝」として収蔵、2017年メトロポリタン美術館（ニューヨーク）常設展示、イサム・ノグチ賞、2018年日米特別功労賞、2020年高野山金剛峯寺襖絵公開予定、東京藝大大学院修、東京、195
SOMEYA KAORI	染谷　香理	6万	日本美術院特待、院展奨励賞7・足立美術館賞、春の院展外務大臣賞・奨励賞5、有芽の会展法務大臣賞、個展、東京藝大大学院修、島根、1977　〒358-0006 埼玉県入間市春日町2-7-11
SORI KIYOSHI	楚里　清	6万	日本美術院院友、愛知県立芸大大学院修、広島、1952　〒480-1171 愛知県長久手市西浦134　0561-62-546
DAIDO ATSUKO	大道　厚子	5万	創画会会友、春季創画展入、上野の森美術館大賞展優秀賞、十美会展グランプリ、青垣展佳作賞、福井、1955　〒610-1123 京都府京都市西京区大原野上里南町229　北村方　075-332-321
TAIRA SHIKI	平良　志季	2.5万	個展、グループ展、東京藝大修士課程修、東京、1990
TAO KENJI	田尾　憲司	6万	創画会会友、創画展入・奨励賞、春季創画展入、臥龍桜日本画大賞展入、青垣日本画展入、東京藝大卒、広島、1967　〒252-0234 神奈川県相模原市中央区共和4-20-2　042-733-702
TAKAI MIKA	高井　美香	6万	院展研究会員、安宅賞、東京藝大修士課程修、師福井爽人、京都、1966　〒270-2222 千葉県松戸市高塚新田584-32
TAKAGI KAORI	高木　かおり	5万	日本美術院院友、前田青邨記念大賞展奨励賞、全国百貨店にて個展多数、東京藝大大学院博士学位修、北海道、1976
TAKASAKI SHOHEI	高崎　昇平	6万	無所属、信州高遠の四季展大賞、三溪日本画展優秀賞、東京藝大大学院修、東京、1968　〒230-0015 神奈川県横浜市鶴見区寺谷1-25-28　045-571-336
TAKASHIMA KEISHI	高島　圭史	8万	日本美術院同人、富山大学芸術文化学部教授、院展院賞大観賞2・奨励賞5、春の院展春季展賞2、有芽の会法務大臣賞、花王芸術科学財団研究奨励賞、菅楯彦大賞展佳作賞・市民賞、東京藝大大学院博士後期課程修、兵庫、1976　〒933-0872 富山県高岡市芳野170
TAKANO JUNKO	高野　純子	3万	京展入、京都市立芸大作品展山口賞、京都市立芸大大学院修了制作奨励賞、個展2（Jiku Art Creation・あべのハルカス近鉄本店）、グループ展（大丸心斎橋・大丸京都）、京都市立芸大大学院修　〒570-0096 大阪府守口市外島町6東2-704
TAKANO MASARU	高野　勝	5万	無所属、個展、サロンドメ招待、ミロ国際展、佐倉市屏風画制作、多摩美大卒、福岡、195 〒196-0024 東京都昭島市宮沢町515-2-209　042-544-682
TAKAHASHI KIYOMI	高橋　清見	12万	日展会員、日展審査員・特選2・入37、日春展外務大臣賞・奨励賞1、日月社賞2、個展2、師児玉希望・佐藤太清、秋田、1932　〒334-0011 埼玉県川口市三ツ和3-25-3　048-281-415
TAKAHASHI KUMI	高橋　久美	5万	日本美術院院友、上野の森美術館大賞展秀作、個展、無名会日本画展、師松尾敏男、多摩美大大学院修、東京、1959　〒158-0094 東京都世田谷区玉川2-16-8-103　03-3707-015
TAKAHASHI SHINZABURO	高橋　新三郎	6万	日本美術院院友、院展入11、春の院展入5、有芽の会展他グループ展14、台東区買上、外遊5、東京藝大大学院修、平山郁夫研究室修、東京、1955　〒204-0022 東京都清瀬市松山2-4-20-10 0424-91-389

TAKAHASHI TENZAN
髙橋　天山　15万
日本美術院同人、天心記念茨城賞・院賞大観賞他、2008年秀年より雅号を天山に改名、師今野忠一、東京造形大学卒、東京、1953　〒203-0012 東京都東久留米市浅間町3-17-14
0424-21-2365

TAKAHASHI TOSHIKO
髙橋　俊子　7万
日本美術院特待、院展無1・入33、春の院展入10、新制作入1、有芽の会展、武蔵野美大大学院修、福島、1951　〒680-0941 鳥取県鳥取市湖山町北2-769
0857-31-4058

TAKAHASHI HIROKI
髙橋　浩規　6万
日本美術家連盟会員、郷さくら美術館奨励賞、サロン・ド・プランタン賞、個展多数（日本橋三越本店・佐藤美術館他）、師中島千波、東京藝大大学院修、長野、1971　〒243-0418 神奈川県海老名市大谷南3-28-10-201　Atelier Chun-Chuku　https://takahashihiroki.net/

TAKAHASHI MASAMI
髙橋　雅美　6万
日本美術院特待、院展奨励賞1、松伯美術館花鳥画展優秀賞2、奈良万葉大賞展奨励賞2、個展、師田渕俊夫・宮廻正明、東京藝大大学院修（修了制作買上・安宅賞）、同後期博士課程修（修了制作買上・野村賞）、京都、1972　〒222-0023 神奈川県横浜市港北区仲手原1-3-11

TAKAHASHI MARIKO
髙橋　まり子　3万
創画会会友、創画展奨励賞、個展、グループ展、女子美大大学院修、神奈川、1983　〒236-0033 神奈川県横浜市金沢区東朝比奈1-21-5
045-783-7685

TAKAHASHI YOSHIKO
髙橋　淑子　5万
日本画院常務理事、群馬県美術会理事、アトリエ光輝・輝淑庵主宰、元高崎芸術短期大学講師、杭州大学にて中日友好展満隴桂雨賞受賞、日本画院展日本画院賞・佳作賞・奨励賞他、仏革命200年記念芸術文化賞、国際芸術平和賞・文化賞他、日展（春・秋）入16、北関東美術展、実相寺格天井画、東京　〒374-0101 群馬県邑楽郡板倉町大字除川942
0276-77-0311

TAKAMASU AKIKO
高増　暁子　6万
日展特別会員、新日春会会員、日展審・特選2、日春展奨励賞2、個展、師三谷十糸子・三谷青子、女子美大日本画科、広島、1941　〒293-0057 千葉県富津市亀田1237
0439-66-0936

TAKAMIYAGI NOBUE
高宮城　延枝　6万
日本美術院院友、13年桜花賞展奨励賞、11・15年東美アートフェア出品、東京藝大大学院修、熊本　〒861-8011 熊本県熊本市東区鹿帰瀬町635-1　佐々木方

TAKAMURA SOJIRO
高村　総二郎
2008年損保ジャパン美術財団選抜奨励展出品、11年星野眞吾賞展三頭谷鷹史推奨、尖展、神戸アートマルシェ出品、京都市立芸大卒、1965

TAKAYAMA TOMOYA
髙山　知也　6万
日本清興美術協会理事長、参議院議長賞・文部科学大臣賞、日展入、日春展入、個展（大丸東京店1・松坂屋上野店5）、師加倉井和夫、武蔵野美大卒、東京、1951　〒178-0061 東京都練馬区大泉学園町4-11-15
03-3922-6497

TAKIGASAKI CHIZURU
瀧ヶ崎　千鶴
無所属、青垣日本画展佳作（2001）、前田青邨記念大賞展、臥龍桜日本画大賞展、東京学芸大学、都立大学大学院中退、東京、1964　〒101-0038 東京都千代田区神田美倉町12　木屋ビル　木ノ葉画廊気付
03-3256-2047

TAKIZAWA TOMOYUKI
滝沢　具幸　15万
創画会会員・副理事長、日本美術家連盟理事、武蔵野美術大学名誉教授、創画展創画会賞、山種美術館賞展優秀賞、MOA岡田茂吉賞絵画部門大賞、師吉岡堅二、東京藝大大学院修、長野、1941　〒180-0023 東京都武蔵野市境南町5-3-5
0422-31-1822

TAKISHITA MASAHISA
瀧下　尚久　7万
日本美術院特待、院展無・入24、東京セントラル美術館日本画大賞展招待、茅ヶ崎市立美術館他個展、師片岡球子、愛知芸大卒、三重県、1952　〒486-0901 愛知県春日井市牛山町1029-36
0568-31-7662

TAGUCHI MASAHIRO
田口　昌宏　8万
日本美術院院友、東京セントラル美術館大賞展佳作賞、臥龍桜日本画大賞展特別賞、個展、愛知芸大卒、岐阜、1962　〒508-0101 岐阜県中津川市苗木4168-1
0573-62-0645

TAKEI YOSHIYUKI
武井　好之　6万
日本美術院院友、有芽の会展出品、東京藝大大学院修、神奈川、1956　〒253-0022 神奈川県茅ヶ崎市松浪2-7-35
0467-26-1086

TAKEICHI SEIKO
武市　斉孝　7万
ル・サロン永久会員、大阪府知事賞・文部科学大臣賞・外務大臣賞・ル・サロン連入7・銀賞・銅賞、サロン・ドートンヌ連入3他受賞入選多数、高台寺・薬師寺・印度山日本寺（インド）他収蔵、画集（青幻舎）、全国百貨店・美術館他個展多数、島根　〒660-0801 兵庫県尼崎市長洲東通2-9-18-803
06-6487-1356

TAKEUCHI KOICHI
竹内　浩一　50万
日展会員、山種美術館賞展大賞、MOA岡田茂吉賞展大賞、師山口華楊、京都、1941　〒616-8201 京都府京都市右京区宇多野北ノ院町2-30
075-467-1310

TAKEUCHI SHIGEKI
竹内　滋祇　6万
日本美術院院友、師平山郁夫、東京藝大大学院修、愛知、1955　〒257-0011 神奈川県秦野市尾尻389-3
0463-84-6376

TAKESHITA MARIKO
竹下　真理子　3万
無所属、個展、灞展・春の日本画展・若き女流作家展出品、グループ展、東京藝大卒、東京、1976　〒116-0014 東京都荒川区東日暮里5-3-8

TAKEDA AKIRA
武田　昭　5万
白士会幹事、名古屋造形大学名誉教授（同大にて教授・日本画科主任・造形芸術科長歴任）、中美展受賞、個展（ノリタケの森ギャラリー・丸栄6・華画廊他）、自選画集（生活の友社）刊行、師服部有恒、愛知、1928　〒470-0111 愛知県日進市米野木町福成13
0561-73-7291

TAKEDA KUNISA **武田 州左**	5万	創画会会員、多摩美大教授、創画展創画会賞4、春季創画展春季展賞、昭和会展昭和会賞、山種美術館賞展、五島記念文化財団美術新人賞、両洋の眼展、多摩美大卒、東京、1962　〒185-0004 東京都国分寺市新町2-8-17　042-321-749
TAKEDA SHUJIRO **武田 修二郎**	3.5万	日展会友、新日春会準会員、京都日本画家協会会員、日展特選・入8、日春展奨励賞3・日春賞入6、京都日本画新展出品、京都精華大学大学院修、兵庫、1976　〒606-0004 京都府京都市左京区岩倉北池田町6-2　ヒカハイム宝ヶ池B-102
TAKEDA HIROKO **武田 裕子**	4万	野村美術賞奨学金受賞、前田青邨記念大賞展入、Seed山種美術館日本画アワード入、ポーラ美術振興財団在外研修、個展（アートスペース羅針盤・靖山画廊）、東京藝大大学院修、東京、198 http://www.takedahiroko.jp/
TAKEBE MASAKO **武部 雅子**		日本美術院招待、院展院賞大観賞・天心記念茨城賞・奨励賞6・足立美術館賞、春の院展春季展賞4・郁夫賞3・奨励賞6、東京藝大大学院博士課程修、神奈川、1965　〒251-0031 神奈川県藤沢市鵠沼藤が谷1-2-21
TAJIMA SHUGO **田島 周吾**	6万	無所属、京都美術工芸展優秀賞、個展、新鋭選抜展、京都造形芸大卒、京都、1974
TAJIMA NASUBI **田島 奈須美**	10万	日展特別会員、新日春会運営委員、日展内閣総理大臣賞、会員賞・特選、師伊東万燿・伊東深水・橋本明治、神奈川、1943　〒234-0053 神奈川県横浜市港南区日野中央3-2-22　045-833-300
TASHIRO KUNIKO **田代 邦子**	7.6万	無所属、有芽の会展出品、個展、グループ展、東京藝大大学院修、東京、1958　〒349-0113 埼玉県蓮田市桜台3-2-16　048-769-682
TACHIBANA YASUSHI **橘 泰司**	6万	無所属、名古屋城本丸御殿障壁画復元模写、愛知芸大大学院修、愛知、1960　〒497-0013 愛知県あま市七宝町川部山王201-1　052-445-578
TATSUGUCHI KEITA **龍口 経太**		シェル美術賞入、個展、グループ展、東京藝大大学院修、広島、1972　〒111-0031 東京都台東区千束3-10-8-501
TATSUMI KAN **辰巳 寛**	10万	日展特別会員・審4、日展特選2、日春展運営委員・日春賞1・奨励賞1、個展「伝統の美、辰巳寛が描く女歌の流れ」（奈良県立万葉文化館）、師橋本明治、奈良、1946　〒619-0214 京都府木津川市木津奈良道46-1-0102　0774-72-571
DATE RYO **伊達 良**	12万	日本美術院院友、有芽の会展出品、東京藝大大学院修、香川、1962　〒181-0001 東京都三鷹市井の頭1-10-3　0422-42-932
TADOKORO HIROSHI **田所 浩**	10万	日展特別会員・審査員3、新日春会運営委員、日展総理大臣賞・特選2・委嘱4・白寿賞1・無鑑査・入14、外務省買上、師児玉希望・奥田元宋、大阪美術学校卒、奈良、1936　〒248-0033 神奈川県鎌倉市腰越5-8-10　0467-32-379
TANAKA SHIGEZO **田中 重造**	6万	日本美術院院友、和歌山県・市展審、院展入18、春の院展入16、師中村貞以・長谷川青澄、和歌山、1947　〒649-0304 和歌山県有田市箕島650-3　0737-83-473
TANAKA TAKASHI **田中 隆**	8万	無所属、アカデミー・デ・ボザール2席、春季創画会展入、個展、京都市立芸大卒、京都、195 〒525-0072 滋賀県草津市笠山4-12-18　077-565-636
TANAKA NOZOMI **田中 望**	0.5万	とびしま漁村文化研究会構成員、VOCA展2014VOCA賞、佐藤国際文化育英財団第22期奨学生、大地の芸術祭出品、グループ展、宮城、1989　〒982-0021 宮城県仙台市太白区緑ケ丘1-18-1
TANAKA HIROYUKI **田中 博之**	8万	日本美術家連盟所属、魚沼市特使、安宅賞、サロン・ド・プランタン賞、個展（日本橋高島屋・市魚沼市池田記念美術館）、師稗田一穗、東京藝大大学院博士課程修、東京、1953　〒132-003 東京都江戸川区平井5-57-2　03-3611-127
TANAKA YUKO **田中 裕子**	4万	日本美術院院友、修了制作栗和田榮一賞、佐川美術館買上、京都日本美術画協会第1期展奨励賞、京都造形芸大大学院修、福岡　〒107-0062 東京都港区南青山5-4-30　新生堂気付 03-3498-838
TANAMACHI YOSHIHIRO **棚町 宜弘**	4万	日展会友、日展特選1、個展、多摩美大大学院修、神奈川、1971　〒225-0014 神奈川県横浜市青葉区荏田西2-34-22　090-5444-406
TANII TOSHIHIDE **谷井 俊英**	5万	創画会会員・理事、創画展創画会賞3・奨励賞、春季創画展春季展賞、京展栖鳳賞、川端龍子大賞展大賞、京都市立芸大卒、1949　〒612-8018 京都府京都市伏見区桃山町丹後2-1　藤和L409　075-612-302
TANIMURA YOSHIKO **谷村 能子**		創画会会友、創画展入16、春季創画展入、川端龍子賞展優秀賞、東京セントラル美術館日本画大賞展招出、京展他出品、個展、EVER MORE美術館（山形）常設、京都市立芸大、兵庫、194 〒569-1020 大阪府高槻市高見台12-9　072-688-366

ABUCHI TOSHIO 田渕 俊夫	100万	文化功労者、日本美術院同人・代表理事（理事長）、東京藝大名誉教授（元副学長）、日本藝術院賞・恩賜賞、院展総理大臣賞・文部大臣賞・院賞大観賞・青邨賞、山種美術館賞展優秀賞、MOA岡田茂吉賞大賞、師平山郁夫、東京藝大大学院修、東京、1941　〒151-0066 東京都渋谷区西原1-6-4　03-5452-2118
AMIYA WAKO 田宮 話子	4万	常葉大学教授、個展（掛川市二ノ丸美術館・平野美術館）、グループ展、師加山又造・中島千波、女子美大版画卒（卒業制作賞）、東京藝大大学院日本画修（安宅賞）、静岡、1964
AMURA HITOMI 田村 仁美	4万	無所属、日府展新人賞、元展優秀賞、個展（大丸他）、大阪市立工芸高美術科卒、大阪、1970　〒590-0012 大阪府堺市堺区浅香山町2-7-14　072-233-5412
ANGE TAGUI 丹下 種	5万	日府展常任理事、稲沢美術協会会員、奨励賞、中日賞、知事賞、1934　〒492-8128 愛知県稲沢市治郎丸中町89
HIJIIWA OSAMU 千々岩 修	5万	無所属、両洋の眼展・山種美術館賞展・VOCA展・損保ジャパン美術財団選抜奨励展他、個展、多摩美大大学院修、熊本、1971　〒195-0053 東京都町田市能ヶ谷5-28-35
HINO KUMIKO 千野 久美子	7万	日本美術院院友、有芽の会展出品、個展（池袋西武・横浜そごう）、グループ展、東京藝大卒、東京、1963　〒412-0008 静岡県御殿場市印野1620-5　0550-88-2524
HIMURA SHUNJI 千村 俊二	6万	日本美術院特待、院展入20、春の院展入16、香流会展出品、師片岡球子、愛知芸大大学院修、長野、1946　〒486-0833 愛知県春日井市上条町2-5-202　0568-83-5465
HUDA AI 忠田 愛	4万	無所属、京都日本画新展優秀賞、平和堂財団新進芸術家奨励賞、個展（ギャラリー歩歩琳堂・ギャラリー枝香庵・髙島屋）・グループ展多数、京都造形芸大修士課程修、大阪、1981　http://aichuda.jimdo.com/
HAO LONGGUANG 趙 龍光	8万	王羲之賞、中国社科院大学院修、多摩美大、東京学芸大大学院留学、中国、1948　〒143-0023 東京都大田区山王1-5-3-102　03-3772-1506
SUKAMOTO TOSHIKIYO 塚本 敏清	5万	日本美術院研究会員、グループ展、愛知芸大卒、熊本、1959　〒465-0092 愛知県名古屋市名東区社台1-225　052-778-3389
SUKIDATE KYOKO 月館 京子	4万	日展会友、日春展会友、日春展奨励賞、神奈川県展特選、個展9、グループ展、多摩美大卒、神奈川、1963　〒251-0861 神奈川県藤沢市大庭5596-13　湯川方　0466-86-0544
SUJI NORIKO 辻 紀子	4万	日本美術院院友、院展奨励賞、春の院展入、女流画家協会展入、師松尾敏男、長崎、1948　〒306-0023 茨城県古河市本町4-7-1-4-1202　0280-31-5055
SUJIMURA KAZUMI 辻村 和美	4万	日本美術院院友、春の院展奨励賞、無名会展出品、師松尾敏男、多摩美大卒、東京、1966　〒152-0003 東京都目黒区碑文谷6-9-2　03-3713-5009
SUJIMOTO KOUKI ツジモト コウキ	3万	無所属、個展（池袋東武・靖山画廊）、グループ展（東邦アート・靖山画廊）、アートフェア東京2013～2018出、多摩美大卒、長崎、1989　〒123-0851 東京都足立区梅田2-9-13　ヴェルヌーブ303　http://www.tsujimoto-kouki.jp/
SUDA CHIKASHIGE 津田 親重	8万	日春展奨励賞、日展入、師土屋禮一、兵庫、1953　〒462-0032 愛知県名古屋市北区辻町1-43-1 曽根方　052-914-0751
SUCHIYA KUNIYO 土屋 圀代	5.5万	日本美術院院友、春の院展奨励賞、個展、グループ展、師正男、金沢美工大卒、福井、1946　〒213-0012 神奈川県川崎市高津区坂戸3-1-1-306　044-811-2468
SUCHIYA SATOSHI 土屋 聡	4万	無所属、個展、グループ展、東京藝大大学院修、神奈川、1967　〒252-1122 神奈川県綾瀬市小園南2-21-14　0467-77-1384
SUCHIYA MASAHIRO 土屋 雅裕	7万	彩画会会長、元日府展常務理事、元日本表現派同人、豊田芸術選奨、日府展日府賞・努力賞、日本表現派同人賞、個展33、愛知、1939　〒470-0526 愛知県豊田市西細田町横吹21　0565-65-2008
SUCHIYA REIICHI 土屋 禮一	30万	日本藝術院会員、日展副理事長、新日春会顧問、金沢美術工芸大学名誉教授、武蔵野美術大学客員教授、日本藝術院賞、日展会員賞・特選・白寿賞・文部科学大臣賞、日春展日春賞・奨励賞、MOA岡田茂吉賞優秀賞、師加藤東一、武蔵野美大卒、岐阜、1946　〒185-0001 東京都国分寺市北町2-31-5　042-322-0857
SUTSUMI YASUNOBU 堤 康将	2万	第1回損保ジャパン美術賞展FACE2013グランプリ、九州産業大卒展買上、新生展入、日春展入、アートアワードネクストⅡ入、個展、グループ展、九州産業大大学院修、熊本、1983

TSUNEOKA MIKIHIKO
常岡 幹彦 10万
無所属、元日展会友、個展、山種美術館賞展、師山口蓬春・加藤栄三・山本丘人、東京藝大卒
兵庫、1930　〒357-0205 埼玉県飯能市白子173-7　042-978-109

TSUNODA NOBUSHIRO
角田 信四郎 8万
日本美術院特待、院展奨励賞2・入18、春の院展春季展賞2・奨励賞4、県展副会長審、師福王寺法林・高橋常雄・福王寺一彦、阿佐ヶ谷美専卒、群馬、1944　〒379-0221 群馬県安中市松井田町新堀1588-5　027-380-307

TSUBOTA JUNYA
坪田 純哉 4万
無所属、個展（船橋東武・あべのハルカス近鉄本店）、グループ展、東京藝大大学院修、埼玉
1974　〒333-0801 埼玉県川口市東川口3-6-7-205　http://www.junyarts.net

TSUBOYA KOSAKU
坪谷 幸作 6万
創画会准会員、創画展創画会賞・入22、春季創画展春季展賞8、新潟、1953　〒959-1300 新潟県加茂市1区2組　0256-52-290

TEZUKA HISAHARU
手塚 恒治 5万
日展特別会員、新日春会会員、日展審3・委嘱・特2・無2・入22、日春展日春賞・奨励賞・入21
師奥田元宋、多摩美大卒、神奈川、1951　〒251-0002 神奈川県藤沢市大鋸3-6-13　0466-25-074

TEZUKA YUJI
手塚 雄二 80万
日本美術院同人・業務執行理事、東京藝大教授、院展院賞大観賞・文部大臣賞・内閣総理大臣賞、前田青邨賞他、安宅賞、プランタン賞、台東区長賞、日経日本画大賞展入賞、師平山郁夫
東京藝大大学院修、神奈川、1953

TERADA TADASHI
寺田 正 7万
無所属、日展入、創画会展、ガラス絵個展、師上村淳之、京都市立芸大大学院修、京都、194
〒520-0016 滋賀県大津市比叡平1-3-12　077-529-038

TOGI KYOKO
東儀 恭子 5万
日本美術院院友、新生展大賞、臥龍桜日本画大賞展優秀賞他、損保ジャパン選抜展出品、個展
グループ展、東京藝大大学院修、静岡　〒194-0005 東京都町田市南町田2-13-34　https://sites.google.com/site/kyocotogi/

TOYAMA YUKIO
遠山 幸男 8万
無所属、元創展理事、創展会員努力賞、創画展入6・春季展入9、日仏現代展入賞、中日展、東海の作家たち展招待、個展、京都造形芸大中退、岐阜、1940　〒509-7201 岐阜県恵那市大井町2696-82　0573-26-015

DOTE TOMOHIDE
土手 朋英 12万
創画会会員、創画展創画会賞4、京都画壇日本画秀作展優秀賞、現代美術選抜展、個展、文化庁派遣在外研修、京都市立美術大学専攻科修、京都、1944　〒603-8062 京都府京都市北区上賀茂藪田町18-3　075-722-176

TOMITA TOSHINARI
冨田 俊成 7万
無所属、個展（近鉄他）、金沢美工大卒、フランス国立高等美術学校修、大阪、1949　〒631-000
奈良県奈良市松陽台2-20-8　0742-46-455

TOMITA NORIKO
冨田 典子 4万
日本美術家連盟会員、太宰府天満宮作品奉納、グループ展、東京藝大大学院修、東京、197
〒107-0062 東京都港区南青山5-4-30　新生堂気付　03-3498-838

TOMITA YASUKAZU
冨田 保和 8万
東方美術協会創立会員、元青龍社社人、奨励賞、個展、師川端龍子、愛知、1930　〒464-009
愛知県名古屋市千種区赤坂町1-38-2　052-711-095

TOYA KATSUTOSHI
戸屋 勝利 7万
無所属、歴史装画、挿絵、個展・グループ展多数、東京藝大大学院修、東京、1965　〒120-004
東京都足立区小台1-22-2　尾久橋スカイハイツ713号　03-6806-107

TOYAMA HIROKO
外山 寛子 4万
日本芸術センター絵画公募展金賞、康耀堂美術館賞買上、京都造形芸大卒（卒業制作学長賞
千住賞）、宮崎、1984　〒107-0062 東京都港区南青山5-4-30　新生堂気付　03-3498-838

TORIYAMA TAKEHIRO
鳥山 武弘 7万
創画会会友、京都新聞日本画賞展、京都美術工芸展優秀賞、創画展入、個展、嵯峨美短大卒
大阪、1963　〒665-0807 兵庫県宝塚市長尾台2-12-17　072-743-317

TORIYAMA REI
鳥山 玲 22万
無所属、安宅賞、文化庁国内研修員、外務省買上、グローバルアースフェスティバル大賞、師平山郁夫、東京藝大大学院博士修、神奈川、1956　〒142-0053 東京都品川区中延6-4-2
03-3784-970

NAKA HIROYUKI
仲 裕行 6.5万
日本美術院特待、有芽の会日本更生保護協会会長賞・法務大臣賞、台東区長賞、増上寺天井絵制作、師平山郁夫、東京藝大大学院修、東京、1960　〒301-0001 茨城県龍ケ崎市久保台2-13-
0297-66-991

NAKAI KANAKO
中井 香奈子 4万
日本美術院院友、院展奨励賞、春の院展奨励賞、師松本哲男、愛知、1974　〒990-2464 山形県山形市高堂1-11-39　須田方　023-666-630

NAKAO MAKOTO
中尾 誠 3万
無所属、個展、グループ展、福岡、1955　〒253-0001 神奈川県茅ヶ崎市赤羽根94
0467-40-502

AGAOKA IKUMI
永岡　郁美　3万
無所属、アートイノベーションセンター特任助手、個展2（かわべ美術・今岡美術館）、東京藝大大学院修、島根、1987　〒270-2241 千葉県松戸市松戸新田433-29 1号室

AKAGAMI KEIKO
中神　敬子　4万
日本美術院院友、院展入9、春の院展入8、トリエンナーレ豊橋星野眞吾賞優秀賞、郷さくら美術館桜花賞展優秀賞、愛知芸大大学院修、愛知、1974

AKAGAWA OSAMU
中川　脩　12万
無所属、個展（日本橋三越本店）、セントラル日本画大賞展招待、東京藝大大学院修、神奈川、1946　〒180-0001 東京都武蔵野市吉祥寺北町2-20-18

AKAGAWA MASATO
中川　雅登　3.5万
無所属、個展、グループ展、愛知芸大中退、愛知、1968　〒441-8133 愛知県豊橋市大清水町大清水119-3　0532-25-4010

AKAGAWA YUKIHIKO
中川　幸彦　8万
無所属、個展、東京藝大大学院修、神奈川、1946　〒167-0054 東京都杉並区松庵3-40-9-302 昌平美術気付　03-3334-8800

AGASAWA AKIRA
長沢　明
東北芸工大教授、損保ジャパン美術財団選抜奨励展出品、東山魁夷記念日経日本画大賞展出、MOA岡田茂吉賞優秀賞受賞、個展、東京藝大大学院修、新潟、1967　〒104-0061 東京都中央区銀座6-13-4　銀座S2ビル2F　ガレリア・グラフィカ気付　http://www.galleriagrafica.com　03-5550-1335

AKAJIMA CHINAMI
中島　千波　80万
Artist Group―風―メンバー、東京藝大名誉教授、日本美術家連盟常任理事、おぶせミュージアム・中島千波館名誉館長、院展奨励賞、春の院展奨励賞、山種美術館賞展優秀賞、裸婦大賞展大賞、東京藝大大学院修、長野、1945　〒108-0071 東京都港区白金台3-16-17　03-5475-5488

AKAJIMA TORATAKE
中嶌　虎威　7万
無所属、シェル美術展2等、個展、次代への日本画展他出品、東京藝大卒、東京、1943　〒305-0034 茨城県つくば市小野崎713　029-851-8350

AKAJIMA YOKO
中嶋　洋子　3.5万
現代南画協会正会員、大阪市長賞、個展、師月居偉光、大阪芸大卒、大阪、1952　〒658-0065 兵庫県神戸市東灘区御影山手5-2-28-110

AKADE NOBUAKI
中出　信昭　7万
日展会員・審査員2、新日春会会員、日展特選2・無鑑査2・入10、日春展日春賞、青垣日本画展大賞、師市原義之、金沢美工大大学院修、石川、1964　〒520-0529 滋賀県大津市和邇春日3-827　077-594-6411

AKANO KAZUYOSHI
中野　一義　5万
創画会所属、創画展入、春季創画展春季展賞、青垣日本画展優秀賞、山種展賞、奈良教育大大学院修、京都、1958　〒619-0202 京都府相楽郡山城町平尾里屋敷12　077-486-4663

AKANO KUNIAKI
中野　邦昭　3万
日本美術院院友、道展会員、新人賞・佳作賞、セントラル大賞展入、第8回北の大地ビエンナーレあなたが選ぶ北の大地賞、個展（北海道画廊・山の手ギャラリー・さいとうギャラリー）、京都市立芸大卒、北海道、1948　〒063-0002 北海道札幌市西区山の手2条6丁目6-33　011-611-5478

AKANO YOSHIYUKI
中野　嘉之
Artist Group―風―メンバー、多摩美術大学名誉教授、元創画会会友、新制作展新作家賞他、芸術選奨文部科学大臣賞、東京セントラル大賞展佳作賞、MOA岡田茂吉賞大賞・優秀賞、多摩美大大学院修、京都、1946　〒216-0026 神奈川県川崎市宮前区初山1-38-2　044-977-6548

AKABAYASHI TOSHITSUGU
中林　敏次　6.5万
21美術協会常理、元新美術協会会員、光琳大賞他、元創造美術委員、都知事賞他、個展26、三重、1942　〒274-0822 千葉県船橋市飯山満町3-1582-2　セントラルコーポ船橋1-103　047-767-1838

AKABORI SHINJI
中堀　慎治　15万
無所属、東京セントラル美術館日本画大賞展、川端龍子賞展他、個展多数、多摩美術大学卒、NYアート・ステューデンツ・リーグ、東京、1956

AKAMURA KENJI
中村　賢次　7万
日展特別会員・審査員3、新日春会会員、崇城大教授、日展委嘱6・会員賞・特選2・無鑑査2、日春展奨励賞、個展2、毎年グループ展、師西山英雄、金沢美工大大学院修、熊本、1962　〒862-0911 熊本県熊本市東区健軍3-17-1　096-367-1814

AKAMURA TAKAYA
中村　貴弥　6万
無所属、イセ・カルチュラルファンデーション賞、第7回松陰芸術賞、個展、NEW CITY ART FAIR New York出品、グループ展、師千住博、京都造形芸大大学院修、京都、1982　〒606-0914 京都府京都市左京区松ヶ崎今海道町15

AKAMURA TSUYOSHI
中村　豪志　10万
日本美術院院友、太平洋美術協会賞、個展、師今野忠一、創形美術卒、熊本、1959　〒321-1102 栃木県日光市板橋1068-4

AKAMURA TETSUEI
中村　哲叡　25万
無所属、太平洋美術展入、比叡山延暦寺障壁画制作、千葉、1960　〒460-0007 愛知県名古屋市中区新栄2-1-48 3F　052-243-6665

AKAMURA TORU
中村　徹　8万
日展特別会員・審5、新日春会運営委員、日展委嘱・東京都知事賞・特2・無1・入16、日春展日春賞2・奨励賞2・入13、師奥田元宋、金沢美工大卒、石川、1952　〒921-8031 石川県金沢市新神田5-118

NAKAMURA HIDEO	中村 英生	5万	無所属、新生展大賞、個展、東京藝大大学院修、香川、1977
NAKAMURA HIROMI	中村 ひろみ	5.5万	日本美術院院友、個展、2人展（2009年小杉放菴記念日光美術館）、師今野忠一、東京造形大卒、神奈川　〒321-1102 栃木県日光市板橋1068-4
NAKAMURA MUNEHIRO	中村 宗弘	25万	日展会友、新日春会準会員、日展特選・白寿賞、日春展日春賞・奨励賞、師中村岳陵・東山魁夷、神奈川、1950　〒151-0066 東京都渋谷区西原1-6-6　03-3485-50
NAKAMURA YUKO	中村 祐子	5万	東京藝大大学美術館非常勤講師、女子美大非常勤講師、安宅賞、トリエンナーレ豊橋星野眞賞入、前田青邨記念大賞入2、野村賞、東京藝大大学院博士課程修、東京、1977　〒220-000 神奈川県横浜市西区楠町5-1　深作眼科ビル1F　f.e.i art gallery気付　045-325-00
NAKAMURA YOSHIAKI	中村 馨章	2.5万	無所属、東京藝大卒業制作サロン・ド・プランタン賞・台東区長賞、個展、グループ展「若水会」、師千住博、東京藝大大学院修、東京
NAKAMURA RYOICHI	仲村 良一	7万	日展会員、日展審査員・特選2、日春展奨励賞、上野の森美術館大賞展、東京セントラル美術館日本画大賞展、師髙山辰雄、中央大卒、長野、1952　〒395-0812 長野県飯田市松尾代田152　0265-22-538
NAGOYA TAKASHI	名古屋 剛志	7万	無所属、第2回郷さくら美術館桜花賞展優秀賞、新生展優秀賞、百貨店を中心に個展・グループ展多数、師中島千波、東京藝大大学院修、埼玉、1978　http://nagoyatakashi.com/
NASU KATSUYA	那須 勝哉	12.5万	日展特別会員、元武蔵野美大教授、日展総理大臣賞・会員賞・審・特選、セントラル大賞展優秀賞、師高山辰雄、武蔵野美術学校卒、愛知、1936　〒185-0031 東京都国分寺市富士本3-10-　042-574-053
NABATAME KOICHI	那波多目 功一	60万	日本藝術院会員、日本美術院同人・代表理事、日本藝術院賞、院展内閣総理大臣賞・文部大臣賞・院賞大観賞3・奨励賞5・青邨賞、師松尾敏男、茨城、1933　〒114-0024 東京都北区西ケ原1-64-4　03-3910-843
NAMIKI ISAO	並木 功	8万	日本美術院院友、院展入17、春の院展入12、墨画トリエンナーレ富山優秀賞、北野美術館大賞展大賞、個展・グループ展多数、師片岡球子・松村公嗣、愛知芸大日本画専攻卒、長野、195　〒385-0003 長野県佐久市下平尾546-7　0267-67-154
NAMIKI HIDETOSHI	並木 秀俊	5万	日本美術院特待、院展奨励賞4・天心記念茨城賞、春の院展外務大臣賞・奨励賞5、有芽の会外務大臣賞、博士審査展制作野村美術賞（大学買上）、修了制作大学買上、東京藝大大学院博士課程修、千葉、1979
NIINE AKIRA	新稲 明	5万	無所属、個展（神戸そごう他）、グループ展、美人画、大阪、1934　〒651-1121 兵庫県神戸市北区星和台4-24-2　078-592-444
NIIMI YOKO	新美 葉子	4万	新美術協会会員、会員秀作賞、名古屋市長賞、師稗田一穂、女子美大卒、1936　〒473-092 愛知県豊田市花園町才兼73-2　0565-52-369
NIKI SUMIKO	仁木 寿美子	4万	無所属、個展、セントラル日本画大賞展、青垣日本画展、川端龍子賞展、師林茂守、京都女子大卒、京都、1951　〒606-8284 京都府京都市左京区北白川下池田町95-2　075-711-563
NISHIJIMA TOYOHIKO	西嶋 豊彦	8万	無所属、京都市芸術新人賞、個展、日経日本画大賞展出品、フランス招待、京都芸術短大専攻科修、滋賀、1966　〒524-0041 滋賀県守山市勝部2-2-26　077-575-525
NISHIDA SHUNEI	西田 俊英		日本藝術院会員、日本美術院同人・理事、武蔵野美大教授、広島市立大名誉教授、日本藝術院賞、院展内閣総理大臣賞・文部科学大臣賞・院賞大観賞2・足立美術館賞2他、MOA岡田茂吉賞大賞、山種美術館賞展優秀賞、セントラル日本画大賞展大賞、師奥村土牛・塩出英雄、武蔵野美大卒、三重、1953　03-6805-060
NISHIDA MASATO	西田 眞人	12万	日展特別会員・審4・会員賞・特2、新日春会会員、青塔社、大阪芸術大学客員教授、文化庁買上、山種美術館賞展優秀賞、兵庫県文化賞、神戸市文化賞、菅楯彦大賞展大賞、個展8、師池田道夫、京都市立芸術大学日本画科卒、兵庫、1952　〒651-1233 兵庫県神戸市北区日の峰4-2-6　078-583-638
NISHINO YOICHI	西野 陽一	12万	無所属、京都府文化賞奨励賞・功労賞、京都美術文化賞、東京セントラル大賞展・川端龍子賞展・日経日本画大賞展、京都市立芸大卒、京都、1954　〒603-8072 京都府京都市北区上賀茂竹ヶ鼻町35　075-781-068
NISHIHISAMATSU YOSHIO	西久松 吉雄	7万	創画会会員・常務理事、創画会賞3・入21、春季展賞2、山種美術館賞展優秀賞、京都美術文化賞、京都新聞日本画大賞、京都市立芸大卒、京都、1952　〒621-0846 京都府亀岡市南つつじヶ丘大葉台2-38-4　0771-24-483
NISHIMURA KOJIN	西村 光人	7万	日展会友・入31、日春展奨励賞・入23、新日春展入3、京展市長賞、新聞社賞2、関展無6・招5・賞4、外務省他買上、晨鳥社会員、師山口華楊・中路融人、滋賀　〒611-0042 京都府宇治市小倉町南浦21-164　http://koujin100.wix.com/index　0774-20-369

RE IKUKO
二礼　郁子　4万
無所属、元創作画人協会会員、会員努力賞、銀座大賞展入、個展、師佐々木裕而、愛知、1945
〒270-2223 千葉県松戸市秋山373-57　047-392-4905

WA TAKAKO
丹羽　貴子　8万
日展特別会員・会員賞・特選、日春展日春賞・奨励賞、山種美術館賞展優秀賞、大阪、1941
〒606-0863 京都府京都市左京区下鴨東本町25　ワールドダック702号　075-781-4595

UMATA YASUHIRO
沼田　晏宏　10万
日展会友・入18、日春展7、京展6、関西美術展6・賞6、京都選抜展2、政府他買上、青塔社、師池田遙邨、京都、1933　〒611-0002 京都府宇治市木幡御蔵山39-1141　0774-32-4376

EGISHI KAICHIRO
根岸　嘉一郎　2.5万
水墨　現代水墨画協会理事長、遊墨会主宰、現代日墨画協会会長、現水展文部科学大臣賞・東京都知事賞、全国水墨画秀作展内閣総理大臣賞、個展多数、師佐藤紫雲、中央商科短大卒、長野、1944　〒116-0011 東京都荒川区西尾久8-44-30　コスモデュオスクエア118　03-3895-7488

OJIMA KAZUAKI
能島　和明　12万
日展特別会員、新日春会顧問、日本藝術院賞、日展文部科学大臣賞・特選2・会員賞、日春展日春賞2・奨励賞4、宮城県芸術選奨、個展3、師奥田元宋、多摩美大卒、宮城、1944　〒246-0035 神奈川県横浜市瀬谷区下瀬谷3-31-27　045-301-6506

OJIMA HAMAE
能島　浜江　4万
日展会員・審・委嘱、日展特選2・無2、新日春会会員、日春展日春賞・奨励賞5、多摩美大大学院修、東京、1969　〒242-0021 神奈川県大和市中央7-8-12　046-262-0318

OGUCHI MITSUKI
野口　満一月　5万
個展・グループ展・国内外展示多数、東京藝大大学院博士課程満期　〒247-0063 神奈川県鎌倉市梶原3-20-16　0467-91-2732

OJI MIKIKO
野地　美樹子　6万
日本美術院院友、平山郁夫奨学金賞、2015・2017・2018年度Artist Group—風—入選、個展（日本橋三越・岡山天満屋他）、東京藝大大学院修、奈良、1978　〒337-0042 埼玉県さいたま市見沼区南中野258-10　http://nojimikiko.jp　090-8318-0134

ONOUCHI HIROSHI
野々内　宏　6万
日本美術院特待、無2・入27、春展入14、京展受賞、京都新人展府買上2、師松尾敏男、京都、1938　〒607-8241 京都府京都市山科区勧修寺冷尻1-37　075-591-9783

OMURA YOSHITERU
野村　義照　30万
無所属、元日本美術院特待、院展奨励賞、春展奨励賞、松岡美術館他収蔵、個展・グループ展多、東京藝大大学院修、大阪、1945　〒150-0012 東京都渋谷区広尾1-1-35-411

AKUTA YOSHUYA
白田　誉主也　1.5万
創画会会友、創画展奨励賞、前田青邨記念大賞展奨励賞、新生展大賞、ふるさとの風景展大賞、河北展大賞、VOCA展入選、筑波大学大学院博士後期課程修、茨城、1984　〒107-0062 東京都港区南青山5-4-30　新生堂気付　03-3498-8383

AKOZAKI MUTSUMASA
箱崎　睦昌　10万
無所属、嵯峨美大名誉教授、京都市芸術振興賞、京都美術文化賞、京都府文化功労賞、タカシマヤ新鋭作家奨励賞、個展8、山種美術館賞展招待、京都市立芸大卒、大分、1946　〒611-0002 京都府宇治市木幡南山9-51　0774-33-2360

ASHIOKA AKIO
橋岡　昭男　8万
日本美術院特待、院展奨励賞、春の院展奨励賞、東京藝大サロン・ド・プランタン賞、有芽の会日本更生保護協会賞、大和六瓢能舞台制作、個展（東京藝大正木記念館）、師平山郁夫、東京藝大大学院博士修、東京　〒146-0082 東京都大田区池上1-20-6　03-3754-3868

ASHIMOTO KOAN
橋本　弘安　8万
日展特別会員、新日春会運営委員、女子美大教授、日展審査員3・会員賞、師橋本明治、東京藝大卒、大阪、1953　〒167-0032 東京都杉並区天沼2-40-5　http://www.asahi-net.or.jp/~yv9k-hsmt/　03-3220-5927

ASEGAWA MAKOTO
長谷川　誠　7万
創画会会友、入34、春季展賞、山種美術館賞展、武蔵野美大大学院修、北海道、1951　〒337-0041 埼玉県さいたま市見沼区南中丸1299-13　048-683-9897

ASEGAWA MASAYA
長谷川　雅也　6万
日展会員・審・委嘱・特選2・無鑑査2、新日春会会員、日春展日春賞、臥龍桜日本画大賞展大賞、Seed山種美術館日本画アワード優秀賞、晨鳥社、京都造形芸大大学院修、京都、1974　〒605-0841 京都府京都市東山区大和大路通り五条上ル山崎町362　075-561-3935

ASEGAWA YOSHIHISA
長谷川　喜久　10万
日展特別会員・会員賞・東京都知事賞・審査員3・特選2、新日春会会員、日春展日春賞2・奨励賞1、東丘社委員、川端龍子賞展大賞、万葉日本画大賞展準大賞、金沢美工大大学院修、岐阜、1964　〒500-8233 岐阜県岐阜市蔵前3-2-6-2　058-247-6787

ATA MAKOTO
秦　　誠　7万
日本美術院特待、師片岡球子、愛知芸大大学院修、兵庫、1950　〒489-0964 愛知県瀬戸市上之山町2-171-37　0561-85-5057

ATANAKA KOKYO
畠中　光享　10万
Artist Group—風—メンバー、元京都造形芸大教授、シェル美術賞、セントラル大賞展大賞、横の会展、NEXT展他、府文化賞新人賞・同功労賞、個展多数、京都市立芸大専攻科修、奈良、1947　〒606-8414 京都府京都市左京区浄土寺真如町177-28　075-761-4304

ATTA TETSU
八田　　哲　10万
無所属、元日展会友、特選、京展関展受賞、個展（池袋西武）、青塔社、師池田遙邨、京都、1943
〒603-8071 京都府京都市北区上賀茂北大路町25-2　075-701-4059

HATTORI SHIHORI
服部 しほり 4万
京展館長奨励賞、第5回絹谷幸二賞候補、個展（蔵丘洞画廊・田口美術）、景聴園、京都市立大大学院修、京都、1988　http://www.hattoori2.com/

HATTORI NORIYUKI
服部 憲幸 5万
日本美術院院友、個展、長湫会展、雄雄会展、師片岡球子、愛知芸大大学院修、愛知、19
〒480-1116 愛知県長久手市杁ヶ池1523　0561-62-94

HANAOKA TESSHO
花岡 哲象 10万
無所属、元聖徳大学助教授、冬麗社絹絵研究会主宰、創画展・セントラル大賞展・上野の森大賞展・フンス美術賞展等出品、個展62（そごう・伊勢丹等）、絹本による日本画を追求、東京学芸大大学院修、長野、1950　〒394-0044 長野県岡谷市湊3-7-19　澄神洞　http://hanaoka-tesshow.jp/　0266-22-53

BABA NOBUKO
馬場 伸子 6万
無所属、個展、アートフェア東京出品、アートギャラリー閑々居他個展、東京学芸大大学院修、崎、1974　〒857-0143 長崎県佐世保市吉岡町1375　0956-40-543

BABA YAYOI
馬場 弥生 6万
日本美術院院友、奨励賞、春院展入、愛知芸大大学院修、愛知、1970　〒453-0844 愛知県古屋市中村区小鴨町80　052-411-89

HAMADA SHOJI
濱田 昇児 30万
日展特別会員、新日春会顧問、日展特選2・白寿賞2、日春展日春賞・奨励賞、京展審、個展、小野竹喬、京美専卒、大阪、1927　〒603-8341 京都府京都市北区小松原北町76　075-462-347

HAMADA TAISUKE
浜田 泰介 30万
無所属、個展、大覚寺・醍醐寺・東寺障壁画制作、師小野竹喬、京美大大学院修、愛媛、193
〒520-0016 滋賀県大津市比叡平1-2-22　077-529-006

HAYASHI KAZUO
林 和緒 15万
日展特別会員・審3・特2、新日春会顧問、日春展奨励賞・外務大臣賞、長野県学術文化芸術労者、文化庁現美選展2、県展審、三越・松屋他個展、外遊6、師佐藤太清・村山徑、武蔵野大卒、長野、1931　〒395-0003 長野県飯田市上郷別府3333-16　0265-23-378

HAYASHI KOJI
林 孝二 5万
無所属、堂島リバーアワード大賞、日経日本画大賞展入2、個展（髙島屋・村田画廊他）、京都華大卒、多摩美大大学院修、兵庫、1960　〒610-0343 京都府京田辺市大住大欠16-92　0774-65-310

HAYASHI JUNICHI
林 潤一 10万
嵯峨美大名誉教授、創画展入・春季展賞、シェル美術展2等、京展市長賞、京都府文化賞功賞、横の会展、山種美術館賞展他、京都市立美大日本画専攻科修、京都、1943　〒616-8363 都府京都市右京区嵯峨柳田町36-4　075-872-851

HAYASHI SHIN
林 真 5万
日展会友、日展特選、日春展日春賞・奨励賞、臥龍桜日本画大賞展大賞、優秀賞、名古屋芸大学院修、岐阜、1972　〒500-8241 岐阜県岐阜市領下3-37-2　058-227-415

HAYASHI TOMOKI
林 智基 5万
日本美術院院友、個展、香流会展、知の会展出品、愛知芸大卒、愛知、1957　〒464-0014 愛県名古屋市千種区御影町2-11-1　052-712-184

HAYASHI NOBUO
林 信夫 4万
無所属、東京藝大大学院修、愛媛、1957　〒253-0101 神奈川県高座郡寒川町倉見3829-6　0467-75-148

HAYASHI MIEKO
林 美枝子 6万
日本美術院院友、入14、春展17、日仏現代展他入、県展4、個展、グループ展、松岡美術館・川美術館・横浜そごう美術館買上、東京藝大大学院修、愛知、1949　〒253-0026 神奈川県茅崎市旭が丘12-18　0467-86-931

HAYASHI MORIJI
林 森次 5万
日展入、日春展入、市展賞、師松原日沙史・土屋禮一、岐阜、1952　〒500-8272 岐阜県岐阜市前一色3-8-13　058-245-778

HAYASHIYA TAKUOU
林屋 拓蓊 4万
無所属、個展、師林屋晴三、京都市立芸大卒、京都　〒604-8272 京都府京都市中京区姉小路釜座東入792　075-221-532

HAYAMI KEIICHIRO
速水 敬一郎 8万
日本美術院院友、東京学芸大教授、安宅賞、春の院展奨励賞、個展（日本橋髙島屋・福山天満屋）、東京藝大大学院修、静岡、1959　〒331-0045 埼玉県さいたま市西区内野本郷343-3　048-624-734

HARA SEIJI
原 誠二 4万
無所属、セントラル日本画大賞展佳作、個展、多摩美大大学院修、長野、1959　〒370-0864 群馬県高崎市石原町3493-36　027-324-729

HARA HIROYUKI
原 宏之 7万
無所属、外務省買上、個展、福島、1961　〒359-1111 埼玉県所沢市緑町3-4-10-6　042-926-579

BANDO REIKO
伴戸 玲伊子 3万
創画会准会員、創画会賞、女子美大大学院修、京都、1974

ANBA MITSUO 番場 三雄	7万	日本美術院同人、東北芸術工科大学美術科教授、院展院賞大観賞2・足立美術館賞・奨励賞7・無、春の院展春の足立美術館賞・奨励賞7、文化庁現代美術選抜展、個展（日本橋三越他）、師今野忠一・松本哲男、新潟、1953　〒999-3244 山形県上山市石曽根173-2　023-673-5292
EDA KAZUHO 稗田 一穗	20万	文化功労者、日本藝術院賞・恩賜賞、創画会会員、創造美術展奨励賞、東京藝大名誉教授、長谷川仁記念賞、MOA岡田茂吉賞大賞、勲三等瑞宝章、師山本丘人、東京美術学校卒、和歌山、1920　〒157-0066 東京都世田谷区成城7-29-34　03-3482-3045
GASHIZONO MOTOAKI 東園 基昭	6万	無所属、アートフェア東京、東京アートアンティーク、個展、グループ展、多摩美大大学院修、東京、1975　〒146-0091 東京都大田区鵜の木2-39-1　多摩リバーサイドハウス505　03-3757-4485
ZAWA RYUJIN 飛澤 龍神	5万	本名 行雄、新興美術院代表理事、茨城県芸術祭委員・審査員、新興展新興美術院大賞・文部大臣奨励賞・新興美術院賞他、日本美術協会会長賞、『水墨画の小作品づくり』『こころの旅路 飛澤龍神日本画集』（日貿出版）刊、個展多（東京セントラル絵画館・仏アルザス日本学研究所・常陽芸文センター他）、茨城、1950　〒315-0052 茨城県かすみがうら市下稲吉3950-88　0298-69-9301
NENO YUMI 日根野 裕美	3万	無所属、新生展新生賞、個展、グループ展、東京藝大大学院修、神奈川、1980　〒213-0014 神奈川県川崎市高津区新作5-22-1-303　044-866-9444
BINO TAKUSHI 日比野 拓史	4万	無所属、アートアワード・ネクスト準大賞、多摩美大大学院修、岐阜、1981　〒731-0136 広島県広島市安佐南区長東西3-4-17
RAIWA HIROHIKO 平岩 洋彦	10万	無所属、元創画会会友・創画会賞・春季展賞6、サロン・ド・プランタン賞、東京藝大大学院修、長野、1943　〒254-0821 神奈川県平塚市黒部丘16-26　0463-32-4435
RAKO MARI 平子 真理	12万	日本美術院院友、有芽の会展、青垣2001年展入、郷さくら美術館他収蔵、個展、東京藝大卒、神奈川、1962　〒251-0875 神奈川県藤沢市本藤沢2-15-19　0466-84-9399
RABAYASHI TAKAHIRO 平林 貴宏		日本美術院院友、再興院展入、トーキョーワンダーウォール2007審査員長賞、個展、前田青邨記念大賞展、臥龍桜日本画大賞展、グループ展、愛知芸大大学院修、秋田、1979　〒101-0051 東京都千代田区神田神保町2-14-19　GALLERY小暮気付　03-5215-2877
RABAYASHI TOMOYUKI 平林 知之	5万	無所属、全国県展選抜展文部大臣賞、東京藝大卒、福島、1953　〒350-1302 埼玉県狭山市東三ツ木102-68　0429-54-3431
RAMATSU REIJI 平松 礼二	50万	無所属、創画会展創画会賞、東京セントラル日本画大賞優秀賞、山種美術館賞展大賞、中日大賞、MOA美術館大賞・優秀賞、横の会展、日本秀作美術展、ジヴェルニー印象派美術館・ベルリン国立アジア美術館で「モネへのオマージュ展」、師川端龍子、東京、1941　〒248-0006 神奈川県鎌倉市小町3-8-7　0467-23-5630
RAYAMA HIDEKI 平山 英樹	8.5万	創画会会員・創画会賞、沖縄県立芸大教授、菅楯彦大賞、東京藝大大学院修、山口、1956　〒903-0804 沖縄県那覇市首里石嶺町4-357-14　098-887-7273
ROSHIMA TATSURU 廣島 樹	4万	日本画府副理事長・日本画部長、三鈴賞・記念賞・日府賞・努力賞・三重県知事賞他、デパート個展多数、ユニセフグリーティングカード制作、師児玉三鈴・高光一也、金沢美工大、石川、1945　〒369-1224 埼玉県大里郡寄居町鉢形415-6　048-581-3444
ROSE TAKAHIRO 廣瀬 貴洋	6万	日本美術院院友、東京藝大非常勤講師、院展奨励賞、春の院展春季展賞・奨励賞3、博士修了制作帝京大学買上、個展多数、グループ展多数、有芽の会展法務大臣賞、東京藝大大学院修、千葉、1974　〒247-0062 神奈川県鎌倉市山ノ内1255-1
ROTA HARUHIKO 廣田 晴彦	6万	日本美術院院友、院展奨励賞、個展、愛知芸大大学院修、兵庫、1966　〒466-0064 愛知県名古屋市昭和区鶴舞2-15-20　アート320　052-825-4380
UKUI KOTARO 福井 江太郎	20万	無所属、アミューズアーティストオーディショングランプリ、両洋の眼展河北倫明賞、紺綬褒章、文化庁買上、愛媛県美術館・横浜美術館・平塚市美術館他作品収蔵、個展、多摩美術大学大学院、東京、1969　〒251-0033 神奈川県藤沢市片瀬山3-27-8　HSG（有）気付　http://www.kotaro-f.com/　0466-28-7205
UKUI SAWATO 福井 爽人	50万	日本美術院同人・理事、東京藝大名誉教授、院展文部大臣賞・総理大臣賞・青邨賞他、師平山郁夫、東京藝大大学院修、北海道、1937　〒177-0041 東京都練馬区石神井町4-9-16　03-3997-7370
UKUI TOKIKO 福井 時子	7万	日本美術院特待、無1・入22、春展奨励賞・入10、東京藝大卒、北海道、1943　〒177-0032 東京都練馬区谷原5-18-8　03-3996-6119
UKUI YOSHIHIRO 福井 良宏	7万	無所属、アジアンドリーム2000優秀作品賞、個展（横浜高島屋）、1955　〒248-0007 神奈川県鎌倉市大町3-4-3　0467-22-5208
UKUOJI KAZUHIKO 福王寺 一彦	130万	日本藝術院会員・日本藝術院賞、日本美術院同人、日本美術著作権協会会長、日本美術家連盟理事、院展総理大臣賞・文部大臣賞・院賞大観賞、師福王寺法林、東京、1955　〒181-0002 東京都三鷹市牟礼1-10-11　0422-43-1467

FUKUSHIMA NAOMI
福嶋 ナオミ　4万
院展研究会員、春院展入、個展、臥龍桜日本画大賞展入、師福井爽人、東京藝大卒、神奈川、1972　〒221-0811 神奈川県横浜市神奈川区斎藤分町27-16　045-413-01

FUKUDA SENKEI
福田 千惠　35万
日本藝術院会員、日本藝術院賞、日展理事・文部大臣賞・会員賞・特選2、新日春会顧問、日春展春賞・奨励賞2、太清賞美術展審、文化庁選抜展4、個展多数、サウジアラビア王国「偉」制作、武蔵野美大卒、師佐藤太清、東京、1946　〒124-0013 東京都葛飾区東立石2-5-3　03-3692-21

FUKUNAGA AKIKO
福永 明子　4万
無所属、東方展入、上野の森美術館大賞展入、個展、京都芸術短大卒、東京、1968　〒27
0085 千葉県柏市中原1-25-10　04-7172-16

FUKUMOTO TADASHI
福本 正　12万
無所属、日本美術家連盟会員、個展（西武池袋本店・高輪会）、グループ展、師河嶋淳司、東京藝大卒、東京、1964　〒176-0004 東京都練馬区小竹町1-35-9　http://tadashi-fukumoto.jimo com/　03-5966-37

FUKUMOTO TATSUO
福本 達雄　10万
日展特別会員、日春展顧問、日展審査員6・特選2・会員賞、日春賞、京都府文化賞功労賞、個展、師西山英雄、兵庫、1926　〒606-8136 京都府京都市左京区一乗寺東浦町45-7　075-721-31

FUJII SATOKO
藤井 聡子　5万
日本美術院院友、院展奨励賞、春の院展奨励賞、雪舟の里総社墨彩画展特選、松柏美術館花鳥画展優秀賞、個展（佐藤美術館・銀座みゆき画廊）、グループ展、東京藝大大学院博士課程修、長野、1974　〒214-0035 神奈川県川崎市多摩区長沢3-13-9　044-977-70

FUJII SATOMI
藤井 智美　5万
創画会会員、創画展創画会賞・奨励賞、雪舟の里総社墨彩画展特選他、個展10、京都市立芸大大学院修、兵庫、1959　〒675-1307 兵庫県小野市菅田町739-235　https://www.nihong satomi-f.net/　0794-63-69

FUJII NORIKO
藤井 範子　3万
日展特別会員・審査員3・委嘱4・特選2・無鑑査2・入選7、新日春会運営委員、師西山英雄、1940　〒573-1104 大阪府枚方市楠葉丘1-47-9　田中方　072-856-82

FUJII MIKAKO
藤井 美加子　6万
創画会会友、創画展入、春季展賞、個展、セントラル日本画大賞展入、グループ展、多摩美大大学院修、広島、1965　〒154-0016 東京都世田谷区弦巻5-17-12-501　03-5477-08

FUJII YASUO
藤井 康夫　10万
日本美術院特待、倉敷芸術科学大学教授、院展無2・入34、春展奨励賞2、日展、毎日現代展出品、東京藝大大学院修、愛知、1939　〒167-0042 東京都杉並区西荻北2-4-5　03-3395-91

FUJISAKI IZUMI
藤崎 いづみ　5万
無所属、桜美林大教授、「2017-2018 A.M.S.C.Project ARTE de JAPON」アートメゾン・ビエンナーレ2017スペインマドリード総合芸術センター出品DIPLOMA「Apreciable obra」賞、個展（オンワードギャラリー日本橋他）、東京藝大学院修（修了制作藝大資料館買上）、東京　〒157-0073 東京都世田谷区砧7-1-10-408　http://www.izumirin.co

FUJISHIMA SUMIHISA
藤島 墨久　3.5万
創画展入、個展、グループ展、師加山又造、東京藝大大学院修、東京、1963　〒252-0228 神奈川県相模原市中央区並木4-2-26　0427-53-47

FUJISHIRO MASAHARU
藤城 正晴　4万
日本美術院院友、佐藤国際文化育英財団第15期奨学生、松伯美術館花鳥画展優秀賞、院展入、春の院展入8、グループ展多数、愛知芸大大学院修、愛知、1983　090-9192-18

FUJITA SHIRO
藤田 志朗　6万
創画会会員・常任理事、創画会賞3・創画会入20、春季展入3、川端龍子賞展優秀賞、東京藝大大学院修、京都、1951　〒305-0012 茨城県つくば市中根459-7　0298-57-72

FUJITA TETSUYA
藤田 哲也　5万
日本美術院院友、愛知県立芸術大学模写制作代表、雪舟の里墨彩画展特選、松伯美術館花鳥画展優秀賞、愛知芸大大学院修、滋賀、1978　〒511-0912 三重県桑名市星見ケ丘9-1304-2　0594-32-23

FUJITA TOKIHIKO
藤田 時彦　12万
日本美術院院友、春季展入、NAW（東京美術倶楽部）、個展（新宿伊勢丹・上野松坂屋他）、師松尾敏男、東京、1947　〒248-0003 神奈川県鎌倉市浄明寺6-8-18　0467-22-76

FUJINO NAOYA
藤野 直也　8万
日本美術院院友、入11、春展入6、中部読売展奨励賞、博報堂賞、愛松会他出、法隆寺金堂壁画模写参加、愛知芸大大学院修、福岡、1955　〒489-0035 愛知県瀬戸市紺屋田町11-180　0561-87-10

FUJIMOTO SHIZUHIRO
藤本 静宏　6万
創画展入、上野の森大賞展特別優秀賞、京の四季展大賞、個展多数（あべのハルカス近鉄本店・松屋銀座等）、橿原神宮干支大絵馬揮毫、京都市立芸大卒、奈良、1955　〒634-0028 奈良県橿原市法花寺町99　0744-22-77

FUJIMOTO MAYAKO
藤本 麻野子　2万
第6回タグボートアワード柴山哲治賞、アートストリーム2012大丸賞、個展、グループ展、京都精華大卒　〒104-0061 東京都中央区銀座5-14-16　銀座アビタシオン1F　靖山画廊気付
https://8mayako.wixsite.com/artwork　03-3546-73

FUJIWARA IKUKO
藤原 郁子　7万
日展会友・入14、日春展入16、京展市長賞他賞2、関西美術展無鑑査、雪舟墨彩展入2、個展1…自選展2、青塔社、師池田遙邨、岡山、1942　〒569-1046 大阪府高槻市塚原6-27-16　072-693-09

JIWARA IKUKO 藤原 郁子	3万	創画会会友、京都日本画協会会員、西宮芸術文化協会会員、日本画連盟展芸術文化賞、松伯美術館日本画展入賞、個展21、大阪芸大卒、兵庫　〒663-8113 兵庫県西宮市甲子園口1-10-13　http://www.ikuko8.jp/　0798-67-0180
JIWARA SHIGEO 藤原 重夫	10万	京都墨彩画壇副理事長、高野山画僧、贈法眼位、僧名祐寛、個展、大阪、1940　〒594-1104 大阪府和泉市万町140-1　0725-55-2328
JIWARA TOSHIYUKI 藤原 敏行	10万	個展（大阪・京都・名古屋・横浜・東京各髙島屋）、中国紀行三人展他グループ展、京都市立美大卒、京都、1942　〒616-8427 京都府京都市右京区嵯峨二尊院門前善光寺山町6　075-861-3710
JIWARA HIROYUKI 藤原 裕之	4万	無所属、京都日本画家協会第3期展奨励賞、京都日本画新展出、個展（髙島屋大阪店・京都店）、京都造形芸大大学院修、京都、1979　〒616-8427 京都府京都市右京区嵯峨二尊院門前善光寺山町6　075-861-3710
JIWARA MADOKA 藤原 まどか	6万	日本美術院院友、新樹会展、瑞樹の会展、菅楯彦大賞展出品、東京藝大大学院修、福島、1967　〒271-0064 千葉県松戸市上本郷3863　047-367-5535
TAGAWA KAZUYUKI 二川 和之	30万	無所属、損保ジャパン美術賞展優秀賞、アートオリンピア2015・2017入、個展多数（成川美術館・ホワイトストーンギャラリー他）、金沢美工大卒・東京藝大大学院修、香川、1954　〒156-0052 東京都世田谷区経堂4-22-15
NABASHI YASUYUKI 船橋 穏行	7万	創画展入、新制作展出品、個展（名古屋松坂屋）、中日展出品、京都市立芸大卒、愛知、1950　〒463-0027 愛知県名古屋市守山区弁天ヶ丘405　052-798-1896
NAMIZU NORIO 船水 徳雄	10万	日展会員賞･特2、日春展日春賞他、現代美術選抜展、具々展他、師佐藤太清、東京、1949　〒190-0034 東京都立川市西砂町5-53-21　042-531-2732
NAYAMA RUI 船山 塁	3万	無所属、雪舟の里総社墨彩画展奨励賞、臥龍桜日本画大賞展入、東京藝大大学院修、埼玉、1976　〒133-0057 東京都江戸川区西小岩2-19-20-801　03-3672-4370
RUSAWA YOKO 古澤 洋子	6万	日展会員・委嘱・審2、特選・無鑑査・入選、新日春会会員、日春展日春賞・外務大臣賞・奨励賞・入選、県現代美術展最高賞他、個展、市買上、金沢美工大大学院修、石川
RUTA TOSHIHISA 古田 年寿	7万	日本美術院院友、春展奨励賞1、松伯花鳥画展優秀賞、現代日本画の旗手展、個展、名古屋城障壁画復元模写に従事、師片岡球子、愛知県立芸大大学院、修了制作大学買上、愛知、1966　〒470-1152 愛知県豊明市前後町仙人塚1739-7　0562-95-4806
OKYO TOMOKO 宝居 智子	3.5万	無所属、臥龍桜日本画大賞展入選、加藤成之記念賞、正寿院天井画、千葉銀行カレンダー、国内外個展多数（カザフスタン初代大統領博物館・全国百貨店･画廊）、女子美大卒、千葉　http://www.tomokohokyo.com/
OJO MASATSUNE 北條 正庸	7万	創画会会員・創画会賞、春季展賞、武蔵野美大卒、栃木、1948　〒320-0043 栃木県宇都宮市桜5-1-30　028-636-7100
OKUTO KAZUMORI 北斗 一守	6万	日展会員・審・委嘱・特2、新日春会会員、日春展奨励賞、京都新聞日本画賞展優秀賞、現代美術選抜展、京都精華短期大学卒、大阪、1955　〒570-0028 大阪府守口市本町2-5-35　06-6992-6148
OSHINO TOMOTOSHI 星野 友利	6万	日本美術院特待、有芽の会展、パリにて個展（在フランス大使館・国土交通省・観光庁後援）、師森田曠平、玉川大卒、東京、1961　〒247-0062 神奈川県鎌倉市山ノ内1179-18　0467-25-6396
OSOKAWA RYOJI 細川 良治	5万	日本美術院院友、濤林会会員、秋田県展特選、奨励賞、個展、師福王寺法林・一彦、秋田、1947　〒014-1114 秋田県仙北市田沢湖神代字戸伏松原324　0187-44-2819
OTTA TOSHIE 堀田 淑支	6万	日本美術院院友、師片岡球子・松村公嗣、愛知芸大卒、愛知、1960　〒496-0856 愛知県津島市瑠璃小路2-1　0567-26-9123
ORI TAIMEI 堀 泰明		無所属、元日展会員、日展審査員2・特選2、山種美術館賞展優秀賞、師山口華楊、京都市立美大卒、京都、1941　〒606-8156 京都府京都市左京区一乗寺松原町3-2　075-711-5633
ORIKAWA EIKO 堀川 えい子	12万	無所属、春季創画展・現美展他出品、芝増上寺会館天井画、キッコーマン総合病院収蔵、日本橋三越等個展・グループ展多、東京都ものづくり事業木版画世界童話『竹取物語』原画、師加山又造、多摩美大大学院修、東京、1954　〒251-0027 神奈川県藤沢市鵠沼桜が岡4-5-19　0466-26-6609
ORIKOSHI YASUJI 堀越 保二	10万	創画会会員・創画会賞・新作家賞・春季展賞、東京藝大名誉教授、東京セントラル美術館日本画大賞展大賞、東京藝大卒、東京、1939　〒299-4403 千葉県長生郡睦沢町上市場1313-2　0475-44-2207

HONDA ISAMI 本多 功身	10万	日展特別会員・審3・特選2・入10、新日春会運営委員、青塔社所属、師池田遙邨、京都、19 〒602-8447 京都府京都市上京区智恵光院通五辻上ル紋屋町303	075-451-83
HONDA KUMIKO 本多 久美子	5万	春季創画展入、ビエンナーレうしく（賞候補）、個展、東京藝大大学院修、東京、1976	
MAEKAWA NOBUHIKO 前川 伸彦	7万	日本美術院院友、春院展入、岐阜県展賞、市展賞、個展、グループ展、師松本哲男、岐阜、19 〒501-2114 岐阜県山県市佐賀368-14	0581-22-36
MAEDA KAZUKO 前田 和子	3万	康耀堂美術館賞、奨学生美術展（佐藤美術館）、『150種の動物の形・動きがわかる動物ポーズ集（誠文堂新光社）、京都造形芸大卒（卒業制作千住賞・学長賞・学科賞）・同大学院修、兵庫、19 〒107-0062 東京都港区南青山5-4-30　新生堂気付	03-3498-83
MAEDA CHIKARA 前田 力	6万	日本美術院招待、院展日本美術院賞大観賞2・奨励賞8・無・入12、春の院展無・春季展賞3・励賞5・春の足立美術館賞・無、有芽の会展、新樹会展、東京藝大大学院修士課程修了（修了写台東区買上）、千葉、1971	
MAEDA MASANORI 前田 正憲	7万	無所属、シカゴ・インターナショナル準賞、安宅賞、東京藝大卒、宮崎、1964　〒300-1204 城県牛久市岡見町1291-2　http://www.masanorimaeda.com/	0298-71-72
MAEDA YUKARI 前田 有加里	3万	無所属、個展（東京・京都・金沢）、卒業制作買上、京都造形芸大卒、石川、1981　〒920-09 石川県金沢市小将町7-36	076-262-68
MAEHARA MITSUO 前原 満夫		日本美術院同人、院展日本美術院賞大観賞2・文部科学大臣賞・足立美術館賞、春の院展春季賞・外務大臣賞、静岡芸術祭大賞、師松尾敏男、静岡、1944　〒427-0018 静岡県島田市旭1-2-	0547-37-56
MAEMOTO TOSHIHIKO 前本 利彦	12万	無所属、裸婦大賞展優秀賞、東京セントラル大賞展優秀賞、山種美術館賞展他出、個展、多美大大学院修、北海道、1948　〒409-1502 山梨県北杜市大泉町谷戸8741-745	
MAKI SUSUMU 牧 進	60万	無所属、元青龍社社友・奨励賞、山種美術館賞展優秀賞、個展、師川端龍子、東京、19 〒187-0032 東京都小平市小川町2-1355-6	042-344-88
MAKITA HIROYUKI 牧田 宏之	5万	日本美術院院友、個展（池袋東武・松坂屋名古屋）、うづら会展、雄雄会展、葵会展、愛知芸大学院修、静岡、1972　〒470-2361 愛知県知多郡武豊町多賀2-22	
MAKINO KAZUMI 牧野 一泉	7万	創画会会員、創画会賞3、春季展賞7、文化庁在外研修員、十美会日本画21世紀展グランプリ、端龍子賞展佳作2、師稗田一穂、東京藝大大学院修、長野、1951　〒410-1115 静岡県裾野市福が丘4-20-3	055-993-66
MAKINO TAMAKI 牧野 環	6万	日本美術院院友、院展奨励賞、春の院展奨励賞、雪舟の里墨彩画展雪舟大賞、個展（松坂屋三越）、愛知芸大大学院修、愛知、1974　〒480-1317 愛知県長久手市松杁1819-3　https: tamaki-makino.jimdo.com/	
MAKINO NOBUHIDE 牧野 伸英	8万	日本美術院特待、院展奨励賞4・無、春の院展奨励賞2・春季展賞、師松尾敏男、多摩美大大院修、長野、1967　〒227-0034 神奈川県横浜市青葉区桂台2-13-9　http://www007.upp.so-ne.jp/makino/	045-963-09
MAGESHI AKIRA 曲子 明良	12万	日展特別会員・審査員3・特選2、新日春会会員、日春展外務大臣賞・日春賞・奨励賞、師西山雄、京都、1947　〒603-8346 京都府京都市北区等持院北町19-21	075-464-66
MAJIMA HIDENORI 間島 秀徳	5万	無所属、山種美術館賞展、日経日本画大賞展、個展、グループ展、東京藝大大学院修、茨城 1960　〒300-0201 茨城県かすみがうら市柏崎1546-14　http://hidenori-majima.com	0298-96-05
MASUDA TAKASHI 増田 貴司	4万	創画会会友、創画展入、松伯美術館花鳥画展大賞、優秀賞、京都精華大卒、広島、1961　〒63 1066 奈良県生駒郡安堵町西安堵34-21	0743-57-36
MASUDA TAKAMITSU 桝田 隆満	5万	無所属、セントラル大賞展入、多摩美大大学院修、福島、1971　〒297-0027 千葉県茂原市中 16-15	0475-26-10
MASUTA YASUO 桝田 靖夫	7万	日展会友、各展賞多数、鎌倉市制50周年記念個展他多数、蒼穹会主宰、伊留学、師伊東深水 金沢美大卒、慶応大美学、石川、1939　〒248-0027 神奈川県鎌倉市笛田萩郷2-37-11	0467-32-00
MASUMOTO YOSHIHIRO 桝本 徳裕	5万	日展入、京展入、臥龍桜日本画大賞展入、京都市立芸大大学院修、京都	

ASE SHIZUE
間瀬 静江 6万
日展会員、審2・特2・入12、新日春会会員、日春展入12、外務省買上3、東京セントラル美術館日本画大賞展他、個展、グループ展多、師佐藤太清、愛知芸大卒、愛知、1949 〒244-0002 神奈川県横浜市戸塚区矢部町1668-46 045-864-4227

ACHIDA TAISEN
町田 泰宣 10万
水墨 日本南画院会長、京都日本画家協会（元理事・監事）会員、悠心会・創の会主宰、日本南画院展文部大臣賞、渋谷東急本店・髙島屋京都店他個展29、師川端皐白、京都、1943 〒602-0852 京都府京都市上京区寺町広小路上ル北之辺町397 075-231-0355

ATSUI KAZUHIRO
松井 和弘 12万
創画会会員・理事、創画会賞3、シェル賞4、文化庁在外研修員、現代美術選抜展2、東京藝大大学院修、愛知、1939 〒457-0036 愛知県名古屋市南区若草町74 052-811-5885

ATSUI FUYUKO
松井 冬子
東京藝大卒業修了制作野村賞受賞、静岡県文化奨励賞受賞、横浜美術館個展、Asian Art Museum（米）グループ展、東京藝大大学院博士修・博士号取得、静岡 www.matsuifuyuko.com

ATSUIKE AYUMI
松生 歩 12万
無所属、京都造形芸大教授、山種美術館賞展大賞、京都府文化賞功労賞、個展20、京都市立芸大大学院修、大阪、1959 〒603-8433 京都府京都市北区紫竹北栗栖町17-5 075-495-1418

ATSUIKE SHUNSANJIN
松生 春山人 6万
無所属、春院展入、個展（三越・大丸他）、師春芳・貞以、大阪、1948 〒537-0012 大阪府大阪市東成区大今里2-3-7 06-6981-4694

ATSUURA CHIKARA
松浦 主税 7万
日本美術院院友、前田青邨記念大賞展優秀賞、雪舟の里墨彩画展、愛知芸大大学院修、愛知、1968 〒480-1158 愛知県長久手市東原山25 LMFG第2 508

ATSUOKA AYUMU
松岡 歩 8万
日本美術院特待、院展無・奨励賞3・天心記念茨城賞、春の院展日本美術院春季展賞（郁夫賞）・外務大臣賞・奨励賞3、松伯花鳥画展大賞、東京藝大卒業制作サロン・ド・プランタン賞・台東区長賞、同大大学院博士修、神奈川、1978 ayumu-matsuoka.com

ATSUOKA MASANOBU
松岡 政信 10万
日本美術院特待、奨励賞10・白寿賞5・無・入43、春展奨励賞2、師中村貞以、大阪、1932 〒586-0084 大阪府河内長野市旭ヶ丘21-12 天野グリーンヒルズ25-6 0721-53-8250

ATSUKURA SHIGEHIKO
松倉 茂比古 10万
創画会会員、創画会賞3・奨励賞・入24、東京セントラル美術館日本画大賞展大賞、山種美術館賞展、文化庁派遣在外研修員、県展受賞2、多摩美大卒、静岡、1949 〒100-0014 東京都千代田区永田町2-17-9 永田町ハウス4F 03-3591-2557

ATSUZAKI JURO
松崎 十朗 5万
日展特別会員・審3・特選2、新日春会会員、日展会員賞1、日春展日春賞・奨励賞3、上野の森美術館大賞展特別優秀賞、三溪展優秀賞、菅楯彦大賞展準大賞、金沢美工大大学院、石川、1960 〒920-0994 石川県金沢市茨木町15-8

ATSUZAKI RYOTA
松崎 良太 7万
日展会員・審・特選2・入20、新日春会会員、京展・関西展受賞、長崎、1939 〒520-0531 滋賀県大津市水明1-4-17 077-594-0602

ATSUSHITA AKIO
松下 明生 6.5万
日本美術院院友、日本画新鋭作家展出品、個展（いよてつ髙島屋・大丸神戸等）、師片岡球子、愛知芸大大学院修、愛媛、1964 〒489-0051 愛知県瀬戸市下陣屋町47-18 090-7025-0489

ATSUSHITA JUNKO
松下 順子 6万
日本美術院院友、入13、春展6、個展、有芽の会展他グループ展、そごう美術館買上、東京藝大大学院修、修了制作買上、東京、1948 〒113-0034 東京都文京区湯島3-3-7 03-3831-9541

ATSUSHITA SENREN
松下 宣廉 15万
無所属、元多摩美術大学教授、元創画会会友、新制作展新作家賞1・春季創画展賞4、文化庁現代美術選抜展、個展4、師横山操、多摩美術大学日本画科卒、福井、1946 〒177-0041 東京都練馬区石神井町1-26-11

ATSUSHITA MASATOSHI
松下 雅寿 10万
日本美術院院友、春の院展入、守谷育英会修学奨励特別賞、個展（上野松坂屋他）、グループ展多数、東京藝大大学院博士、宮城、1978 〒116-0013 東京都荒川区西日暮里1-22-6 2F matsushitamasatoshi.com

ATSUDA JUNICHI
マツダ ジュンイチ 4万
無所属、個展、京都日本画新鋭選抜展、新世代日本画展、日本画新展、京都精華大卒、京都、1965 〒616-8203 京都府京都市右京区宇多野柴橋町1

ATSUMURA KOJI
松村 公嗣 25万
日本美術院同人・理事、愛知県立芸大名誉教授、院展院賞大観賞・文科大臣賞・総理大臣賞他、春の院展奨励賞7・春季展賞2・外務大臣賞、山種賞展人気賞、師片岡球子、愛知県立芸大大学院修、奈良、1948 〒464-0016 愛知県名古屋市千種区希望ヶ丘1-7-1 052-752-2501

ATSUMURA KOTA
松村 公太 5万
日本美術院院友、個展18、グループ展多数、東京藝大大学院修、愛知、1978 〒121-0055 東京都足立区加平2-6-2 http://kotac.jp

ATSUMOTO SUSUMU
松本 進 8万
創画展入、新制作入、個展、グループ展、京都市立芸大卒、福岡、1943 〒616-0026 京都府京都市西京区嵐山薬師下町3-3-301 075-881-4856

MATSUMOTO TAKAAKI
松本 高明 15万
日本美術院同人、院展日本美術院賞大観賞・奨励賞14、春の院展外務大臣賞・奨励賞7、師松
敏男、静岡大卒、三重、1945　〒426-0011 静岡県藤枝市平島625-17　054-643-281

MATSUMOTO TOSHITAKA
松本 俊喬 7万
無所属、女子美術大学名誉教授、創画会賞、シェル賞展佳作賞、山種展出品、東京藝大卒、
本、1941　〒161-0034 東京都新宿区上落合1-27-21　03-3369-100

MATSUMOTO MASARU
松本 勝 40万
日本美術院特待・無4・入32、春展入30、山種美術館賞展出品、山種美術館・外務省買上、
展、師奥村土牛・塩出英雄、武蔵野美大卒、東京、1943　〒235-0021 神奈川県横浜市磯子
岡村7-28-14　045-752-192

MATSUMOTO YUKO
松本 祐子 6万
創画会会員、創画会賞3、春季展賞9、京都美術展新人賞、京都新聞日本画賞展優秀賞、山種
術館賞展、個展（髙島屋京都店・大阪店）、京都教育大専攻科修、大阪、1957　〒612-0802
都府京都市伏見区深草南明町19-5　075-525-413

MATSUYA CHIKAKO
松谷 千夏子 4万
創画会会友、創画展創画会賞、春季創画展春季展賞、菅楯彦大賞展大賞、三溪展佳作、個展
グループ展、多摩美大大学院修、神奈川、1959　〒247-0063 神奈川県鎌倉市梶原2-21-12
0467-46-000

MANO TAKAFUMI
真野 尚文 8万
無所属、元日本表現派委員、日本の自然を描く展JR東日本賞、ラスベガス国際交流美術展ラス
ガス市民大賞、個展（井筒屋黒崎店・恵比寿三越他）、グループ展多数、名古屋芸大卒、愛知
1956　〒448-0006 愛知県刈谷市西境町前山188-1　0566-35-306

MAYUYAMA MOMOKO
繭山 桃子 3万
日本美術院院友、院展入5、郷さくら美術館桜花賞展奨励賞、個展（銀座スルガ台画廊・松坂
名古屋店・上野店）、グループ展、東京藝大大学院博士後期課程修、東京、1983

MARUYAMA TSUTOMU
丸山 勉 4万
日展会員・特選2・無、新日春会会員、日春展日春賞・奨励賞2、臥龍桜日本画大賞展、兵
〒617-0812 京都府長岡京市長法寺川原谷13-4　075-959-306

MARUYAMA YUKI
丸山 友紀 5万
創画展入、臥龍桜日本画大賞展入、早稲田大卒、東京、1975　http://blog.livedoor.jp/encycl

MARUYAMA YOJI
丸山 庸次 5万
日本美術院院友、有芽の会展出品、東京藝大大学院修、神奈川、1962　〒251-0016 神奈川県
沢市弥勒寺1-1-10　0466-22-704

MIURA RIE
三浦 理絵 4万
日展入、日春展入、河北展東北放送賞、個展、女子美大卒、宮城、1962　〒271-0094 千葉県
戸市上矢切404-2-509　047-367-938

MIKAMI TOSHIKI
三上 俊樹 5万
日本美術家連盟会員、横浜美協会員、春季創画入6、日仏賞2、他賞、上野の森大賞秀作展、東京セントラ
美術館大賞展、宇部ビエンナーレ展、前田青邨大賞展、師関口雄揮、法大・武蔵野美術短大修、東京、19
〒180-0001 東京都武蔵野市吉祥寺北町3-2-2　https://toshiki-mikami.jimdo.com/　0422-55-66

MISHIMA SHO
三島 祥 2.5万
財団法人佐藤国際文化育英財団第16回奨学生美術展、個展、グループ展、東京藝大大学院修
兵庫、1982　〒240-0022 神奈川県横浜市保土ヶ谷区西久保町184-7

MIZUGUCHI KAZUKI
水口 和紀 3万
個展、アートシンガポール、ヤングアート台北、13Second Nature他海外アートフェア出品、三
特選会他グループ展多数、武蔵野美大大学院修、東京、1973　〒171-0044 東京都豊島区千
3-40-7

MIZUTANI KOJI
水谷 興志 8万
無所属、東京セントラル日本画大賞展佳作賞、谷尾美術館大賞展奨励賞、個展、師片岡球子、
知芸大大学院、三重、1952　〒811-3423 福岡県宗像市野坂1908-2　090-5733-29

MIZUTANI YU
水谷 雄 6万
無所属、元創画会准会員、創画会賞、春季展賞、山種美術館賞展、個展、愛知芸大大学院修
愛知、1955　〒460-0021 愛知県名古屋市中区平和2-10-6　052-321-04

MIZUNO KANNA
水野 寛奈 3.8万
日展入、日春展入、青垣日本画展朝日新聞社賞、上野の森美術館大賞展入、名古屋芸大大学
修、岐阜、1981

MISE NATSUNOSUKE
三瀬 夏之介
東北芸術工科大教授、京都市立芸大卒業制作展山口賞、トリエンナーレ豊橋・星野眞吾賞展大賞、五島記念文化賞美術新人賞、VOCA2009VOC
賞、京都市芸術新人賞、豊橋市美術博物館、文化庁他蔵、個展・グループ展多数、京都市立芸大大学院修、奈良、1973　〒606-8395 京都府京
市左京区丸太町通川端東入東丸太町31　イムラアートギャラリー気付　http://www.natsunosuke.com　075-761-737

MITSUDA CHIKUSUI
満田 竹水 8万
元展理事長、春光奨励賞、努力賞、大阪市長賞、個展（そごう・京王）、爽樹会、師満田天民
1946　〒590-0117 大阪府堺市南区高倉台二丁32-9　072-291-026

MINAMI YOSHINOBU
南 義信 6万
日展会友・入22、日春展入12、関西美術展賞、京展賞、師堂本印象、奈良、1934　〒603-846
京都府京都市北区鷹峯黒門町12-1　075-492-014

MINOWA YOSHIJI 箕輪 芳二	6万	日本美術院特待、無・入34、県・市展審、個展、別号春光、師郷倉千靱、岐阜、1927　〒500-8289 岐阜県岐阜市須賀2-2-26	058-274-6492
MIYA ITSUKI 宮 いつき	10万	創画会会員、多摩美術大学教授、創画展創画会賞4、春季展賞2他、タカシマヤ美術賞、文化庁派遣在外研修（アイルランド・イギリス）、東京藝大卒、東京、1956　〒182-0024 東京都調布市布田5-43-1	042-426-7311
MIYAKITA CHIORI 宮北 千織	25万	日本美術院同人、文星芸大教授、院展内閣総理大臣賞・文部科学大臣賞・院賞大観賞2・足立美術館賞・天心記念茨城賞・奨励賞・春の院展春季展賞・奨励賞、有芽の会展法務大臣賞他、東京藝大大学院修、東京　〒194-0041 東京都町田市玉川学園3-28-9	042-726-6543
MIYASAKO MASAAKI 宮廻 正明	60万	日本美術院同人・業務執行理事、東京藝大大学院学長特命教授、院展総理大臣賞・文部大臣賞・院賞大観賞、春の院展外務大臣賞・奨励賞、師平山郁夫、東京藝大大学院修、島根、1951　〒105-0011 東京都港区芝公園2-9-12	03-5401-7530
MIYAJI KO 宮治 綱	3万	日本美術院院友、佐藤太清賞展入、長洲会展、香流会展、愛知芸大大学院修、愛知、1975　〒452-0822 愛知県名古屋市西区中小田井2-477	052-501-0746
MIYASHITA HISANORI 宮下 壽紀	20万	無所属、水野美術館・大英博物館・山種美術館収蔵、紺綬褒章、師伊東深水、旧制中学、長野、1922　〒191-0033 東京都日野市百草1006-11	042-592-6889
MIYASHITA MARIKO 宮下 真理子	7万	日本美術院院友、野村美術賞、青邨記念特別賞、有芽の会日本更生保護女性会長賞、花王芸術科学財団研究奨励賞、新樹会展出品、個展（日本橋三越・そごう西武他）、東京藝大大学院博士修、東京、1975　http://www.miyashita-mariko.com/	070-5519-6569
MIYANISHI TOYOO 宮西 東洋雄	10万	無所属、創画展入、シェル美術賞展佳作賞、個展、京都美大卒、香川、1942　〒621-0001 京都府亀岡市旭町141-4	0771-29-5151
MIYAMOTO KANTA 宮本 幹太	6万	無所属、一語一絵展、個展（NY・上海・台北・国内）、渡米、福岡、1954　〒818-0133 福岡県太宰府市坂本2-11-28	092-929-1157
MIYAMOTO MASAHARU 宮元 政治	5万	創画展出品、東京セントラル日本画大賞展大賞、川端龍子賞展他出品、京都精華大卒、京都、1952　〒602-0915 京都府京都市上京区三丁町441	075-441-3297
MIWA AKIHISA 三輪 晃久	12万	日展特別会員・審・特2・無鑑査・白寿賞・委嘱・入22、日春展日春賞2・奨励賞3、京展審、個展、外遊、師堂本印象、京都市立美大卒、京都、1934　〒603-8321 京都府京都市北区平野鳥居前町76	075-463-8875
MUSASHIHARA YUJI 武蔵原 裕二	5万	日本美術院院友、個展（日本橋三越本店・松坂屋名古屋店）、愛知芸大大学院修、岐阜、1976	
MURAI MASAYUKI 村居 正之	12万	日展理事・特別会員・審5・特2・入16、新日春会会員、日展文部科学大臣賞、日春展会員賞・奨励賞2、全関西展審、山種美術館大賞展他、個展、外遊、大阪芸大教授、青塔社、師池田遙邨・道夫、京都、1947　〒565-0851 大阪府吹田市千里山西5-17-16	06-6384-1556
MURAOKA KIMIO 村岡 貴美男	15万	日本美術院同人、院展院賞大観賞2・奨励賞7・足立美術館賞1、春の院展春季展賞4・奨励賞3・春の足立美術館賞2、有芽の会法務大臣賞、東京藝大大学院博士課程修、京都、1966　〒180-0003 東京都武蔵野市吉祥寺南町1-27-1-308	0422-42-5316
MURAKAMI YUJI 村上 裕二	30万	日本美術院同人、院展内閣総理大臣賞・文部科学大臣賞・日本美術院賞大観賞2・奨励賞2、春の院展奨励賞・青邨賞、MOA岡田茂吉賞優秀賞、師平山郁夫、東京藝大大学院博士課程修、東京、1964　〒177-0051 東京都練馬区関町北5-16-1-315	03-5991-5559
MURAKOSHI YUKO 村越 由子	7万	創画会研究会員、山種美術館賞展優秀賞、個展、グループ展、多摩美大大学院修、東京、1966　〒248-0034 神奈川県鎌倉市津西1-21-8	0467-31-0287
MURATA RINZO 村田 林藏	15万	日本美術院特待、外務省買上、日本橋高島屋個展、グループ展多数、師平山郁夫、東京藝大日本画科卒、岩手、1954　〒248-0027 神奈川県鎌倉市笛田5-22-10	0467-39-1260
MURAMATSU SHIE 村松 詩絵	4万	創画会会友・創画展入・奨励賞、春季創画会展春季展賞、菅楯彦大賞展佳作賞、個展、東京藝大大学院修、東京、1970　〒103-0025 東京都中央区日本橋茅場町1-11-8　紅萌ビル1F　ギャラリーマークウェル気付	03-5640-8584
MURAMATSU HIDETARO 村松 秀太郎	9万	無所属、元創画会会員、創画会賞・新作家賞3、春季展賞5、東京藝大卒、静岡、1935　〒272-0826 千葉県市川市真間1-7-7	047-326-1557
MUROI KAYO 室井 佳世	5.5万	創画会会員、創画会賞3・奨励賞1、春季展賞12、上野の森美術館大賞展佳作賞、個展、東京藝大大学院修、兵庫、1962　〒273-0048 千葉県船橋市丸山2-21-8　植田方	

MEGURO YOSHIYUKI
目黒 祥元 10万
創画会会員、創画会賞4、春季展賞、文化庁現代美術選抜展、東京藝大大学院修、東京、195
〒116-0002 東京都荒川区荒川4-25-8-504 03-3801-854

MENDORI TAKESHI
妻鳥 健 6万
日本美術院院友、奨励賞、個展、武蔵野会展、瑠璃色会展、師福王寺法林・一彦、香川、194
〒763-0082 香川県丸亀市土器町東2-28

MOGI TATSUYA
茂木 辰也 8万
日本美術院院友、グループ展、東京藝大卒、栃木、1952 〒328-0071 栃木県栃木市大町37-6
0282-22-561

MORI MIKI
森 美樹 5万
日展会員、日展審査員・特選・無鑑査、新日春会会員、日春展日春賞・奨励賞、徳島 〒106
0031 東京都港区西麻布2-16-2

MORI MIDORI
守 みどり 10万
日本美術院特待、院展奨励賞、春の院展春季展賞（郁夫賞）・奨励賞・足立美術館賞、個展、東
京藝大大学院修、千葉、1968 〒310-0844 茨城県水戸市住吉町64-14

MORITA KAZUHIKO
森田 和彦 5万
日本美術院院友、院展入、春院展入、有芽の会展出品、東京藝大大学院修、埼玉、1970 〒221
0811 神奈川県横浜市神奈川区斎藤分町27-16 045-413-016

MORITA RIEKO
森田 りえ子 50万
無所属、京都市立芸大客員教授、春季創画展春季展賞、川端龍子賞展大賞、東京セントラル美
術館大賞展佳作賞、菅楯彦大賞展準大賞・市民賞、京都府文化賞功労賞、京都美術文化賞、京
都御所迎賓館・金閣寺方丈作品制作、国内外個展多数、京都市立芸大大学院修、兵庫

MORIMOTO MASAFUMI
森本 政文 6万
創画会会友、創画展入、春季展賞、京展栖鳳賞、個展（毎年）、京都市立芸大大学院修、大阪
1961 〒567-0827 大阪府茨木市稲葉町4-12 072-637-856

MORIYAMA TOMOKI
森山 知己 12万
無所属、東京セントラル美術館賞展出品、個展、東京藝大大学院修、岡山、1958 〒709-234
岡山県加賀郡吉備中央町上野2280-93 0866-56-884

MORIWAKI MASATO
森脇 正人 15万
日展特別会員、新日春会運営委員、日展審5・文部科学大臣賞・会員賞・特選2・入13、日春展会員賞・日春
賞3、石田財団奨励賞、山種大賞展、中日賞2、個展（髙島屋・松坂屋・文化フォーラム春日井・練馬区立美術
館）、師奥田元宋、多摩美大卒、愛知、1950 〒177-0034 東京都練馬区富士見台2-22-8 03-5241-592

MOROHOSHI MIKI
諸星 美喜 7万
日展会員、新日春会会員、晨鳥社所属、日展審査員・委嘱・会員賞・特選2・無鑑査2、日春展日春賞3・奨励賞・外務省買上、京
日本画家協会選抜展京都府知事賞・朝日新聞社賞、臥龍桜日本画大賞展奨励賞、京都府美術工芸新鋭選抜展、京の今日展、京都
本画新展、京都造形芸大卒、福島、1969 〒710-0834 岡山県倉敷市笹沖80-5 プレジール笹沖101号室 086-424-049

YAGI IKURO
八木 幾朗 12万
元創画会会友・創画会賞・春季展賞、静岡県美術奨励賞、タカシマヤ美術賞、日展、横の会展、東京セン
トラル美術館大賞展、山種美術館賞展、個展（平野美術館・浜松市美術館・髙島屋他）・グループ展、文化
庁在外研修渡仏、多摩美大大学院日本画修、静岡、1955 〒421-0305 静岡県榛原郡吉田町大幡852-1

YASUI YUKIO
安居 由紀夫 10万
創画展入、新制作展入、京都日本画美術展大賞、個展、京都市立芸大卒、京都、1950 〒604
8112 京都府京都市中京区柳馬場三条下る 075-211-266

YASUKAWA SHINJI
安川 眞慈 2.5万
無所属、奈良県展知事賞、個展、魚象派展、開運福猫展、佛教大学、大阪、1960 〒639-105
奈良県大和郡山市泉原町45-1 0743-52-552

YASUDA IKUYO
安田 育代 15万
無所属、創画展入・春季展賞、山種美術館賞展、菅楯彦大賞展市民賞、個展（髙島屋・三越他）
グループ展、京都市立芸大卒、兵庫、1949 〒662-0875 兵庫県西宮市五月ヶ丘2-21
0798-74-603

YASUNAGA SHOZO
安永 省三 6万
無所属、個展、グループ展、師吉田善彦、東京藝大大学院修、愛媛、1952 〒790-0952 愛媛県
松山市朝生田町2-12-31 089-934-535

YANAKA TAKEHIKO
谷中 武彦 7万
日本美術院特待、院展無・入25、春展無・入20、現代展、個展、二人展4、師故吉田善彦・松尾
敏男、東京藝大大学院修、茨城、1943 〒167-0052 東京都杉並区南荻窪2-7-6
03-3333-981

YANAKA MIKAKO
谷中 美佳子 2万
無所属、安宅賞、第3回桜花賞展館長賞、個展(新生堂)、東京藝大大学院修、栃木、1987 http:/
yanakamikako.sakura.ne.jp/

YANAGISAWA MASATO
柳沢 正人 18万
無所属、五島記念文化賞、菅楯彦大賞展大賞、文化庁芸術家国内研修員、山種美術館賞展、両
洋の眼展、個展（成川美術館・佐久市立近代美術館・五島美術館）、東京藝大大学院修、長野
1955 〒157-0072 東京都世田谷区祖師谷4-9-20 03-3484-343

YAMAGAMI YOSUKE
山上 洋典 8万
日本美術院院友、春院展入、1994年〜「日本の海洋画展」招待出展、個展、歴程グループ展、師
福王寺法林、福岡、1941 〒238-0016 神奈川県横須賀市深田台28 046-824-866

AMAGUCHI AKIKO
山口　暁子　4万
菅楯彦大賞展出、個展、グループ展、東京藝大大学院修、東京、1974　〒187-0022 東京都小平市上水本町2-16-10

AMAGUCHI TAKASHI
山口　貴士　6万
日本美術院院友、院展奨励賞、師松村公嗣、愛知県立芸大卒（卒業制作桑原賞）、愛知、1982

AMAGUCHI YUKO
山口　裕子　3万
日本美術院院友、臥龍桜日本画大賞展大賞、宮城県芸術祭賞、個展（新生堂・仙台三越）、東北芸術工科大学大学院博士課程満期退学、東京、1982　〒990-1442 山形県西村山郡朝日町宮宿1462-39　青木方　http://yuko-yamaguchi.main.jp/

AMAZAKI KAYO
山崎　佳代　6万
日本美術院院友、有芽の会展法務大臣賞、東京日本画新鋭選抜展、個展、東京藝大大学院修、千葉、1965　〒731-5101 広島県広島市佐伯区五月が丘5-29-18　082-941-3395

AMAZAKI TAKAO
山﨑　隆夫　15万
日本藝術院会員、日本藝術院賞・恩賜賞、京都市立芸大名誉教授、日展理事・審8・内閣総理大臣賞・会員賞・特2、新日春会顧問、京都教育大卒、新潟、1940　〒612-0057 京都府京都市伏見区桃山長岡越中東町98-4　075-601-8586

AMAZAKI YUMI
山﨑　有美　3.5万
日本美術院院友、臥龍桜日本画大賞展入、新生展入、個展13、愛知県立芸大大学院修、愛知、1982　http://www.yamazakiyumi.com/

AMAZAKI REIKO
山﨑　鈴子　6万
国民文化祭京都2011美術展日本画部門文部科学大臣賞、京都花鳥館賞奨学金優秀賞、公募―日本の絵画一大賞、川尻筆「筆と芸術の祭典」全国水墨画公募展有限会社榮晃賞、京都造形芸大大学院博士課程修了（学位取得）、東京、1983　〒107-0062 東京都港区南青山5-4-30　新生堂気付　03-3498-8383

AMASHITA TAKAHARU
山下　孝治　5万
日本美術院院友、院展入、三溪日本画大賞展優秀賞、愛知芸大大学院修、熊本、1974　〒480-1103 愛知県長久手市岩作向田24-2　0561-76-2980

AMASHITA MAYUMI
山下　まゆみ　6万
無所属、師加山又造、多摩美大卒・同大学院修、神奈川、1957　〒232-0043 神奈川県横浜市南区蒔田町101　045-721-0286

AMASHITA YASUKO
山下　保子　7万
日展特別会員、新日春会運営委員、日展審査員4・委嘱7・内閣総理大臣賞・都知事賞・会員賞・特2・無2・入22、日春展会員賞・奨励賞6、師三谷十糸子、女子美大卒、東京　〒225-0002 神奈川県横浜市青葉区美しが丘2-56-13　045-901-7895

AMASHINA RIE
山科　理絵　3万
無所属、創画会展、日仏現代作家美術展入、画廊企画展、グループ展、武蔵野美大卒、千葉、1977

AMADA SHIN
山田　伸　10万
日本美術院招待、京都造形芸大教授、院賞大観賞・足立美術館賞・奨励賞9・無、春展春季展賞3・奨励賞3・無、文化庁現美選展、有芽の会出品、師平山郁夫、東京藝大大学院修、宮城、1960　〒606-0015 京都府京都市左京区岩倉幡枝町1122　075-741-8015

AMADA TAKAKAZU
山田　隆量　7万
日本美術院院友、風景の会同人、個展（2010年松坂屋名古屋・大丸東京店・2013年ジェイアール名古屋タカシマヤ）、師片岡球子、愛知芸大大学院修、愛知、1957　〒509-0144 岐阜県各務原市鵜沼大伊木町4-228　058-370-2081

AMADA TSUYOSHI
山田　毅　5万
日展準会員、特選2、新日春会会員、日春展入13、京展紅賞、関西展第1席他、青垣展文科大臣賞、臥龍桜日本画大賞展奨励賞、金沢美工大卒、兵庫、1966　〒616-8437 京都府京都市右京区嵯峨鳥居本仙扇町5-18　075-871-7007

AMADA TOSHIAKI
山田　敏明　4万
日本美術院院友、岐阜県展受賞、市展受賞、グループ展、岐阜、1950　〒500-8228 岐阜県岐阜市長森本町1-12-9　058-247-0132

AMADA HIKARI
山田　ひかり　4万
日本美術院院友、個展（松坂屋）、グループ展、師後藤純男、多摩美大卒、東京、1962　〒175-0092 東京都板橋区赤塚7-11-12-203　03-6909-2457

AMADA RIE
山田　りえ　5万
無所属、個展、グループ展、多摩美大卒、京都、1961　〒250-0875 神奈川県小田原市南鴨宮3-38-28　0465-47-3112

AMANAKA MOTOSHI
山中　本士　8万
日本美術院特待、院展無・入24、春の院展無・入12、外務省買上、有芽の会展、東京藝大卒、神奈川、1961　〒233-0003 神奈川県横浜市港南区港南4-9-32　045-842-3968

AMAMOTO ATSUFUMI
山本　敦史　5万
無所属、日展入、日春展入、個展、師山口華楊、京都市立美大卒、滋賀、1932　〒612-0031 京都府京都市伏見区深草池ノ内町3-217　075-642-1469

AMAMOTO KYOKO
山本　恭子　2.7万
元元展理事、大阪府教育委員会賞、新人賞、個展、爽樹会、師満田竹水、1953　〒590-0522 大阪府泉南市信達牧野1112　072-482-0019

YAMAMOTO SHINYA	山本 眞也	10万	日本美術院特待、無2・入22、春展入、昭和世代日本画展出、高松塚古墳壁画模写従事、師平山郁夫、東京藝大大学院修、山形、1946　〒300-1243 茨城県つくば市大井1198-9	029-872-287
YAMAMOTO TAKASHI	山本 隆	6万	日展会員・審・委嘱・特選2・入選17、新日春会会員、日春展日春賞・奨励賞1、京展市長賞2、関展賞、師西山英雄、金沢美工大卒、石川、1949　〒612-0806 京都府京都市伏見区深草開土町77-8	075-645-719
YAMAMOTO NAOAKI	山本 直彰	8万	無所属、武蔵野美大教授、元創画会会員、創画会賞4、芸術選奨文部科学大臣賞、愛知芸大大学院修、神奈川、1950　〒247-0061 神奈川県鎌倉市台1417-1	0467-47-028
YAMAMOTO RYOICHI	山本 良一	6万	日展会友・入13、日春展入17、京展入8、市長賞、関展招・賞3、川端龍子賞展他出品、個展、グループ展、青塔社、師池田道夫、京都、1925　〒602-8405 京都府京都市上京区寺ノ内通智恵光院西入58	075-441-925
YAWATA YUKIKO	八幡 幸子	4万	無所属、日展入、日春展入、上野の森美術館大賞展入、女流画家協会展出品、中之条ビエンナーレ出品、個展、グループ展、多摩美大大学院修、新潟、1963　〒241-0022 神奈川県横浜市旭区鶴ヶ峰1-1	045-952-078
YU YUNGKO	劉 熯杲	5万	日本美術院院友、院展奨励賞、春の院展外務大臣・奨励賞3、松伯美術館花鳥画展、文人画精神の表出展、自然そして韓国画精神展、有芽の会展、弘益大学校卒、東京藝大大学院修、韓国1966　〒214-0035 神奈川県川崎市多摩区長沢3-13-9	044-977-701
YUKI TAKUMI	結城 巧	7万	東方美術協会会員、東方展奨励賞3、山種美術館賞展招待出品1、個展、東京藝大日本画科卒山形、1946　〒195-0053 東京都町田市能ヶ谷6-9-3	042-734-750
YUGUCHI EMIKO	湯口 絵美子	5万	無所属、東京セントラル美術館日本画大賞展入、松伯美術館花鳥画展入、浄土宗蓮台寺障壁画制作個展（全国百貨店・画廊・成川美術館）、師奥村土牛、女子美大卒、東京、1960　〒431-3101 静岡県浜松市東区豊町2656-6　http://www.yuguchiemiko.rossa.cc/	053-435-629
YUYAMA AZUMA	湯山 東	8万	日本美術院院友、有芽の会展出品、東京藝大大学院修、静岡、1959　〒412-0008 静岡県御殿場市印野1620-5	0550-88-252
YURIMOTO IZURU	由里本 出	10万	日展特別会員・審査員4・会員賞・特選2、新日春会会員、全関西展運営委員、日春展日春賞・奨励賞、個展6、師堂本印象、金沢美工大卒、京都、1939　〒602-0801 京都府京都市上京区高徳寺町354-5	075-231-788
YOKOYAMA TAKEKO	横山 タケ子	4万	無所属、伊豆美術祭展優秀賞、日本芸術センター記念展金賞、創画会春季展、個展、広島〒267-0066 千葉県千葉市緑区あすみが丘3-63-4	043-294-713
YOSHII HARUTO	吉井 東人	13万	日本美術院特待、奨励賞6・無2・入、春展春季展賞・奨励賞6・入32、文化庁現代美術選抜展師田中青坪・福王寺法林、青山学院大学文学部、東京、1942　〒277-0063 千葉県柏市西山1-11-	04-7174-794
YOSHIOKA MIKIKO	吉岡 三樹子	3.5万	無所属、個展、上野の森美術館展入、師満田竹水・齋藤眞成、早稲田大卒、兵庫、1943　〒589-0023 大阪府大阪狭山市大野台2-10-4	0723-66-652
YOSHIKAWA HIROSHI	吉川 弘	10万	創画会会員、創画会賞3、春季展賞、京都造形芸大教授、日本画大賞展、京都日本画新人展他京都市立芸大専攻科修、京都、1954　〒610-0111 京都府城陽市富野西垣内37-8	0774-54-306
YOSHIKAWA YU	吉川 優	8万	日本美術院院友、入8、山種美術館賞展優秀賞、東京セントラル美術館日本画大賞展佳作賞、中日展大賞、師片岡球子・小山硬、愛知芸大大学院修、山口、1958　〒395-0302 長野県下伊那郡阿智村伍和7565-232	0265-43-409
YOSHIDA SHUOH	吉田 舟汪	15万	本名 多最、無所属、日展特選、日春展日春賞・奨励賞、個展（松坂屋名古屋本店・日本橋高島屋他）、師加倉井和夫、武蔵野美大卒、神奈川、1947　〒413-0038 静岡県熱海市西熱海町2-12-14	0557-85-150
YOSHIDA JUN	吉田 潤（百虎）	4万	無所属、アダチUKIYOE大賞展大賞、個展・百虎展（吉田美樹子とのユニット）他グループ展、東京藝大大学院（版画）修、東京、1982　〒103-0025 東京都中央区日本橋茅場町1-11-8　紅萌ビル1F　ギャラリーマークウェル気付　http://www.junyoshida.info/	03-5640-858
YOSHIDA MIKIKO	吉田 美樹子（百虎）	4万	無所属、安宅賞・サロン・ド・プランタン賞・平山郁夫奨学金賞、百虎展（吉田潤とのユニット他、東京藝大大学院修、新潟、1980　〒103-0025 東京都中央区日本橋茅場町1-11-8　紅萌ビル1F　ギャラリーマークウェル気付	03-5640-858
YOSHIHARA SHINSUKE	吉原 慎介	12万	日本美術院特待、尾道市立大学教授、院展奨励賞2、春の院展外務大臣賞・奨励賞3、東京セントラル美術館日本画大賞展佳作賞、師平山郁夫、東京藝大大学院修、福岡、1955	
YOSHIMURA SEIJI	吉村 誠司	35万	日本美術院同人、東京藝大教授、院展内閣総理大臣賞・文部科学大臣賞・足立美術館賞・院展大観賞2・奨励賞4、春展奨励賞4、東京セントラル美術館大賞展優秀賞、個展、東京藝大大学院博士後期課程満期在籍、福岡、1960	

OSHIMURA YOSHIHIRO
吉村 佳洋 7万
日本美術院特待、院展奨励賞5・春展奨励賞7・無、三溪展大賞、大三島東京日本画新鋭選抜展奨励賞、愛知芸大准教授、師片岡球子、愛知芸大大学院修、大阪、1964　〒480-1117 愛知県長久手市喜婦嶽1802　0561-64-6250

ODA MAMI
依田 万実 6万
日春展奨励賞、日展入、個展、山種美術館賞展、菅楯彦大賞展出品、多摩美大大学院修、東京、1958

ONETANI KIYOKAZU
米谷 清和 12万
日展特別会員、多摩美大教授、新日春会運営委員、日展会員賞・審・特選、日経日本画大賞展招待、山種美術館賞展優秀賞、個展、多摩美大大学院修、福井、1947　〒181-0015 東京都三鷹市大沢6-10-1　0422-33-4028

OMOGIDA AYA
蓬田 阿哉
創画会会友、安宅賞、三溪園日本画大賞展佳作賞、札幌オリジナル画廊大賞展大賞、星粒展出品、東京藝大卒、北海道、1963　〒116-0002 東京都荒川区荒川4-25-8-504　目黒方　03-3801-8545

U YAOZONG
劉 耀宗 8万
中国墨彩画会長、金鵝書画大賽金賞、個展、東京学芸大大学院研、桂林　〒802-0841 福岡県北九州市小倉南区北方3-51-5　093-951-8969

AKUI KINYA
涌井 欽也 5万
日本美術院特待、入24、春展奨励賞3・無・入11、県展奨励賞、勤美展奨励賞、東京セントラル美術館日本画大賞展入、師今野忠一、1936　〒959-1513 新潟県南蒲原郡田上町川船河1250-9　0256-52-0933

ADA KYUSHO
和田 九霄 8万
無所属、千文字大会静岡知事賞、師小久保嶺石、日本書道藝術専門校卒、兵庫、1970　〒604-0993 京都府京都市中京区久遠院前町669　彩環美術事務所

ADA KOHAKU
和田 洸珀 6万
無所属、プリ・デ・リオン賞、トリコロール芸術平和賞、個展7、師直原玉青・片桐白登・中川裕皓、相愛高等学校、大阪、1945

ADA TOSHIZO
和田 利造 6万
無所属、元有秋会員、石川現代美術展最高賞、関展、京展、大美賞、創画展、あべのハルカス近鉄本店個展他7回、企画展、G展、金沢美大、大阪、1940　〒636-0073 奈良県北葛城郡河合町広瀬台1-13-1

ADA YUICHI
和田 雄一 3万
無所属、臥龍桜日本画大賞展知事賞、個展、青垣日本画展入、東京藝大大学院修、埼玉、1968　〒331-0054 埼玉県さいたま市西区島根629-2　048-624-4807

ATANABE AKIO
渡辺 章雄 8万
創画会会員、創画会賞3・入29、春季展入35、川端龍子賞展大賞、個展、京都教育大専攻科修、大阪、1949　〒631-0025 奈良県奈良市学園新田町3219-36　0742-44-6484

ATANABE ETSUKO
渡辺 悦子 4万
無所属、瀞展出品、個展、グループ展、東京藝大卒、東京、1978　〒146-0085 東京都大田区久が原1-37-15　03-3751-2516

ATANABE KAYO
渡辺 嘉代 4.5万
日本美術院院友、有芽の会展、東の会展、采采会展出品、東京藝大大学院修、東京、1961　〒439-0005 静岡県菊川市潮海寺2660-3　0537-37-3637

ATANABE NOBUYOSHI
渡辺 信喜 10万
日展理事・審4・内閣総理大臣賞・特2・無・入15、新日春会運営委員、日春展日春賞1・奨励賞2、京展依、山種美術館賞展招、師山口華楊、京都市立美大卒、京都、1941　〒621-0824 京都府亀岡市篠町見晴5-9-5　0771-24-0751

ATANABE MAKIHIKO
渡辺 真木彦 3万
個展・グループ展多数、多摩美大卒、埼玉、1972　〒104-0061 東京都中央区銀座5-14-16　銀座アビタシオン1F　靖山画廊気付　03-3546-7356

ATABIKI HARUNA
綿引 はるな 5万
日本美術院院友、万葉日本画大賞展大賞、前田青邨記念大賞展入、個展、東京藝大大学院保存修復日本画専攻修、千葉、1980　〒274-0826 千葉県船橋市飯山満町3-1761-109

ATARI SEIKO
亘 征子 3.5万
無所属、ハマ展協会大賞、茅ヶ崎美術家協会賞、個展（東武・京王他）、英国取材、武蔵野美大卒、東京、1944　〒253-0026 神奈川県茅ヶ崎市旭が丘12-18　0467-86-9316

ARAYA TAKEMI
藁谷 剛巳 6万
日本美術院院友、奨励賞、春展奨励賞、有芽の会展出品、師平山郁夫、東京藝大大学院修、千葉、1960　〒271-0063 千葉県松戸市北松戸2-13-13　047-361-0618

ARAYA MINORU
藁谷 実 10万
日本美術院同人、広島市立大学教授、青垣2001年日本画展優秀賞、有芽の会法務大臣賞、院展日本美術院賞大観賞2・奨励賞6・足立美術館賞、春の院展奨励賞7・春季展賞、師平山郁夫、東京藝大大学院修、千葉、1956　〒733-0802 広島県広島市西区三滝本町2-16-20 B-2　082-239-1776

ANG PEI
王 培 7万
日本美術院院友、野呂山芸術村芸術交流員、広島市立大学芸術学部実習補助員・協力研究員、院展奨励賞4・入、春展奨励賞3・入、現代日本画の表現展招、個展、師西田俊英・倉島重友、中国、1976　〒733-0035 広島県広島市西区南観音4-13-31

ジャンル別 作家略歴・住所録

洋画
水彩画
版画
他 平面

[凡例]

<table>
<tr><td>英字</td><td rowspan="2">販売価格</td><td>技法　所属、肩書き、受賞歴、個展、外遊等、師、最終学歴、出身、生年</td></tr>
<tr><td>作家名</td><td>住所　H.P.アドレス　電話番号</td></tr>
</table>

■ 時期と作品内容によって、販売価格が異なる場合があります
■ 原則として、10 号を基準にした 1 号あたりの販売価格を算出しています
■ ふりがな（英字）は原則としてヘボン式で統一しています

GASA MASAYOSHI
相笠　昌義　8万
多摩美術大学名誉教授、日本美術家連盟委員、芸術選奨新人賞、安井賞、日本青年画家展優秀賞、師小磯良平・駒井哲郎、東京藝大卒、東京、1939　〒252-0023 神奈川県座間市立野台3-25-15
046-254-0279

DA YUKIO
相田　幸男　5.5万
独立会員、日本美術家連盟委員、北海道教育大学名誉教授、独立展独立賞・児島賞、安井賞展、文化庁芸術家在外研修員、紺綬褒章、東京藝大大学院修、師奥谷博、福島、1948　〒195-0061 東京都町田市鶴川1-15-9

OKI EMIKO
青木恵美子　3万
無所属、FACE損保ジャパン日本興亜美術賞展グランプリ、VOCA展佳作賞・大原美術館賞、シェル美術賞本江邦夫審査員賞他、個展・グループ展、多摩美大大学院修、埼玉、1976　〒369-0121 埼玉県鴻巣市吹上富士見1-10-12-4
048-548-6905

OKI TOSHIHIRO
青木　年広　6.5万
日展会友、一水会委員、一水会展会員佳作賞3・有島・安井・硲奨励賞・佳作2他、中部一水会賞他多、安井賞展、川の絵画大賞展、個展多数、欧遊、市展・県展審等、市芸術文化奨励賞、師高田誠、岐阜、1949　〒502-0853 岐阜県岐阜市鷺山1769-224　http://www5e.biglobe.ne.jp/~tosiaoki/
058-231-2666

OKI YOSHIAKI
青木　芳昭　5万
無所属、アカデミア・プラトニカ代表、京都造形芸大教授、京都技法材料研究会会長、ル・サロン名誉賞、安井賞展出品2、セントラル油絵大賞展、パリ留学（1976・83～84年）、資生堂等個展多、『よくわかる今の絵画材料』（生活の友社）、アカデミー・ジュリアン（仏）、茨城、1953　〒311-0134 茨城県那珂市飯田2574-11
029-298-8700

OYAMA BUNJI
青山　文治　25万
白日会会友、元近代美術協会委員、大賞、国際芸術栄誉賞、個展、師岸田劉生・椿貞雄、武蔵野美校西洋画科卒、千葉、1926　〒632-0047 奈良県天理市乙木町559-2
07436-6-2060

AGI NORIMICHI
赤木　範陸　12万
雅号 瓊血（ぬち）、無所属、横浜国立大学教授、個展（アートフェア東京・大分市美術館）、東京藝大大学院修・ミュンヘン国立美術アカデミー修、Diplom M.A.、マイスターシューラー称号、大分、1961　〒220-0012 神奈川県横浜市西区みなとみらい4-9-2 C-1903　http://www.akagi.de/
050-5803-3902

KASAKI HARUKI
赤﨑　晴樹　2.5万
無所属、日本ワイルドライフアート協会員、個展、企画展、G展、イラスト掲載書籍多数、大阪、1955　〒584-0073 大阪府富田林市寺池台3-22-18
0721-28-5132

GATA MINORU
阿方　　稔　7万
白日会常任委員、白日会展内閣総理大臣賞、個展（日本橋三越他）、東京藝大卒、アムステルダム国立美校修、静岡、1936　〒192-0913 東京都八王子市北野台3-37-10
0426-35-7209

ATSUKA KAZUMI
赤塚　一三　4.5万
写実画壇会員、渡仏（愛知県新進芸術派遣）、個展（パリ・名古屋画廊他）、師笠井誠一、愛知芸大大学院修、岐阜、1956　〒480-1174 愛知県長久手市東浦1402　http://www.volant.jp/
0561-62-4868

KAHORI NAOSHI
赤堀　　尚　12万
立軌会同人、毎日現代日本美術展、国際形象展、安井賞展、パリ他個展10数回、フランス留学5年、師林武・山口薫、東京藝大専攻科修、静岡、1927　〒194-0041 東京都町田市玉川学園5-1-14
042-732-8101

KIYAMA IZUMI
秋山　　泉
鉛筆　O氏記念賞、Art Award Next2012審査員賞、個展（2010年「Sound of Silence」小林画廊・2014年「キュレーターズ・アイ 秋山泉展『存在の響き』」山梨県立美術館ギャラリーエコー）、東京藝大大学院修、山梨、1982　〒105-0014 東京都港区芝1-15-13 3F 小林画廊気付　http://izumiakiyama.web.fc2.com/
03-6435-1893

KIYAMA OGI
明山　應義　9万
新制作協会会員、新制作展新作家賞、日本青年画家展優秀賞、天理ビエンナーレ大賞、個展、青森、1945　〒034-0001 青森県十和田市大字三本木字並木西164-4
0176-23-4719

SAKA RYOTA
浅香　良太　4万
無所属、個展（東京大丸・伊勢丹他）、明治大卒、群馬、1950　〒298-0254 千葉県夷隅郡大多喜町平沢1648-75
0470-84-0231

SANO TERUO
浅野　輝雄　4万
無所属、中部絵画展受賞、二科展入選、個展、日大卒、愛知、1942　〒355-0017 埼玉県東松山市松葉町3-15-39
049-323-5400

SANO TERUKAZU
浅野　輝一　8万
美術文化協会代表、日本美術家連盟会員、美術文化展（1970年～）会員努力賞・安田火災奨励賞他、仏美術賞パリ展、文化庁現代美術選抜展3、日・韓・台作家展（ソウル）他出品、個展企画展多数（仏ギャラリーブランシェ・五條市立文化博物館他）、師森芳雄、武蔵野美大卒、奈良、1943　〒224-0023 神奈川県横浜市都筑区東山田2-6-29
045-548-6741

SAHINA TAKASHI
朝比奈　隆　8万
無所属、1959年渡米、アートスチューデンツリーグオブNY修（～61年）、NY州祭展大賞、他ボストン版画展、ノースウエスト国際版画展出品、ロックフェラー、シアトル美術館買上、72年帰国、パリ・ムッフ画廊他米国・日本で個展多数、広島、1932　〒299-4402 千葉県長生郡睦沢町川島14-21
0475-44-1932

SAMURA RIE
浅村　理江　2.5万
白日会会員、全国絵画公募展IZUBI優秀賞、佐藤太清賞公募美術展福知山市長賞、FUKUIサムホール美術展優秀賞、個展（新生堂・あべのハルカス近鉄本店）、愛知芸大卒、愛知、1987　〒491-0846 愛知県一宮市牛野通1-54
0586-73-8078

SAMORI TAKESHI
朝森　　武　4万
白日会会員、白日会展白日賞、浅井忠記念賞展出品、京都精華大卒、武蔵野美大大学院修、岡山、1965　〒270-1313 千葉県印西市小林北6-5-3

IKI KAZUO
安食　一雄　10万
二科会会員、サロン・ドートンヌ会員、二科展会員努力賞・青児賞、渡欧、師東郷青児、東京、1936　〒359-1118 埼玉県所沢市けやき台2-13-5
0429-24-2888

AJIKI SHINTARO
安食 愼太郎 8万
無所属、元太平洋美術常任委員、文部大臣賞、独立展入選、個展、壁画制作、武蔵野美大
島根、1946 〒563-0341 大阪府豊能郡能勢町宿野268 0727-34-24

ASUMA KENICHI
遊馬 賢一 5万
立軌会同人、和の会、光の会展（和光ホール）他グループ展、個展（ギャラリー和田・名古屋
廊・三越他）、東海記念病院壁画、愛知芸大大学院（鬼頭鍋三郎教室）修、埼玉、1950 〒34
0107 埼玉県加須市正能493-26 http://www.asuma-ken.com/ 0480-73-68

AZUMA NAOKI
東 直樹 4.5万
春陽会会員、春陽展中川賞他、安井賞展入選、個展、グループ展、師出岡実、大阪、1948 〒46
0075 愛知県名古屋市天白区御幸山1819 052-836-87

ADACHI SHINJI
足立 慎治 3.5万
新世紀美術協会会員、日本美術家連盟会員、新世紀展損保ジャパン美術財団奨励賞・新世紀賞、さかいで
グランプリ優秀賞、兵庫県展大賞、昭和会展優秀賞、雪梁舎フィレンツェ賞展フィレンツェ美術アカデミア
個展等、武蔵野美大卒、兵庫、1973 〒669-3464 兵庫県丹波市氷上町石生1402-3 0795-80-28

ADACHI HIROFUMI
安達 博文 6万
国画会会員、日本美術家連盟会員、富山大学芸術文化学部教授、国展国画賞、安井賞展特別
伊藤廉記念大賞、個展多数（池田20世紀美術館・駒ヶ根高原美術館他）、東京藝大大学院修、
山、1952 〒930-0882 富山県富山市五艘292-25 076-433-35

ABIKO FUMIHIRA
安彦 文平
無所属、宮城教育大学准教授、安宅賞、前田寛治大賞展佳作賞1席・倉吉博物館賞及び市民賞、青木
記念大賞展わだつみ賞、個展（日本橋三越・佐藤美術館）、グループ展、東京藝大卒（卒業制作買上・
橋賞）・同大学院修（修了制作野村賞）、東京、1969 〒980-0933 宮城県仙台市青葉区柏木2-4-16-70

AMADATSU SHOGO
天達 章吾 6万
東光会会員、鹿児島県美術協会会員、南日本美術展受賞、日中国際交流展出品、個展15、師
下三四、鹿児島、1952 〒898-0064 鹿児島県枕崎市桜山本町19 0993-73-11

AMANUMA KENICHIRO
天沼 憲一郎 3万
無所属、昭樹会展出品、個展、グループ展、愛知芸大大学院修、埼玉、1946 〒350-0001 埼
県川越市古谷上4238 0492-35-02

AMURA RYUSAKU
阿邑 隆策 6万
無所属、個展、外遊、師宮本三郎、東京教育大卒、秋田、1940 〒271-0062 千葉県松戸市
町6-445-503 047-366-36

AMEMIYA HIDEO
雨宮 英夫 4.5万
無所属、日本水彩展入選・入賞、75年水彩から油絵に転向、茅葺き民家を主に描く、全国各
パート等にて個展多数、長野、1949 〒381-0101 長野県長野市若穂綿内7805 026-282-50

AYA KOHEI
安益 耕平 10万
無所属、浅井忠記念賞展入選、セントラル油絵大賞展入選、兵庫、1946 〒572-0008 大阪府
屋川市菅相塚町7-26 072-832-33

AYABE NOBUTAKA
綾部 伸孝 3.5万
無所属、個展、師豊福孝行、九州産業大大学院修、福岡、1970 〒815-0083 福岡県福岡市
区高宮2-11-12 092-521-53

ARAI TAKASHI
新井 隆 5万
一水会委員、日展会友、一水会展特別賞・会員努力賞・山下新太郎奨励賞・硲伊之助奨励賞・会員佳作賞3、
玉県展高田誠記念賞他・特選3、朝の会新人賞・グランプリ、日展入選13、小磯良平大賞展入選、個展多数、
橋本博英・中村清治、阿佐ヶ谷美術専門学校絵画科卒、埼玉、1959 〒350-1115 埼玉県川越市野田町2-16-5

ARAI NOBUHIKO
新井 延彦 6万
国画会会員、大橋賞、国展国画賞・新人賞2・安田火災美術財団奨励賞等、文化庁現代美術選
展、安田火災美術財団奨励賞展出品、個展・グループ展多数、師彼末宏、東京藝大大学院修、
潟、1947 〒350-0824 埼玉県川越市石原町1-43-23 049-225-34

ARAI MASAHIRO
新井 正博 3万
無所属、プロバ大賞展審査委員賞、個展（ギャラリー愚怜・画廊オブジェ）、ニューオリンズ大
学院芸術学部修、群馬、1954 〒370-2107 群馬県高崎市吉井町池1451-7 027-387-12

ARAKI KOSUKE
荒木 孝介 3万
無所属、F4GP準グランプリ、FUKUIサムホール展優秀賞、個展、九州産業大卒、長崎、19
〒193-0841 東京都八王子市裏高尾町1223 アトリエえん気付

ARAKI JUNICHI
荒木 淳一 6万
元陽会会員、新作家展招、個展（三越・高島屋）、師大内田茂士、仏留、愛知大卒、千葉、19

ARAKI YOSHIKO
荒木 淑子 4万
創造美術会準会員、二科展入選、貫井会会員、多摩の美展他出品、個展、東京、1937 〒18
0011 東京都調布市深大寺北町4-26-3 0424-86-02

ARITA TAKUMI
有田 巧 10万
白日会常任委員、白日会展総理大臣賞・文部大臣奨励賞・創立九十周年記念特別賞、雪梁舎フ
レンツェ賞展大賞、林武賞展佳作賞、東京藝大大学院修、鳥取、1952 〒198-0024 東京都青
市新町1-4-18 042-878-01

ANZAI HIROSHI
安西 大 8万
無所属、昭和会展日動火災賞、前田寛治大賞展佳作賞・市民賞、両洋の眼展河北倫明賞等受賞、東京セントラ
美術館油絵大賞展他出品、個展（三越本店・天満屋・日動画廊・東邦アート他）・グループ展多数、東京藝大大
院修、埼玉、1970 〒178-0065 東京都練馬区西大泉4-9-3 http://www.anzaihiroshi.com 03-5935-90

DO KOICHI
藤 公一　5万
白日会会員、白日会展白日賞、個展（松坂屋本店・名古屋日動画廊）、愛知芸大大学院修、岐阜、1952　〒470-0152 愛知県愛知郡東郷町北山台3-8-20　0561-39-4130

DO SHINJI
藤 真司
日本美術家連盟会員、日本版画協会会員、日本版画協会版画展協会賞・準会員佳作賞、JAPAN大賞展佳作賞、日本具象版画展優秀賞、都版画大賞展都賞、版画「期待の新人作家」大賞展大賞、パブリックコレクション多数、東京藝大大学院修、岐阜、1960　http://s-ando.com/

AKA IKUKO
坂 郁子
写実画壇会員、朝の会新人賞、東京外語大学、National academy school of fine artsに学ぶ。東京にて油彩画教室講師、東京　〒101-0038 東京都千代田区神田美倉町12　木屋ビル1F　木ノ葉画廊気付　03-3256-2047

A KAZUHIKO
田 和彦　5万
白日会会員、明日の白日会展出品、師五月女政巳、栃木、1966　〒321-4304 栃木県真岡市東郷504-2　0285-82-1844

JKA ROKURO
塚 六郎　5万
富士美術協会副会長、新日美展文部大臣賞・特選・会員賞・佳作賞・大賞、個展、茨城、1942　〒338-0833 埼玉県さいたま市桜区桜田3-6-5　048-864-3887

UMI KINOTO
百住 乙人　13万
立軌会同人、安井賞展、国際形象展、日本秀作美術展他出品、小山敬三美術賞、読売新聞「日本の四季」「絵は風景」・高校2年美術文部省検定済教科書（光村図書）掲載、画集・素描集刊行、梅野記念絵画館・東京セントラル美術館・鎌倉市教育委員会主催展他個展多数、師脇田和、東京、1925　〒248-0033 神奈川県鎌倉市腰越1588-173　0467-32-4440

SHIMA HIROSHI
島 浩　40万
白日会会員、白日会展内閣総理大臣賞・文部科学大臣賞・白日会賞、明日の白日会展出品、個展2、京都精華大卒、大阪、1958　〒581-0081 大阪府八尾市南本町7-1-29　0729-25-1052

TA KOJI
田 宏司
版画　無所属、国際版画展多数入賞、師上野泰郎・加山又造、多摩美大卒、山形、1953　〒275-0011 千葉県習志野市大久保1-5-8　047-493-4024

JCHI MASARU
口 優　3.5万
無所属、元池田記念美術館館長、駐日モンゴル国大使館・中国国際交流協会収蔵、個展多（池田記念美術館・知足美術館・小田急百貨店・風童門等）、グループ展多数、主に山岳画、モンゴルスケッチ旅行多数、師びしょっぷ英郎、新潟、1945　〒949-7235 新潟県南魚沼市荒金176　025-779-3650

MA YOSHIKAZU
熊 義和　3.5万
無所属、個展23、師辻真砂、長崎大経済学部卒、福岡、1978　〒567-0873 大阪府茨木市小川町9-737　https://www.kumaazu.com

GUCHI CHIKAKO
口 史子　12万
日本藝術院会員、立軌会同人、藝術院賞・恩賜賞、両洋の眼展河北倫明賞、東郷青児美術館大賞、安井賞展、IMA・絵画の今日展他出品、個展多数（北京 中国美術館・松濤美術館・諏訪市美術館・東郷青児美術館・カナダ大使館・高島屋・三越他）、師山口薫、東京藝大大学院修、大連、1943　〒150-0001 東京都渋谷区神宮前4-13-16　03-5771-2300

JIRI YASUSHI
尻 育志　2.5万
ボローニャ国際絵本原画展入、個展、東洋美術学校卒、北海道、1971　〒166-0015 東京都杉並区成田東1-9-7　03-3312-5797

DA SEIMEI
田 清明　10万
日展特別会員、一水会運営委員、日展審査3・特選2、一水会展一水会賞、文部大臣奨励賞他7、小磯良平大賞展入選、21世紀展、個展（梅田画廊・銀座柳画廊・高島屋・三越等）、著書『池田清明画集』（六芸書房）（求龍堂）・『池田清明の人物画テクニック』（一枚の繪）、大阪芸大卒、岡山、1951　〒248-0035 神奈川県鎌倉市西鎌倉4-15-7　0467-84-7737

DA MASAFUMI
田 誠史　4万
一水会会員、一水会展新人賞・佳作賞、しんわ美術展金賞・銅賞・奨励賞、個展（高島屋大阪店・京王聖蹟桜ヶ丘店）、大阪芸大美術専攻科修、奈良、1971　〒585-0025 大阪府南河内郡河南町さくら坂2-1-5　http://www.eonet.ne.jp/~realism-bannzai/　0721-93-8688

DA YOSHINORI
田 良則　6万
日展特別会員、白日会常任委員、日展特選、個展、グループ展、師高光一也、金沢美大中退、京都、1951　〒606-0811 京都府京都市左京区下鴨中川原町71

DA RYUTARO
田 竜太郎　4万
日本美術家連盟会員、一水会会員、絵画教室アトリエピントール代表、一水会展有島生馬奨励賞・安井曾太郎奨励賞、日展入、97～99年スペイン留、2008～10年英国Artist Visa滞在、個展6（英Canary Wharf他）、師小川游、埼玉大大学院、埼玉、1971　〒350-0269 埼玉県坂戸市にっさい花みず木2-16-6　http://www.ryu-taro.com/　049-284-0037

ENO FUMIAKI
野 史明　4.5万
無所属、日仏展、伊美術展他出品、奨励賞、個展（近鉄他）、大阪、1939　〒586-0077 大阪府河内長野市南花台3-3-24-802　0721-63-1447

OMA YASUMITSU
駒 泰充　4万
二紀会委員、京都精華大教授、二紀展鍋井賞・栗原賞・同人賞・安田火災美術財団奨励賞、安井賞展、個展、師麻生三郎・森芳雄・内田武夫、武蔵野美大大学院修、京都、1956　〒520-0802 滋賀県大津市馬場3-4-13　077-526-1914

AO TOSHIHIKO
俊彦　6万
風土会会員、元示現会準会員、国際青年美術家展入選、個展（日本橋画廊3・銀座スルガ台画廊他）、「暁斎プラスワンシリーズ」（河鍋暁斎記念美術館）出品、「国芳イズム―歌川国芳とその経脈」（練馬区立美術館）特別出品、康耀堂美術館作品収蔵、武蔵野美術学校卒、東京、1935　〒165-0027 東京都中野区野方3-15-19　03-3385-3321

AKA JIN
阪 仁　5万
白日会会員、白日会展佳作賞・白日賞・T賞・安田火災美術財団奨励賞展他、明日の白日会展出品、伊藤廉記念賞展入選2、安井賞展、東京セントラル美術館油絵大賞展招待、三重、1951　〒515-0344 三重県多気郡明和町養川372-1　0596-55-3169

IZAWA KOZO	井澤　幸三	5万	独立美術協会会員、大手前大学教授、独立展奨励賞・独立賞・新人賞、東京セントラル美術館大賞展佳賞、日本青年画家展優秀賞、安井賞展4、個展多、師三尾公三・中村善種、京都市芸大卒、奈良、1956　〒6 1213 兵庫県神戸市北区広陵町5-36　http://www.nc.otemae.ac.jp/kenkyu/izawa　078-581-0
ISHII KO	石井　行	4万	無所属、藤沢美術家協会賞、県展、個展、多摩美大卒、神奈川、1948　〒251-0053 神奈川 藤沢市本町1-2-1　0466-26-7
ISHII TAKEO	石井　武夫	6万	独立美術協会会員、筑波大学名誉教授、安井賞展佳作賞、独立展小林賞・野口賞・独立賞、明への具象展、現代美術選抜展、日本青年画家展等出品多数、個展多数、文化庁在外研修員渡 東京教育大学専攻科修、千葉、1940　〒270-0003 千葉県松戸市東平賀572-4　047-341-7
ISHII YASUHIRO	石井　康博	4万	日展会友、白日会会員、日展特選、白日会展梅田画廊賞、明日の白日展出品、師進藤蕃、北海 1952　〒414-0052 静岡県伊東市十足606-62
ISHII REIKO	石井　礼子	6万	新制作協会会員、新制作展新作家賞、個展（平塚市美術館）、グループ展、女子美大大学院 師田澤茂・佐野ぬい、神奈川、1974　2019年11月24日逝去
ISHIOKA GO	石岡　剛	9万	無所属、ル・サロン入選、個展（横浜そごう他）、外遊、武蔵野美大卒、北海道、1945　〒0 0041 北海道芦別市本町38　0124-22-3
ISHIGAKI SADAYA	石垣　定哉	11万	白日会常任委員・総理大臣賞他、昭和会賞、タカシマヤ美術賞、現代の裸婦展亀谷美術館奨賞、東京セントラル美術館油絵大賞展佳作賞、安井賞展入選4、個展、ニューヨーク留学、愛県立芸術大学卒、三重、1947　〒511-0256 三重県員弁郡東員町南大社西山634 0594-76-5
ISHIKAWA KAZUO	石川　和男	4万	独立美術協会会員、千葉県美術会理事、独立展独立賞・小島賞2、千葉県展県美術会賞、ホ美術館大賞展特別賞、昭和会展出品、個展14、師松樹路人、武蔵野美大大学院修、千葉、19 〒264-0037 千葉県千葉市若葉区源町145-1　043-251-8
ISHIKAWA KEN	石川　賢	5万	創元会理事・審、大分県美術協会常任委員、コトブキヤ文具店月曜教室・木曜教室主宰、創元展中野和高賞 会員賞他、大分県美術展県知事賞・会員奨励賞他受賞多数、個展10（大分市美術館他）、師工藤和男・仲吉・大平敬次郎、大分大学卒、大分、1938　〒870-1135 大分県大分市光吉新町13の1組　097-569-3
ISHIKAWA SHIGERU	石川　茂	3.5万	春陽会会員、日本美術家連盟会員、佐野日大高校教諭、春陽展奨励賞3、現代日本美術展（毎日新聞）賞候 熊谷守一大賞展佳作賞、世界堂大賞展優秀賞、タカシマヤ美術賞候補、リキテックスビエンナーレ入3、個展 屋銀座他）、日本大学芸術学部、栃木、1965　〒327-0832 栃木県佐野市植上町1627-3　0283-23-3
ISHIKAWA CHUICHI	石川　忠一		無所属（元モダンアート協会会員）、1963年～モダンアート展出品、79年安井賞展佳作賞、80～82年明日への 展、82～91年仮象展、84～86年現代形象展、CAF展等出品、個展多数、欧外遊、東京藝大（小磯教室）卒・専 科修、神奈川、1937　〒226-0025 神奈川県横浜市緑区十日市場町872-6　STアネックス201　090-3137-8
ISHIKAWA YOSHIKO	石川　世始子	3.5万	二元会副会長・常任委員、アトリエ泉会委員、日本美術家連盟会員、二元展2003年奨励賞・ 年桂冠賞、07年文部科学大臣賞他受賞7、個展15、グループ展34、渡欧18、師大泉米吉、アト エ泉会美術研究所修、大阪、1939　〒535-0021 大阪府大阪市旭区清水1-8-30　06-6954-2
ISHIGURO KENICHIRO	石黒　賢一郎	20万	無所属、昭和会展日動火災賞、個展、多摩美大大学院修、文化庁芸術家在外研修員、静岡、19 〒191-0041 東京都日野市南平2-50-7　042-519-6
ISHISAKA HARUO	石阪　春生	12万	新制作協会会員、新制作展新作家賞2・協会賞、金山平三賞、神戸市文化賞、兵庫県文化賞、綬褒章、文化庁現代美術選抜展、安井賞展6、神戸市立小磯記念美術館他個展多、関西学院 卒、師小磯良平、兵庫、1929　〒652-0816 兵庫県神戸市兵庫区永沢町4-2-31　078-575-2
ISHIZAKA HITOYOSHI	石坂　仁良	5万	無所属、元大洋会会員、日洋展入選、個展、グループ展、渡欧、東京、1950　〒272-0802 千 県市川市柏井町2-723-2　047-338-4
ISHIDA JUNICHI	石田　淳一	5万	無所属、白日会展新人賞・準会員奨励賞、前田寛治大賞展、個展、日大卒、埼玉、1981
ISHIDA MUNEYUKI	石田　宗之	3.5万	光風会理事、日展会員、日展特選、光風会展会員賞、文部科学大臣賞、文化庁現代美術選抜 安田火災美術財団奨励賞展出品、個展14、岡山大学教育学部卒、岡山、1960　〒700-0953 岡 県岡山市南区西市861-6　https://sunyataya.sakura.ne.jp/
ISHITANI TOKUJIN	石谷　徳仁	5万	無所属、元白日会会友、朝の会展グランプリ賞、フィラン大賞展入選、個展、香川、1965　〒16 0027 東京都中野区野方1-5-17-201　03-3388-6
ISHINO KIMIKO	石野　紀美子	6万	無所属、個展、グループ展、二人展、師津田周平、京都市立美大卒、兵庫　〒569-0055 大阪 高槻市西冠1-18-5　072-674-15
ISHINO YOZO	石野　容三	6万	無所属、個展（近鉄百貨店他）、ル・サロン展、夫婦二人展、独学、京大卒、兵庫　〒569-00 大阪府高槻市西冠1-18-5　072-674-15

HIHARA SHOGO 石原 章吾	5万	無所属、個展、グループ展、武蔵野美大卒、静岡、1939 〒194-0041 東京都町田市玉川学園4-15-17	042-726-6577
HIHARA YASUO 石原 靖夫	13万	無所属、イタリア政府給費留学生、個展多数、東京藝大卒、京都、1943 〒330-0804 埼玉県さいたま市大宮区堀の内町3-207	048-643-3487
MA HARUO 石島 春生	9万	無所属、昭和会展出品、毎日デザイン賞特選、個展、北海道、1948 〒157-0073 東京都世田谷区砧6-14-12	03-3417-2131
HIMURA KATSUNORI 石村 勝宣	10万	無所属、現代洋画精鋭選抜展銀賞、上野の森美術館大賞展他出品、ジャパン大賞展出品、個展多数、山口、1949 〒742-2301 山口県大島郡周防大島町大字久賀5129-11	0820-72-0171
HIMORI KAN 石森 寛	4万	無所属、大橋賞、個展（三越・伊勢丹）、グループ展、東京藝大大学院修、岩手、1955 〒194-0212 東京都町田市小山町4052-6	
HIYAMA KAZUHIKO 石山 かずひこ	4万	立軌会同人、サロン・ド・プランタン賞、個展（喜多方市美術館・ギャラリーアートもりもと）、グループ展、東京藝大大学院修（田口安男教室）、福島、1948 〒965-0812 福島県会津若松市慶山2-5-17	0242-26-1368
EZAKI KATSUHITO 伊勢崎 勝人	6万	日展会員、白日会会員、日展特選1、白日会展内閣総理大臣賞・文部大臣賞、師坪内正、東京藝大卒、東京、1949 〒982-0844 宮城県仙台市太白区根岸町8-2	022-248-2767
EDA RISA 伊勢田 理沙	3万	白日会準会員、白日会展オンワードギャラリー賞・アートもりもと賞・会友奨励賞、空想美術大賞展奨励賞、個展、佐賀大学大学院修、佐賀、1988	
OHATA SHOKICHI 五十畑 勝吉	5.2万	無所属、一水会展・日展・朔日会展出品、個展、中央大卒、東京、1933 〒283-0046 千葉県東金市上谷3439-142	0475-55-1568
OBE AKIKO 磯部 晶子	5万	無所属、ル・サロン会員、二科展入選、ドートンヌ入選、個展、師西村龍介、千葉、1941 〒120-0023 東京都足立区千住曙町6-6-605	03-3888-7121
HIKAWA SEIJI 市川 聖二	4万	超流美術協会理事、新鋭展招待、個展（松屋・そごう・三越）、師笹岡了一、東京、1939 〒300-1236 茨城県牛久市田宮町1-163	0298-72-9262
HIKAWA MOTOHARU 市川 元晴	6万	三軌会会員、ル・サロン会員、三軌展三軌会賞、ル・サロン銀賞、裸婦展出品、静岡、1950 〒420-0804 静岡県静岡市葵区竜南1-6-70	054-245-1155
HINO HIDEKI 市野 英樹	4万	二紀会委員、二紀展宮本賞、安井賞展、現代日本美術展出品、東京藝大大学院修、愛知、1942 〒215-0023 神奈川県川崎市麻生区片平4-15-4	044-987-2179
EO SETSUKO 井手尾 摂子	4万	無所属、昭和会展優秀賞、個展（ギャラリーアートもりもと）、女子美大卒、多摩美大大学院修、長崎、1961 〒136-0071 東京都江東区亀戸2-6-1-317	03-3684-5984
O KIYOKAZU 伊藤 清和	5万	独立美術協会会員、独立展独立賞・50周年記念賞、安井賞展入、個展、愛知県立芸術大学大学院修、三重、1952 〒514-2328 三重県津市安濃町草生2249-12	080-6928-3203
O KOETSU 伊藤 光悦	4.5万	二紀会委員・北海道支部長、道展会員、二紀展成井賞・会員賞・同人賞、北海道学芸大卒、北海道、1942 〒061-1114 北海道北広島市東共栄1-14-3	011-372-0863
O NAOHIRO 伊藤 尚尋	2.5万	一水会会員、一水会展新人賞・一般佳作賞・東京都知事賞、日展入、新生絵画賞展大賞、大阪芸大卒、和歌山、1979 〒590-0117 大阪府堺市南区高倉台3-2-4-906	
O HARUKO 伊藤 晴子	10万	日展特別会員、白日会常任委員、日展会員賞・審5・特選2、白日展内閣総理大臣賞・S美術賞他、個展国内・伊、イタリア・カララアカデミイ留、師山口薫・伊藤清永、東京藝大卒、東京、1944 〒166-0016 東京都杉並区成田西4-11-16	03-3393-3711
O MASAHIRO 伊藤 雅博	4万	日洋会会員、神戸芸術文化会議会員、日展入、日洋展奨励賞・会員賞、京都山総美術展優秀賞、信州伊那高遠四季展奨励賞、個展、師小灘一紀、大阪、1957 〒651-2277 兵庫県神戸市西区美賀多台4-15-10	078-961-1039
O MASAHIRO 伊藤 正宏	4.5万	無所属、アートグラフ芸術大賞、エコール・フランセーズ賞、個展、武蔵野美短大卒、宮城、1960 〒987-0513 宮城県登米市迫町北方字舟橋前38-10	0220-22-8455

洋画・水彩・版画・他平面 い

INAGAKI KOJI
稲垣 考二 7万
国画会会員、国展新人賞、名古屋市芸術奨励賞、伊藤廉記念賞、現代の裸婦展大賞、昭和会優秀賞、個展60、愛知県立芸術大学大学院研修科修、愛知、1952 〒467-0056 愛知県名古屋市瑞穂区白砂町3-46 052-831-34

INUI SHIGEHARU
乾 繁春 7万
美術文化協会元常任委員・徳島支部長、日美連会員、美術文化展美術文化賞他、安田火災選抜奨励展秀作賞、高松三越等個展3、米国PWU芸術学部大学院修、徳島、1944 〒770-8073 徳島県徳島市八万町上福万13-6 088-668-41

INOUE KATSUE
井上 勝江
版画 日本板画院名誉会員、日本美術家連盟会員、日本建築美術工芸協会会員、1961年三軌展和巧賞、76年建築美術工業協会aaia賞、20年板院展棟方志功賞・13年東京都知事賞・17年文部科学大臣賞、10年アルビン・ブルノスキ賞(国際書票連盟会議)、山形県立寺屏風・田市円城寺襖絵制作、個展多数、師棟方志功・棟方末華、新潟、1932 〒150-0036 東京都渋谷区南平台町4-8-307 03-3496-96

INOUE SATORU
井上 悟 10万
国画会会員、安井賞展佳作賞、国際形象展他、近美・都美館・東京都現代美術館他買上、東京藝大美術専攻科修、東京、1931 〒158-0097 東京都世田谷区用賀2-17-5 03-3700-09

INOUE TAKESHI
井上 武 6万
示現会常務理事・事務局長、日展特別会員、日展審査員3・特選2、示現会展示現会賞・安田火災美術財団奨励賞他、日本橋造形画廊造形展大賞、九州大学卒、福岡、1943 〒277-0835 千葉県柏市松ヶ崎249-12 04-7134-97

INOUE NAOHISA
井上 直久 8万
無所属、講談社絵本新人賞、絵本『イバラードの旅』(講談社)刊行、個展(東武・阪急)、金沢美工大卒、1948

INOUE MAMORU
井上 護 6万
二紀会理事、二紀展文部科学大臣賞・宮本賞・会員優賞・栗原賞・黒田賞等、現代の裸婦展奨励賞、安田火災奨励賞展秀作賞・銀賞、安井賞展、文化庁現美選展、文化庁在外研修員(プラハ)、滋賀大卒、岡山、1946 〒185-0012 東京都国分寺市本町4-15-7 042-326-49

INOUE MAMORU
井上 司 4万
無所属、川の絵画大賞展大賞、美浜美術展準大賞、Nボザール特別賞、個展、グループ展、19 〒360-0835 埼玉県熊谷市大麻生94-16 048-533-53

INOUE YAEKO
井上八重子 8万
国画会会員、国展新人賞、2007・2015年銀座洋協ホールにて「ダンスシリーズ」を中心とした個展「赤のパフォーマンス—井上八重子展」開催、他個展・グループ展多数、滞仏3年間、師中村節也・田佐一郎、女子美大洋画科卒、群馬 〒158-0097 東京都世田谷区用賀2-17-5 03-3700-09

INOUE YOSUKE
井上 洋介
アートフェア東京・EXPO Contemporary・2018Busan Art Market of Art、多摩美術大学大学院美術研究科博士前期課程修 〒220-0003 神奈川県横浜市西区楠町5-1 深作眼科ビル1 f.e.i art gallery気付 045-325-00

INOKUMA OSAMU
猪熊 修 3万
無所属、元二紀会同人、二紀展佳作賞、昭和会展入選、個展、群馬大卒、群馬、1946 〒37 0032 群馬県前橋市若宮町2-9-3 027-232-95

INOTSUME HIKOICHI
猪爪 彦一 5万
行動会員、日美連会員、新潟県展運営委員、新潟県美術家連盟常任理事、行動展行動美術賞他、安田火災美術財団奨励賞展新作優秀賞、安井賞展8、昭和会展3、両洋の眼展2、文化庁現代美術選抜展、個展多数、新潟、1951 〒950-2151 新潟県新潟市西区内野西3-1-35 025-262-21

IMAI SHINGO
今井 信吾 8万
独立美術協会会員、元多摩美術大学教授、独立賞、安井賞展出、昭和会展昭和会賞、2008年多摩美大美術館にて退任記念展、個展、文化庁派遣研修員滞仏、東京藝大卒、兵庫、1938 〒24 0007 神奈川県大和市中央林間3-24-16 046-274-74

IMAI TAKAHIRO
今井 喬裕 6万
白日会会員、2010年白日会展白日賞、個展(泰明画廊・TAIMEI Contemporary Art)、多摩美卒、群馬、1986 〒167-0022 東京都杉並区下井草3-4-3-301

IMAI MITSUTOSHI
今井 充俊 4万
二紀会委員、二紀展文部科学大臣賞・黒田賞・宮本賞他、昭和会展日動美術財団賞、第4回伊チェントロ・デル・ンド現代美術展GP、95年文化庁芸術家在外研修1年渡伊、文化庁現代美術選抜展、DOMANI・明日展、個展(ナリ・日動画廊他)・グループ展多数、群馬、1957 〒371-0048 群馬県前橋市田口町1205-44 027-232-20

IMAGAWA KAZUO
今川 和男 5万
無所属、昭和会展招待、青年画家展招待、日仏展賞、安井賞展、個展、武蔵野美大卒、青森 1940 〒039-1166 青森県八戸市根城馬場頭29-17 0178-44-54

IMAZEKI AKIRAKO
今関 アキラコ 4万
無所属、元新世紀美術協会会員、新世紀展協会賞・奨励賞、女流展入選、個展、武蔵野美短卒、京都 〒187-0003 東京都小平市花小金井南町2-2-23 0424-62-35

IMAZEKI KENJI
今関 健司 5万
写実画壇会員、平塚美術館賞、サージーマルジス賞、日大芸術卒、師糸園和三郎、神奈川、19 〒254-0051 神奈川県平塚市豊原町10-25 0463-32-51

IMANAGA SEIGEN
今永 清玄 5.5万
無所属、上野の森美術館大賞展大賞・佳作賞、昭和会展日動火災賞、安井賞展入選4、個展8 文化庁派遣在外研修員タイ留学、師荻太郎、多摩美大卒、大分、1963 〒870-0022 大分県分市大手町3-8-6-1101 097-507-76

IRIE ASUKA
入江 明日香
版画 京都版画トリエンナーレ大賞、池田満寿夫記念芸術賞佳作・大賞、版画展奨励賞、プリンツ21グンプリ、文化庁芸術家在外研修員、個展(西脇市岡之山美術館・茨城県天心五浦美術館)、グループ展、摩美大大学院修、東京、1980 〒104-0061 東京都中央区銀座7-10-8 シロタ画廊気付 03-3572-79

RIE KAZUKO
入江　一子　10万
独立会員、女流画家協会委員、シルクロード記念館館長、独立展独立賞・会員功労賞、女子美栄誉賞、日米交換展（NYリバーサイド美術館）、国際女流美術家クラブ展（パリ近代美術館）、安井賞展4他、個展（NY日本クラブギャラリー・上野の森美術館・三越他）、『シルクロードに魅せられて 入江一子100歳記念展ー百彩自在ー』（生活の友社）他画集、師林武、女子美専卒、山口、1916　〒166-0001 東京都杉並区阿佐谷北2-8-19　入江一子シルクロード記念館　03-3338-0239

RIE KAN
入江　観　10万
春陽会会員、日本美術家連盟理事、女子美大名誉教授、春陽展春陽会賞、昭和会展優秀賞、宮本三郎記念賞、安井賞展、国際形象展、個展多数（小杉放菴記念日光美術館・茅ヶ崎市美術館他）、東京藝大卒、仏給費留学・仏国立高等美校修、師加山四郎／M・ブリアンション、栃木、1935　〒253-0054 神奈川県茅ヶ崎市東海岸南5-2-52　0467-86-3517

WASHITA MASAFUMI
岩下　正芙美　4.5万
国際美術協会会員、個展、グループ展、師桑原福保、武蔵野美大卒、山梨、1937　〒350-1133 埼玉県川越市砂51-22　0492-43-2162

WAMI KENJI
岩見　健二　7万
主体美術協会会員、安井賞展、国際形象展出品、文化庁現代美術選抜展、青木繁記念大賞展、小磯良平大賞展、ベストセレクション展2013、個展多数、武蔵野美大卒、1947

U ZHIDONG
呉　之東　8万
無所属、宝慶青年美術協会名誉主席、国際桂冠画家最高栄誉賞、湖南師範大卒、中国、1961　〒111-0025 東京都台東区東浅草2-9-7　東浅草ビル4F　03-6802-3202

E SHOJI
上　尚司　15万
無所属、兵庫教育大名誉教授、新作家展他招待、現代の裸婦展亀谷賞、個展、外遊、師高畠達四郎、東京藝大卒、東京、1930　〒654-0081 兵庫県神戸市須磨区高倉台6-18-1　078-735-7026

EKUZU AKIHIRO
上葛　明広　4.5万
無所属、女子美術大学名誉教授、大橋賞、安井賞展、個展多数（飛騨市美術館他）、オーストリア・ウィーン留学、東京藝大大学院修、岐阜、1949　〒180-0002 東京都武蔵野市吉祥寺東町2-23-19　0422-22-5605

ESUGI KAZUMICHI
上杉　一道　4万
写実画壇会員、群馬青年美術展奨励賞、北の大地ビエンナーレ日本エアシステム賞、個展（ギャラリーアートもりもと・広瀬画廊他）、武蔵野美大卒、群馬、1958　〒370-0883 群馬県高崎市剣崎町929-4　090-5446-7352

ESUGI YOSHIAKI
上杉　吉昭　8万
無所属、ブロードウェイ新人賞展、エコールドTOKYO展招待、主として個展で作品発表（名古屋松坂屋・新宿小田急百貨店・松山三越他）、東京藝大（小磯教室）卒、愛媛、1935　〒259-1313 神奈川県秦野市松原町6-32　0463-88-4860

EDA KANJI
植田　寛治　4万
主体美術会員、横浜美術協会理事、主体展佳作賞、独立展、サロン・ドートンヌ展、ボザール展、個展多数、パリ滞在13年、パリ国立美術学校（J・スーベルビー教室他）修学4年、師高畠達四郎、東京藝大卒、東京、1934　〒144-0052 東京都大田区蒲田3-1-5　03-3738-3735

EHASHI KAORU
上橋　薫　15万
無所属、日展特選、安井賞展、国際形象展出品、個展、大阪市立美術館買上、渡欧、福岡、1931　〒211-0035 神奈川県川崎市中原区井田2-18-5　044-788-4291

EMOTO YOSHIAKI
上本　佳明　3.5万
無所属、真砂美塾、真砂美塾展、選抜展、成安造形大卒、岡山、1974　〒567-0888 大阪府茨木市駅前4-6-7-203　072-624-6497

SUI YOSHI
薄井　義　4万
第一美術展新人賞、個展、カリフォルニア美工大卒、スペイングラナダ大大学院修、東京、1963

SUI RYOHEI
碓井　良平　3万
無所属、三軌会展出品、個展、グループ展、青山学院大卒、北海道、1949　〒169-0051 東京都新宿区西早稲田2-6-14　03-3203-7663

DA KIKUKO
宇田　喜久子　15万
無所属、フローレンス国際ビエンナーレ招待、フローレンス国際ビエンナーレ受賞、サロン・ドートンヌ入選、個展、京都精華大卒、京都、1953　〒621-0007 京都府亀岡市河原林町河原尻東垣内61-1　0771-25-5266

CHIYAMA SETSUKO
内山　節子　3万
二科会会友、ひたちなか市公民市毛館講師、二科展特選、県芸術祭特賞、上野の森美術館大賞展優秀賞、二科NY・ハワイ展、ル・サロン展出品、個展14、伊研修8、師山中宣明、水戸第二高校、茨城、1937　〒312-0026 茨城県ひたちなか市勝田本町16-6　029-272-6003

CHIYAMA TSUTOMU
内山　懋　7万
無所属、ルッカ国際展銀賞、個展、グループ40結成、東京藝大大学院修、師山口薫、東京、1940　〒157-0072 東京都世田谷区祖師谷5-2-7　03-3482-3032

CHIYAMA NAOKI
内山　直樹　3.5万
無所属、真砂美塾、白日会展入選、個展、武蔵野美大卒、福岡、1969　〒618-0015 大阪府三島郡島本町青葉3-1-8-303　075-286-3036

CHIYAMA YOSHIHIKO
内山　芳彦　7万
白日会会員、白日会展内閣総理大臣賞・文部大臣奨励賞、赫の会展出品、東京藝大大学院美術研究科修、長野、1959　〒338-0812 埼玉県さいたま市桜区神田43-7　048-858-0706

NO KAZUHIRO
卯野　和宏　8万
日本美術家連盟会員、ホキ美術館開館記念特別展・伝統からの創造21世紀展・創と造展、武蔵野美大大学院修（修了制作優秀賞）、茨城、1978　http://unokazuhiro.net/

UNO TAKAYUKI
宇野 孝之　4万
白日会会員、日展特選、ル・サロン入選、兵庫、1959　〒651-0056 兵庫県神戸市中央区熊内町5-1-15　第一ハイツシキシマ502　078-291-021

UMI TAKUYA
宇美 拓哉　3万
水彩連盟会員、福岡県美術協会会員、西部水彩画協会会員、水彩連盟展水彩連盟賞、福岡県美術展会員賞、個展、グループ展、オタワ市立美術学校修、1972　〒833-0053 福岡県筑後市西牟田6353-27　0942-53-258

UMEZAWA TAMIO
梅沢 民雄　4万
示現会委員、示現会楢原賞、日展入選、個展（大丸他）、緞帳原画制作、師葛西四雄、北海道、1949　〒208-0012 東京都武蔵村山市緑が丘1460-1123-614　042-563-704

UMENO KENJI
梅野 顕司　5万
独立美術協会会員、独立賞、安井賞展出品、安田火災美術財団奨励賞、個展、東京藝大大学院博士課程修、師絹谷幸二、千葉、1962　〒289-1223 千葉県山武市埴谷64-24　0475-89-440

URANO SHIRO
浦野 資労　5万
第一美術運委・評議員、第一美術展65回記念賞・安田奨励賞・三彩大賞、多摩美大卒、信州大研究生修、長野、1952　〒389-0602 長野県埴科郡坂城町中之条790-2　0268-82-226

URANO YOSHITO
浦野 吉人　5万
春陽会会員、春陽展春陽会賞・中川一政賞、現代美術今立紙展優秀賞、アルシュ国際水彩画展受賞、個展（飯山市美術館他）、師岡鹿之助、信州大学卒、長野、1936　〒381-2234 長野県長野市川中島町今里868-95　026-284-024

EI TAKESHI
永 武　4万
無所属、二紀展二紀賞、安田火災美術財団奨励賞展優秀賞、個展（福岡他）、熊本、1947　〒819-1128 福岡県糸島市篠原東1-22-1　092-322-992

EINAGA DAIJIRO
栄永 大治良　12万
無所属、元自由美術会員、新制作展他入選、個展（髙島屋・梅田画廊他）、外遊、師赤松麟作・須田國太郎、兵庫、1925　〒573-0084 大阪府枚方市香里ヶ丘4-9-9　072-854-195

EGOSHI KAYOKO
江越 佳代子　4万
無所属、日本美術家連盟会員、日本風景美術展優秀賞、日仏現代美術展入賞、現代精鋭選抜展入賞、個展（伊勢丹・小田急などデパート他多数）、千葉、1948　〒270-0017 千葉県松戸市幸谷861-8　047-345-189

EBINA KYOKO
蝦名 協子　5万
国画会会員、キリスト教美術協会会員、日本美術家連盟会員、国展新人賞、米国Asian Art Now Prize Award・Asia Impressions（シアトル）イメージアート、視点「鼎の眼」展、昭和会展、個展多数、ダイナックスKK（北海道）・恵泉女学園他蔵、師久保守、東京藝大大学院修、北海道、1945　〒251-0042 神奈川県藤沢市辻堂新町1-2-7-1102　0466-77-654

EMURA SEIKO
江村 正光　8万
国画会会員、国展新人賞・プールブ賞、現代の裸婦展仮象展出品、個展、東京藝大油画科専攻科修、山口、1934　〒350-1215 埼玉県日高市高萩東1-7-13　042-989-031

EMURA MASAKAZU
江村 眞一　4万
創元会理事、日本山岳画協会代表幹事、創元展中野和高賞・七十五周年記念賞、個展（銀座松屋他30）、師足立真一郎、山梨大卒、東京、1943　〒167-0041 東京都杉並区善福寺1-1-3　03-3396-554

ENDO AKIKO
遠藤 彰子　12万
二紀会理事・総理大臣賞・文部大臣賞等7、女流画家協会委員・協会賞等7、武蔵野美大名誉教授、紫綬褒章、芸術選奨文科大臣賞、安井賞、昭和会展林武賞、文化庁派遣在外研修、新聞連載小説挿絵担当、文化庁・東京国立近代美術館他収蔵、個展多数（府中市美術館・池田20世紀美術館他）、武蔵野美術短大卒、東京、1947　〒252-0332 神奈川県相模原市南区西大沼2-13-7　042-745-34

ENDO GENZO
遠藤 原三　5万
日展会員、光風会理事、日展特選2、光風会展クサカベ賞・大沢賞・会友賞・文部大臣奨励賞・第80回特別記念賞・文部科学大臣賞、安井賞展、昭和会展、個展10数回、師清原啓一、多摩美大油絵科卒、1947　〒252-0332 神奈川県相模原市南区西大沼2-13-7　042-746-552

ENDO CHIKARA
遠藤 力　5万
写実画壇会員、サロン・ドートンヌ他入選、個展（フォルム画廊他）、武蔵野美大卒、北海道、195
〒285-0865 千葉県佐倉市南臼井台5-27　043-312-98

OITATE HISAO
追立 久雄　5万
無所属、サロン・ド・ロートレック正会員、ロートレック芸術大賞、会長賞、個展、画廊企画展、1948　〒632-0071 奈良県天理市田井庄町241-12　0743-63-41

OUCHIDA KEI
大内田 敬　6万
国画会会員、上野の森美術館大賞特別優秀賞、安田美術財団奨励賞、個展、東京藝大大学院修、東京、1955　〒161-0031 東京都新宿区西落合3-20-10　03-3953-45

OKUBO CHIHIRO
大久保 千尋　6万
無所属、個展（伊勢丹・阪急他）、聖母女学院卒、宝塚音楽学校卒、愛知　〒214-0036 神奈川県川崎市多摩区南生田6-33-17　044-977-67

OKUMA SHUN
大熊 峻　6万
行動美術会員、行動展行動賞、安井賞展、新人展出品、個展、外遊、京都、1933　〒602-84
京都府京都市上京区五辻浄福寺通西入　M西陣209　075-451-25

OKUMA TAKEO
大隈 武夫　7万
二科会理事、千葉県美術会常任理事、二科展45周年記念賞・会員努力賞、佐賀県立美術館回顧展、海外展5（サロン・ドートンヌ・ブルガリア・メキシコ・インド・NY・ハワイ）、佐賀天建寺・天徳寺天井画、個展（月の沙漠記念館2・松屋4・サエグサ画廊10他）29、師松本弘二・大沢昌助、多摩美大卒、佐賀、1934　〒271-0075 千葉県松戸市胡録台66-9　047-363-30

SAWA KANEFUSA
大澤 包房 5万
無所属、日本美術家連盟会員、αアート主宰、三耀美研主任講師、個展（文春画廊他）、グループ展、1944 〒372-0823 群馬県伊勢崎市今井町41-2 0270-26-3377

JI MAKOTO
大路 誠 5万
白日会会員・白日展損保ジャパン美術財団賞、雪梁舎フィレンツェ賞展優秀賞、個展、グループ展、広島市立大学大学院博士課程満期退学、大阪、1976 http://ojimakoto.com/

SHIMA KOKI
大島 康紀 6万
日本出版美術家連盟、碓氷峠アート・ビエンナーレ大賞、現代童画大賞、北野美術館大賞展、東急美術画廊他個展67、長野、1950 〒384-0809 長野県小諸市滋野甲4490 天耕房 http://blog.goo.ne.jp/oshima-koki/

SHIMA YASUKO
大島 泰子 6万
新世紀美術会員、新世紀展佳作賞、女流画家協会展池上賞、個展、大連、1939 〒666-0142 兵庫県川西市清和台東1-2-46 0727-99-4909

SHIMA YUKIO
大島 幸夫 6万
国画会会員、日本美術家連盟会員、安井賞展、個展（ジェイアール名古屋タカシマヤ・名古屋三越・新宿三越・名古屋日動画廊等）、グループ展多数、師大沼映夫、東京藝大大学院修、愛知、1951 〒464-0027 愛知県名古屋市千種区新池町2-3-2 052-781-2923

SHIRO MAKOTO
大城 真人 7万
無所属、仏国内具象・抽象アートフェスティバル最高賞、サロン・デ・サンテニャン・ド・グランリューで絵画部第一賞受賞、個展（東急他）、東京学芸大にて学んだのちナント美術学校（仏）卒、富山、1958 〒107-0062 東京都港区南青山3-8-13 ギャラリーアルトン気付 03-5411-5221

TA KUNIHIRO
太田 國廣 8万
日本美術家連盟委員、2000年新制作展運営委員長、仏市民大賞展大賞、安井賞展4、太陽展、日動展、伊スッペロ市美術館NUBE展等出品、落合恵子作新聞小説挿絵担当、世田谷美術館・JR東北新幹線古川駅等作品収蔵、三笠宮邸作品献上、個展、師小磯良平、東京藝大大学院修、東京、1942 〒154-0017 東京都世田谷区世田谷3-11-8-305 03-3426-5641

TAKE KATSUYUKI
大竹 克幸 4万
無所属、個展、グループ展、多摩美大卒、栃木、1976 〒326-0048 栃木県足利市助戸大橋町1949

TAKEYAMA TADASHI
大竹山 規 7万
無所属、日本美術家連盟会員、北九州絵画ビエンナーレ展秀作賞、住友ミニチュア展大賞、山総美術公募展大賞、昭和会展出、個展多、76年プラド美術館にて模写、2000年パリにて制作、長崎、1951 〒300-1266 茨城県つくば市自由ヶ丘791-38 029-876-1692

HTANI IKUYO
大谷 郁代 3万
無所属、シェル美術賞展審査員奨励賞・オーディエンス賞、昭和会展出品、個展（ギャラリー和田・日本橋三越本店）、グループ展、広島市立大卒、大阪、1981 http://www.ohtaniikuyo.com/

TSU EIBIN
大津 英敏 35万
日本藝術院会員・藝術院賞、日本美術文化振興協会理事長、独立美術協会会員、多摩美大名誉教授、第26回安井賞、第11回宮本三郎記念賞、第28回損保ジャパン東郷青児美術館大賞、師山口薫、東京藝大大学院修、福岡、1943 〒248-0015 神奈川県鎌倉市笹目町8-2 0467-25-1496

TSUKA SETSUO
大塚 節夫 3万
白日会準会員、日本風景美術展優秀賞、県油彩協会展会友奨励賞、ブロードウェイ新人賞展入選、東京、1945 〒410-1111 静岡県裾野市久根419-10 055-993-0135

TSUCHI TAKASHI
大槌 隆 4.5万
三軌会会員、日仏展フランス環境庁自然保護芸術賞、海の大賞展奨励賞、毎日現代展、国際展、安井賞展、昭和会展招待、小磯良平大賞展、青木繁記念大賞展、個展、岩手、1949 〒297-0031 千葉県茂原市早野新田190-15 0475-44-1867

TOMO YOSHIHIRO
大友 義博 6万
白日会会員、日展特別会員、白日会展白日賞・安田火災美術財団奨励賞・S美術賞・文部大臣奨励賞・アートもりもと賞、日展特選2・委嘱・審査員2・会員賞、個展7(日本橋三越本店他)、東京藝大大学院修、熊本、1965 〒179-0076 東京都練馬区土支田1-27-2 http://members3.jcom.home.ne.jp/otomo-yoshihiro/ 03-3977-9495

HNAKA CHIORI
大仲 千織 6万
無所属、金箔画「愛と平和のメッセージ」をテーマに国内外で発表、東京藝大大学院修、兵庫 東京都在住 chioriohnaka.com

NISHI ATSUKO
大西 敦子 5万
無所属、安宅英一賞、個展（池袋東武6・仙台三越4他）、グループ展、師大藪雅孝、東京藝大大学院修、茨城、1967 〒158-0094 東京都世田谷区玉川1-9-5-412 03-3708-2774

NISHI KOJI
大西 浩二 3.5万
二元会委員、二元展大阪府知事賞・努力賞、個展、グループ展、師大泉米吉、大阪、1955 〒551-0031 大阪府大阪市大正区泉尾4-10-4 06-6551-2004

NUMA TERUO
大沼 映夫 30万
国画会代表会員、東京藝大名誉教授、日本美術家連盟理事、文星芸術大学副学長、宮本三郎記念賞、東郷青児美術館大賞、国展国画賞・福島賞、師伊藤廉、東京藝大油画専攻科修、東京、1933 〒161-0035 東京都新宿区中井2-25-10 03-3951-6741

HNETA MAKOTO
大根田 真 4万
カンヌ芸術祭国際芸術賞、イタリア・メラヴィリア国際賞、物語画集『小さな美術館』出版、宇都宮大学卒 〒320-0066 栃木県宇都宮市駒生2-4-13-101 http://m-ohneta.com/ 090-5826-1312

HNO NOBORU
大野 登 5.5万
無所属、元日展会友、元一水会会員、一水会展会員佳作賞、個展、埼玉、1935 〒368-0034 埼玉県秩父市日野田町2-22-2 0494-22-3437

OHNO MISAO
大野　彩　5万
日本美術家連盟会員、武蔵野美術大学非常勤講師、フレスコ普及協会代表、壁画LABO主宰、安井賞展入選、伊豆美術祭グランプリ、天展、道
社賞、個展30、多摩美術大学共同研究成果発表展「時を航るフレスコ」(同大学美術館) 他フレスコ展企画開催、津久見フレスコ画巡回展 (第33回
民文化祭・おおいた2018) で展示監修、東京藝大大学院修、東京、1953　〒143-0025 東京都大田区南馬込4-18-13　03-3771-653

OHBA SAISEI
大場　再生　6万
独立美術協会会員、多摩美術大学教授、独立展独立賞、文化庁現美選展、人間讃歌大賞展優秀賞、文化庁「旅
展、文化庁派遣研修 (英国)、個展 (日本橋・横浜高島屋・日本橋三越・せんたあ画廊)、師松本英一郎、多摩美
卒、富山、1952　〒194-0041 東京都町田市玉川学園2-1-32　http://saisei.o.oo7.jp　042-722-116

OOBA NOBUYUKI
大場　伸之　3万
無所属、瀧冨士美術賞、個展、グループ展、オランダ留学、日大芸術学部卒、東京、1959　〒103
0007 東京都中央区日本橋浜町1-4-14-1202　鶴画廊気付　03-3851-859

OHATA TOSHIHIRO
大畑　稔浩　12万
白日会会員、白日会展内閣総理大臣賞・文部大臣奨励賞・白日賞、セントラル大賞展佳作賞、
田寛治大賞展準大賞、個展、東京藝大大学院修、島根、1960　〒311-3512 茨城県行方市玉
甲2751　0299-55-333

OHARA HIROYUKI
大原　裕行　4万
水彩人代表、師三橋兄弟治、千葉、1967　〒260-0042 千葉県千葉市中央区椿森1-22-6
043-254-680

OBUCHI SHIGEKI
大渕　繁樹　5万
日展準会員、示現会理事、日展特選2、示現会展文部科学大臣賞・示現会賞、個展、師樋口洋
東京、1953　〒223-0051 神奈川県横浜市港北区箕輪町2-14-30-302　045-563-711

OMAE HIROSHI
大前　博士　10万
無所属、アーティスト・フランセーズ受賞、サロンドートンヌ出品、個展、広島、1937　〒73
0813 広島県広島市西区己斐中2-10-56　082-273-244

OMI SHIN
大見　伸　6万
立軌会同人、個展 (日本橋三越・名古屋松坂屋本店・天満屋他)、上野の森美術館大賞展フジ
レビ賞、愛知芸大大学院修、師笠井誠一、愛知、1951　〒165-0027 東京都中野区野方6-38-3
03-3338-263

OMORI AKIRA
大森　啓　4万
国画会会員、金沢美術工芸大学教授、国展国画賞・準会員優作賞、個展、金沢美工大大学院修
仏国立ナンシー美校留学、富山、1964　〒920-1154 石川県金沢市太陽が丘第7工区6街区7番

OMORI SHOGO
大森　祥吾　7万
無所属、大橋賞、朝の会、悠環会他出品、個展、欧遊、師中根寛、東京藝大大学院修、長野
1947　〒197-0833 東京都あきる野市渕上358-18　042-559-296

OYA HIDEO
大矢　英雄　40万
無所属、昭和会賞、シェル美術賞展佳作賞、東京藝大大学院修、東京、1954　〒274-0072
葉県船橋市三山1-24-7　047-475-691

OYA YOSHIO
大谷　喜男　5万
日展特別会員、光風会理事、日展審査員3・日展会員賞・特選2、光風会展会員賞・寺内萬治
賞・安田火災美術財団奨励賞・文部科学大臣賞他、栃木県文化奨励賞、師杉山吉伸、武蔵野
術短大卒、栃木、1950　〒329-1225 栃木県塩谷郡高根沢町石末2444

OYAMA TOMIO
大山　富夫　6万
白日会会員、白日会展文部科学大臣賞・会友奨励賞、オーストリア政府給費留学 (86-89年)、
展多数、グループ展、東京藝大大学院修了、福島、1956　〒338-0014 埼玉県さいたま市中央
上峰1-15-20　048-677-433

OKA HIROSHI
岡　宏　6万
無所属、川の絵画大賞展協賛団体特別賞、個展・グループ展多数、東京フォルム洋画研究所修
愛媛、1937　〒651-1131 兵庫県神戸市北区北五葉7-1-17-206　078-593-182

OKA YASUTOMO
岡　靖知　5万
無所属、白日会展入選、「リアリズムの世界展」(飯田美術) 他グループ展、多摩美大卒、愛
1983　〒485-0021 愛知県小牧市二重堀430-4　http://nonstop2006.seesaa.net/

OKA YOSHIMI
岡　義実　10万
サロン・ドートンヌ会員 (80年GP)、サロン・ナショナル・デ・ボザール会員 (73年シャルルコッテ賞)、サロン・デ・ザン
パンダン会員、ル・サロン無鑑査 (72年銀賞・73年金賞)、ショービニー日本展・国際形象展他招待、個展多、福岡県
美術館他収蔵多、69年渡仏、師増田誠、福岡、1945　〒248-0032 神奈川県鎌倉市津602-143　0467-32-760

OGASAWARA CHIKAKO
小笠原　千賀子　3.5万
無所属、日本美術家連盟会員、基の会同人、女流展、一線展他出品、個展、グループ展、文
女子大 (現文化学園大) 生活造形学科卒、岩手、1954　〒358-0014 埼玉県入間市宮寺2799-1
04-2934-323

OGASAWARA YUSUKE
小笠原　雄介　2.5万
無所属、グループ展、アートフェア東京出品、多摩美大卒、石川、1986　〒213-0005 神奈川
川崎市高津区北見方2-19-2　コーポ小黒103

OGASAWARA RYOICHI
小笠原　亮一　5万
作家集団実在派会員、日本美術家連盟会員、基の会代表、上野の森美術館大賞展、小磯良平
賞展、個展、渡仏、師樋口加六、岩手、1952　〒358-0014 埼玉県入間市宮寺2799-12
04-2934-323

OKADA TAKAHIRO
岡田　高弘　4万
白日会常任委員、白日会展文部科学大臣奨励賞、個展、東京藝術大学大学院 (大沼教室) 修士
程修了、東京、1959　〒300-0838 茨城県土浦市摩利山新田296-3　029-841-155

GATA HIROAKI 緒方 洪章		無所属、安宅賞、エトワール芸術大賞、評論家推薦作家大賞、美術評論家大賞、日本国際美術展、個展50、グループ展多数、東京藝大大学院日本画科卒（卒業制作同大買上）・同大大学院修（安宅賞）、東京、1940　〒170-0003 東京都豊島区駒込3-15-2	03-3918-9637
KADA MASAYA 岡田 昌也	3万	二紀会所属、岡崎美術協会会員、二紀展入選、中部二紀展中部二紀賞、岡展市長賞、個展、グループ展、名古屋造形短大卒、愛知、1974　〒444-0865 愛知県岡崎市明大寺町大圦46-6 http://mfartstudio.web.fc2.com/	0564-71-5870
KADA YUKIHIKO 岡田 征彦	7万	日展特別会員、日洋会理事、日展会員賞・特選、日洋展記念賞・奨励賞、ドートンヌ入選、福岡、1944　〒830-0047 福岡県久留米市津福本町60-1	0942-32-8443
KANO KOSEKI 岡野 岬石	10万	本名 浩二、無所属、安宅賞、卒業制作サロンドプランタン賞、個展、東京藝大大学院修、岡山、1946　〒277-0923 千葉県柏市塚崎1286-50	04-7192-0896
KANO TADAHIRO 岡野 忠広	6万	新制作展入選、二科展入選、昭和会展入選、ブロードウェイ新人展奨励賞、個展（名古屋松坂屋・池袋東武）、グループ展、静岡、1955　〒123-0841 東京都足立区西新井3-24-12-105	03-3899-7719
KANO HIROSHI 岡野 博	7万	無所属、日本秀作美術展、安井賞展、両洋の眼展、個展（銀座柳画廊他）、仏国立装飾美術学校壁画科卒、武蔵野美大卒、広島、1949　〒290-0024 千葉県市原市根田1-6-5	0436-22-4087
KAMURA ATSUKO 岡村 敦子	5万	日本美術家連盟会員、二科展入選、ル・サロン会員、銅賞、ドートンヌ入選、女流画家協会展出品、京都、1937　〒162-0843 東京都新宿区市谷田町2-41-2　ヴェーゼント市ヶ谷305号	03-3269-0882
KAMURA JUNICHI 岡村 順一	4万	一陽会委員、日本美術家連盟会員、一陽展特待賞・損保ジャパン美術財団賞、朝日アバンテ展入選、個展20、オランダ・ベルギー・フランス外遊、熊本、1951　〒290-0007 千葉県市原市菊間2082-36-404	0436-43-6578
KAMURA TAKAHISA 岡村 隆久	8万	無所属、自由美術展、昭和会展、制々展出品、個展、兵庫、1946　〒567-0892 大阪府茨木市並木町13-20	072-634-6798
KAMOTO SHOIN 岡本 正尹	4万	無所属、日刊工業新聞カレンダー部門金賞、個展、香川、1947　〒573-0043 大阪府枚方市村野南町3-19-409	072-840-3369
GAWA KAZUYA 小川 和也	5万	無所属、個展、グループ展、東京藝大卒、神奈川、1971　〒248-0011 神奈川県鎌倉市扇ガ谷3-3-15	
GAWA KOJI 小川 浩司	5万	国画会会員、別府市長賞、赫の会展他出品、個展、東京藝大大学院修、愛知、1961　〒251-0047 神奈川県藤沢市辻堂3-2-9	
GAWA TAKAICHI 小川 尊一	7万	日展特別会員、創元会理事長、岡山大美術教育名誉教授、日展会員賞、創元展文部大臣奨励賞等、個展（銀座アートギャラリー他）、岡山大教育専攻科修、岡山、1945　〒704-8183 岡山県岡山市東区西大寺松崎864	
GAWA TSUNEO 小川 恒雄	3.5万	行動美術会会友、安井賞展佳作賞、大阪芸大卒、秋田、1959　〒019-0509 秋田県横手市十文字町梨木家木105	0182-42-1284
GAWA HIROSHI 小川 浩	4万	白日会会員、一線美術展、上野の森美術館大賞展入選、個展（スルガ台画廊・光画廊他）、武蔵野美大卒、神奈川、1954　〒245-0061 神奈川県平塚市御殿1-6-1	090-7419-3060
GAWA YASUHIRO 小川 泰弘	15万	無所属、個展（ギャルリーためなが他）、渡伊、東京藝大卒、和歌山、1953　〒642-0014 和歌山県海南市小野田1620-56	073-487-4990
GISO MAKOTO 小木曽 誠	8万	白日会会員、佐賀大学准教授、O氏賞・藝大買上げ賞、昭和会賞、青木繁記念西日本美術展特別賞・わだつみ賞等、白日会展新人賞・白日賞・文部科学大臣賞・内閣総理大臣賞、個展多数、渡伊2、師佐藤一郎、東京藝大大学院後期博士課程満期退学、奈良、1975　〒840-0023 佐賀県佐賀市本庄町大学袋17-12	0952-60-6411
GINO KAN 荻野 幹	6万	無所属、長野県展審査員、知事賞、個展、早稲田大卒、長野、1942　〒386-0001 長野県上田市上田1953-16	0268-75-4177
GIWARA KATSUYA 荻原 克哉	6万	無所属、個展（画廊宮坂）、二人展、グループ展、東京藝大卒、長野、1959　〒112-0002 東京都文京区小石川1-9-14-1801	03-5689-5266
KUE KAZUTAKA 奥江 一太	5万	無所属、個展（三越・ギャラリー大井）、グループ展、京都市立芸大卒、大阪、1966　〒606-0827 京都府京都市左京区下鴨西半木町42-5	075-703-2868

OKUDA TOSHIO
奥田 敏雄　5万
無所属、元二科会会友、二科展特選、昭和会展招待、個展、1949　〒729-5125 広島県庄原市東城町川西522-4　08477-2-125

OKUTANI TAICHI
奥谷 太一
独立美術協会会員、独立展独立賞、昭和会賞、瀧冨士美術賞25年記念グランプリ瀧久雄賞、文化庁新進芸術家海外研修生として1年渡仏、東京藝大大学院修、神奈川、1980　〒240-0113 神奈川県三浦郡葉山町長柄1642-199　046-875-838

OKUTANI HIROSHI
奥谷 博
文化勲章、文化功労者、独立会員、日本藝術院会員、藝術院賞、芸術選奨文部大臣賞、宮本三郎記念賞、東郷青児美術館大賞、昭和会賞、文化庁派遣在外研修渡仏、明日への具象展結成、パリユネスコ本部、神奈川県立近代美術館、高知県立美術館他個展多数、師林武、東京藝大専攻科修、高知、1934　〒240-0113 神奈川県三浦郡葉山町長柄1642-199　046-875-838

OGUCHI TAKUYA
小口 卓也　4万
無所属、彫刻の森美術館賞、昭和会展日動火災賞、上野の森美術館大賞展、長野、1947　〒250-0802 神奈川県小田原市小竹896-13　さつきが丘11-3　0465-43-289

OKUTSU KUNIMICHI
奥津 国道　12万
無所属、二科展、新鋭選抜展他出品、個展、師宮永岳彦、1932　〒252-0303 神奈川県相模原市南区相模大野8-11-51　042-742-491

OKUNISHI KENGO
奥西 健吾　4万
無所属、真砂美塾展大井賞・真砂賞、個展2、同志社大卒、大阪、1981　〒604-0063 京都府京都市中京区二条通小川東入西大黒町334-2-307

OKUNISHI YOSHIO
奥西 賀男　8万
無所属、新制作展出品、個展、東京藝大（小磯教室）卒、パリ美大修、岐阜、1945　〒248-000 神奈川県鎌倉市二階堂247-16　0467-23-921

OKUMURA AKIFUMI
奥村 晃史　5万
無所属、岐阜県芸術文化奨励、個展（ART GALLERY水無月・靖山画廊他）・グループ展・アートフェア出品多数、福井大学大学院修、岐阜、1972

OKONOGI KEISAKU
小此木 桂作　8万
立軌会同人、新鋭選抜展優賞、国際形象展招待、昭和会展出品、個展、東京藝大卒、埼玉、193 〒369-1203 埼玉県大里郡寄居町寄居931　048-581-006

OZAKI HIROMI
尾崎 浩美　3万
白日会準会員、日展入選、上野の森美術館展入選、個展（近鉄・三越・丸善他）、師林朝路、宝塚大学造形芸術学部、和歌山、1954　〒619-0213 京都府木津川市市坂中山37-2　0774-72-183

OSADA MASATO
長田 まさと　5万
世紀会運営委員、世紀会大賞、ルーヴル展創造の自由賞、Sペテルブルグ市芸術大賞、山梨、195 〒400-0125 山梨県甲斐市長塚296　055-277-290

OSAFUNE ZENSUKE
長船 善祐　3.5万
白日会会員、日展入、白日会展美岳画廊賞、個展、静岡大卒、大分、1982　〒870-0316 大分県大分市一木1187-1

OZAWA KAZUMASA
小澤 一正　10万
無所属、元自由美術会会員、安井賞展出品、スペイン美術賞展出品、大阪、1948　〒584-007 大阪府富田林市藤沢台1-1-312-403　0721-28-07

OZAWA MASUMI
小澤 摩純　6万
無所属、CWAJ版画展出品、個展、女子美大卒、東京、1962　〒145-0062 東京都大田区北千束1-2-1　03-3723-279

ODA KIJIO
織田 きじ男　3万
無所属、個展（ギャラリー緒方）、文化学院大中退、東京、1969　〒190-0023 東京都立川市柴崎町4-6-7

ODA TAIJI
織田 泰児　3万
無所属、日仏現代美術展出品、個展、グループ展、東京大卒、岡山、1943　〒136-0073 東京都江東区北砂5-20-18-304　03-3615-435

ODA YUKARI
織田 ゆかり　3万
無所属、二科展入、上野の森美術館大賞展入、個展、師織田廣喜、明治大卒、東京、1964　〒21 0021 神奈川県川崎市麻生区上麻生2-35-23　044-701-04

ODA YOSHIRO
織田 義郎　6万
無所属、個展（髙島屋・三越・大丸等全国主要百貨店他）、関西学院大卒、東京、1940　〒58 0023 大阪府大阪狭山市大野台5-3-13　0723-66-64

ODAGIRI SATOSHI
小田切 訓　10万
無所属、元日展会友・風土会会員・示現会会員、現代洋画精鋭選抜展銅賞、示現会展佳作賞1 奨励賞2・安田火災奨励賞、紺綬褒章、画集出版、明治大卒、北海道、1943　〒186-0003 東京都国立市富士見台3-1-21　042-577-19

OCHI KIKUHARU
オチ キクハル　4万
本名 越智紀久張、無所属、愛媛県展文部大臣奨励賞、第10回小磯良平大賞展入選、個展（福日動画廊・ギャラリーかわにし他多数）、2011～抽象的表現にて再デビュー、愛媛、1948　〒79 3361 愛媛県宇和島市津島町北灘甲130　0895-32-10

CHI MARIE オチ マリエ		TURNER ACRYL AWARD2009大賞、個展（アート★アイガ）、グループ展、宝塚造形芸大卒、愛媛、1986　〒104-0032 東京都中央区八丁堀2-22-9　宮地ビル2F　アート★アイガ気付	050-3405-7096
CHIDA YOKO 落田 洋子	7万	無所属、77galleryを中心に個展、画集『風の祝祭』（美術出版社）、『ミルドレッドの左側』（リブロポート）、『アフタヌーン』（新潮社）、武蔵野美短大卒、埼玉、1947　〒104-0061 東京都中央区銀座7-5-4　毛利ビル5F　77gallery気付	03-3574-1601
TOGURO HISASHI 乙黒 久	6万	白日会会員、白日会展総理大臣賞・中沢賞、日本山林美術協会委員、個展、山梨、1928　〒354-0013 埼玉県富士見市水谷東1-10-4	049-251-3256
TOMARU TETSUNOBU 乙丸 哲延	6万	独立美術協会会員、JAPA監事、独立展独立賞、日伯展日伯賞、グループ展、師野見山暁治、東京藝大油画科卒、パリ美術学校修、東京、1948　〒102-0075 東京都千代田区三番町20-1	03-3261-1248
NO SAIKA 小野 彩華	2.5万	白日会展一般佳作賞・関西画廊賞、中山アカデミーARTアワード特別賞、東京造形大卒、千葉、1996　〒222-0033 神奈川県横浜市港北区新横浜2-2-1　メイツ新横浜606号	
NO TSUKIYO 小野 月世		日本水彩画会会員・常務理事、日本水彩展内閣総理大臣賞・奨励賞・内藤賞、白日会会友、神奈川県展美術奨学会賞、昭和会賞、個展多数、女子美大大学院、兵庫、1969　〒171-0033 東京都豊島区高田2-8-9-409	03-6912-8474
NODA TADASHI 小野田 維	8万	JADA展（日本洋画商協同組合）、奇妙な童話展（Bunkamura）、九州力展（熊本市現代美術館）、東京オペラシティー・熊本市現代美術館作品買上、熊本、1950　〒248-0031 神奈川県鎌倉市鎌倉山3-14-13	0467-31-4544
HARA KIYOSHI 小原 聖史	3万	ドラード国際芸術文化連盟主宰、サロン・ブラン美術協会会員、国際展多数出品、個展、グループ展多数　〒162-0041 東京都新宿区早稲田鶴巻町517　ドラード和世陀103　ドラードギャラリー気付	03-6809-3808
BI OSAMU 小尾 修	12万	元白日会会員、武蔵野美大非常勤講師、白日会展文部大臣奨励賞・内閣総理大臣賞他、東京セントラル美術館大賞展大賞、前田寛治大賞展準大賞、安井賞展、武蔵野美大大学院、神奈川、1965　〒350-1153 埼玉県川越市下松原575-1　http://www.osamu-obi.com/	049-247-2893
MI SHUZO 尾身 周三	6万	無所属、日本の民家展、日本風景美術展出品、新宿造形美術卒、新潟、1943　〒116-0002 東京都荒川区荒川5-29-7	03-3892-2591
RITO KAZUHITO 折戸 和人	3万	示現会会員、県展入選、個展、グループ展、岐阜、1942　〒503-2124 岐阜県不破郡垂井町宮代1501-31	
RIMOTO MINEKO 折本 美祢子	6万	無所属、元一創会会員、受賞、二科展入選、個展、欧遊、師西村龍介、神奈川、1929　〒193-0832 東京都八王子市散田町2-33-5	
AITA HUDO 開田 風童	9万	無所属、個展（近鉄・大丸他）、東京デザイナー学院卒、福岡、1950　〒818-0124 福岡県太宰府市梅香苑1-19-14	092-922-9584
AGAMI YUKIE 各務 友木江	4万	無所属、個展（伊勢丹・阪急・三越）、グループ展、東京藝大大学院修、大阪、1960　〒639-0266 奈良県香芝市旭ヶ丘4-11-31	
AKINUMA NAOFUMI 柿沼 直文	5万	無所属、ブロードウェイ新人展第一席、上野の森美術館展入選、筑波大美術専門学群卒、筑波大大学院修、群馬、1964　〒352-0006 埼玉県新座市新座1-15-10-201	048-479-6642
AKIMORI ETSUKO 柿森 悦子	3.5万	無所属、日本の自然を描く展入他、個展（近鉄・大丸他）、京都、1961　京都府在住	
AKUSAKA YUKO 角坂 優子	4万	白日会会員、白日会展白日賞・ギャラリー大井賞、第一美術展佳作賞、個展、精華大卒、京都、1959　〒618-0015 大阪府三島郡島本町青葉1-14-16	075-961-8045
AKUNI TETSUJI 加國 哲二	5万	無所属、ドービル国際画家大賞展受賞、コートダジュール国際画家大賞展、ドートンヌ出品、大阪芸大卒、アカデミージュリアン修、大阪、1960　〒618-0001 大阪府三島郡島本町山崎5-1-10	075-961-1463
AKEI MOTONARI 筧 本生	12万	無所属、安井賞展佳作賞、昭和会展優秀賞、個展、東京造形大卒、福岡、1951	
AKEGAWA KAZUHIKO 掛川 和彦	4.5万	無所属、アート公募98大賞、日本の絵画2014特別賞、個展、多摩美大大学院修、東京、1966　〒195-0064 東京都町田市小野路町2234-68　http://www009.upp.so-net.ne.jp/Kazuhiko/	

KAKEGAWA TAKAO
掛川 孝夫 5万
国画会会員、国展新人賞・安田火災美術財団奨励賞・会友優作賞、ジャパン大賞展準大賞、セントラル大賞展佳作賞、伊藤廉賞奨励賞他、文化庁現美選展、個展8、外遊8、師彼末宏、東京藝大大学院修、群馬、1951 〒370-2455 群馬県富岡市神農原732 027-467-582

KASAI SEIICHI
笠井 誠一 15万
立軌会同人、愛知県立芸術大学名誉教授、安田火災東郷青児美術館大賞、名古屋市芸術賞、仏政府買上、サロン・ドートンヌ・安井賞展・黎の会展・和の会展他出品、1959～66年滞仏、東京藝大専攻科修、国立パリ美術学校（M・ブリアンション教室）修、師伊藤廉、北海道、1932 〒193-0833 東京都八王子市めじろ台3-34-10 042-663-703

KASAI TAKAYOSHI
笠井 隆良 2.5万
水彩 一水会委員、研水会委員、尼崎芸術文化協会会員、一水会展一水会優賞・石井奨励賞佳作賞2、師前田正夫、大阪工業大学卒、香川、1944 〒655-0851 兵庫県神戸市垂水区神和台3-2-1 078-791-609

KAZAWAKI ROKUSHO
風分 六抄 7万
無所属、フィラン大賞展特別賞、個展（日本橋高島屋・心斎橋大丸）、明治大商学部卒、東京、1957 〒223-0053 神奈川県横浜市港北区綱島西5-2-17-406

KAJI GYASUDHIN
カジ・ギャスディン 8万
無所属、安井賞展出品、現代具象展出品、東京藝大大学院修、バングラデシュ、1951 〒14 0025 東京都大田区南馬込1-42-3 03-3771-756

KASHIHARA TAKAO
樫原 隆男 6万
三軌会審査員、三軌展文部大臣賞、損保ジャパン美術財団選抜奨励展秀作賞、京都教育大卒、兵庫、1950 〒536-0017 大阪府大阪市城東区新喜多東2-3-28 1F ㈱北紫気付 06-6923-929

KASHIWAMOTO RYUTA
柏本 龍太 7万
二紀会委員、昭和会展日動美術財団賞、個展（日動画廊・日本橋三越）、長崎美術学院修、長崎、1973 〒851-2121 長崎県西彼杵郡長与町岡郷565-2 090-5476-74

KASUNO KATSUMI
糟野 勝美 5万
二紀会元同人、関西二紀展佳作賞、二紀展選抜展出品、個展、京都市立日吉ヶ丘高校美術コース卒、京都、1942 〒612-8205 京都府京都市伏見区横大路三栖大黒町18 075-611-943

KATAOKA YOICHI
片岡 洋一 6万
二科会会員、二科展総理大臣賞、安井賞展、サロン・ドートンヌ招待、師服部正一郎、茨城、193 〒311-4151 茨城県水戸市姫子1-813-10 029-252-764

KATAGIRI SEIKO
片桐 聖子 8万
無所属、日本美術家連盟会員、デザイン賞、サロン・ド・プランタン賞、日本・イタリア・各地にて個展、東京藝大大学院修、神奈川、1967 〒248-0026 神奈川県鎌倉市七里ヶ浜2-20-14 0467-33-23

KATAGIRI TSUYOSHI
片桐 剛 3万
無所属、ふるさとの風景展奨励賞、栃木県芸術祭奨励賞、芸術空間展銀賞、極美展東京都知事賞、栃木5月の美術展作家賞、宇都宮エスペール賞、個展（宇都宮美術館）、グループ展多数、星芸大卒（奨励賞）、栃木、1980

KATAYAMA TSUKASA
片山 司 3万
新世紀美術協会会員、新世紀展佳作賞、個展、グループ展、国学院大卒、兵庫、1960 〒18 0001 東京都国立市北2-33-10-105 042-573-95

KATAYAMA HIROAKI
片山 弘明 3万
光陽会会員、光陽展奨励賞・青年作家賞、個展、北海道、1947 〒059-1273 北海道苫小牧市明徳1-36-12 0144-67-08

KATAYAMA MIYABI
片山 みやび 3万
無所属、現代日本美術展兵庫県立近代美術館賞、個展（西脇市岡之山美術館他）、京都市立芸大学院修、兵庫、1965 〒560-0032 大阪府豊中市螢池東町2-7-16 （プールカンパニー内 http://www.poolcompany.com/miyabi/ 090-6673-74

KATSURO TAKAMITSU
勝呂 隆光 5万
光陽会、渡仏、個展13、沼津美術研究所、グランショミエール修、1943 〒161-0034 東京都新宿区上落合1-18-7-601 03-3950-55

KATO TERU
加藤 照 11万
無所属、正安寺障壁画、WORLD ARTIST TOUR出品、美のカノン展出品、師山口長男、武蔵野美大大学院修、熊本、1948 〒277-0841 千葉県柏市あけぼの1-7-24

KATO HIDESHI
加藤 英 3万
日本水彩画会理事、日本水彩展内閣総理大臣賞、安井賞展入選、外遊多数、個展10、豊田中日文化教室講師、日大芸術学部、愛知、1954 〒489-0884 愛知県瀬戸市西茨町13 0561-84-92

KATO MIKI
加藤 美紀
個展、女子美大卒、埼玉、1973 http://mikikatoh.com

KATO YASUO
加藤 裕生 4万
白日会準会員、白日展入選、京都精華大卒、兵庫、1968 〒658-0025 兵庫県神戸市東灘区魚崎南町4-2-55 078-451-68

KATO YUWA
加藤 ゆわ 3万
無所属、メトロ文化財団賞、東京藝大大学院修、千葉、1984

ATO YOSHIHIKO
加藤　美彦　3.5万
元展理事、元展元展賞・佳作賞・努力賞・大阪府知事賞、スペイン選抜展、個展、爽美会、天王寺美術研究所　〒579-8041 大阪府東大阪市喜里川町13-26　072-982-4236

ADOKURA NAOKO
門倉　直子
個展（ギャラリー椿・アート★アイガ・アートスペース羅針盤他）、文化学院卒、千葉、1977

ANAI SATOSHI
金井　訓志　5万
独立美術協会会員、独立展独立賞・奨励賞、安井賞展出品、太平洋美術学校卒、群馬、1951　〒371-0045 群馬県前橋市緑が丘町26-9　027-231-0583

ANAI YOSHIKATSU
金井　良勝　3.5万
白日会会員、上野の森美術館大賞展一次賞候補、師李暁剛、京都精華大卒、兵庫、1974　〒666-0122 兵庫県川西市東多田3-16-29　072-793-0631

ANAMARU YUJI
金丸　悠児　6万
無所属、2002年C-DEPOT設立・代表・毎年の展覧会プロデュース、百貨店・画廊中心に個展・グループ展多数、師大藪正孝・中島千波、東京藝大大学院修、神奈川、1978　〒174-0063 東京都板橋区前野町1-4-1-1F　C-DEPOT terminal

ANAMORI SAIJI
金森　宰司　12万
新制作会員、新制作展新作家賞、昭和会展優秀賞、具象現代展大賞、個展、東京藝大大学院修、長野、1949　〒251-0033 神奈川県藤沢市片瀬山3-12-2　0466-24-7297

ANAMORI TSUYOSHI
金森　毅　3万
二元会会員、二元展大阪府知事賞・市長賞・中日新聞社賞、武蔵野美短大卒、1947　〒590-0986 大阪府堺市堺区北波止町39-301　072-285-8960

ANAMORI RYOTAI
金森　良泰　8万
独立美術協会会員、千葉大学名誉教授、独立展林武賞・児島賞、安井賞展、個展、東京藝大大学院修、奈良、1946　〒344-0031 埼玉県春日部市一ノ割4-17-9　048-735-9581

ANEKO TORU
金子　亨　6万
独立美術協会会員、サロン・ドートンヌ会員、東京学芸大学名誉教授、独立展独立賞・奨励賞・新人賞、日本青年画家展優秀賞、現代の人物画展、現代の精鋭作家展、安井賞展2、東京藝大大学院修、栃木、1948　〒328-0134 栃木県栃木市宮町441-1　0282-31-1808

ANEKO NAOHIRO
金子　直弘　5万
無所属、ブロードウェイ新人展特別賞、FUKUIサムホール美術展入賞、個展、師西村俊郎、長野、1953　〒391-0211 長野県茅野市湖東5416-3　0266-77-2619

ANEKO HIROSHI
金子　濵　6万
立軌会同人（2006年新同人）、安井賞展、東京セントラル美術館油絵大賞展、林武賞展、現代の人物画展、洋画の展望―具象表現を中心に―展、杜萌会展、21世紀の証言展他、グループ展・個展、東京藝大大学院修、群馬、1946　〒344-0011 埼玉県春日部市藤塚2291-6　048-736-8231

ANEKO FUMIO
金子　文雄　5万
元新制作会員、新制作展新作家賞、国際形象展他出品、個展、グループ展、東京藝大大学院修、群馬、1944　〒179-0072 東京都練馬区光が丘3-8-11-405　03-3976-8434

ANEMITSU MIDORI
金光　緑　4.5万
日展会友、白日会会員、白日展特別賞・佳作賞、個展、グループ展、師柳沢淑郎、高知大卒、鳥取、1940　〒176-0002 東京都練馬区桜台6-2-5　03-3992-1760

ANO HIROYUKI
加納　博之　5万
元二科会会友、明治百年記念賞、ローマ賞、師西村龍介、愛知、1929　〒192-0044 東京都八王子市富士見町24-4　0426-42-0784

ABUTA MASAHIKO
株田　昌彦　3万
二紀会会員、二紀展二紀賞、石川県現代美術展最高賞、美術文化大賞、個展、筑波大大学院修、石川、1976　〒321-3424 栃木県宇都宮市市貝町上根872-1

AMATAKI YUMI
鎌滝　由美
無所属、油彩画と植物画の講師、チャールズ皇太子の植物図譜に収蔵、1983年東京藝大大学院修、千葉　〒101-0038 東京都千代田区神田美倉町12　木屋ビル1F　木ノ葉画廊気付　03-3256-2047

AMIJO MASARU
上條　真三留　4万
白日会会員、1984年白日会展初出品（以後連続）・2007年三洋美術奨励賞、01年明日の白日会展、02年日展初出品入選、個展10、グループ展、長野、1952　〒390-1301 長野県東筑摩郡山形村南野尻4259-5　0263-98-4167

AYANO YOSHITAKA
茅野　吉孝　5万
一水会委員、日展会友、日本水彩画会理事長、一水会展会員佳作賞他6、日展特選2、日本水彩展内閣総理大臣賞他5、昭和会展優秀賞、水彩展OHARA大賞、文化庁現代美術選抜展、武蔵野美術短大、神奈川、1948　〒278-0053 千葉県野田市五木新町42-20　04-7127-0765

ARASAWA HITOSHI
柄澤　齊
木口木版　無所属、2006年回顧展（栃木県立美術館・神奈川県立近代美術館）、『柄澤齊木口版画集』・エッセイ集『銀河の棺』・長編ミステリー『ロンド』（下野文学大賞）・長編小説『黒富士』刊行、創形美術学校研究科修、栃木、1950

ARIYA MIKI
仮屋　美紀　5万
無所属、一陽会展奨励賞、画廊協会展出品、個展、玉川大卒　〒113-0033 東京都文京区本郷1-5-7-505　リアルワン気付　03-5800-2441

KAWAGUCHI KIMIO
川口 起美雄　12万
無所属、安井賞展佳作賞、師ウォルフガング・フッター、国立ウィーン応用美大留学、長崎、19
〒255-0005 神奈川県中郡大磯町西小磯261-35　0463-61-28

KAWASAKI HIDEO
川崎 日出男　3万
三軌会評議員、湘南美術会会員、平塚美術協会会員、個展、神奈川、1945　〒241-0022 神
川県横浜市旭区鶴ヶ峰2-8-1-703　045-953-46

KAWASHIMA TAKAFUMI
川島 タカフミ　5万
二紀会会員、二紀展同人優賞・安田火災奨励賞、現代美術選抜出品、個展、グループ展、東
藝大卒、群馬、1956　〒238-0021 神奈川県横須賀市富士見町1-37-22　070-6657-61

KAWASHIMA TOSHIKO
河島 紀子　4万
ル・サロン会員、二科展入賞、個展、グループ展、師西村龍介、ブレラ美大卒、海外在住22年
兵庫、1940　〒270-2231 千葉県松戸市稔台3-24-17

KAWASHIMA MAKIKO
河島 真規子
小磯良平大賞展、上野の森美術館大賞展、大潮展特選、教育文化庁展特選、アートアカデミージャパン洋画部門大賞、「日本の美術」針生一郎
エイズチャリティ美術展ヨシダヨシエ特別顧問芸術大賞・マイケルスタンレー特別選賞、北海道新冠町 太陽の森ディマシオ美術館常設展示、ハ
ガリー ホップフェレンツ東洋美術館収蔵、個展21、外遊4、師鮫島梓、武蔵野美短大卒、千葉、1949　〒286-0204 千葉県富里市大和211-13

KAWASHIMA MIRAI
川島 未雷　3.5万
無所属、浅井忠記念大賞展入選、亜細亜現代美術展入選、個展（日本橋三越他）、上海大美術
部卒、上海、1958　〒353-0002 埼玉県志木市中宗岡1-5-33　048-234-60

KAWACHI SEIKO
河内 成幸
木版　日版協理事、日美連委員、福岡教育大講師、紺綬褒章、紫綬褒章、版画GP大賞、グレンヘン版画展・ノルウェー版画展最高賞、ノ
ベル財団金メダル、リュブリアナ版画展クラーゲンフルト賞、北京版画展銅賞、グルーバル国際芸術貢献賞金賞（中国）、ノヴォシビルス
リエンナーレ展グランプリ賞（ロシア）、個展70、多摩美大、山梨、1948　〒206-0013 東京都多摩市桜ヶ丘4-26-33　042-371-46

KAWANA MASAKO
川名 雅子　3万
無所属、亜細亜美術賞展奨励賞、ワールドピースアート展平和賞、個展、聖心女子大卒、東
〒104-0032 東京都中央区八丁堀4-13-5　幸ビル1F　美岳画廊気付　03-3551-22

KAWANISHI SHOJI
河西 昭治　7万
一水会委員、一水会展会員努力賞・一水会賞・安井曾太郎奨励賞・佳作賞他、個展多数、渡
師田崎廣助、武蔵美卒、長野、1929　〒340-0041 埼玉県草加市松原2-4-20-203
048-943-35

KAWABATA FUTOSHI
川畑 太
日本人物画協会会長、日本美術家連盟会員、昭和会展招待3、リオンソー展出品（日本橋三越
店）、個展79（日本橋三越本店・ギャラリーアートもりもと・銀座ギャラリームサシ他）、金沢美
大大学院、奈良、1964　〒632-0018 奈良県天理市別所町230-6　0743-62-29

KAWAHATA MIZUHO
川幡 瑞穂　6万
無所属、日本のふるさと民家を描く、個展、師川幡正光、明治大卒、東京、1931　〒274-00
千葉県船橋市田喜野井6-9-3　047-467-48

KAWAHARA ASAO
河原 朝生　12万
無所属、カラブリア異色作家展他出品、ヴァレンティア賞、渡伊、ローマ国立美校修、東京、19
〒156-0054 東京都世田谷区桜丘4-13-16

KAWAMURA ETSUKO
川村 悦子
京都造形芸大教授、京都美術文化賞、京都府文化賞功労賞、タカシマヤ美術賞、日本国際展
作賞、日仏現代展ソワール賞、セントラル大賞展優秀賞、京都芸大卒、滋賀、1953　〒573-00
大阪府枚方市香里ヶ丘12-18-25　今井方　072-852-31

KAWAMURA JUNICHIRO
河村 純一郎　6万
行動美術協会会員、日本建築美術工芸協会会員、行動展F記念賞・田中忠雄賞他、山口県芸
文化振興奨励賞、安井賞展、和光大学人文学部芸術中退、仏グランショミエール等修学、山
1948　〒745-0851 山口県周南市徳山4757　0834-21-87

KAWAMURA CHIKAMITSU
川村 親光　8万
日展特別会員、一水会特別会員、日展特選、一水会展一水会賞他、個展6、師高田誠・寺内萬
郎、埼玉、1928　〒330-0061 埼玉県さいたま市浦和区常盤7-7-20　048-831-42

KAWAMURA TOYOKO
河村 倶世子　4万
無所属、元東光会会員、東光展奨励賞、関展入選、個展、師辻利平、大阪、1941　〒559-00
大阪府大阪市住之江区粉浜西3-5-16　06-6678-69

KANNO SHIZUKA
菅野 静香　0.6万
シェル美術賞2009本江邦夫審査員奨励賞、第30回損保ジャパン美術財団選抜奨励展秀作賞、
展、グループ展、女子美大大学院修、東京、1985　http://kannoshizuka.com/

KANBE SHUSEI
神部 修成　5万
元一陽会委員・神奈川支部長、北の大地ビエンナーレ展受賞、個展、グループ展、武蔵野美
卒、北海道、1935　〒250-0852 神奈川県小田原市栢山60-5　0465-36-62

KANRANSAI
観 瀾 斎　8万
無所属、個展多数、世界遺産京都東寺（教王護国寺）にて2006年より毎年作品展、全国各寺院
び大手百貨店での作品展開催、京都、1946　〒669-4312 兵庫県丹波市市島町北奥1133　http:
www.kanransai.com
0795-85-37

KII TOSHIOMI
紀井 利臣　4万
レオナルド・キイ、無所属、跡見学園女子大准教授、師田口安男、東京藝大卒、福岡、195
〒340-0023 埼玉県草加市谷塚町884-6

KUCHI OSAMU
菊地　理　3万
無所属、等迦展新人賞・等迦会賞、個展88（金井画廊他）、早稲田大卒、フランスボルドー美大留学、東京、1950　〒194-0011 東京都町田市成瀬が丘1-4-1　http://www003.upp.so-net.ne.jp/ikkigaki　042-795-6375

KUCHI JUNKO
菊池　潤子　4万
無所属、純生展佳作賞、個展、グループ展、武蔵野美短大卒、北海道、1959　〒078-8312 北海道旭川市神楽岡二条7-3-13　0166-65-5866

KUCHI MITSURU
菊池　満　5万
無所属、個展（小田急他）、グループ展、阿佐ヶ谷美研修、岩手、1954　〒203-0033 東京都東久留米市滝山6-1-26-404　0424-72-5900

SHI HIROSHI
岸　宏士
新制作協会会員、新制作展1968年～出品・69年新作家賞、神奈川県展M賞、東京・大阪・神戸・横浜で個展・グループ展多数、神奈川、1935　〒212-0054 神奈川県川崎市幸区小倉1-10-26

IMA SHOGO
木嶋　正吾　6万
新制作協会会員、日本美術家連盟会員、多摩美術大学教授、日本国際美術展・現代日本美術展・ジャパン・フェスティバル（ロンドン）出品、セーラムギャラリー（ニューヨーク）他個展多数　〒194-0043 東京都町田市成瀬台4-27-14

TA KOUJI
北　浩二　7万
無所属、現代の裸婦展入選、個展（画廊宮坂・大阪髙島屋）、師青木敏郎・鴨居玲、京都芸術短大卒、大阪、1959　〒652-0054 兵庫県神戸市兵庫区氷室町1-9-1

TAGAWA MUNECHIKA
北川　宗親　3万
無所属、ユース美術会会員、東大阪美術協会会員、個展、師大橋利一、熊本、1944　〒546-0022 大阪府大阪市東住吉区住道矢田9-16-17　06-6703-5600

TAZAWA KEI
北沢　計　5万
日展会友、日洋会委員、大久保作次郎賞、刑部人賞、茨城県展委員、紺綬褒章、個展、1935　〒317-0077 茨城県日立市南町5-10-7　0294-21-1761

TANO YUMIKO
北野　弓子　3.5万
元二元会会員、二元展大阪府教育委員会賞・会員佳作賞・大阪市長賞他・選抜二元展出品、勤労者美術展理事長賞、2013～旺玄展出品、個展3、師横尾靖、東京　〒194-0032 東京都町田市本町田19　ロ-854　042-724-9805

ZU FUMIYA
木津　文哉　7万
独立美術協会会員、東京藝大教授、独立賞他、安井賞展佳作賞、昭和会展優秀賞、東京藝大大学院修、静岡、1958　〒336-0911 埼玉県さいたま市緑区三室69-47　048-874-5584

DO HISAMU
城戸　久務　7万
無所属、現代創造美術展協会賞・奨励賞・新人賞、現代洋画精鋭展入選、九州産業大卒、福岡、1956　〒812-0018 福岡県福岡市博多区住吉2-6-21　092-291-8421

TO KYOKO
鬼頭　恭子　4万
二科会会員、仏芸術家協会会員、二科展特選・会員賞、ル・サロン優秀賞、現代洋画精鋭選抜展入賞、国際交流美術家展協会賞、アーチストオブザイヤー'93、タイ日文化功労者、G・ヴァザーリ賞他、海外展等出品多、個展多、タイ王室・中国桂林市・エルミタージュ美術館・マレーシア国立美術館他収蔵、愛知、1934　〒181-0004 東京都三鷹市新川5-11-3　0422-48-5665

TO MASARU
鬼頭　勝　6万
無所属、元白日会会員、白日展奨励賞・佳作賞、個展（三越・髙島屋）、奈良、1942　〒635-0034 奈良県大和高田市東三倉堂町10-2-1　090-5054-8784

NUTANI KOJI
絹谷　幸二
文化功労者、日本藝術院会員、独立会員、東京藝大名誉教授、藝術院賞、安井賞、毎日芸術賞他、ヴェニスアカデミア留学、文化庁在外研修渡欧米、高松塚古墳調査、長野冬季五輪公式ポスター、個展・画集等多数、師小磯・林・鳥海、東京藝大大学院修、奈良、1943　〒157-0066 東京都世田谷区成城4-6-15　http://www.kinutani.jp/　03-3483-3993

NOSHITA TOSHIHIKO
木下　敏彦　7万
無所属、個展、グループ展、渡欧、渡米、師神野立生、兵庫、1961　〒661-0012 兵庫県尼崎市南塚口町3-9-22-403　06-6429-5232

HARA KAZUTOSHI
木原　和敏　9万
白日会会員、白日会展内閣総理大臣賞・佳作賞・T賞・S美術奨励賞、日展会員・審査員1・特選2、東京セントラル美術館油絵大賞展入選、デッサン大賞展銀賞、個展多数、広島、1958　〒731-5101 広島県広島市佐伯区五月が丘4-44-17　082-941-2229

MURA SHIGERU
木村　茂　2.5万
無所属、富士展入選、個展、グループ展、岐阜、1950　〒505-0125 岐阜県可児郡御嵩町伏見中町1277-4

MURA SHOKO
木村　章子　4.5万
無所属、渡仏、個展（パリ・ニューヨーク・京都・東京）、京都、1958　〒612-0846 京都府京都市伏見区深草大亀谷万帖敷町127-25

MURA MASASHI
木村　正志　9万
無所属、日本美術家連盟会員、人間讃歌大賞展奨励賞、グレートリープ選抜展大賞（2017）、画業60周年記念展（2015.9）他個展多数（大丸・東急他）、師天野芳彦・古木守、山口、1929　〒655-0046 兵庫県神戸市垂水区舞子台6-6　舞子片山団地6-613　078-785-1980

MURA MASANORI
木村　正紀　3万
無所属、童謡、童話人物画展、個展、外遊、大阪芸大卒、群馬、1950　〒585-0002 大阪府南河内郡河南町一須賀606-1　0721-93-6744

KIMURA MUTSURO 木村 睦郎	6万	白亜美術委員、白亜展文科大臣賞・白亜会賞、小磯良平大賞展入選、個展、ル・サロン展銅メル賞、熊本、1936 〒594-0076 大阪府和泉市肥子町2-3-8	0725-41-70
KIMURA YUHAKU 木村 優博	3万	日本美術家連盟会員、横浜美術協会理事、白亜展文部科学大臣賞・東京都知事賞・大久保作次郎賞 白亜会賞・優秀賞、国際美術大賞展佳作賞、ハマ展会員努力賞、個展47、京都造形芸大洋画コース卒 神奈川、1957 〒231-0043 神奈川県横浜市中区福富町仲通35 第2霜田ビル206	045-261-30
KIRYU TERUKO 桐生 照子		日展特別会員、元光風会評議員、日展特選2、昭和会展優秀賞、安井賞展、日洋展三越賞、新 選抜展、個展多数、新潟、1937 〒248-0011 神奈川県鎌倉市扇ガ谷2-9-16	0467-24-03
KIWAKI KOICHI 木脇 康一	3.5万	無所属、元示現会会員、日展入選、日洋展入選、画廊企画展、個展（小田急・松坂屋・三越・急・さいか屋）、東京、1940 〒253-0045 神奈川県茅ヶ崎市十間坂3-20-1-305	0467-82-94
KUKI SABURO 九鬼 三郎	7万	無所属、シエナ美術館日伊美術教授、パリ芸術大賞、グレチマリノ国際アカデミー賞、個展多数（あご芸術の森美術館・川端康成文学館・全国百貨店）、グランショミエール修、兵庫、1951 〒665-08 兵庫県宝塚市山手台西2-23-1 http://kukisaburo.com/etop.htm	0797-88-70
KUSAKABE NAOKI 日下部 直起	3.5万	二紀会委員、二紀展二紀賞・同人優賞・宮本賞・損保ジャパン美術財団奨励賞・会員賞・会員優賞、東京セントラル美館油絵大賞展佳作賞、伊豆美術祭絵画公募展佳作賞、個展28（日本橋三越本店他）、文化庁在外研修（フィレンツェ）、山尾平、金沢美術工芸大学卒、京都、1959 〒610-1134 京都府京都市西京区大原野石作町500	075-332-35
KUSUMI TOSHIYUKI 久住 敏之	5万	白亜美術協会委員、文部科学大臣賞、ウィーン芸術大賞、ダイヤモンド賞（ポルトガル）、ブダペスト流特別名誉賞（ハンガリー）、イタリア・シエナ美術館作品収蔵、個展19（パリ・上海展含む）、多摩大油画専攻科卒、神奈川、1952 〒349-0105 埼玉県蓮田市藤ノ木1丁目227番地	048-769-19
KUCHIZAWA HIROSHI 口澤 弘	2.5万	日展会友、白日会会員、白日展美岳画廊賞、千葉県展県教育長賞、浅井忠記念賞展、個展6、形大学文理学部文学科、秋田、1947 〒286-0011 千葉県成田市玉造5-43-6	0476-28-09
KUTSUKI MAKOTO 朽木 真	6万	無所属、昭和会展、日本の絵画新世代展、東京セントラル美術館油絵大賞展招待出品、個展、ループ展、武蔵野美大中退、東京、1951 〒259-1134 神奈川県伊勢原市八幡台2-2-5	
KUTSUMA HIROSHI 沓間 宏	4万	春陽会会員、春陽展春陽会賞・中川一政賞、山梨県新人選抜展山梨県立美術館賞、安井賞展 個展、東京藝大大学院修、山梨、1954 〒194-0211 東京都町田市相原町597-245	
KUDO KAZUO 工藤 和男	10万	創元会会長、日展特別会員、1957年〜創元展出品・受賞6、65年日展初入選・特選2・審査（94・2000・05年）、安井賞展7、昭和会展2、紺綬褒章4、個展、武蔵野美大卒、大分、19 〒874-0037 大分県別府市大観山町8組	
KUNIMURA MUTSUYOSHI 國村 睦吉	6万	無所属、現代洋画精鋭選抜展銅賞、銀座大賞展2席、登龍会展佳作賞、個展、富山、1954 〒60 0024 京都府京都市中京区下妙覚寺町185-1002	075-255-08
KUNO KAZUHIRO 久野 和洋	10万	立軌会同人、日本美術家連盟委員、元武蔵野美術大学教授、立軌展、安井賞展6、両洋の眼（99年河北倫明賞）、日本秀作美術展、個展他、パリ国立高等美術学校留学、武蔵野美術学校卒 愛知、1938 〒185-0032 東京都国分寺市日吉町4-2-1	042-326-15
KUBOTA MASAKO 久保田 政子	10万	無所属、昭和会展出品、個展、女子美大卒、青森、1934 〒165-0021 東京都中野区丸山1-2 12	03-3385-608
KUBOTA YUTAKA 久保田 裕	5万	国画会会員、愛知県立芸大名誉教授、国展会友優作賞・中部国画賞・記念賞、安井賞展入選 個展、愛知芸大大学院修、師伊藤廉、広島、1946 〒731-5137 広島県広島市佐伯区美の里1-2-1	082-922-151
KUMAGAE ARINOBU 熊谷 有展	7万	日展特別会員、白日会常任委員、崇城大学教授、日展東京都知事賞（2017年）・会員賞（2008年）特選2（1995・03年）、白日展伊藤賞（2015年）・内閣総理大臣賞（94年）・白日賞（91年）・U賞（0 年）、個展11、武蔵野美大大学院修、長崎、1966	096-356-286
KUMAKURA YUJI 熊倉 雄二	3.5万	新調和美術代表、武者小路賞、個展100回以上（三越・小田急）、モンゴルと絵画交流、国際絵画 パリ展出品、師川津孝四、新潟、1939 〒354-0044 埼玉県入間郡三芳町北永井845-61	049-258-043
KUMASAKA YUKIO 熊坂 行夫	4万	無所属、白亜展文部科学大臣賞・沖田稔賞、現代洋画精鋭選抜展銅賞、銀座大賞展入選、個展 46、師熊坂太郎、福島、1949 〒973-8404 福島県いわき市内郷内町前田111-1	0246-27-602
KURATA KAZUO 倉田 和夫	5万	無所属、林武賞展優秀賞、FACE展オーディエンス賞、アートオリンピア審査員特別賞、日本橋 三越本店個展、広島、1950 〒301-0043 茨城県龍ケ崎市松葉5-17-29	0297-66-809
KURABAYASHI AIJIRO 倉林 愛二郎	5万	日展会員、創元会常務理事、日展審・特選2、創元展文部科学大臣奨励賞他受賞7、埼玉県展美 術家協会会長賞他受賞3、個展9、埼玉、1944 〒369-1305 埼玉県秩父郡長瀞町長瀞1397-3	0494-66-159

RIHARA ICHIRO
栗原 一郎 10万
立軌会同人、シェル賞展3席、安井賞展出品、個展、グループ展、武蔵野美大卒、東京、1939 〒197-0011 東京都福生市福生1134 042-552-6292

RIHARA TAKAMITSU
栗原 高光 4万
日展会員、一水会会員、日展審査員・特選、一水会展木下義謙奨励賞、師吉崎道治、神奈川、1948 〒244-0003 神奈川県横浜市戸塚区戸塚町2094-5・1-310 045-861-4436

RIHARA TEIJI
栗原 悌二 5万
無所属、個展（西武・三越・東急他）、東京藝大卒、栃木、1957 〒355-0322 埼玉県比企郡小川町東小川2-2-13 0493-74-3789

RIHARA YUTAKA
栗原 豊 3万
新構造社会員、個展、グループ展、茨城、1949 〒319-1113 茨城県那珂郡東海村照沼1223-4

RIYAMA KAORU
栗山 薫 5万
版画 国画会準会員、日本版画協会会員、日本美術家連盟会員、2011年国展会友賞、グループ展多数、師栗山茂、静岡、1952 〒421-1315 静岡県静岡市葵区富厚里260-2 054-279-0837

ROKAWA HIROTAKA
黒川 洋孝 5万
独立美術協会会員、独立展独立賞・奨励賞・野口賞、安井賞展、個展、グループ展、武蔵野美大卒、大分、1943 〒870-1151 大分県大分市市501-14 097-541-5255

ROKI TOMOKO
黒木 トモ子 4万
無所属、元新世紀美術協会会員、新世紀奨励賞、個展、山口 〒185-0021 東京都国分寺市南町1-11-16 042-323-8801

ROKI HIROSHI
黒木 宏 5万
無所属、日本の画家サロン優秀賞、個展（三越・松坂屋他）、東京藝大卒、東京、1957 〒247-0055 神奈川県鎌倉市小袋谷2-15-25 0467-44-7059

ROSAWA NOBUO
黒澤 信男 8万
白日会特別会員、日展会友、杉並区洋画家クラブ常任委員、白日会展内閣総理大臣賞、日展特選、安井賞展、国際秀作展、個展多数、東京藝大卒、埼玉、1930 〒167-0032 東京都杉並区天沼2-15-2 03-3391-7351

RODA ETSUKO
黒田 悦子 5万
大調和会運委、大調和展文部大臣賞・大調和賞・武者小路賞、シェル賞展佳作、個展、女子美大卒、宮城、1949 〒188-0013 東京都西東京市向台町4-1-5 0424-61-6733

RODA SUSUMU
黒田 進 4.5万
無所属、サロン・デ・オトーニョ展入選、個展、渡欧、新潟大卒、新潟、1947 〒194-0041 東京都町田市玉川学園8-18-3 042-723-6966

WAZURU MIKI
桑水流 みき
日洋会会員、福岡文化連盟会員、個展（㈱山下画廊・山形屋・博多大丸・鶴屋百貨店等）、Maryland Institute,College of Art、渡米、米留学、鹿児島 〒830-0003 福岡県久留米市東櫛原町1137-1-805 http://www.kuwazuru.com

WAHATA KAZUO
桑畑 和生 4万
無所属、日本美術家連盟会員、伊豆美術祭佳作、人間讃歌大賞展佳作賞、セントラル油絵大賞展入選、伊藤廉記念賞展入選、東北電力カレンダーに作品採用（02・06）、春陽会研究会で入江観ほかに学ぶ、岩手、1951 〒026-0043 岩手県釜石市新町1-54 0193-23-1157

UNJI SHIZUO
郡司 静雄 5万
二元会常任委員、二元展総理大臣賞・大阪府知事賞、個展、茨城、1931 〒655-0864 兵庫県神戸市垂水区塩屋台3-11-10 078-751-4422

NMOKU YOICHI
見目 陽一 12万
日本板画院委員・前理事長、板院展棟方志功賞・文部科学大臣賞、新人賞他4、日本美術家連盟会員、中華民国国際ビエンナーレ展、ベルギー版画展、ニューヨークアートフェア、個展130（ニューヨーク・中国5他）、『見目陽一の世界』出版、栃木、1949 〒336-0922 埼玉県さいたま市緑区大牧1458-8

IKE SOTA
小池 壮太 4.5万
無所属、個展（阪急うめだ・日本橋三越）、絵本『文房具のやすみじかん』（福音館書店）、師辻真砂、関西美術院、東京、1977 〒606-8316 京都府京都市左京区吉田二本松町21 koikesota.com

IZUMI MASAHIKO
小泉 正彦 5万
無所属、2015年雪舟国際美術協会展雪舟展大賞、浅井忠記念賞展出品、昭和会展招待出品、神奈川県美術展大賞、東京造形大美術科彫刻専攻卒、師佐藤忠良、神奈川、1955 〒255-0001 神奈川県中郡大磯町高麗2-25-32 0463-62-1066

IZUMI MOTOO
小泉 元生 8万
一水会運営委員、一水会展文部科学大臣賞・優賞・佳作賞、外遊、個展、師中村琢二、神奈川、1928 〒248-0013 神奈川県鎌倉市材木座5-5-23 0467-22-1668

IZUMI MORIKUNI
小泉 守邦 15万
無所属、現代洋画展招待、個展（三越・東急本店他）、師倉田三郎、東京学芸大卒、東京、1934 〒514-0065 三重県津市河辺町3086-10

INUMA MAMORU
肥沼 守 4万
国画会会員、国展国画賞、かわさき市美術展最優秀賞・市長賞、神奈川県美術賞展準大賞、上野の森大賞展、昭和会展他出品、個展（茅ヶ崎市美術館等）・グループ展多数、師宮崎進・今井信吾、多摩美大大学院修、神奈川、1968 〒253-0073 神奈川県茅ヶ崎市中島819-2 0467-88-1677

KOUTA MASAHITO 古宇田 公仁	5万	無所属、元風土会会員、1977年現代絵画展で画壇デビュー、82年現代リアリズム展・83年有名作小品展出品、全国百貨店にて個展100以上(そごう・三越・松坂屋・東武他)、2008年米国ギャラリにて小品を常設展示、茨城、1954 〒304-0076 茨城県下妻市前河原598-15	0296-44-00
KODA YUKO 甲田 裕子	3.5万	無所属、パリ国際サロン会員、チリ美術賞展入選、ドイツ美術賞展入選、個展、師西村龍介、葉、1949 〒155-0032 東京都世田谷区代沢1-29-24	03-3422-73
KODA YOJI 甲田 洋二	8万	日本美術家連盟会員、1984年武蔵野美術大学教授、後に学長就任(～2015)、安井賞展・シル美術賞展出品、個展(青梅市立美術館・上田創造館・信濃デッサン館・シロタ画廊・ギャリー志門) 〒198-0051 東京都青梅市友田町4-595-27	
KOUCHI YAEKO 河内 八重子	3.5万	光風会会員、日展会友、光風会展光風記念賞・会友賞、新潟県芸術美術展奨励賞、新潟県美展奨励賞、鳥取大卒、岡山 〒171-0044 東京都豊島区千早1-23-8	03-3973-13
KOKUBO HIROSHI 小久保 裕	4万	独立美術協会会員、独立展独立賞、東京セントラル美術館油絵大賞展佳作賞、安井賞展3・昭会展3、文化庁作品買上、栃木県文化奨励賞、個展多数、1975～77在仏、東京藝大大学院修栃木、1949 〒323-0041 栃木県小山市大行寺995-30	0285-23-35
KOJIMA KINZO 小島 金三	4万	一陽会会員、世界芸術協議会会員、北信美術会会員、サロンド・パリ委員、個展、長野、19 〒380-0888 長野県長野市上ヶ屋2471-2377	026-239-04
KOJIMA SHINTARO 児島 新太郎	3.5万	光風会評議員、光風会展文部科学大臣賞・会友賞・奨励賞・損保ジャパン美術財団奨励賞、展会員、日展審1・特選2・無鑑査、個展、金沢美工大大学院修、愛知、1973 〒920-0967 石県金沢市菊川1-23-42	090-6505-19
KOJIMA RYUZO 小島 隆三	6万	新制作協会会員、新制作展新作家賞、損保ジャパン美術財団選抜奨励展秀作賞、文化庁現代術選抜展、ジャパン大賞展出品、個展、東京造形大卒、東京、1955 〒271-0092 千葉県松市松戸1794	047-366-84
KOSUGI KOJIRO 小杉 小二郎	40万	無所属、ナショナルボザールフラマン賞、青年画家展優秀賞、東郷青児美術館大賞、師小杉放(祖父)・中川一政、東京、1944 〒153-0051 東京都目黒区上目黒5-27-14	03-5725-48
KOSUGE MITSUO 小菅 光夫	4万	主体美術協会会員、秩父美術家協会会員、個展(秩父美術館他)多数、武蔵野美術短大卒、玉、1950 〒368-0101 埼玉県秩父郡小鹿野町下小鹿野1151-6 http://www.ksky.ne.jp/~tkosug	0494-75-13
KOSEKI SHUICHI 小関 修一	3万	日展会員、白日会会員、日展審・特選2・会員賞、白日展会友奨励賞・丸沼芸術の森賞・S美賞・M賞、國學院大学、白日会選抜展・明日の白日会展出品、栃木、1959 〒323-0811 栃木小山市犬塚999-3	028-527-36
KODAMA KENJI 児玉 健二	3.5万	白日会会員、白日会展富田賞・損保ジャパン美術財団奨励賞、日展会員・審1・特選・無鑑査、日の白日会展、佐賀、1957 〒604-8182 京都府京都市中京区大阪材木町695	075-211-36
GOTO SETSUKO 後藤 節子	3.5万	二科展入選、県展特待、グループ展、師斎藤三郎、埼玉、1948 〒336-0023 埼玉県さいたま浦和区神明2-19-15	048-822-83
GOTO HIDEO 後藤 英雄	3.5万	現代童画会常任委員、現代童画展大賞・毎日賞・精鋭選抜展銅賞、個展(東武他)、東京教育卒、東京、1932 〒108-0074 東京都港区高輪2-12-41-102	
GOTO HIDEO 後藤 英雄	5万	無所属、個展(東武・松坂屋他)、東京藝大大学院修、栃木、1947 〒329-2723 栃木県那須西那須野町南町9-4	0287-37-16
GOTO HIROKI 後藤 裕貴	3万	無所属、ハプスブルグ大金賞、アーテックグランプリ、ラ・メラヴィリアグランプリ他受賞、朝会展、二科展、ル・サロン入選、阿佐ヶ谷美研究科卒、熊本、1961 〒869-1233 熊本県菊池大津町大津1182-4	096-293-51
KONADA IKKI 小灘 一紀	8万	日展特別会員、日洋会理事長、大阪芸術大学客員教授、日展審査5・内閣総理大臣賞・会員賞特選2・委嘱2、日洋展井手宣通賞等受賞3、現代の裸婦展出品、師芝田米三・大島士一、金沢術工芸大卒、鳥取、1944 〒590-0127 大阪府堺市南区富蔵3337-3	072-292-64
KOBAYASHI SOICHI 小林 聡一	3.5万	白日会会員、白日会展大宥美術賞、個展(渋谷東急本店・日本橋三越本店)、イタリア・フィレンツェ学(Accademia bella di Arte)、福島、1975 〒242-0006 神奈川県大和市南林間8-16-31 http: soichi-kobayashi.com/	046-277-33
KOBAYASHI TETSURO 小林 哲郎	4万	無所属、フィレンツェ大賞展ビアンキ賞、昭和会展出品、個展多数、武蔵野美大卒、愛媛、19 〒244-0003 神奈川県横浜市戸塚区戸塚町545-15	045-881-74
KOBAYASHI HIDEAKI 小林 英且	5万	無所属、Artist Group一風一入選、個展・グループ展多数、師大藪雅孝・中島千波、東京藝大学院修、長野、1970 〒274-0065 千葉県船橋市高根台6-41-16-101	

OBAYASHI HIROSHI	小林　宏至	3万	主体美術協会会員、主体展秀作作家、ホキ美術館大賞展入選、個展（ギャラリーアルトン他）、師森吉健、東洋美術学校卒、東京、1988　〒110-0013 東京都台東区入谷2-25-8　池田ビル2A　https://kobayashihiroshi.jimdo.com/
OBAYASHI MASAHIDE	小林　雅英	4万	無所属、昭和会展優秀賞、個展多数、師伊藤廉、愛知県立芸大大学院修、愛知、1952　〒483-8226 愛知県江南市赤童子町大間252-2　0587-54-6285
OBAYASHI MANABU	小林　学	3.5万	無所属、栃木県芸術祭賞、一陽展会友賞、個展、北海道、1949　〒329-4213 栃木県足利市寺岡町641-3　0284-91-2828
OBAYASHI YUJI	小林　裕児	6万	春陽会会員、美術家連盟委員、春陽展64回展賞、安井賞、個展・グループ展多数、絵本6冊刊行、東京藝大大学院修、東京、1948　〒369-1216 埼玉県大里郡寄居町富田760-1　http://atelier.yuji-kobayashi.net/　048-582-2484
OMI FUMIHIKO	五味　文彦	30万	無所属、写実～レアリスム絵画の現在展（奈良県立美術館）・現代写実絵画研究所同人展「存在の美学」（日本橋高島屋他）・ホキ美術館企画展他出品、武蔵野美大油絵学科卒、長野、1953　千葉県在住
OMORI HAYATO	小森　隼人	6万	白日会会員、白日会展白日賞・関西画廊賞・アートもりもと賞、個展（春風洞画廊）、師生島浩、奈良美術短大修、島根、1985　〒635-0056 奈良県大和高田市甘田町2-13　080-5237-8804
OYANAGI KAGEYOSHI	小柳　景義	3万	東京藝大卒業制作メトロ財団文化賞、個展（池袋・広島）、アートフェア東京2014・2015出品、師中島千波、東京藝大美術学部デザイン専攻修、茨城、1983
OYANAGI YUKIYO	小柳　幸代	4.5万	二科展連入11、昭和会展招待、現代の裸婦展他出品、個展33、師西村龍介、福岡、1940　〒819-0015 福岡県福岡市西区愛宕1-23-4　092-891-3553
OYAMA ATSUKI	小山　厚樹	6万	無所属、師麻生秀穂、東京藝大大学院博士課程修、大橋賞、東京、1956　〒156-0045 東京都世田谷区桜上水2-21-10
OYAMA OSAMU	小山　オサム	8万	無所属、元第一美術委員、昭和会展招待、安井賞展出品、ロータリアン展大賞他、個展、師ジャンセン・レミーアーロン、長野、1936　〒418-0102 静岡県富士宮市人穴197-21　0544-52-0370
ONDO NOBUTAKA	権藤　信隆	5万	独立美術協会会員、独立展独立賞、損保ジャパン美術賞、多摩秀作展大賞、ベルギー賞展銀賞、ジャパン大賞展佳作賞、昭和会展・文化庁現美選展出品、文化庁海外派遣研修渡伊、個展7、武蔵野美大卒、大阪、1957　〒205-0011 東京都羽村市五ノ神4-14-18-401　042-554-3181
ONDOH NORIAKI	近藤　憲昭		版画　日本版画協会会員、日本版画協会展山口源新人賞、セントラル美術館版画大賞展学生賞、文化庁現代美術選抜展、個展、多摩美大大学院修、岐阜、1962　〒260-0044 千葉県千葉市中央区松波1-18-8　http://norikon1234.sakura.ne.jp/noriaki_toppage/home.html　043-255-8718
ONDO MINEKO	近藤　峯子	3万	無所属、個展（銀座・青山・神戸・所沢・東松山他）、桑沢デザイン研究所修、宮崎、1948　〒355-0064 埼玉県東松山市毛塚863-4　0493-34-5587
ONNO KEIICHI	今野　恵一	5万	無所属、個展（東武他）、グループ展、東京藝大卒、山形、1950　〒260-0032 千葉県千葉市中央区登戸5-8-7　043-241-9589
AI GUOHUA	蔡　國華	6万	日本美術家連盟会員、安井賞展、小磯良平大賞展、損保ジャパン美術財団選抜奨励展等出品、多摩秀作美術展準大賞、前田寛治大賞展佳作賞3回、武蔵野美大大学院修、上海、1964　〒104-0061 東京都中央区銀座2-11-18　銀座小林ビル3F　artspace画空間内　03-3546-3377
AIGAWA AIKO	犀川　愛子	6万	日展会員、白日会会員、日展審査員・特選、白日会展内閣総理大臣賞、個展、グループ展、渡欧、武蔵野美短大卒、福岡、1944　〒824-0212 福岡県京都郡みやこ町犀川大熊306　0930-42-1334
AITO KEIKO	斉藤　蕙子	6万	一水会運営委員、一水会展1995年山下奨励賞・96年一水会賞・98年一水会優賞、神奈川一水会作家展、79～85年日伯美術連盟展出品、東急本店他個展多数、師中谷龍一、女子美大芸術学部洋画科卒、東京、1951　〒251-0016 神奈川県藤沢市弥勒寺3-19-15　0466-47-7706
AITO KEN	齋藤　研	10万	独立美術協会会員、独立展独立賞・須田賞・文部大臣賞・大橋賞、昭和会展優秀賞、個展、東京藝大卒、東京、1939　〒350-1109 埼玉県川越市霞ヶ関北4-17-17　0492-31-9023
AITOU KENZI	齊藤　賢司	5万	二科会会員、二科展都知事賞・安田火災奨励賞、日伯現代展優秀賞、上野の森美術館展佳作賞、個展、師織田廣喜、東京、1950　〒182-0033 東京都調布市富士見町2-23-1-408　0424-88-9023
AITO SAKIKO	斎藤　紗貴子	3万	無所属、二科展出品、神奈川二科展25周年記念賞、エコール・ド展出品、東京、1939　〒375-0054 群馬県藤岡市上大塚431-10　0274-24-8483

SAITO SHIGEO
斎藤　茂男　6万
日本美術家連盟会員、安井賞展入選、セントラル大賞展佳作賞、国際アート見本市、欧州留学　師前田常作・山下菊二、東京造形大絵画科卒、茨城、1951　〒300-4205 茨城県つくば市安　1185　080-7989-67

SAITO SHO
齋藤　将　4万
独立美術協会会員、独立展新人賞・損保ジャパン美術財団奨励賞・独立賞、昭和会展日動火　賞、個展27、多摩美術大学大学院修、東京、1970

SAITO TAKAO
斎藤　隆夫　2.5万
無所属、秀作洋画展出品、個展、渡欧、師斎藤三郎、埼玉、1937　〒349-0133 埼玉県蓮田　閏戸市2792-3　0487-66-74

SAITO CHIZUYO
斎藤　千川予　4万
白亜美術協会運営委員、白亜展白亜会賞・文部科学大臣賞・都知事賞・刑部賞・関西白亜賞　個展（1987年初個展・阪神デパート・町田小田急・上野松坂屋など）、師森田元子・佐野ぬい、　子美大卒、福岡、1944　〒666-0129 兵庫県川西市緑台1-1-69　072-793-75

SAITO TSUTOMU
斎藤　功　4万
元IFA国際美術協会常任理事、国務大臣賞、国際展・中華民国賞、栃木、1952　〒321-2711　木県日光市日向93-3　0288-97-18

SAITO TOSHIHISA
斉藤　利久　3万
無所属、主体展出品、北関東展出品、個展（阿久津画廊）、1940　〒371-0804 群馬県前橋市　供町834-1　027-224-64

SAITO HIDEO
斎藤　秀夫　6万
日展特別会員、白日会常任委員、日展内閣総理大臣賞・特選2・審査員、白日会展白日賞・文部　臣奨励賞・中沢賞・伊藤賞・平松賞、文化庁現代美術選抜展出品2、師伊藤清永、中央大卒、　島、1943　〒185-0011 東京都国分寺市本多3-2-2-202　042-323-99

SAITO HIDEO
斉藤　秀雄　10万
日本彩美会会長、サロン・ドートンヌ会員、ル・サロン会員、サロン・ド・メ招待、日大芸術学　美術学科卒、師糸園和三郎、群馬、1937　〒371-0024 群馬県前橋市表町2-22-9　027-221-20

SAITO HIROYUKI
齊藤　博之　5万
無所属、安井賞展、北の大地展道知事賞、個展（いつき美術）、奈良芸術短大卒、北海道、19　〒046-0022 北海道余市郡余市町沢町297-8　0135-23-41

SAITO YUI
斎藤　由比　4.5万
新平成美術会、個展多数（松屋銀座17・池袋東武11他）、日動画廊ミニヨン展出品17他、仏国　美術大学校にて学ぶ、父斎藤三郎、師佐藤敬、浦和市立高等学校、東京、1952　〒168-0062　京都杉並区方南1-26-5　03-6755-08

SAITO YOSHIO
斎藤　良夫　9万
純展参事、千葉県美術会理事、新槐樹社展文部大臣奨励賞・内閣総理大臣賞・新槐樹社賞他　元委員長、福島県展招待、ヨーロッパ外遊多数、個展多数、師堀田清治、福島、1936　〒28　0803 千葉県東金市日吉台6-21-11　0475-52-26

SAITO RYO
サイトウ　良　6万
シルクスクリーン・洋画　日美連会員、国展国画賞・50周年記念賞、日仏現代作家展国際芸術文化大賞、ニューハン　シャー（審査委員賞）・ストックホルム（金賞）、ソルトレーク市・英王宮美術館・リュブリアナ近代歴史国立美術館他収　2006～11全国中学美術教科書に作品掲載、福岡、1941　〒300-1222 茨城県牛久市南1-34-22　029-873-26

SAITO BEAN
サイトオ　ビン　3万
三騎の会、NHK学園美術講師、現代童画展大賞・文部大臣賞、日韓現代美術交流展（埼玉近美　個展多数、師麻生三郎・山口薫、武蔵野美大卒、島根、1931　〒185-0031 東京都国分寺市富　本1-25-39　042-576-27

SAIMURA HIRAKU
才村　啓　2.5万
一水会会友、研水会委員、日展会友、日展特選1、一水会展一般佳作賞・損保ジャパン日本興　美術財団賞、アートサロン大賞展入賞、師池田清明、大阪芸大卒、大阪、1975　〒586-0044　阪府河内長野市美加の台7-37-7　090-6207-96

SAEKI HIROSHI
佐伯　浩　6万
無所属、元一水会会員、一水会展一水会賞・会員賞、個展、師中畑艸人、武蔵野美大卒、兵　1946　〒651-0054 兵庫県神戸市中央区野崎通5-1-16　078-241-38

SAKAI KENKICHI
酒井　健吉　3万
無所属、元新構造社会員、和歌山県美術家協会会員、個展、和歌山、1938　〒640-8322 和　山県和歌山市秋月98-14　0734-71-73

SAKAI SHOHO
酒井　章帆　4万
写実画壇会員、日伯現代美術展優秀賞他、昭和会展、個展（三越他）、外遊、愛知県立芸大卒　愛知、1960　〒472-0012 愛知県知立市八ツ田町曲6-1　0566-81-27

SAKAI TAKAFUMI
境　貴史　3万
風サムホール展努力賞、FUKUIサムホール美術展入、川崎市美術展入、近美春季展奨励賞、ア　トムーブコンクール入、東洋美術学校卒、神奈川、1981　〒210-0804 神奈川県川崎市川崎区　崎3-3-7　044-277-17

SAKAI NOBUYOSHI
酒井　信義　10万
無所属、新制作展出品・新作家賞・大橋賞・G賞、東京藝大大学院修、神奈川、1944　〒15　0053 東京都渋谷区代々木5-24-1　田方　03-3465-09

SAKAI HIDETOSHI
酒井　英利　8万
無所属、関西二科賞、京展紫賞、京都画廊選抜展フェスティバル賞、長野県昼神温泉ホテル　那華壁画・(株)ニフコ壁画・浄土真宗親鸞会壁画制作、個展、師千本裕三、立命館大卒、京都　1948　〒606-0005 京都府京都市左京区岩倉南池田126　075-722-45

KAI MASAYUKI 酒井 優行	4.5万	白日会会員、2004年白日展初入選・佳作賞、個展7、京都大大学院、大阪、1950　〒569-0051 大阪府高槻市八幡町2-12　072-661-2796
KAI MICHIYO 坂井 美智代	6万	日美連会員、東京国際美術展秀作賞、アートエキスポ東京奨励賞、NY他海外個展3・国内個展40、サロン・ド・メ招待、師海老原喜之助、熊本、1941　〒298-0004 千葉県いすみ市大原757　0470-60-9988
KATA TETSUYA 坂田 哲也	12万	無所属、東京藝大教授、東京セントラル油絵大賞展大賞、伊藤廉展記念賞、バーゼル・アートフェア、国際アカデミー芸術展（中国）・巨匠展（三越）他出品、東京藝大大学院博士課程修了・安宅賞展出品・大橋賞、福岡、1952　〒270-0023 千葉県松戸市八ヶ崎1-44-14　047-343-8481
KANO AKIFUMI 坂野 昭文	5万	無所属、元具現美術会員、個展、広島、1939　〒590-0932 大阪府堺市堺区錦之町東1-2-6　072-232-9435
KABE TAKAYOSHI 坂部 隆芳	15万	無所属、サロン・デ・フランセ展受賞、ラ・セル・サンクル市展最優秀賞、ポール・ルイ・ウェレー肖像画賞最優秀賞、パリ近代美術館、フランス政府他作品所蔵、個展（画廊大千・大阪府立現代芸術センター）、渡仏、パリ国立美術学校（エコール　デ　ボザールパリ）卒、静岡、1953　〒541-0046 大阪府大阪市中央区平野町2-4-11　KCI平野町ビル1F　画廊大千気付　06-6201-1337
KAMOTO TADAO 坂元 忠夫	5万	白日会会員、個展（そごう・大丸）、グループ展、大阪教育大卒、大阪、1966　〒563-0356 大阪府豊能郡能勢町平通101-511　090-2102-2713
KAWAKI IKUKO 坂脇 郁子	4万	白日会会員、日展会員、関西美術院理事、京都市美術館協議会委員、白日展富田賞・関西画廊賞、日展審1・特選2、京都市立芸大卒、京都　〒600-8074 京都府京都市下京区東前町399-15　075-341-5515
KIYA AKIRA さきや あきら	6万	一水会委員、現代パステル協会委員、一水会展文科大臣賞他、職美協会員、安井賞展2、栃木県文化奨励賞、Salon international du pastel（フランス）招待出品、栃木、1954　〒329-3215 栃木県那須郡那須町寺子乙2081-36
KUMA KOKEN 佐久間 公憲	5万	二紀会委員、日本美術家連盟会員、二紀展会員賞・同人賞3・同人優賞、文化庁現代美術選抜展、個展多数（三越他）、東京藝大油画科卒、北海道、1950　〒196-0021 東京都昭島市武蔵野2-15-11　042-542-0941
KURAI KAN 桜井 寛	8万	独立美術協会会員、十果会同人、独立展独立賞2、新鋭選抜展、国際形象展、明日への具象展、現代の人物画展、日本秀作美術展他、池田20世紀美術館、青梅市立美術館、東京教育大芸術学科卒、長野、1931　〒181-0005 東京都三鷹市中原4-12-1　0422-43-4793
KURAI TAKAYOSHI 櫻井 孝美	10万	土日会代表、日本大学客員教授、安井賞、昭和会賞、東京セントラル美術館油絵大賞、IBM絵画イラストコンクールグランプリ、画集刊行（生活の友社）、師糸園和三郎、日本大学芸術学部卒、埼玉、1944　〒403-0004 山梨県富士吉田市下吉田3-30-3　0555-22-0635
KURAI MINAKO 桜井 美奈子	2.5万	無所属、トーキョーワンダーウォール入選、新生展ショアウッドジャパン賞、個展、多摩美大卒、1979　〒187-0021 東京都小平市上水南町1-24-19-1
KURAI YUKIO 櫻井 幸雄	12万	無所属、日本美術家連盟会員、元新構造社会員、新構造展文部大臣奨励賞・三村賞、安井賞展出品、個展、新潟、1948　〒946-0071 新潟県魚沼市七日市213-2　025-792-2527
KURADA HARUYOSHI 桜田 晴義	12万	無所属、スペイン最優秀作家グランプリ賞、昭和会優秀賞、日本油絵大賞展出品、武蔵野美大油絵科卒、旧満州、1947　〒389-0111 長野県北佐久郡軽井沢町長倉4588-78　0262-45-2733
KO AKIKO 佐光 亜紀子	6万	サロン・ドートンヌ会員、元新芸術理事、新芸術展金賞・文部大臣奨励賞、日洋展受賞、作品集2冊（生活の友社）刊行、月刊マネージメント表紙担当、個展（台北・日本橋三越・丸栄他）、銀座ショパールビルに作品常設展示、外遊多数、女子美大、岐阜　〒480-1153 愛知県長久手市作田2-1105　0561-63-8877
SAOKA YU 笹岡 勇	6万	無所属、1965年創元展会員新人賞他受賞・審査委員、73年東京展立上げに参加・78年～事務局長・後退会、2000年頃制作再開。妙高四季展大衆賞・人間讃歌大賞展佳作賞2・天竜川絵画公募展準大賞・川の絵画大賞展佳作賞2・小磯良平大賞展入選2他賞・入選多数、多摩美大油絵科卒、東京、1937　〒379-0211 群馬県安中市松井田町上増田3432-1　090-9666-6737
SAKI KAZUKO 佐々木 和子	4万	白日会会員、日展会友、個展（阪急百貨店本店他）、莧の会（髙島屋）、群馬、1946　〒666-0137 兵庫県川西市湯山台2-39-2　0727-92-3732
SAKI SUMIE 佐々木 澄江	5万	無所属、元一創会会員、二科展入選、グループ展、師西村龍介、徳島、1936　〒242-0007 神奈川県大和市中央林間3-14-25　0462-74-6713
SAKI BAKU 佐々木 麦	5万	無所属、ホルベイン賞、北の大地ビエンナーレ大賞展佳作、個展、京都精華大卒、京都、1963　〒524-0033 滋賀県守山市浮気町300-15　グランドメゾン3-1016　077-583-7030
SAKI MAYU 佐々木 真由	3万	旺玄会会員、個展、グループ展、純心女子短大卒、東京、1959　〒062-0041 北海道札幌市豊平区福住一条7丁目7-16　捧方

SASAKI YU
佐々木 友　4万
新日本美術協会会員、一水会展他入選、KFS銀賞、個展、師中尾不二夫、岩手、1938　〒27
1132 千葉県我孫子市湖北台7-62-106　0471-87-61

SASAKI YUTAKA
佐々木 豊　12万
国画会会員、日本美術家連盟委員、国展国画賞2・35周年記念賞、現代の裸婦展準大賞、両洋の眼展倫
賞、安田火災東郷青児美術館大賞、安井賞展、明日への具象展、日本秀作美術展他出品、師三尾公三、
京藝大専攻科修、愛知、1935　〒240-0063 神奈川県横浜市保土ヶ谷区鎌谷町313-38　045-335-59

SASAKI RIKA
佐々木 里加　6.5万
独立美術協会会員、女流画家協会委員、日美連会員、独立展独立賞他、女流画家協会展協会賞他、文化庁海外研修員・国内研修員、青梅市立
術館個展、VOCA展、毎日現代日本美術展6・賞候補1、高島屋（個展、美の予感展・写実の世紀展・新世紀をひらく美展・SENSATION展・T
REGINA展）、三越（THE女流展）、2009国民文化祭、東大大学院研究生修了　〒173-0014 東京都板橋区大山東町39-4　03-3961-11

SAZAKI KOICHI
佐﨑 紘一　4.5万
無所属、元鉄鶏会会員、日本作家現代展出品、個展、有馬能楽堂鏡松制作、大阪、1941　〒66
1333 兵庫県三田市下内神684　0795-67-17

SASAZAWA SUMIO
笹沢 純雄　5万
無所属、個展、中国各地取材旅行、南米各地スケッチ旅行、日大卒、東京、1948　〒154-00
東京都世田谷区三宿1-18-22　03-3413-22

SAZANAMI KEIKO
佐々波 啓子　
日展会友、光風会会員、光風会展奨励賞・会員賞（パルテノン賞）、日展特選、個展（香林坊大
アートサロン）、師藤森兼明、金沢美工大卒　〒926-0058 石川県七尾市湊町1-38
0767-53-00

SATA SHOJI
佐田 昌治　4.5万
太平洋美術会常務理事、太平洋展80回記念大賞・85回記念賞・会員秀作賞2・安田火災美術
団奨励賞、安井賞展2、個展15（銀座松屋他）、ヨーロッパ外遊、師椿悦至・牧野邦夫、太平洋
術学校卒、東京、1946　〒273-0865 千葉県船橋市夏見2-5-6-607　03-3821-41

SATO AKIHIKO
佐藤 顕彦　4万
無所属、二科展建設大臣賞、花の万博公式ガイドマップ表紙、ふるさと切手原画、個展、山梨
1952　〒402-0011 山梨県都留市井倉461

SATO ISAO
佐藤 功　3.5万
国画会会員、国展新人賞、ビエンナーレOME2009出品、武蔵野美術学園卒、岩手、1972　〒18
0002 東京都小金井市梶野町3-2-7　第2フラッツ103　0422-53-49

SATO ON
佐藤 温　1万
個展（日本橋高島屋・ギャラリー椿他）、岐阜県立高山工業高校卒、埼玉、1987

SATO JUNICHI
佐藤 純一　2.5万
無所属、中部動物画研究会会員、グループ展、渡仏、愛知、1952　〒501-0438 岐阜県本巣郡
方町平成7-33　058-324-00

SATO SHINSAKU
佐藤 辰作　5万
写実画壇会員、朝の会、個展（城西国際大学水田美術館・西武・十字屋・井筒屋・そごう・大
他）、グループ展、欧遊、阿佐ヶ谷美術専門学校卒、日本美術家連盟会員、師橋本博英・中村
治・飯田達夫、山形、1952　〒283-0012 千葉県東金市下武射田2700-6　0475-58-49

SATO TAISEI
佐藤 泰生　12万
新制作協会会員、和光大学名誉教授、1977年昭和会賞、81年東京セントラル美術館油絵大賞展優秀賞・83年佳作賞、国
美術フェア（バーゼル）、現代の屏風絵展（デュッセルドルフ）、日本秀作美術展等出品、73年仏給費留学（～78年滞仏）、師
磯良平、東京藝大卒（大橋賞）・同大学院修、大連、1945　〒249-0001 神奈川県逗子市久木3-9-33　046-873-65

SATO TAKAHARU
佐藤 隆春　5万
無所属、独立展入選、セントラル油絵大賞展入選、河北展県芸術協会賞、個展（東急本店）、
城、1951　〒981-3351 宮城県黒川郡富谷町鷹乃杜2-4-10

SATO TADAHIKO
佐藤 忠彦　4万
無所属、元光陽会会員、青年作家賞、個展（松屋他）、東京、1943　〒342-0058 埼玉県吉川
きよみ野3-12-3　048-982-92

SATO TETSU
佐藤 哲　10万
東光会代表理事、日展理事、日本藝術院会員、日本藝術院賞、東光展文部科学大臣奨励賞・
田賞、日展文部科学大臣賞・特選2、師江藤哲、大分大学芸学部美術科、大分、1944　〒41
0001 静岡県熱海市泉226-290　0465-62-81

SATO TETSURO
佐藤 哲郎　12万
サロン・ドートンヌ会員、モダンアート会員、モダンアート展奨励賞他、個展、師児島善三郎、
城、1924　〒275-0015 千葉県習志野市鷺沼台3-8-21　047-493-46

SATO HARUNA
佐藤 令奈　3万
トーキョーワンダーウォール賞、（財）神山財団芸術支援プログラム第5期生、国内外にて個展、
ループ展、多摩美大卒

SATO HIDETO
佐藤 秀人　7万
無所属、全日本学生美展入賞、個展（京王他）、渡韓、渡印、静岡、1948　〒254-0821 神奈
県平塚市黒部ヶ丘16-34　0463-33-14

SATO HIROMITSU
佐藤 弘光　4万
新作家美術協会委員、新作家展奨励賞、上野の森美術館大賞展佳作賞、個展、武蔵野美大大
院修、東京、1956　〒144-0034 東京都大田区西糀谷2-17-12　03-3742-55

ATO MASAO
左藤 真生 3.5万
無所属、上野の森美術館大賞展佳作賞、安井賞展出品、個展（武蔵野市立吉祥寺美術館・酒田市美術館）、東京学芸大大学院修、山形、1963

ATO MIEKO
左藤 美江子 4万
二紀会会員、二紀展同人賞・二紀賞・奨励賞、佐伯女流画家奨励賞、昭和会展出品、個展、武蔵野美大卒、北海道　〒112-0012 東京都文京区大塚6-37-5　護国寺コープ809 03-3942-0207

ATO MITSURO
左藤 光郎 4万
二紀会会員、日本美術家連盟会員、宮城県芸術協会監事、ビエンナーレうしく展大賞、青木繁記念大賞西日本美術展優秀賞、宮城県芸術選奨、個展（カメイ美術館他）、宮城、1953　〒981-2302 宮城県伊具郡丸森町大張川張字ウソコ22　http://www.mitsuro.com 0224-75-2623

ATO YUJI
左藤 祐治 4万
示現会理事、日展会員、示現会展示現会賞・安田火災美術財団奨励賞・楢原賞、日展特選2・審査員、個展（小田急・伊勢丹・阪神・札幌三越他）・グループ展多数、師成田禎介、北海道、1944　〒252-0332 神奈川県相模原市南区西大沼1-18-5 042-753-2790

ATO YOYA
左藤 陽也 2.5万
白日会会員、白日会展富田賞・損保ジャパン美術財団賞・会友奨励賞、昭和会展松村謙三特別賞、師広田稔、明治大学卒、福島、1981　〒151-0073 東京都渋谷区笹塚1-29-10　プレジール笹塚701

ATO YOSHIMITSU
左藤 義光 4.5万
日本美術家連盟会員、元二元会委員・元大調和会委員、二元展桂冠賞・紫薫賞他、大調和展大調和賞他、外遊10、個展18（東急本店他）、グループ展多数、師内田晃、東京、1935　〒359-1145 埼玉県所沢市山口1080-38 04-2924-9358

ANO KYOKO
左野 京子 3万
無所属、二紀展入選、サロン・ドートンヌ入選、上野の森美術館大賞展入選、個展11（三越・松坂屋デパート等）、共立女子大学卒、武蔵野美術学園修、グランショミエール修、埼玉、1955　〒166-0003 東京都杉並区高円寺南1-4-15 03-3312-8062

ANO NUI
左野 ぬい 15万
新制作協会会員、女流画家協会委員、女子美大前学長、日本美術家連盟理事、損保ジャパン東郷青児美術館大賞、文化庁買上、女子美大卒、青森、1932　〒168-0082 東京都杉並区久我山4-14-4 03-3333-0606

AWADA MITSUHARU
沢田 光春 12万
無所属、ヨーロッパ国際コンクール・グランプリ、オティス国際コンクール・グランプリ、個展、ブリュッセル王立美大卒、大阪、1947　〒661-0011 兵庫県尼崎市東塚口町1-7-1-425 06-6427-6840

AWATARI KAZUNE
猿渡 一根 3万
無所属、応美会展入選、グループ展他、愛知、1951　〒502-0934 岐阜県岐阜市大福町5-13-1243 058-231-8802

AWANOBORI YOSHIAKI
澤登 義昭 4万
無所属、元現代美術家協会準会員、現展会友奨励賞、個展、師桜井浜江、多摩美大卒、東京、1953　〒181-0013 東京都三鷹市下連雀3-4-41 0422-49-1257

HIODA MITSUO
塩田 満男 4.6万
無所属、現代洋画精鋭選抜展金賞、記念大展優秀賞、日仏現代美術展入、個展、東京、1941　〒343-0832 埼玉県越谷市南町1-1-20-501 048-989-7250

HIOTA MIHARU
塩田 みはる
版画　日本版画協会会員、1970年多摩美大卒業後渡仏、パリ・エコール デ ボザール版画科卒、町田市立国際版画美術館他収蔵、東京　パリ在住　〒151-0053 東京都渋谷区代々木3-33-8 03-3370-5915（国内連絡先）

HIOTANI RYO
塩谷 亮 20万
二紀会会員、九州産業大学客員教授、武蔵野美大非常勤講師、文化庁新進芸術家在外研修員、個展（彩鳳堂・日本橋三越他）、グループ展多数、塩谷亮画集刊行（2017年）、武蔵野美大卒、東京、1975　〒240-0115 神奈川県三浦郡葉山町上山口834-1 046-895-6934

HIOTSUKI YU
塩月 悠 2.5万
二紀展損保ジャパン美術財団奨励賞・優賞（第2席）、個展・グループ展、佐賀大大学院修了、宮崎、1982　〒852-8046 長崎県長崎市柳谷町38-10

HIGA EI
志賀 詠 6万
無所属、ル・サロン金賞、個展（北京・ニューヨーク）、女子美大卒、アートスチューデントリーグ修、1942　〒177-0044 東京都練馬区上石神井3-30-6 03-3928-4184

HIKAMA KIMIKO
四竈 公子 6万
無所属、女流画家協会展・朱葉会展出品、個展（フィリア美術館）、武蔵野美短大卒、茨城、1935　〒350-1238 埼玉県狭山市広瀬台1-14-1 04-2953-6860

HICHIRI KAZUKO
七里 和子 6万
元第一美術協会委員・審査員、第一美術展東京都知事賞・損保ジャパン美術財団奨励賞・第一美術作家賞他、元NHK名古屋文化センター講師、日本橋三越特選展・逸品会等出品、個展多、外遊多、師大沢昌助、多摩美大卒、岐阜生まれ愛知出身、1942　〒470-0154 愛知県愛知郡東郷町和合ケ丘1-7-7 0561-39-2997

TSUISHI EMIKO
実石 江美子 4万
三軌会会員、日本美術家連盟会員、三軌展三軌会賞・会員優賞、昭和会展優秀賞他、個展14、武蔵野美大造形学部油絵学科卒、静岡、1961　〒342-0033 埼玉県吉川市中曽根2-2-23　http://www5.airnet.ne.jp/emiko/ 048-982-4507

HINOHARA AI
篠原 愛 6.5万
個展（GALLERY MoMo・ギャラリーアートもりもと）、グループ展（「VOCA展2017」他）、多摩美大卒、鹿児島、1984

洋画・水彩・版画・他平面　さ〜し

SHIBUYA SHIGEHIRO
渋谷 重弘 5万
無所属、昭和会展招待、日仏現代展・日洋展出品、青森県展奨励賞、個展、岩手大卒、秋田
1946 〒010-0041 秋田県秋田市広面字広面78-1 018-835-758

SIHO MICHIO
四方 道夫 3.5万
無所属、現洋展大阪府知事賞、茨木市展議長賞、個展、グループ展、師宮崎万平・細川進、
都、1947 〒573-0013 大阪府枚方市星丘1-2-25 072-849-448

SHIMAZAKI TSUNEO
島﨑 庸夫 7万
創元会顧問、群馬県美術協会会長、NHK文化センター講師、1981年日本画廊協会賞展佳作賞、86年創元展文部大臣奨励
他、73年～安井賞展入4、76・79年ソフィアトリエンナーレ招、96年『粗忽者の記』出版、広島平和記念資料館・リングリン
ミュージアム作品収蔵、師深谷徹、武蔵野美大卒、群馬、1933 〒370-0836 群馬県高崎市若松町43-7 027-325-119

SHIMADA AYUKO
島田 鮎子 6万
国画会会員、愛知県芸術文化選奨文化賞、東郷青児美術館大賞（記念展）、紺綬褒章、安井賞展、NICAF、IMA展、日本秀作美術展他出品、個
（東京セントラルアネックス・刈谷市美術館・メナード美術館・パリ日動・伽藍洞・高島屋・三越各店他）、画集刊行、68～69年パリ滞在、師伊藤
東京藝大専攻科修、東京、1934 〒461-0018 愛知県名古屋市東区主税町4-26 モーニングパーク主税町109号 052-932-921

SHIMADA SHIZU
嶋田 しづ
井上靖文化賞、個展、二紀展新人賞・最優秀賞、アンデパンダン展・サロン・ドートンヌ等出
多数、早稲田大学大学院修 〒249-0002 神奈川県逗子市山の根1-6-6 0468-71-353

SHIMADA YASUO
島田 安雄 2.8万
日本現代美術協会常任理事、県展入選、個展、長野、1930 〒380-0803 長野県長野市三輪8-4
19 026-232-295

SHIMAZU GORYO
島津 豪亮 6.5万
無所属、個展（日本橋東急・横浜高島屋）、師横地康国、武蔵野美大卒、神奈川、1939 〒25
0201 神奈川県足柄下郡真鶴町真鶴205-5 0465-68-199

SHIMAZU TOSHINORI
嶋津 俊則 8万
二元会名誉会長、日美連会員、1967年～二元展出（二元会賞・パリ賞・20回記念大賞・文部大臣奨励賞・総理大臣賞等）、仏ル・サロ
銀・銅賞、ナショナル・デ・ボザール入、個展（小田急・三越・大丸・戎橋画廊他）多、74～75年仏遊学、以後外遊20、師鈴木博
関西美術研究所修、大阪、1941 〒550-0015 大阪府大阪市西区南堀江1-16-22 プルミエール南堀江1101 06-6543-244

SHIMANAKA TOSHIMICHI
嶋中 俊文 4万
白日会会員、白日展佳作賞・富田賞、創形美術学校卒、東京、1965 〒207-0003 東京都東大
市狭山3-1200-4 https://mngsteen.wixsite.com/shimanaka 042-567-057

SHIMANE KIYOSHI
島根 清 4万
無所属、日本美術家連盟会員、元光陽会評議員、光陽展光陽会賞グランプリ・青年作家賞他
6、紺綬褒章、円慶寺天井画制作、師奥龍之介、東京、1945 〒341-0038 埼玉県三郷市中
3-40-4 048-953-193

SHIMAMURA NOBUYUKI
島村 信之 30万
白日会会員、白日展文部科学大臣奨励賞、前田寛治大賞展大賞、個展（銀座柳画廊）4、師藤
叡三、武蔵野美大大学院修、埼玉、1965 〒255-0004 神奈川県中郡大磯町東小磯476-7
0463-61-018

SHIMIZU KENJI
志水 堅二 7万
無所属、前田寛治大賞展、昭和会展、個展、東京藝術大学大学院デザイン専攻修了、愛知、197

SHIMIZU JOTEN
清水 亟憹 5万
国際審議会会員、あすなろ絵画主宰、世界芸術文化交流アカデミー名誉教授、シェル佳作賞2、モダンアート展
東京国際美術展優秀賞、精鋭選抜展銀銅賞、国際リヨン2000年祭協会賞、県展文部大臣賞、個展54（徳島そ
う）、師鈴木信太郎、多摩美大卒、徳島、1937 〒770-0021 徳島県徳島市佐古一番町14-16 088-653-875

SHIMIZU TOMOE
清水 朋江 4万
無所属、新芸術展奨励賞、新洋画会展奨励賞、グループ展、岩手、1939 〒176-0012 東京
練馬区豊玉北4-18-2 03-3991-781

SHIMIZU MASARU
清水 優 5万
日展特別会員・審査員、光風会理事、個展、茨城大卒、茨城、1947 〒311-4145 茨城県水
市双葉台2-17-8 0292-53-158

SHIMIZU MISAKO
清水 美三子 6万
春陽会会員、日本版画協会会員、春陽展春陽会賞・岡鹿之助賞、安田火災美術財団新作優秀
女子美大卒、東京、1963 〒143-0024 東京都大田区中央1-17-8 03-3772-52

SHIMURA YOSHIKO
志村 好子 3.5万
無所属、個展、グループ展、欧州取材旅行、師斎藤三郎、東京、1940 〒315-0001 茨城県石
市石岡13946-1 0299-24-533

SHIMOSEKI MASAYOSHI
下関 正義 4万
示現会準会員、一水会展入選、示現会展入選、日本の自然を描く展JR東日本賞受賞2、個展多数
慶応大大学院修（工学博士）、東京、1947 〒154-0016 東京都世田谷区弦巻5-1-8-740

SHIMOZONO YURI
下園 由莉 5万
無所属、宮廷芸術会員、元元陽会委員、元陽展文科大臣奨励賞・元陽会賞・25周年記念賞、
展、石川 〒562-0027 大阪府箕面市石丸3-16-2 0727-29-289

SHIMOMURA SHOJI
下村 正二 5万
無所属、二紀展入選、日伯展入選、個展（小田急・三越他）、青森、1955 〒031-0023 青森
八戸市是川字長根21-1 0178-96-495

UN INOUE 潤 inoue.		2006年アーティスト活動開始。個展（サコダアートギャラリー他）、アートフェア出品、グループ展多数、大阪芸大卒、大阪、1980　〒663-8201 兵庫県西宮市田代町19-12　Beehive西宮1F sakoda art gallery気付	0798-66-0667
O YASUO 城　康夫	8万	国画会会員、国展国画賞・会友優作賞、シェル賞展、文化庁現代展、京都洋画総合展、京都府買上、個展高島屋・駒ヶ根高原美術館等多数、京都、1943　〒619-1152 京都府木津川市加茂町里小田70-4	0774-76-7637
HOJI MAMORU 庄司　守	6万	無所属、日伯展入選、ブロードウェイ新人賞第3席受賞、油絵大賞展入選、個展（伊勢丹他）、岩手、1947　〒027-0373 岩手県宮古市田老字向新田112-17	0193-87-5533
HODA TOKUEI 庄田　徳衛	5万	無所属、新制作展出品、個展（もりもと画廊他）、グループ展、武蔵野美大大学院修、大阪、1960　〒198-0062 東京都青梅市和田町1-92-1	0428-76-2379
HIRAI FUJIKO 白井　不二子	3万	無所属、二科展、昭和会展、銀座大賞展、池田満寿夫記念芸術賞展入、春日水彩画展大賞　〒142-0041 東京都品川区戸越6-1-12　正光画廊気付	03-5702-6595
HIRAI YOKO 白井　洋子	4万	水彩連盟委員、日本美術家連盟会員、水彩連盟展荒谷直之介賞・春日部たすく賞・損保ジャパン美術財団奨励賞、水彩展「OHARA」奨励賞2、会津俊英作家展出品、個展多数（喜多方市美術館・有隣堂ギャラリー・松屋銀座・東急渋谷本店他）、聖徳学園短大卒、福島、1949　〒240-0113 神奈川県三浦郡葉山町長柄1413-148	046-876-3633
HIRATORI JUZO 白鳥　十三	5万	無所属、個展（サエグサ画廊・幸伸ギャラリー他）、渡欧、早稲田大卒、新潟、1949　〒151-0071 東京都渋谷区本町2-39-10　gallery-shiratori.com	
HIRATORI MIYUKI 白鳥　未行	3万	無所属、赫の会展出品、個展、東京藝大大学院修、東京　〒420-0866 静岡県静岡市葵区西草深町22-16-2	
HIROSAKI AKIRA 白崎　明	8万	無所属、仏カーニュ市花の万博展奨励賞、個展、多摩美大卒、福井、1926　〒617-0002 京都府向日市寺戸町二枚田17-14	075-932-3801
HIROTA MORIO 代田　盛男	6万	大調和会運営委員、日本美術家連盟会員、大調和展文部大臣賞・会員努力賞、佳作賞他、新鋭選抜展出品、日動展出品、個展36（毎日アート・文藝春秋画廊他）、外遊多数、東京、1941　〒196-0001 東京都昭島市美堀町2-27-2	042-544-4850
UGA MIOKO スガ　ミオコ	4万	太陽美術協会評議員、（独）ベルリンコンテンポラリーアートフェア招待作家、（仏）ル・サロン入選、（仏）アンデパンダン展推薦出品、海外企画展出品、北海道、1955　〒060-0003 北海道札幌市中央区北三条西13-3-3-505	011-281-3997
UGANUMA KOJI 菅沼　光児	4.5万	新制作協会会員、新鋭作家展出品、個展、東京藝大大学院修、埼玉、1960　〒158-0083 東京都世田谷区奥沢1-21-10	03-3727-7558
UGI MASANORI 杉　正則	3.5万	日洋会評議員、日展会友、日展特選1・無鑑査1・入選27、日洋展奨励賞・会員努力賞・会員賞2・委員賞・損保ジャパン奨励賞・塗師祥一郎賞他、県展高田誠記念賞・審査4回、個展5、G展多数、外遊4、師塗師祥一郎、県立直方ろう学校（美卒）、福岡、1937　〒357-0045 埼玉県飯能市笠縫140-11	042-973-5082
UGIURA MIKIO 杉浦　幹男	6万	第一美術協会名誉会員、千葉県美術協会準委嘱、鎌ヶ谷市美術家協会副会長、第一美術展協会賞・文部大臣奨励賞、千葉県展県展賞、昭和会展・安井賞展・安田火災美術財団奨励賞展出品、個展多数（仙台三越・札幌三越・横浜そごう・吉祥寺東急・池袋東武他）、武蔵野美大卒、山形、1949　〒274-0807 千葉県船橋市咲が丘2-5-3	047-448-6697
UGITA MIEKO 杉田　美栄子	3万	日洋会委員、日展入、日洋展委員賞・会員賞、個展、日本女子大卒、カタルーニア州立美術学校修、東京　〒155-0033 東京都世田谷区代田2-36-23	03-3414-5215
UGIMOTO SUMIO 杉本　澄男	6万	無所属、新制作協会展入選・銀座大賞展入選、岩手県優秀美術選奨、個展（小田急新宿・シルクランド画廊他多）、岩手大特設美術科卒、静岡、1948　〒020-0114 岩手県盛岡市高松1-14-50	019-661-4823
UGIMORI KIMIAKI 杉森　企観明	5万	日展会友、一水会常任委員、日展特選、一水会展一水会賞・優賞・会員佳作賞、師高田誠、武蔵野美大卒、新潟、1949　〒951-8162 新潟県新潟市中央区関屋本村町1-38-3	025-267-8383
UGIYAMA YUKO 杉山　優子	3万	立軌会同人、日本美術家連盟会員、第14回ART BOX大賞展大賞、個展多数（アートフェア東京2010 GALLERY YAMANEブース・湾岸画廊他）、武蔵野美大大学院修（修了制作優秀賞）、神奈川、1981　〒135-0063 東京都江東区有明3-7-11　有明パークビル1F　湾岸画廊気付　http://www.yuko-sugiyama.com/	03-6457-2978
UGIYAMA YOSHINOBU 杉山　吉伸	10万	日展特別会員、光風会常務理事、栃木県文化協会理事、日本美術家協会会員、1963年～日展出品・審査3・特選2・無鑑査2・委嘱8・入選24、1958年～光風会展出品・文部大臣賞・辻永記念賞・つばき賞・会員記念賞他賞多、栃木県文化功労者顕彰、県文化奨励賞、現代美術選抜展、画集刊行（生活の友社）、師寺島龍一、宇都宮大学卒、栃木、1937　〒329-1311 栃木県さくら市氏家2773	028-682-3183
UZUKI ATSUKO 鈴木　敦子	1.6万	無所属、第28回ホルベイン・スカラシップ奨学生、VOCA展2013、トヨタアートコレクション、個展（藍画廊他16）、グループ展多数、東京藝大卒、東京、1981	

SUZUKI KUMIKO
鈴木 久美子　5万
無所属、埼玉美術協会会員、県展出品、個展、師斎藤三郎、上野学園大卒、東京、1947　〒33
0058 埼玉県さいたま市西区飯田20-1　048-623-231

SUZUKI SHINJI
鈴木 真治　3万
白日会会員、白日会展安田火災美術財団奨励賞・準会員奨励賞・東邦アート賞・アルトン賞、武
蔵野美大大学院修　〒342-0026 埼玉県吉川市土場219　048-982-172

SUZUKI SEIICHI
鈴木 誠市　7万
太平洋美術会運営委員、太平洋展安田火災美術財団奨励賞他、安井賞展候補2、個展・グル
プ展多数、師小池不可止、大阪芸大卒、愛知、1954　〒464-0013 愛知県名古屋市千種区汁
町8-1-604　052-722-721

SUZUKI TERUKO
鈴木 照子　4万
無所属、上野の森大賞展入選、翔の会展出品、個展（高島屋）、東京藝大大学院修　〒181-001
東京都三鷹市下連雀3-14-6　0422-41-522

SUZUKI TORU
鈴木 通　12万
無所属、元近代美術協会委員、近代美術協会展協会賞、日洋展入、安井賞展入、個展、師松
富太郎、宮城、1938　〒113-0021 東京都文京区本駒込2-12-16-107　03-3946-462

SUZUKI NOBUO
鈴木 延雄　5万
風土会会員、個展（小田急他）92、師林武、東京藝大油画科卒・専攻科修、東京、1932　〒18
0043 東京都小平市学園東町1-21-13　042-341-078

SUZUKI MASUMI
鈴木 益躬　8万
日展会友、一水会運営委員、日展特選、一水展文科大臣奨励賞、ミニチュア大賞展優秀賞、師
田崎廣助、多摩美大卒、東京、1932　〒274-0815 千葉県船橋市西習志野3-17-6
047-464-197

SUZUKI MINORU
鈴木 實　7万
日展会員、示現会常務理事、日展特選2・委嘱6・審査員1、示現会展受賞2、青森県文化賞、文
化庁現代美術選抜展2、個展・グループ展多数、ヨーロッパスケッチ取材7、師奈良岡正夫、青森
1930　〒168-0082 東京都杉並区久我山2-24-6　03-3332-473

SUZUKI YUKIO
すずき ゆきお　4万
無所属、蒼樹展金賞、国際交流芸術展招待、個展（松坂屋上野店他）、太平洋美術学校修、東
京、1946　〒230-0078 神奈川県横浜市鶴見区岸谷4-28-23-207　045-584-156

SUZUKI YUMIKO
鈴木 裕見子　5.5万
無所属、現代日本絵画展入選、蒼洋展出品、個展、グループ展、東洋美術学校卒、栃木、195
〒321-0406 栃木県宇都宮市金田町501-7　0286-74-399

SUDO KEIKO
須藤 けい子　3.5万
無所属、真砂美塾選抜展、女流展、五人展、師辻真砂、山形県立酒田商業高校卒、秋田、194
〒540-0037 大阪府大阪市中央区内平野町1-1-6-1104　06-6942-659

SUMI MAMORU
角 護　5万
行動美術協会会員・審査員、日本美術家連盟会員、鳥取県展審査員、行動展奨励賞他、全関西行動展賞3、京都
知事賞、鳥取県展賞3、鳥取県共同企画郷土作家展出品、鳥取県文化功労賞、個展多数（米子高島屋・風童門・川
画廊・米子天満屋・画廊楽他）、画集刊行、鳥取、1943　〒684-0001 鳥取県境港市清水町675　0859-42-270

SUWA ATSUSHI
諏訪 敦
武蔵野美術大学教授、バルセロ財団国際絵画コンクール大賞、2011年NHK 日曜美術館「記憶に辿りつく絵画〜亡き人
描く画家〜」、2016年NHK ETV特集「忘れられた人々の肖像〜画家・諏訪敦"満州難民"を描く〜」、個展（佐藤美術館
成山画廊他）、画集刊行、文化庁派遣研修員（西）、武蔵野美大大学院修士修、北海道、1967　http://atsushisuwa.com

SEIKE FUMIHIRO
清家 文博　6万
無所属、光風会展奨励賞、独立展新人賞、関西独立賞、前田寛治大賞展入選、京都市長賞、個
展、グループ展、愛媛、1952　〒573-0022 大阪府枚方市宮之阪4-22-5　072-849-057

SEINO KIYOKO
清野 清子　3.5万
元等迦会委員、市美協会員、等迦展等迦会賞他、個展、埼玉、1950　〒350-0034 埼玉県川越
市仙波町2-18-5
0492-24-733

SEGAWA TOMOTAKA
瀬川 智貴　4万
無所属、個展（伊勢丹・阪急・三越・ギャラリームサシ）、グループ展、東京藝大卒、東京、196
〒248-0031 神奈川県鎌倉市鎌倉山2-14-3　0467-95-700

SEGAWA FUKIO
瀬川 富紀男　6万
独立美術協会会員、独立展独立賞・記念賞、安井賞展佳作、昭和会優秀賞、文化庁在外研修
(92〜93年パリ)、十果会展（09年〜）、東京藝大大学院修、熊本、1949　〒120-0005 東京都足
立区綾瀬1-23-26
03-3603-13

SEKI TAKUJI
關 拓司　5万
二元会常任運営委員・審査員、日本美術家連盟会員、元新協委員、二元展内閣総理大臣賞、新
協展新協賞・会員賞他、安井賞展入、個展20、渡欧多数、茨城、1932　〒651-2276 兵庫県神
戸市西区春日台5-9-16
078-220-843

SEKIGUCHI MASAO
関口 将夫　4万
無所属、安井賞展・昭和会展・日仏現代美術展出品、個展（阿久津画廊他）、群馬、1942　〒37
2124 群馬県高崎市吉井町塩914-19　027-387-852

SEKIGUCHI MASAFUMI
関口 雅文　4万
白日会会員、白日会展文科大臣賞・会友奨励賞・安田火災美術財団奨励賞、個展、東京藝大
学院修、新潟、1970　〒143-0023 東京都大田区山王2-18-5-805

KINE HIROKO 関根　洋子	3.5万	国画会会員、個展、東京藝大大学院修、東京、1960　〒251-0047 神奈川県藤沢市辻堂3-2-9	
KINE YOSHIAKI 関根　吉亜木	3万	本名 吉昭、元一線美術会委員、一線展東京都知事賞・上野山清貢賞他、上野の森美術館大賞展入選7、個展、武蔵野美短大卒、埼玉、1951　〒355-0327 埼玉県比企郡小川町腰越597-10	
CHIWA MIKI 段和　幹	10万	ソシエテナショナルデボザール準会員、元日本美術家連盟会員・一線美術会委員、一線展一線美術賞、安井賞展、日洋展、個展、仏留、山梨、1942　〒400-0031 山梨県甲府市丸の内2-32-19-201	055-233-8088
NOO ICHIRO 妹尾　一朗	5万	無所属、元太陽美術協会会員、仏国際展国際賞、ブロードウェイ新人展1席、上智大文学部卒、宮城、1947　〒183-0057 東京都府中市晴見町1-12-10	042-302-0250
NOO HIROYUKI 妹尾　宏行	6万	無所属、個展、グループ展、東京藝大卒、岡山、1954　〒270-2267 千葉県松戸市牧の原2-318	
RA SHIZUO 世良　静夫	6万	無所属、ブロードウェイ新人展1席、個展、グループ展、渡欧、多摩美大卒、山口、1935　〒939-8073 富山県富山市大町一区中部112	076-425-8474
NGA SETSUKO 千賀　節子	2.5万	無所属、飛翔会会員、個展、グループ展、東京、1948　〒505-0301 岐阜県加茂郡八百津町八百津3014	0574-43-1167
KENYU 曽　剣雄	10万	白日会会員、日展準会員、日展特選2・東海展中日賞、白日展佳作賞・富田賞・文部科学大臣賞他、豊田市芸術選奨、中国湖北美大修、中国長沙市、1962　〒471-0837 愛知県豊田市新生町2-3-5　http://www010.upp.so-net.ne.jp/zeng/	0565-26-8188
NE SHIGERU 曽根　茂	6万	無所属、昭和会展優秀賞、個展（京都大丸・名古屋松坂屋）、京都大卒、三重、1971	
NODA IKUO 園田　郁夫	5万	元二科会会員、二科展銀賞・特別賞・デンマーク賞、エジプト・アルジェリア展招待、北海道、1930　〒082-0016 北海道河西郡芽室町東六条6-1-11	01556-2-5116
NOYAMA MIKIO 園山　幹生	12万	新極美術協会副会長、毎日現代展出品、個展（小田急・リオデジャネイロ他）、島根、1948　〒338-0001 埼玉県さいたま市中央区上落合8-6-16	048-857-6180
N JIAPEI 孫　家珮	11.5万	日本美術家連盟会員、国際公募連展総理大臣賞・文部大臣賞、昭和会展招待、個展、上海交通大修、中国、1958　〒157-0066 東京都世田谷区成城8-20-2-401	03-3483-3838
I ATSUSHI 田井　淳	7万	独立美術協会会員、独立展独立賞・野口賞、安井賞展・昭和会展・文化庁現代美術選抜展・安田火災美術財団選抜奨励展、ART Singapore FAIR、金沢市文化活動賞、個展多数（石川県立美術館・大阪府立現代美術センター・高島屋他）、金沢美工大油絵科卒、石川、1953　〒921-8025 石川県金沢市増泉3-5-27	
ITOKU TSUTOMU 大德　勉	5万	無所属、県美展知事賞、個展（鹿児島市立美術館）、渡仏、鹿児島大大学院修、鹿児島、1975　〒891-0144 鹿児島県鹿児島市下福元町6551	099-261-4595
IMON MASATADA 大門　正忠	6.5万	元陽会創立委員・会長・審査委員、日本美術家連盟会員、元陽展内閣総理大臣賞・文部大臣賞・都教育委員会賞、太陽美術展大賞・アートグラフベストアーティスト大賞他、メキシコ文化交流展（メキシコ2・日本2）、メキシコ外遊、個展、「香守会」英国他グループ展（銀座アートミュージアム・銀座セントラル等数十回）、高知、1946　〒112-0014 東京都文京区関口1-45-15-1204	03-5229-4031
KAI MAKOTO 髙井　眞	6万	無所属、ソフィアトリエンナーレ招待3、自由美術展8、日本画廊協会展、個展62（豊科近代美術館・池袋三越企画展他）、73～74年伊遊学、76年ブルガリア芸術協会招待欧遊他数回、2018年画業60年記念展、東京学芸大学、東京、1941　〒183-0003 東京都府中市朝日町1-12-3	042-363-3277
KAI MIHO 髙井　美穂		無所属、The Patrick Brady賞、National academy school of fine artsに学ぶ、東京、1995年よりNY在住　〒101-0038 東京都千代田区神田美倉町12　木屋ビル1F　木ノ葉画廊気付	03-3256-2047
KAGI KIRIKO 髙木　貴理子	4万	無所属、女流画家展入選、朔日会文部科学大臣賞、HMA最優秀賞、個展（三越・大丸他）、女子美大卒、東京、1965　〒144-0055 東京都大田区仲六郷3-17-4	03-3736-7757
KAGI TADASHI 髙木　匡	3万	無所属、元白亜美術協会会員、一明会会員、深沢昭明賞、師深沢昭明、個展、京大卒、兵庫、1935　〒222-0033 神奈川県横浜市港北区新横浜2-2-1-1201	045-476-4294
KAGI HIDEAKI 髙木　英章	5万	立軌会同人、日本橋三越他個展・企画展多数、ヨーロッパ滞在遊学、師野見山暁治、東京藝大大学院修、佐賀、1950　〒358-0053 埼玉県入間市仏子1210-3	04-2932-4835

TAKAGI HIROKO
高木 弘子 3.5万
無所属、個展、師嶋本昭三、聖和大卒、兵庫、1944　〒662-0912 兵庫県西宮市松原町6-9
0798-23-190

TAKASHIMA TAKANORI
高島 孝憲 4.5万
無所属、新鋭選抜展、現代の裸婦展、個展、グループ展、欧遊、東京藝大大学院修、高知、194
〒336-0936 埼玉県さいたま市緑区太田窪3-12-17

TAKASE AOI
高瀬 あおい 4万
無所属、個展（大丸・京王他）、渡仏、多摩美大卒、神奈川、1949　〒160-0023 東京都新宿
西新宿4-11-16
03-3374-574

TAKASE MAKOTO
高瀬 誠 6万
無所属、個展（伊勢丹・阪急・三越）、グループ展、東京藝大卒、東京、1950　〒277-0072
葉県柏市つくしが丘3-7-3
04-7175-114

TAKASE RYUJI
高瀬 竜二 4万
無所属、個展（佐賀・熊本・福岡他百貨店）、武蔵野美大卒、福岡、1957　〒815-0083 福岡
福岡市南区高宮1-3-32-202
092-523-28

TAKADA AKIYOSHI
高田 明義 10万
無所属、現代の裸婦展大賞、師小磯良平、東京藝大大学院修、東京、1939　〒289-1214 千
県山武市森1466-3
0475-88-09

TAKANASHI YOSHIMI
高梨 芳実 7万
日展特別会員、白日会常任委員、日展審査員・特選2、白日会展文部大臣奨励賞、阿佐ヶ谷美
専門学校絵画科卒、北海道、1954　〒410-2122 静岡県伊豆の国市寺家521-1　0559-49-85

TAKANAMI SOTARO
高波 壮太郎 8万
兼手彩色木版　無所属、パリ吉井画廊個展2、RMN（フランス国立美術館連合）より『猿俳句
選』出版、髙島屋（毎年）他個展多数、師中本達也、多摩美大絵画科、東京、1949

TAKANEZAWA SHINYA
高根沢 晋也 4万
白日会会員、白日会展佳作賞・M賞・U賞・安田火災美術財団奨励賞・準会員奨励賞、個展多
（日本橋三越・渋谷東急本店・東京大丸他）、ウィーン応用美大（W.フッター教室）留学、師阿
稔、東京造形大卒、秋田、1966

TAKAHASHI KAZUMASA
高橋 和正 4万
白日会準会員、白日会展新人賞・東邦アート賞・オンワードギャラリー賞、第8回前田寛治大賞
市民賞、日大芸術学部卒、埼玉、1982　〒350-0205 埼玉県坂戸市東坂戸2-35-204

TAKAHASHI SHIGEYUKI
高橋 重幸 5万
新世紀美術協会委員、新世紀展1994年協会賞・96年安田火災美術財団奨励賞・2000年和田賞、92年兵庫県展知事
93年臥龍桜日本画大賞展奨励賞、98年青木繁記念大賞展奨励賞、2000年さかいでアートグランプリ準グランプリ、北
中日美術展佳作賞、武蔵野美大中退、兵庫、1954　〒665-0815 兵庫県宝塚市山本丸橋4-15-3-403　http://jucou.co

TAKAHASHI TSUTOMU
高橋 勉 5万
二紀会会員、二紀展準会員優賞、雪梁舎フィレンツェ賞展ビアンキ賞、みやぎ秀作美術展招待
品、宮城、1961

TAKAHASHI TETSUO
高橋 哲夫 4万
無所属、元大洋会会員、個展（京阪百貨店他）、北海道、1935　〒061-0212 北海道石狩郡当
町字金沢316-3
0133-22-12

TAKAHASHI HITOSHI
高橋 均 4万
白日会所属、個展多、武蔵野美術短大、新潟、1954　〒950-2028 新潟県新潟市西区小新南1-1
37
025-230-65

TAKAHASHI MASAKAZU
高橋 正一 3万
創元会理事、日展会友、花と女性美展入選、日本の民家油絵展出品、東京、1948

TAKAHASHI MASAFUMI
高橋 雅史 4万
独立美術協会会員、独立展新人賞・奨励賞、前田寛治大賞展大賞、個展、精華大卒、大阪、19
〒537-0002 大阪府大阪市東成区深江南1-15-27-304
06-6972-85

TAKAHASHI MASAYUKI
高橋 益之 3万
元陽会会員、ル・サロン、Nボザール入選、個展、北海道、1944　〒001-0031 北海道札幌市
区北31条西14丁目3-8
011-736-46

TAKAHASHI YUKIO
高橋 行雄 6万
ドローイング　サロンブラン委員、日仏現代国際美術展2015年東京都知事賞、「2014年日仏現
美術選抜展」名誉総裁賞、岩手町立石神の丘美術館にて展覧会、デパート企画展他、岩手、19

TAKAHASHI YUKIHIKO
高橋 幸彦 6万
無所属、大橋賞、日本秀作美術展、O氏記念展出品、個展、東京藝大大学院修、福島、19
〒359-0001 埼玉県所沢市下富1157-9
042-943-76

TAKAMATSU KAZUKI
高松 和樹 7.5万
独立美術協会会員、宮城県芸術協会委員、独立展80回記念賞・独立賞、宮城県芸術選奨新人賞、
展29（ギャラリー戸村・米Corey Helford gallery他）、東北芸術工科大洋画コース卒業・研究生修、
城、1978　〒981-0961 宮城県仙台市青葉区桜ケ丘4-19-22　http://kazukitakamatsu.web.fc2.com

AKAMATSU HIDEKAZU
髙松 秀和 12万
無所属、大橋賞、台東区長賞、安井賞展、ウェンリー賞、東京藝大大学院修、東京、1964　〒250-0051 神奈川県小田原市北窪466　サンヴェール泰雅103

AKAMI KAZUHIDE
高見 和秀 5万
無所属、小磯良平大賞展入選、丹波美術大賞展入選、川の絵画大賞展入選、多摩美大卒、愛媛、1967　〒769-2605 香川県東かがわ市中筋505-24　http://www.kz-takami.com/　0879-25-6451

AKAMORI TOSHIO
髙森 登志夫 8万
シェル美術賞展一等賞、日本国際美術展国立国際美術館賞、浅井忠記念賞展優秀賞、個展、グループ展、東京藝大大学院修了、千葉、1947　〒101-0038 東京都千代田区神田美倉町12　木屋ビル1F　木ノ葉画廊気付　03-3256-2047

AKAYAMA HIROKO
髙山 博子 6万
光風会会員、日展会友、女流画家協会会友、タゴール国際大学訪問教授、光風会展会友賞・損保ジャパン美術財団賞・T氏会員賞、個展（日本橋三越本店）、大阪芸大卒、広島、1958　〒734-0005 広島県広島市南区翠2-18-20　082-253-4747

AKI TATSUO
滝 辰夫 4万
二紀会会員、二紀展同人賞・奨励賞・選抜展出品、個展（小田急町田・大宮そごう他）、師宮永岳彦、静岡、1952　〒162-0815 東京都新宿区筑土八幡町6-15　宮永方　03-3260-0859

AKIGAWA SATOME
滝川 里女 3万
無所属、個展、グループ展、師滝川武、女子美大卒、静岡、1932　〒175-0094 東京都板橋区成増2-3-7　03-3930-8909

AKIGUCHI BUNGO
滝口 文吾 8万
無所属、天展・西日本美術展大賞、福岡県展文部大臣賞、まくらざき・北九州・宇部ビエンナーレ受賞、毎日現代展9、安井賞展4、アジア現代美術展、田川市美術館開館25周年記念「沸点」出品、サロン・ド・メ招待、福岡学芸大学、福岡、1942　〒819-1155 福岡県糸島市川付230　092-324-2498

AKIZAWA NAOTSUGU
滝沢 直次 3.5万
無所属、元中央美術協会委員、中美展文部大臣奨励賞・新人賞・協会賞、安井賞展、埼玉、1949　〒360-0832 埼玉県熊谷市小島888　0485-21-3005

AKISHITA KAZUYUKI
瀧下 和之 8万
無所属、日経日本画大賞展入選、個展（熊本市現代美術館）、東京藝大大学院修、師中島千波、熊本、1975

AKINAMI FUMIHIRO
滝浪 文裕 5万
三軌会運営委員・評議委員、三軌展優賞・損保ジャパン奨励賞、個展（東武・松坂屋他）、師市川元晴、静岡、1965　〒352-0035 埼玉県新座市栗原3-1-15

AGUCHI YOSHIHISA
田口 貴久 4万
立軌会同人、名古屋芸大教授、ジャパン絵画大賞展佳作、上野の森絵画大賞展佳作、個展（網走市立美術館・名古屋画廊6他）、名古屋芸大卒・愛知芸大大学院修、愛知、1953

AKEI MASAYUKI
武井 政之 7万
無所属、新鋭三人展、洋画八人展、個展、グループ展、武蔵野美大卒、長野、1946　〒215-0005 神奈川県川崎市麻生区千代ヶ丘4-14-23　044-955-4527

AKEUCHI SACHIKO
竹内 幸子 4万
二科会会員、二科展上野の森美術館奨励賞・会友賞・二科賞・損保ジャパン美術財団奨励賞・会員賞、二科神奈川支部展大賞、個展（秀友画廊・中和ギャラリー他）、2人展（画廊楽・アングル21）、師鶴岡義詮、日本大学理工学部薬学科有機合成教室卒、東京　〒247-0013 神奈川県横浜市栄区上郷町460-23-4-101　070-6405-3145

AKEUCHI MIKIO
竹内 三喜雄 3万
無所属、個展（画廊轍・金井画廊）、グループ展、多摩美大卒、東京、1955　〒333-0834 埼玉県川口市安行領根岸1851-3　048-283-3177

AKEO HIROKO
武生 弘子 5万
無所属、日仏現代美術世界展出、三越・髙島屋他有名デパートにて個展、グループ展多数、武蔵野美大卒、パリ国立高等美術学校修　〒206-0824 東京都稲城市若葉台1-33-2　一番館101　042-331-1188

AKEMIYA SHUHO
武宮 秀鵬 8万
無所属、昭和会展日動火災賞、現代洋画精鋭選抜展記念展大賞、セントラル大賞展、日本画裸婦大賞展他、個展、東京藝大卒、東京、1956

ASAKI HIDEAKI
田﨑 英昭 5万
無所属、西日本美術展優秀賞、田川市美術館大賞展佳作賞、長崎大卒、長崎、1940　〒854-0004 長崎県諫早市金谷町17-21　0957-23-7269

ADA HIROICHI
多田 博一 6万
風土会会員、絶展同人、個展多数、ヨーロッパ・インド・中近東・中国・南米等取材、香川、1936　〒299-4624 千葉県いすみ市岬町鴨根714-1　0470-87-8165

ACHIKAWA HIROMI
立川 広己 4.5万
自由美術協会会員、日本美術家連盟会員、自由美術展佳作賞、日伯展受賞、上野の森美術館大賞展受賞、現代洋画精鋭選抜展金賞、安井賞展出、武蔵野美大卒、東京、1949　〒344-0064 埼玉県春日部市南3-18-70　048-734-8834

ACHIBANA HIROSHI
立花 博 7万
日展特別会員・審査員3、白日会会員・岡山支部長、白日会展内閣総理大臣賞・U賞・伊藤賞・中沢賞、日展特選2・無鑑査2・委嘱4、ル・サロン銀賞、個展、滞欧2、師中村一郎、岡山、1942　〒706-0011 岡山県玉野市宇野8-29-28　0863-21-5337

TATSUMI HIDEO
立見　榮男　7万
二紀会常務理事、二紀展内閣総理大臣賞・文部大臣賞・宮本賞・栗原賞・記念大賞、師栗
信・松村外次郎、東京、1940　〒309-1717 茨城県笠間市旭町347-6-401　0296-78-447

TANAKA AIICHIRO
田中愛一郎　3万
白日会会員、武蔵野美大卒、奈良、1963　〒631-0805 奈良県奈良市右京3-25-5
0742-72-346

TANAKA AKIO
田中　章夫　5万
無所属、国内外個展多数（三越各店・エスパス・ジャポン他）、立正大卒、メキシコベラクルス大
学、群馬、1945　〒014-0311 秋田県仙北市角館町田町上丁14-1　0187-55-115

TANAKA AYAO
田中　章雄　7万
無所属、世界の新鋭展他出品、個展、師津田周平・水野一、関西美術院修、大阪、1948　〒54
0046 大阪府大阪市中央区平野町2-4-11　KCI平野町ビル1F　画廊大千気付　06-6201-133

TANAKA IKKO
田中　いっこう　6万
国画会会員、国展国画賞、明日への具象展・杜の会展・国際形象展出品、東京藝大大学院修、
賀、1951　〒520-2144 滋賀県大津市大萱3-1-5

TANAKA KIYOSHI
田中　　清　5.5万
無所属、林武賞展佳作賞、現代精鋭選抜展銀賞、北の大地展佳作賞、個展多数（名古屋松坂
本店・阿倍野近鉄本店・池袋東武本店他）、新潟、1950　〒940-0824 新潟県長岡市高町4-85
325
0258-33-966

TANAKA KENICHIRO
田中賢一郎　5万
写実画壇会員、元太平洋美術会会員、太平洋展創立百周年記念賞・布施信太郎賞他、個展、
蔵野美大卒、神奈川、1947　〒246-0034 神奈川県横浜市瀬谷区南瀬谷1-65-4　045-303-091

TANAKA SANYU
田中　三友　3万
新日美委員、水彩連盟展出品、彩友会主宰、長野、1940　〒344-0067 埼玉県春日部市中央7-8-1
048-735-555

TANAKA JUKO
田中　重光　3.5万
無所属、越後湯沢全国童画展特別賞、元陽展・新槐樹社展・現展・創展出品、千葉、196
〒329-4309 栃木県下都賀郡岩舟町畳岡92-4　0282-55-693

TANAKA SUSUMU
田中　　進　4万
日洋会委員、元新道展会員、HBC賞、旺玄会展船岡賞、日洋展出品、個展（三越）、北海道、193
〒002-8071 北海道札幌市北区あいの里一条三丁目8-3　011-778-975

TANAKA ZENMEI
田中　善明　6万
無所属、独立展・春陽展出品、市新人展招待、個展、欧留、神奈川、1946　〒248-0022 神奈
川県鎌倉市常盤985-26　0467-31-514

TANAKA TADASHI
田中　　正　4万
白日会会員、創形美校卒、鳥取、1951　〒196-0012 東京都昭島市つつじが丘3-6-10-1107
0425-42-410

TANAKA TOMOKO
田中　伴子　6万
日洋会委員、横浜美術展出品、横浜女流展出品、白亜美術展白亜会賞・横浜市議会賞受賞、
洋展奨励賞受賞、日展入選、グループ展・百貨店（横浜髙島屋他）での個展多数、神奈川　〒22
0075 神奈川県横浜市神奈川区白幡上町10-29　045-433-286

TANAKA YOSHITERU
田中　芳照　6万
無所属、昭和会展・安井賞展・21会展出品、個展（梅田大丸他）、大阪芸大卒、京都、195
〒603-8415 京都府京都市北区紫竹西大門町17　075-491-432

TANAHASHI AKIKO
棚橋　章子　4.5万
新協美術会会員、グループ展、師青山襄、武蔵野美大卒、東京、1941　〒236-0044 神奈川県
横浜市金沢区高船台2-5-16　藤崎方　045-782-909

TANI TOSHIHIKO
谷　　俊彦　6万
無所属、形真展・新鋭選抜展・新時代展出品、元二紀会、一陽特待賞、グループ展、川端校修
東京、1921　〒177-0034 東京都練馬区富士見台2-8-24　03-3970-084

TANI YOSHIAKI
谷　　佳明　3.5万
元展理事、元展新人賞・大阪府知事賞・優秀賞、スペイン選抜展、爽美会、個展、天王寺美術
研究所　〒594-0041 大阪府和泉市いぶき野4-1-1-201　0725-57-568

TANIAI HIRONORI
谷合　浩典　4万
一水会会友、一水会展一水会賞、ル・サロン佳作賞、アカデミーリュテス金賞、個展、グルー
展、神奈川、1946　〒230-0018 神奈川県横浜市鶴見区東寺尾東台14-34　045-582-842

TANIGAWA YASUHIRO
谷川　泰宏　20万
無所属、セントラル大賞展大賞、大橋賞、師彼末宏、東京藝大大学院修、徳島、1957　〒106
0046 東京都港区元麻布1-3-37-211

TANIMOTO SHIGEYOSHI
谷本　重義　5万
自由美術協会会員、自由美術展自由美術賞他、第16回安井賞、香川県文化功労者賞、地域文化
功労賞、四国新聞文化賞、山陽新聞文化功労賞、個展多数、画集3冊（生活の友社）刊行、武蔵
野美術学校卒、香川、1929　〒769-0103 香川県高松市国分寺町福家甲1918　087-874-191

NIMOTO JUNKO
谷本 淳子 3.5万
二元会委員、二元展会員努力賞・紫薫賞、個展、師上山哲夫、高瀬美術研究所修、大阪、1942 〒565-0821 大阪府吹田市山田東4-41-5-1110 06-6876-6732

BUSHI BEN
田伏 勉 6万
クレパス画 独立美術協会会員、独立賞、上野の森大賞展佳作賞、昭和会展、安井賞展他、個展、大阪、1949 大阪府四條畷市在住

MAARI KAZUNORI
玉有 万範 10万
無所属、元サロン・ブラン美術協会委員、ブロードウェイ新人展賞、都内デパート（大丸・小田急・東武等）にて個展多数、渡欧、玉川大中退、中美卒、徳島、1951 〒773-0023 徳島県小松島市坂野町字楠塚6-1 ギャラリー玉有 0885-37-2368

MAGAWA SHIN-ICHI
玉川 信一 6万
二紀会委員・理事、筑波大学名誉教授、二紀展文部科学大臣賞、安井賞展佳作賞、昭和会賞他、東京教育大大学院修、福島、1954 〒305-0062 茨城県つくば市赤塚東山609-134

MADA KENJI
玉田 健二 5.5万
一陽会委員、一陽展青麦賞・特待賞、安井賞展、文化庁現代美術展、個展、金沢美工大卒、大分、1947 〒350-1335 埼玉県狭山市柏原4267 04-2952-6446

MINO HIROYUKI
民野 宏之 3万
1983年油絵をはじめる。92年初個展。林真理子、三浦綾子、内館牧子ら、数々の本の装画を手掛ける。個展、香港アートフェア出品、北海道、1956 〒064-0953 北海道札幌市中央区宮の森3条8丁目4-3 フォレストヒルズ宮の森302号 011-622-9208

MIYA TATSUKO
民谷 多都子 3.5万
無所属、真砂美塾展、女流油絵五人展、大谷女子短大卒、師辻真砂、大阪、1952 〒540-0005 大阪府大阪市中央区上町1-15-37-902 06-4304-1219

MURA SHIZUO
田村 鎮男 8万
無所属、日本美術家連盟会員、洋画商協同組合画廊推薦アメリカ巡回展、日本青年画家展出品、1972～76年滞仏、個展多数（セントラル絵画館・中林画廊・日本橋高島屋・東邦アート・天満屋岡山・日本橋三越他）、企画グループ展多数、師牛島憲之・小磯良平・滝崎安之助・荻太郎、東京藝大卒、島根、1942 〒112-0014 東京都文京区関口3-3-1 03-3944-9797

MURA MASAYUKI
田村 正幸 6万
無所属、日本美術家連盟会員、元等迦会評議員、元日本現代美術家連盟副理事長、総理大臣賞他、個展（髙島屋他）、東海大芸術学科卒、東京、1953 〒194-0022 東京都町田市森野4-7-9 042-722-1325

N YOSHIYUKI
丹 良行 6万
創元会会員、創元展創元展賞、日展入選、師朝比奈文雄、北海道、1947 〒911-0034 福井県勝山市滝波町1-740-1 0779-88-3326

NDA KAZUHIRO
丹田 和宏 3万
無所属、個展、グループ展、阿佐ヶ谷美術専門学校卒、広島、1956 〒738-0017 広島県廿日市市須賀5-7 0829-32-0511

NNO SHOSUKE
丹野 昭典 3万
無所属、元示現会会員、元日本水彩画会会員、示現会展佳作賞、日本水彩展奨励賞、個展（京王新宿店・大丸東京店他）、山形、1928 〒010-0041 秋田県秋田市広面字板橋添71-3 018-833-1608

E UNGYON
崔 恩景 4万
無所属、両洋の眼現代絵画展河北倫明賞、VOCA展、東京藝大大学院修、韓国、1958 〒332-0001 埼玉県川口市朝日1-7-3

IKUBA NORIKO
竹馬 のりこ 2.5万
無所属、個展、グループ展、師川口起美雄、早見芸術学院卒、埼玉、1972 〒343-0045 埼玉県越谷市下間久里447-1 048-976-7109

INAI KYOSUKE
智内 兄助 35万
無所属、安井賞展特別賞・佳作賞、日仏展フィガロ賞、シェル賞展佳作賞、東京藝大大学院修、愛媛、1948 〒335-0001 埼玉県蕨市北町2-19-19 048-445-7285

HAYA YUJI
茶谷 雄司 3.5万
日展会友、光風会会員、北海道美術協会会員、前田寛治大賞展入、個展（ギャラリーアルトン）・グループ展、北海道教育大卒、北海道、1972 〒350-1101 埼玉県川越市的場1280-1 千代田的場ファミリアB棟201 http://yuji-chaya.wix.com/yuji-chaya

HO REINEI
張 麗寧 1.5万
日大大学院修了制作展生産工学部賞（修了制作買上）、2010年ふるさとの風景展入選、個展、グループ展、日大大学院修、中国、1981 〒111-0043 東京都台東区駒形1-6-13-501

UKAGOSHI HITOJI
塚越 仁慈 10万
風土会会員、元太平洋美術会理事・総理大臣賞・文部大臣賞他、安井賞展3、昭和会展招5、個展（スペイン）、静岡、1948 〒379-1205 群馬県利根郡昭和村川額3716-357 0278-21-2325

UKASA OSAMU
司 修 8万
無所属、元主体美術会員、元自由美術、毎日現代展、現代の幻想展、明日への具象展他、著書、挿絵、群馬、1936 〒187-0034 東京都小平市栄町2-15-11-202 042-346-8161

UKAHARA TAKAYUKI
塚原 貴之 4.5万
白日会会員、白日会展出品、主体美術展佳作賞、全道展道新賞、東京藝大中退、北海道、1967 〒069-0824 北海道江別市東野幌本町7-1 のっぽろシティハウスF203 011-777-2727

TSUKAMOTO SOH
塚本 聰 5万
独立美術協会会員、野口賞・独立賞他、日美連会員、文化庁現美選展、東京セントラル美術
油絵大賞展・安井賞展・前田寛治大賞展等、安田火災美術財団奨励賞展新作優秀賞、個展、
摩美大大学院修、福岡、1958 〒352-0032 埼玉県新座市新堀3-1-21-203 042-446-95

TSUKAMOTO TOMOYA
塚本 智也
群馬青年ビエンナーレ2012ガトーフェスタハラダ賞、個展、グループ展多数、東京藝大大学院
石川、1982 RoomA,8F,No.89,Songren Rd.,Xinyi Dist.,Taipei City 110,Taiwan ADMIR
Gallery（観止堂）気付 http://www.admiragallery.com

TSUJI TAKEHIRO
津地 威汎 10万
国画会会員、鳴門教育大学名誉教授、大橋賞、国展新人賞2、個展11、グループ展多数、東京
術大学資料館・ホキ美術館・長谷川町子美術館作品収蔵、東京藝大大学院修、愛媛、19
〒770-0804 徳島県徳島市中吉野町3-11-2 088-654-00

TSUJI TSUKASA
辻 司
行動美術協会会員、行動賞、元大阪芸大教授、元大阪市立美術研究所顧問、日美連近畿地区
表、全関西展運営委員、昭和会賞、全関西展1席、大阪市文化功労賞、個展多数、大阪市美
特待修、大阪、1933 〒665-0072 兵庫県宝塚市千種4-3-22 0797-71-05

TSUJI MASAGO
辻 真砂 10万
無所属、真砂美塾塾長、関西美術院代表代理、真砂美塾展、真砂美塾選抜展、76～80年ス
イン留学、個展（日本橋三越・髙島屋京都店）、関西美術院卒、スペイン国立美術学校修、大阪
1951 〒567-0892 大阪府茨木市並木町5-4 0726-32-47

TSUCHIYA HIROMASA
土屋 裕正 3万
パステル絵画 無所属、一級建築士、東京家政大学非常勤講師、サロン・ド・プランタン賞、金の卵賞、日本ア
プス常念小屋・上高地五千尺ホテル・コート・ギャラリー国立・アートスペース88他企画個展。東京藝術大学美
学部卒修士課程修了、東京、1965 〒186-0003 東京都国立市富士見台1-28-33-206 http://gaka-tsuchiya.co

TSUCHIYA BUNMEI
土屋 文明 6万
日本水彩展総理大臣賞・会員奨励賞、国際美術大賞展優秀賞、安井賞展入選、個展多、文化
派遣在外研修（西）、松濤美術館「現代日本の水彩表現」展、師野田弘志、広島、1951 〒72
0017 広島県尾道市門田町20-4 0848-22-48

TSUTSUI NAOKO
筒井 直子 4万
二科展連続入選、ミニチュア大賞展優秀賞、女流画家展出品、県展特選、個展、師斎藤三郎、
京、1953 〒330-0073 埼玉県さいたま市浦和区元町2-36-10 048-886-46

TSUZUKIBASHI MAMORU
續橋 守 4.5万
主体美術協会会員、横浜美術協会常任理事、キリスト教美術協会会員、主体展佳作作家、文化庁現代美術
抜展出品2、ベストセレクション美術2014、個展40数回、滞仏、外遊10、2011年作品集出版（生活の友社刊）、
京学芸大美術科卒、北海道、1943 〒259-0122 神奈川県中郡二宮町富士見が丘1-11-26 0463-72-48

TSUNOKUNI YASUHIRO
津國 康弘 3万
無所属、クサカベ賞、個展、多摩美大卒、福島、1966 〒146-0082 東京都大田区池上6-26-1
301

TSUNODA MAMORU
角田 守 4万
無所属、桜花芸術祭、銀座大賞展、ブロードウェイ新人展、太平洋展入選、個展多数、東京
1948 〒343-0023 埼玉県越谷市東越谷2-8-24 090-9848-65

TSUBAKINO KOJI
椿野 浩二 5万
無所属、ル・サロン展銀賞、東海市絵画公募展ACT大賞95大賞、安井賞展入選（賞候補）・現代日本絵画展佳作賞・小磯良
大賞展大賞、昭和会展招待・兵庫県芸術奨励賞、リキテックス・ビエンナーレ特別賞他、半どんの会文化賞、兵教組芸術大
個展・グループ展多数、滞仏、中央美術学園卒、兵庫、1952 〒679-3403 兵庫県朝来市立脇76 079-678-03

TSURU YUNA
鶴 友那 3.5万
無所属、第二回ホキ美術館大賞展大賞、個展5、佐賀大卒、広島、1987

TSURUOKA YOSHIAKIRA
鶴岡 義詮 4万
二科会会員、二科展特選・会友賞・会員賞、個展、グループ展、茨城、1948 〒248-0011 神
川県鎌倉市扇ガ谷4-2-15 0467-22-39

TERAI RIKISABURO
寺井 力三郎 8万
一水会運営委員、元高崎芸術短大教授、一水会展一水会賞他、黒土会結成、安井賞展、欧
個展、東京藝大大学院専攻科修、東京、1930 〒348-0058 埼玉県羽生市中央3-6-26
0485-61-05

TERAKUBO FUMINORI
寺久保 文宣 5万
日展特別会員、白日会常任委員、日展特選2・都知事賞、白日会展伊藤賞・文部科学大臣賞・
閣総理大臣賞、三越本店他個展・グループ展等、東京藝大大学院修、埼玉、1964 〒362-00
埼玉県上尾市上1580-2
048-777-29

TERADA MAKOTO
寺田 眞 5万
二科会会員・特選・会友賞・会員賞、日本美術家連盟会員、個展多数、東京、1959 〒168-00
東京都杉並区久我山3-20-9
03-3333-72

TERANISHI SHIN
寺西 進 4万
写実画壇会員、師林武・里見勝蔵、お茶の水美術学園修、和歌山、1938 〒275-0011 千葉
習志野市大久保3-7-20-301
047-403-19

TERUNUMA YAHIKO
照沼 彌彦 15万
白日会会員、白日展総理大臣賞・T賞・U賞、個展、東京造形大美術学I類研究科修、広島、19
〒739-2125 広島県東広島市高屋町中島1072-65

DOI KUNIAKI
土井 邦晃 15万
無所属、元太平洋運営委員、安井賞展出品、昭和会展招待、個展、渡欧、日本美術学校卒、
京、1932 〒177-0035 東京都練馬区南田中5-16-8 03-3996-42

I HISAYUKI 土井 久幸	4万	独立美術協会準会員、独立展奨励賞・佳作賞・新人賞、昭和会展昭和会賞、和歌山市文化奨励賞、大桑文化奨励賞、和歌山、1976　〒640-8262 和歌山県和歌山市湊通丁北3-10　http://doi-kaigakyoshitsu.com	073-460-5521
IHARA TAKAHIRO 土井原 崇浩	8万	日展会員、白日会会員、大橋賞、台東区長賞（区買上）、日展特選、白日展損保ジャパン美術財団奨励賞・白日賞・T賞・M賞他、個展15、グループ展、師大沼映夫、東京藝大大学院修、岡山、1960　〒780-0983 高知県高知市中久万303-1	088-873-7393
MINE AKINORI 遠峯 嗣典	4万	日展会友、白日会会員、富田賞、砧会展、個展、日大芸術卒、愛知、1950　〒243-0406 神奈川県海老名市国分北2-1-31	0462-53-2489
KARI KIMIHISA 戸狩 公久	6万	二科会評議員、二科展会員賞・特選、昭和会展、上野の森美術館大賞展、東京セントラル美術館油絵大賞展出品、個展26、グループ展、師西村龍介、日本美術学校洋画科卒、青森、1941　〒176-0001 東京都練馬区練馬2-17-14	03-3948-6846
KUZEN TADASHI 徳善 正	10万	無所属、タヒチの画家、ベルリン国際美術展、パリ現代美術展出、個展23、ヨーロッパ外遊40・タヒチ外遊20、徳島　〒545-0002 大阪府大阪市阿倍野区天王寺町南1-3-19　パピルス天王寺212	06-6627-1937
KUDA NORIKO 徳田 則子	4万	示現会監事、日展入選、安田火災美術財団奨励賞、個展、グループ展、東京、1937　〒272-0834 千葉県市川市国分2-16-3	047-372-3393
KUDA HIROYUKI 徳田 宏行	7万	白日会会員、現代の裸婦展奨励賞、個展、武蔵野美大卒、千葉、1938　〒359-0025 埼玉県所沢市上安松976-32	042-993-6093
KUNAGA MITSUKO 徳永 光子	3万	無所属、白日展出品、ゆーむ会展、女流三人展、パステル展、個展、グループ展、千葉、1935　〒271-0064 千葉県松戸市上本郷2777-4	047-364-4921
SHIJIMA YOICHIRO 歳嶋 洋一朗	6万	日洋会監事・努力賞・奨励賞、日展特別会員・会員賞・審・特選、昭和会賞、上野の森大賞展入選、個展、東京藝大卒、熊本、1952　〒276-0027 千葉県八千代市村上2-4-302	047-483-4558
SHISHIRO NAOMI 年代 尚美	4万	無所属、二科展入、ル・サロン入、師斎藤三郎、女子美短大卒、佐賀、1946　〒338-0822 埼玉県さいたま市桜区中島1-9-7	
SHIMA TADASHI 戸嶋 但	5万	無所属、国際青年美術家展文部大臣賞、毎日現代展、個展、秋田大卒、秋田、1938　〒240-0116 神奈川県三浦郡葉山町下山口565-3	046-876-3555
DA KATSUHISA 戸田 勝久	10万	無所属、個展、グループ展、関西学院大経済学部卒、嵯峨美大卒、兵庫、1954	
TOKI TAKAYOSHI 十時 孝好	6万	無所属、安井賞展出品、個展（西武・名古屋三越）、師田口安男・野見山暁治、東京藝大大学院修、福岡、1948　〒418-0048 静岡県富士宮市青木平231	0544-26-1280
DOROKI TOMOHIRO 轟 友宏	3.5万	無所属、NY・ART・EXPO出品、村上隆主催展審査特別賞、イタリア国立自動車博物館収蔵、個展（イタリアMuseoミッレミリア・渋谷西武）、東京、1974　〒158-0093 東京都世田谷区上野毛2-5-8-201　Office Happy Drive!　http://www.car-art.info/	
MIZAWA FUMIMASA 富沢 文勝	5万	写実画壇会員、個展（高輪画廊）、グループ展、渡仏、多摩美大卒、東京、1947　〒160-0023 東京都新宿区西新宿4-11-16	03-3374-5742
MIDOKORO TATSUTO 富所 龍人	6万	白日会会員、白日会展富田賞・陽山美術館茂木健一郎ルピック賞・文部科学大臣賞、ホキ美術館開館一周年記念展覧会「存在の美・まなざし・微笑み・憂い」（ホキ美術館）、個展（画廊宮坂）、武蔵野美大卒、新潟、1964　新潟県在住	
MIYA KAZUAKI 富谷 一明	5万	無所属、精鋭選抜展金賞、同記念大展銀賞、個展（伊勢丹・そごう他）、島根、1946　〒699-0101 島根県松江市東出雲町揖屋1983-8	0852-52-6121
MOYASU KAZUNARI 友安 一成	4万	油絵・版画　日洋会委員、広島市立大学芸術学部教授、日洋展損保ジャパン奨励賞・会員賞、日本版画会会員・奨励賞・東京都知事賞、個展、師麻生三郎、武蔵野美大卒、広島、1949　〒729-1108 広島県東広島市河内町入野7774	0824-37-1359
AITO TEIJU 内藤 定壽	6万	二紀会委員、会員賞、浜松私のイメージ展準大賞、文化庁在外研修員、筑波大学芸術系教授、個展（日本橋三越）、筑波大大学院修、埼玉、1957　〒305-0035 茨城県つくば市松代5-2-4	029-854-9920
AGAI KAYU 永井 夏夕	3万	無所属、日本美術家連盟会員、作家の卵展大賞、個展、グループ展、東京藝大大学院修、神奈川、1978　http://www.nagaikayu.com	

洋画・水彩・版画・他平面　な

NAGAI KANMEI
長井 寛明 4万
元日本美術家連盟会員、元日洋会会員、新日美会員、特選、会長賞、個展（伊勢丹他）、熊
1935　〒344-0032 埼玉県春日部市備後東2-19-27　048-737-56

NAGAI KINSHIRO
永井 金四郎 6万
春陽会会員、群馬美術連盟代表、個展、師南城一夫・原田平治郎、群馬、1931　〒372-0041
馬県伊勢崎市平和町9-10　0270-25-54

NAGAI TOMOHITO
長井 朋人 4万
無所属、一水会展、季風会展出品、個展（東京・広島・スペイン他）、東京、1940　〒184-00
東京都小金井市本町3-2-9　042-381-10

NAGAI HIROKO
永井 弘子 3.5万
無所属、個展（池袋東武・吉祥寺東急他）、師斉藤信也、共立女子大卒、埼玉、1946　〒33
0042 埼玉県さいたま市見沼区南中野557-2　048-686-20

NAKAO KIMINORI
中尾 公紀 4万
日本表現派会員、日仏現代美術展入、アートフェアNY展、ドイツ展、パリ展出品、大阪、19
〒583-0871 大阪府羽曳野市野々上5-5-13　072-937-80

NAGAO KOICHI
長尾 浩一 5万
白日会会員、白の会展出品、関西白亜展白亜賞、個展、兵庫、1960　〒666-0004 兵庫県川西
萩原1-9-23　B-103　072-755-85

NAKAO NAOKI
中尾 直貴 5万
白日会会友、白日会展アルトン賞、佐藤美術館奨学生美術展出、個展、グループ展、武蔵野美
大学院修、島根、1986　〒204-0012 東京都清瀬市中清戸2-625-1

NAKAGAMI SEISHO
中上 誠章 5万
無所属、個展（阪急・池袋東武）、グループ展、京都市立芸大卒、京都、1961　〒617-0816 京
府長岡京市西ノ京13-3　075-874-20

NAKASATO SHIGERU
中佐藤 滋 5万
無所属、日本美術家連盟会員、元一線美術会委員・文部大臣奨励賞、安井賞展3、昭和会展
安田火災美術財団奨励賞展、NICAF 2、師高橋治男、東京、1947　〒286-0201 千葉県富里
日吉台6-9-16　0476-92-78

NAKAJIMA KATSU
ナカジマ カツ 12万
ARCリビングマスター、日展準会員、日展特選2、白日会展内閣総理大臣賞・損保ジャパン日本興亜
術財団賞、ARC,ウィリアム・ブーグロウ賞、同志社大学卒、大阪、1954　〒274-0816 千葉県船橋
芝山7-33-19　http://katsu.art.coocan.jp　090-8846-81

NAKAJIMA KINUKO
中島 絹子 4万
二科展入選、欧遊、師斎藤三郎、白百合女子大卒、長崎、1939　〒330-0061 埼玉県さいたま
浦和区常盤町6-21-8　048-832-66

NAKAJIMA KENTA
中島 健太 7万
白日会会員、白日展一般佳作賞・A賞、日展準会員、日展特選2、個展多、武蔵野美大油絵科
東京、1984　〒211-0053 神奈川県川崎市中原区上小田中1-37-5　アトラスアリーナ武蔵新城11

NAKAJIMA YUKO
中島 裕子 6万
元二科会会友、デンマーク賞、渡欧、個展（そごう）、三姉妹展、師斎藤三郎、女子美大卒、
都、1944　〒330-0061 埼玉県さいたま市浦和区常盤町6-21-8　048-832-66

NAKASE TERUAKI
仲瀬 輝明 3万
無所属、新作作家展優秀賞、青木繁大賞展優秀賞、安宅賞、新生堂展、東京藝大卒、島根、19
〒192-0915 東京都八王子市宇津貫町1472

NAGASE MIO
永瀬 美緒 3万
白日会準会員、白日会展一般佳作賞・白日賞・アルトン賞、武蔵野美大卒業制作優秀賞・根岸
西日本青木繁大賞展入・損保ジャパン特別賞、個展、グループ展、武蔵野美大大学院修、岐
1987　〒142-0041 東京都品川区戸越5-11-3　パークステージ戸越301

NAKADA MAO
中田 真央
静岡県版画大賞展県知事賞、個展、グループ展、多摩美大大学院修、静岡、1981　〒104-00
東京都中央区銀座6-13-4　銀座S2ビル2F　ガレリア・グラフィカ気付　http://www.galler
grafica.com　03-5550-13

NAKATANI AKIRA
中谷 晃 7万
白日会会員、損保ジャパン奨励賞、美術賞、個展、東京藝大大学院修、鳥取、1952　〒270-00
千葉県松戸市小金原6-7-4-406　047-344-27

NAKANISHI KOSUKE
中西 康祐 4万
写実画壇会員、天展出品、個展（奈良県文化会館他）、グループ展、師橋本博英、東京造形大
奈良、1951　〒632-0092 奈良県天理市小田中町136　0743-62-10

NAKANISHI MUTSUMI
中西 和 10万
無所属、個展（小田急・東急・伊勢丹）、金沢美工大卒、奈良、1947　〒248-0003 神奈川県
倉市浄明寺2-10-41　03-3387-57

NAKANISHI YOSHIAKI
中西 良招 4.5万
無所属、元新槐樹社会員、府美協会員、個展（そごう・小田急）、外遊、1940　〒589-0023
阪府大阪狭山市大野台4-22-10　0723-66-29

AKANISHI RYO 中西　良	5万	無所属、昭和会展昭和会賞、個展（東京・ミラノ）、東京藝大大学院修、安宅賞、長野、1964　〒248-0014 神奈川県鎌倉市由比ガ浜2-7-27
AGANUMA KIMIYO 長沼 喜美代	4万	無所属、サロン・デ・ボザール展大賞、日展入、上野の森美術館展入、愛知、1960　〒451-0052 愛知県名古屋市西区栄生1-19-3　052-466-7520
AKANO JUNYA 中野 淳也	3.5万	無所属、個展（高島屋大阪店）、広島市立大大学院博士後期課程満期退学、奈良、1983　〒541-0046 大阪府大阪市中央区平野町2-4-11　KCI平野町ビル1F　画廊大千気付　06-6201-1337
AKANO HIROAKI 中野 浩明	5万	無所属、個展、グループ展、野外モニュメント制作、東京造形大卒、大阪、1965　〒192-0916 東京都八王子市みなみ野3-2-6
AKANO YOJI 中野 庸二	4万	無所属、現代日本絵画展大賞、日本青年画家展優秀賞、浅井忠記念展優秀賞、個展、京都、1941　〒600-8054 京都府京都市下京区仏光寺東町114-2　075-371-3289
AGAHASHI SHIGERU 長橋　繁	5万	無所属、ル・サロン会員、サロン・ドートンヌ出品、個展、パリ美大ボザール修、東京、1953　〒180-0013 東京都武蔵野市西久保1-34-11　0422-55-3420
AKABAYASHI TADAYOSHI 中林 忠良		エッチング・アクアチント　日本版画協会理事、日本美術家連盟常任理事、東京藝大名誉教授、日動版画グランプリ展グランプリ、各国際版画展にて受賞多数、文部省在外研究員、師駒井哲郎、東京藝大大学院修、東京、1937　〒356-0029 埼玉県ふじみ野市駒西1-10-5
AKAMICHI SAE 中道 佐江	2.5万	白日会関西支部展近鉄百貨店賞、白日会ホルベイン賞、個展（あべのハルカス近鉄本店）、京都嵯峨芸術大卒、京都、1987　〒614-8361 京都府八幡市男山指月21-11　075-981-8013
AKAMURA EI 中村　英	5.5万	水彩　水彩連盟運営委員、水彩協会代表、日本美術家連盟会員、水彩連盟展文部大臣奨励賞・春日部賞・小堀賞、日米現代水彩展、韓国国際水彩展・メキシコ水彩美術館開館展他招待出品、名古屋市博物館自選展他個展17、師須田國太郎、京都独立美術研究所修、東京、1933　〒464-0007 愛知県名古屋市千種区竹越1-1-18　052-723-6426
AKAMURA KENGO 中村 ケンゴ		個展、グループ展、多摩美術大学大学院修、東京、1969　〒104-0061 東京都中央区銀座2-16-12 B1　メグミオギタギャラリー気付　03-3248-3405
AKAMURA KOKO 中村 光幸	5万	独立美術協会会員（審査員）、香川県美術家協会会員（副会長）、独立展独立賞・損保ジャパン美術財団奨励賞他3・関西独立賞・I賞・奨励賞、独立大阪展読売賞、香川県展知事賞他賞15、小磯良平大賞展、大阪府立現代美術センター、香川県文化会館、善通寺市美術館、高松市美術館他個展、カリフォルニア美工大交換留学、師松井正、大阪芸大、香川、1950　〒761-8078 香川県高松市仏生山町甲340-2　087-889-5263
AKAMURA SACHIE 中村 幸枝	3.5万	日展会友、白日会会員、白日展富田賞、個展（福屋八丁堀本店・周南市郷土美術資料館）、九州女子短大卒、福岡、1944　〒743-0102 山口県光市三輪839-1　0820-48-3281
AKAMURA CHIEMI 中村 智恵美	6万	二紀会委員、二紀展田村賞・会員優賞・二紀賞・春季展会員優賞他、女流委員・45回記念大賞・協会賞他、日美連会員、安井賞展・前田寛治大賞展等出品、県展特別奨励賞他多、個展多、文化庁在外派遣オーストリア留学、女子美大卒、兵庫、1955　〒210-0024 神奈川県川崎市川崎区日進町1番地2-307　044-272-5033
AKAMURA TERUYUKI 中村 輝行	10万	主体美術協会創立会員、2005年文化庁長官表彰、1962年自由美術家協会会員（64年退会）、日本ガラス絵協会会員、文化庁現代美術選抜展、日動展、現代日本新人絵画展、爽樹会、日本ガラス絵協会展他、日本橋高島屋個展、コスメイト行橋企画自選展他個展、画集（生活の友社）刊行、師糸園和三郎、福岡、1930　〒187-0011 東京都小平市鈴木町2-846-109　042-384-5522
AKAMURA HARUNOBU 中村 晴信	3万	無所属、白日展入選、天竜川絵画公募展市民賞、しんわ美術展奨励賞、個展、師竹内重行・辻真砂、静岡、1966　〒432-8065 静岡県浜松市南区高塚町4641-4
AKAMURA HIROSHI 中村　博	3万	美術文化協会会員、安井賞展2、個展15、外遊3、武蔵野美術学校卒、静岡、1931　〒433-8124 静岡県浜松市中区泉2-8-8　053-471-8708
AKAYA YUKIO 中谷 幸雄	2.5万	川西市絵画協会会員、行動展入、川西市市民展洋画の部第3席、全日本年賀状大賞コンクール審査員特別賞、個展6、グループ展、ヨーロッパ外遊、師島常武、日本通信美術学園専門科修、石川、1942　〒666-0126 兵庫県川西市多田院1-10-2　072-793-1014
AKAYAMA TADAHIKO 中山 忠彦		日展理事・名誉会員、白日会会長、日本藝術院会員、元日展理事長、日本藝術院賞、日展会員賞・内閣総理大臣賞、白日会展内閣総理大臣賞、『名画のなかの女性たち』刊行（生活の友社）、師伊藤清永、福岡生まれ大分育ち、1935　〒272-0827 千葉県市川市国府台6-14-8　047-372-7914
AKAYAMA TOMOSUKE 中山 智介	4万	国画会会員、新人賞、人間讃歌大賞展佳作賞、日仏現代美術展1席、東京藝大大学院修、師中根寛、神奈川、1959　〒242-0007 神奈川県大和市中央林間3-17-17　サウスクラウドビル2F　090-4248-4099
AGAYAMA YUKO 永山 裕子	5万	無所属、大塚アトリエ主宰、嵯峨美術大学客員教授、泰明画廊他個展・グループ展、師彼末宏、東京藝大卒（安宅賞）、同大学院修了、東京、1963　〒170-0005 東京都豊島区南大塚2-39-9　タナカビル5F　http://www.nagayamay.com/

NAKAYAMA YUKINORI
中山 幸紀 3.5万
無所属、ジャパン大賞佳作展、伊藤廉記念賞展準記念賞、東京藝大大学院修、師庫田叕・大映夫、北海道、1950 〒111-0032 東京都台東区浅草3-39-10

NABESHIMA MASAKAZU
鍋島 正一 4万
新制作協会会員、新作家賞3、前田寛治大賞展市民賞・買上、サロンドートンヌ、絵画の今日展、木会展他出品、文化庁買上、日本橋三越本店他個展多数、文化庁在外研修員（イタリア）、武蔵野美卒（卒業後パリ賞受賞渡仏）、兵庫、1955 〒248-0033 神奈川県鎌倉市腰越3-16-8 0467-32-53

NARA YUKIHIRO
奈良 晋裕 6万
無所属、個展、G展、渡欧、訪中、東京藝大大学院修（彼末教室）、師彼末宏、東京、1955 〒150022 東京都世田谷区梅丘1-48-1 03-3426-83

NARITA TEISUKE
成田 禎介 20万
日展特別会員・審査5・会員賞1・特選2、示現会理事長、安井賞展、新鋭選抜展他、師楢原三、東京、1938 〒252-0303 神奈川県相模原市南区相模大野2-23-2 042-742-82

NARITA YASUSHI
成田 康 4万
無所属、三軌会展受賞、県展奨励賞、個展、グループ展、東京藝大卒、秋田、1965 〒017-00 秋田県大館市有浦4-9-3

NAWA TOMOAKI
名和 智明 6万
無所属、イタリア政府奨学金留学、Accademia di Belle Arti di Brera、東京藝大大学院博士程修了（博士号）、山形、1976 〒999-3727 山形県東根市野川422-12

NAMBA HIRATO
難波 平人 8.5万
二紀会理事、広島大名誉教授・名誉博士、二紀展栗原賞・文部科学大臣賞・65回記念賞他、シェル美術賞展佳作賞、広島文化賞、中国文化賞、文化庁地化功労者、安井賞展入選7（賞候補）、昭和会展、日本国際美術展、明日への具象展、現代美術選抜展、94年アジア大会記念メダル制作、95年文化庁在外（トルコ）、外遊多、画集（生活の友社）刊、広島大美術科卒、山口、1941 〒739-0151 広島県東広島市八本松町原1964-1 082-429-00

NIIOKA RYOHEI
新岡 良平 1.5万
2nd art_icle Award2009 in Asia入選（スポンサー賞）、芸法大賞2010入選、Canvas @ Sony 20 ファイナリスト選出、個展（立体ギャラリー射手座・LOWER AKIHABARA.・アートデアービュー）、成安造形大卒、兵庫、1985 http://ryoheiniioka.blog50.fc2.com/

NISHII YOSHIAKI
西井 義晃 7.5万
無所属、元自由美術会員、個展（大阪高島屋他）、甲南大卒、大阪、1938 〒558-0011 大阪大阪市住吉区苅田9-1-8 06-6699-11

NISHIURA SHINGO
西浦 慎吾 3.5万
白日会会員、師生島浩、甲南大卒、大阪市立美術館付設美術研究所卒、兵庫、1973 〒660-00 兵庫県尼崎市道意町5-30-47 06-6419-80

NISHIKAWA KATSUMI
西川 克己 5万
無所属、絵の現在選抜展銀賞、しんわ美術展銀賞、2001～03年渡仏、個展4、東京藝大デザン科卒、京都、1970 http://clichy-ligne13.jimdo.com/

NISHIKAWA MASAMI
西川 正美 7.5万
無所属、フィナール国際展金賞、昭和会展招待出品、個展、神奈川、1951 〒255-0005 神奈県中郡大磯町西小磯436 0463-61-67

NISHIKAWA YOICHIRO
西川 洋一郎 6万
日本美術家連盟会員、元日本版画協会会員、日動版画グランプリ展二席、池田満寿夫記念芸術展優秀賞他受賞、日仏現代美術展出品、個展（養清堂画廊・ROBIN BUNTINs GALLER HONOLULU）、多摩美大大学院修、佐賀、1959

NISHIKOORI SHIGEHARU
錦織 重治 4.3万
示現会常務理事、日展会員、日展審1・特選2、示現会展文部科学大臣賞、安田火災美術財団賞同受賞者展優秀賞、個展18（松屋銀座15・阪神他）、師楢原健三・樋口洋、島根、1947 〒25 1105 神奈川県綾瀬市蓼川1-6-50 0467-77-92

NISHIZAWA CHIEKO
西澤 知江子 4万
日本美術家連盟会員、新作家展出品（03年委員）奨励賞、関空開港記念展大賞、カンヌ芸術祭出品（親善大使として渡仏）、遊10、個展（文藝春秋画廊、中之島中央公会堂、大阪現代美術センター、阪神・渋谷東急本店・近鉄阿倍野・関西大丸各等全国デパート）、京都市立芸大研究科修、大阪、1949 〒543-0043 大阪府大阪市天王寺区勝山1-7-3 06-6771-33

NISHIDA YOKO
西田 洋子 3万
無所属、元新世紀美術協会所属、個展、グループ展、兵庫、1943 〒669-1131 兵庫県西宮清瀬台5-17 0797-61-01

NISHIDA YOJI
西田 陽二 3.5万
光風会評議員、日展準会員、日本美術家連盟会員、損保ジャパン美術財団選抜奨励展秀作賞、展特選2、光風会展文部科学大臣賞、荒井記念美術館展大賞、北海道文化奨励賞、札幌芸術賞個展40、北海道、1952 〒005-0801 北海道札幌市南区川沿一条4-20-32 011-571-26

NISHITANI YUKIO
西谷 之男 4万
白日会会員・一般佳作賞、日展準会員・審1・特選2、個展、G展、師橋本博英・中村清治、阿佐谷美術専門学校卒、静岡、1958 〒421-0304 静岡県榛原郡吉田町神戸757-18 0548-32-37

NISHITSUKA HIROSHI
西塚 弘 4万
河北美術展招待作家、宮城教育大大学院修、宮城、1958 〒981-4337 宮城県加美郡加美町長檀41 0229-67-30

NISHIHARA KAN
西原 幹 3万
水彩連盟委員・文部大臣賞・水彩連盟賞他、西部水彩協会会員、西日本美術展準大賞2、別現代美術展大賞、21世紀アート大賞展特別賞3、青木繁記念大賞展優秀賞他、安井賞展2（賞補1）他、89～91年渡独、福岡 〒835-0024 福岡県みやま市瀬高町下庄2207 0944-62-25

SHIHARA SENJI 西原 千司	6万	結の会会員、小笠原海洋センター壁画制作、個展（横浜そごう）、日大中退（糸園教室）、茨城、1935 〒178-0061 東京都練馬区大泉学園町6-25-9	03-3923-2219
SHIFUSA KOJI 西房 浩二	7万	光風会理事、光風会展文部科学大臣賞他、日展会員・審査員2・東京都知事賞1・特選2、前田寛治大賞展大賞、昭和会展日動火災賞、安田火災選抜奨励展秀作賞、文化庁派遣研修員（チェコ）、日大芸術学部卒、石川、1960 〒923-1122 石川県能美市東任田町イ19-64	
SHIMURA TOSHIRO 西村 壽郎	2.5万	元展無鑑査、日本図案家協会理事、元展優秀賞・佳作賞、個展7回、二人展、師中村六之助、京都、1950 〒600-8806 京都府京都市下京区中堂寺壬生川町29-1-615	075-801-8087
SHIMURA TOMIYA 西村 冨彌		無所属、日本青年画家展、日本現代美術展、NICAF、ベルギー・独他アートフェア、上野の森大賞展佳作賞、マドリード留学、駒ヶ根美術館等個展18、師三輪福松（私淑）、東京藝大大学院修、佐賀、1946 〒231-0802 神奈川県横浜市中区小港町3-190-5	045-624-2545
SHIMURA NAOYUKI 西村 直之	5万	第一美術評議員・運営委員、文部大臣賞、アカデミー・ジュリアン修、東京、1949 〒253-0021 神奈川県茅ヶ崎市浜竹4-3-50	0467-82-1812
SHIYA TAKUMA 西谷 拓磨		アクリル・コラージュ 美術作家、個展多数（ギャラリー真玄堂、f.e.i art gallery他）、日本デザイン専門学校グラフィックデザイン科卒、埼玉、1977 〒220-0003 神奈川県横浜市西区楠町5-1 深作眼科ビル f.e.i art gallery気付 http://www.eyeball248.com	045-325-0081
UKAGA KATSUMI 額賀 加津己	30万	無所属、安井賞展、政府買上、個展（ギャラリーぬかが他）、東京藝大卒（中谷泰教室）、神奈川、1950 〒194-0035 東京都町田市忠生3-14-19	042-793-3922
UKATA KOSAKU 額田 晃作	6万	独立美術協会会員・1953年初入選・74年奨励賞・82年児島記念賞・83年独立賞、70年独立選抜展、84年現代美術展招待出品、阿吽、盟、凛々会等グループ展出品、個展45回（三越本店等）、2014年ETHIOPIA展エチオピア大使館後援、2000年『襤褸残照 ぼろの美』、2015年『愛しき人類よ』発行、外遊多（シルクロード・エチオピア13回等取材）、高津高校美術部卒、大阪歯科大学歯学博士、大阪、1935 〒579-8023 大阪府東大阪市立花町6-19	0729-84-3729
UMAO MASAYO 沼尾 雅代	4.5万	無所属、フランス国際親善賞、日仏現代美術展入、個展（阪急他）、関西女子美短大卒、東京、1953 〒534-0013 大阪府大阪市都島区内代町1-15-3	06-6952-2256
UMATA HISAYUKI 沼田 久雪	4万	創元会監事、茨城県美術展覧会委員・審査員、創元展会員新人賞、鈴木千久馬賞、損保ジャパン美術賞展入、個展6、茨城、1949 〒313-0003 茨城県常陸太田市瑞竜町1097	0294-72-3272
GISHI YOKO 根岸 洋子	4万	無所属、昭和会展招待、ふるさと風景展大賞、多摩総合美術展大賞、前田寛治大賞展出品、多摩美大卒 〒253-0073 神奈川県茅ヶ崎市中島819-2	0467-88-1677
HAGI SAIMON 根萩 斎門	4万	元陽会会員、JIAS会員、独立展入、個展、武蔵野美大中退、東京、1953 〒166-0001 東京都杉並区阿佐谷北2-10-16	
OJIMA YOSHIFUMI 能島 芳史	5万	無所属、富嶽ビエンナーレ展大賞、個展（石川県立美術館・松屋銀座）、金沢美術工芸大学卒、ベルギー王立ゲント美大留学、富山、1948 〒930-0801 富山県富山市中島2-7-42	076-444-8834
ODA HIROSHI 野田 弘志	90万	無所属、宮本三郎記念賞、東郷青児美術館大賞、国際形象展、安井賞展等出品、ヴェラヌマン美術館（ベルギー）、朝日新聞社主催全国巡回展他個展多数、東京藝術大学、広島、1936 〒052-0106 北海道有珠郡壮瞥町立香242	0142-25-8222
OTSU SEITARO 野津 清太郎	5万	独立美術協会会友、関西独立展奨励賞・新人賞、鳥取県展賞、市展賞・川上貞夫奨励賞、師山本恵三、鳥取、1951 〒680-0851 鳥取県鳥取市大杙262-10	0857-24-1135
OMIYAMA GYOJI 野見山 暁治	20万	無所属、文化勲章、文化功労者、東京藝大名誉教授、芸術選奨文部大臣賞、安井賞、毎日芸術賞、『四百字のデッサン』で日本エッセイスト・クラブ賞、東京近代美術館・ブリヂストン美術館にて回顧展、52～64年滞欧、東京美術学校卒、福岡、1920 〒179-0085 東京都練馬区早宮1-18-1	03-3994-0035
OMURA AKIO 野村 昭雄	7.5万	新制作会員、安井賞展出品、個展、武蔵野美大卒、北海道、1931 〒610-1151 京都府京都市西京区大枝西長町1-240	075-332-3584
GA KEI 芳賀 啓	5万	現創美術協会会員、美術アカデミー大（米）講師、現創展新人賞・努力賞2・奨励賞、桑港・NYイラスト協会展入選、カナダ国立バレエ団主宰グループ展出展3他米・加で出展多、美庵大賞展Prix Orphee大賞、メルボルン日本芸術祭展・横浜日仏交流美術展特別賞、美術アカデミー大学（米）卒、埼玉、1976 〒355-0110 埼玉県比企郡吉見町東野2-16-1	048-229-4825
GIYAMA NOBUYUKI 萩山 信行	3.5万	水彩連盟会員・静岡支部長、静岡県水彩画協会委員、静岡県美術家連盟理事、水彩連盟展文科賞・安田火災美術財団奨励賞、永井保賞、静岡県芸術祭文部大臣奨励賞、宮城県美術館水彩連盟作家展、個展（櫟画廊・北川画廊）、静岡、1955 〒427-0232 静岡県島田市伊久美4855-1	0547-39-0914
SHIURA MICHIKO 橋浦 道子	4万	無所属、大橋賞、サロン・ドートンヌ出品、個展（みゆき画廊等多数）、グループ展（あべせの会等）、フランス政府給費留学、東京藝大大学院修、東京、1950 〒191-0043 東京都日野市平山2-12-8	042-593-2648

HASHIMOTO SEIICHI	橋本 清一	6万	画号 セイ・ハシモト 新作家美術協会委員、サロン・ブラン美術協会副会長、日美連会員、国際美術家連会員、日仏現代国際美術展文部科学大臣賞・外務大臣賞・東京都知事賞、個展多、パリと日本の両アトリエ制作、日大芸術学部卒、兵庫、1938 〒216-0014 神奈川県川崎市宮前区菅生ヶ丘2-24 044-977-925
HASEGAWA ICHIRO	長谷川 一郎	3万	無所属、レイコフ・アートアワード銀賞、セオリー・アート賞銀賞、個展、嵯峨芸大大学院修、大阪、1978 〒573-0088 大阪府枚方市香里園桜木町26-5 パルハセトン407
HASEGAWA KENJI	長谷川 健司	8万	無所属、青年画家展、ブロードウェイ新人展第1席、個展、グループ展、東京藝大大学院修、新潟、1953 〒335-0002 埼玉県蕨市塚越7-17-7-306 0484-41-16
HASEGAWA SHIRO	長谷川 資朗	10万	無所属、個展（藤崎百貨店美術ギャラリー・パリ「花輪」）、ふるさと切手原画制作、武蔵野美卒、宮城、1956 http://www.art-hasegawa.com/
HASEGAWA TSUTOMU	長谷川 仂	8万	日展特別会員、光風会常務理事、愛知県立大学名誉教授、日展東京都知事賞・特選2・審査員4、光風会展辻永記念賞・文部科学大臣賞・90回展特別記念賞他、愛知県芸術文化選奨文化賞、安井賞展、名古屋電気文化会館自選展、画集刊行、個展(日本橋三越特選画廊・名古屋日動画廊)、愛知学芸大美術科卒、愛知、1940 〒466-0803 愛知県名古屋市昭和区福原町
HASEGAWA HIROMI	長谷川 宏美	4万	国画会会員、国展奨励賞・新人賞、個展（伊勢丹阪急他）、金沢美大大学院修、石川、19 〒920-1154 石川県金沢市太陽が丘第7工区6街区7番地
HASEGAWA MASAKIYO	長谷川 正清	3.5万	元展理事、新人賞・大阪市長賞・大阪府知事賞、個展（そごう）、宝壽山泉勝寺襖絵作成、師田三峯 〒538-0042 大阪府大阪市鶴見区今津中5-5-14 06-6968-64
HATA BANSEI	畑 晩菁	5万	無所属、国展入、熊谷守一大賞展入、個展（埼玉県立近代美術館他）、長崎、1950 〒357-00 埼玉県飯能市岩沢686-4 0429-74-55
HADA HIROSHI	羽田 裕	15万	春陽会会員、個展（髙島屋・泰明画廊）、現代日本美術展他、渡伊留学、師林武・脇田和、東藝大大学院修、神奈川、1939 〒226-0005 神奈川県横浜市緑区竹山1-6-5-1605-543 045-932-49
HATANAKA HIROSHI	畑中 博	5万	無所属、元大調和常任委員、大調和賞他、仏美術賞展、シェル美術展、個展（大丸他）、静岡 1947 〒259-0202 神奈川県足柄下郡真鶴町岩497
HATANAKA YU	畑中 優	8万	行動美術会員、行動美術賞、セントラル大賞展佳作賞、安井賞展、東京藝大大学院修、岐阜 1950 〒194-0004 東京都町田市鶴間154-3 0427-99-47
HATTORI WASABURO	服部 和三郎	5万	新制作会員、新制作展新作家賞・協会賞、日本画廊協会賞展奨励賞、個展、師内田巌・竹谷士雄、兵庫、1930 〒214-0033 神奈川県川崎市多摩区東三田2-7-6 044-900-35
HANAOKA JUICHI	花岡 寿一	3万	福山美術協会理事、Gg会会員、光陽展光陽会賞・東京都知事賞、絵の現在選抜展金賞、福YMCA芸大・美大科講師、個展7、名古屋芸術大学洋画専攻卒、広島、1968 〒721-0963 広県福山市南手城町3-3-4 0849-28-40
HANAMAKI MIDORI	花巻 碧	20万	日展会友、ル・サロン会員、優秀賞、サロン・ドートンヌ会員、個展、師浮田克躬、東京、19 〒337-0053 埼玉県さいたま市見沼区大和田町1-966 048-684-13
HANAWA TAMAYO	塙 珠世	4.5万	二科会評議員、二科展内閣総理大臣賞・会員賞・会友賞、上野の森美術館賞、個展、東京、19 〒202-0006 東京都西東京市栄町2-6-8
HANO SUSUMU	玉野 進	10万	無所属、元一水会員、研水会委員、パステル画協会委員、日展入、個展、大阪、1940 〒61 0042 京都府宇治市小倉町南堀池102-30 0774-22-35
BABA HIROSHI	馬場 洋	3.5万	二紀展損保ジャパン日本興亜美術財団賞、春季二紀展新人選抜優賞、2015年個展（ギャラリアートもりもと）、筑波大大学院博士課程修了、中国、1980 〒305-0046 茨城県つくば市東2 15 第2大野ハイツ202号
HAMADA HIROYASU	濱田 弘康	6万	日本美術家連盟所属、元自由美術会員、朝日新人展、平和展、個展、渡欧、大阪市立工芸美科卒、大阪、1935 〒542-0081 大阪府大阪市中央区南船場4-7-3 06-6251-30
HAMABE JUN	浜辺 順	6万	太平洋美術会参与、太平洋展坂本賞・会員秀作賞3・85回展記念賞・荒川賞、個展11、師佐々豊、太平洋美術学校卒、東京 〒273-0865 千葉県船橋市夏見2-5-6-607 047-424-29
HAMAMURA HIROSHI	浜村 博司	6万	二紀会委員・文部科学大臣賞・宮本賞・黒田賞2・鍋井賞・栗原賞・会員優賞等賞11、安井賞3、現代の裸婦展準大賞、安田火災展新作秀作賞、文現美選展2、文化庁在外派遣（独）、師森茂、武蔵美短大卒、長崎、1948 〒194-0044 東京都町田市成瀬7-10-17-303 042-725-50

AMAMOTO HISAO
濵本 久雄 6万
日展特別会員、白日会会員、日展特選、グループ展、東京藝大卒、師伊藤清永、愛媛、1947
〒384-0000 長野県小諸市高峰34-8 0267-25-2823

AYASAKA YURIE
早坂 百合恵
日本美術家連盟会員、個展（ギャラリーアルトン他）、女子美大卒、北海道、1964 〒165-0026
東京都中野区新井2-51-9-610 080-4666-7224

AYASHI AKIKO
林 昭子 5万
元元陽会委員、総理大臣賞・大賞、個展、武蔵野美術大短期大学部卒、東京、1944 〒389-0111
長野県北佐久郡軽井沢町長倉3605-5 0267-45-8250

AYASHI KIYONO
林 清納 5万
風土会会員、金沢美術工芸大学油絵科非常勤講師、安井賞展、昭和会展、日本秀作美術展、北日本美術大賞展大賞、富山県文化功労賞、地域文化功労者文部大臣表彰、金沢美術工芸大学卒、富山、1936 〒939-1313 富山県砺波市柳瀬918 0763-32-4060

AYASHI KEIJI
林 敬二 15万
独立美術協会会員、独立賞他、新鋭選抜展優賞、具象現代展大賞、東郷青児美術館大賞、安井賞展、国際展、明日への具象展他出品、伊政府給費留学、大橋賞、東京藝大卒、神奈川、1933
〒140-0014 東京都品川区大井4-29-15 03-3772-1280

AYASHI KOZO
林 孝三 5万
無所属、ル・サロン銅賞、サロン・ドートンヌ入、個展、同志社大卒、岡山、1951 〒659-0082
兵庫県芦屋市山芦屋町29-10 0797-38-1919

AYASHI TETSUO
林 哲夫 6万
無所属、むさしの展、新作展（ロッテ美術館）出、個展、武蔵野美大卒、香川、1955 〒615-8076
京都府京都市西京区桂下豆田町36-2 075-392-6241

AYASHI TOMOJI
林 朝路 5万
無所属、新自然協会設立、新時代展、個展、渡欧、渡中、東京、1939 〒619-0246 京都府相楽郡精華町菱田大谷口

ARA TAKAHIRO
原 崇浩 10万
無所属、青木繁記念大賞展大賞、個展（NY・Arcadia contemporary Gallery他）、国立マドリッド・コンプルテンセ大学留学、金沢美工大大学院修、広島、1971 〒720-1261 広島県福山市芦田町上有地863

ARA NAOKO
原 尚子 5万
無所属、昭和会展招、人物画（肖像、子供、母子）・静物画（花、果物等）、個展87、師小磯良平、東京藝大卒、1944 〒339-0005 埼玉県さいたま市岩槻区東岩槻4-12-6-13-502 048-756-1819

ARA HIDEKI
原 秀樹 7万
無所属、昭和会展招、ルッカ国際具象派展賞、安井賞展賞候補、画廊・デパート企画個展86、師小磯良平、東京藝大卒、1943 〒339-0005 埼玉県さいたま市岩槻区東岩槻4-12-6-13-502
048-756-1819

ARA MASAYUKI
原 雅幸 30万
無所属、1982・85年安井賞展、98年渡英、2005年スコットランドへ移住、飯田画廊、飯田美術・NYハマーギャラリー等個展多数、多摩美術大学卒、大阪、1956 〒104-0061 東京都中央区銀座7-12-4 友野ビル3F 飯田美術気付 03-6264-1702

ARADA IKUO
原田 郁夫 5万
無所属、朝の会会員、第14回エイズチャリティー美術展特賞、日本クロアチア国際芸術祭大賞、小磯良平大賞展招、師橋本博英、武蔵野美短大卒、阿佐ヶ谷美専卒、山口、1954 〒744-0027
山口県下松市南花岡2-8-6 0833-43-9606

ARADA BUSHIN
原田 武眞 4.5万
無所属、個展、グループ展、武蔵野美大卒、山口、1948 〒190-0013 東京都立川市富士見町1-4-29 トーカンマンション立川第2-202 042-523-3238

AN SEIICHIRO
半 清一郎 10万
無所属、京展新人賞、安井賞展出、個展（西武）、精華短大中退、滋賀、1950 神奈川県鎌倉市在住

ANDA TSUYOSHI
半田 強 12万
国画会会員、山梨美術館大賞、個展72、山梨、1948 〒400-0065 山梨県甲府市貢川2-8-11
055-235-3367

ANDO KAYO
坂東 佳代 4万
白日会会員、白日会展冨田賞・文部科学大臣賞、アートフェア東京2013・2015出品（春風洞画廊ブース）、師生島浩、和歌山、1982 〒631-0805 奈良県奈良市右京3丁目19-2

GASHI SHINICHI
東 進市 5万
写実画壇会員、朝の会展グランプリ賞、個展、グループ展、橋本博英、阿佐ヶ谷美術学園卒、鹿児島、1952 〒895-0044 鹿児島県薩摩川内市青山町5366 0996-22-7477

GASHI TOSHIMITSU
東 俊光 6万
モダンアート協会会員、協会賞、個展、師山口薫、東京藝大大学院修、東京、1942 〒422-8017
静岡県静岡市駿河区大谷3800-104 054-236-1425

KATSU TOMOMI
樋勝 朋巳
イタリアボローニャ国際絵本原画展入、個展、グループ展、多摩美大卒 〒104-0061 東京都中央区銀座1-13-4 銀座片桐ビルⅢ5F ギャラリー新居東京気付 03-6228-7872

HIGANO KENICHI **日賀野 兼一**	4万	無所属、谷尾美術展大賞、個展、渡欧、九州産業大大学院修、茨城、1969　〒820-0068 福岡県飯塚市片島1-4-11　0948-25-536
HIKIDA MASAAKI **疋田 正章**	4万	ART KYOTO2012出品、アートフェア東京2013出品、個展、グループ展、立命館大大学院中退、京都、1978　〒252-0814 神奈川県藤沢市天神町1-18-1　サンヒルズ天神306　http://www.masaakihikida.com
HIGUCHI TOYOKO **樋口 豊子**	5万	二科会会員、二科展特選、現代の裸婦展、昭和会展出、女子美大卒、埼玉、1943　〒167-005 東京都杉並区西荻南3-16-11　03-3332-363
HIGUCHI HIROSHI **樋口 洋**	10万	日展理事・特別会員、示現会顧問、日展内閣総理大臣賞・特選2、示現会展賞2、文化庁現代美術選抜展出品、日本美術家連盟会員、個展19、師楢原健三、神奈川、1942　〒241-0005 神奈川県横浜市旭区白根5-9-5　045-951-787
HISAMATSU SEIICHI **久松 誠一**	5万	無所属、県展知事賞、光風会展入、上野の森大賞展、セントラル大賞展出、個展、東京、194 〒270-2241 千葉県松戸市松戸新田500　047-367-602
HISHIDA TOSHIKO **菱田 俊子**		版画　日本版画協会会員、日本版画協会展受賞、山本鼎版画大賞展受賞、LAカウンティ美術館収蔵、1986年東京藝大大学院修　〒101-0038 東京都千代田区神田美倉町12　木屋ビル1F　木ノ葉画廊気付　03-3256-204
HIDAKA SHOJI **日高 昭二**	5万	新槐樹社委員長、総理大臣賞・文部大臣賞・新槐樹社賞、個展、師堀田清治、千葉、194 〒124-0023 東京都葛飾区東新小岩5-2-13-504　03-3694-413
HIDAKA YASUSHI **日高 康志**	6万	無所属、元二紀会同人、個展、グループ展、師宮永岳彦、大阪市立工芸高卒、宮崎、1951　〒34 0056 埼玉県春日部市新方袋18-16　048-755-512
HITSUDA NOBUYA **櫃田 伸也**	8万	無所属、元新制作協会会員、東京藝大教授、安井賞、文化庁買上、名古屋市芸術奨励賞、損保ジャパン東郷青児美術館大賞、個展、東京藝大大学院修、東京、1941　〒470-0103 愛知県日進市北新町福井182-37　0561-72-362
HIYAMA YUKI **檜山 友希**	3万	無所属、個展(池袋西武・玉川髙島屋)、佐久市立近代美術館収蔵、広島、1977　〒736-008 広島県広島市安芸区船越3-16-16　082-823-20
HIRAI TOSHIAKI **平井 利明**	7万	一水会委員、一水会展1986・90年会員佳作賞・92年安井奨励賞・93年優賞・98年委員推挙、研水会委員 2000年より馬の絵を描く、外遊ヨーロッパ多数(90～91年スペイン滞在)、個展多数、師中畑艸人、奈良、194 〒635-0822 奈良県北葛城郡広陵町平尾136-4　http://hiraitoshiaki.web.fc2.com/　0745-55-05
HIRAO YASUKO **平尾 泰子**	4万	二科会会友、群馬県美術会理事・審査員、ぐんま女流美術協会常任委員、二科展日本美術協会賞・会友賞、二科春季展招待、県展会員賞他、個展4、群馬、1943　〒371-0036 群馬県前橋市敷島町250-6　027-232-776
HIRAKI KOICHI **開 光市**	5万	国画会会員、国展国画賞他、東京セントラル大賞展佳作賞、昭和会展優秀賞、安田火災選抜奨励展安田美術賞、安井賞展他、金沢美工大大学院修、石川、1958　〒924-0005 石川県白山市一塚町648-13　076-275-66
HIRASAWA JYUSHIN **平澤 重信**	6万	自由美術協会会員、安井賞展、昭和会展、日本国際美術展他出品、日本大学卒、長崎、194 〒183-0057 東京都府中市晴見町2-8-13　042-362-38
HIRATA EIKO **平田 英子**	4万	白日会会員・佳作賞、爽蒼美術協会委員(水彩・パステル)、個展8、外遊、鴨沂学園卒、東京 1937　〒221-0005 神奈川県横浜市神奈川区松見町3-940-21　045-431-45
HIRATA HIRONOBU **平田 裕信**	5万	無所属、新制作展、日本国際美術展、奈良芸術短大卒、ベルギー王立アントワープ美校留学、大阪、1955　〒554-0001 大阪府大阪市此花区高見1-6-27-705　06-6460-78
HIRABAYASHI TAKAHIRO **平林 孝央**	2.5万	独立美術協会会友、独立展新人賞、雪梁舎フィレンツェ賞展優秀賞、個展、グループ展、東京大大学院修、長野、1984
HIRUTA HITOSHI **蛭田 均**	5万	新制作協会会員、新制作展新作家賞4、京都市芸術新人賞、前田寛治大賞展準大賞、安井賞展、昭和会賞、個展多数、文化庁芸術家在外研修員パリ留学、嵯峨美短大卒、栃木、1957　〒61 0812 京都府長岡京市長法寺芝端6-11　075-953-87
HIROE TOMOKAZU **廣江 友和**		第3回世田谷区芸術アワード"飛翔"受賞、個展、グループ展、武蔵野美大卒、東京、1976　〒10 0061 東京都中央区銀座2-16-12 B1　メグミオギタギャラリー気付　03-3248-34
HIROTA MACHIKO **廣田 真知子**	4万	無所属、FUKUIサムホール美術展優秀賞、昭和会展出品、個展(2015年アートフェア東京)、グループ展、京都造形芸大卒、広島市立大大学院修、京都、1976　〒610-0101 京都府城陽市川山道51-16

IROTA MINORU
広田 稔 7万
白日会常任委員、総理大臣賞・文部大臣奨励賞、両洋の眼展河北倫明賞他、個展、ATELIER21開設、東京藝大大学院修士課程修、師彼末宏、広島、1959 〒231-0837 神奈川県横浜市中区滝之上6-1 第二山手シティハウス106号 045-621-9160

IROTO EMI
廣戸 絵美 4万
無所属、道銀文化財団「野田塾」研究員として北海道で制作活動開始、広島市立大大学院修、広島、1981 〒730-0812 広島県広島市中区加古町1-24 サーパス平和公園1103

JKASAKU HIDEHARU
深作 秀春 4万
日本美術家連盟会員、深作眼科院長、独立展、サロン・ナショナル・デ・ボザール入、枕崎国際芸術賞展市長奨励賞、国際芸術コンペティション「アートオリンピア」2017入選・同2019千住博審査員特別賞、公募一日本の絵画2018一大賞、個展多数(永井画廊他)、国立滋賀医科大学卒、多摩美大大学院修、アート・スチューデンツ・リーグ・オブ・ニューヨーク就学、神奈川、1953 〒220-0003 神奈川県横浜市西区楠町5-1 深作眼科ビル1F f.ei art gallery気付 045-325-0081

JKASAWA GUNJI
深沢 軍治 8万
無所属、元京都市立芸術大学教授(2002～09)、倫雅美術奨励賞、安井賞展、文化庁派遣在外研修員としてニューヨーク滞在(1986～87)、個展を中心に発表、東京藝大大学院版画科修、山梨、1943 〒238-0101 神奈川県三浦市南下浦町上宮田898-8

JKASAWA SHOMEI
深沢 昭明 10万
無所属、日本美術家連盟会員、連展金賞、ル・サロン銅賞、個展(髙島屋・パリ)、師高岡徳太郎・ジャック ムルロー、山梨、1937 〒191-0043 東京都日野市平山6-39-17 042-591-1865

JKAWA MITSUGU
府川 貢 6万
元一陽会会員、日本美術家連盟会員、西相美術協会会員、日本アフガニスタン協会会員、現代精鋭選抜展銀賞、個展、東京美術研究所、1936 〒250-0042 神奈川県小田原市荻窪341 0465-34-3878

JKITA FUMIAKI
吹田 文明
木版 日本版画協会名誉会員、モダンアート協会会員、多摩美大名誉教授、サンパウロビエンナーレ版画最高賞、米ノースウェスト国際版画展大賞他、紫綬褒章、勲四等旭日小綬章、徳島師範学校卒、徳島、1926 〒157-0073 東京都世田谷区砧3-33-4 03-3417-7123

JKUI OUKA
福井 欧夏 8万
白日会会員、白日会展1995年白日賞・99年室町美術賞・2001年東邦アート賞・富田賞・06年三洋美術奨励賞・08年アートもりもと賞、日展会員、06・10年特選、14年審査員、個展多、多摩美大卒、武蔵野美大油絵科大学院修、広島、1968 〒187-0002 東京都小平市花小金井7-25-1 http://www.ouka-world.com/

JKUI RYOYU
福井 良佑 7万
無所属、日本青年画家展出、両洋の眼展、個展、グループ展、東京藝大大学院工芸科修、東京、1955 〒240-0112 神奈川県三浦郡葉山町堀内743-2 0468-75-9857

JKUOKA TOMOHIKO
福岡 奉彦 5万
独立美術協会会員、上越教育大教授、独立展独立賞・奨励賞、個展、グループ展、武蔵野美大卒、東京藝大大学院修、佐賀、1945 〒358-0022 埼玉県入間市扇町屋1-5-16 0429-66-3839

JKUOKA MICHIO
福岡 通男 50万
無所属、東京セントラル美術館大賞展大賞、個展(泰明画廊・小田急他)、グループ展、東京藝大大学院修、福岡、1949 〒270-1123 千葉県我孫子市日秀119-8 04-7188-4555

JKUSHIMA HIFUMI
福島 一二三 6万
無所属、元独立会友、関西独立展賞、上野の森大賞展優秀賞、個展(髙島屋・三越)、京都、1948 〒602-0801 京都府京都市上京区高徳寺町355-43 075-251-7017

JKUSHIMA MIZUHO
福島 瑞穂 10万
独立美術協会会員・奨励賞・独立賞・独立功労賞、女流画家協会委員・協会賞、ル・サロン・オノレ賞、安井賞展佳作賞、サロン・ドートンヌ、国際形象展4、個展多数、1961～65年M・オクシリアトリス教団派遣仏留学、98年文化庁派遣在外研修、平成21年度文化庁長官表彰、師ザッキン、女子美大卒、広島、1936 〒227-0054 神奈川県横浜市青葉区しらとり台12-5 045-981-8752

JKUSHIMA YASUNORI
福島 保典 4万
創元会理事、創元展文部大臣奨励賞、安井賞展出品、安田火災美術財団奨励賞展新作秀作賞、上毛芸術奨励賞、個展(ギャラリー椿)、獨協大学外国語学部仏語科卒、群馬、1950 〒370-1201 群馬県高崎市倉賀野町1869-2 027-346-1581

JKUDA TAKEYUKI
福田 建之 5万
無所属、武蔵野美大卒、東京藝大桑原研究室、福岡、1947 〒174-0071 東京都板橋区常盤台4-29-3 03-3932-9303

JJI YOSHIKUNI
藤 祥州 5万
無所属、二科展、日洋展入、ドートンヌ入、ブロードウェイ新人賞、渡仏、大分、1951 〒874-0847 大分県別府市馬場2-3

JJII KAZUYO
藤井 一代 5万
白亜会会員、鈴木マサハル賞、内田晃賞、個展、グループ展、師深沢昭明、白百合女子大卒 〒145-0071 東京都大田区田園調布3-44-2 03-3722-7435

JJII KENKO
藤井 兼弘 5万
無所属、国展出品、個展(東京・富山他)、武蔵野美大卒、富山、1936 〒259-0111 神奈川県中郡大磯町国府本郷538-6 0463-62-0406

JJII TADAYUKI
藤井 忠行 4.5万
昭和会展招、武蔵野美大大学院修(学部卒業制作優秀賞・三雲祥之助賞)、神奈川、1977 〒241-0801 神奈川県横浜市旭区若葉台1-8-308 045-921-1946

JJII TATEKI
藤井 たてき 5万
無所属、国展、個展9、北海道、1945 〒350-1326 埼玉県狭山市つつじ野4-20-105 042-954-7679

FUJII MAKOTO	**藤井　誠**	3万	二紀展出・奨励賞、ビエンナーレうしく全国公募絵画展大賞、個展（池袋東武）、アートフェア東 京2013出品、東京学芸大大学院修、埼玉、1984　〒350-0064 埼玉県川越市末広町3-7-8
FUJII MICHIO	**藤井　路夫**	4万	無所属、個展、グループ展、京都精華大卒、京都、1964　〒521-1234 滋賀県東近江市きぬがさ 町141　0748-42-324
FUJII YUJI	**藤井　祐二**	5万	無所属、元風子会委員、内閣総理大臣賞、ドーヴェル国際グランプリ展マーション賞、筑波大卒 福岡、1956　〒300-1204 茨城県牛久市岡見町1311-1　0298-71-128
FUJIKAWA MOTOKO	**藤川　茂登子**	6万	無所属、二科展入、個展（石川画廊）、朝日新聞社賞、春龍展、現代洋画小品展他出、師西村龍 介、東京、1936　〒300-4217 茨城県つくば市杉木9
FUJISAKI TAKATOSHI	**藤崎　孝敏**		無所属、東京セントラル美術館油絵大賞展、個展、熊本、1955　〒104-0061 東京都中央区銀座 2-6-5　藤屋ビル2F　藤屋画廊気付　03-3564-136
FUJISAWA SENJO	**藤澤　千丈**	7万	無所属、サロンドメイ招待、フィナール国際美術展入賞、個展、愛媛大卒、愛媛、1940　〒790 0911 愛媛県松山市桑原6-5-4
FUJISAWA HIKOJIRO	**藤沢　彦二郎**	3万	無所属、日本美術家連盟会員、モダンアート展新人賞・奨励賞2、伊豆美術祭絵画公募展佳作 安井賞展、個展・グループ展多数、装丁画多数、和光大卒、東京、1959　〒171-0044 東京都豊 島区千早3-38-6　03-3955-323
FUJITA TAKAYA	**藤田　貴也**	8万	個展（Gallery Suchi）、アートフェア東京出品（Gallery Suchiブース）、多摩美大大学院修、埼玉 1981　群馬県在住　www.takayafujita.com
FUJITANI SUSUMU	**藤谷　進**	4.5万	二科会会員、二科展特選・会友賞・会員賞、関西二科賞・奨励賞、上野の森大賞展入、個展、京 都、1942　〒605-0923 京都府京都市東山区清閑寺池田町2-9　075-531-230
FUJINAGA TOSHIO	**藤永　俊雄**	7万	国画会会員、山口県文化功労賞、県芸術選奨、安井賞展、師香月泰男、多摩美大卒、山口、194 〒746-0084 山口県周南市夜市的場252　0834-62-324
FUJINUMA KEIKO	**藤沼　啓子**	6万	アジア美術交友会会友、ネパールカトマンズ市国際展賞、個展、師藤沼朝保、立教大卒、東京 1960　〒153-0043 東京都目黒区東山2-9-5　03-3713-333
FUJINUMA TAMON	**藤沼　多門**	5万	春陽会会員、中川一政賞、オギサカ大賞展優秀賞、小磯良平記念展出品、武蔵野美大卒、東京 藝大大学院内留、栃木、1951　〒329-4404 栃木県栃木市大平町富田1007-1　0282-43-792
FUJIHARA SHUICHI	**藤原　秀一**	15万	無所属、前田寛治大賞展市民賞、個展（泰明画廊）、師彼末宏、東京藝大大学院修、山口、196 〒738-0514 広島県広島市佐伯区杉並台21-3　0829-86-161
FUJIMURA TSUNEO	**藤村　恒雄**	4万	二科会商美部特選、二科展入、師西村龍介、近畿大中退、山口、1936　〒350-1305 埼玉県狭 山市入間川1469-12　04-2957-199
FUJIMOTO HIROFUMI	**藤本　洋文**	4万	国画会会員、新人賞、個展、伊藤廉記念賞展、上野の森大賞展出品、東京藝大大学院修、山口 1949　〒241-0814 神奈川県横浜市旭区中沢2-12-15　045-366-048
FUJIMORI KANEAKI	**藤森　兼明**	18万	日本藝術院会員、日展副理事長・名誉会員、光風会副理事長、日本藝術院賞、日展内閣総理大 臣賞・会員賞・特選2、光風会展受賞8、個展多、滞米、外遊20、師高光一也、金沢美工大油画 科卒、富山、1935　〒464-0015 愛知県名古屋市千種区富士見台3-66-4　052-721-736
FUJIMORI YUJI	**藤森　悠二**	3.5万	無所属、元一創会会員、個展（三越・大丸・東武・そごう他）、サンフェルナンド修、東京、194 〒244-0805 神奈川横浜市戸塚区川上町497-2121　045-823-994
FUJIWARA MAMORU	**藤原　護**	5万	二紀会委員、日本美術家連盟会員、兵庫県美術家同盟会務委員、二紀展奨励賞・優賞・宮永賞・会員優賞、春季二紀展会員優賞、 野の森美術館絵画大賞展特別優秀賞、宇部ビエンナーレ佳作賞、日本青年画家展優秀賞、昭和会展優秀賞、小磯良平大賞展佳作 他出品・受賞多数。関西大・京都造形芸大卒、兵庫、1957　〒658-0073 兵庫県神戸市東灘区西岡本6-5-8　078-451-637
FUJIWARA YUKI	**藤原　由葵**	6万	富嶽ビエンナーレ展大賞・準大賞他、静岡県文化奨励賞、個展・グループ展他出品、東京藝大 学院美術研究科博士後期課程修、静岡、1978
FUSE KUMIKO	**布施　久美子**	3万	黄金テンペラ　アトリエフィオーレ絵画教室主宰、個展・グループ展多数、イタリアに美術留学 女子美大卒、東京、1973　東京浅草在住　http://kumikofuse.ciao.jp/

UTO HATSUO
武藤　初雄　5万
日展会員、一水会運営委員、関西水彩画会運営委員、研水会委員、日本美術家連盟会員、日展審査員・特選2、一水会展一水会賞2、文化庁現代美術選抜展1、大阪府知事賞、個展4、師栗林忠男、大阪、1946　〒599-8125 大阪府堺市東区西野175-14　072-235-4008

UNADA JUNKO
舟田　潤子
大野城まどかぴあ版画ビエンナーレ池田満寿夫大賞、アミューズアートジャム2006in京都NISSHA賞、カダケス国際ミニプリント展（スペイン）大賞受賞後個展、その他国内外個展、グループ展、パリ・ギリシャにて滞在制作、京都精華大卒、京都、1982　〒104-0061 東京都中央区銀座7-10-8　シロタ画廊気付　03-3572-7971

UNAYAMA KAZUO
舟山　一男　9万
無所属、独立展出品、個展、サロン・ド・ドートンヌ他出品、エコール・ド・ボザール、山形、1952　〒333-0866 埼玉県川口市芝3-5-20　048-268-2827

URUKAWA MASUHIRO
古川　益弘　5万
元二科会会員、特選、会員努力賞、個展、日仏展他出品、グループ展、神奈川、1931　〒221-0832 神奈川県横浜市神奈川区桐畑7-4　045-321-9956

URUTA EMIKO
古田　恵美子
無所属、2006年まで現展出品（現展会員賞・安田火災美術財団奨励賞・60回記念展賞）、第16回安田火災美術財団奨励賞展新作秀作賞、個展（梅野記念絵画館・高輪画廊他）、武蔵野美大短大、北海道、1950　〒343-0804 埼玉県越谷市南荻島3257-12

URUTA TAISEN
古田　帯川　8万
無所属、個展、大地展、杜の会、ウィーンにてオーストリア政府主催個展、滞欧34年間、東京藝大卒、「世界の音楽家を描く」シリーズ492点東京藝大美術館に収蔵、画集刊行（主婦の友社）、東京、1934　〒191-0033 東京都日野市百草999-276-202　042-592-8564

URUYAMA TAKU
古山　拓　4万
無所属、ARTEC造形美術賞、個展50、東北学院大卒、岩手、1962　〒981-0965 宮城県仙台市青葉区荒巻神明町18-4　https://www.artio.jp/　080-1817-4573

URUYOSHI HIROSHI
古吉　弘　5万
無所属、花と女性美展グランプリ、米アート・リニューアル・センターグランプリ「ベスト・イン・ショウ賞」、個展、師青木敏郎、京都芸術短大卒、広島、1959　〒617-0002 京都府向日市寺戸町5-1　グランマークシティ東向日駅前910号　075-204-3626

DEI TAKAKO
宝永　たかこ　6万
無所属、イラストコンクール佳作賞、絵本出版（小学館）、絵本原画展（沼田絵本美術館）、大阪、1958　〒113-0024 東京都文京区西片2-22-21　アートスペース気付　03-6399-8885

OGAFUCHI SHIZUHIKO
保ヶ渕　静彦　6.5万
新世紀委員、二元会常任委員、総理大臣賞、大阪府知事賞、個展、昭和会展招待、安井賞展出品、グループ展、関西大文学部卒、大連、1944　〒666-0014 兵庫県川西市小戸1-8-11　0727-57-1568

OSAKA YOSHIRO
保坂　良郎　4万
示現会委員、日本山林美術協会会員、日展入、個展、グループ展、金沢美工大卒、長野、1937　〒386-0025 長野県上田市天神1-3-9　0268-22-1082

OSHIAI HIROFUMI
星合　博文　6万
無所属、彼の会展出品、グループ展、師彼末宏、東京藝大卒・同大学院修、京都、1960　〒600-8401 京都府京都市下京区燈籠町591　075-341-1827

OSOKAWA SUSUMU
細川　進　4万
元陽会委員、四万十川絵画展審査員、都知事賞、個展（阪神・近鉄）、日本の民家、愛媛、1924　〒578-0941 大阪府東大阪市岩田町1-2-1　0729-64-6658

OSOKAWA HISASHI
細川　尚　5万
一陽会運営委員、千葉県美術会理事、銀座大賞展大賞、北の大地展道新賞、高遠の四季展銅賞、小磯良平大賞展、浅井忠記念賞展、シェル美術賞展、文化庁現代美術選抜展、都美ベストセレクション展、個展多、北海道、1944　〒292-0402 千葉県君津市西原502-1　0439-35-2849

OSOKOSHI TOMIHIKO
細越　富彦　3万
無所属、個展（松屋・東急本店）、サマーアートエキシビジョン出品、日大卒、東京、1961　〒104-0032 東京都中央区八丁堀4-13-5　幸ビル1F　美岳画廊気付　03-3551-2262

OSOMA CHIKAKO
細馬　千佳子
芦屋市展芦屋市長賞、個展、師嶋本昭三、京都教育大卒、兵庫、1961　chikako-hosoma.com

ORI RINYA
堀　林弥　10万
無所属、元新洋画創立委員、現代人物画協会会員、個展（本間美術館他）、造形展入、日洋展入他、師辻永、山形、1935　〒352-0032 埼玉県新座市新堀1-7-15　0424-73-7994

ORII SATOSHI
堀井　聰　5万
白日会会員、個展約50（梅田画廊・ギャラリー大井・東邦アート・全国百貨店他）、白日会展損保ジャパン美術財団奨励賞、伊藤廉記念賞展、昭和会展出品、京都市立芸大大学院修、兵庫、1964　〒600-8319 京都府京都市下京区若宮通七条上る竹屋町681-4　090-6984-5544

ORIE SHIRO
堀江　史郎　7万
無所属、朝の会展グランプリ、個展（西武他）、グループ展、師橋本博英・中村清治、阿佐ヶ谷美術学園絵画科卒、東京、1957　〒404-0011 山梨県山梨市牧丘町成沢1259　0553-35-2004

ORIE TAKASHI
堀江　孝　7万
無所属、個展、グループ展、渡欧、東京藝大大学院修、福岡、1961　〒112-0005 東京都文京区水道2-19-1-401　03-5689-7217

HORIKAWA RIMAKO **堀川 理万子**	8万	無所属、サロン・ド・プランタン賞、個展（和光ホール・アートフェア東京2012他）、東京藝大 学院修、東京、1965　〒150-0042 東京都渋谷区宇田川町19-5-1103　http://www.rimako.ne 03-5459-027
HONDA KIE **本田 希枝**	4.5万	独立美術協会会員、安井賞、セントラル美術館油絵大賞展佳作賞、個展、東京藝大大学院修 神奈川、1945　〒215-0023 神奈川県川崎市麻生区片平4-15-4　044-987-217
HONDA TOSHIO **本田 年男**	6万	日展会友、東光会理事・審査員、堺美術協会会員、日展2017年特選、東光展1994年森田賞・2005年小野賞、90年東光会 ニーム展銀賞、91年東光会ベルリン展銀賞、96年人間讃歌大賞展奨励賞、個展多（大阪・戎橋画廊、銀座アートギャラリ 心斎橋そごう他）、大阪芸術大学、熊本、1950　〒590-0946 大阪府堺市堺区熊野町東4丁-2-23　072-233-05
HONMA TETSURO **本間 哲郎**	5万	白日会会員、白日展文部大臣賞、昭和会展出品、個展（三越新潟店、国立・画廊岳他30以上）、 ループ展、新潟、1947　〒350-0232 埼玉県坂戸市中富町75-6　0492-83-34
MAEKAWA MASAYUKI **前川 雅幸**	4.5万	無所属、現代洋画精鋭選抜展金賞、登龍展入、個展、奈良、1953　〒576-0035 大阪府交野 私部南2-26-1　072-892-69
MAEDA SHUNBIN **前田 舜敏**	6万	春陽会会員、春陽会賞、安井賞展、形象展出品、師加山四郎、東京藝大卒、宮崎、1932　〒24 0006 神奈川県鎌倉市小町1-10-24　0467-22-80
MAEDA TOSHIYUKI **前田 俊幸**	4万	無所属、元光陽会会友、辻真砂美塾、個展（川端康成文学館）、大阪、1950　〒669-1506 兵 県三田市志手原862-69　0795-62-16
MAEDA NOBUKO **前田 伸子**	4万	油絵・ガラス絵　無所属、北の大地ビエンナーレ展優秀賞、個展・グループ展多数、東京藝大 学院修、北海道、1955　〒157-0072 東京都世田谷区祖師谷6-17-4　03-3483-70
MAEDA MASAHIKO **前田 昌彦**	5万	国画会会員、金沢美術工芸大学名誉教授、東京藝大大橋賞、国展新人賞、個展、仏政府給費 学生としてパリ国立高等美術学校留学、東京藝大大学院修、滋賀、1953　〒920-1161 石川県 沢市鈴見台2-15-7　076-222-63
MAEDA MARI **前田 麻里**	5万	創作画人協会会員、日本美術家連盟会員、創展新人賞・協会賞・文部科学大臣賞、朝日チュ リップ展大賞、個展多数、神奈川　〒290-0556 千葉県市原市本郷1-456　0436-52-25
MAEDA RISHO **前田 利昌**	10万	無所属、杜の会展、現代形象展、国際形象展、具象現代展、個展、師小磯良平、東京藝大大 院修、宮崎、1943　〒389-0111 長野県北佐久郡軽井沢町長倉3906-3　0267-46-27
MAEHARA HIDEO **前原 秀雄**	5万	無所属、個展、グループ展、東京藝大大学院修、ベルギー王立美術学院国費留学、広島、19 〒733-0844 広島県広島市西区井口台3-35-3-303　082-276-05
MAKI HIROKO **牧 弘子**	2.5万	第9回日本芸術センター絵画公募展入賞、個展（ギャラリーアートもりもと）、佐賀大大学院修、 岡、1987　http://makihiroko-official.jimdo.com/
MAKIHARA KEIKI **槇原 慶喜**	6万	無所属、ひろしま美術大賞展大賞、小磯良平大賞展佳作賞、中ノ島美術学院卒、広島、19 〒731-0302 広島県安芸高田市八千代町土師黒瀬2032-12　0826-52-43
MAKOSHI YOKO **馬越 陽子**	15万	日本藝術院会員、独立美術協会会員・独立賞2、女流画家協会委員・協会賞、多摩美大客員教授、日本藝術院賞、 井賞展佳作賞、東郷青児美術館大賞、国内外個展多、73～74年文化庁在外派遣研修（渡欧米）、東京藝大（林武 室）卒・同大学院（山口薫教室）修、東京、1934　〒166-0014 東京都杉並区松ノ木3-18-15　03-3313-35
MASAKI TAKASHI **柾木 高**	5万	無所属、元国画会準会員、花の美術大賞展大賞、シェル美術賞展、日仏現代美術展出品、大 芸術短大卒、大分、1950　〒599-8262 大阪府堺市中区八田北町10-31-19-102　072-270-11
MASUKAWA TAKUJI **増川 卓嗣**	2.5万	リアリズムの世界（飯田美術）他グループ展多数、明星大卒、東京、1979　〒104-0061 東京都 央区銀座7-12-4　友野ビル3F　飯田美術気付　03-6264-17
MASUDA JOTOKU **増田 常徳**	9万	無所属、昭和会展林武賞、安田火災美術財団奨励賞展新作優秀賞、現代の裸婦展準大賞、長 1948　〒197-0825 東京都あきる野市雨間1937-56　042-558-37
MASUDA NOBUTOSHI **増田 信敏**	8万	無所属、二科展入、個展（薔薇画廊）、西日本美術展入、夏木静子著『茉莉子』表紙絵、福 1947　〒824-0005 福岡県行橋市中央3-5-29　0930-22-07
MASUMURA CHIZURU **益村 千鶴**	8万	Young Art Taipei Award Finalist Top5、個展多数（Gallery Suchi他）・グループ展、比治山 子短期大学卒、山口、1972　東京都在住　http://chizurumasumura.com

ASUMOTO KENKI
曽本 憲樹 10万
無所属、日本選抜美術展優秀賞、銀座大賞展奨励賞、二科展奨励賞、佐賀、1949 〒814-0111 福岡県福岡市城南区茶山6-16-65-102 092-823-1765

ATSUI SHIGEKI
公井 茂樹 5万
日洋会委員・國領經郎賞・会員賞・優秀賞、個展22（新宿伊勢丹・渋谷東急・横浜そごう他）、師中谷泰、東京藝大卒、滋賀、1950 〒330-0072 埼玉県さいたま市浦和区領家1-11-2 048-885-5013

ATSUI SHINICHI
公井 慎一 3万
三軌会会友、個展、グループ展、師清水錬徳、東洋美術学校卒、石川、1954 〒352-0034 埼玉県新座市野寺3-2-24 048-481-2424

ATSUI NORIKO
公井 典子 3万
無所属、行動展出、個展、グループ展、師清水錬徳・池田幹雄、東洋美術学校卒、北海道、1955 〒352-0034 埼玉県新座市野寺3-2-24 048-481-2424

ATSUI MICHIO
公井 通央 5万
独立美術協会会員、独立展新人賞・独立賞、東京セントラル美術館油絵大賞展・文化庁現代美術選抜展出品、師藤田吉香、東京藝大、福岡、1949 〒194-0046 東京都町田市西成瀬1-6-14 042-722-6886

ATSUI YUKIKO
公井 由紀子 5万
サロン・ドートンヌ会員、ル・サロン会友、二科展入、個展、師西村龍介、静岡、1930 〒336-0021 埼玉県さいたま市南区別所4-7-15 048-861-7050

ATSUI YOSHIAKI
公井 ヨシアキ 8万
無所属、第19回昭和会賞、個展（日動画廊他）、グループ展、福井、1947 〒194-0046 東京都町田市西成瀬1-8-13 042-726-7670

ATSUURA TAKAFUMI
公浦 敬文 2.5万
無所属、飛翔会代表、読売美術展、第一美術展他出品、グループ展、岐阜、1950 〒505-0125 岐阜県可児郡御嵩町伏見高倉34 0574-63-1194

ATSUURA YASUHIRO
公浦 安弘 10万
新制作協会会員・新作家賞2、昭和会展林武賞、安井賞展、明日への具象展、具象ビエンナーレ展他、福岡市美術館回顧展（97年）他個展多数、渡伊ローマ滞在、武蔵野美大卒、福岡、1937 〒248-0002 神奈川県鎌倉市二階堂669 0467-25-5804

ATSUO TAKASHI
公尾 隆司 6万
二紀会参与、二紀展（1974年～出品）、宮永賞・栗原賞・文部科学大臣賞・第65回記念大賞、個展多数（画廊岳・東急本店・ギャラリー一枚の繪・ギャラリームサシ他）、師大久保実雄、武蔵野美術学校卒、長崎、1935 〒165-0034 東京都中野区大和町4-30-2 03-3337-7653

ATSUDA KAZUTOSHI
公田 一聡
無所属、個展・グループ展（ホキ美術館・Gallery Suchi他）、アートフェア出品、東京藝大大学院修了、京都、1973

ATSUDA KENICHI
公田 憲一 5万
水彩人同人、アンチーム展代表、昭和会展優秀賞、安田火災美術財団奨励賞、日展入、個展、グループ展、師長沢節、セツ・モード・セミナー卒、岩手、1948 〒252-0224 神奈川県相模原市中央区青葉1-5-12 042-755-8860

ATSUDA TAKAAKI
公田 高明 4万
ソシエテ・ナショナル・デ・ボザール名誉会員、杜人会会員、神奈川県美術家協会会長、日本美術家連盟会員、国際現代美術家協会（i.m.a.）代表、日本美術学校卒、神奈川、1946 〒234-0052 神奈川県横浜市港南区笹下4-3-38 045-843-7440

ATSUDA TAMAKI
公田 環 6万
立軌会同人、日洋展日洋賞、第8回タカシマヤ美術賞、21世紀展、個展、具象現代展、グループ展、愛知芸大大学院修、北海道、1949 〒270-1114 千葉県我孫子市新木野4-3-24 04-7187-6773

ATSUNAGA KEN
松永 賢 2万
とよた美術展優秀賞、愛知、1966 〒460-0008 愛知県名古屋市中区栄3-27-33 ロータリーマンション栄315

ATSUNO KO
松野 行 4万
日展準会員、日洋会監事、栃木県新作家集団会員、日展審1・特選2、日洋展損保ジャパン美術財団賞・委員賞、上野の森大賞展優秀賞、北関東美術展、ベストセレクション美術2012、個展39、師日野耕之祐、栃木、1958 〒329-1575 栃木県矢板市大槻2318-78

ATSUBARA JUN
松原 潤 4万
独立美術協会会員、日本美術家連盟会員、独立展（1983年～出品）新人賞・独立賞・中山賞・奨励賞4・2002年会員推挙、前田寛治大賞展、東京セントラル美術館油絵大賞展、美の予感展、新世紀を開く美展、他個展・グループ展多数、多摩美術大学大学院修、東京、1959 〒192-0044 東京都八王子市富士見町24-1 0426-42-0785

ATSUBARA SEIYU
松原 政祐 5万
行動美術会員、行動美術賞、40周年記念大賞、前田寛治大賞展大賞、武蔵野美術学園卒、兵庫、1951 〒675-1111 兵庫県加古郡稲美町印南1642-21 0794-95-5910

ATSUMURA SHIGERU
松村 繁 5万
無所属、元白日会会員、白日賞、安田美術財団奨励賞、個展、武蔵野美大大学院修、北海道、1959 〒005-0850 北海道札幌市南区石山東4-11-10 011-591-2364

ATSUMURA TAKUJI
松村 卓志 4万
筆の里工房学芸課長、個展・グループ展多数、広島市立大学芸術学部大学院修、広島、1976 〒731-4214 広島県安芸郡熊野町中溝3-7-18

MATSUMURA HIROYUKI	松村 浩之	2万	独立美術協会会員、2000年～独立展出品・07年独立賞、02年上野の森美術館大賞展優秀賞、04年多摩秀美術展大賞、05～09年昭和会展招待、08年損保ジャパン美術財団選抜奨励展、10年前田寛治大賞展出品 個展9、師大津英敏、多摩美大大学院修、山口、1978　〒939-1364 富山県砺波市豊町1-8-4　豊町ハイツ2
MATSUMOTO ZENZO	松本 善造	6万	二紀会会員、二紀展褒賞・同人賞・同人優賞・会員賞、熊谷守一大賞展大賞、青木繁記念大展優秀賞、小磯良平大賞展入選3、文化庁現代美術選抜展出品、三重、1946　〒510-8102 三重県三重郡朝日町小向2053　059-377-352
MABUCHI KENSUKE	真渕 健輔	4万	無所属、神戸二紀展、関西二紀展、個展、グループ展、大阪芸大卒、1977　〒655-0052 兵庫県神戸市垂水区舞多聞東3-2-7　078-784-450
MARUIKE SHIGERU	円池 茂	8万	無所属、シェル美術賞展3席、個展、滞仏、東京藝大卒、東京、1941　〒173-0011 東京都板橋区双葉町41-2　03-5248-206
MARUYAMA KATSUMI	丸山 勝三	5万	無所属、メキシコ・アメリカ・スペインに滞在、個展メキシコ市スペイン会館・三越（新宿・札幌・大阪・日本橋）・松江一畑百貨店他数十回、武蔵野美大卒、島根、1943　〒683-0032 鳥取県米子市陽田町92-13　0859-32-640
MARUYAMA TSUTOMU	丸山 勉	9万	日展特別会員、白日会会員、日展（1999年初入選）・審査員・特選2、白日展（87年初出品）・M賞・T賞・富田賞・09年文部科学大臣賞他、東京セントラル美術館油絵大賞展、両洋の眼展、文化庁現代美術選抜展、21世紀展、個展・グループ展多数、東京造形大学卒、栃木、1963　〒158-0097 東京都世田谷区用賀1-7-14　ヴェルセ用賀301　03-3700-336
MIURA AKINORI	三浦 明範	8万	春陽会会員・前理事長、新人賞、安井賞展、昭和会展出品、東京学芸大卒、秋田、1953　〒270-0015 千葉県松戸市小金上総町2-2　047-344-541
MIURA IZUMI	三浦 泉	6万	安井賞展佳作賞、個展（ギャルリー東京ユマニテbis・ギャラリーアルトラ他）、師竹澤基・藤本一良、金沢美工大大学院修、石川、1958
MIURA HIROYUKI	三浦 裕之	5万	土日会会員、1976年～土日会展出品、東京セントラル美術館油絵大賞展、秋田21世紀洋画展（秋田県立美術館）、他個展・グループ展多数、師糸園和三郎、日本大学芸術学部卒、秋田、194 〒181-0001 東京都三鷹市井の頭5-7-1　0422-48-100
MIURA YUKO	三浦 裕子	5万	ル・サロン会員、パリ・アンデパンダン会員、サロン・ド・デッサン展（パリ）出品、ニューヨーク・ゲント・ニーム・タイペイ・モナコその他アートフェア出品、国際美術大賞展・亜細亜現代美術展・現代洋画精鋭選抜展（銅賞）他出品・賞、個展21（新井画廊、銀座タカゲン画廊他）、東京　〒174-0056 東京都板橋区志村2-14-18-306　03-3967-643
MIENO KEI	三重野 慶	4万	白日会展入、広島県美術展入、広島市立大卒（卒業制作M氏賞）、1985　広島県在住
MIKUNI YOSHIO	三國 芳郎	5万	新・童画代表、都知事賞、文部大臣賞、個展、北海道、1945　〒111-0023 東京都台東区橋場1-36-11　カーサ浅草桜橋403　03-5603-600
MISAKA MASAHIKO	三阪 雅彦	10万	一陽会運営委員、一陽展一陽賞、二科展特選、文化庁現代美術選抜展、大阪・神戸・東京個展多数、念佛宗三寳山無量壽寺天井画障壁画制作、大阪、1949　〒630-0247 奈良県生駒市光陽台258-6　0743-73-771
MISAWA GENICHIRO	三澤 源一郎	4万	一水会会友、神奈川県展知事賞、日展入、東京セントラル美術館油絵大賞展入、長野、194 〒399-0701 長野県塩尻市広丘吉田533-4　0263-58-703
MISHIO KIYOMI	三塩 清巳	10万	日展特別会員・東光会会員、特選、個展、現代美術作家選抜展、グループ展、師森田茂、佐賀、1929　〒248-0002 神奈川県鎌倉市二階堂236-2　0467-23-067
MISHIMA TETSUYA	三嶋 哲也		日本美術家連盟会員、米国ARC Salon Competition人物画部門・静物部門でHonorable Mentio 受賞、個展40、中央美術学園、長野、1972　〒167-0022 東京都杉並区下井草5-10-22 http://mishimatetsuya.com/　03-5382-348
MIZUSHIMA YASUHIRO	水嶋 靖博	4万	示現会委員、佳作賞、個展、グループ展、師大内田茂士、慶応大卒、東京、1940　〒192-037 東京都八王子市南陽台3-10-4　0426-78-093
MIZUMAKI REIKO	水巻 令子	3万	二紀会準会員、二紀展準会員賞、第19回富嶽ビエンナーレ展、千葉県展賞、個展、京都造形芸大美術科卒　〒272-0804 千葉県市川市南大野2-20-20　047-338-059
MIZOBE SATOSHI	溝部 聡	10万	無所属、東京セントラル美術館油絵大賞展招待出品、個展・グループ展、師彼末宏、東京藝大卒（大橋賞）、東京藝大大学院修（彼末教室）、大分、1960　〒238-0234 神奈川県三浦市諏訪町5-3　046-804-366
MITA HAJIME	三田 肇	4万	無所属、個展、全関西美術展、京展入、グループ展、大阪芸大卒、大阪、1961　〒596-0823 大阪府岸和田市下松町1156-39　0724-27-875

TANI YUJI 三谷 祐資	12万	無所属、シェル賞展佳作賞、行動美術T氏賞、全長170m「四季の国・日本」展（2018年兵庫県立美術館ギャラリー）他個展多数、愛知万博出品、日本国際美術展出品、三重、1946 〒669-1504 兵庫県三田市小野1164-297 http://www.y-mitani.net/ 079-566-0020
TAMURA KAZUO 三田村 和男	3.5万	無所属、サロン・ドートンヌ、シカゴ国際アートコンペテシオン、個展（西武他）、福井、1943 〒915-0857 福井県越前市四郎丸町58-2-41 0778-24-1751
TSUMOTO AKIHIRO 光元 昭弘	6万	白日会準会員、白日会展瀧川画廊賞・関西画廊賞、個展（池袋東武、あべのハルカス近鉄本店）、グループ展（リアリズム・コンプレックス、アートフェア東京他）、北九州市立大学大学院博士前期課程修、香川、1983 〒244-0812 神奈川県横浜市戸塚区柏尾町749 プリムローズ テラス101 http://akihiro-mitsumoto.jimdo.com
NAKUCHI HIROMU 水口 裕務	6万	京展受賞、独立展出品、個展、安井賞展出品、京都芸大卒、徳島、1958
NAMI ERI 美浪 恵利	3万	二紀会準会員、2005年二紀展初入選、二紀展二紀賞・準会員賞、09年昭和会展昭和会賞、損保ジャパン美術財団選抜奨励展、個展（日動画廊・日本橋三越本店他）、グループ展多数、徳島大卒、徳島、1982 http://eriminamieriminami.jimdo.com/
NAMIGUCHI SEIJI 南口 清二	7万	二紀会理事・事務局長・文部科学大臣賞・栗原賞・田村賞・宮本賞・黒田賞・大橋賞、文化庁現代美術選抜展、文化庁在外研修員（渡イタリア）、東京セントラル美術館他個展多、東京藝大（小磯教室）卒・同大学院修、大阪、1947 〒193-0941 東京都八王子市狭間町1389-146 042-666-0180
NAMIDA MASAYASU 南田 昌康	7万	無所属、個展、国際展出品、グループ展、スペイン国立アカデミー修、岡山、1936 〒255-0003 神奈川県中郡大磯町大磯751 0463-61-9877
NE YASUKO 峰 八州子	2.5万	無所属、個展、ニューヨークアートスチューデントリーグ研修、北海道、1956 〒203-0012 東京都東久留米市浅間町3-4-4 042-438-0773
NEMI KATSUZO 峰見 勝蔵	5万	無所属、具象現代展同人賞、油絵大賞展大賞、安井賞展、師脇田和・中根寛、東京藝大大学院修、大阪、1944 〒190-0142 東京都あきる野市伊奈899-6 042-595-3805
YAZAKI JIRO 宮﨑 次郎	7万	無所属、日本美術家連盟会員、昭和会展昭和会賞、個展（日動画廊・日本橋三越）、文化庁在外研修員渡仏、師渡邉武夫・荻太郎・中根寛、日本大芸術学部美術学科卒、埼玉、1961 〒330-0062 埼玉県さいたま市浦和区仲町3-11-2 http://www.jiromiyazaki.com/ 090-9157-1979
YASHITA YUKIE 宮下 幸江	5万	無所属、県教育委スペイン留学、日仏現代作家招、昭和会展招、個展、群馬、1964 〒375-0001 群馬県藤岡市中島309 0274-42-7722
YASHIMA HIROYUKI 宮島 弘行	3万	無所属、個展、熊日展出品、師宮島達司、熊本、1958 〒861-4225 熊本県熊本市南区城南町東阿高1327-9 0964-28-7334
YASHIRO MICHIKO 宮代 道子	5.5万	大洋会常任委員、大洋会賞、個展、日本山林美術委員、日洋展、新日洋展入、学習院大卒、神奈川、1947 〒253-0021 神奈川県茅ヶ崎市浜竹3-2-14 0467-82-7405
YATA KEI 宮田 圭	8万	無所属、個展（横浜髙島屋・大阪髙島屋他）、東京藝大（脇田和教室）卒、神奈川、1945 〒222-0013 神奈川県横浜市港北区錦が丘12-16 045-401-0849
YAMOTO TOYOZO 宮本 豊蔵	6万	無所属、安井賞出展、個展（金井画廊・県文化センター・東京セントラル絵画館）、フランス・イタリア・スペイン取材、作品集発刊、独学、福島、1952 〒960-0231 福島県福島市飯坂町平野字東道下12-1 024-542-2088
YAMOTO HIROYUKI 宮本 裕之	4万	日展会友、一水会会員、会員佳作賞、佳作賞、個展、師中村琢二、多摩美大卒、静岡、1943 〒247-0063 神奈川県鎌倉市梶原2-26-1-308 0467-47-3078
IWA OSAMU 三輪 修	6万	白日会会員、白日賞、U賞、第五回熊谷守一大賞展佳作、個展（名古屋日動・大丸松坂屋）、愛知、1958 〒491-0918 愛知県一宮市末広2-7-10 パークハイム末広B102 https://miwa-art.jimdo.com/
IWA MITSUAKI 三輪 光明		新芸術協会評議員、現創会運営委員、ガラス絵作家協会会員、藤田医科大学美術顧問、ANET（愛知芸術文化協会）会員、新芸術展銅賞・奨励賞・愛知県知事賞他、現創展新人賞・特選他、中部二紀展奨励賞、中部春陽年展奨励賞、個展15、海外取材多数、京都造形芸大卒、愛知、1941 〒465-0087 愛知県名古屋市名東区名東本通5-50-201 080-4213-5641
UKAI RYUHOU 向井 隆豊	6万	独立美術協会会員、独立展独立賞・高畠賞、安井賞展、明日への具象展、個展、東京藝大卒、兵庫、1950 〒272-0121 千葉県市川市末広1-9-9 050-5857-3412
UTO IWAO 武藤 岩雄	5万	新制作会員、新作家賞、ジャパン大賞展佳作賞、仏政府給費留学、東京藝大大学院修、大阪、1950 〒216-0035 神奈川県川崎市宮前区馬絹6-26-7 044-865-8453

洋画・水彩・版画・他平面 み〜む

MUTO MASAKO	武藤 雅子	3万	文化女子短期大（現・文化学園大）卒、東京、1967 〒180-0004 東京都武蔵野市吉祥寺本 1-28-6-408
MURA KAZUYUKI	ムラ カズユキ	6万	兼水・版（エッチング） 無所属、主体展、千葉県展、韓日現代水彩展招待（ソウル）、個展60、 遊28、亜細亜大卒、千葉、1954 〒290-0235 千葉県市原市栢橋344-2
MURAI KOJI	村井 宏二	3万	無所属、京展入、個展、グループ展、京都教育大卒、京都、1947 〒523-0807 滋賀県近江 幡市中之庄町578-5
MURAI YUMIKO	村井 由美子	3.5万	無所属、京都市展市長賞、個展、グループ展、京都教育大卒、1946 〒523-0807 滋賀県近 八幡市中之庄町578-5
MURAOKA AKEMI	村岡 顕美	5万	無所属、リキテックスビエンナーレ大賞、京展大賞、日本海美術展大賞、安井賞展、個展、精 美術大卒、滋賀、1952 〒611-0033 京都府宇治市大久保町北ノ山14-31 0774-43-54
MURAOKA GAKU	村岡 岳	5万	無所属、日本の自然を描く展入賞、花と女性美展入賞、個展、熊本大学卒、鹿児島、1949 〒21 0033 神奈川県川崎市宮前区宮崎5-12-30 044-854-44
MURAKAMI YOSHIO	村上 征生	6万	無所属、産経児童出版文化賞美術賞、個展（文藝春秋画廊他） 〒422-8017 静岡県静岡市駿 区大谷3100-23 054-238-03
MURAKOSO YUKI	村社 由起	7万	白日会展佳作賞、個展（ギャラリー嶋ノ内・ぎゃらりい朋）、グループ展多数、京都精華大卒、 阪、1971
MURAMOTO SHO	村本 章	6万	二科展入、特選、個展（東武他）、昭和会展、現代の裸婦展他出、師西村龍介、東京、1944 〒15 0072 東京都渋谷区幡ヶ谷2-53-8-602 03-3374-46
MURAYAMA KIOE	村山 きおえ	5.5万	白日会会員・女流画家協会委員、総理大臣賞、文部大臣賞、安井賞展、師糸園和三郎、日大 術学部卒、1941 〒466-0051 愛知県名古屋市昭和区御器所3-6-17 052-882-03
MURAYAMA TAKANOBU	村山 隆信	6万	無所属、二紀会展、個展、コルドバビエンナーレ他出品、千葉商科大卒、東京、1950 〒37 0106 群馬県前橋市富士見町市之木場156-4 027-288-74
MUROKOSHI TAKEMI	室越 健美	7万	無所属、個展、明日への具象展、国際形象展、青年画家展、東京藝大大学院修、群馬、19 〒146-0082 東京都大田区池上6-15-13 03-3753-24
MOGI KOICHI	茂木 紘一	4万	無所属、元創元会員、シェル賞展佳作、日展入、昭和会展招待、渡欧、群馬、1942 〒379-21 群馬県前橋市天川大島町2-17-11 027-224-71
MOCHIZUKI KAZUO	望月 一雄	3.2万	旺玄会常任委員、現代精鋭選抜展金賞、青年画家展、毎日現代展、昭和会展招待、個展、東 1949 〒196-0014 東京都昭島市田中町1-3-14 042-543-03
MOTOKI HIKARI	本木 ひかり	3.5万	個展（ギャラリーアートもりもと）、FINE ART 新進芸術家育成交流作品展（つくば市美術館）、 賀大卒、福岡、1986 http://motokihikari.com/
MOTOKI HIDEHIKO	元木 秀彦	4万	無所属、朝の会展出品、素の会展出品、阿佐ヶ谷美術専門学校卒、香川、1963 〒761-8045 川県高松市西山崎町886-15 0878-21-41
MOTOMATSU SHINICHI	本松 進一	4万	無所属、個展（梅田大丸他）、大阪市立美術研究所修、東京、1937 〒614-8038 京都府八幡 八幡園内31-18 075-981-48
MOTOYAMA JIRO	本山 二郎	4.5万	日展準会員、光風会評議員、石川県美術文化協会委員、金城大短期大学部美術科准教授、光風会展光風奨励賞2・会友賞2・損保ジャパン日本 亜美術財団賞・T氏会員賞、日展入選14・特選2、現代美術展美術文化大賞、個展13、石川県立美術館・金沢美術工芸大学・北國新聞社収蔵、 沢美術工芸大学大学院修、奈良、1971 〒920-1154 石川県金沢市太陽が丘3-392 http://motoyama-jiro.art.coocan.jp 076-234-34
MOTOYAMA TADAO	本山 唯雄	10万	日展特別会員、一水会運営委員、日展審査員8・総理大臣賞・会員賞・特選2、一水会展一水 賞他、安井賞展他、文化庁買上、東京美術学校卒、1927 〒116-0013 東京都荒川区西日暮 4-11-11 03-3821-56
MOMOSE TAIKO	百瀬 太虚	4万	無所属、元示現会委員、示現会展会員賞・奨励賞、白日会展入選、ル・サロン展入選、個展 数、國學院大、長野、1960 〒332-0031 埼玉県川口市青木5-9-1-101 048-255-07

OMOSE TOMOHIRO
百瀬　智宏　7万
無所属、昭和会賞、前田寛治大賞展市民賞、個展、富田賞展、師宮崎進、多摩美大大学院修、愛知、1957　〒150-0022 東京都渋谷区恵比寿南3-1-14　03-3710-6353

ORI KAORU
森　　薫　5万
水彩　無所属、元日本水彩画会会員、元示現会会員、99回日本水彩展審査員、日本水彩展三宅氏賞、コレクターが賞を選ぶ絵画展グランプリ3、國學院大學卒、東京、1935　〒028-7302 岩手県八幡平市八幡平温泉郷1-590-105　0195-78-3824

ORI KAZUHIRO
森　一浩　7万
無所属、風の芸術展大賞、神奈川県展準大賞、個展（鹿児島市立美術館・アフロブラジル美術館）、安井賞展、東京藝大大学院博士課程修、ブラジル

ORI KATSUHIKO
森　勝彦　5万
陶磁器額金箔画　無所属、個展（東京大丸・ギャラリーオルテール）、東京造形大卒、佐賀、1955　〒355-0072 埼玉県東松山市石橋1204　http://lmoril.wixsite.com/katsuhikomori　0493-22-6637

ORI KOJI
森　康次　5万
行動美術協会会員、行動美術賞、個展、同志社大卒、福井、1933　〒610-1125 京都府京都市西京区大原野上里勝山町11-13　075-331-1060

ORI SHINJI
森　愼司　4万
主体美術協会会員、損保ジャパン日本興亜美術財団賞、佳作賞、京展紫賞、個展、現代美術選抜展、京都市立芸大卒、1961　〒630-8044 奈良県奈良市六条西5-15-53　0742-44-6306

ORI TSUTOMU
森　　務　3万
創作画人協会会長・選考委員・文部大臣奨励賞・会員努力賞・林丘賞他、個展4、師楠喬・新海覚雄・狩野寿一、早稲田大学卒、1937　〒350-0233 埼玉県坂戸市南町21-17　http://www.artist-mori-tsutomu.com/　049-281-8638

ORI YOSHIKAZU
森　嘉一　3万
無所属、勤労者美術展秀作賞、日本画廊協会展、個展、グループ展、師橋本博英、阿佐ヶ谷美専卒、神奈川、1963　〒211-0041 神奈川県川崎市中原区下小田中3-14-4　044-777-2509

ORIOKA KENJI
森岡　謙二　4万
二科会評議員、日本美術家連盟会員、二科展（1964年～出品）・70年55回記念展賞・83年会友賞・2005年会員賞、城北二科展70年10周年記念賞・74年佳作賞、ネクスト展（グループ）出品、個展（松屋銀座）、師鷹山宇一、日大芸術学部卒、東京、1946　〒115-0045 東京都北区赤羽2-1-20　03-3901-3697

ORIKAWA HIROTAKA
森川　浩孝　3.5万
青木繁記念大賞展優秀賞、現代日本絵画展大賞、大阪芸大卒、奈良、1965　〒639-1103 奈良県大和郡山市美濃庄町359-2　0743-52-6288

ORISAKI SYUTA
森崎　修太　8万
無所属、個展、ドートンヌ入、ル・サロン入、国際展出、仏美大留学、佐賀、1948　〒299-3234 千葉県大網白里市みずほ台1-3-6　0475-73-2553

ORISHITA KAZUO
森下　一夫　4万
無所属、精鋭選抜展記念大賞展銅賞、個展、京展入、渡欧、京都、1948　〒624-0831 京都府舞鶴市女布791-27　0773-75-8484

ORISHITA TAKESHI
森下　　武　6万
ル・サロン会員、金賞、昭和会展優秀賞、日伯展入、石川、1945　〒238-0316 神奈川県横須賀市長井5-11-21　0468-57-6928

ORITA KAMEI
もりた　かめい　5万
三軌会会員（評議員・審査員）、三軌展文部大臣奨励賞・会員優賞・日経賞・互井賞・新人賞、安井賞展出品、個展多数、福岡、1935　〒302-0024 茨城県取手市新町6-14-2　0297-72-6338

ORITA HIROMI
森田　洋美　2.5万
個展（77gallery他）、グループ展、東京コンテンポラリーアートフェア08、アートフェア東京2009出品、東京藝大大学院修、埼玉、1980

ORIMOTO KEIICHI
森本　計一　5万
東光会会員、東光展奨励賞、フランス芸術協会トリコロール芸術の翼奨励賞、イタリア・ヴェネツィア芸術大賞、華道季刊誌「心粧」表紙画、国内外個展81、スペイン国立装飾美術館に源義経合戦絵画（絹地7m）・日赤美術コレクション・早稲田大学収蔵、師河原修平・岡本肇、早稲田大卒、岡山、1940　〒665-0831 兵庫県宝塚市米谷1-25-1

ORIMOTO HIROKI
森本　宏起　4万
無所属、新世代展出、個展、グループ展、東京藝大大学院修、1962　〒340-0023 埼玉県草加市谷塚町42-13

ORIMOTO MIKIO
森本　幹生　3.5万
無所属、国画水墨院理事・名誉会長賞、元日本選抜美術家協会常務理事、武蔵野美大卒、長野、1949　〒211-0062 神奈川県川崎市中原区小杉陣屋町1-6-8　044-733-0567

ORIYA SHIGERU
森谷　　繁　4.5万
無所属、都民美術展奨励賞、双樹会展銅賞、白日会展入、県展入、日本の自然を描く展（上野の森美術館）入、個展114、東京、1946　〒335-0031 埼玉県戸田市美女木2-2-4　048-421-0679

ORIYOSHI TAKESHI
森吉　　健　4万
新作家美術協会委員・協会賞・奨励賞、日本美術家連盟会員、TAMAうるおい美術展大賞、昭和会展・損保ジャパン美術財団選抜奨励展・前田寛治大賞展出品、個展多数、武蔵野美大大学院修、東京、1969　〒133-0056 東京都江戸川区南小岩6-13-9　03-5668-1179

YAGI MICHIO
八木 道夫 5.5万
国画会会友、全日本肖像美術展特選、日仏現代展フィガロ賞、現童展優秀作家賞、静岡、19
〒195-0062 東京都町田市大蔵町3002-24 有限会社 八木画房 042-734-02

YAGIDA TAKAKO
八木田 隆子 3万
無所属、個展、女流油絵5人展、師辻真砂、大阪 〒569-1022 大阪府高槻市日吉台6-7-15
072-689-26

YAGIHARA YUMI
八木原 由美 5万
新作家美術協会委員、群馬版画家協会会員、現代の裸婦展（日動画廊）出品、永井画廊「日本の絵画2012」
作賞、アートオリンピア2019審査員特別賞（高橋明也賞）、個展26（東京大丸・大阪そごう他、茨城・神奈川
兵庫・福岡）、女子美大洋画科卒、東京、1950 〒194-0031 東京都町田市南大谷509 042-726-56

YAGURA HIROSUKE
矢倉 弘資 8万
無所属、元白日会会員、安田美術財団奨励賞、個展（梅田画廊）、アカデミーグラン・ショミエ
ル修、イブ・ブライエル、大阪、1946 〒601-1255 京都府京都市左京区上高野東山106
075-791-05

YASUI KEIJI
安井 啓二 5万
一水会会員、研水会委員、一水会展佳作賞・記念賞、個展、渡欧、大阪学芸大卒、大阪、19
〒580-0042 大阪府松原市松ヶ丘1-3-21 072-332-45

YASUOKA ARAN
安岡 亜蘭 3万
無所属、トーキョーワンダーシード入選、個展（日本橋三越・松屋銀座他）、グループ展、東京
大卒、神奈川、1978 〒107-0062 東京都港区南青山5-4-30 新生堂気付 03-3498-83

YASUDA TAKAAKI
安田 隆亮 5万
二元会常任委員、日本美術家連盟会員、二元展文部大臣奨励賞・博尊賞・会員努力賞・30周
記念展ヨーロッパ賞・現代文化協会賞他、三重県文化奨励賞、パラミタミュージアムにて個展
三重、1940 〒511-0035 三重県桑名市東野131-5 0594-21-35

YASUDA MASAHIRO
安田 正弘 4.5万
白日会会員、損保ジャパン美術財団奨励賞、日展入、明日の白日会展、武蔵野美大卒、大阪、19
〒532-0005 大阪府大阪市淀川区三国本町3-23-2 06-6391-43

YASUDA YUZO
安田 祐三 5万
無所属、星槎道都大学特任教授、個展多数（日本橋高島屋・梅田阪急他）、パリ国立美術院留
山形大卒、北海道、1951 〒004-0815 北海道札幌市清田区美しが丘五条5-3-6

YASUTOMI HIROKI
安冨 洋貴 5万
日本美術家連盟会員、京展市長賞、損保ジャパン美術財団選抜奨励展秀作賞、香川県文化芸
新人賞、しんわ美術展グランプリ、個展・グループ展多数、京都造形芸大大学院修（修了制作
学院長賞）、香川、1978 〒761-8072 香川県高松市三条町106-8-605

YASUMOTO RYOSUKE
安元 亮祐 6万
無所属、昭和会賞、安田火災美術財団新作秀作賞、安井賞展、油絵大賞展佳作賞、筑波大付
聾学校美術専攻科中退、兵庫、1954 〒309-1722 茨城県笠間市平町806-417
(FAX)0296-78-21

YATOMI SETSUKO
弥富 節子 7万
国画会会員、国展新人賞、安井賞展入選、西日本美術展大賞、東京セントラル美術館油絵大
展佳作賞、個展多数（日本橋高島屋他）、外遊2、東京女子大学、福岡、1946 〒830-0023 福
県久留米市中央町19-15 サザンコート中央町701

YANAGITA AKIRA
柳田 晃良 4万
無所属、上野の森美術館大賞展特別優秀賞、昭和会展、個展（日本橋三越等計30回以上）、栃
1961 〒326-0025 栃木県足利市寿町20-9 0284-44-02

YANAGIDA TASUKU
柳田 補 10万
無所属、個展（愛媛県立美術館分館他）、アカデミーグラン・ショミエール修、愛媛、1948 〒79
0014 愛媛県松山市柳井町1-12-4 089-900-24

YANAGIDA MASAKAZU
柳田 正和 5万
無所属、現代の裸婦展、太陽展招待、米国際展出、個展（松屋・そごう・東武他）、神奈川、19
〒160-0005 東京都新宿区愛住町8 03-3351-86

YANASE TOSHIYASU
栁瀬 俊泰 5万
日展会員、日洋会理事・審査員、美幌博物館学芸協力員、菱川賞運営委員、日展特選、紺綬
章、上野の森美術館大賞展特別優秀賞、個展、東京 〒152-0032 東京都目黒区平町1-5-2
03-3723-02

YANASE MASAO
栁瀬 雅夫 3万
元白日会会員、佳作賞、中部白日会展中日新聞賞、個展、昭和会展出、名古屋芸大大学院修、
岡、1971 〒481-0011 愛知県北名古屋市高田寺出口82

YABUNO KEN
藪野 健 10万
日本藝術院会員・藝術院賞、二紀会理事、早稲田大学栄誉フェロー・名誉教授、二紀展文部
臣賞・宮本賞他、安井賞展佳作賞、昭和会展優秀賞他、シェル美術賞3等、早稲田大学大学
修、愛知、1943 〒183-0055 東京都府中市府中町1-25-4

YABE AKIRA
矢部 明 5万
第一美術評議員、千葉県支部長、受賞、個展、グループ展、福島、1955 〒283-0103 千葉県
武郡九十九里町田中荒生1380-3 0475-76-03

YAMAUCHI KAZUNORI
山内 和則 6万
独立美術協会会員・独立賞・高畠賞・新人賞、昭和会展優秀賞、静岡県芸術祭グランプリ、安
賞展・日動展他出品、文化庁派遣在外研修渡仏、個展多、師松樹路人、武蔵野美大卒、静岡
1949 〒206-0802 東京都稲城市東長沼183 042-378-53

AMAUCHI SHIGEO
山内 滋夫 7万
写実画壇会員、高島屋他個展、現代形象展、八月会展・八章会展等グループ展多数、師里見勝蔵・ベルナール・ロルジュ、パリ国立美術学校修、大阪、1947 〒251-0033 神奈川県藤沢市片瀬山5-30-11 0466-26-0345

AMAUCHI DAISUKE
山内 大介 4万
白日会会員、日展会友、白日会展損保ジャパン日本興亜美術財団賞、日展特選、昭和会展東京海上日動賞、個展（あべのハルカス近鉄本店、渋谷・東急本店）、名古屋芸大大学院修、三重、1981 〒497-0040 愛知県海部郡蟹江町城1-196-101 090-2133-3993

AMAOKA YASUKO
山岡 康子 4万
無所属、個展、画廊企画展、グループ展、京都芸大卒、京都、1948 〒158-0095 東京都世田谷区瀬田1-9-21-B 03-6447-9113

AMAGUCHI AIMI
山口 愛美 4万
春陽会会員、春陽会賞、前田寛治大賞展出、個展、グループ展、女子美短大卒、神奈川、1982 〒215-0023 神奈川県川崎市麻生区片平1556 044-988-0358

AMAGUCHI KAZUO
山口 和男 5.5万
無所属、元新日洋会会員、日洋展奨励賞、個展（池袋東武・丸善丸の内本店）、グループ展、お茶の水美院卒、神奈川、1950 〒257-0003 神奈川県秦野市南矢名2215-22 https://kazuo-y-art.jimdo.com 0463-77-8450

AMAGUCHI SHINKOH
山口 真功 5万
無所属、国際美術大賞展入、花の美術大賞展入、個展（松屋銀座・大丸神戸店他）、大阪芸大卒、大阪、1960 〒570-0028 大阪府守口市本町2-5-13 06-6900-2813

AMAGUCHI SHINJI
山口 進治 4万
二科展特選、個展22、グループ展、師久保繁造、群馬、1951 〒371-0215 群馬県前橋市粕川町深津19-1 027-285-5451

AMAGUCHI SEIJI
山口 静治 5万
国画会会員、国展国画賞・50周年記念賞、浅井忠記念賞展入、個展、長崎、1947 〒653-0863 兵庫県神戸市長田区宮丘町1-4-18 078-621-4713

AMAGUCHI SENRI
山口 千里 3.5万
無所属、国展奨励賞、風の芸術展トリエンナーレ市民大賞・準大賞、個展（日本橋高島屋）、聖心女子大卒、福岡 〒102-0093 東京都千代田区平河町1-3-2-701 03-3262-0549

AMAGUCHI HIROMI
山口 ひろみ 10万
無所属、元白日会準会員、白日展特別賞、東京セントラル美術館大賞展招待、個展（高島屋）、山梨、1948 〒305-0856 茨城県つくば市観音台1-5-13 029-836-0645

AMAGUCHI MASATO
山口 正人 6万
二科展連入、二科展特選、ル・サロン、個展、グループ展、渡欧、師西村龍介、佐賀、1934 〒184-0014 東京都小金井市貫井南町5-1-18 042-301-6521

AMAGUCHI MINORU
山口 実 10万
行動美術協会会員、前田寛治大賞展出、安井賞展出、都美館ベストセレクション出、現代日本美術展、和の会招待、渡仏、静物、武蔵野美大卒、香川、1949 〒143-0023 東京都大田区山王1-31-24 03-3772-4082

AMAZAKI AKIRA
山崎 明 5万
二科展入、個展、グループ展、師久保田九一・西村龍介、長野、1934 〒187-0023 東京都小平市上水新町2-25-23 042-345-7055

AMASHITA TORU
山下 徹 12万
無所属、個展、グループ展、東京藝大大学院修（彼末教室）、大阪、1952 〒144-0051 東京都大田区西蒲田7-4-3 カーサ蒲田607 03-3730-5435

AMASHITA MICHIO
山下 三千夫 6万
無所属、個展（大阪・福岡・東京他）、仏留学、児玉美術館蔵、鹿児島、1948 〒890-0073 鹿児島県鹿児島市宇宿7-23-23 099-265-5300

AMADA KAZUYOSHI
山田 一好 2.5万
現代創像美術協会会員、サロン・デ・ボザール展大賞、大日本平成展紺寿賞、静岡、1927 〒289-1522 千葉県山武市松尾町高富1544-24

AMADA NOBUYA
山田 展也 5万
モダンアート協会会員（協会賞・安田火災美術財団奨励賞・35回記念協会賞他）、文化庁現代美術選抜展、日仏現代美術展、中・日・韓美術交流展（上海美術館）、ART SANTAFE（ニューメキシコ州）、東京都美術館ベストセレクション展、個展40、多摩美術大学卒、北海道、1948 〒377-0003 群馬県渋川市八木原591-2 0279-24-6082

AMADA HIROSHI
山田 博司 6.5万
白日会会員、日展会友、師伊藤清永、大阪、1934 〒631-0006 奈良県奈良市西登美ケ丘8-4-3 0742-46-3349

AMADA YOSHIHIKO
山田 嘉彦 15万
立軌会同人、東京学芸大学名誉教授、国際形象展、富山を描く一百人百景展、斎藤豊作と日本の点描展他、個展多数（日本橋高島屋・三越他）、1969～71年フランス政府給費留学生として渡仏・マルセーユ芸術建築学校（ピュッス教室）留学、師牛島憲之、東京藝大大学院修、東京、1940 〒185-0022 東京都国分寺市東元町1-21-30 042-326-7288

AMATAKA TORU
山高 徹 3万
無所属、イタリア美術賞展、上野の森美術館大賞展他出、個展、東京藝大大学院修、1972

YAMATO SHUJI
大和 修治 7万
無所属、元立軌会同人、元独立美術出品、現代洋画精鋭選抜展金賞、個展、武蔵野美大卒、19
〒259-0122 神奈川県中郡二宮町富士見が丘2-3-27 0463-72-41

YAMANAKA MASAHIKO
山中 雅彦 20万
白日会会員、白日展T賞・M賞他、個展（春風洞画廊・相模屋美術店）、師野田弘志、盛岡第一校卒、岩手、1955 〒132-0013 東京都江戸川区江戸川2-27-9

YAMANE SUMAKO
山根 須磨子 4万
独立美術協会会員、日本美術家連盟会員、滋賀県美術協会会員、独立展独立賞・芝田米三賞・関西独立展奨励賞・都新聞社長賞他、京展市長賞・紫賞、京都精華大学非常勤講師、アサヒカルチャー講師、京都日曜画家協会講師、遊多数、個展多数、京都市立芸大西洋画科卒、京都 〒520-0016 滋賀県大津市比叡平3-17-17 077-529-21

YAMABA HITOSHI
山羽 斌士 10万
無所属、具象現代展奨励賞、独立展・現代日本新人作家展・両洋の眼展他出品、個展、東京大大学院壁画研究室修（大橋賞）、愛知、1944 〒411-0931 静岡県駿東郡長泉町東野137-19
045-851-37

YAMAMURA HIROO
山村 博男 5万
国画会会員・会友優作賞・新人賞、昭和会賞、上野の森美術館大賞展佳作賞、名古屋芸術創賞、金沢美工大卒、愛知芸大大学院修、愛知、1950 〒460-0008 愛知県名古屋市中区栄3-2 7 シーアイマンション南大津1102号 052-264-38

YAMAMOTO AKI
山本 あき 1.5万
無所属、新生展新生賞、個展（新生堂・西武渋谷他）、グループ展、愛知県芸大大学院修、愛知 1985 〒107-0062 東京都港区南青山5-4-30 新生堂気付 03-3498-83

YAMAMOTO AKIHIKO
山本 明比古 7万
無所属、上野の森美術館大賞展特別優秀賞、前田寛治記念賞展大賞、両洋の眼現代の絵画展DOMANI明日展出品、個展、武蔵野美大大学院修、愛知、1950 〒252-0312 神奈川県相模市南区相南4-5-10 042-742-94

YAMAMOTO OSAMU
山本 治 6万
立軌会同人、昭和会展出、個展多数、両洋の目展他グループ展多数、渡伊、東京藝大大学院修兵庫、1946 〒194-0012 東京都町田市金森1-34-4 042-722-95

YAMAMOTO KAZUE
山本 一恵 4万
無所属、個展（髙島屋・阪急・三越）、グループ展、京都市立芸大卒、大阪、1968 〒689-04 鳥取県鳥取市鹿野町今市1070-1

YAMAMOTO KEISUKE
山本 桂右 6万
白日会会員、日本版画協会会員、昭和会展優秀賞、個展（日動画廊・大阪髙島屋）、金沢美工大学院修、大阪、1961 〒612-8141 京都府京都市伏見区向島二ノ丸町68-63 075-601-74

YAMAMOTO TEI
山本 貞 30万
二紀会理事長、日本藝術院会員、日本美術家連盟理事長、日本藝術院賞、宮本三郎記念賞、安田火災東郷青児術館大賞、横浜文化賞、旭日中綬章、二紀展二紀賞・文部大臣賞他、武蔵野美術学校卒、早稲田大学中退、アトステューデンツリーグ留学、東京、1934 〒222-0004 神奈川県横浜市港北区大曽根台1-17 045-541-56

YAMAMOTO HIROKI
山本 大貴 10万
白日会会員、白日会展出品・白日賞・富田賞・アートもりもと賞、昭和会展優秀賞、武蔵野美大学院修、千葉、1982

YAMAMOTO FUMIHIKO
山本 文彦
二紀会常任理事、日本藝術院会員、筑波大学名誉教授、二紀展宮本賞・文部大臣奨励賞・内総理大臣賞・金山賞、日本藝術院賞・恩賜賞、第14回安井賞、昭和会展林武賞、第10回宮本郎記念賞、個展多数、東京教育大学卒、東京、1937 〒300-1222 茨城県牛久市南2-10-20

YAMAMOTO MASAAKI
山本 雅章 4万
無所属、国展前田賞、青森現代美術結成、個展、武蔵野美大卒、青森、1934 〒287-0003 葉県香取市佐原イ1279-32 0478-52-95

YAMAMOTO MASAHIDE
山本 正英 7万
無所属、両洋の眼展、新人選抜展出品、個展（日本橋三越本店・大阪髙島屋・松坂屋本店・天屋本店他）、グループ展多数、愛知県立芸大大学院修、山梨、1948 〒177-0053 東京都練馬関町南4-15-5-610

YAMAMOTO MASUO
山本 満洲男 4.5万
無所属、ハプスブルグ宮廷芸術会員、元二科会会員、二科展特選、サロン・ド・パリ大賞、パ市民賞、個展15（阪神他）、師大渕陽一、満州、1941 〒615-0012 京都府京都市右京区西院山寺町1-4 075-313-15

YAMAMOTO YASUHISA
山本 靖久 5万
主体美術協会会員、武蔵野美術大学教授、銀座大賞展大賞、神奈川県展大賞、東京セントラ美術館油絵大賞展佳作賞、安井賞展、個展、武蔵野美大大学院修、神奈川、1963 〒351-00 埼玉県朝霞市上内間木493-1 丸沼芸術の森内 048-456-25

YAMAMOTO YUZO
山本 雄三 5万
独立美術協会会員、女子美術大学教授、日本美術家連盟会員、独立展新人賞・奨励賞・独立賞、昭和会展日動火賞、前田寛治大賞展大賞、損保ジャパン美術財団選抜奨励展秀作賞、個展（日動画廊・日本橋髙島屋・日本橋三越他師松樹路人、武蔵野美大大学院修、鳥取、1964 〒185-0014 東京都国分寺市東恋ヶ窪6-14-10 042-329-29

YAMAMOTO YUKIO
山本 幸雄 6万
二元会会長、朝日カルチャー講師、二元展奨励賞・二元会賞・鈴木賞・桂冠賞・内閣総理大賞、83～85年渡米、個展、師川田茂、兵庫、1947 〒653-0043 兵庫県神戸市長田区駒ヶ林5-12-16 078-631-64

YAMAYASU TAKASHI
山安 直志 3.5万
無所属、ホキ美術館大賞展、新生絵画賞展、東京、1984 〒350-1213 埼玉県日高市高萩175 8

洋画・水彩・版画・他平面 や

NG SHAOLIANG
楊 紹良 10万
無所属、日中交流美術展出品2・横浜市長賞、"ima" 展出品・"ima" 協会賞、個展（日本橋三越他）、広東省美術学校卒、武蔵野美大大学院（修士）修、中国（広東省）、1961　〒104-0061 東京都中央区銀座5-14-16　銀座アビタシオン1F　靖山画廊気付　03-3546-7356

NBE TOSHIJI
山家 利治 5万
二紀会会員・準会員優賞・奨励賞・新人選抜優賞、第15回青木繁記念大賞公募展・石橋美術館賞、河北美術展招待・受賞6、ふるさとの風景展準大賞、宮城県芸術協会運営委員、県芸術選奨新人賞、個展37、東北学院大卒、宮城、1956　〒989-1606 宮城県柴田郡柴田町船岡字西住町2-6　0224-53-2368

KI MITSUNO
結城 美津乃 5万
無所属、女流彩雅会代表、元現代童画会会員、花と女性美展出品、多摩造形美術研究所、山形、1933　〒194-0013 東京都町田市原町田1-13-1-216　042-727-1777

YAMA TOSHIHISA
湯山 俊久 8万
日展理事、元白日会常任委員、日本藝術院賞、日展審査員4・特選2・会員賞・内閣総理大臣賞、白日会展佳作賞・奨励賞2・文部科学大臣奨励賞・伊藤賞・内閣総理大臣賞他、個展（日本橋三越他）・グループ展多数、2000年『気軽に楽しむスケッチBOOK』（西東社）刊、多摩美大卒、静岡、1955　〒235-0045 神奈川県横浜市磯子区洋光台2-12-33　045-833-5654

NDE KENPEI
弓手 研平 4万
一水会常任委員、研水会委員、奈良県美術人協会会員、日本美術家連盟会員、一水会展文部科学大臣賞・佳作賞3・新人賞、昭和会展日動美術財団賞、損保ジャパン美術財団選抜奨励賞展大賞、日動画廊（大阪・東京・福岡）、三越（大阪・福岡）他個展、大阪芸術大学専攻科修、大阪、1970　〒639-2154 奈良県葛城市兵家616　0745-44-9186

KOE ITSUMI
横江 逸美 4万
国画会会員、国展新人賞、伊藤廉記念賞展奨励賞、個展、グループ展、愛知芸大大学院修、愛知、1963　〒465-0053 愛知県名古屋市名東区極楽4-407

KOO MASAO
横尾 正夫 9万
光風会評議員、光風会展桜賞・ムーン賞・中村研一賞・鬼頭鍋三郎賞・辻永記念賞、日展会友、個展多数、師小磯良平、東京藝大油画科卒、山形、1938　〒359-1167 埼玉県所沢市林3-581-5　04-2949-1071

KOTA EIKO
横田 瑛子 4万
現代美術家協会運営委員、日本美術家連盟会員、現展現展賞・第65回記念展賞、損保ジャパン美術財団奨励賞、現代美術日韓展、コンテンポラリーアートトライアル、個展多数、武蔵野美短大卒、神奈川、1945　〒252-0216 神奈川県相模原市中央区清新2-13-5　042-755-8616

KOTA RITSUKO
横田 律子 3万
日洋会委員、日本美術家連盟会員、ル・サロン永久会員、日洋展損保ジャパン日本興亜美術財団賞・委員賞・会員賞・奨励賞2、東京二紀展マツダ奨励賞、ル・サロン展銅賞、上野の森美術館大賞展佳作賞等、二紀展・女流展入選、フィリピンVirgle Diana研究所、個展、グループ展、高知、1942　〒153-0065 東京都目黒区中町2-23-3　03-3716-2835

KOBORI YOSHIHIRO
横堀 喜寛 3万
無所属、アジア国際美術展佳作賞、日仏現代美術展出、個展、多摩美大中退、奈良、1948　〒639-1124 奈良県大和郡山市馬司町50-67　0743-56-4062

KOMORI MIKIO
横森 幹男 8万
立軌会同人、和の会招待、独立展出品、仏政府給費留学、東京藝大大学院修、東京、1944　〒216-0011 神奈川県川崎市宮前区犬蔵2-32-2-217　044-976-4052

KOYAMA KAZUO
横山 和男 3.5万
無所属、ミレー友好協会最優秀賞、凱旋門賞、新人奨励賞、個展（近鉄・東武・そごう他）、高知、1937　〒590-0504 大阪府泉南市信達市場451-1-403　0724-85-1663

KOYAMA SHINSEI
横山 申生 8万
無所属、ル・サロン銀賞、日展、日洋展賞、個展（日本橋三越）、師坂本繁二郎、武蔵野美大卒、福岡、1932　〒257-0031 神奈川県秦野市曽屋5389-2　0463-81-7116

SHII AKIRA
吉井 章 4.5万
国画会会員、国展新人賞、安井賞展出、個展、東京藝大大学院修、広島、1949　〒732-0063 広島県広島市東区牛田東3-12-2　082-227-1648

SHIOKA KIYOKO
吉岡 伎世子 4万
無所属、元等迦会会員、一明会展金賞・銀賞、個展、師深沢昭明、女子美大付属高卒、東京、1936　〒245-0052 神奈川県横浜市戸塚区秋葉町205-67　045-812-0788

SHIOKA KENJI
吉岡 健二 6万
無所属、インターナショナルサロンドリュテス（パリ）展金賞、グランプリ・ドラ・マンドール展（パリ）審査委員賞、個展多数（国内有名デパート・ギャラリー・美術館他パリ・ドイツ）、愛媛、1948　〒790-0038 愛媛県松山市和泉北1-17-10　089-931-3701

SHIOKA KOJI
吉岡 耕二 10万
サロン・ドートンヌ会員、個展（阪急・東急他）、大阪工芸校卒、パリ国立美大留学、大阪、1943　〒151-0053 東京都渋谷区代々木3-13-1　03-3375-5941

SHIOKA MASATO
吉岡 正人 8万
二紀会理事、埼玉大名誉教授、二紀展文部科学大臣賞・宮本賞・会員優賞他、前田寛治大賞展大賞、安井賞展、浅井忠記念賞展、文化庁在外研修員（渡伊）、筑波大大学院修、大阪、1953　〒350-0407 埼玉県入間郡越生町大字上谷1023-7

SHIKAWA JUNKO
吉川 順子 5万
無所属、真砂美塾、アトリエ吉川主宰、大阪芸大卒、大阪、1949　〒567-0032 大阪府茨木市西駅前10-1110　0726-25-3044

SHIKAWA RYO
吉川 龍 4.5万
無所属、昭和会展優秀賞、雪梁舎フィレンツェ賞展特別賞、東京藝大大学院修、栃木、1971　http://www.ryoyoshikawa.net

氏名	価格	経歴・連絡先
YOSHIKI HIROSHI 吉城　弘	10万	無所属、桑の実美術学園研究所所長、多摩美大校友会名誉理事、国内団体展賞6、国際展賞1 日ロ友好芸術作家称号、パリ他個展69、師森芳雄、多摩美大卒、東京、1932　〒329-2731 栃 県那須塩原市二つ室76-60　0287-37-47
YOSHIZAKI MICHIHARU 吉崎　道治	8万	日展特別会員、一水会運営委員、一水会展文部科学大臣奨励賞・優賞・一水会賞、日展特選2 審査員3、紺綬褒章、個展多数、師中村琢二、武蔵野美術学校卒、北海道、1933　〒247-00 神奈川県鎌倉市台4-3-11　0467-46-30
YOSHIDA ISA 吉田　伊佐	6万	無所属、白日会展梅田画廊賞・準会員奨励賞、日展特選1、国際交流美術展優秀賞、個展（日本 三越・横浜高島屋他）、グループ展、京都市立芸大卒、京都、1959　〒621-0044 京都府亀岡市 代川町日吉台2-1　http://www.eonet.ne.jp/~arias/isa-yoshida/　0771-24-91
YOSHIDA KAZUE 吉田　馨都江	8万	日本画府参事、日府展日府賞・奨励賞・努力賞・東京新聞賞・新人賞、全国美術新聞賞、多摩 作美術展、個展4、グループ展多数、外遊4、成城学園卒、東京、1945　〒195-0056 東京都 田市広袴2-9-6　042-734-48
YOSHIDA SYOSEN 吉田　憧川	10万	無所属、能画、アートエキスポ出展、個展（緑蔭館・文藝春秋画廊・ラフォレ東京）、山形、19 〒990-0860 山形県山形市陣場南8-1　0236-81-47
YOSHIDA NAOMI 吉田　直未	3万	白日会準会員、日展入、2018アジアアートビエンナーレ銅賞、個展（水墨画展トルコ巡回・ポル ギャラリー華）、師矢倉弘資、龍谷大卒、滋賀　〒606-0032 京都府京都市左京区岩倉南平岡町 075-701-65
YOSHIDA BUNKO 吉田　文子	5万	無所属、昭和会展招待、女流画家協会展入、上野の森大賞展出、個展、東京、1952　〒34 0022 埼玉県越谷市東大沢1-26-3
YOSHIDA MIDORI 吉田　緑	3万	無所属、絵画大賞展入、日本の自然を描く展出、個展（池袋東武・東京大丸・近鉄阿倍野他）、 蔵野美短大修、京都、1959　〒621-0044 京都府亀岡市千代川町日吉台2-1　http://www.eon ne.jp/~arias/midori-yoshida/　0771-24-91
YOSHITAKE KENJI 吉武　研司	5万	独立美術協会会員、女子美術大学名誉教授、独立展独立賞・奨励賞、安田火災奨励賞、安井 展出品、個展、東京藝大大学院修、師野見山暁治、佐賀、1948　〒330-0075 埼玉県さいたま 浦和区針ヶ谷4-1-23-5-108　048-831-71
YOSHINAKA YUYA 吉中　裕也	2.8万	無所属、個展、昭和会展日動美術財団賞、前田寛治大賞展大賞、倉敷芸術科学大卒（卒業制 展優秀賞）、岡山、1980
YOSHINO TSUTOMU 吉野　勉	6万	無所属、東京セントラル美術館油絵大賞展招待、個展（泰明画廊）、東京藝大大学院修、島根 1959　〒692-0026 島根県安来市吉佐町551
YOSHINOYA YUKISHIGE 吉野谷　幸重	12万	一水会運営委員、大橋賞、一水会展一水会優賞他、紺綬褒章、安井賞展、国際展、師中村 二・小磯良平、東京藝大専攻科、兵庫、1932　〒249-0007 神奈川県逗子市新宿4-11-25　046-871-05
YOSHIMATSU YOKO 吉松　陽子	6万	日本美術家連盟会員、行動展奨励賞・会友賞、兵庫県知事奨励賞2、東京セントラル油絵大賞展 兵庫県立美術館招待展2、日・米にて個展多数、神戸大教育学部美術科卒、兵庫、1950　〒66 0837 兵庫県西宮市広田町8-2　0798-71-72
YOSHIMURA TOYOTARO 吉村　豊太郎	3万	近代日本美術協会運営委員、近美展大賞・クリテック賞、刈谷かく展うつす展大賞・優秀賞、刈谷百景美術館展市長 働く者の美術展金賞、愛知県勤労者美術展知事賞、安城文化協会賞、天理ビエンナーレ・豊橋トリエンナーレ・熊谷 一大賞展他各公募展入選、個展多数、佐賀、1949　〒446-0066 愛知県安城市池浦町丸田71-12　0566-77-32
YONEZU FUKUSUKE 米津　福祐	5万	二紀会参与・鍋井賞・栗原賞、日本水彩展日本水彩画会賞・文部大臣奨励賞、師吉野純、長野 1937　〒386-0012 長野県上田市中央2-16-26　0268-22-59
YONEMURA TAICHI 米村　太一	3万	白日会会友、昭和会展招待、アートフェア東京2013出、個展5（池袋東武・Gallery Seek・画廊 ひ）、グループ展、佐賀大大学院修、熊本、1985　佐賀県佐賀市在住　yonemurataichi.com
YOMURA HIRAKU 余村　展	10万	無所属、個展（三越本店・松坂屋本店他各地百貨店）、グループ展、渡欧、群馬、1949　〒29 3263 千葉県大網白里市柳橋1043-17　0475-72-76
YORIZUMI MINEO 頼住　美根生	4万	白日会会員、日展入、河北美術展秋田県知事賞・岩手県知事賞、神奈川、1944　〒983-0825 城県仙台市宮城野区鶴ヶ谷北1-1-12　022-252-16
RAKUYAMA MASAYUKI 楽山　正幸	6万	富士美術協会代表、安井賞展入選2、第一美術賞、創芸賞、高島屋・小田急等個展36、富山 1945　〒277-0883 千葉県柏市伊勢原1-4-33　04-7131-45
RI KEICHO 李　景朝	8万	無所属、韓国最優秀芸術家、最優秀画家賞、二紀展入、昭和会展入、個展（阪急・西武他）、韓 国、1936　〒544-0033 大阪府大阪市生野区勝山北5-2-2　06-6717-68

I SHIKO
李　志宏　5万
一水会会員、一水会展会員佳作賞、個展（阿久津画廊）、上海演劇大舞台美術科卒、群馬大富沢秀文絵画研究室修　〒371-0103 群馬県前橋市富士見町小暮576-3　027-288-4813

XIAOGANG
李　暁剛　15万
白日会会員・一般佳作賞・白日賞・富田賞・三洋美術賞・文部科学大臣賞・内閣総理大臣賞、日展会員、小磯良平大賞展・大阪トリエンナーレ入選、昭和会展出品2、個展多数、大阪教育大大学院修士課程修了、北京、1958　〒669-1143 兵庫県西宮市名塩ガーデン12-9　0797-62-2805

OKUTANDA EIICHI
六反田 英一　5万
二紀会会員・準会員賞・田村賞、日本の自然を描く展受賞、日本芸術センター絵画公募展奨励賞、個展、金沢美工大卒、石川、1957　〒921-8116 石川県金沢市泉野出町2-6-9　076-243-0882

AKAI RYOICHI
若井 良一　6万
無所属、元三軌会会員・審、三軌展文部大臣奨励賞他、第31回・32回安井賞入選、東京セントラル美術館油絵大賞展入、個展、師石川重信、栃木、1940　〒350-1152 埼玉県川越市大字砂久保162-50　049-243-5801

AKABAYASHI TOSHIO
若林 俊男　3万
旺玄会委員、現代洋画精鋭選抜展銀賞・銅賞、個展、東京、1934　〒120-0001 東京都足立区大谷田4-3-3　03-3605-6105

AJIMA SHINICHI
輪島 進一　4万
独立美術協会会員、小島善太郎賞・高畠達四郎賞・独立賞・50周年記念賞他、安井賞展、日本青年画家展・明日への具象展他出、個展（市立小樽美術館他）、北海道教育大大学院修、北海道、1951　〒041-0801 北海道函館市桔梗町403-228　0138-46-0955

ASHIMORI HIDEKI
鷲森 秀樹　6万
無所属、渡仏、個展（金井画廊・川上画廊・東急百貨店）、グループ展（ギャラリー・しらみず美術他）、多摩美大中退、長野、1962　〒104-0031 東京都中央区京橋2-6-8　仲通りビル3F　金井画廊気付　03-5250-0860

ASEDA KAZUHISA
早稲田 員久　5万
無所属、元近代美術協会会員、上野の森美術館大賞展出、個展、武蔵野美大卒、和歌山、1950　〒355-0072 埼玉県東松山市石橋1784-18

ADA NAOKI
和田 直樹　4万
白日会会員、白日展安田火災美術財団奨励賞・三洋美術賞・梅田画廊賞、個展（日本橋三越本店他）、多摩美大卒、茨城、1969　〒270-0023 千葉県松戸市八ケ崎2-13-1-403

ADA YOSHIRO
和田 義郎　5万
無所属、日仏現代美術展一席、コレ選展グランプリ、個展（銀座三越他）、青山学院大卒、北海道、1948　〒270-1168 千葉県我孫子市根戸573-69　04-7182-9611

ATANABE KANA
渡辺 香奈　3万
二紀会準会員、昭和会展松村謙三賞、二紀展女流画家奨励佐伯賞、上毛芸術文化賞〈美術部門〉、文化庁海外派遣渡スペイン、慶應義塾大大学院修、岩手、1980　http://canaworks.blog103.fc2.com/

ATANABE GINKO
渡部 吟子　5万
日洋会委員、日展入、日本美術家連盟会員、文化庁県展選抜展文部大臣賞、日洋展三越賞・井手宣通記念賞、外遊（仏・蘭・白）、個展22、師行木正義・國領經郎、東京保育専門学校、岩手　〒021-0891 岩手県一関市桜木町1-15　0191-23-6466

ATANABE SHOKO
渡邉 祥行　9万
近代日本美術協会理事長、地域美術展協会理事長、内閣総理大臣賞・仏大使館賞他、国際展グランプリ、他受賞8、個展多、愛媛、1946　〒790-0943 愛媛県松山市古川南1-21-30　089-958-2073

ATANABE SEIJI
渡邊 聖二　3万
日本美術家連盟会員、朝の会新人賞、大王大賞展秀作賞、個展、グループ展、早稲田大学商学部卒、阿佐ヶ谷美術専門学校卒、神奈川、1960　〒299-3211 千葉県大網白里市細草987-56

ATANABE MITSURU
渡部　満　8万
無所属、小磯良平大賞、日伯現代美術展安田火災美術財団奨励賞、日仏現代展他出品、個展、青森、1953　〒107-0062 東京都港区南青山6-8-3　ギャラリー玉英気付

ATANABE RYOICHI
渡邉 良一　4万
示現会理事・示現会展大内田賞、日本山岳画協会会員、日展入、個展（東急他）、グループ展、渡欧米、福島、1935　〒272-0825 千葉県市川市須和田1-32-21　047-372-4986

ATANUKI RYO
渡抜　亮　8万
東京藝大大学院修了作品展サロン・ド・プランタン賞、文化庁派遣によりドイツ滞在、個展、大分、1981　〒814-0112 福岡県福岡市城南区友丘5-1-10

ATABE AKIO
渡部 明夫　5万
無所属、朝の会展、萌の会展出、個展（小田急他）、師橋本博英、阿佐ヶ谷美術学園卒、新潟、1954　〒272-0831 千葉県市川市稲越町73-7　047-373-2951

ATABE MASAHIRO
渡部 正廣　5万
無所属、ル・サロン入、サロン・ドートンヌ入、個展、山形、1949　〒379-1617 群馬県利根郡水上町湯原808　0278-72-2887

ACHIGAI YOSHIKAZU
輪違 宜和　6万
日展会友、日展特選、日洋展三越奨励賞、個展、師笹岡了一、東京、1941　〒273-0039 千葉県船橋市印内3-3-14　047-433-6454

ジャンル別 作家略歴・住所録

彫刻
他立体

[凡例]

英字 作家名	技法　所属、肩書き、受賞歴、個展、外遊等、師、最終学歴、出身、生年　住所 H.P.アドレス　電話番号

■ ふりがな（英字）は原則としてヘボン式で統一しています

OKI SANSHIRO
青木 三四郎
新制作協会会員、歩会彫刻展会員、新制作展新作家賞、安宅賞、個展、東京藝術大学大学院修、千葉、1947 〒260-0018 千葉県千葉市中央区院内1-9-1 043-222-5639

OKI NOE
青木 野枝
無所属、芸術選奨文部大臣新人賞、中原悌二郎賞、倫雅美術賞、タカシマヤ美術賞、国立国際美術館・名古屋市美術館・大分市美術館他収蔵、武蔵野美大大学院造形研究科修・修了制作優秀賞、東京、1958

OKI MIKA
青木 美歌
岡本太郎現代芸術賞展入、武蔵野美術大学卒業制作優秀賞、個展、Collect (Saatchi Gallery) 出品、Royal College of Art修士課程修、東京、1981 http://www.mikaaoki.jp/

OYAMA SABURO
青山 三郎
日展特別会員、日彫会会員、北陸日彫会会員、県彫刻家連盟会員、日展審査員・特選、師森田清一、富山、1951 〒932-0212 富山県南砺市山斐306 0763-82-4702

SAI KENSAKU
淺井 健作
桜美林大学教授、ハンズ大賞展準大賞、トリック・アートコンペ福田繁雄賞・特別賞、超感覚ミュージアム銅賞、個展多数、グループ展多数、東京藝大大学院修、東京、1949 〒191-0052 東京都日野市東豊田3-15-1-415 042-584-0160

SAKA HIROYOSHI
浅香 弘能
無所属、個展（新宿高島屋・西武渋谷他）、グループ展、京都造形芸大卒、大阪、1977 〒194-0031 東京都町田市南大谷353-10

SAHINA HIDEO
朝比奈 秀男
無所属、個展（ロイドワークスギャラリー）、渡米、武蔵野美大建築デザイン科卒、1967 〒191-0032 東京都日野市三沢4-7-5 042-592-6569

BE SEIICHI
阿部 誠一
新制作会員、県美会名誉会員、新制作展新作家賞2、瀬戸大橋架橋記念野外彫刻展、現代日本美術展2、師佐藤忠良、愛媛、1931 〒794-0056 愛媛県今治市南日吉町3-3-50 0898-23-6654

BE TEN-EI
阿部 典英
無所属、シェル美術展佳作賞、木の造形・旭川市大賞展優秀賞、札幌芸術賞、北海道文化賞、地域文化功労者（文部科学大臣表彰）、個展（北海道立近代美術館他）、北海道、1939 〒047-0154 北海道小樽市朝里川温泉2-692-11 0134-64-5014

MANO HIROO
天野 裕夫
無所属、多摩美術大学工芸科客員教授、神戸具象彫刻大賞展準大賞、円空大賞展岐阜県知事賞他、多摩美術大学大学院修、岐阜、1954

MEMIYA KAZUMASA
雨宮 一正
無所属、個展、国際彫刻ビエンナーレ招、国際彫刻シンポ東京招、東京藝大卒、パリ美大卒、長野、1934 〒184-0004 東京都小金井市本町2-13-13 042-381-3394

MEMIYA TOORU
雨宮 透
新制作協会会員、新制作展新作家賞3、個展15、師佐藤忠良、東京造形大学彫刻科、東京、1943 〒990-0825 山形県山形市城北町1-20-14 023-643-6186

RAI HIROSHI
新井 浩
国画会会員、国展会友優作賞・新海賞・野島賞、福島大学教授、桜の森彫刻コンクール大賞、昭和会展優秀賞、個展（日本橋三越・ギャラリーせいほう他）、グループ展（ギャラリーせいほう他）、上越教育大学大学院修、1961

RUGA NORIKO
有賀 典子
元一陽会会員、安田火災美術財団奨励賞、東海村ふれあいロード買上賞、個展、東京藝大大学院修、愛知、1950 〒167-0051 東京都杉並区荻窪1-30-15 03-5932-5915

LESSANDRO YOSSINI
アレッサンドロ・ヨッシーニ
新槐樹社展奨励賞・新人賞、個展2（上野松坂屋）、師吉野不二太郎、静岡、1970 〒411-0845 静岡県三島市加屋町1-13 株式会社 中物産 気付 055-972-9676

ARASHI YOSHIZO
五十嵐 芳三
新制作協会会員、日本美術家連盟委員、毎日新聞現代日本美術展受賞、昭和会展林武賞、東京美術学校彫刻科卒、神奈川、1927 〒164-0013 東京都中野区弥生町5-16-21 03-3381-1785

EGAWA SUNAO
池川 直
日展特別会員、日本彫刻会会員、白日会会員、鹿児島大学教授、日本藝術院賞、日展文部科学大臣賞、日彫展西望賞、白日会展白日賞・吉田賞、四国新聞文化賞、南日本文化賞、作品集刊行、筑波大学大学院修、香川、1958

EDA KAORU
池田 カオル
日本美術家連盟会員、元二科会会員（2008年退会）、昭和会展林武賞、倉吉・緑の彫刻賞、文化庁現代美術選抜展、東京藝大卒業作品買上、個展多数（日動画廊・高島屋）、師淀井敏夫、東京藝術大学大学院修、群馬、1946 〒371-0018 群馬県前橋市三俣町1-24-7 027-232-1203

EDA SEIJI
池田 政治
東京工科大学教授・デザイン研究科長、東京藝術大学名誉教授、サロン・ド・プランタン賞、チェルノブイリ・メモリアルアート・コンペティション銀賞受賞、群馬県総合表彰、個展、イタリア・ローマ国立グラフィック研究所留学、東京藝術大学大学院修、群馬、1945 〒371-0018 群馬県前橋市三俣町1-24-7 027-232-1203

EDA HIDEKI
池田 英貴
無所属、二科展入、県展特選、石の里フェスティバル入、個展、師石田栄一・馬越正八、愛媛、1962 〒794-0803 愛媛県今治市北鳥生町2-1-34 0898-32-0134

IKEDA HIDETOSHI
池田 秀俊
国展彫刻部奨励賞、昭和会展日動美術財団賞、個展、師千野茂・舟越保武、東京藝術大学大
院修、神奈川、1950 〒206-0803 東京都稲城市向陽台6丁目12番地 アルボの丘4-1109
080-6887-87

IKEDA MUNEHIRO
池田 宗弘
自由美術会員、彫刻の森大賞展賞、現代日本彫刻展宇部市野外彫刻美術館賞、中原悌二郎賞
神戸具象彫刻大賞、文化庁派遣（西）、木内克野外彫刻展大賞他、師清水多嘉示、東京、19
〒399-7701 長野県東筑摩郡麻績村麻坊平8977-107 0263-67-40

ISHII ATSUO
石井 厚生
無所属、元行動美術協会会員、現代日本美術展・現代日本彫刻展・神戸須磨離宮公園現代彫
展・東京野外彫刻展等出品、2005年本郷新賞、多摩美大彫刻科卒、千葉、1940 〒157-00
東京都世田谷区大蔵1-15-12 03-3416-34

ISHIKAWA YUTAKA
石川 裕
日本美術家連盟会員、愛知学院大学非常勤講師、彫刻村村長、美術文化展美術文化賞・会員賞他、安田火災美術財団奨励賞展新作秀作賞、As
Art Now 2001（ラスベガス美術館賞）、文化庁現代美術選抜展等出品5、彫刻村企画運営（47回実施）・独国際木彫シンポジウム参加、個展26、
公園・兵庫県立大他収蔵多数、多摩美術大学卒、愛知、1949 〒480-0102 愛知県丹羽郡扶桑町高雄伊勢帰139-1 0587-92-08

ISHIGURO KOJI
石黒 光二
日展特別会員、日彫会運営委員、日展審査・内閣総理大臣賞・会員賞・特選2、日彫展西望賞
日彫賞・努力賞、文化庁現代美術選抜展2、師高橋剛、多摩美術大学卒、山形、1952 〒35
1162 埼玉県所沢市和ヶ原1-223-51 04-2949-18

ISHITANI KOJI
石谷 孝二
国画会会員、鳥取大学名誉教授、国展国画賞・会友優作賞・彫刻部秋季展奨励賞、現代日本
象彫刻展、昭和会展出品、桜の森彫刻コンクール優秀賞、グループ「環」展、個展13、愛知芸
大学院修、北海道、1952 〒680-1416 鳥取県鳥取市高住94-3 0857-28-09

ISHIMATSU TOYOAKI
石松 豊秋
新制作協会会員、新制作展新作家賞2・受賞作家展出品、平櫛田中賞、田中美術館・森林美術
作品収蔵、個展4、東京藝大彫刻科研究生修・助手、福岡、1942 〒359-1132 埼玉県所沢市
が丘1-21-9 04-2925-63

ITAGAKI MAMI
板垣 真実
TDW ART FAIR 2013 後期グランプリ受賞、個展（gallery UG・NANATASU GALLERY
東京藝大卒、岐阜、1981

ICHIKAWA AKIHIRO
市川 明廣
二科会評議員、ローマ賞、神戸具象彫刻展読売賞、愛知県芸術文化選奨文化賞、文化庁現代美術
抜展、新潟県十日町市石彫シンポ、個展・グループ展多数、東京藝大大学院修、東京、1948 〒33
0823 埼玉県川口市石神281-6 http://ichikawa-akihiro.jimdo.com/ 048-212-10

ICHIKAWA ETSUYA
市川 悦也
無所属、日本美術家連盟会員、元新制作会員、ダンテ国際展金メダル・銀楯賞、個展、師平櫛
中・菊池一雄、東京藝大大学院修、奈良、1940 〒658-0015 兵庫県神戸市東灘区本山南町9-4-
090-9212-40

ISSHIKI KUNIHIKO
一色 邦彦
新制作協会会員、茨城県郷土文化顕彰会理事長、新制作展新作家賞3、高村光太郎賞、中原
二郎賞優秀賞、高村光太郎大賞展美ヶ原高原美術館賞他、卒展買上、文化庁在外研修、東京
大専攻科修、茨城、1935 〒300-1225 茨城県牛久市新地町341 029-874-02

INAGAKI KATSUJI
稲垣 克次
日展特別会員、日本彫刻会会員、日展特選2・会員賞、三重県文化賞、個展、三重、1941 〒51
0818 三重県鈴鹿市安塚町737-5 0593-82-29

INOUE KIMIO
井上 公雄
無所属、元モダンアート協会会員、モダンアート展（1973年〜出品）84年部門賞・安田火災美術財団奨励賞、文化庁現
美術選抜展、96〜2001年THE CARVING STUDIO（米ヴァーモント州）非常勤講師、山梨県立美術館他収蔵、各自
体学校等モニュメント・野外彫刻等設置多数、山梨、1943 〒400-0051 山梨県甲府市古上条町59-2 055-241-84

INOSE SEISHIRO
猪瀬 清四朗
国画会会員、国展会友優作賞受賞、文化庁現代美術選抜展出、師清水多嘉示、武蔵野美大卒
長野、1937 〒189-0024 東京都東村山市富士見町2-16-33 042-393-12

IBA YASUJI
伊庭 靖二
日展会員、日本彫刻会会員、日展審2・特2、日彫展審査員1・日彫賞・努力賞・奨励賞、京展市長
2・松田賞、滋賀県展芸術祭賞・文部大臣奨励賞他、アートヒル三好ヶ丘特選4、個展、師山田良定
兵庫教育大大学院修了、三重、1960 〒525-0072 滋賀県草津市笠山3-8-35 077-564-17

IWAISAKO YOSHIRO
祝迫 芳郎
無所属、新生展うわむき賞、2015淡水翁賞、前橋アートコンペライブ2008銅賞、個展（新生堂
靖山画廊・日本橋三越・西武渋谷・新宿高島屋他）、グループ展、東京藝大大学院修、鹿児島
1975 〒270-0144 千葉県流山市前ヶ崎669-2-102

IWAKI NOBUYOSHI
岩城 信嘉
無所属、元行動美術会員、行動展奨励賞・会友賞、ジュネーブ国際展賞、彫刻の森美術館買上
個展、師永原廣、富山県立高岡工芸高校卒、1935 〒939-1868 富山県南砺市城端291
0763-62-14

IWATA MINORU
岩田 実
無所属、元新具象彫刻展会員、日仏美術学会会員、日本美術家連盟会員、創作メダル彫刻展日本芸術メダル協
賞（大賞）2、石彫シンポ参加3、個展23、各地にモニュメントの設置多数、師舟越保武、東京藝大大学院修、岐阜
1948 〒247-0053 神奈川県鎌倉市今泉台7-11-12 http://iwata.art.coocan.jp/ 0467-91-24

IWAMA HIROSHI
岩間 弘
新制作協会会員、新制作展新作家賞2、平櫛田中賞、東京野外現代彫刻展都知事賞、現代日本彫刻作家展他グループ
出品、米子他彫刻シンポジウム参加多数、川越市立美術館タッチアート展、ギャラリーせいほう他個展、金沢美術工芸
学大学院修了（卒・修制大学収蔵）、富山、1956 〒362-0806 埼玉県北足立郡伊奈町小室8224-9 048-722-09

UETA HISATOSHI
上田 久利
日展特別会員、日彫会会員、岡山大学教授、日展会員賞・特選、日彫賞、現代美術選抜展出、
蛭田二郎、徳島、1952 〒701-1333 岡山県岡山市北区立田527-2

彫刻・他立体 い〜う

ENO YOSHITAKA
上野　良隆
新制作協会会員、新制作展新作家賞2、文化庁現代美術選抜展、文化庁買上、個展、多摩美術大学大学院修、長野、1956　〒215-0035 神奈川県川崎市麻生区黒川1331-9　044-987-1643

CHIDA KAZUTAKA
内田　和孝
日本建築美術工芸協会賞奨励賞、須磨離宮公園現代彫刻展神戸市公園協会賞・宇部市野外彫刻美術館賞・群馬県立近代美術館賞他、国内外個展・グループ展多数（ギャラリーせいほう他）、作品集刊行、多摩美術大学卒業後パリ国立美術学校に学ぶ、愛知、1948　〒158-0083 東京都世田谷区奥沢5-36-4　03-5483-5570

CHIDA HARUYUKI
内田　晴之
無所属、元行動美術協会会員、京都彫刻美術展大賞、日本国際美術展大賞、ヘンリー・ムーア大賞展優秀賞等、京都府・東京都美術館・神奈川近美他収蔵多、師村上泰造、京都精華短大卒、静岡、1952　〒604-8225 京都府京都市中京区蟷螂山町464-1-1303　075-213-3418

TSU TAKASHI
宇津　孝志
日展会員、日彫会会員、日展審査員2・特選2、日彫展日彫賞2、個展5、日立専修学校、富山、1952　〒939-2706 富山県富山市婦中町速星312　076-465-2769

RAYAMA KAZUO
浦山　一雄
元日展評議員、元日彫会運営委員、日展文部大臣賞、日展特選、菊華賞、師斎藤素厳、富山、1934　〒116-0001 東京都荒川区町屋3-30-4　03-3895-6328

GUCHI SHU
江口　　週
無所属、平櫛田中賞、中原悌二郎賞・同優秀賞、長野市野外彫刻賞、円空大賞円空賞、紫綬褒章他、東京藝大彫刻科卒、京都、1932　〒192-0023 東京都八王子市久保山町1-9-154-410　0426-92-1525

SASHI TOMOKO
エサシトモコ
文化庁国内研修、個展、グループ展、ワークショップ、コミッションワーク多数、東京藝大大学院保存修復技術修了、神奈川　〒248-0002 神奈川県鎌倉市二階堂808-22　http://esashitomoko.com/

BIZUKA KOICHI
海老塚耕一
多摩美大教授、平櫛田中賞、タカシマヤ文化賞他、個展・グループ展多数、多摩美大大学院修、神奈川、1951　〒226-0016 神奈川県横浜市緑区霧が丘2-4-13　http://www.tamabi.ac.jp/geigaku/profile/ebizuka/ebizuka.html　045-922-2405

NTSUBA MOTONORI
圓鍔　元規
日展名誉会員・審査員7、日本彫刻会理事・審査員7、日展会員賞・文部科学大臣賞・特選2・委嘱2・無鑑査4、日彫展日彫賞・奨励賞3、新制作展入選4、東京藝術大学卒、神奈川、1937　〒211-0063 神奈川県川崎市中原区小杉町2-291　044-722-2739

NDO TOSHIKATSU
遠藤　利克
無所属、芸術選奨文部科学大臣賞、シドニービエンナーレ、サンパウロビエンナーレ、ヴェネツィアビエンナーレ・ベネッセ賞、個展・グループ展多数、名古屋造形芸術短大卒、岐阜、1950　〒350-1313 埼玉県狭山市上赤坂字くぬぎ山1871-5　04-2959-2691

NDO MIKIHIKO
遠藤　幹彦
無所属、二紀展田村賞・会員優賞・安田火災美術財団奨励賞・文部大臣奨励賞、高村光太郎大賞展受賞、昭和会展招、青森、1949　〒350-1245 埼玉県日高市栗坪227-3　042-986-0203

GAI TAKIO
大貝　滝雄
無所属、元国画会会員、ローマンシンポジウム参加、九州現代美術展受賞、個展、東京造形大彫卒、福岡、1948　〒192-0152 東京都八王子市美山町2480-11　0426-51-7252

KUWA EIJI
大鍬　英治
木・石彫　一陽会会員、元金沢大学講師、一陽展会員賞、石川県現代美術展美術文化特別賞、個展（銭屋五兵衛記念館・湯涌温泉・銭がめ）、師高橋清、金沢美術工芸大学彫刻科卒、岐阜、1965　石川県金沢市在住　http://www16.plala.or.jp/atorie-kuwa/

SUGA MARIKO
大須賀万里子
日本美術家連盟会員、山野美容芸術短期大学客員教授、二紀展田村賞・文部科学大臣奨励賞、個展、グループ展、女子美大卒、佐賀、1947

TSUKA KUNIHIRO
大塚　邦博
日本美術家連盟会員、二科展特選・損保ジャパン美術財団奨励賞・会友賞、個展、多摩美術大学大学院美術研究科彫刻専攻修了、東京、1943　〒155-0031 東京都世田谷区北沢4-22-2

HNARI HIROSHI
大成　　浩
国画会会員、日本美術家連盟理事、2011年度文化庁長官表彰、現代日本彫刻展宇部興産賞・毎日新聞社賞、中原悌二郎賞、長野市野外彫刻賞、第19回日本建築美術工芸協会賞優秀賞、文化庁在外研修員、プラハ国立美術館東洋館・東京日本橋高島屋・富山近美他個展、東京藝大院修、富山、1939　〒192-0023 東京都八王子市久保山町2-29-8

HIRA MINORU
大平　　實
北海道立旭川美術館賞、大阪国際彫刻トリエンナーレ特別賞、平櫛田中賞、中原悌二郎賞、アーティストファイル2009参加、東京藝大大学院修士課程修、メキシコ国立美術学校エスメラルダで石版画を学ぶ。新潟、1950　在アメリカ　http://minoruohira.com/

HMORI AKIO
大森　暁生
無所属、個展（アートフェア東京・高島屋・三越・東急・ACAFNY他）、グループ展、作品写真集『しあわせな彫刻』（芸術新聞社刊）、愛知芸大卒、東京、1971　〒120-0043 東京都足立区千住宮元町31-18　http://akioohmori.com/　03-3882-6721

KA TAKAHIRO
岡　　孝博
新制作協会会員、新制作展新作家賞2、湯川制賞、個展（なびす画廊・A & Dギャラリー）、Re-Act（広島市現代美術館）、雨引の里と彫刻（茨城）、日印アートシンポジウム、東京藝術大学大学院先端芸術表現専攻研究生修、広島、1970　〒350-0207 埼玉県坂戸市青木771-2　スタジオバンクハウス

KANO YUTAKA
岡野　　裕
国画会会員、国展国画賞・新海賞、昭和会展、福生市景観彫刻コンクール優秀賞、文化庁在外研修員、内外シンポジウム参加、東京造形大卒、東京、1951　〒106-0032 東京都港区六本木6-12-2-1108

OKAMOTO ATSUO
岡本 敦生
無所属、国内外個展等、多摩美大大学院彫刻科修、広島、1951　〒300-4231 茨城県つくば市条1431-1
090-3148-53

OGAWA KIYOHIKO
小川 清彦
無所属、元国画会会員、湘菁会会員、県展審査員、奈良教育大名誉教授、師新海竹蔵、神奈川 1934　〒630-1242 奈良県奈良市大柳生町3612
0742-93-06

OKINA KANJI
翁 観二
行動美術協会会員、多摩美術大学彫刻科卒、宮城、1937　〒123-0845 東京都足立区西新井町1-16-12-1103
03-3854-29

OKUDA MASUMI
奥田 真澄
新制作協会会員、三重大学准教授、新制作展新作家賞3、個展（ギャラリーせいほう他）、グループ展、東京藝大大学院博士後期課程退学、奈良、1971　http://masumiokuda.com

OKUNISHI KISYO
奥西 希生
父・洋画家奥西賀男、東京藝大大学院修、神奈川、1979　〒248-0002 神奈川県鎌倉市二階堂247-16
0467-23-92

OKEMOTO HISASHI
桶本 寿
日展会員、白日会会員、日展特選、白日会奨励賞、師中村晋也、長崎、1942　〒856-0047 長崎県大村市須田ノ木町787-7
0957-53-62

OZAKI SHIN
尾崎 慎
無所属、日本美術家連盟会員、神戸具象彫刻大賞展'87優秀賞、アートヒル三好ヶ丘'90彫刻フェスタ審査員奨励賞、日向現代彫刻展市民大賞、スウェーデン滞在、個展多数、長野県千曲市・神戸市都賀川公園他公共施設設置収蔵、多摩美術大学大学院彫刻科修、愛知、1961　〒470-1162 愛知県豊明市栄町上姥子3-149　http://www.atelier-kodachi.com
0562-97-91

ODA NOBUO
小田 信夫
二科会理事、大阪芸大教授、二科展文部科学大臣賞他受賞多数、高村光太郎大賞展エミリオ・グレコ特別優秀賞他各賞、神戸具象彫刻大賞・神戸市都市公園賞、ロダン大賞展彫刻の森美術館賞、日本の鉄道一パブリックアート大賞展優秀賞、師淀井敏夫、東京藝大大学院修、大阪、1948　〒545-0021 大阪府大阪市阿倍野区阪南町1-28-4　http://odanobuo-art.com
06-6622-35

ODAHASHI MASAYO
小田橋 昌代
国際ガラス展金沢2007奨励賞・同展2010審査員特別賞、海外にて個展、愛知教育大大学院修、金沢卯辰山工芸工房修、三重、1975

OZUTSUMI RYOICHI
小堤 良一
無所属、創作メダル彫刻展協会賞・文部大臣奨励賞、昭和会展出品、個展、師舟越保武、東京藝術大学大学院修士課程、東京、1953　〒230-0017 神奈川県横浜市鶴見区東寺尾中台23-13
045-575-73

ONO NAOKO
小野 直子
無所属、元創型会同人、京仏師巧匠苑会員、創型展創型会賞・文部大臣賞、個展、東京、194
〒250-0117 神奈川県南足柄市塚原4919-116
0465-72-50

OBARI TAKAO
小張 隆男
無所属、昭和会展招待2・優秀賞、彫刻日動展、神戸具象大賞展優秀賞、個展15・現代茨城の美術展（茨城県近代美術館）、昭和会受賞作家展他グループ展、諏訪流放鷹術鷹匠、師柳原義達、日本大学芸術学部、茨城　〒30 4104 茨城県土浦市沢辺792　obari.com/takao/、facebook.com/takao.obari
029-862-545

KAIZAKI SABURO
海崎 三郎
無所属、雨引の里と彫刻出品、個展（ギャラリーせいほう他）、グループ展、日本大学芸術学部卒、福井、1952　〒355-0375 埼玉県秩父郡東秩父村御堂600-4

KAGAMI TSUNEO
鏡 恒夫
創型会運委、創型展創型会賞、文部大臣賞、日展、日彫展、師佐藤助雄、山形、1935　〒27 2211 千葉県松戸市五香西3-6-2
047-388-054

KAKEI GORO
掛井 五郎
無所属、元新制作協会会員、新制作展新作家賞、中原悌二郎賞優秀賞、高村光太郎賞優秀賞、東京藝大彫刻専攻科修、師木内克、静岡、1930　〒182-0021 東京都調布市調布ヶ丘2-32-7
0424-82-861

KASAHARA TETSUAKI
笠原 鉄明
国画会会員、昭和会展日動美術財団賞、現代日本具象彫刻展優秀賞、ユーモア陶彫展奨励賞、文化庁優秀美術作品買上、師鈴木実、太平洋美術学校修、富山、1953　〒300-1234 茨城県牛久市中央2-15-3
0298-74-188

KASHIWABARA HANAKO
柏原 花子
日展会員、日彫会会員、白日会会員、日展特選、日彫展日彫賞・努力賞、師桑原巨守、女子美術大卒、神奈川、1948　〒166-0014 東京都杉並区松ノ木3-1-9-103
03-3313-697

KASUYA KEIJI
粕谷 圭司
国画会会員、国展新人賞、北関東美術展優秀賞、個展、師舟越保武、東京藝大大学院修、栃木、1946　〒320-0074 栃木県宇都宮市細谷町757-6
028-625-314

KATAYAMA YASUYUKI
片山 康之
岡山県芸術文化賞、マルセン芸術文化賞、海外アートフェア、個展、倉敷芸術科学大大学院修、岡山、1978　〒711-0937 岡山県倉敷市児島稗田町228
086-472-964

KATSUTA EMI
勝田 えみ
個展（靖山画廊・アートフェア東京2015・SEIZAN Gallery NY）、グループ展、東京藝大大学院修、長崎、1983　〒104-0061 東京都中央区銀座5-14-16　銀座アビタシオン1F　靖山画廊気付
http://www.emikatsuta.com/
03-3546-735

TSUNO MAKOTO
勝野 眞言
日展特別会員、日彫会会員、白日会会員、日展文部科学大臣賞・会員賞・特選、日彫展奨励賞、昭和会展優秀賞、武蔵野美大大学院彫刻科修、長野、1954　〒359-1101 埼玉県所沢市北中2-353-2　042-928-3184

TO YUTAKA
加藤　豊
無所属、日本美術専門学校校長、元二紀会委員・文部大臣賞・宮本三郎賞・会員賞他、昭和会招待2、文化庁現代美術選抜展3、現代の裸婦展他、個展多数、『西宮正明写真集「Females」加藤豊彫刻作品』刊行、渡英、山形、1948　〒336-0911 埼玉県さいたま市緑区三室215-6　048-874-9595

NAZAWA KENICHI
金沢 健一
岡本太郎記念現代芸術大賞展準大賞、個展・グループ展多数、東京藝大大学院修、東京、1956　〒354-0036 埼玉県富士見市ふじみ野東2-7-1・1-1003　049-278-5701

METANI MASAYOSHI
亀谷 政代司
日展特別会員、日彫会会員、日展特選、日彫展日彫賞、昭和会展笠間日動美術館賞、師長江錄弥、愛知、1952　〒480-1204 愛知県瀬戸市北丘町164-3　0561-40-4047

MO SACHIKO
加茂 幸子
文化学園大学助教、個展（日本橋髙島屋・ギャラリーアートもりもと他）・グループ展多数、埼玉大学大学院修、東京、1972

WASAKI HIROTERU
川﨑 普照
日展顧問・名誉会員、日本彫刻会常務理事、日本藝術院会員、日本藝術院賞、日展内閣総理大臣賞、旭日中綬章、個展11、外遊5、師平野敬吉、東京、1931　〒115-0041 東京都北区岩淵町19-4　03-3901-5369

WASAKI MINAMI
かわさき みなみ
個展（2012年よりGallery花影抄・2016年「子犬時間」スパイラルガーデン他）・グループ展多数、女子美術大学卒、千葉、1989　〒113-0031 東京都文京区根津1-1-14　らーいん根津202　Gallery花影抄気付　03-3827-1323

WASAKI RYOKO
河崎 良行
二紀会参与、徳島大名誉教授、ヘンリー・ムーア大賞優秀賞、フジサンケイ現代国際彫刻展特別賞、個展（ギャラリーせいほう他）、徳島、1935　〒770-0006 徳島県徳島市北矢三町4-9-13　088-632-0802

NZAKI HIROSHI
神崎 泰志
個展、グループ展、明星大研究生修、岡山、1984　〒104-0061 東京都中央区銀座5-14-16　銀座アビタシオン1F　靖山画廊気付　03-3546-7356

NNO KUNIHIKO
菅野 邦彦
元太平洋美術会員、太平洋美術会賞・会員秀作賞・新人賞・佳作賞、個展、師小畠廣志、山形、1951　〒197-0826 東京都あきる野市牛沼478　042-559-3796

NBE MINEO
神戸 峰男
日展副理事長、日本彫刻会理事長、日本藝術院会員、藝術院賞、日展文部大臣賞・特選、武蔵野美大卒、岐阜、1944　〒509-0224 岐阜県可児市久々利189　0574-64-5281

CHI REICHI
木内 禮智
日展特別会員、日彫会会員、日展特選、日彫大賞・西望賞、個展、東京藝大卒、千葉、1931　〒168-0063 東京都杉並区和泉2-36-22　03-3322-0966

KUCHI SHINJI
菊地 伸治
国画会会員、日本美術家連盟会員、国展国画賞、彫刻シンポジウム多数参加、文化庁芸術家在外研修員として渡欧、東京造形大学研究生修、山形、1958　〒359-1133 埼玉県所沢市荒幡804-56　04-2939-1779

SHINO SHO
岸野　承
水墨画家・岸野忠孝の三男、個展（IPPODO NY・銀座一穂堂他）、海外アートフェア出展、師福井一、愛知県立芸大彫刻専攻卒、1972　〒619-0213 京都府木津川市市坂中山16　0774-73-0729

SHIRO YOSHIJI
木代 喜司
日展特別会員、日彫会会員、日展会員賞・特選、日彫展奨励賞、京展市長賞、個展、師松田尚之、京都学芸大卒、京都、1940　〒603-8363 京都府京都市北区衣笠総門町19-16　075-461-0778

TAGO SATORU
北郷　悟
新制作会員、日本美術家連盟委員、東京藝大学長特別補佐・教授、師佐藤忠良・舟越保武、東京藝大大学院修、福島、1953　〒166-0001 東京都杉並区阿佐谷北2-8-17　03-5364-7879

TADA KOHSETSU
北田 孝雪
大阪彫刻家会議名誉会長、現代日本彫刻展、神戸須磨離宮公園現代彫刻展招待出品、NY・ハワイにて個展、奈良県立大学卒、大阪、1937　〒597-0042 大阪府貝塚市名越825-5　072-446-1903

TANOSONO MASAAKI
北之園 雅章
無所属、元日彫会会員、日展入9、グループ展、師川﨑普照、鹿児島、1949　〒135-0051 東京都江東区枝川3-9-10-234　03-3648-9080

DO OSAMU
木戸　修
無所属、二科展特選・二科賞、ヘンリー・ムーア大賞展優秀賞、安田火災百周年記念彫刻公募大賞他受賞、個展、グループ展多数、東京藝大大学院修、石川、1950　〒384-2104 長野県佐久市甲655-1

NUTANI KOTA
絹谷 幸太
無所属、個展、文化庁新進芸術家海外研修制度（2003年ブラジル）、国内外作品設置、東京藝大大学院博士修（修了制作野村賞）、東京、1973　〒157-0066 東京都世田谷区成城7-9-13　www.kotakinutani.com

KIMURA KENTARO
木村 賢太郎
無所属、現代日本美術展優秀賞、昭和会展優秀賞、中原悌二郎賞優秀賞、サンパウロビエンナ
レ出品、東京美術学校彫金部修、東京、1928 〒277-0012 千葉県柏市桜台15-21
04-7167-59

KUSANO SHIN
草野 慎
彫刻3人展、木彫新人展他、師大橋清、武蔵野美大卒、ローマ・アカデミア美術学校修、福
1933 〒273-0865 千葉県船橋市夏見6-23-10 047-422-06

KUSUMOTO KAYOKO
楠元 香代子
日展特別会員、日彫会会員、白日会会員、日展東京都知事賞・会員賞・特選、師中村晋也、鹿
島、1954

KUDO TAKESHI
工藤 健
二科会参与、多摩美術大学名誉教授、二科展特選・金賞・会員努力賞・文部大臣賞、ユーゴスラビア
刻シンポジウム招待、高村光太郎大賞展特別優秀賞、現代日本具象彫刻展大賞、『塑像への誘い』監
(多摩美術大学鋳造研究会刊)、多摩美術大学退職記念展他個展、東京藝術大学専攻科修、秋田、19

KUNIMATSU ASUKA
國松 明日香
無所属、父は洋画家・國松登、C・C・A・C・ワールド・プリント・コンペティション最優秀賞、「イメージ・響―北海道
美術 '87」展グランプリ、本郷新賞、札幌市民文化奨励賞、北海道文化奨励賞、アメリカ、イタリア研修、師舟越保武・
野茂、東京藝術大学大学院修、北海道、1947 〒064-0944 北海道札幌市中央区円山西町4丁目6-14 011-644-20

KUBO KO
久保 浩
日展特別会員、日彫会会員、千葉県美術会常任理事、日展特選・審査員5、日彫展日彫賞・西
賞、師朝倉文夫、甲南大卒、兵庫、1933 〒285-0853 千葉県佐倉市小竹884 043-461-01

KUBOTA MINORU
久保田 実
木彫 元創型会同人・運営委員、創型展創型会賞・文部大臣奨励賞・同人優秀賞、個展、東
理科大学工学部卒、長野、1947 〒347-0054 埼玉県加須市不動岡3-27-7 0480-61-15

KUBOTA YOSHIMICHI
久保田 俶通
日展特別会員、日彫会会員、日展会員賞・特選、日彫賞、長野、1938 〒272-0835 千葉県市
市中国分5-36-16 047-372-25

KUMAGAI KIMIKO
熊谷 喜美子
日展特別会員、日彫会会員、日展特選、日彫展努力賞、金沢美大卒、富山、1948 〒939-03
富山県射水市太閤山3-35 0766-56-31

KUROKAWA AKIHIKO
黒川 晃彦
無所属、昭和会展・高村光太郎大賞展優秀賞、美ヶ原高原美術館賞、横浜彫刻展横浜美術館
長野市野外彫刻賞、東京藝大大学院修、東京、1946 〒169-0051 東京都新宿区西早稲田1-1
14 http://art.myplanet.ne.jp/crokawa/ 03-3209-58

KUROWARABI SOH
黒蕨 壮
第27回平櫛田中賞、現代日本木刻フェスティバル大賞、名古屋市芸術奨励賞、木の造形旭川
賞展大賞、愛知県芸術文化選奨、個展(田中美術館他)、鹿児島、1951 〒453-0042 愛知県
古屋市中村区大秋町1-13 052-471-90

KUWAYAMA YOSHIYUKI
桒山 賀行
日展特別会員、日彫会会員、日展特選、日彫展奨励賞・西望賞、師澤田政廣、愛知、1948 〒25
0051 神奈川県藤沢市白旗3-12-4 0466-82-09

KOIZUMI TOSHIMI
小泉 俊己
多摩美大教授、個展(ギャラリー山口・ギャラリーなつか他)、グループ展多数、1993年文化庁
術家在外派遣研修員としてドイツに1年滞在、多摩美大大学院修、東京、1958 〒192-0394
京都八王子市鑓水2-1723

KOIDO MITSURU
小井土 滿
行動展行動美術賞、ヘンリー・ムーア大賞展優秀模型展他出品、個展、グループ展、武蔵野美
卒(卒業制作優秀賞)、東京、1947 〒190-0022 東京都立川市錦町1-24-27-404
042-808-91

KOGA YOSHIHARU
古賀 義治
日展会友、日彫会会員、県展受賞、グループ展、佐賀大卒、佐賀、1934 〒849-1203 佐賀県
明町戸ヶ里2838-8 09546-5-36

KOGAWA TAKEHIKO
古川 武彦
元新制作協会会員、新制作展新作家賞2、現代日本具象彫刻展大賞、文化庁現代美術選抜展
個展、東京造形大学、青森、1947 〒114-0034 東京都北区上十条4-5-4 03-3907-43

KOSHIMIZU SUSUMU
小清水 漸
無所属、中原悌二郎賞優秀賞、平櫛田中賞、現代日本彫刻展東京国立近代美術館賞・毎日新
社賞、芸術選奨文部大臣新人賞、京都美術文化賞、ヴェネツィア国際展出品、多摩美大卒、
媛、1944 〒665-0845 兵庫県宝塚市栄町1-6-2-1043

GOTO HISAO
後藤 久雄
無所属、元モダンアート会員、市制90周年記念賞、個展、渡欧、岐阜、1932 〒502-0016 岐
県岐阜市雄総桜町4-41 058-294-58

KOBACHI TADAFUMI
小鉢 公史
個展、グループ展、多摩美大大学院修、長崎、1961 〒104-0061 東京都中央区銀座6-13-4
座S2ビル2F ガレリア・グラフィカ気付 http://www.galleriagrafica.com 03-5550-13

KOYANAGI TSUTOMU
小柳 力
新制作協会会員、日本美術家連盟会員、新制作展新作家賞2、秋田県文化功労者賞、アラビア石油山下太郎顕彰
地域振興文化賞、世界木彫シンポジウム大会(デンマーク・ルーマニア等)、秋田国際木彫シンポジウム主催、個
多数、師阿部米蔵・菊池一雄、秋田、1941 〒010-1617 秋田県秋田市新屋松美ヶ丘東町3-14 018-863-62

ITO KAORU
齋藤　馨
創型会顧問、埼玉県美協参与・運委、県文連会長、日本美術家連盟会員、創型展文部大臣賞、個展、箱根大賞展他、埼玉大美術科卒、師中野四郎、埼玉、1934　〒346-0024 埼玉県久喜市北青柳460-3　0480-23-3567

ITO KAZUKO
斉藤　和子
大理石彫刻　コンラッド東京、東京ミッドタウン他蔵、個展（日本橋高島屋他）・グループ展多数、東京藝大大学院修、東京、1960　http://saitokazuko.com/

ITO YUKAKU
齋藤　尤鶴
日展特別会員、日彫会会員、日展東京都知事賞・会員賞・特選、日彫展日彫賞・努力賞、県展大賞、富山、1940　〒932-0305 富山県砺波市庄川町金屋1952　0763-82-2137

KAI AKIO
坂井　彰夫
新制作協会会員、新作家賞、県展グランプリ、個展、グループ展、東京藝大大学院修、神奈川、1944　〒216-0011 神奈川県川崎市宮前区犬蔵2-13-8　044-976-2905

KURAI KAEDE
櫻井　かえで
第13回KAJIMA彫刻コンクール銅賞、越後妻有アートトリエンナーレ2015出品、個展（ギャラリーせいほう他）、グループ展、武蔵野美大造形研究科美術専攻彫刻コース修、東京、1974　〒192-0154 東京都八王子市下恩方町1025-209

SAKI MAKOTO
佐々木　誠
創型展文部大臣賞、創型会賞、個展多数、東京、1964　〒113-0034 東京都文京区湯島4-6-11 湯島ハイタウン2F　羽黒洞気付　03-3815-0431

SADO CHIZUKO
笹戸　千津子
新制作協会会員、中原悌二郎賞優秀賞、神戸具象彫刻大賞展準大賞、長野市野外彫刻賞、個展多数、師佐藤忠良、東京造形大学、山口、1948　〒184-0012 東京都小金井市中町2-5-11　042-381-1045

ZEN KEI
佐善　圭
新制作協会会員、岡崎女子大学教授、文化庁在外研修員在伊、受賞多数、パブリックコレクション多数、個展多数、多摩美大大学院修、東京、1965　〒263-0043 千葉県千葉市稲毛区小仲台5-11-1-523　043-441-3977

TO SEIJI
佐藤　静司
日展特別会員、日展文部大臣賞・審査員・委嘱・特選、菊華賞、文帝展5、師三木宗策・澤田政廣、福島、1915　〒158-0086 東京都世田谷区尾山台2-9-5　03-3701-8747

TO CHU
佐藤　忠
サロン・ド・プランタン賞、神奈川県美術展準大賞、個展（日本橋高島屋美術画廊X・ギャラリーせいほう・ギャラリーなつか他）、グループ展多数、文化庁新進芸術家国内研修制度研修員・海外留学制度研修員（ドイツ）、東京藝大大学院修、神奈川、1966　神奈川県横浜市在住　http://www.satochu.com

TO MORIO
佐藤　守男
無所属、和泉短期大学学長、紺綬褒章、昭和会展優秀賞、個展（みゆき画廊・光画廊）、師千野茂・堀川恭、愛知県立芸術大学大学院修、東京、1957

WADA SHIKO
澤田　志功
無所属、文化学園大学教授、現代日本具象彫刻展優秀賞、富嶽ビエンナーレ展佳作賞、昭和会展招、日動美術財団賞、大分アジア彫刻展大賞、千葉県立美術館他蔵、個展、グループ展多数、東京藝大大学院修士課程修、東京、1965　〒331-0045 埼玉県さいたま市西区内野本郷1084-10　048-626-0520

OBARA YASUMASA
塩原　康正
創型会常任委員、日本美術家連盟会員、創型展創型会賞2・文部大臣奨励賞他、昭和会展、埼玉大卒、埼玉、1937　〒348-0012 埼玉県羽生市与兵衛新田38　048-565-3708

KAMA KOJIRO
鹿間　厚次郎
二紀会委員、二紀展宮本賞・同人優賞、同人賞、個展、須磨現代展出、金沢美工大卒、兵庫、1941　〒676-0082 兵庫県高砂市曽根町宮前2452-2　0794-47-3358

NODA MORIO
篠田　守男
無所属、神奈川県立近代美術館賞、高村光太郎賞、中原悌二郎賞優秀賞、彫刻の森美術館大賞、作品集刊行、東京、1931　〒300-4113 茨城県土浦市下坂田1661-2

BUYA TAKEMI
渋谷　武美
西相美術協会会員、元日展評議員、元日彫会運営委員、日展審査員3・委嘱4・特選2、日彫展努力賞2、文化庁現代美術選抜展2、個展2、師圓鍔勝三、山形、1941　〒256-0813 神奈川県小田原市前川413　0465-43-1668

MAZAKI TATSUYA
島崎　達哉
二科会会員、二科展ローマ賞・会員賞他、木内克野外彫刻展大賞他、文化庁芸術家在外研修員として渡伊、個展、デパート・アートフェア、東京藝術大学大学院修（サロン・ド・プランタン賞受賞）、フィレンツェ修復学校パラッツォ・スピネッリ卒、岐阜、1964　千葉県柏市在住　04-7193-3870

MADA KYOKOU
島田　恭宏
太平洋評議員、日彫会会員、日展会友、記念太平洋展総理大臣賞他多数、個展多数、国際展他出、師桜井祐一、1935　〒330-0834 埼玉県さいたま市大宮区天沼町2-863-5　048-642-1215

MADA TADAE
島田　忠恵
元自由美術会員、自由美術展平和賞、毎日現代展鎌倉近代美術館賞、国際展、現代展他招、栃木、1932　〒336-0015 埼玉県さいたま市南区太田窪5-8-10　048-882-2411

MANE SHO
島根　紹
高村光太郎大賞展佳作賞、現代日本彫刻展兵庫県立近代美術館賞、美ヶ原高原美術館・兵庫県立美術館分館原田の森ギャラリー他蔵、個展（日本橋高島屋・ギャラリーせいほう他）、グループ展、東京藝大大学院修、東京、1949　〒133-0057 東京都江戸川区西小岩5-10-15　03-3659-2535

SHIMAHATA MITSUGU
嶋畑　貢
日展特別会員、日本彫刻会会員、日本美術家連盟会員、県美術協会理事、日展特選・会員賞、彫展日彫賞、県文化奨励賞、秀明文化賞、文化庁現代美術選抜展出品、大阪芸大美術科卒、賀、1952　〒520-0241 滋賀県大津市今堅田2-28-35　077-573-63

SHIMOKAWA AKINOBU
下川　昭宣
新制作協会会員、新制作展新作家賞2、昭和会展優秀賞、長野市野外彫刻賞、文化庁在外研員、個展4、東京藝大大学院修、愛知、1949　〒155-0033 東京都世田谷区代田3-10-22　03-3422-48

SHIMOYAMA NAOKI
下山　直紀
元二科会会員、二科展特選・損保ジャパン美術財団奨励賞・ローマ賞、損保ジャパン選抜奨展新作秀作賞、上毛芸術賞美術部門、三義国際木彫芸術祭佳作、個展多数、グループ展多多摩美大大学院修、群馬、1972

SYODAI TAKESHI
小代　猛
日展会員、日彫会会員、白日会会員、日展特選、白日展奨励賞、長崎、1941　〒859-3607 長県東彼杵郡川棚町城山113　0956-82-50

SHIROTA KOICHIRO
城田　孝一郎
新制作会員、新制作展協会賞、中原悌二郎賞優秀賞、平櫛田中賞、長野市野外彫刻賞、個展数（神田ときわ画廊・銀座美術家会館他）、師平櫛田中・菊池一雄、東京藝大卒、長野、19〒204-0012 東京都清瀬市中清戸2-622　042-491-12

SHINGU SUSUMU
新宮　晋
現代日本彫刻展大賞、横浜ビエンナーレ野外彫刻展大賞、吉田五十八賞、長野市野外彫刻賞、日芸術賞特別賞、日本芸術大賞、紫綬褒章、旭日小綬章、イタリア政府奨学生として渡伊、東藝大卒、大阪、1937　〒669-1358 兵庫県三田市藍本3990-7　079-568-37

SHINTANI ICHIRO
新谷　一郎
国民文化祭'89入選、国民文化祭ぐんま2001市民賞、桜の森彫刻コンクール町民賞他、東京藝大学院修、大阪、1956　〒678-0081 兵庫県相生市若狭野町入野547-1

JINBO TAKUMA
神保　琢磨
創型会同人、創型展創型会賞、国展、個展、父子展、師神保豊、太平洋美校、東京、1956　〒3?-0302 埼玉県比企郡鳩山町大橋759-1　0492-96-04

JINBO MIYABI
神保　雅
無所属、自由美術展佳作賞、個展、父子展、グループ展、師神保豊、福島、1952　〒350-03埼玉県比企郡鳩山町奥田104-14　0492-96-15

SUEMASA TETSUO
末政　哲夫
二紀会委員、日本美術家連盟会員、二紀展50周年記念展賞・宮本三郎賞、しまなみ海道彫刻ンクール優秀賞、石川県文化功労賞、個展3、外遊9（イタリア・メキシコ等）、師堀義雄、金沢卒、石川、1932　〒920-0951 石川県金沢市花里町15-12　076-263-60

SUGA MICHIYASU
須賀　通泰
無所属、元二科会理事、二科展文部大臣賞・金賞・会員努力賞、秀作美術展他出、東京美術校鍛金部卒、神奈川、1930　〒211-0062 神奈川県川崎市中原区小杉陣屋町1-15-2　044-722-6

SUGAWARA JIRO
菅原　二郎
二科会常務理事、グラデッツ国際展、第2回宇部現代彫刻展、第1回須磨離宮公園野外彫刻展、PARTY東芝ビル彫刻雨引の里と彫刻参加（第1回～）、フォルマビバ国際石彫シンポジウム他多数、国内外個展多数、1970～85年イタリア学、東京藝大大学院修、奈良、1941　〒222-0021 神奈川県横浜市港北区篠原北2-11-12-616　090-3500-25

SUGIMOTO SHIGERU
杉本　繁
二科会彫刻部会員、二科展二科賞、第11回神戸須磨離宮公園現代彫刻展（国立近代美術館賞個展、ユーゴスラビア彫刻シンポ参加、多摩美大大学院修、師笠置秀男・圓鍔勝三・建畠覚東京、1946　〒214-0032 神奈川県川崎市多摩区枡形5-16-3-102　044-933-57

SUGIYAMA SOJI
杉山　惣二
元新制作協会会員、元文星芸大教授、新制作展新作家賞、昭和会展優秀賞、ロダン展特別優賞2、ブランクーシ大賞展優秀賞、彫刻の森他個展35、師伊東傀・菊池一雄、東京藝大大学院愛知、1946　〒248-0035 神奈川県鎌倉市西鎌倉1-3-13

SUMIKAWA KIICHI
澄川　喜一
新制作会員、文化功労者、日本藝術院会員、島根県芸術文化センター長・石見美術館長、東京藝大名誉教授（1995～2001年学長）術院賞・恩賜賞、五十八賞、平櫛田中賞、本郷新賞他受賞多数、紫綬褒章、東京藝大彫刻専攻科修、島根、1931　〒151-0063 東渋谷区富ヶ谷1-51-2　デュオパークビルディングMサイド6F　http://www.sumikawa-art.com/　03-6804-80

ZERO HIGASHIDA
ゼロ・ヒガシダ
新制作協会会員、KAJIMA彫刻コンクール金賞、新制作展新作家賞・新制作協会賞、国内外て個展、渡米、東京藝術大学大学院修、広島、1958　〒739-0142 広島県東広島市八本松2-15-3　082-428-01

TAKAO SHUNICHI
鷹尾　俊一
新制作展新作家賞、高村光太郎大賞展特別優秀賞、神戸具象彫刻大賞展優秀賞、昭和会展優賞、個展多数、師柳原義達、日本大学芸術学部彫刻科中退、熊本、1950　〒355-0327 埼玉比企郡小川町腰越1867　0493-74-41

TAKAOKA NORIO
高岡　典男
ヨーロピアンアーティストメンバー、文化庁在外研修員としてイタリア派遣、中原悌二郎賞展優秀賞、A国際環境造形コンクール銀賞（EXPO'90）、海外個展（イタリア・メキシコ）、海外彫刻シンポジウム招待加多数、金沢美工大彫刻科卒、東京、1950　〒337-0005 埼玉県さいたま市見沼区小深作400-19

TAKANO KEISHO
高野　佳昌
無所属、元行動美術会員、神戸具象彫刻大賞展賞、長野市野外彫刻賞、京都府野外彫刻展府上、京都、1941　〒607-8076 京都府京都市山科区音羽役出町25-3　075-591-15

TAKAHASHI ISAMU
高橋　勇
日展特別会員、日彫会会員、日展特選、日彫展奨励賞、師澤田政廣、富山、1942　〒930-09富山県富山市新庄町2-6-47　076-441-11

AKAHASHI KENGO
髙橋 賢悟
東京藝大大学院卒（内藤春治賞、卒業制作台東区奨励賞、修了制作メトロ財団優秀賞）、鹿児島、1982 〒113-0031 東京都文京区根津2-4-3

AKAHASHI HIROSHI
髙橋 宏至
日展会友、日彫会会員、日展特選、日彫展関西賞、外遊、東京藝大卒、1932 〒581-0866 大阪府八尾市東山本新町1-10-16
0729-97-5111

AKAHASHI YO
髙橋 洋
国画会会員、愛知県立芸術大学名誉教授、日本美術家連盟会員、アジア民族造形学会会員、国画賞・40周年記念賞、新樹会、個展、師山本豊市・千野茂、東京藝大大学院修、新潟、1938 〒470-0105 愛知県日進市五色園3-1908
0561-73-8371

AKAHATA KAZUAKI
髙畑 一彰
個展、グループ展、東京藝大大学院修、神奈川、1967 〒104-0061 東京都中央区銀座6-13-4 銀座S2ビル2F ガレリア・グラフィカ気付 http://www.galleriagrafica.com
03-5550-1335

AKAMURA SEIUN
髙村 晴雲
木彫・ブロンズ 法眼髙村東雲より六代目、本名 光治、佛教美術協会会員、師二代髙村晴雲、東京藝大大学院修、東京、1967 〒248-0026 神奈川県鎌倉市七里ヶ浜1-17-7
0467-32-1025

AKAYAMA HITOSHI
髙山 仁志
三軌会運営役員、三軌展三軌会賞・互井賞、個展（高崎スズラン百貨店・札幌新彩堂）、東京造形大卒、群馬、1954 〒371-0031 群馬県前橋市上細井町1823-5
027-232-1884

AKI TORU
瀧 徹
元新制作協会会員、新制作展新作家賞、現代日本彫刻展招、毎日現代展他出、東京藝大大学院修、京都、1942 〒196-0022 東京都昭島市中神町1388
042-546-3108

AKE MICHIHISA
竹 道久
無所属・元二科会会員、二科展二科賞、昭和会展優秀賞、南日本美術展パリ賞・委嘱作家賞4、風の芸術展佳作賞2、県芸術文化奨励賞、フランス留学、東京藝大大学院、鹿児島、1948 〒899-5101 鹿児島県霧島市隼人町住吉321-7
0995-42-1975

AKEDA MITSUYUKI
竹田 光幸
木彫刻 無所属、多摩美術大学名誉教授、紺綬褒章、旧ユーゴ国際シンポ・独ニュルンベルク都市シンポ招待、中国・韓国・台湾アジア国際交流展、個展、グループ展、私設TAKEDA木彫美術館、多摩美術大学大学院修、富山、1943 〒193-0812 東京都八王子市諏訪町233-60
042-651-6829

ANAKA AKIRA
田中 昭
日展特別会員、日彫会会員、東京家政大客員教授、金沢美工大講師、日展総理大臣賞・会員賞・特選、日彫展日彫賞、個展、師畝村直久、金沢美工大彫刻科卒、富山、1929 〒178-0064 東京都練馬区南大泉4-42-29
03-3922-4462

ANAKA ATSUKO
田中 厚好
日展会員、日本彫刻会会員、日展特選2、名古屋芸大彫刻科卒、三重、1960 〒514-0008 三重県津市上浜町6-2-16
059-227-4036

ANAKA KOJIRO
田中 康二郎
無所属、現代九州彫刻展大賞、Akademieコンクール展第1位（独）、個展・グループ展多数、DAAD給費留学生として渡独・シュツットガルト国立美術学校、東京藝術大学大学院修、福岡、1953 〒250-0024 神奈川県小田原市根府川472-38
0465-25-2554

ANAKA TSUYOSHI
田中 毅
現代日本具象彫刻展大賞、神戸具象彫刻大賞展大賞・優秀賞、第26回UBEビエンナーレ、個展・グループ展多数、東京藝大大学院修、宮崎、1951 〒350-0022 埼玉県川越市小中居903-3
049-235-3847

ANAKA YONEKICHI
田中 米吉
無所属、現代日本彫刻展大賞、毎日新聞社賞、フジ産経国際彫刻展佳作賞、ダラス大学・埼玉県立近代美術館・美ヶ原高原美術館作品設置、個展（山口県立美術館・NY・George Billis Gallery他）、米国MoMA's contribute、MoMA・ダラス美術館ライブラリー加入される、モンゴル永世英雄芸術作家、師香月泰男、宇部工専（現・山口大学工学部）卒、山口、1925 〒753-0048 山口県山口市駅通り1-5-7
083-929-0469

ANADA KOJI
棚田 康司
岡本太郎記念現代芸術大賞特別賞、タカシマヤ美術賞、2001年文化庁芸術家在外研修員としてベルリン滞在、東京藝大大学院彫刻専攻修、兵庫、1968、神奈川県在住 〒162-0843 東京都新宿区市谷田町3-13 神楽ビル2F ミヅマアートギャラリー気付 http://mizuma-art.co.jp
03-3268-2500

ANIGUCHI JUNICHI
谷口 淳一
日展特別会員、日彫会会員、日展特選、日彫展奨励賞・努力賞、金沢美工大卒、筑波大大学院修、1952 〒605-0846 京都府京都市東山区五条橋東6-583-81
075-525-2787

ANIMURA TOSHIHIDE
谷村 俊英
日展特別会員、日彫会会員、日展特選、個展、師矩幸成、金沢美工大卒、石川、1941 〒923-1107 石川県能美郡寺井町末寺イ39
0761-57-2308

AMAI KESANOBU
玉井 袈裟信
日展会友、日彫会会員、日府展賞、県展審、個展、師橋本堅太郎、1942 〒382-0033 長野県須坂市亀倉378-8
0262-45-6393

AMANO SEIZO
玉野 勢三
無所属、昭樹会展招、全関西美術展読売新聞社賞、個展、師水島石根、愛知県立芸大大学院修、大阪、1954 〒599-8242 大阪府堺市中区陶器北479
072-234-9247

UJIHATA TAKAKO
辻畑 隆子
日展特別会員、日彫会会員、白日会会員、日展特選2・審査員3、白日展吉田賞・長島美術館賞、ロダン大賞展彫刻の森美術館賞・美ヶ原高原美術館賞、大分、1951 〒879-1502 大分県速見郡日出町藤原4525-1 http://tsujihata.oitacity.info/
0977-28-0444

TSUJIMOTO HIROKI
辻本 博紀
現代鎌倉彫コンペティション2000入賞、個展、グループ展、金沢美工大卒、1972 〒195-007
東京都町田市金井町2019-6 090-9345-71

TSUTA TATSUAKI
蔦 龍明
元国画会会員、全道展会員、国画展野島賞、新樹会招、師山本豊市、東京藝大大学院修、北
道、1943 〒041-0522 北海道亀田郡恵山町恵山375 0138-85-25

TSUDA HIROKO
津田 裕子
二科会評議員、女子美大名誉教授、二科展会員賞他、安田火災奨励賞展優秀賞・記念展特別賞
高村光太郎大賞展受賞、個展5、海外研修ミラノ、師桑原巨守、女子美短大卒、東京、19
〒168-0063 東京都杉並区和泉3-39-1 03-3328-81

TSUCHIYA MASARU
土屋 勝
国画会会員、日本美術家連盟会員、国展新海賞・新人賞・会友優秀賞、国内外でグループ展
個展、イタリア留学、カラーラ国立美術学校卒、千葉、1951 〒263-0051 千葉県千葉市稲毛
園生町468-81 043-253-05

TSUCHIYA YOSHIMASA
土屋 仁応
卒業・修了制作サロン・ド・プランタン賞、第9回円空賞、個展多数、グループ展、東京藝大大
院博士課程修、神奈川、1977 〒104-0061 東京都中央区銀座2-16-12 B1 メグミオギタギャ
リー気付 03-3248-34

TSUTSUMI NAOMI
堤 直美
日展特別会員、日彫会会員、日展東京都知事賞・特選、日彫展日彫賞、県文化奨励賞、武蔵野
大卒、1950 〒411-0931 静岡県駿東郡長泉町東野137-173 055-988-25

TSUNEMATSU DAIJUN
常松 大純
行動美術協会会員、行動展行動美術賞、第5回 ヘンリー・ムーア大賞展ジャコモ・マンズー特別優秀賞、
の国さいたま彫刻バラエティ'95大賞、洞爺湖ぐるっと彫刻公園他作品設置、ギャラリーせいほう他個展、
京学芸大大学院修、平壌(福島)、1944 〒191-0033 東京都日野市百草971-166 042-592-02

TSURUTA SEIJI
靍田 清二
元国画会会員、昭和会展優秀賞、高村光太郎大賞展特別優秀賞、安田火災美術賞展賞、日大
術学部彫刻専攻卒、福岡、1943 〒359-1145 埼玉県所沢市山口1404-17 042-924-41

TESHIMA DAISUKE
手嶋 大輔
山口県美術展覧会(大賞)、個展、グループ展、ART ÉLYSÉES出品他多数、東京造形大研究
修、福岡、1977 www.daisuke-teshima.com

TERUI SAKAE
照井 榮
新制作協会会員、彫刻の森美術館大賞展、岩手県優秀美術選奨受賞作家展、選抜現代作家自
展他、個展・グループ展多数、盛岡短期大彫刻科卒、岩手、1932 〒201-0015 東京都狛江
猪方3-40-24 03-3489-32

TOGASHI MINORU
富樫 実
行動美術会員、行動展新人賞・会友賞、京都府文化賞功労賞、師辻晉堂、京都美大卒・パリ
術学校修、山形、1931 〒603-8156 京都府京都市北区小山中溝町16 075-451-38

TOKUNO SETSURO
得能 節朗
日展特別会員、日彫会会員、現代美術展審査員、金沢美術工芸大学名誉教授、日展総理大臣賞
会員賞・特選2、日彫展日彫賞、金沢美術工芸大学卒、1930 〒921-8036 石川県金沢市弥生2-1
28 076-242-75

TODA YUSUKE
戸田 裕介
日本美術家連盟会員、現代日本彫刻展・神戸須磨離宮公園現代彫刻展で受賞、東京野外現代彫刻展東
都知事賞、釜山ビエンナーレ、雨引の里と彫刻、日航財団海外派遣芸術家、英王立芸術大学院大学PEP
武蔵野美大大学院修、広島、1962 〒350-1317 埼玉県狭山市水野532-67 http://todayusuke.com/

TOZU TADASHI
戸津 侃
行動美術会員、行動展行動美術賞、個展、国際メダル展・毎日現代展・野外展招、東美卒、
京、1930 〒325-0304 栃木県那須郡那須町高久甲6099 0287-63-57

DOBASHI KEIKOU
土橋 慶光
日展会友、日彫会会員、師伊藤五百亀・長江録弥、多摩美卒、1941 〒299-4314 千葉県長生
一宮町新地1990-63 0475-42-65

TOMITA MASAKUNI
富田 眞州
無所属、国際ビエンナーレ彫刻展金賞、ローマ展金賞、国際プレミオ展特選、ロダン大賞展他
師ウンベルト・マストロイアンニ、ローマアカデミア美校卒、埼玉、1951 〒418-0044 静岡県
士宮市大中里1274-8 0544-23-31

TOMONAGA AKIMITSU
友永 詔三
個展(日本橋・大阪高島屋他)・グループ展多数、「プリンプリン物語」人形美術他、美術館での企画個展多
東京国立近代美術館・相生森林美術館作品買上、ブロンズ及び木彫モニュメントを各地に制作、師イゴール
ヒチカ、東京デザイナー学院卒、高知、1944 〒190-0172 東京都あきる野市深沢492 042-595-03

TOMONARI TETSURO
友成 哲郎
前橋アートコンペライブ2010銀賞、個展、東京造形大大学院修、東京、1986 〒240-0065 神
川県横浜市保土ヶ谷区和田1-12-17-603 090-5302-66

NAGAI TAKESHI
長井 武志
無所属、鳳の会展、現代新鋭作家彫刻展、あうんの会展出、東京造形大卒、東京藝大大学院
〒330-0017 埼玉県さいたま市見沼区風渡野340-1 048-686-99

NAKAOKA SHINTARO
中岡 慎太郎
長野市野外彫刻賞、ヘンリー・ムーア大賞展美ヶ原高原美術館賞、現代日本彫刻展神戸須磨離
公園賞、ロダン大賞展優秀賞2、ハラ・アニュアル、個展多数、文化庁在外研修(ポルトガル)、
摩美大彫刻科卒、岐阜、1957 〒503-2103 岐阜県不破郡垂井町梅谷125 0584-23-50

AGASAWA CHIMEI
長澤 知明
無所属、現代展、日本国際美術展、現代美術の新世代展、桜画廊で個展、宇部彫刻ビエンナーレ、中之条ビエンナーレ、富山トリエンナーレ優秀賞・奨励賞、東京藝大大学院修、岐阜、1947　〒503-0017 岐阜県大垣市中川町2-31-1　0584-81-1982

AKAJI CHIZUKO
名嘉地 千鶴子
日展会員、日本陶彫会会員、F.I.D.E.M会員、日展特選、日彫展西望賞、師澤田政廣、日本女子大卒、東京、1925　〒297-0035 千葉県茂原市下永吉407-2　0475-24-6826

AKAJIMA KAZUO
中嶋 一雄
自由美術会員、東北芸術工科大学名誉教授、自由美術展自由美術賞、現代美術選抜展、彫刻の森大賞展他出品、彫刻の森美術館買上、師清水多嘉示、武蔵野美大卒、熊本、1934　〒203-0054 東京都東久留米市中央町5-2-47　042-473-4873

AGASHIMA SHINYA
永島 信也
2010年個展（Gallery花影抄）以後毎年。2019年「美少女の美術史」展出品（台北・北師美術館）。京都造形芸術大学卒、島根、1986　〒113-0031 東京都文京区根津1-1-14 らーいん根津202 Gallery花影抄気付　03-3827-1323

AKASHIMA TOMOMI
中嶋 登茂美
無所属、現代日本具象彫刻展大賞、個展、神戸具象彫刻展他出、名古屋造形短大卒、広島、1943　〒444-0071 愛知県岡崎市稲熊町1-31-1　0564-24-6578

AKAJIMA MUTSUO
中島 睦雄
創型会運営委員、日本美術家連盟会員、埼玉県美術家協会会員、創型展創型会賞・文部大臣賞、埼玉県展特選、師法元六郎・畝村直久、東京学芸大学、埼玉、1936　〒349-1133 埼玉県加須市琴寄615　0480-72-2830

AKATSUJI SHIN
中辻 伸
日展特別会員、日本彫刻会会員、山梨美術協会会員、日展審査員3・特選2、文化庁現代美術選抜展、個展（南アルプス市立春仙美術館）、神奈川、1947　〒400-0318 山梨県南アルプス市高尾436

AGANO KOICHI
永野 光一
二紀会委員、二紀展文部科学大臣賞・宮永賞・会員優賞・宮本賞、安田火災奨励賞、現代美術の祭典佳作賞、東京造形大卒、北海道、1954　〒067-0052 北海道江別市角山世田谷349-7　011-382-8996

AKANO SHIGERU
中野 滋
無所属、横浜美術大学教授、昭和会展林武賞、ロダン大賞展彫刻の森美術館賞、ADC賞、長野市野外彫刻賞、個展・グループ展多数、師舟越保武、東京藝術大学大学院修、千葉、1951　〒227-0061 神奈川県横浜市青葉区桜台12-6　045-983-6238

AKAMA CHITOSHI
仲間 智登志
木彫フォークアートグランプリ、個展（日本橋三越・高島屋大阪店他）、にっかつ芸術学院創作科中退、沖縄、1960　〒093-0042 北海道網走市潮見323-69

AKAMURA SHINYA
中村 晋也
文化勲章、文化功労者、藝術院会員、日展顧問・名誉会員・文部大臣賞、日彫会顧問、白日会顧問、勲三等旭日中綬章、薬師寺釈迦十大弟子、阿僧伽・伐蘇畔度像・釈迦八相像（果相）奉納、ヴァチカン美術館蔵、パリ・ユネスコ本部蔵、（公財）中村晋也美術館、師A・フェノサ、1926　〒890-0047 鹿児島県鹿児島市常盤1-1-22　099-255-7027

AKAMURA YOSHITAKA
中村 義孝
一陽会運営委員、筑波大学名誉教授、ロダン大賞展美ヶ原高原美術館賞、佐野ルネッサンス鋳金展奨励賞、個展19、文部科学省在外研修・渡伊（ローマ美校）、筑波大学大学院修士課程修、茨城、1954　〒300-1205 茨城県牛久市東大和田町302-1　029-873-8031

ANBU SHOUN
南部 祥雲
日本画府理事長、日府展日府賞・努力賞・奨励賞、師南部白雲・米治一、富山、1947　〒939-1104 富山県高岡市戸出町2-2-21　0766-63-3480

SHIKAWA YOSHIHIKO
西川 吉彦
元行動会員、行動展30周年記念大賞、個展、グループ展、現代美術選抜展、朝日美術展、武蔵野美術学校中退、名古屋造形短大卒、愛知、1935　〒470-3232 愛知県知多郡美浜町美浜緑苑2-6-7　0569-87-5839

SHITANI FUJIO
西谷 富士雄
元自由美術会員、ハマ展会員、自由美術展佳作、師安田周三郎、横浜国立大卒、神奈川、1930　〒240-0023 神奈川県横浜市保土ヶ谷区岩井町232　045-731-1349

SHINAKA RYOTA
西中 良太
自由美術会員、日美連会員、大阪彫刻家会議運委、自由美術展自由美術賞・新人賞、現代日本具象彫刻展2、個展35、多摩美術大学大学院彫刻専攻、大阪、1961　〒565-0805 大阪府吹田市清水11-1-907　http://www.eonet.ne.jp/~ryoxn　06-4864-2020

SHIMURA KOSEN
西村 公泉
国画会彫刻部永年会員、元宝塚大学教授、日本美術家連盟会員、フィレンツェ芸術祭典地中海芸術大賞受賞、文化庁現代美術選抜展、個展（三越・髙島屋他）、東京藝大大学院修、大阪、1950　〒610-1106 京都府京都市西京区大枝沓掛町26-668　075-332-6509

UJIMA SEIJI
能島 征二
日本藝術院会員、日展理事、日本彫刻会常務理事、茨城県展会長・審査員、日本藝術院賞、日展文部大臣賞・会員賞・審査員10、外遊20、師小森邦夫、茨城大学卒、東京、1941　〒310-0851 茨城県水戸市千波町2363-6　029-244-5811

ZAKI KIWAMU
野崎 窮
無所属、昭和会展林武賞、「風の芸術展」トリエンナーレまくらざき協賛賞、新具象彫刻展出、東京藝大大学院修、岩手、1954

HARA KUNIHIKO
野原 邦彦
個展（上野の森美術館）、グループ展、国内外アートフェア多数、広島市立大大学院修、北海道、1982　〒101-0031 東京都千代田区東神田1-14-11　ヤマダビル1F　gallery UG気付　03-5823-7655

NOMAGUCHI IZUMI
野間口 泉
日展特別会員、白日会会員、日展審・特選、白日会奨励賞、師中村晋也、鹿児島大卒、鹿児島 1960 〒892-0875 鹿児島県鹿児島市川上町688-2 0992-44-31

HAIBARA AI
灰原 愛
I氏賞奨励賞、個展8（瀬戸内市立美術館）、グループ展多数、東京藝大大学院修、岡山、1981

HASHIMOTO KAZUAKI
橋本 和明
二科会会員、二科展ローマ賞他、ロダン大賞展優秀賞、TUES1997・現代彫刻の展望TUES賞 県文化奨励賞、個展20、金沢美工大卒、和歌山、1958 〒643-0004 和歌山県有田郡湯浅町 浅1499-1 天神山 0737-63-40

HASHIMOTO KENTARO
橋本 堅太郎
文化功労者、日本藝術院会員、日展顧問・元理事長・名誉会員・審7、日彫会常理・審6、学芸大学名誉 授、日本藝術院賞、日展特選・文部大臣賞、日彫展日彫賞、旭日中綬章、個展（高島屋・三越他）、師澤 政廣・圓鍔勝三、東京藝術大学卒、東京、1930 〒167-0035 東京都杉並区今川1-1-3 03-3390-24

HASEGAWA SOICHIRO
長谷川 総一郎
二紀会会員、二紀展褒賞・同人賞・会員賞・U氏賞、とやまの作家展高岡市立美術館賞、神戸具象彫刻大賞展87都市公 賞、となみ野美術展大賞、ハンガリー彫刻キャンプ、東京藝大彫刻研究科研究生、クラコフアカデミア留学、師板橋一歩 大滝直平・舟越保武・佐藤忠良、富山大卒、上海、1945 〒932-0217 富山県南砺市井波本町4-3 090-3298-28

HATANO IZUMI
波多野 泉
無所属、沖縄県立芸大教授、昭和会展優秀賞、あさご芸術の森大賞展大賞、現代日本具象彫 展、現代日本美術展他出品、東京藝大大学院修、滋賀、1957 〒900-0006 沖縄県那覇市おも まち2-5-13-202 サントピアおもろまち 090-6863-38

HAYASHI SHOZO
林 昭三
日展特別会員、日彫会会員、日展会員賞・特選、日彫展努力賞、文化庁選抜展招、師羽下修三 高橋剛、新潟、1935 〒178-0064 東京都練馬区南大泉4-3-18 03-3921-66

HAYASHI HIROSHI
林 宏
国画会会員、国展安田火災美術財団奨励賞・60回記念賞、神戸具象彫刻展読売賞、個展10、 京藝大大学院修、東京、1955 〒197-0004 東京都福生市南田園3-5-28 042-552-00

HAYASHI MIKIO
林 幹雄
日展会員、日彫会会員、日展特選、日彫展努力賞、現代美術選抜展、師畫間弘、愛知、19 〒464-0856 愛知県名古屋市千種区吹上1-2-21 052-731-09

HAYAMI SHIRO
速水 史朗
無所属、香川県文化功労者、紫綬褒章、旭日小綬章、彫刻の森大賞展・H.ムーア大賞展優秀賞、長野市野外彫刻賞2、 浜彫刻展市長賞、桜の森彫刻コンクール大賞他受賞多数、高松・滋賀・下関各美術館巡回展他、個展（ギャラリーせい う他）多数、徳島工専機械科卒、香川、1927 〒764-0013 香川県仲多度郡多度津町京町6-10 0877-33-31

HARA TORU
原 透
国画会会員、日本美術家連盟会員、国展新人賞・新海賞・会友優作賞、淡路夢舞台国際石彫 ンクール・秋田県立武道館モニュメントコンペ入賞、長野市野外彫刻賞、石空間展・C.J.A.G展 品、東京造形大学、東京、1959 〒243-0038 神奈川県厚木市愛名927-23 046-249-63

HARADA HIROAKI
原田 裕明
日展会員、白日会会員、日彫会会員、日展会員賞・審・特選、白日展文部大臣賞、安田火災奨 賞、師中村晋也、大分、1953 〒874-0834 大分県別府市新別府5組4-2 0977-25-74

BANURA YUJI
番浦 有爾
ブロンズ・乾漆 元新制作協会会員、京都美術文化賞、個展、京都、1935 〒607-8418 京 府京都市山科区御陵牛尾町38-4 075-581-30

BANDO MASARU
板東 優
東京造形大学客員教授、高村光太郎賞展、ノーブル・ホライズンズ野外彫刻展、個展、72～ 年東京造形大学彫刻科在学、74～76年ローマ・アカデミアのエミリオ・グレコ教室在学、北 道、1952 〒080-0017 北海道帯広市西7条南16丁目13番地 0155-24-59

HIGASHIKAGE TOMOHIRO
東影 智裕
五島記念文化賞、タグボート・アワードグランプリ・審査員特別賞（山口裕実賞）、個展（ギャ リー島田・あるぴいの銀花ギャラリー）・グループ展多数、武蔵野美術学園卒、兵庫、1978

HISAMURA SUSUMU
久村 進
自由美術協会会員、日本美術会、伊ピエトラサンタ国際彫刻展、カッラーラ市大理石展特別賞、 代日本具象彫刻展、府中郷土の森彫刻展他、個展10、伊カッラーラ美術アカデミア留学、武蔵 美大、東京、1941 〒183-0004 東京都府中市紅葉丘2-34-5 042-365-25

HIDAKA YORIKO
日高 頼子
二科会参与、二科展特選・金賞・会員努力賞・ローマ賞・文部大臣賞、長野市野外彫刻賞、 化庁買上、個展、東京藝術大学彫刻専攻科修、東京、1937

HITOKUWADA TORU
一鍬田 徹
日展会員・審査員、日彫会委員、白日会会員、千葉県美術会理事、広島大学教授、日展特選、日彫展日彫賞・ 望賞等、白日会展白日賞等、昭和会展、個展5、千葉大学大学院修、千葉、1964 〒739-0048 広島県東広島市 条東北町2-14 山内ビル301 http://home.hiroshima-u.ac.jp/thitoku/ 082-421-58

HINO HIROKI
日野 宏紀
二紀会委員、二紀展文部大臣奨励賞・宮本三郎賞、彫刻日動展招待、二紀会員展大谷美術館 東海大芸術研究所修、北海道、1949 〒350-1215 埼玉県日高市高萩東2-27-20 042-986-05

HIHARA KODAI
日原 公大
二紀会副理事長、宇都宮大名誉教授、二紀展会員優賞・U氏賞・宮本賞、現代選抜展出、東 藝大大学院修、山梨、1945 〒324-0032 栃木県大田原市佐久山2282-5 0287-28-23

IRATO KOJI
平戸　貢児
女子美術大学教授、個展多数（メタルアートミュージアム他）、グループ展多数（日本橋高島屋・ギャラリーせいほう他）、東京藝術大学大学院修了、千葉、1958　〒270-1164 千葉県我孫子市つくし野5-3-2

IRANO SENRI
平野　千里
太平洋美術会副会長、元日彫会会友、太平洋展太平洋美術会賞・文部大臣奨励賞、日彫展日彫賞・奨励賞、個展、ローマ・アカデミア美術学校卒、師ファッツィーニ・平野富山、東京、1948　〒116-0013 東京都荒川区西日暮里5-5-5　03-3805-0780

IRAHARA TAKAAKI
平原　孝明
日展特別会員・審5、日彫会会員・審5、日展特2、日彫展賞3・選抜展文部大臣賞、高村光太郎大賞展賞2、県文化賞、宮崎大学名誉教授、宮崎、1943　〒880-0052 宮崎県宮崎市丸山2-270-2　0985-24-6835

IRAYAMA TAKAYA
平山　隆也
新制作協会会員、日本美術家連盟会員、新制作展新作家賞、現代彫刻美術館野外彫刻ビエンナーレシンポジウムあさま彫刻展、現代彫刻美術館創立に参加、個展、東京藝術大学卒、東京、1940　〒153-0061 東京都目黒区中目黒3-23-14　03-3715-0096

IRUTA JIRO
蛭田　二郎
日展顧問・名誉会員、日本彫刻会常務理事、岡山県美術家協会会長、日本藝術院会員、岡山大名誉教授、倉敷芸術科学大名誉教授、日展文部大臣賞・菊華賞・特選2、日本藝術院賞、岡山県文化賞、茨城県文化特別顕彰、山陽新聞賞、三木記念賞、北茨城市「マウントアカネ」内蛭田二郎彫刻ギャラリー開設、旭日中綬章、茨城大学教育学部卒、茨城、1933　〒701-1205 岡山県岡山市北区佐山2502-4　086-284-7727

IROKAWA MASAKAZU
廣川　政和
日展会員、日彫会運営委員、日展審査員1・特選2・無鑑査2、日彫展会員賞・日彫賞・優秀賞、県展県展賞・文部大臣奨励賞、千葉大学大学院修、福岡、1960　〒285-0837 千葉県佐倉市王子台6-27-38　043-488-0439

UKAI SOICHIRO
深井　聡一郎
日本現代陶彫展大賞、アート公募モリスギャラリー賞、文化庁在外研修にて渡英、武蔵野美大大学院修、東京、1973　〒990-0025 山形県山形市あこや町1-15-19　コーポスズキ102

UKAI TAKASHI
深井　　隆
無所属、東京藝大名誉教授、中原悌二郎賞優秀賞、平櫛田中賞、現代日本彫刻展宇部市野外彫刻美術館賞・埼玉県立近代美術館賞、長野市野外彫刻賞、東京藝大大学院美術研究科彫刻専攻修、群馬、1951　〒173-0034 東京都板橋区幸町66-8　03-3973-7228

UKASAKU YOKO
深作　洋子
多摩美大・玉川大学非常勤講師、東京国立博物館内漆工修理室小西工芸社非常勤、画廊ディレクター、二科展特選、東京藝術大学サロンドプランタン賞、個展・グループ展多数、東京藝大大学院博士後期課程修、パブリックコレクション多数（あんずの里観光会館他）　〒220-0003 神奈川県横浜市西区楠町5-1 深作眼科ビル　f.e.i art gallery気付　045-325-0081

UKADA MITSUO
深田　充夫
日本美術家連盟会員、1993年フジサンケイビエンナーレ現代国際彫刻展特別優秀賞、2004年第8回KAJIMA彫刻コンクール金賞、2016年滋賀県文化賞、1983年ヘンリー・ムーア大賞展美ヶ原美術館賞・1981年優秀賞、第10回現代日本彫刻展、個展、京都精華短大卒、滋賀、1956　〒520-3232 滋賀県湖南市平松553-39　0748-72-6660

UJITA HIDEKI
藤田　英樹
国画会会員、島根大学教授、国展奨励賞2・新人賞・安田火災美術財団奨励賞、昭和会展優秀賞、国民文化祭彫刻展文部科学大臣奨励賞、上越教育大学大学院修、鳥取、1967　〒690-8504 島根県松江市西川津町1060　島根大学教育学部　0852-32-6324

UJIMOTO AKIHIRO
藤本　明洋
アート・ミーツ・アーキテクチャーコンペティション最優秀賞、木彫フォークアート・おおや実行委員会特別賞、明星大学卒、個展、グループ展、埼玉、1973　http://krilo.jp

UNAKOSHI KATSURA
舟越　　桂
文化庁派遣在外研修（ロンドン）、芸術選奨文部科学大臣賞、タカシマヤ文化基金新鋭作家奨励賞、平櫛田中賞、中原悌二郎賞、毎日芸術賞、東京藝大大学院修、岩手、1951　〒103-0027 東京都中央区日本橋2-10-8　日本橋日光ビル9F　西村画廊気付　http://www.show-p.com/funakoshi　03-5203-2800

OSOI YOSHIO
細井　良雄
二科会名誉理事、二科展文部大臣賞・記念大賞・特選・会員努力賞、ユーゴ・インド・中国外遊、東京藝大彫刻科、福島、1931　〒202-0005 東京都西東京市住吉町6-7-13　0424-21-0503

OSONO TOSHIHITO
細野　稔人
二紀会委員、二紀展文部大臣賞・菊華賞、文化庁現代美術選抜展招待、ネーベ具象彫刻展結成、日動彫刻展、ビエンナーレ・インターナツィオナレ、ダンテスカ・ダンテ・ヨーロペオなど出品、新潟県立美術館・埼玉県立近代美術館・笠間日動美術館等収蔵、新潟大卒、新潟、1932　〒330-0072 埼玉県さいたま市浦和区領家2-7-20　048-886-1828

OTAI TOMOYUKI
保田井　智之
無所属、東北芸術工科大学芸術学部教授、平櫛田中賞、95年アイルランド・アートカウンシル・タイロンガスリーセンターにて制作、武蔵野美術大学彫刻科卒、宮崎、1956　〒182-0024 東京都調布市布田5-43-1　042-426-7311

ORIKAWA YASUSHI
堀川　　恭
無所属、元国画会会員、愛知芸大名誉教授、平櫛田中賞、文化庁買上、個展、東京美術学校卒、千葉、1927　〒162-0835 東京都新宿区中町31　03-3269-1525

ONGO HIROSHI
本郷　　寛
塑造（乾漆・ブロンズ）　国画会会員、東京藝大名誉教授、日美連理事、国展野島賞・新人賞・会友優作賞他、文化庁現代美術選抜展2、個展（ギャラリーせいほう・日本橋高島屋他）、点展（ギャラリーせいほう）、東京藝大大学院修、京都、1951　〒278-0055 千葉県野田市岩名669-4　04-7123-6263

ONDA TAKATOMO
本田　貴侶
CAF.N代表（現代美術）、埼玉大名誉教授、国展国画賞、高村光太郎大賞展優秀賞、ロダン大賞展優秀賞、個展、東京藝大大学院修、熊本、1943　〒338-0826 埼玉県さいたま市桜区大久保領家57-1　048-855-4768

ONDA MASANAO
本多　正直
二紀会委員、二紀展第65回記念賞・宮本賞、U氏賞他、個展、グループ展多数、TERRA国際彫刻シンポジウム（セルビア）、十日町石彫シンポジウム、那須野が原彫刻シンポジウム、東京学芸大卒、埼玉、1961　〒340-0214 埼玉県久喜市葛梅1-25-5

MAEDA KOSEI
前田 耕成
二科会監事、個展多数、グループ展多数、イタリア政府給費留学生、多摩美大大学院修、東京
1949 〒156-0042 東京都世田谷区羽根木1-10-6 03-3325-414

MAEDA TADAKAZU
前田 忠一
昭和会展優秀賞、日本美術家連盟会員、個展多数、グループ展多数、多摩美大彫刻科卒、熊本
1954 〒194-0041 東京都町田市玉川学園2-2-6 http://otrok.web.fc2.com/ 042-727-109

MAEHARA FUYUKI
前原 冬樹
個展、グループ展、東京藝大、おぶせミュージアム・中島千波館蔵、東京藝大卒、東京、196
〒241-0021 神奈川県横浜市旭区鶴ヶ峰本町2-33-5 080-6615-932

MAKITA YUJI
牧田 裕次
創型会同人、創型展創型会賞・文部大臣賞・同人優秀賞、現代日本具象展、鳳の会展（銀座松
美術店）、あうんの会展（松屋銀座）、東急秀作展、松屋銀座・東急本店等個展17、師牧田秀雲
東京、1950 〒347-0011 埼玉県加須市北小浜1359 0480-68-521

MAKINO EMIKO
牧野 永美子
全国木のクラフトコンペ審査委員賞、瑞浪クレイオブジェコンテスト準グランプリ、Toky
Midtown Award2010アート部門準グランプリ、多摩美大卒、東京、1986 〒192-0906 東京都
八王子市北野町555-16 北野田口ハイツ403

MASUI TAKETO
増井 岳人
新制作協会会員、東京藝大彫刻科非常勤講師、新制作展入選・新作家賞受賞、個展多数、グ
ループ展多数、東京藝大大学院修、神奈川、1979 〒247-0061 神奈川県鎌倉市台3-1-6-405
0467-45-878

MASUDA YOSHIKI
益田 芳樹
東京藝大院非常勤講師、グループ展（「蓮の会」、「これから」展）出品、東京藝大大学院博士課程
修、東京、1975 〒104-0061 東京都中央区銀座5-14-16 銀座アビタシオン1F 靖山画廊気付
03-3546-735

MASUYAMA TOSHIHARU
増山 俊春
無所属、彫刻日動展、昭和会展林武賞、個展、グループ展、師舟越保武、東京藝大大学院修、東
京、1946 〒359-1153 埼玉県所沢市上山口1814-3 042-928-547

MATSUOKA TAKANORI
松岡 高則
日展特別会員、日彫会運委員、広島日展会顧問、1932 〒729-0104 広島県福山市松永町4-32
0849-33-330

MATSUOKA TORU
松岡 徹
三河・佐久島アートプラン21、「キオクノ山蒐集記」奈義町現代美術館（岡山県）、スペイン国立バ
ルセロナ大大学院留学、名古屋芸大美術学部卒、愛知、1968

MATSUOKA MICHIHIRO
松岡 ミチヒロ
個展（新宿高島屋・北京・仙水美術館）、グループ展（北京・ベルギー）、海外イベント（ニューヨー
ク・北京・上海・ベルギー・ドイツ他） 〒494-0003 愛知県一宮市三条字小辰巳30-3 www.
michihiro-matsuoka.com

MATSUDA SHIGEHITO
松田 重仁
複号の彫刻家たち展代表、日本美術家連盟会員、損保ジャパン美術財団選抜奨励展新作秀作賞
ディスプレイデザイン賞特別賞、二科展会友賞・特選、個展多数、グループ展多数、多摩美大
学院修、山形、1959 〒206-0821 東京都稲城市長峰2-28-4 090-5325-32

MATSUDA HIROYASU
松田 裕康
日展特別会員、日彫会会員、日展特選、日彫展日彫賞、県文化奨励賞、日展新人選抜展招、194
〒426-0051 静岡県藤枝市大洲4-14-3 054-636-00

MATSUNAGA TSUTOMU
松永 勉
行動美術会員、安田火災美術財団奨励賞、ヘンリー・ムーア大賞展彫刻の森美術館賞、個展
1948 〒770-0801 徳島県徳島市上助任町三本松366-13 088-632-32

MATSUMOTO SHIGEKI
松本 繁来
日展会員、日展特選、日彫展日彫賞・奨励賞、師澤田政廣、長崎、1932 〒529-1414 滋賀県
崎郡五個荘町中120 0748-48-24

MATSUYAMA KEN
松山 賢
美術家、キリンコンテンポラリーアワード奨励賞、岡本太郎現代芸術賞入選、個展（日本橋高
屋・新宿高島屋・大阪高島屋）、京都市立芸大大学院修、岩手 http://pineart.exblog.jp

MARUYAMA MASARU
丸山 勝
無所属、国展国画賞、天展表頭領大賞、個展、グループ展、師山本豊市、愛知芸大大学院修、
奈川、1945 〒463-0002 愛知県名古屋市守山区中志段味字吉田洞2911-945 052-736-37

MIKI TOSHIHARU
三木 俊治
無所属、高村光太郎大賞展美ヶ原高原美術館賞、現代日本具象彫刻展大賞、中原悌二郎賞優秀賞、神
須磨離宮公園現代彫刻展神奈川県立近代美術館賞、宇部市野外彫刻美術館賞、国内外において個展・
ループ展多数、東京造形大学卒、栃木、1945 〒191-0016 東京都日野市神明2-7-7 042-584-66

MISAKI HIRONAKA
見﨑 泰中
美術文化協会会員、浜松学院大学名誉教授、美術文化展2003年会員賞、損保ジャパン美術財
奨励賞展1995年新作秀作賞、パブリックアートとして各地に大作、個展・グループ展多数、東
藝大大学院修、静岡、1939 〒430-0851 静岡県浜松市中区向宿1-16-14 053-461-68

MISAWA ATSUHIKO
三沢 厚彦
武蔵野美大特任教授、平櫛田中賞、中原悌二郎賞、タカシマヤ美術賞、長野市野外彫刻賞、
展、グループ展、東京藝大大学院修、京都、1961 〒103-0027 東京都中央区日本橋2-10-8
本橋日光ビル9F 西村画廊気付 03-5203-28

ISHIMA KIICHI
三島 樹一
国画会会員、国展新海賞・会友優作賞、あさごアートコンペティション大賞、個展8、師鈴木実、岩手大学専攻科修、北海道、1949　〒277-0074 千葉県柏市今谷上町32-49

ITANI SHIN
三谷 慎
まちなかの彫刻展甲府市制100周年記念賞、上毛芸術奨励賞、ダンテ・アリギエーリ国際彫刻ビエンナーレ招、ローマ国立美術アカデミー彫刻科ファッツィーニ教室卒、東京造形大彫刻科卒、石川、1953　〒371-0201 群馬県前橋市粕川町中之沢249-64

INAGAWA YOSHIHIRO
皆川 嘉博
秋田公立美術大准教授、現代造形表現作家フォーラム会員、秋田美術作家協会会員、秋田県彫刻連盟会員、日本現代陶彫展優秀賞、秋田県芸術選奨他受賞、東京藝大大学美術館他蔵、個展（ギャラリーせいほう・藤屋画廊）、グループ展、師山本正道、東京藝大大学院博士後期課程満期退学、秋田、1968　〒010-1632 秋田県秋田市新屋大川町12-3　秋田公立美術大学　018-888-8108

INAMI YASUHIRO
南 安廣
元二紀会会員、二紀展宮本三郎賞・会員賞・優賞・選抜展賞・同人賞、個展、東京藝大大学院修、鹿児島、1948　〒345-0832 埼玉県南埼玉郡宮代町東粂原435-2

INETA TOSIRO
峯田 敏郎
国画会会員、上越教大名誉教授、元筑波大学教授、昭和会展・高村光太郎展他優秀賞、ロダン展彫刻の森美術館賞、平櫛田中賞、長野市野外彫刻賞、紺綬褒章6、個展多数、「次代を担う彫刻家たち展」企画・開催、東京教育大卒、山形、1939　〒300-1234 茨城県牛久市中央2-25-3　029-874-0381

INETA YOSHIRO
峯田 義郎
白日会顧問、東北芸術工科大学名誉教授、白日展白日賞・内閣総理大臣賞他、昭和会展林武賞、高村光太郎大賞展特別優秀賞2、長野野外彫刻賞特別賞、倉吉緑の彫刻賞、神戸具象彫刻展特別優秀賞他、1976～77年文化庁在外研修員（メキシコ・ローマ・パリ）、東京教育大卒、山形、1937　〒990-2492 山形県山形市鉄砲町2-7-31　023-622-0795

IYAKE IKKI
三宅 一樹
あさご芸術の森大賞展準大賞、昭和会展日動美術財団賞、二科展ローマ賞、個展多数（ギャラリーせいほう・壺中居・台湾・耿画廊他）、多摩美術大大学院博士後期課程修（博士号取得）、アトリエ榧乃舎設立、東京、1973　〒252-0141 神奈川県相模原市緑区相原4-4-1　042-774-8166

IWA OTOHIKO
三輪 乙彦
一陽会運営委員、一陽展特待賞、個展、選抜展、渡欧、武蔵野美大卒、東京、1930　〒500-8838 岐阜県岐阜市八幡町14-1　058-263-7650

IWA MICHIKO
三輪 道子
無所属、あかりのオブジェ展審査員特別賞、ARTEX OSAKA最優秀賞、国際インパクトアートフェスティバル、ARTEXパリ招待出品、C.A.F展、渋谷ユネスコ主催展、招待出品参加多数、個展10、武蔵野美術大学短大部卒・専攻科修・修了制作優秀賞、大阪　〒666-0111 兵庫県川西市大和東5-43-12　072-790-3085

IWA MICHIYO
三輪 途道
無所属、個展、グループ展、海外アートフェア多数、東京藝大大学院修、群馬、1966　〒370-2624 群馬県甘楽郡下仁田町東野牧2635-1　http://michiyo-miwa.jimdo.com/　0274-84-3930

UGIKURA TADAHIKO
麦倉 忠彦
新制作協会会員、新制作展新作家賞、個展、師菊池一雄・ジオルコフスキー、東京藝大卒、埼玉、1935　〒340-0003 埼玉県草加市稲荷4-3-23　048-931-5011

UTSUZAKI TOSHIMITSU
六崎 敏光
一陽会運営委員、一陽展植木力賞・野外彫刻賞・木内克賞、現代日本具象彫刻展大賞、神戸具象彫刻大賞展優秀賞、ロダン大賞展美ヶ原高原美術館賞、横浜彫刻展奨励賞、個展15、しもだて美術館企画展、茨城、1938　〒315-0013 茨城県石岡市府中5-7-13　0299-24-2079

URAI SHINGO
村井 進吾
無所属、多摩美術大学教授、カジマ彫刻コンクール奨励賞、洞爺村国際彫刻ビエンナーレ準大賞、個展、グループ展、多摩美大大学院修、大分、1952　〒192-0394 東京都八王子市鑓水2-1723　多摩美術大学美術学部　彫刻学科研究室　042-679-5622

URAKAMI KIYOSHI
村上 清
日本美術家連盟会員、東京藝大大学院修（修了制作サロン・ド・プランタン賞）、愛知、1971　〒251-0011 神奈川県藤沢市渡内1-7-22　0466-25-8520

URAMATSU TATSUYA
村松 達也
現代彫刻展、毎日選抜展、朝日新人展他出、個展、福井、1935　〒639-1134 奈良県大和郡山市柳町380　07435-2-5496

URAMATSU TOSHIO
村松 俊夫
山梨大教授、モダンアート展協会賞・安田火災奨励賞、ハイテクノロジーアート展特別賞、エンバ賞展優秀賞、アトリエ・ヌーボー・コンペ特別賞、神奈川県美術奨学会賞、個展18、東京藝大院修、1956　〒226-0027 神奈川県横浜市緑区長津田6-1-6-701　045-985-1696

URAYAMA TETSU
村山 哲
日展特別会員、日本彫刻会会員、日展特選2・審3、日彫展西望賞他・審2、個展2、日展推薦により内閣総理大臣官邸に作品貸出、師長江錄弥、愛知県立猿投農林高校卒、愛知、1949　〒215-0022 神奈川県川崎市麻生区下麻生2-16-10　044-989-2464

OGI HIROYUKI
茂木 弘行
無所属、新樹会展招、現代彫刻17人展、個展、師舟越保武、東京藝大大学院修、新潟、1945　〒959-0137 新潟県燕市源八新田　0256-98-4789

OCHIZUKI KIKUMA
望月 菊磨
東日本彫刻展優秀賞、現代日本美術展佳作賞、日本国際美術展佳作賞、個展・グループ展多数、東京藝大大学院修・修了制作サロン・ド・プランタン賞、福岡、1945　〒255-0004 神奈川県中郡大磯町東小磯661-20　0463-61-6786

ORITO SHIGEOMI
森戸 重臣
二紀会会員、日本陶彫会会員、二紀展優賞・同人賞・U氏賞・会員賞、個展5、グループ展等、師日原公大、宇都宮大学卒、栃木、1967

YASUDA KAN
安田　侃
無所属、芸術選奨文部大臣新人賞、ピエトラサンタ賞、トスカーナ州特別賞、伊政府招聘留学生として渡伊、師ペリクレ・ファッツィーニ、東京藝大大学院彫刻科修、北海道、1945 http://www.kan-yasuda.co.jp/

YABUUCHI SATOSHI
籔内佐斗司
無所属、東京藝大大学院教授、神戸須磨離宮公園現代彫刻展神戸市緑化芸術賞、平櫛田中賞天展大賞、個展多数、東京藝大大学院修、大阪、1953 〒156-0052 東京都世田谷区経堂1-41-
03-3420-184

YAMAI IKUO
山井イク夫
無所属、元モダンアート会員、神奈川県展大賞、JAFミラノ展他出、日大卒、1943 〒264-001 千葉県千葉市若葉区大宮台1-12-10
043-262-874

YAMAGATA HISAO
山縣壽夫
新制作協会会員、長野市野外彫刻賞、平櫛田中賞、トリーノ・クワドリエンナーレ金メダル、個展（ガレリア・シューベルト〈ミラノ〉・ギャラリー・ユニバース・ギャラリーせいほう他）、師マリノ・マリーニ 東京藝大彫刻科卒、奈良、1932 〒214-0032 神奈川県川崎市多摩区枡形6-22-12 044-933-972

YAMAGUCHI HIDETARO
山口秀太郎
フジサンケイビエンナーレ国際彫刻展優秀マケット・国民文化祭実行委員会会長賞、横浜彫刻展・風の芸術展・あさごアートコンペ、秋野不矩美術館個展、愛知教育大卒、愛知、1951

YAMAZAKI OSAMU
山崎　脩
元二紀会委員、京都芸大名誉教授、現代展、カーネギー国際展、新世代展、現代美術の動向展他招、1929 〒610-1152 京都府京都市西京区大原野北春日町1175-5
075-331-074

YAMASE SHINGO
山瀬晋吾
日展特別会員、日彫会会員、日展特選、日彫展日彫賞・努力賞、日展新人選抜展出、地域文化功労者表彰、石川、1935 〒924-0865 石川県白山市倉光8-40
076-275-273

YAMADA TOMOHIKO
山田朝彦
日展理事、日本彫刻会理事、日展文部科学大臣賞・会員賞・特選2、審査5、日本藝術院賞、明治大卒、広島、1943 〒113-0023 東京都文京区向丘1-3-17
03-3813-267

YAMAMOTO SHINSUKE
山本眞輔
日本彫刻会常務理事、白日会常任委員、日展理事、日本藝術院会員、名古屋市立大学名誉教授、日展特選2・会員賞・内閣総理大臣賞、日彫展西望賞他、日本藝術院賞、作品集出版（生活の友社）、伊政府招待ローマ・アカデミア留学・イタリア留学（文部省在外研究員）、東京教育大卒、愛知、1939 〒463-0021 愛知県名古屋市守山区大森2-1913 052-798-915

YAMAMOTO MASAMICHI
山本正道
新制作協会会員、東京藝大名誉教授、伊政府給費留学生渡伊、ローマ美術学校に学ぶ、フルブライト芸術部門交換研究員渡米、平櫛田中賞、中原悌二郎賞、紫綬褒章、東京藝大大学院修、京都、1941 〒251-0031 神奈川県藤沢市鵠沼藤が谷4-5-9
0466-22-707

YUMURA HIKARU
湯村　光
中原悌二郎賞優秀賞、ヘンリー・ムーア大賞展優秀賞、神戸須磨離宮公園現代彫刻展京都国立近代美術館賞、現代日本彫刻展東京国立近代美術館賞・宇部興産株式会社賞、神戸須磨離宮公園賞、長野市野外彫刻賞、倉吉緑の彫刻賞 渡仏国立パリ美術学校留学、東京藝大卒、鳥取、1948 〒160-0015 東京都新宿区大京町20-52 03-3225-677

YOKOYAMA TORU
横山　徹
二紀会委員、青山学院大教授、二紀展文部科学大臣奨励賞・宮本三郎賞・40周年記念賞・安田火災奨励賞他、金沢美工大彫卒、滋賀、1954 〒259-1322 神奈川県秦野渋沢2962

YOKOYAMA TOYOSUKE
横山豊介
日展特別会員、日彫会監事、日展文部大臣賞・特選・菊華賞、スポーツ芸術展賞、金沢美工大卒、1930 〒932-0217 富山県南砺市本町3-38-1
0763-82-054

YOKOYAMA YUZO
横山祐三
日展特別会員、日彫会会員、日展特選、県展招受賞、個展、師木下繁、岡山大卒 〒709-061 岡山県岡山市東区内ヶ原426
0862-97-306

YOSHIJIMA NOBUHIRO
吉島信広
アートフェア出品、個展・グループ展多数、南山大学文学部神学科卒業・愛知県瀬戸窯業高等学校陶芸専攻科卒業、佐賀、1979

YOSHIDA MITSUMASA
吉田光正
自由美術協会審、日美会委員、県美術会副会長、自由美術展佳作4・平和賞、県展山崎記念特別賞、文化庁現美選展、県功労者表彰、個展13、欧州他外遊、作品集、公共施設75ヶ所設、師清水多嘉示、武蔵野美大卒、群馬、1941 〒375-0015 群馬県藤岡市中栗須144-4 0274-22-438

YOSHINO TAKESHI
吉野　毅
二科会常務理事、日本藝術院賞、二科展文部科学大臣賞・特選・ローマ賞・会員努力賞他、文化庁現代美術選抜展出品、昭和会展招、師淀井敏夫・澄川喜一、東京藝大大学院修、千葉、194 〒176-0012 東京都練馬区豊玉北1-13-9
03-3948-043

YOSHIMI TAKEHIRO
吉見岳洋
新制作協会会員、社会福祉法人福島保育園園長、新制作展新作家賞3、文化庁現代美術選抜展招、個展6、パブリックコレクション16・プライベートコレクション5、愛知県立芸大大学院修、熊本、1959 〒868-0302 熊本県球磨郡錦町一武1103 桑原方
0966-38-026

YOSHIMIZU KAIMON
吉水快聞
浄土宗僧侶、大正大学客員教授、野村美術賞、個展（高島屋・靖山画廊）、東京藝大博士課程 奈良、1982 〒104-0061 東京都中央区銀座5-14-16 銀座アビタシオン1F 靖山画廊気付 http://www.kaimon.biz/
03-3546-735

YONEBAYASHI YUICHI
米林雄一
二紀会理事、日本建築美術工芸協会理事、東京藝術大学名誉教授、日本美術家連盟理事、平櫛田中賞、現代日本美術展、日本国際美術展出、金沢美工大卒・東京藝大大学院修、東京、194 〒110-0001 東京都台東区谷中3-23-2
03-3822-452

WADA YUNOSUKE
和田 雄之助

無所属、昭和会展優秀賞、新具象彫刻展出、個展・グループ展多数（知足美術館・川村美術館他）、師伊東傀、東京藝大大学院修、新潟、1949　〒369-1241 埼玉県深谷市武蔵野3912-5 048-579-2755

WATANABE TOYOSHIGE
渡辺 豊重

無所属、現代日本美術展、国際青年画家展、安井賞展、現代日本彫刻展出、個展、東京、1931 〒211-0022 神奈川県川崎市中原区苅宿335 044-422-1756

WATABIKI MICHIO
綿引 道郎

二科会参与、広島市立大名誉教授、二科会ローマ賞・文科大臣賞他、具象彫刻展優秀賞、長野市野外彫刻賞、木内克展準大賞、ロダン展準大賞2・神戸大賞展特別優秀賞2、県教育功労者、師淀井敏夫、東京藝大院修、東京、1942　〒299-0263 千葉県袖ケ浦市奈良輪2510　047-345-0072

彫刻・他立体　わ

ジャンル別 作家略歴・住所録

工　芸

[凡例]

英字 作家名	技法　所属、肩書き、受賞歴、個展、外遊等、師、最終学歴、出身、生年　住所 H.P.アドレス　電話番号

■ ふりがな（英字）は原則としてヘボン式で統一しています

YAMA TETSURO
青山 鉄郎
陶芸　日展会友、新工芸会員、美濃陶芸協会会員、新工芸展中日賞、中日国際陶芸展入、朝日展賞、県展賞、個展、1946　〒509-8301 岐阜県中津川市蛭川5735-268　矢筈窯　0573-45-3105

ABORI IKUHIKO
赤堀 郁彦
漆芸　日展特別会員、現代工芸理事、日本漆工協会副理事長、日展文部科学大臣賞、現代工芸美術展文部大臣賞・内閣総理大臣賞、横浜文化賞、個展4、横浜市海外研修生（欧・北欧等）、師高橋節郎、東京藝大卒、静岡、1936　〒247-0004 神奈川県横浜市栄区柏陽18-4-103　045-893-7572

BA AYA
秋葉 絢
硝子　多摩美大工芸学科ガラスコースにてバーナーワーク特別講義、2019年「秋葉絢ガラス展」（北澤美術館）他個展・企画展等多数、多摩美大卒、神奈川、1978　〒113-0031 東京都文京区根津1-1-14　らーいん根津202　Gallery花影抄気付　03-3827-1323

HO HIROKI
秋保 浩樹
陶芸　日本工芸会正会員、伝統工芸展入、師田村耕一・浅野陽、東京藝大大学院陶芸修、東京、1945　〒176-0004 東京都練馬区小竹町1-17-6　03-3973-1565

AKURA ISOKICHI
浅蔵 五十吉
陶芸　本名 與成、日展特別会員、日本現代工芸評議員、石川県無形文化財九谷焼技術保存会会員、金沢学院大学名誉教授、石川、1941　〒923-0833 石川県小松市八幡九谷ヶ丘己50-1　0761-47-0051

AKURA MASAHIRO
浅蔵 正博
陶芸　日展会員・審1、日本現代工芸評議員、石川県現代美術常任評議員、日展特選2、現代工芸展会員賞、瑞宝単光章、師川尻一寛、石川、1942　〒923-0833 石川県小松市八幡九谷ヶ丘己310　0761-47-1576

ANO MASARU
浅野 勝
陶芸　日本工芸会正会員、伝統工芸展入、個展（西武他）、宮城、1944　〒321-4104 栃木県芳賀郡益子町大沢2400-4　0285-72-1787

UMA KEN
東 憲
陶芸　日本工芸会正会員、朝日陶芸展受賞、個展、師富本憲吉・近藤悠三、京美大卒、大阪、1933　〒558-0014 大阪府大阪市住吉区我孫子4-1-20　06-6691-3578

ARASHI KANJI
新 歓嗣
伊賀焼　無所属、新匠工芸展受賞、伝統工芸展入、個展、グループ展、大阪芸大卒、大阪、1944　〒518-0031 三重県伊賀市長田三軒家4145　0595-23-8933

E ANJIN
安倍 安人
備前焼　無所属、個展（備前焼ギャラリー他）、大阪、1938　〒701-4301 岡山県瀬戸内市牛窓町長浜5958-1　0869-34-5778

ATA KOJI
荒田 耕治
陶芸　日本工芸会正会員、伝統工芸展入、日陶展大臣賞、個展、北海道、1938　〒309-1626 茨城県笠間市下市毛104　0296-72-0794

YAMA CHOYU
有山 長佑
陶芸　日展特別会員、元新工芸顧問、日本新工芸展総理大臣賞他、師3代長太郎、多摩美大彫卒、鹿児島、1935　〒891-0144 鹿児島県鹿児島市下福元町2962-6　099-268-3313

ATA NAOKO
粟田 尚子
陶芸　個展（アートサロン山木・ギャラリー白他）・グループ展多数、浪速短期大学デザイン美術科工芸卒、大阪、1970

DO HIDETAKE
安藤 日出武
陶芸　日本工芸会正会員、伝統工芸展入、日陶展入、個展（日本橋三越他）、岐阜、1938　〒507-0814 岐阜県多治見市市之倉町10-98　0572-22-3750

EGAMI EIICHI
池上 栄一
陶芸　（社）亜細亜美術交友会名誉会長、富山県郷土陶芸会会長、亜細亜現代美術展内閣総理大臣賞・文部大臣奨励賞・中華人民共和国駐日本国大使館賞、個展34、金沢美大卒、石川、1931　〒939-0306 富山県射水市手崎916　0766-55-2625

EDA SHOGO
池田 省吾
陶芸　現代茶陶展TOKI織部銀賞、織部の心作陶展TOKI織部銅賞、個展（穴窯陶廊炎色野・画廊文錦堂）、師川添貞秀、有田窯業大卒、鹿児島、1976　〒891-3222 鹿児島県西之表市国上上之古田　種子島無比　0997-28-1802

ENOUE SHOZAN
池ノ上 曙山
根来塗　徳川宗敬賞、優秀漆工技術者、根来寺名根来寺印認許、和歌山県知事奨励賞、岩出市市民文化賞、根来寺根来塗郷土伝統工芸品に指定、師河田貞　〒649-6202 和歌山県岩出市根来2306-1　岩出市民俗資料館内根来塗工房　http://www.negoronuri.com/　0736-62-3557

HIKAWA HAJIME
石川 雅一
陶芸　師吉田喜彦・合田好道、栃木県窯業指導所入所、栃木、1957　〒321-4107 栃木県芳賀郡益子町大沢四本松2864-8　0285-72-6578

HINO TAIZO
石野 泰造
備前焼　日本工芸会正会員、伝統工芸展入、ファエンツァ国際展入、個展、早稲田大卒、岡山、1942　〒709-0411 岡山県和気郡和気町吉田1781　0869-93-1344

HIRA AKIRA
伊志良 光
陶芸　日本工芸会正会員、伝統工芸展入、個展、師加藤土師萌・藤本能道・浅野陽、東京藝大卒、神奈川、1941　〒250-0117 神奈川県南足柄市塚原4358-7　0465-74-6822

ISEZAKI KOICHIRO
伊勢﨑 晃一朗
陶芸　師ジェフ・ジャピロ、東京造形大学彫刻専攻卒、岡山、1974　〒705-0001 岡山県備前
伊部2012　0869-64-23

ISEZAKI JUN
伊勢﨑　淳
備前焼　重要無形文化財保持者、日本工芸会正会員、伝統工芸展入、師伊勢﨑陽山、岡山大
1936　〒705-0001 岡山県備前市伊部2012　0869-64-23

ICHINO TOSHINARI
市野　年成
陶芸　日本工芸会準会員、伝統工芸展入、県工芸展賞、県展賞、半どん及川記念賞、個展、19
〒669-2135 兵庫県篠山市今田町上立杭449-1　0795-97-22

ICHINO MASAHIKO
市野　雅彦
陶芸　日本陶芸展大賞・秩父宮賜杯、日本陶磁協会賞、田部美術館大賞「茶の湯の造形展」日
美術館大賞、師今井政之・初代市野信水、嵯峨美術短大卒、兵庫、1961　〒669-2133 兵庫
丹波篠山市今田町下小野原837　079-597-33

ITO AKITOSHI
伊藤　彰敏
陶芸　日展会友、現代工芸評議員、現代工芸展会員賞・現代工芸賞、県展知事賞、中日国際
入、個展、長野、1951　〒391-0004 長野県茅野市城山15-11　0266-72-80

ITO KEI
伊東　　慶
陶芸　現代工芸参与・審、京都市文化功労者、日展特選・菊華賞、現代工芸美術展文部大臣
京都府文化賞功労賞、外遊多数、師楠部彌弌、京都市立美術専門学校（現京都芸大）卒、京
1924　〒607-8322 京都府京都市山科区川田清水焼団地町11-2　075-591-63

ITO SEKISUI
五代 伊藤　赤水
陶芸（無名異焼）　重要無形文化財保持者、日本工芸会参与、日本陶芸展最優秀作品賞秩父宮
杯、日本伝統工芸展高松宮記念賞、京都工芸繊維大窯業工芸学科卒、新潟、1941　〒952-15
新潟県佐渡市相川1　0259-74-21

ITO HIROSHI
伊藤　裕司
漆芸　日本藝術院会員、日展顧問・名誉会員、現代工芸美術家協会常務理事、現代工芸美術展文部大
賞・文化庁長官賞、日本藝術院賞、京都府文化賞功労賞、京都市芸術功労賞、師山崎覚太郎、日吉ヶ
高校漆芸科、京都、1930　〒616-8302 京都府京都市右京区嵯峨広沢北下馬野町6-14　075-871-72

ITO MOTOHIKO
伊藤　東彦
陶芸　日本工芸会正会員、伝統工芸展入、武蔵野展奨励賞、紫綬褒章、上皇陛下貢上品制
師加藤土師萌・藤本能道、東京藝大専攻科修、福岡、1939　〒309-1622 茨城県笠間市南吉
733　0296-72-42

ITO YUICHI
伊東　祐一
陶芸　日本工芸会正会員、日本陶芸美術協会会員、朝日陶芸展川崎記念賞、日本伝統工芸展、
水会陶芸展入、個展（日本橋三越・大丸東京店）、東京、1941　〒362-0001 埼玉県上尾市
1318-2　048-771-28

INOUE TOSHIHIRO
井上　壽博
陶芸　日展会友、現代工芸評議員、日展特選・北斗賞、個展、師井上良斎、武蔵野美大卒、
都、1941　〒310-0825 茨城県水戸市谷田町872　029-226-84

INOUE MANJI
井上　萬二
白磁　重要無形文化財保持者、伝統工芸展文部大臣賞他、佐賀、1929　〒844-0028 佐賀県
松浦郡有田町南山丁307　0955-42-44

INOUE YASUNORI
井上　康徳
白磁　日本工芸会正会員、陶美会会員、伝統工芸展入、西部工芸展入、成蹊大工学部卒、佐
1958　〒844-0028 佐賀県西松浦郡有田町南山丁307　0955-42-44

INOUE YOSHIHISA
井上　佳久
磁器　日展会友、新工芸評議員、日展特選、新工芸展新工芸賞、個展、師6代清水六兵衛・河
誓徳、京都産業大卒、京都、1947　〒605-0874 京都府京都市東山区東大路通渋谷上る常盤
東入　075-561-18

IMAI MASAYUKI
今井　政之
陶芸　文化勲章、文化功労者、日本藝術院会員、日展顧問・名誉会員・審、京都市文化功労者、日展特選2・
斗賞2、毎日芸術賞、ヴァロリス国際陶芸ビエンナーレ名誉最高賞、京都府文化賞特別功労賞、紺綬褒章、
中綬章、師楠部彌弌、大阪、1930　〒607-8322 京都府京都市山科区川田清水焼団地町11-1　075-592-00

IMAIZUMI IMAEMON
十四代 今泉　今右衛門
陶芸　重要無形文化財保持者、日本工芸会理事、日本陶磁協会賞、岡田茂吉賞・MOA美術
賞、師鈴木治、武蔵野美大卒、佐賀、1962　〒844-0006 佐賀県西松浦郡有田町赤絵2-1-15
0955-42-31

IMANISHI MASAYA
今西　方哉
陶芸　日本工芸会正会員、新匠工芸会展佳作賞、伝統工芸展入、日本陶芸展入、個展、師近
悠三、奈良、1947　〒631-0811 奈良県奈良市秋篠町651-2　0742-44-73

IMANO TOSHIO
今野　登志夫
陶芸　日本工芸会正会員、伝統工芸展入、東海伝統工芸展中日賞・奨励賞、個展、師加藤春
神奈川、1951　〒419-0304 静岡県富士郡芝川町鳥並363　0544-66-01

IWANAGA HIROSHI
岩永　　浩
陶芸　個展（しぶや黒田陶苑・瑞玉ギャラリー他）、師金武自然、有田工業高校卒、佐賀、19
〒844-0027 佐賀県西松浦郡有田町南原甲286-2　http://www.hirocks.net/　0955-42-21

UEKI HIROKO
植木　寛子
硝子　無所属、個展、アトリビュート・レンブラント特別賞、女子美短大卒、東京、1978　http
www.hirokoartglass.com/

DA TETSUYA
田　哲也
陶芸　日本工芸会正会員、伝統工芸展入、東日本伝統工芸展入、伝統工芸新作展奨励賞、伝統工芸陶芸部会展工芸会賞、個展（日本橋三越本店他多数）、師田村耕一・藤本能道・浅野陽、東京藝大大学院修、熊本、1953　〒241-0104 神奈川県横須賀市芦名2-23-11

BA KASUMI
葉　香澄
陶芸　京都市芸術新人賞、個展、京都府立陶工高等技術専門校図案科修、京都、1978　〒603-8325 京都府京都市北区北野上白梅町45　柴田荘

JI KAZUNARI
井　和成
織部象嵌　日本工芸会正会員、瀬戸陶芸協会員、伝統工芸展入、東海伝統工芸展最高賞、個展、雍和窯、師2代加藤春鼎、名古屋芸大彫刻科卒、愛知、1954　〒408-0031 山梨県北杜市長坂町小荒間桜畑27-274　0551-32-7057

HIKAWA SEITOKU
川　清徳
陶芸　日展会友、新工芸展奨励賞・会員努力賞、国際陶芸展銀賞、個展、師浮田武司、東京、1947　〒123-0851 東京都足立区梅田2-5-8　03-3886-2020

HIDA KOICHI
田　鋼一
陶芸　日本陶磁協会賞、個展、愛知県立瀬戸窯業高校卒、愛知、1969　〒510-0805 三重県四日市市東阿倉川760-1　059-333-6857

HIBORI TOSHIFUSA
堀　敏房
陶芸　元日本工芸会正会員（2012年退会）、伝統工芸展入、新作展入、個展・グループ展多数、師高内秀剛・古川隆久、東京　〒321-4214 栃木県芳賀郡益子町前沢887　0285-72-0764

AGUCHI MASAYUKI
口　雅行
陶芸　日本工芸会正会員、朝日陶芸展新人賞、米国ニューオーリンズ美術館・東京国立近代美術館買上、個展（日本橋三越本店・水戸京成百貨店他）、師三浦小平二、東京藝大大学院修、東京、1964　〒315-0116 茨城県石岡市柿岡4661-5　0299-43-3383

RAKU ZENGORO
永樂　善五郎
陶芸　三井記念美術館他収蔵、個展（日本橋三越本店・日本橋高島屋他）、東京藝大卒、1944　〒605-0811 京都府京都市東山区大和大路通四条下る4丁目小松町555

UCHI KATSUMI
口　勝美
陶芸　日本工芸会正会員、佐賀県重要無形文化財、伝統工芸展最優秀賞、県展文部大臣賞、佐賀県芸術文化賞、個展、師田村耕一、佐賀、1936　〒843-0233 佐賀県武雄市東川登町大字永野6766-1　0954-23-2318

MASANORI
井　正則
陶芸　日本工芸会正会員、伝統工芸展入、日本工芸会山口支部展最優秀賞、個展（日本橋三越本店8）、東京藝大大学院修、山口、1953　〒747-0067 山口県防府市佐野768

AWA MASAHIRO
大川　正洋
陶芸　無所属、日本新工芸賞、全関西展三席、日展出、個展、師谷本光生、京都芸術短大卒、群馬、1961　〒373-0026 群馬県太田市東本町49-8　0276-22-4050

SITA KATSUYA
田　克也
硝子　五島記念文化賞美術新人賞受賞・海外研修助成によりヨーロッパ研修、金沢美工大卒、大阪、1957　〒920-0273 石川県河北郡内灘町アカシア2-42-2　0762-39-0336

AWA TSUNEO
大澤　恒夫
陶芸　岡山県美術展県展賞、陶芸ビエンナーレ・田部美術館大賞「茶の湯の造形展」他入、師末石泰節、秋田、1962　〒709-0523 岡山県和気郡和気町小坂134-1　0869-88-0868

HIO MASAYOSHI
大塩　正義
陶芸　日展名誉会員、現代工芸常務理事、日本藝術院賞、日展文部大臣賞・特選、現代工芸展現工賞、個展、奈良、1933　〒630-8035 奈良県奈良市赤膚町1051-2　0742-45-4100

A KEIZO
太田　慶三
陶芸　日本工芸会正会員、伝統工芸展入、新作展入、師加藤達美、武蔵野美大卒、東京、1940　〒309-1621 茨城県笠間市手越773　0296-72-3352

A TOMIO
太田　富夫
陶芸　無所属、陶友会会員、受賞、伝統工芸支部展入、県展入、個展、岡山、1949　〒701-4234 岡山県瀬戸内市邑久町大富531　08694-3-6639

A YUKITERU
太田　雪輝
陶芸　無所属、泥土会展、現代茶陶展、竜右衛門窯一門展、個展、沖縄県立芸大大学院修、東京、1977　〒192-0151 東京都八王子市上川町3363　042-654-1337

TANI MUGEN
谷　無限
陶芸　本名 司朗、朝日陶芸展評議員、朝日陶芸展入賞、伝統工芸展入、師清水卯一、信楽工卒、滋賀、1936　〒529-1802 滋賀県甲賀市信楽町黄瀬2843-1　0748-83-0529

HI TOSHIO
大樋　年雄
陶芸　十一代長左衛門、日展特別会員、現代工芸常務理事、日展東京都知事賞・会員賞・特選・審、日本現代工芸美術展内閣総理大臣賞、金沢市文化活動賞、ボストン大大学院修、石川、1958　〒920-0911 石川県金沢市橋場町2-17　076-221-2397

HI TOSHIRO
大樋　年朗
陶芸　陶冶斎（十代長左衛門）、文化勲章、文化功労者、日本藝術院会員、日展顧問・名誉会員、現代工芸理事長、ロチェスター工科大学名誉博士、東京藝大卒、石川、1927　〒920-0911 石川県金沢市橋場町2-17　076-221-2397

OMORI KENJI
大森 健司
陶芸　第9回国際陶磁器展美濃入選、個展（INAXガレリアセラミカ他）、グループ展（ギャラリ ヴォイス他）、東京造形大卒、多治見市陶磁器意匠研究所修了、埼玉、1982　〒507-0073 岐 県多治見市小泉町3-165

OKA SAKURA
岡 左久良
陶芸　無所属、個展（高島屋・東京大丸・天満屋他）、師濱田庄司、多摩美大卒、神奈川、19 〒168-0064 東京都杉並区永福3-15-8 03-3324-36

OKA SHINGO
岡 晋吾
陶芸　佐賀県立有田窯業試験場修、長崎、1958　〒849-5123 佐賀県唐津市浜玉町東山田132 0955-56-2

OGATA SHUICHI
緒方 修一
ステンドグラス（オリジナルガラス及びオリジナルブロンズベース）　工房ステンドアトリエB.C 設立、大手百貨店にて個展多数、独学、大阪、1954　〒538-0041 大阪府大阪市鶴見区今津 4-4-29　アトリエB.O.O

OKADA TAKATO
岡田 崇人
陶芸　無所属、個展（銀座たくみ・東急・ぎゃらりいぜん）、師島岡達三、東洋大卒、東京、19 〒321-4213 栃木県芳賀郡益子町山本1801 0285-72-9

OKADA TERUO
岡田 輝雄
陶芸　日本工芸会正会員、倉敷芸科大教授、伝統工芸展入、中日国際展文部大臣賞、個展、 山口長男・須田寿・藤原雄、武蔵野美大卒、京都、1947　〒705-0024 岡山県備前市久々井116 0869-64-0

OKADA HIROSHI
岡田 裕
陶芸　日本工芸会正会員、伝統工芸展入、日本陶芸展入、山口県文化功労賞、菊池ビエンナー 大賞、個展、師岡田仙舟、慶大卒、山口、1946　〒758-0011 山口県萩市前小畑一区 0838-25-37

OKANO HOSEI
岡野 法世
陶芸　日本工芸会正会員、伝統工芸展入、伝統工芸新作展入、個展、師岩渕重哉、武蔵野美 卒、東京、1937　〒190-0182 東京都西多摩郡日の出町平井1756-2 042-597-09

OKAMOTO SAKUREI
岡本 作礼
陶芸　唐津焼窯元にて修業、個展多数（銀座黒田陶苑・野村美術館他）、佐賀、1958　〒84 3115 佐賀県唐津市厳木町平之279 0955-63-46

OGAWA SHUZO
小川 秀蔵
陶芸　日本工芸会正会員、伝統工芸展入、日本陶芸展入、一水会賞、個展、岡山、1951　〒70 0001 岡山県備前市伊部715 0869-64-27

OGAWA TETSUO
小川 哲男
陶芸　日本工芸会正会員、伝統工芸展入、日本陶芸展入、個展、師森野嘉光、有田工高卒、 賀、1937　〒840-0544 佐賀県佐賀郡富士町下合瀬 0952-57-27

OGAWA MACHIKO
小川 待子
陶芸　無所属、芸術選奨文部科学大臣賞、タカシマヤ美術賞、日本陶磁協会賞金賞、個展・ ループ展多数、東京藝大工芸科卒、北海道、1946

OGIWARA TAKEHISA
荻原 毅久
陶芸　無所属、日本陶芸展準大賞、国展野島賞、県芸術祭入、個展、師瀧田項一、立教大学 済学部卒、1952　〒324-0611 栃木県那須郡那珂川町小砂3112 0287-93-05

OKUDA EIZAN
奥田 英山
陶芸（信楽）　信楽焼伝統工芸士、甲賀市指定無形文化財保持者、個展（日本橋三越他）、師清 公照、滋賀県立高校卒、滋賀、1944　http://www.eonet.ne.jp/~eizangama/　〒529-1851 滋 県甲賀市信楽町長野1036 0748-82-01

OKUDA SAYUME
奥田 小由女
人形　文化功労者、日本藝術院会員、日展理事長、現代工芸副理事長、日本藝術院賞、日展 部大臣賞・特選2、広島、1936　〒177-0034 東京都練馬区富士見台2-22-10 03-3990-55

OKUMURA HIROMI
奥村 博美
陶芸　京都精華大学教授、京都工芸美術展大賞、個展多数、京都市立芸大工芸科卒、京 1953　〒621-0035 京都府亀岡市稗田野町奥条大東25 0771-24-44

OSADA TOYOTO
長田 豊土
陶芸　日展会友、日工会会員、朝日陶芸展入、個展、師井上良斉、長野、1933　〒391-0215 野県茅野市中大塩14-63 0266-72-83

ODA EMI
織田 恵美
九谷焼　九谷焼伝統工芸士、全国伝統的工芸品コンクール中小企業庁長官賞・日本伝統工芸 作品展特賞・内閣総理大臣賞、師福島武山　〒920-0335 石川県金沢市金石東1-10-13

ONIMARU HEKIZAN
二代 **鬼丸 碧山**
陶芸　日本工芸会正会員、伝統工芸展入、西部工芸展入、個展（日本橋三越本店・京都高島 他）、師初代鬼丸碧山、福岡、1972　〒838-1601 福岡県朝倉郡東峰村小石原962-1　http:/ takatoriyaki.com/ 0946-74-28

ONO TAKU
小野 卓
陶芸　無所属、伝統工芸展入、日本陶芸展入、個展（日本橋三越他）、師松井康成、茨城、19 〒300-4108 茨城県土浦市小野415 0298-62-48

I KAZUO
鬼 和男

陶芸　日展会友、新工芸展会員賞・東京都知事賞・佳作賞、師河合誓徳、大分、1948　〒165-0025 東京都中野区沼袋2-3-3　03-3387-4431

KUTANI EIMEI
角谷 英明

陶芸　日本工芸会正会員、三重県文化功労賞、伝統工芸展入、東海伝統工芸展最高賞、個展（大阪高島屋他多数）、師近藤悠三・清水九兵衛、京都芸大専攻科修、大阪、1945　〒518-0734 三重県名張市黒田1110-2　0595-64-2411

KUMI SEIHO
各見 政峯

陶芸　日本工芸会正会員、岡山県重要無形文化財、伝統工芸展入、金重陶陽賞、師山本陶秀、岡山工芸学校卒、岡山、1921　〒705-0001 岡山県備前市伊部858　0869-64-3138

KUMI HIDEKI
各見 飛出記

陶芸　日本工芸会正会員、伝統工芸展入・支部展奨励賞、個展、師各見政峯、岡山、1950　〒705-0001 岡山県備前市伊部858　0869-64-3138

KUREZAKI RYUICHI
隠崎 隆一

陶芸　日本工芸会正会員、毎日芸術賞、日本陶磁協会賞金賞、一水会賞、MOA岡田茂吉賞優秀賞、金重陶陽賞、田部美術館大賞「茶の湯の造形展」大賞、個展、師伊勢崎淳・岩本修一、大阪芸大卒、長崎、1950　〒701-4273 岡山県瀬戸内市長船町磯上2798-10　0869-26-4378

SATSUJI MITSUO
司辻 光男

陶芸　日展特別会員、現代工芸監事、日展特選、現代工芸展会員賞、朝日陶芸展入、福井県文化芸術賞、1947　〒916-0273 福井県丹生郡越前町小曽原20-5　0778-32-2654

SHO YASUHO
嘉生 安穂

備前焼　無所属、伝統工芸中国支部展入、花の器展大賞、県展入、個展、師榊原貢、大東文化大卒、長野、1960　〒709-0515 岡山県和気郡和気町米沢宮の下302　0869-88-0901

TO KUNIYA
加藤 摑也

陶芸　日本工芸会正会員、伝統工芸展入、中日国際陶芸展入、朝日陶芸展入、個展、師辻晋六、岐阜、1940　〒507-0054 岐阜県多治見市宝町8-3　0572-23-0337

TO KOZO
加藤 孝造

陶芸　瀬戸黒重要無形文化財保持者、日本工芸会正会員、伝統工芸展最高賞、朝日展最優秀賞、日本陶磁協会賞、紺綬褒章、岐阜、1935　〒507-0811 岐阜県多治見市星ヶ台2-111　0572-22-7987

TO KOBE
加藤 幸兵衛

陶芸　新工芸顧問、美濃陶芸協会前会長、朝日陶芸賞、京都美大卒、岐阜、1945　〒507-0814 岐阜県多治見市市之倉町4-124　0572-22-3821

TO SHINYA
加藤 伸也

陶芸　日本工芸会理事、愛知県立芸大教授、伝統工芸展入、個展、師加藤土師萌・藤本能道・田村耕一、東京藝大大学院陶芸講座修、愛知、1940　〒489-0022 愛知県瀬戸市赤津町85　0561-82-2505

TO TAKASHI
加藤 貴志

陶芸　東京都小平市工房今人講師、埼玉県飯能市に築窯、個展・グループ展多数、師高橋紘（色絵磁器）、明星大学陶芸専攻研究課程修、山梨、1973　〒357-0126 埼玉県飯能市下赤工260-14

TO TSUBUSA
加藤 委

陶芸　無所属、日本陶磁協会賞、円空大賞、多治見市陶磁器意匠研究所修、岐阜、1962　〒507-0004 岐阜県多治見市小名田町5-2-1　0572-25-0158

TO TENPEI
加藤 天平

陶芸　日展会友、新工芸会員、新工芸展会員佳作賞、朝日陶芸展秀作賞、日本陶芸展入、師加藤舜陶、愛知、1953　〒489-0902 愛知県瀬戸市内田町1-115　0561-48-5125

TO YOJI
加藤 陽児

陶芸　無所属、新工芸展会員賞、美濃陶芸展大賞、明日をひらく新工芸展上野の森美術館賞、日展入、個展（日本橋三越・大阪髙島屋）、師加藤孝造、岐阜、1958　〒507-0018 岐阜県多治見市高田町3-95　0572-22-1636

TO YOSHIAKI
加藤 嘉明

陶芸　無所属、日本ニュークラフト展グランプリ、ヴァロリス国際陶芸ビエンナーレ国際名誉大賞・銀賞、中日国際陶芸展外務大臣賞、個展、愛知、1934　〒470-3233 愛知県知多郡美浜町奥田字小廻間　0569-87-1700

TO RYOTARO
加藤 亮太郎

陶芸　個展多数、師松本ヒデオ・秋山陽・石川九楊、京都市立芸大大学院陶磁器専攻修、岐阜、1974　〒507-0814 岐阜県多治見市市之倉町4-115　0572-22-3715

NESHIGE KOSUKE
金重 晃介

備前焼　岡山県重要無形文化財保持者、日本陶磁協会賞、東京藝大大学院修、師金重陶陽、岡山、1943　〒705-0012 岡山県備前市香登本1172　0869-66-7068

NESHIGE JYUNPEI
金重 潤平

陶芸　師金重晃介、ロングアイランド大学大学院修、東京、1972　〒705-0012 岡山県備前市香登本1172　0869-66-7068

NESHIGE MAKOTO
金重 愫

備前焼　山陽新聞社文化功労賞、岡山県文化賞、師金重素山、国内外個展（しぶや黒田陶苑・高島屋各店他）、京都大卒、岡山、1945　〒703-8271 岡山県岡山市中区円山1076　086-277-8111

KANESHIGE YUHO
金重 有邦
陶芸　備前市指定文化財認定、日本陶磁協会賞金賞、山陽新聞文化功労賞、武蔵野美大彫刻
中退、師金重素山、岡山、1950　〒705-0001 岡山県備前市伊部2568　0869-63-03

KANETA FUMIO
兼田 文男
陶芸　日展特別会員、現代工芸評議員、日展特選、現代工芸展会員賞、県芸術文化振興奨励賞
市文化功労賞、師吉賀大眉、山口、1930　〒744-0002 山口県下松市東豊井寺迫　0833-4
4773

KANOH MICHIO
叶 道夫
陶芸　日展特別会員、新工芸副理事長、日展審・特選・会員賞、新工芸内閣総理大臣賞、国
展大賞、京都芸大卒、1948　〒607-8322 京都府京都市山科区川田清水焼団地町9-3

KAMIIZUMI HIDETO
上泉 秀人
陶芸　師桂木一八、愛知県窯業専修職業訓練校修、福島、1952　〒198-0001 東京都青梅市
木7-1177　0428-74-45

KAMIDE CHOEMON
四代 上出 長右衛門
陶芸　藍綬褒章、双光旭日章、個展、師北出塔次郎、金沢美大卒、石川、1929　〒923-1123
川県能美市吉光町ホ65　0761-57-33

KAMIYA NORIO
神谷 紀雄
陶芸　日本工芸会正会員、伝統工芸展入、伝統工芸新作展奨励賞、師田村耕一、多摩美大
栃木、1940　〒264-0035 千葉県千葉市若葉区東寺山町9　043-251-34

KAMURA KODO
加村 香童
陶芸　日本工芸会正会員、伝統工芸展入、東中国展市長賞、個展、師山本陶秀、岡山、19
〒710-0044 岡山県倉敷市向山2132　086-426-57

KAMEI MASARU
亀井 勝
陶芸　日展特別会員、光風会評議員、現代工芸理事、日展文部科学大臣賞・特選、現代工芸
総理大臣賞・外務大臣賞、個展、愛知、1933　〒489-0847 愛知県瀬戸市東町38　0561-8
4336

KAMEI MIRAKU
十五代 亀井 味楽
陶芸　本名 正久、米セン・チュリー大学芸術学博士、日本陶磁協会博多支部理事、2007年15
襲名、京都市嵯峨美術大学卒、1960　〒814-0011 福岡県福岡市早良区1-26-62　味楽窯
092-821-04

KAMEE MICHIKO
亀江 道子
個展、京都アートフェア出品、渡独、京都伝統工芸専門学校（現・大学校）卒、神奈川、19
〒663-8201 兵庫県西宮市田代町19-12　Beehive西宮1F　sakoda art gallery 気付
0798-66-06

KAWAI TOKUO
河合 徳夫
陶芸　日展特別会員、新工芸理事、日展特選・審、新工芸会員賞・会員佳作賞、京展市長賞、
都、1956　〒605-0862 京都府京都市東山区清水4-190　シャトー清水308　075-525-21

KAWAI MASAKI
川合 正樹
陶芸　日展会友、新工芸理事、美濃陶芸協会会員、新工芸展上野の森美術館賞・中日賞、個
岐阜、1949　〒509-5401 岐阜県土岐市駄知町1606-7　0572-59-88

KAWAKAMI SHINGO
川上 眞悟
陶芸　無所属、個展（銀座たくみ・阪急）、師島岡達三、石川、1958　〒321-3628 栃木県芳賀
茂木町深沢2152-14　0285-65-02

KAWAKAMI TOMOKO
川上 智子
陶芸　ギャラリーヴォイスジェネラルマネージャー、個展、グループ展、師中島晴美、多治見市
磁器意匠研究所修、岐阜、1957　〒507-0823 岐阜県多治見市平野町2-7-5　0572-22-50

KAWAKITA RYOZO
川北 良造
木工芸　重要無形文化財保持者、日本工芸会正会員、石川県美術文化協会参与、現代美術展最
賞・技術賞、日本伝統工芸展重要無形文化財保持者選賞2・日本工芸会長賞2他、紫綬褒章・旭日
綬章、師川北浩一、石川、1935　〒922-0106 石川県江沼郡山中町上原町ヨ320-1　07617-8-17

KAWAGUCHI JUN
川口 淳
陶芸　元京都市立芸大教授、個展、グループ展、渡米、京都市立芸大工芸科卒、神奈川、19
〒244-0817 神奈川県横浜市戸塚区吉田町106-14　045-862-94

KAWASHIMA HIROSHI
河島 洋
陶芸　日本工芸会正会員、伝統工芸展入、伝統九谷焼展入、個展、師徳田八十吉、1951　〒92
0013 石川県加賀市上河崎町326　0761-73-10

KAWAJIRI HIROSHI
川尻 浩史
陶芸　日本工芸会準会員、新日美会員、伝統工芸展入、日陶展入、中日国際陶芸展入、個
（ニューヨーク）、須藤窯、北海道、1946　〒321-4200 栃木県芳賀郡益子町城内4327
0285-72-03

KAWASE SHINOBU
川瀬 忍
陶芸　日本工芸会正会員、日本陶磁協会賞金賞、個展、師初代・2代川瀬竹春、神奈川、19
〒259-0111 神奈川県中郡大磯町国府本郷527　0463-61-12

KAWANO EIICHI
河野 榮一
陶芸　日展特別会員・審4、日工会常務理事、奈良芸術短期大学教授、日展会員賞・特選2、
工会展文部科学大臣賞、フレッチャー国際陶芸展大賞、師6代清水六兵衛、大阪、1943　〒52
0066 滋賀県大津市茶戸町9-1　077-525-48

AWABATA KENTARO
川端 健太郎
陶芸　織部の心作陶展大賞、益子陶芸展加守田章二賞、パラミタ陶芸大賞展大賞、個展・グループ展多数、多治見市陶磁器意匠研究所修、埼玉、1976　〒509-6251 岐阜県瑞浪市日吉町8045-35　http://www.kentarokawabata.com/　0572-64-2885

AWABUCHI NAOKI
川淵 直樹
陶芸　無所属、個展多数、和光大学卒、奈良、1946　〒619-1401 京都府相楽郡南山城村童仙房箕子橋67-11　http://www.myv.ne.jp/kawabuchi/　0743-93-0406

AWAMURA KIFUMI
河村 喜史
陶芸　個展（日本橋高島屋他）、師河村又次郎、日本大学芸術学部卒、愛知、1959　〒247-0066 神奈川県鎌倉市山崎2336-4　http://www.kichuyo.com/　0467-43-2000

KUCHI TAKAKO
菊池 挙子
陶芸　無所属、伝統工芸新作展入、女流陶芸展入、アジア現代美術展入、個展（横浜そごう他）、愛知、1934　〒321-4217 栃木県芳賀郡益子町益子1659　0285-72-2382

ZAWA RYOJI
木澤 良治
陶芸　日展会友、新工芸評議員、新工芸展新工芸賞、明日をひらく新工芸展大賞、茨城、1947　〒151-0062 東京都渋谷区元代々木町30-8-102　03-3469-7074

SHINO KAN
岸野 寛
陶芸　個展（京都思文閣・髙島屋他）、グループ展、師福森雅武、京都市立銅駝美術工芸高校卒、京都、1975　〒518-1325 三重県伊賀市丸柱419-4　0595-44-1209

SHIMOTO KENNIN
岸本 謙仁
陶芸　日本工芸会正会員、伝統工芸展入、中日国際展入、個展（日本橋三越本店）、日本の陶芸百撰展、愛知、1934　〒509-5312 岐阜県土岐市鶴里町柿野2-6　0572-52-2087

TAOKA HIDEO
北岡 秀雄
陶芸　日展会友、日工会員、日展特選、日工新工芸賞、朝日陶芸展入、個展、1943　〒811-1101 福岡県福岡市早良区重留358-1　092-804-0935

TADE SEIKO
北出 星光
九谷焼　日本工芸会正会員、日展入、伝統工芸展入、個展、師北出塔次郎、石川、1926　〒922-0331 石川県加賀市動橋町ム38-3　07617-4-7808

TANO KATSUHIKO
北野 勝彦
陶芸（備前焼）日本工芸会正会員、日本陶磁協会会員、日本伝統工芸展宮内庁御買上、新美工芸会展文部科学大臣賞、日本陶芸展・日展初出品初入選、靖国神社奉納、個展（日本橋三越本店・あべのハルカス近鉄本店他）、作品集『晨焔』刊行、京都府立陶工訓練校・日大卒、大阪、1954　〒532-0026 大阪府大阪市淀川区塚本4-8-6　06-6309-2869

TAMURA TAKESHI
北村 武資
染織　重要無形文化財保持者、京都府指定無形文化財保持者、日本工芸会参与、京都府文化賞特別功労賞他、紫綬褒章・旭日中綬章他、京都、1935　〒602-8206 京都府京都市上京区一条通浄福寺東入南新在家町331

M HONO
金 憲鎬
陶芸を中心に絵画・オブジェなど多彩に活動。日本陶芸展入、日本伝統工芸展入、八木一夫賞陶芸展入、長三賞新人賞、個展（日本橋髙島屋・銀座黒田陶苑他全国）、愛知県窯業高等職業訓練校修、愛知、1958

MURA KOZO
木村 宏造
陶芸　一水会委員、一水会展一水会賞、伝統工芸展入、日本陶芸展入、個展（小田急）、金沢美工大卒、1941　〒705-0001 岡山県備前市伊部670　0869-64-3655

MURA SHIGEKAZU
木村 重一
粉青沙器　無所属、個展（阪急他）、木鶏窯、大阪、1926　〒618-0071 京都府乙訓郡大山崎町大山崎字谷田20-5　075-957-8210

MURA MORINOBU
木村 盛伸
陶芸　京都府無形文化財保持者、日本工芸会正会員、伝統工芸展入、現代国際陶芸展招、個展（三越）、京都市立日吉ヶ丘高校彫刻科卒、京都、1932　〒606-0016 京都府京都市左京区岩倉木野町171　075-701-4993

MURA MORIYASU
木村 盛康
陶芸　日本工芸会正会員、個展（大阪三越・小田急他）、師木村盛和、京都、1935　〒607-8322 京都府京都市山科区川田清水焼団地町10-1　075-581-5296

MURA YOSHINOSUKE
木村 芳之助
陶芸　無所属、個展（池袋東武・静岡伊勢丹他）、カナダ留学、ヨーロッパ研修、師金崎秀利、神奈川、1950　〒240-0105 神奈川県横須賀市秋谷子安の里

MURA YOSHIRO
木村 芳郎
陶芸　日本工芸会正会員、伝統工芸展奨励賞・支部展賞、田部美術館大賞「茶の湯の造形展」優秀賞、個展、岡山商科大卒、愛媛、1946　〒739-0041 広島県東広島市西条町寺家6010　0824-23-8989

YOMIZU ROKUBEY
清水 六兵衞
陶芸　旧名 柾博、無所属、国際陶芸アカデミー会員、京都府文化賞奨励賞、日本陶磁協会賞、タカシマヤ美術賞、早稲田大建築学科卒、京都、1954　〒605-0846 京都府京都市東山区五条橋東5-467　㈱キヨロク　075-561-3131

JBO MITSUYOSHI
久保 満義
日展会員、現代工芸評議員、鹿児島県美術協会会長、日展会員賞・特選2・審、師厚東孝治、鹿児島大美術科卒、鹿児島、1955　〒899-2501 鹿児島県日置市伊集院町下谷口1890-4　http://japan-artgalerie.com/　090-1084-8741

KUBOTA REKKOU
久保田 烈工
青白磁　日本工芸会正会員、伝統工芸展入、日本陶芸展優秀賞、大阪芸大卒、熊本、195
〒868-0075 熊本県人吉市矢黒町2354-32　0966-22-696

KURIBAYASHI KAZUO
栗林 一夫
陶芸　日本工芸会正会員、伝統工芸展入、東海伝統工芸展知事賞、個展、師加藤春鼎、群馬
1950　〒372-0801 群馬県伊勢崎市宮子町3319　0270-23-742

KUROI KEIUN
黒井 慶雲
備前虫明焼　無所属、県展特別賞、個展(天満屋)、師黒井一楽、東京理大卒、岡山、1940　〒70
4501 岡山県瀬戸内市邑久町虫明4493　08692-5-041

KUROI SENSA
黒井 千左
陶芸　日本工芸会正会員、伝統工芸展入、東中国工芸展奨励賞、県展知事賞、個展、194
〒701-4501 岡山県瀬戸内市邑久町虫明4493　08692-5-041

KOINUMA MICHIO
肥沼 美智雄
陶芸　無所属、北関東美術展優秀賞、県マロニエ文化賞、師成井正直、大阪大卒、東京、193
〒321-4217 栃木県芳賀郡益子町益子677　0285-72-35

KOZURU HAJIME
高鶴 元
上野・高取焼　日本工芸会正会員、県展理事、西部工芸展会長賞、現代展招、個展、福岡、193
〒811-2503 福岡県糟屋郡久山町猪野765　092-976-008

KOJIMA KAITARO
児島 塊太郎
陶芸　無所属、倉敷芸術科学大副学長、大原美術館評議員、加計美術館館長、山陽新聞賞（
化功労賞)、総社市政文化功労賞、個展、天子窯、岡山、1947　〒719-1124 岡山県総社市三
半妻481　0866-93-328

KOJIMA KENJI
小島 憲二
伊賀焼　無所属、個展（日本橋三越本店・ジェイアール名古屋タカシマヤ)、師中川伊作・小西
蔵、愛知、1953　〒518-1325 三重県伊賀市丸柱1905　0595-44-168

KOTO KENSHIN
厚東 建信
陶芸　日本工芸会正会員、伝統工芸展入、西部工芸展朝日賞・県知事賞、個展、1947　〒75
0011 山口県萩市前小畑一区4321　0838-25-339

KOTO KOJI
厚東 孝治
陶芸　日展会員、日本現代工芸美術家協会参与、鹿児島大学名誉教授、日展特選2、現代工芸
NHK会長賞、師吉賀大眉、山口大学卒、山口、1936　〒892-0871 鹿児島県鹿児島市吉野町874
37　099-243-216

KOTOGE KATSUYOSHI
小峠 葛芳
陶芸　元日本工芸会正会員、厚生労働大臣表彰「現代の名工」(卓越技能者）に認定、フランス
術文化勲章シュバリエ受章、個展（日本橋三越・京都髙島屋)、師島岡達三、兵庫、1946　〒60
0953 京都府京都市東山区今熊野南日吉町36-14　075-551-31

KONISHI TOZO
小西 陶藏
陶芸　日本工芸会正会員、伝統工芸展入、中日国際陶芸展文部大臣賞、金重陶陽賞、個展、
大卒、岡山、1947　〒705-0001 岡山県備前市伊部640　0869-64-22

KONISHI YOHEI
小西 洋平
陶芸　日本工芸会正会員、伝統工芸展入、東海伝統工芸展受賞、中日国際陶芸展入、個展、194
〒479-0823 愛知県常滑市奥栄町4-3　0569-35-51

KOBAYASHI BUNICHI
小林 文一
陶芸　日展会友、新工芸評議員、日展特選、朝日陶芸展受賞、県芸術文化顕彰、金沢美大卒、
阜、1926　〒505-0027 岐阜県美濃加茂市本郷町1-2-15　0574-26-056

KOMATSU SACHIYO
小松 幸代
陶芸　日本工芸会正会員、伝統工芸展入11、日本陶芸展入5、東日本伝統工芸展入29、個展
(日本橋三越本店7・井上百貨店他)、師渡辺一紳・加藤作助、武蔵野美短大卒、長野、195
〒390-0011 長野県茅野市玉川4324-3　0266-72-864

KOMORI KUNIE
小森 邦衞
漆芸　重要無形文化財保持者、日本工芸会常任理事、MOA岡田茂吉賞展大賞、日本伝統工
展NHK会長賞・日本工芸会保持者賞他、紫綬褒章、個展多数（三越・高島屋他)、師榎見幸代
石川、1945　〒928-0024 石川県輪島市山岸町リ53-2　0768-22-526

KOYAMA ATSUKO
小山 厚子
陶芸　個展（銀座黒田陶苑・日本橋三越本店)、師小山末廣、岡山、1979　〒705-0001 岡山県
前市伊部467　0869-64-351

KOYAMA SUEHIRO
小山 末廣
陶芸　日本工芸会、伝統工芸展入、日本陶芸展入、茶の湯造形展優秀賞、個展（三越)、師金
素山、岡山、1948　〒705-0001 岡山県備前市伊部467　0869-64-351

KOYAMA TOMONORI
小山 智徳
陶芸(織部)　戸隠に登り窯を築く。しぶや黒田陶苑、横浜そごう、日本橋三越他全国のデパート
画廊で個展多数。師瀧口喜兵爾、長野、1953　〒381-4101 長野県長野市戸隠2598　dohous
net　026-254-252

KONDO KOJI
近藤 功次
陶芸　瀬戸陶芸協会会員、日展入、朝日陶芸展入、個展、師加藤舜陶、愛知、1948　〒480-12C
愛知県瀬戸市落合町217-3

ONDO SEIKOU
近藤 精宏
粉引・美濃唐津・井戸 NPO瑞浪芸術館理事長、無所属、個展（髙島屋・京王・阪急神戸他）、師小山冨士夫、新潟、1945 〒509-6251 岐阜県瑞浪市日吉町4764-1-3 http://hanzawagama.com/ 0572-69-2845

ONDO YOSHINORI
近藤 良典
硝子 Treating Yourself Expo Flame Off 2013 in Toronto（カナダ）Team JAPAN優勝、グループ展多数、大阪、1975 千葉県在住 http://ihe-importer.com/

AITO OSAMU
斎藤 修
陶芸 日本工芸会正会員、伝統工芸展入、日本陶芸展入、宮城県芸術祭知事賞、個展、宮城、1952 〒321-4104 栃木県芳賀郡益子町大沢3658 0285-72-5696

AEKI MORIYOSHI
佐伯 守美
陶芸 日本工芸会正会員、日本伝統工芸展入、伝統工芸東日本支部展入、個展（髙島屋）、師藤本能道・田村耕一・浅野陽・三浦小平二、東京藝大大学院陶芸専攻修、栃木、1949 〒321-3301 栃木県芳賀郡芳賀町給部17-4 090-4622-8411

AGA TOSHIHIKO
佐賀 紀彦
陶芸 日本工芸会正会員、日本伝統工芸展入、現代茶陶展銀賞、長三賞陶芸展入、岐阜、1941 〒432-8001 静岡県浜松市西区西山町2034-10 053-485-1803

AKAI YOSHITO
酒井 芳人
陶芸 日本工芸会正会員、一水会陶芸部運委、砥部焼工芸士会会長、愛媛陶芸協会会長、一水会展一水会賞、伝統工芸展入、日本陶芸展優賞、個展、砥部高校卒、1931 〒791-2133 愛媛県伊予郡砥部町五本松146 0899-62-2163

AKAKURA SHINBEI
坂倉 新兵衛
萩焼 日本工芸会理事、伝統工芸展入、日本陶芸展入、師14代坂倉新兵衛、東京藝大大学院修、山口、1949 〒759-4103 山口県長門市深川湯本1487 0837-25-3626

AKATA JINNAI
坂田 甚内
陶芸 無所属、個展多数、師加守田章二、東京、1943 〒321-4104 栃木県芳賀郡益子町大沢桜杜2190-1 http://www.jinnai-sakata.jp 0285-72-8660

AKAZUME KATSUYUKI
坂爪 勝幸
陶芸 無所属、九州の窯場で修業、韓国の古窯調査。1979年国際交流基金により客員教授として米ニュージャージー州立芸術教育センター赴任。日本現代陶彫展優秀賞、日本陶芸展入。国内外個展（吉井画廊・壺中居・新潟県立万代島美術館・胎内市博物館他）・グループ展多数、越後妻有トリエンナーレ他芸術祭出、師永見鴻人・三輪龍作、新潟、1947 〒959-2625 新潟県胎内市半山223-3 0254-43-8171

ASAYAMA YOSHITO
笹山 芳人
陶芸 1991年初個展、三重、1953 〒510-0016 三重県四日市市羽津山町10-36 0593-32-7302

ATO KAZUHIKO
佐藤 和彦
陶芸 無所属、個展（セントラル絵画館・三越・京王新宿・ギャラリー田中他）、師藤本能道、東京藝大大学院陶芸専攻修、神奈川、1947 〒251-0028 神奈川県藤沢市本鵠沼3-14-8 http://www.sjkazuhiko.com/ 0466-34-9109

ATO TAISUKE
佐藤 苔助
陶芸 日本工芸会正会員、備前市指定無形文化財保持者、金重陶陽賞、個展（日本橋三越10・3年毎） 〒705-0001 岡山県備前市伊部河原畑891 0869-63-4288

ATO RYO
佐藤 亮
陶芸 日本工芸会正会員、伝統工芸展入・支部展受賞、九谷焼工芸展受賞、個展、早稲田大卒、新潟、1946 〒922-0313 石川県加賀市勅使町リ93 0761-77-2369

ARAGAI HISAKO
皿谷 緋佐子
陶芸 日本工芸会正会員、新匠工芸会員、女流陶芸会員、伝統工芸展入、個展、師徳力孫三郎、広島、1930 〒720-0411 広島県福山市熊野町912-2 084-959-0045

AWAI YUKIO
澤井 幸男
陶芸 日本工芸会正会員、伝統工芸展入、新作展入、中日国際陶芸展入、個展、神奈川、1939 〒413-0231 静岡県伊東市富戸842-135 0557-51-6722

AWAHATA KUNI
沢畠 州
陶芸 無所属、茨城芸術祭奨励賞、個展（銀座三越・松坂屋他）、師畠山是閑、高崎市立芸大卒、茨城、1952 〒316-0012 茨城県日立市大久保町1-2-2 0294-38-0058

HIINA ISAMU
椎名 勇
陶芸 日本伝統工芸展都知事賞、伝統工芸新作展入、個展、東京藝大大学院修、神奈川、1968 〒325-0301 栃木県那須郡那須町湯本406-11 0287-46-3398

HITARA TAKAYOSHI
設楽 享良
陶芸 無所属、国展新人賞、日本民藝館展奨励賞、個展（ギャラリー無境・中長小西）、師瀧田項一、早稲田大学文学部卒、神奈川、1957 〒329-2501 栃木県矢板市上伊佐野422-1 0287-43-6966

HINOHARA MASASHI
篠原 雅士
陶芸 日本工芸会正会員、伝統工芸展入・工芸会支部賞、新匠展新匠賞、県展大賞、師矢野款一、愛媛、1944 〒792-0856 愛媛県新居浜市船木4116 0897-41-5302

HIBAOKA KOICHI
柴岡 紘一
陶芸 日本工芸会正会員、伝統工芸展入・中国支部展受賞、日本陶工展入、師伊勢﨑満・淳、岡山、1941 〒705-0001 岡山県備前市伊部569 0869-64-3402

SHIBAOKA MAMORU
柴岡　守
陶芸　日本工芸会正会員、伝統工芸展入、陶友会会員、日本陶芸展入、個展、岡山、1952　〒70
0001 岡山県備前市伊部243　0869-64-11

SHIBATA ICHIZAEMON
柴田一佐衛門
陶芸　個展（日本橋高島屋・名古屋松坂屋）、1980～1990年NYにて活動、武蔵野美大工業デ
イン科卒、岐阜、1953　〒507-0813 岐阜県多治見市滝呂町3-116　0572-25-762

SHIBATA KAIGEN
柴田　快元
陶芸　無所属、九州山口工芸展受賞、県展入、迦葉山窯、師吉田萩苑、1958　〒758-0011 山
県萩市椿東船津2534-6　08382-2-676

SHIBATA MASAAKI
柴田　雅章
陶芸　日本民藝館展審査員・運営委員、日本民藝協会所属、国展新人賞・会友優作賞、個展
数（日本橋三越・阪急うめだ本店他）、師生田和孝・鈴木繁男、中央大学理工学部卒、東京、194
〒669-2364 兵庫県篠山市鷲尾26　079-552-50

SHIBATA MARIKO
柴田眞理子
陶芸　国際陶磁器展美濃'95審査委員特別賞、個展、グループ展多数、愛知県立瀬戸窯業高校
攻科修、愛知、1957　〒489-0931 愛知県瀬戸市高根町1-28-1　0561-48-57

SIBAYAMA MASARU
柴山　勝
陶芸　個展（しぶや黒田陶苑他）、『陶・柴山勝』（京都書院）出版、東京、1944　〒041-0252
海道函館市釜谷町14-1　0138-82-33

SHIMADA FUMIO
島田　文雄
陶芸　寧波大学科学技術学院教授、清華大学美術学院（北京）客員教授、IAC（国際陶芸アカデミー）会員、東
陶磁学会員、日本工芸会正会員、東京藝大名誉教授、伝統工芸展入・工芸会長賞、個展、師藤本能道・田村耕一
浅野陽、東京藝大大学院修、栃木、1948　〒413-0231 静岡県伊東市富戸大室高原3-450　0557-27-144

SHIMIZU YASUTAKA
清水　保孝
陶芸　日本工芸会正会員、伝統工芸展入、近畿展日経奨励賞・支部長賞、師清水卯一、龍谷
卒、京都、1947　〒605-0846 京都府京都市東山区五条橋東5-477　075-561-393

SHIMOHIRA TAKAYOSHI
下平　隆義
陶芸　日本現代工芸美術家協会会員、全日本工芸展、九州山口陶磁展受賞　〒848-0024 佐賀
伊万里市大川内町甲1514　0955-23-416

SHOMURA KEN
庄村　健
陶芸　日本工芸会正会員、一水会委員、伝統工芸展文部大臣賞、西日本陶芸展大賞、県展知
賞、師井上萬二、佐賀、1949　〒844-0006 佐賀県西松浦郡有田町赤絵町1-2-3　0955-42-20

SHINKAI KANZAN
新開　寛山
陶芸　新工芸顧問、藝術院賞、日展文部大臣賞・特選、師清水六兵衛、京美工卒、京都、19
〒605-0952 京都府京都市東山区今熊野宝蔵町17-13

SHINJO SADATSUGU
新庄　貞嗣
陶芸　日本工芸会理事、伝統工芸展入、山口県展最優秀賞、西日本陶芸展通産大臣賞、東京
大大学院修、山口、1950　〒759-4103 山口県長門市深川湯本1480　0837-25-360

SHINNO IWAO
神農　巖
陶芸　日本工芸会理事、パラミタ陶芸大賞展大賞、第1回菊池ビエンナーレ優秀賞、日本陶磁
会賞、伝統工芸展入、日本陶芸展入、個展、近畿大卒、京都、1957　〒520-0521 滋賀県大
市和邇北浜691-1　077-594-325

SUEISHI TAISETSU
末石　泰節
陶芸　一水会会員、一水会展一水会賞、伝統工芸展入、日展入、岡山、1953　〒705-0001
山県備前市伊部989　0869-64-088

SUEHIRO MANABU
末廣　学
陶芸　師森陶岳、備前陶芸センター修、大阪、1966　〒701-4301 岡山県瀬戸内市牛窓町長
5154-1　0869-34-46

SUGIURA YASUYOSHI
杉浦　康益
陶芸　日本陶磁協会賞、日本現代芸術振興賞、個展（西宮市立大谷記念館他）・グループ展多数
東京藝大大学院陶芸専攻修、東京、1949　〒259-0202 神奈川県足柄下郡真鶴町岩919-2
0465-68-356

SUGIMOTO TARO
杉本　太郎
陶芸　京都府美術工芸新鋭選抜展、益子陶芸展他出、京都精華大学卒、京都、1970　〒60
0314 京都府京都市右京区京北大野町横枕35　0771-53-087

SUZUKI OSAMU
鈴木　藏
陶芸（志野）　重要無形文化財保持者、日本工芸会常任理事、チェコ国際展グランプリ、芸術
奨、岐阜、1934　〒507-0014 岐阜県多治見市虎渓山町3-1-1　0572-25-385

SUZUKI KAN
鈴木　環
陶芸　無所属、個展（松屋銀座10・日本橋高島屋・阪急うめだ本店"暮らしのアトリエ"）、「欲し
がみつかるうつわ展」（茨城県陶芸美術館）出品、師小野寺玄、文化学院卒、茨城、1963　〒30
1462 茨城県桜川市曽根257-2　https://sites.google.com/site/suzukikannikki/　0296-75-031

SUZUKI KOICHI
鈴木　黄弌
陶芸　無所属、伝統工芸展入、京展他入、個展、師楠部彌弌、1942　〒705-0001 岡山県備
市伊部2349　0869-64-210

UZUKI GORO
鈴木 五郎
陶芸　無所属、朝日陶芸展最高賞、中日国際陶芸展特選、新工芸展他入、日本陶磁協会賞、個展、愛知、1941　〒470-0464 愛知県豊田市折平町上屋敷497-41　0565-76-4321

UZUKI TAKUJI
鈴木 卓司
陶芸　日本伝統工芸展入16、日本伝統工芸近畿展日経新聞社賞、新匠会展佳作賞、個展（日本橋高島屋5・京都高島屋10）、師鈴木清、大谷大学大学院修、京都、1942　〒616-8242 京都府京都市右京区鳴滝本町69　075-463-9475

UZUKI TETSU
鈴木 徹
陶芸　日本工芸会理事、日本伝統工芸展新人賞・NHK会長賞、伝統文化ポーラ賞奨励賞、個展多数（日本橋三越・名古屋松坂屋・銀座黒田陶苑・寛土里他）、龍谷大学卒、京都府立陶工高等技術専門校修、岐阜、1964　〒507-0014 岐阜県多治見市虎渓山町3-1-1　http://tetsu-suzuki.net/

UZUKI HIDEAKI
鈴木 秀昭
陶芸　クランブルック・アカデミー・オブ・アート大学院修、東京、1959　〒413-0232 静岡県伊東市八幡野1341-11　0557-53-3038

AKA AKIRA
高 明
陶芸　日本工芸会正会員、一水会会員、朝日陶芸展受賞、中日国際陶芸展入、石川、1936　〒923-0031 石川県小松市高堂町ホ42　0761-22-2984

AKA GONSEI
高 権成
陶芸　日本工芸会正会員、一水会陶芸部委員、九谷焼技術研修所名誉講師、一水会展一水会賞、伝統工芸展入、中日国際陶芸展入、個展、師高陶岳、金沢美大卒、石川、1935　〒923-0053 石川県小松市河田町ワ32　0761-47-3055

AKAI SUSUMU
高井 進
陶芸　日本工芸会正会員、伝統工芸展入、日本陶芸展入、個展、師三浦小平二、新潟、1938　〒949-2300 新潟県中頸城郡中郷村江端　0255-74-4020

AKAUCHI HIDETAKE
高内 秀剛
陶芸　日本工芸会正会員、伝統工芸展入、日本陶芸展入、ヴァロリス国際陶芸展協会賞、個展、東京、1937　〒321-4217 栃木県芳賀郡益子町益子4061　0285-72-8181

AKADA KOZAN
高田 湖山
上野焼　伝統工芸士、毎日大賞、個展（三越・高島屋他）、高田窯、1923　〒822-1102 福岡県田川郡福智町上野3127-19　0947-28-2147

AKADA SATOKO
高田 さとこ
陶芸　日展会友、現代工芸会員、現代工芸賞、師厚東孝治、鹿児島、1955　〒892-0834 鹿児島県鹿児島市南林寺町25-3　099-222-0602

AKAHASHI AKIRA
高橋 彰
陶芸　丹生窯、光風会評議員、光風会展杉浦非水記念賞・三橋國民賞、1950　〒381-2701 長野県長野市大岡中牧日方2051-2　090-2144-9988

AKAHASHI SAMON
高橋 佐門
陶芸（粉吹窯変）　個展多数（丸栄・日本橋三越他）、師五代加藤幸兵衛・卓男、岐阜、1948　天翔窯　〒480-0305 愛知県春日井市坂下町6-760　0568-88-3636

AKAHASHI MASAO
高橋 政男
陶芸　日展会友、新工芸会員、新工芸展奨励賞、中日国際陶芸展文部大臣賞、朝日展入、個展、滋賀、1940　〒529-1851 滋賀県甲賀市信楽町長野502　07488-2-1721

AKAHASHI YOSHIHIKO
高橋 禎彦
硝子　多摩美術大学教授、個展・グループ展多数、多摩美大大学院修了後グラスハウスアムヴァサートゥルム工房（独）助手、東京、1958　www.yorange.org

AKAHARA TOSHI
高原 敏
陶芸　日本工芸会正会員、伝統工芸展入、中国展理事長賞、金重陶陽賞、中日国際陶芸展入、個展、1934　〒701-4274 岡山県瀬戸内市長船町牛文905　08692-6-2679

AKAYANAGI MUTSUMI
高柳 むつみ
陶芸　京都市立芸大作品展市長賞、同窓会賞、個展、グループ展、京都市立芸大大学院修、富山、1985　〒601-0532 京都府京都市右京区京北上中町東溝端15-2　http://mutsumitakayanagi.com/

AKIGUCHI KAZUO
滝口 和男
陶芸　無所属、日本陶芸展グランプリ、MOA岡田茂吉賞優秀賞、日本陶磁協会賞、京都芸大中退、ロイヤルカレッジオブアート（英）修、京都、1953

AKIMOTO KOKYU
瀧本 湖久
陶芸　無所属、伊賀古窯、古窯研究、古式大穴窯、個展、兵庫、1947　〒519-1406 三重県伊賀市小杉2037-1

AKEUCHI KIMIAKI
竹内 公明
陶芸　日本工芸会正会員、伝統工芸展入、日本陶芸展外務大臣賞、中日国際展入、個展、師江崎一生、1948　〒479-0003 愛知県常滑市金山字大岨9-34　0569-42-5482

AKEUCHI TANTAI
竹内 旦岱
陶芸　日展会友、現代工芸会員、現代工芸展現代工芸賞・会員賞、個展、愛知、1940　〒612-8025 京都府京都市伏見区桃山与五郎町1-346　075-622-1757

TAKEUCHI YASUYUKI
竹内 靖之
備前焼　無所属、個展（銀座三越・明日香画廊）、師山本陶秀・山本雄一、大阪芸大卒、岡山
1951　〒709-0411 岡山県和気郡和気町吉田2272-1　0869-93-180

TAKEGOSHI KAZUNORI
武腰 一憲
陶芸　日展特別会員、現代工芸理事、日展特選・審、現代工芸展文部科学大臣賞、伝統九谷
大賞、個展、金沢美大卒、石川、1956　〒923-1121 石川県能美市寺井町ワ-113 0761-57-094

TAKEGOSHI TOSHIAKI
武腰 敏昭
陶芸　日本藝術院会員、日展理事、元石川県陶芸協会会長、石川県美術文化協会副理事長、
本藝術院賞、日展総理大臣賞・会員賞・特選、個展（三越・和光）、金沢美大卒、石川、194
〒923-1121 石川県能美市寺井町ち2番地　0761-57-008

TAKEDA TOSHIO
武田 敏男
陶芸　日本工芸会正会員、日本陶芸展入、個展、師米沢蘇峰・北出塔次郎・田村耕一、金沢
大卒、1932　〒321-4217 栃木県芳賀郡益子町益子4182　0285-72-268

TAKENAKA KOH
竹中 浩
陶芸　日本工芸会正会員、伝統工芸展入、日本陶磁協会賞、師近藤悠三、福井、1941　〒60
8308 京都府京都市山科区西野山桜馬場町128　075-592-273

TANAKA TERUKAZU
田中 照一
鍛金　日展会員、日本新工芸家連盟理事、金工作家協会会員、日展特2・審2、日本新工芸展
閣総理大臣賞・東京都知事賞、個展、師父・田中光輝、都立工芸高校卒、東京、1945　〒11
0001 東京都台東区谷中3-2-18　03-3828-144

TANABE CHIKUUNSAI
四代 田辺 竹雲斎
竹芸　本名 健雄、日本工芸会正会員、日本伝統工芸展日本工芸会奨励賞、個展、グループ展
東京藝大卒、大分県竹工芸訓練支援センター、大阪、1973　〒590-0017 大阪府堺市堺区北
出井町3-2-28　http://www.shouchiku.com　072-229-021

TANIGUCHI MASANORI
谷口 正典
陶芸　日本新工芸会員、日本新工芸展会員賞、日展入、京都作家協会奨励賞、個展（三越）、
谷口良三、京都、1954　〒607-8322 京都府京都市山科区清水焼団地町11-10　075-591-168

TANIMOTO YOH
谷本 洋
陶芸（伊賀）　渡仏、渡西。油絵、デッサン、現代美術を学ぶ。独立後バルセロナで毎年作陶、個
（日本橋三越他）、海外にて伊賀焼ワークショップセミナー開催、師谷本光生・J.G.アルチガス、三重
1958　〒518-0022 三重県伊賀市三田2305　http://yohtanimoto.com/　0595-24-003

TANOUE SHINYA
田上 真也
陶芸　国際陶磁器展美濃審査員特別賞、日本陶芸展優秀作品賞・毎日新聞社賞、第45回記念朝日陶
展奨励賞、個展・グループ展多数、作品収蔵多数（京都文化博物館・兵庫陶芸美術館他）、京都嵯峨
術大学短期大卒、京都、1976　〒601-1455 京都府京都市伏見区小栗小阪町78　075-573-311

TABATA HIROTAMI
田畑 博民
陶芸　日本工芸会正会員、日展入、伝統工芸展入・支部展受賞、光風会展受賞、個展、194
〒489-0842 愛知県瀬戸市小空町8-3　0561-21-661

TAMAOKI YASUO
玉置 保夫
陶芸　岐阜県無形文化財保持者、日本工芸会正会員、東海伝統工芸展最高賞、国際陶磁展
日本陶磁協会賞、朝日陶芸賞、加藤幸兵衛賞、個展、多治見工業高校卒、岐阜、1941　〒50
0814 岐阜県多治見市市之倉町11-45　0572-23-180

TAMAGAWA NORIO
玉川 宣夫
金工（鍛金）　重要無形文化財保持者、日本工芸会正会員、日本伝統工芸展NHK会長賞・東
都知事賞他、伝統文化ポーラ賞優秀賞、紫綬褒章、旭日章、個展、秋田市立工芸学校卒、師
谷四郎、新潟、1942　〒959-1282 新潟県燕市花見55-1　0256-62-440

TAMURA UNKEI
二代 田村 雲渓
多田焼　陶光展文部大臣奨励賞・10周年記念賞、個展、師初代雲渓・安東五、1954　〒740-05
山口県岩国市美川町小川395-1　0827-76-011

TAMURA SEITO
田村 星都
九谷焼　九谷毛筆細字陶窯田村4代目、個展、師田村敬星、筑波大学国際総合学類、石川、19
〒923-0031 石川県小松市高堂町イ-53番地　0761-22-676

TSUKAMOTO HARUHIKO
塚本 治彦
陶芸　日本工芸会正会員、朝日陶芸展グランプリ、現代茶陶展銀賞、伝統工芸展入、個展（池
東武他）、1959　〒509-5401 岐阜県土岐市駄知町1143-11　0572-59-890

TSUKAMOTO MITSURU
塚本 満
陶芸　日本工芸会理事、伝統工芸展入・支部展教育委員会賞、個展、師塚本快示、岐阜、19
〒509-5401 岐阜県土岐市駄知町1805　0572-59-841

TSUKIGATA AKEHIKO
月形 明比古
陶芸　無所属、鬼志野・志野・絵画、独年金賞、国務大臣賞他受賞多数、プラハ国立美術館
待等、米美術館収蔵等他、外遊多、個展多数（三越他全国百貨店）、師月形那比古、京都造形
大・関西美術院、岐阜、1967　〒509-5100 岐阜県土岐市泉町五斗蒔　0572-54-353

TSUJI TOSHIHIKO
辻 聡彦
陶芸　日展会友、現代工芸会員、現工賞、九山展大賞、個展多数、佐賀、1965　〒844-0002
賀県西松浦郡有田町中樽1-5-14　0955-42-265

TSUJIMURA SHIRO
辻村 史朗
陶芸　国内外個展多数（裏千家茶道資料館・日本橋三越・名古屋松坂屋他）、独学、奈良、194
〒630-2151 奈良県奈良市水間町3297　0742-81-095

SUCHIDA YASUHIKO
土田 康彦

硝子　ヴェネチア・ムラーノ島に工房を構える、ヴェネチアガラス研究所理事長、日本現代工芸美術展現代工芸賞、オープン国際彫刻展（日本代表）最優秀GP、トスカーナ・グロセト市文化振興貢献者褒賞、デュッセルドルフ名誉技術賞他、辻調理専門学校卒、大阪、1969　在イタリア

SUNEOKA MITSUOKI
恒岡 光興

陶芸　日本工芸会正会員、伝統工芸展入、朝日陶芸展入、中日国際陶芸展入、個展、三重、1939
〒518-1314 三重県伊賀市円徳院1085　0595-43-0037

ERAIKE SHIZUTO
寺池 静人

陶芸　日展名誉会員、日本新工芸家連盟会長、京都市文化功労者、日本藝術院賞、新工芸展総理大臣賞・文部大臣賞、ヴァロリス国際陶芸展名誉最高大賞、師楠部彌弌、1933　〒607-8322 京都府京都市山科区川田清水焼団地町11-8

ERAUCHI SHINJI
寺内 信二

陶芸（有田）　李荘窯4代当主、武蔵野美大卒、佐賀、1962　〒844-0007 佐賀県西松浦郡有田町白川1-4-20　0955-42-2438

ERASHIMA YUJI
寺島 裕二

陶芸（瀬戸）　日清現代陶芸「めん鉢展」大賞、台北国際陶芸展招待、瀬戸市新世紀工芸館企画展、遊子窯開窯、熊本、1949　〒489-0009 愛知県瀬戸市水北町1565　0561-48-3880

ERAMOTO MAMORU
寺本 守

陶芸　日本工芸会正会員、板谷波山賞、伝統工芸新作展奨励賞、県芸術祭美術展優賞、個展、師松本佐一、東京クラフトデザイン研究所卒、神奈川、1949　〒309-1622 茨城県笠間市南吉原406　0296-72-5915

ENBO MASAHIKO
天坊 昌彦

陶芸　無所属、個展（大阪高島屋他）、師牧勇吉、京都芸大卒、大阪、1947　〒569-0814 大阪府高槻市富田町5-26-4　072-696-0265

OIDE MASAHIKO
戸出 雅彦

陶芸　第6回陶芸ビエンナーレ'99鯉江良二賞、個展（京都高島屋・日本橋三越）、グループ展（日本橋三越・NPO法人金沢アートグミ他）、石川、1964　〒920-0831 石川県金沢市東山1-14-7　王匣気付　076-225-7455

OKUSAWA MORITOSHI
徳澤 守俊

日本工芸会正会員、日本伝統工芸展文部科学大臣賞・文化庁買上、智美術館大賞展優秀賞、伝統工芸陶芸部会展日本工芸会賞、個展、師中里無庵、玉川大卒、東京、1943　〒811-2114 福岡県糟屋郡須恵町上須恵43-2　092-932-2697

OMIOKA NATSUE
富岡 奈津江

陶芸　無所属、多摩美術大学大学院修、個展、東京、1985　〒177-0041 東京都練馬区石神井町5-13-3　http://www.tomiokanatsue.com/

OMINAGA SHUNZAN
富永 駿山

陶芸　日本工芸会正会員、伝統工芸展入、中日国際陶芸展入、朝日陶芸展入、個展、大分、1939
〒410-3206 静岡県伊豆市湯ヶ島892-65　0558-85-0194

AGAI TETSUTARO
永井 鐵太郎

金工（鋳金）　日展名誉会員、現代工芸参与、日展文部大臣賞、現代工芸展外務大臣賞、日本藝術院賞、師蓮田修吾郎、東京藝大卒、神奈川、1936

AGAE SHIGEKAZU
長江 重和

陶芸　愛知県芸術文化選奨文化賞、中日国際陶芸展大賞、日本陶芸展大賞・桂宮賜杯、スイス・ニヨン国際磁器トリエンナーレGP他受賞、国立セーブル美術館（仏）・愛知県陶磁美術館他パブリックコレクション多数、愛知県立瀬戸窯業高校専攻科修、愛知、1953　〒480-1218 愛知県瀬戸市中品野町37　0561-41-0317

AKAO MANSAKU
中尾 万作

陶芸　京都のテキスタイルデザイン工房・伊豆の染工房にて修業した後秦秀雄の知遇を得て陶芸に転向、石川の九谷青窯入社後独立、大阪狭山に星々居開設、大阪、1945　〒589-0036 大阪府狭山市山本東576-1

AGAOKA CHIYO
長岡 千陽

陶芸　公募展女流陶芸入、グループ展、愛知教育大研究生修、長崎、1983　〒859-3704 長崎県東彼杵郡波佐見町小樽郷550

AKAGAWA KIYOTSUGU
中川 清司

木工芸　重要無形文化財保持者、日本工芸会正会員、日本伝統工芸展日本工芸会会長賞、京都市文化功労者、京都府文化賞功労賞他、紫綬褒章、個展（日本橋三越他）、師中川亀一・竹内碧外、京都、1942　〒606-8414 京都府京都市左京区浄土寺真如町164-15　075-771-1695

AKAGAWA CHIKAKO
中川 千賀子

陶芸　無所属、国際セラミックドールコンクールブルーリボン賞1位、高松宮妃殿下献上、アメリカ留学、1963　〒670-0874 兵庫県姫路市八代本町2-1-43　http://www.chikako-lacedoll.org/　079-295-5771

AKAGAWA MAMORU
中川 衛

金工（彫金）　重要無形文化財保持者、日本工芸会常任理事、日本伝統工芸展日本工芸会保持者賞2他、中日文化賞・MOA美術館岡田茂吉賞大賞他、瑞宝中綬章、師高橋介州、金沢美術工芸大学卒、石川、1947　〒921-8011 石川県金沢市入江2-397　076-291-3635

AKAZATO TADAHIRO
中里 忠寛

陶芸　日展会友、日工会評議員、日展特選、日工展会員賞、武蔵野美大大学院修、佐賀、1957
〒847-0821 佐賀県唐津市町田5-2-10　0955-72-8171

AKAZATO TSUTOMU
中里 月度務

陶芸　師15代平戸松山、佐賀県立有田窯業大卒、長崎、1967　〒859-3155 長崎県佐世保市三川内町901　http://www.hiradoshouzan.com/　0956-30-8657

NAKAZATO HANAKO
中里 花子
陶芸　日米各地で個展多数、唐津と米メイン州を中心に活動、16歳で渡米、スミス大学卒、師父中里隆、鹿児島、1972　〒847-0825 佐賀県唐津市見借4838-20

NAGASAWA EISHIN
四代 永澤 永信
陶芸　本名 舜、日展特別会員、現代工芸評議員、日展会員賞・審・特選、現代工芸展文部科学大臣賞・会員賞・京都府知事賞、地域文化功労者表彰、京都芸大卒、1938　〒668-0236 兵庫県豊岡市出石町松枝3

NAKAJIMA ATSUKO
中島 敦子
漆芸　日展会友、日本現代工芸美術家協会本会員、日展特選、個展28（三越・西武・そごう他）東京藝大大学院修、東京、1957

NAKAJIMA KENICHI
中嶋 健一
陶芸　日本工芸会正会員、日展入、朝日陶芸展入、個展、師中嶋寿山、石川、1948　〒923-112
石川県能美市寺井町寺井ヨ110　0761-57-183

NAKASHIMA HARUMI
中島 晴美
陶芸　多治見市陶磁器意匠研究所所長、元愛知教育大学教授、毎日ID賞特選2席、国際陶磁器展美濃'95陶芸部門金賞、日本陶磁協会賞他、国内外個展・グループ展多数、大阪芸大卒、岐阜、1950　http://www.ne.jp/asahi/aaa/nakashima/

NAGASUE RYUHEI
永末 隆平
陶芸　無所属、伝統工芸中国展入、県展奨励賞、田部美術館大賞「茶の湯の造形展」入、個展、師山本陶秀・山本雄一、福岡、1951　〒701-4264 岡山県瀬戸内市長船町土師1436
08692-6-338

NAKATA KAZUO
中田 一於
陶芸　日本工芸会理事、伝統工芸展奨励賞、朝日陶芸展入、中日国際陶芸展入、個展、石川、1949　〒923-0031 石川県小松市高堂町ロ158　0761-22-562

NAGANO ARATA
長野 新
金工（鋳金、茶の湯釜）　日本工芸会正会員、埼玉県美術家協会会員、東日本伝統工芸展MOA美術館賞、淡水翁賞他受賞、個展（日本橋三越本店他）、グループ展（壺中居）、高岡短期大学（現富山大学）卒業後菊池保寿堂にて修行、1972　〒363-0026 埼玉県桶川市上日出谷823-9

NAKANO KINJIRO
中野 欽二郎
陶芸　全国の窯場を巡り窯焚き修業、個展（しぶや黒田陶苑）、栃木、1971　〒321-3707 栃木県芳賀郡茂木町小深177　0285-62-009

NAKAMURA KOHEI
中村 康平
陶芸　八木一夫賞、個展（三越他）、多摩美大彫刻科卒、石川、1948　〒920-0902 石川県金沢市尾張町2-16-19

NAKAMURA TAKUO
中村 卓夫
陶芸　無所属、メトロポリタン美術館・シカゴ美術館・金沢21世紀美術館他蔵、個展多数（和光他）、師中村梅山、石川、1945　〒920-0902 石川県金沢市尾張町2-16-22　076-222-07

NAGUMO RYU
南雲 龍
陶芸　日展特別会員、現代工芸顧問、日展文部大臣賞・特選、現代工芸展文部科学大臣賞、旭日小綬章、原料・釉薬・歴史等著書・訳書11冊、金沢美大卒、国立京都陶磁器試験所に於いて釉薬研究、群馬　〒377-0027 群馬県渋川市金井2843-62　0279-23-335

NAMIKI TSUNENOBU
並木 恒延
漆芸　日展監事・特別会員、現代工芸理事、日本藝術院賞、日展特選・文科大臣賞、日本現代工芸美術展大賞・NHK会長賞・総理大臣賞他、師髙橋節郎、東京藝大院・修制藝大買上げ、東京、1949　〒205-0015 東京都羽村市羽中3-14-34　http://www.urushi-namiki.com/　042-555-15

NARA CHIAKI
奈良 千秋
陶芸　無所属、個展（森田画廊・ギャラリー江）、愛知県立窯業訓練校卒、秋田、1950　〒38
2203 長野県上田市真田町傍陽458-2　0268-75-355

NIISATO AKIO
新里 明士
陶芸　国際陶磁器展美濃審査員特別賞、パラミタ陶芸大賞展大賞、菊池ビエンナーレ奨励賞、シャンパーニュ・メゾン「ルイナール」とコラボ（ボトルクーラー制作）、多治見市陶磁器意匠研究所修、千葉、1977　岐阜県土岐市在住

NISHI ETSUKO
西 悦子
硝子　日本ガラス工芸協会会員、日本ガラス工芸学会会員、国際ガラス展金沢パペル・フラパン他、国内外個展・グループ展多数、イギリス王立芸術大学院大学、兵庫　〒216-0024 神奈川県川崎市宮前区南平台3-27　044-978-28

NISHI KOICHI
西 功一
陶芸　本名 西部功、日本工芸会正会員、美濃陶芸協会理事、新工芸展都知事賞、日本伝統工芸展入選13、朝日陶芸展特別賞・奨励賞、個展、宇都宮大大学院修、岐阜、1948　〒501-3521 岐阜県関市下之保4442　0575-49-343

NISHIKAWA MASARU
西川 勝
陶芸　日展会友、日本新工芸会員、日展特選、日本新工芸展文部科学大臣賞・会員賞、朝日陶芸展新人陶芸賞、全関西美術展1席、京都府文化賞奨励賞、京畿道世界陶芸ビエンナーレ銅賞、個展、武蔵野美大卒、京都、1962　〒612-0819 京都府京都市伏見区深草僧坊山町5-3　075-641-09

NISHIKAWA MINORU
西川 實
陶芸　日展特別会員、日展総理大臣賞・特選、新工芸展文部大臣賞、『西川實の陶芸 抒情と焔炎』出版、師楠部彌弌・叶光夫、京都市立第二工業学校卒、京都、1929　〒612-0819 京都府京都市伏見区深草僧坊山町5-3　075-641-03

NISHINAKA YUKITO
西中 千人
硝子　現代ガラスの美展IN薩摩大賞、大桑文化奨励賞、WIRED CREATIVE HACK AWAR
2013グラフィック賞、個展（日本橋高島屋・古川美術館）、渡米、星薬科大卒、和歌山、196
〒299-4104 千葉県茂原市南吉田2967　https://www.nishinaka.com/

SHIHATA DAIBI
西端 大備
陶芸　師西端正、京都市工業試験場修、兵庫、1976　〒669-2135 兵庫県篠山市今田町上立杭2-9　079-597-3162

SHIHATA TADASHI
西端 正
陶芸　日本工芸会正会員、伝統工芸展総裁賞、田部美術館大賞「茶の湯の造形展」大賞・優秀賞、県展奨励賞、兵庫、1948　〒669-2135 兵庫県篠山市今田町上立杭2-9　079-597-3162

SHIMOTO EISEN
西本 瑛泉
陶芸　日展名誉会員、現代工芸顧問、日本藝術院賞・恩賜賞、日展特選、現代工芸展総理大臣賞、師吉賀大眉、広島、1928　〒731-5136 広島県広島市佐伯区楽々園3-4-4　082-921-0860

OGUCHI MIEKO
ノグチ ミエコ
硝子　野口硝子代表、TV東京テレビチャンピオンガラスアート優勝、日本ASEAN友好45周記念品制作、武蔵野美大短期大学部工芸デザイン専攻科卒、神奈川、1969　神奈川県藤沢市在住

OGUCHI YOKO
野口 洋子
漆芸　76年東京藝大卒業制作サロン・ド・プランタン賞、日本伝統漆芸展東京都教育委員会賞、東日本伝統工芸展MOA美術館賞、個展、グループ展、東京藝大大学院修、東京、1952

OSAKA KOKI
野坂 康起
陶芸　日展会友、日本工芸会正会員、元新工芸会員、個展、三重、1931　〒758-0063 山口県萩市山田玉江二区　0838-22-0879

ODA AKIKO
野田 朗子
硝子　現代工芸美術家協会会員、同志社大学大学院嘱託講師、第52回日本現代工芸大賞、現代ガラス展三輪休雪審査員賞、個展多数（高台寺圓徳院・京都·大阪·日本橋髙島屋他）、東京藝大大学院修（修了制作台東区長奨励賞）、京都、1975　京都府京都市在住　http://akikonoda.com/

ODA TOSHIKO
野田 とし子
漆芸　漆芸家野田行作と結婚・師事、夫の死により雲居山房を継承、個展（三越・高島屋他）、聖和女子大学保育科卒、伊東衣服研究所デザイン科修　〒250-0117 神奈川県南足柄市塚原玉峯4372

OMURA ICHIRO
野村 一郎
陶芸（備前）　岡山県西庄に築窯後、大賀島に移住し築窯。個展（ギャラリー縄・銀座黒田陶苑）、信州大学農学部卒、岡山、1953　〒704-8116 岡山県岡山市東区西大寺中3-9-27

ASHIMOTO MASAHIKO
橋本 昌彦
陶芸　日本工芸会正会員、日本陶芸展文部大臣奨励賞、日本工芸会賞、個展、北海道、1951　〒989-2424 宮城県岩沼市早股字猫原69　0223-22-3886

ASEGAWA KIYO
長谷川 紀代
陶芸　女流陶芸会員、日展入、一水会展一水会賞、台北陶芸展招、個展、石川、1940　〒923-0825 石川県小松市西軽海町4-169　0761-47-0165

ASEGAWA SOJIN
長谷川 塑人
陶芸　日本工芸会正会員、伝統工芸展奨励賞・支部展最高賞、朝日陶芸展入、個展、石川、1935　〒920-0945 石川県金沢市涌波3-4-24　076-231-3345

ATAI TOMOKAZU
畑井 智和
陶芸　個展（松屋銀座・横浜そごう）、東京藝大日本画専攻・同大学院修、東京、1962　〒413-0002 静岡県熱海市伊豆山1165-26

ATANO ZENZO
波多野 善蔵
陶芸　日本工芸会正会員、伝統工芸展奨励賞、日展入、九州山口陶芸展1席、県芸術文化振興奨励賞、山口、1942　〒758-0057 山口県萩市堀内二区247　0838-22-1784

ABA KOKICHI
馬場 弘吉
陶芸　日本工芸会正会員、伝統工芸展入、個展（京都高島屋）、師石黒宗麿、京都、1941　〒605-0925 京都府京都市東山区今熊野日吉町13-8　075-551-3265

AMADA SHINSAKU
濱田 晋作
陶芸　無所属、元国画会会員、個展（日本橋三越・大阪三越他）、早稲田大卒、東京、1929　〒321-4217 栃木県芳賀郡益子町益子3387　0285-72-5311

AMADA HIDEMINE
浜田 英峰
陶芸　無所属、日本民藝館展入、個展（銀座たくみ・神戸阪急）、師島岡達三、日大卒、愛媛、1955　〒321-4216 栃木県芳賀郡益子町塙1324　090-1555-7036

AYASHI KEIROKU
林 慶六
陶芸　日展会友、新工芸会員・審査員、元光風会審査員・光風賞、京展賞、個展116、師楠部彌弌、京都、1943　〒617-0853 京都府長岡京市奥海印寺谷田15-41　075-952-0562

AYASHI SHIGEKI
林 茂樹
セラミックによる立体　国際陶磁器フェスティバル銅賞、美濃賞、誰でもピカソアートバトル優勝、ファエンツァ国際陶芸展大賞、ヴァロリス国際陶芸展招待、岐阜、1972　〒183-0055 東京都府中市府中町1-12-4　タカハシビル3F

AYASHI SHOTARO
林 正太郎
陶芸　日本工芸会正会員、美濃陶芸協会理事、伝統工芸展入、朝日陶芸展入、個展、1947　〒509-5202 岐阜県土岐市下石町山神2388-55　0572-57-2027

HAYAMA YUKI
葉山 有樹
陶磁　個展（福岡全日空ホテル・O·A·Gドイツ文化館・スパイラル他）、佐賀、1961　〒104-00
東京都中央区銀座1-8-17　伊勢伊ビル3F　銀座一穂堂気付　03-5159-05

HARA KIYOSHI
原 清
陶芸　重要無形文化財保持者、日本工芸会常任理事、伝統工芸展会長賞、国際展招、個展、
石黒宗麿・清水卯一、島根、1936　〒369-1214 埼玉県大里郡寄居町大字今市746-1
0485-82-15

HARA KENJI
原 憲司
陶芸（黄瀬戸）　個展多数（日本橋三越・なんば高島屋・銀座黒田陶苑他）、師加藤卓男、東
1947　〒509-0224 岐阜県可児市久々利1-360　0574-64-07

HARAGUCHI TAKUSHI
原口 卓士
青磁・陶芸　日本工芸会正会員、獨協大経済学部卒、京都府立陶工訓練校卒、京都、19
〒605-0845 京都府京都市東山区六原竹村町150　075-551-47

HARADA SHUROKU
原田 拾六
備前焼　無所属、日本陶磁協会賞、メトロポリタン美術館蔵、個展（日本橋三越・阪神他）、植
直己記念碑制作、明大卒、岡山、1941　〒705-0001 岡山県備前市伊部1579　0869-64-48

HARUYAMA FUMINORI
春山 文典
金工　日本藝術院会員、日展理事、現代工芸美術家協会常務理事、日本藝術院賞、日展文部
臣賞、日本現代工芸美術展内閣総理大臣賞、東京藝術大学大学院、長野、1945　〒145-0072
京都大田区田園調布本町45-7-912　03-3721-47

HIGASHI NAOHITO
東 直人
陶芸　日本工芸会正会員、伝統工芸展入、中日国際展入、日本陶芸展入、個展、名城大卒、
崎、1950　〒509-7208 岐阜県恵那市笠置町姫栗103　0573-27-32

HIGASHIDA SHIGEMASA
東田 茂正
陶芸　無所属、国内外個展多数（銀座和光・日本橋三越他）、下関市立大卒、広島、1955　〒18
0015 東京都小金井市貫井北町1-7-31　http://www.soshintougi.com/　0423-86-10

HIGUCHI MASAYUKI
樋口 雅之
陶芸　日本伝統工芸展、現代茶陶展入選、個展多数（池袋東武・名古屋松坂屋・福岡三越・
ぶや黒田陶苑他）、師山本陶秀、多治見工業高校窯業科卒、名古屋芸大彫刻科卒、岐阜、19
〒507-0818 岐阜県多治見市大畑町7-70　0572-22-04

HITOMI KEIICHI
人見 啓一
陶芸　日本工芸会正会員、東陶会理事、日本陶芸展文部大臣賞、朝日陶芸展陶芸秀作賞、陶
ビエンナーレ準大賞、個展20、東京クラフトデザイン研究所、茨城、1949　〒253-0063 神奈
県茅ヶ崎市柳島海岸1283-11　0467-85-24

HYAKKAN TOSHIO
百貫 俊夫
染織　日展特別会員、現代工芸美術家協会評議員、日本現代工芸展東京都知事賞・文部科学
臣賞・総理大臣賞、日展審・特選・文部科学大臣賞、師毎田仁郎、県立羽咋高等学校、石
1944　〒920-0811 石川県金沢市小坂町西8-78　http://www.hyakkan.com　076-252-07

HIRAO MINEHARU
平尾 峰春
陶芸　全陶展名誉会員、個展多数、日中陶芸文化交流展、山崎記念特別賞、上毛芸術奨励
1940　〒371-0036 群馬県前橋市敷島町250-6　027-232-77

FUKAMI SUEHARU
深見 陶治
陶芸　無所属、日展特選、毎日芸術賞、京都市芸術新人賞、日本陶磁協会賞金賞、MOA岡田
吉賞優秀賞、ファエンツァ展大賞、中日展大賞、個展、京都、1947　〒612-0829 京都府京都
伏見区深草谷口町86-1　075-643-39

FUKUOKA TAKUYA
福岡 琢也
陶芸　無所属、東海伝統工芸展入、めん鉢大賞展入、個展、早稲田大卒、常滑市立陶芸研究
修、東京、1960　〒250-0106 神奈川県高座郡寒川町宮山3059-6　0467-74-28

FUKUSHIMA ZENZO
福島 善三
陶芸　重要無形文化財保持者、日本工芸会監事、日本伝統工芸展日本工芸会総裁賞、日本陶
展大賞、MOA岡田茂吉賞優秀賞、日本陶磁協会賞、西日本陶芸展大賞、福岡大卒、福岡、19
〒838-1601 福岡県朝倉郡東峰村大字小石原978-2　0946-74-20

FUKUSHIMA BUZAN
福島 武山
九谷焼　日本工芸会正会員、創造美術会陶芸部理事、石川県立九谷焼技術研修所講師、創造美術展東
都知事賞・朝日新聞社特別賞・北華賞、日本伝統工芸展入13、伝統九谷焼工芸展優秀賞・技術賞・奨励
他、石川県立工業高校卒、石川、1944　〒923-1112 石川県能美市佐野町ヲ46　0761-57-28

FUKUNISHI MASAYUKI
福西 雅之
陶芸　岡山県美術展奨励賞・山陽新聞社賞、日本煎茶工芸展奨励賞、日本陶芸展入、個展多
（池袋東武・岡山高島屋・ギャラリー栗本・炎色野他）、師城所弘光、東海大学卒、岡山、19
〒708-0011 岡山県津山市上田邑6　0868-28-57

FUKUNO MICHITAKA
福野 道隆
陶芸　日本工芸会正会員、伝統工芸新作展東日本支部賞、伝統工芸陶芸部会展40回記念賞、
伊藤東彦、埼玉、1970　〒309-1631 茨城県笠間市箱田字亀ノ甲3194-14　0296-72-91

FUJIOKA SHUHEI
藤岡 周平
陶芸　無所属、現代工芸展出、個展（阪神・伊勢丹他）、師谷本光生、立命館大卒、愛媛、19
〒518-0021 三重県伊賀市諏訪563　0595-24-53

FUJITA JUN
藤田 潤
硝子　日本ガラス工芸協会功労会員、日本のガラス展ブリヂストン美術館賞、黄金崎器のかた
展優秀賞、国際ガラス展・金沢金賞、文化庁長官表彰、個展多数、海外制作・発表多数、師
田喬平、学習院大学卒、東京、1951　〒272-0812 千葉県市川市若宮1-10-4

UJIHIRA YASUSHI
藤平　寧
陶芸　京都府立陶工高等技術専門校修、京都、1963　〒621-0126 京都府亀岡市西別院町犬甘野善作谷13　0771-27-2709

UJIWARA KAZU
藤原　和
陶芸　日本工芸会正会員、朝日陶芸展秀作賞、県展奨励賞、県展賞、師藤原啓・藤原雄、岡山、1958　〒705-0033 岡山県備前市穂浪3865　0869-67-0550

UJIWARA KEISUKE
藤原　敬介
陶芸　日本工芸会正会員、伝統工芸支部長賞、金重陶陽賞、県展大賞、田部美術館大賞「茶の湯の造形展」優秀賞、師藤原啓、岡山、1939　〒701-1154 岡山県岡山市北区田益桃の里227　086-294-2010

UJIWARA HITOSHI
藤原　均
陶芸　無所属、伝統工芸展入、中日国際陶芸展入、個展、師清水武・藤原建、兵庫、1948　〒705-0001 岡山県備前市伊部210-2　0869-63-1093

RUTA HIDEMASA
古田　英晶
陶芸　無所属、美濃陶芸協会会員、朝日陶芸展グランプリ・第25回記念賞、美濃陶芸展大賞、日展入、新工芸展入、個展、岐阜県立多治見工業高校窯業専攻科卒、師7代加藤幸兵衛、岐阜、1959　〒509-5302 岐阜県土岐市妻木平成町6-12-1　0572-57-5790

RUTANI KAZUYA
古谷　和也
陶芸　師古谷道生、京都府立陶工技術専門学校卒、滋賀、1976　〒529-1812 滋賀県甲賀市信楽町神山566　www.furutani-kazuya.com　0748-82-4356

RUNO YUKIHARU
古野　幸治
陶芸　日本工芸会正会員、伝統工芸展入、中日国際陶芸展入、大阪工芸展賞、個展（日本橋三越他）、大阪、1943　〒599-0231 大阪府阪南市貝掛1070-1　0724-76-5158

RUYA TORU
古谷　徹
陶芸　日本工芸会正会員、泉佐野市文化懇話会顧問、日本伝統工芸展入22、日本陶芸展入10、大阪工芸展知事賞・特別賞、個展（大阪髙島屋）、近畿大農学部卒、大阪、1948　〒598-0021 大阪府泉佐野市日根野3142-3　0724-67-0043

OSHI MASAYUKI
星　正幸
陶芸　無所属、一水会展佳作賞、田部美術館大賞「茶の湯の造形展」入、個展（日本橋三越他）、上智大卒、東京、1949　〒701-4273 岡山県瀬戸内市長船町磯上3066　0869-26-3764

OSHINO RYOSAI
星野　亨斉
焼入窯変　無所属、朝日陶芸研究所主宰、個展（松屋・三越他）、福岡、1939　〒253-0006 神奈川県茅ケ崎市堤3588　朝日陶芸研究所　0467-53-3497

ORINO SHOJI
堀野　証嗣
萬古赤絵の茶道具　無所属、伝統工芸展入、現代工芸展入、朝日陶芸展三重県知事賞、個展（髙島屋京都店・名古屋三越栄本店）、1949　〒510-1251 三重県三重郡菰野町千草7072-1　菰野陶芸村内　059-392-3064

ONJO KENJI
本庄　健二
陶芸　日展会友、現代工芸会員、現代工芸展会員賞、個展、師安田全宏、1949　〒607-8301 京都府京都市山科区西野山百々町10-56　075-592-2505

AETA AKIHIRO
前田　昭博
陶芸（白磁）　重要無形文化財保持者、日本工芸会副理事長・陶芸部会長、日本伝統工芸展優秀賞・朝日新聞社賞他、MOA岡田茂吉賞展優秀賞、日本陶磁協会賞、中国文化賞、新匠工芸展60回記念大賞他、紫綬褒章、大阪芸大卒、鳥取、1954　〒680-1252 鳥取県鳥取市河原町本鹿282　0858-85-0438

AEDA TAISHO
前田　泰昭
陶芸　日展特別会員、新工芸家連盟顧問、日展特選、県芸術文化賞、佐賀新聞芸術文化奨励賞、佐賀、1937　〒849-4172 佐賀県西松浦郡有田町下本乙2487　0955-46-3089

AEDA MASAHIRO
前田　正博
陶芸　日本工芸会常任理事、日本伝統工芸展総裁賞・奨励賞、新作展入、智美術館大賞、MOA岡田茂吉賞MOA美術館賞、個展、師藤本能道・田村耕一、東京藝大大学院修、京都、1948　〒106-0032 東京都港区六本木3-5-7　六本木陶磁器倶楽部　03-3586-1205

ASAMORI CHIE
正守　千絵
陶芸　第7回国際陶磁器展美濃審査員特別賞、第27回長三賞現代陶芸展・現在形の陶芸萩大賞展他入、大阪芸術大学附属大阪美術専門学校卒・多治見市陶磁器意匠研究所修、広島、1978　〒736-0085 広島県広島市安芸区矢野西5-2-1-1F

ASUMURA KIICHIROU
増村　紀一郎
漆芸　重要無形文化財保持者、日本工芸会参与、東京藝術大学名誉教授、日本伝統工芸展重要無形文化財保持者選賞他、MOA岡田茂吉賞大賞、紫綬褒章・瑞宝中綬章、東京藝大大学院修、東京、1941　〒344-0067 埼玉県春日部市中央2-4-16　048-752-8296

ATSUI KOYO
松井　康陽
陶芸　日本工芸会正会員、伝統工芸展入、日本陶芸展入、個展、師松井康成、筑波大卒、茨城、1962　〒309-1611 茨城県笠間市笠間350　0296-72-0555

ATSUI TOMOYUKI
松井　與之
陶芸　日本工芸会正会員、伝統工芸展入、金重陶陽賞、県文化奨励賞、個展、師森野嘉光、国立京都陶磁器試験所卒、熊本、1931　〒705-0021 岡山県備前市西片上2048　0869-64-4436

ATSUZAKI KEN
松崎　健
陶芸　国画会会員、国展野島賞・会友優作賞、個展150（日本橋三越・阪急うめだ・京王新宿）、師島岡達三、玉川大学芸術学科卒、東京、1950　〒321-4217 栃木県芳賀郡益子町益子4090-2　0285-72-0688

MATSUSHIMA TSUTOMU
松嶋　勉
陶芸　日本工芸会正会員、日本工芸展支部会長賞・教育長賞、県展賞、一水会展受賞、個展(
山天満屋他)、岡山、1937　〒705-0001 岡山県備前市伊部308　0869-64-24

MATSUMOTO ISAMI
松本 為佐視
陶芸　元日展会員、新工芸理事、日展特選・北斗賞、個展、師楠部彌弌、京都、1931　〒61
8012 京都府京都市伏見区桃山町遠山103-59　075-611-90

MATSUMOTO SAICHI
松本 佐一
陶芸　日展特別会員、現代工芸評議員、光風会会員、日展特選、九谷陶芸展グランプリ、金沢
大卒、石川、1930　〒920-2321 石川県白山市吉野春29　07619-5-58

MATSUMOTO TATSUYA
松本 達弥
漆芸　日本工芸会正会員、伝統工芸新作展三越賞、日本伝統工芸展日本工芸会賞・第50回展
念賞、日本伝統漆芸展朝日新聞社賞・日本工芸会賞、師音丸耕堂・音丸淳、香川、1961　〒27
0034 千葉県松戸市新松戸3-296-C-1110　047-348-78

MATSUMOTO NORIKO
松本 法子
漆芸　日本工芸会正会員、香川県美術展教育委員会奨励賞、日本伝統工芸新作展奨励賞・川
賞・朝日新聞社賞・三越賞他、大分県立芸短大卒、香川県漆芸研究所修、大分、1960　〒27
0034 千葉県松戸市新松戸3-296-C-1110　047-348-78

MATSUMOTO FUSAKO
松本 房子
陶芸　日本画府会員、日府展新人賞・奨励賞、抹茶茶碗展優秀賞、読売新聞広告展銀賞、師
場咲夫、東京、1950　〒143-0027 東京都大田区中馬込1-20-1　03-3771-25

MARUYAMA SHOKO
丸山 昌子
日本七宝会議会員、社団法人日本ジュエリーデザイナー協会会員、ジュエリーコンテスト毎日新聞
賞・優秀賞2、アートクレイシルバーコンテストグランプリ・審査員奨励賞他、倉敷文化連盟奨励賞、
丸山綾子、東京　〒710-0026 岡山県倉敷市加須山296-4　http://fbunnoi.com/　086-429-10

MIURA SHUREI
三浦 硃鈴
陶芸　日本工芸会正会員、一水会会員、伝統工芸展NHK会長賞、中日国際陶芸展奨励賞、個展
1942　〒403-0011 山梨県富士吉田市赤坂2600　0555-22-45

MIURA CHIKUSEN
五代 三浦 竹泉
陶芸　京都伝統陶芸協会役員、府美術工芸研究会委員、個展、師4代三浦竹泉、同志社大卒、
都、1934　〒605-0846 京都府京都市東山区五条橋東6-493-1　075-561-29

MIZUNO HANJIRO
七代 水野 半次郎
陶芸　日本民藝館展奨励賞、個展(阪急うめだ他)、師6代水野半次郎、名古屋芸大デザイン科
学ぶ、愛知、1953　〒489-0847 愛知県瀬戸市東町1-6　http://www.seto-hongyo.jp/
0561-84-71

MIZUNO MASASHI
水野 雅之
陶芸　陽山窯3代、穴窯、志野・瀬戸黒、裏千家助教授、美濃陶芸協会副会長、信長焼主宰、
展多数(全国にて、月1度)、大阪芸大・正眼短大禅科、岐阜、1957　〒509-5102 岐阜県土岐
泉町定林寺614-2　0572-54-53

MITAMURA ARISUMI
三田村 有純
漆芸　日展理事・特別会員、現代工芸監事、東京藝大名誉教授、日本藝術院賞、日展内閣総理大臣賞、現代
芸展文部大臣賞他、「九つの音色」三越、和光個展他18、師祖父自芳・父秀雄・髙橋節郎・田口善国、藝大院
東京、1949　〒180-0014 東京都武蔵野市関前3-20-6　http://www.urushi-mitamura.com　0422-52-41

MITARAI MARI
御手洗 真理
陶芸　第5回菊池ビエンナーレ入選、東京藝大大学院修、千葉、1985　〒273-0031 千葉県船
市西船4-1-6

MITSUKE MASAYASU
見附 正康
九谷焼　パラミタ陶芸大賞展大賞、伝統文化ポーラ賞奨励賞、個展(オオタファインアーツ・し
や黒田陶苑)、グループ展多数、師福島武山、石川、1975　〒922-0414 石川県加賀市片山津
オ40番地

MINAGAWA TAKASHI
皆川　隆
陶芸　無所属、個展(東京・大阪・広島・京都・名古屋他)、師小森松菴、滋賀、1930　〒52
1851 滋賀県甲賀市信楽町長野1384　0748-82-06

MINAGAWA HITOSHI
皆川 仁史
陶芸　土の子窯、無所属、個展、師鈴木藏、愛知県立窯業職業訓練校卒、岐阜県立多治見工
高校窯業専攻科卒、滋賀、1959　〒529-1811 滋賀県甲賀市信楽町江田607-15　0748-82-17

MINEGISHI SEIKO
峯岸 勢晃
陶芸　日本工芸会正会員、日本伝統工芸展入、日本陶芸展入、北関東陶芸展毎日奨励賞、ニューオリンズ美
館・ファインバーグコレクション・ホーヴィッツコレクション他蔵、個展(日本橋三越本店他)、高輪会他出
東工大付属工業高校卒、埼玉、1952　〒329-3215 栃木県那須郡那須町寺子乙2374-24　0287-72-13

MIHARA KEN
三原　研
陶芸(炻器)　田部美術館大賞「茶の湯の造形展」田部美術館大賞、パラミタ陶芸大賞展準大
日本陶磁協会賞、国内外個展(兵庫陶芸美術館・なんば高島屋・西福他)・グループ展多数、
舩木研兒、島根、1958　〒699-0405 島根県松江市宍道町上来待1715-7　0852-66-30

MIYAGAWA KIYOSHI
宮川 喜吉
陶芸　日本工芸会正会員、伝統工芸展入、草月花の器展受賞、個展、師近藤悠三・清水九兵衛
京都芸大卒、大阪、1943　〒607-8322 京都府京都市山科区清水焼団地町10-3　075-592-23

MIYAKAWA TETSUJI
宮川 哲爾
陶芸　日本工芸会正会員、伝統工芸展入、伝統九谷工芸展大賞・優秀賞、県無形文化財、個展
師松本佐吉・田村耕一、石川、1926　〒923-0935 石川県小松市上寺町3　0761-22-67

YAKE RINPEI
宅 淪逬
陶芸　日本工芸会正会員、伝統工芸展入、中日国際陶芸展他入、個展、師森宝山・森泰司、岡山、1947　〒705-0032 岡山県備前市麻宇那1266-1　0869-67-0045

YAZAKI YUSUKE
崎 祐輔
陶芸　日本工芸会正会員、伝統工芸展入、日本陶芸展入、西部工芸展入、県展受賞、1954　〒843-0303 佐賀県嬉野市嬉野町吉田丁3855　0954-43-9850

YAZAWA AKIRA
澤 章
陶芸　無所属、日本陶芸展入、個展（高島屋他）、師薄田浩司、秋田大卒、秋田、1950　〒321-4217 栃木県芳賀郡益子町益子3929　0285-72-0790

YATA RYOHEI
田 亮平
鍛金　文化庁長官、日展特別会員、現代工芸美術家協会正会員、前東京藝術大学学長、日本藝術院賞、日展特選・内閣総理大臣賞、日本現代工芸美術展大賞・文部大臣賞・内閣総理大臣賞、90年文部省在外研究員（ドイツ）、東京藝術大学大学院修、新潟、1945

YOSHI KENTARO
好 建太郎
陶芸　笠間・唐津で修業後、越前市で築窯。古越前研究。個展（横浜・なんば・日本橋等高島屋で定期開催）、師徳沢守俊・木村盛和、北海道、1953　〒915-1242 福井県越前市粟野町3-17　0778-28-1132

WA KYUSETSU
三輪 休雪
陶芸　本名 和彦、サンフランシスコ・アート・インスティテュート卒、山口、1951　〒758-0011 山口県萩市椿東2721　0838-25-1858

WA HANAKO
輪 華子
陶芸　国内外展示、多摩美大卒、ウェールズ大卒、ロンドン大学スレード美術学校、山口　〒758-0011 山口県萩市椿東858-9

WA RYUKISHO
輪 龍氣生
陶芸　本名 龍作、十二代三輪休雪、無所属、日本陶磁協会賞金賞、ファエンツァ国際陶芸展賞、日本国際美術展出品、個展、東京藝術大学陶芸科大学院修、山口、1940　〒758-0011 山口県萩市椿東858-9　0838-25-3388

KAE YASUO
泰夫
陶芸　無所属、日本伝統工芸展入、伝統工芸新作展入、東京藝大大学院修、愛知、1966　〒329-4405 栃木県栃木市大平町西山田783　0282-43-9064

TA YOKA
田 陽日
九谷焼　イケヤン★展2012グランプリ、渡英、ゴールドスミスカレッジ・ファインアート卒、石川県立九谷焼技術研修所卒、東京　〒923-1113 石川県能美市牛島町ロ258

NAKATA MUTSUO
像 睦生
陶芸　日本工芸会正会員、日本伝統工芸展入、東海伝統工芸展中日賞、個展、グループ展、静岡、1943　〒422-8062 静岡県静岡市駿河区稲川1-7-21

NAKATA RYOICHI
像 亮一
陶芸　日本工芸会正会員、伝統工芸展入、日本陶芸展毎日新聞社賞、県芸術功労賞、師宗像豊喜・宗像豊意、福島、1933　〒969-6127 福島県大沼郡会津美里町字本郷上3115　0242-56-2174

NEMASA YOSHIAKI
正 芳明
陶芸　無所属、日本セラミック協会正会員、個展（日本橋三越・柿傳ギャラリー他）、広島、1939　〒305-0033 茨城県つくば市東新井13-3-202　029-858-1122

RASE JIHEI
村瀬 治兵衛
漆芸　本名 治、個展（日本橋三越他）・アートバーゼル等多数、東京造形大学卒、東京、1957　〒154-0011 東京都世田谷区上馬5-27-3　03-3421-6887

ROSE KAZUMI
瀬 和美
漆芸　重要無形文化財保持者（蒔絵）、日本工芸会副理事長、日本文化財漆協会特別会員、漆工史学会理事、日本伝統工芸展特待鑑審査委員、他鑑審査委員歴任、日本文化藝術振興賞、紫綬褒章、東京藝大大学院修、東京、1950　〒161-0033 東京都新宿区下落合4-23-5　03-3954-1888

OCHIZUKI SHU
月 集
陶芸　日本工芸会正会員、伝統工芸展陶芸部会展日本工芸会賞、日本伝統工芸展、日本陶芸展等入、国際交流基金・九州産業大学・宮内庁買上、東京藝大大学院修、東京、1960　〒164-0014 東京都中野区南台5-32-5　03-5385-3173

OTOKI SHINGO
木 眞悟
陶芸　日本工芸会正会員、伝統工芸展奨励賞、東海伝統工芸展招、個展（日本橋東急他）、東京、1950　〒413-0232 静岡県伊東市八幡野字高塚1264-7　0557-51-2074

OTOYAMA YASUHARU
登山 泰晴
陶芸　無所属、伝統工芸新作展入、武蔵野展入、県展特賞、個展（小田急他）、師山田勢児・野中春甫、東京、1948　〒379-1305 群馬県利根郡みなかみ町後閑2196　0278-62-6632

OMODA HIKARU
田 輝
陶芸　無所属、第45回伝統工芸新作展東京都知事賞、第7回益子陶芸展濱田庄司賞、個展、バルセロナ留学、東京藝大大学院修、徳島、1961　〒250-0851 神奈川県小田原市曽比3185-3

RI ICHIZO
一蔵
陶芸　元走泥社同人、日陶展入、ファエンツァ国際展入、個展（京王他）、師藤澤侑石、阿佐ヶ谷美術学園卒、三重、1945　〒511-0839 三重県桑名市安永1169　0594-21-0864

MORI KATSUNORI
森　克徳
陶芸　新工芸会員、新工芸展会員賞・中日賞、日展特選2、日本陶芸展準大賞、朝日陶芸展グンプリ、個展、武蔵野美大卒、1955　〒444-1325 愛知県高浜市青木町5-7-88　0566-53-49

MORI KEIKO
森　恵子
陶芸　日本工芸会正会員、日本陶芸展入、日本伝統工芸展入、師藤本能道・田村耕一、東京大大学院修、1949　〒422-8062 静岡県静岡市駿河区稲川1-7-21

MORI TOGAKU
森　陶岳
備前焼　岡山県指定重要無形文化財保持者、日本工芸会正会員、日本陶磁協会金賞、岡山大岡山、1937　〒701-4301 岡山県瀬戸内市牛窓町長浜5117　0869-34-31

MORI TOZAN
森　陶山
陶芸　日本工芸会正会員、伝統工芸展入、中日国際陶芸展他入、個展、岡山、1938　〒705-00 岡山県備前市伊部730　0869-64-21

MORI YASUSHI
森　泰司
陶芸　日本工芸会正会員、伝統工芸展入、中日国際陶芸展奨励賞、陶芸ビエンナーレ99'グランリ、個展、岡山、1947　〒705-0001 岡山県備前市伊部710　0869-64-24

MORIGUCHI KUNIHIKO
森口　邦彦
染織　重要無形文化財保持者、日本工芸会正会員、京都市文化功労者、京都府文化賞功労賞、芸選奨文部大臣賞、紫綬褒章・旭日中綬章、国内外発表多数、京都市立美大卒、パリ国立高等装飾術学校卒、1941　〒604-0045 京都府京都市中京区小川通二条下ル古城町353　075-256-40

MORITA SHINJI
森田　信司
陶芸　無所属、日本新工芸展入、個展、文化学院卒、京都府立陶工訓練校卒、広島、1961　〒3 2203 茨城県鹿嶋市浜津賀317　0299-69-47

MORINO AKITO
森野　彰人
陶芸　京都市立芸大大学院修、京都、1969　〒607-8322 京都府京都市山科区川田清水焼団町6-2-803　075-501-18

MORINO TAIMEI
森野　泰明
陶芸　日本藝術院会員、日展顧問・名誉会員、日展特選・会員賞、新工芸展文部大臣賞、日本術院賞、京都美大卒、京都、1934　〒607-8322 京都府京都市山科区川田清水焼団地町11-3　075-591-83

YAUCHI ITSUKI
矢内　齋
陶芸　日本工芸会正会員、日本陶芸展入、日本伝統工芸展入、伝統工芸新作展入、師加守田二、福島、1948　〒321-4212 栃木県芳賀郡益子町上大羽2169　0285-72-55

YAGI AKIRA
八木　明
陶芸　師八木一夫、京都陶工職業訓練校修、京都、1955　〒605-0865 京都府京都市東山区条通東大路東入ル白糸町570-6　075-561-73

YASUHARA YOSHITAKA
安原　喜孝
陶芸　日展会員、現代工芸美術家協会参与、日展特選、ヴァロリス国際陶芸展グランプリ、師父安原喜明、筑波大学名誉教授、東京教育大学卒、1936　〒153-0064 東京都目黒区下目黒4-2 16　03-3716-49

YANAGIHARA MUTSUO
柳原　睦夫
陶芸　無所属、元大阪芸大教授、日本陶磁協会賞金賞、京都美術文化賞、国際展出品・受賞数、師富本憲吉、大阪芸術大学、京都芸大専攻科修、高知、1934　〒616-8353 京都府京都右京区嵯峨大沢柳井手町28-1　075-861-96

YANOBE JUNTA
弥延　潤太
陶芸　無所属、個展（新宿三越・池袋三越他）、師岡野法世、横浜国立大卒、静岡、1950　〒2 0217 千葉県長生郡長柄町針が谷1589-47　0475-35-54

YABE SHUNICHI
矢部　俊一
陶芸（備前）　菊池ビエンナーレ入・国際陶磁器フェスティバル美濃入他受賞入選多数、個展・ループ展多数、師山本陶秀・矢部篤郎、名古屋芸術大学卒、岡山、1968　〒705-0001 岡山県前市伊部842　http://www.kukoku.jp

YAMAUCHI ATSUYOSHI
山内　厚可
陶芸　日本工芸会正会員、伝統工芸展入、日本陶芸展入、個展、京都美大卒、岡山大卒、19 〒705-0016 岡山県備前市坂根130　0869-66-90

YAMAZAKI TERUKO
山崎　輝子
皮革工芸　日展会員、現代工芸美術家協会評議員、日本建築美術工芸協会会員、台東区研修ンター講師、日展特選2、日本現代工芸美術展、個展7、師大久保婦久子、女子美術大学、東 1941　〒270-1165 千葉県我孫子市並木9-22-9

YAMADA JOZAN
四代 山田　常山
陶芸　本名 山田絵夢、父は人間国宝3代常山。美濃陶芸展長三賞、日本伝統工芸展入選。20 年4代目襲名。個展（名古屋名鉄・ギャラリー酉福・日本橋三越他）。和光で父子展。愛知、19 〒479-0052 愛知県常滑市夏敷39-1　0569-34-66

YAMADA YASUSHI
山田　泰
陶芸　無所属、日本工芸会近畿支部展入、個展（東武百貨店他）、グループ展、師岩渕重哉、京、1949　〒355-0366 埼玉県比企郡ときがわ町大野字船ノ沢2238-4　0493-67-15

YAMATO YASUO
大和　保男
陶芸　日本工芸会正会員、日展入、伝統工芸展入、県無形文化財、山口、1933　〒753-0001 口県山口市宮野上大山路2419-2　083-928-04

MAMURA SHINYA
山村　慎哉
漆芸　金沢美工大美術工芸研究所長、個展、国内外グループ展、金沢美工大大学院修、東京、1960　〒920-0968 石川県金沢市幸町17-17　076-234-5405

MAMOTO IZURU
山本　出
陶芸　日本工芸会正会員、伝統工芸陶芸部会審査員、岡山県重要無形文化財保持者、田部美術館大賞「茶の湯の造形展」田部美術館大賞、菊池ビエンナーレ大賞、伝統工芸展奨励賞、東京国立近代美術館・ブルックリン美術館収蔵、個展（日本橋三越本店他）、バンドル市陶芸展覧会招待出品、師山本陶秀、エコール・デ・ボザール留学、武蔵野美大卒、1944　〒705-0001 岡山県備前市伊部931-2　0869-64-4789

MAMOTO TETSUYA
山本　哲也
陶芸　京都嵯峨芸術大学非常勤講師、京都精華大学卒、京都、1969　〒520-0016 滋賀県大津市比叡平3-35-1　077-529-2247

MAMOTO YUICHI
山本　雄一
陶芸　岡山県重要無形文化財、日本工芸会正会員、伝統工芸展入36、金重陶陽賞、田部美術館大賞「茶の湯の造形展」田部美術館大賞、県文化賞、個展、師山本陶秀、岡山、1935　〒705-0001 岡山県備前市伊部881-2　0869-64-2448

MAMOTO YOSHIHIRO
山本　義博
陶芸　日本工芸会正会員、伝統工芸展入、日本陶芸展入、朝日陶芸展入、新匠工芸展新匠賞、個展、奈良、1947　〒635-0153 奈良県高市郡高取町下土佐297　0744-52-2759

KOYAMA NAOKI
横山　直樹
陶芸　横山秋水の次男、2000年築窯・独立、日本伝統工芸展中国支部展奨励賞他入選・入賞多数、個展多数開催、師川端文男、備前陶芸センター修、岡山、1970　〒705-0012 岡山県備前市香登本1196-1　0869-66-6902

KOYAMA NAOTO
横山　尚人
硝子　日本ガラス工芸協会功労会員、日本のガラス展奨励賞、能登島グラスアートナウ指名コンペ審査員奨励賞、清里北澤美術館他、国内毎年個展、国内外展招待、東京国立近代美術館買上げ、東京藝大卒、福島、1937　〒158-0098 東京都世田谷区上用賀1-25-19　03-3700-7952

SHIKA HATAO
吉賀　將夫
陶芸　現代工芸会理事、日展理事、萩陶芸美術館館長、現代工芸展NHK会長賞、日本藝術院賞、個展、師吉賀大眉、東京藝大大学院修、山口、1943　〒758-0011 山口県萩市椿東4404　0838-22-2448

SHIKAWA MIZUKI
吉川　水城
陶芸　日本工芸会正会員、伝統工芸展入、新作展入、東京藝大卒、師藤本能道・田村耕一・浅野陽、神奈川、1941　〒321-4200 栃木県芳賀郡益子町北郷谷4061　0285-72-2746

SHIDA MINORI
吉田　美統
陶芸　重要無形文化財保持者、日本工芸会正会員、一水会常委、伝統工芸展高松宮記念賞、1932　〒923-0031 石川県小松市高堂町ト18　0761-22-5080

SHIDA YOSHIHIKO
吉田　喜彦
陶芸　無所属、展示多数（「陶芸家・吉田喜彦展」世田谷美術館・「吉田喜彦と美しいものたち」岐阜県立現代陶芸美術館・「益子と美濃をつなぐ陶芸家 吉田喜彦展」益子陶芸美術館他）、仏ギメ東洋美術館・東京国立近代美術館・大阪市立東洋陶磁美術館・英V & A美術館他収蔵、師荒川豊蔵、栃木、1936　〒509-0234 岐阜県可児市久々利柿下入会539　0574-64-1311

SHITAKE KAZUMI
吉武　和美
陶芸　花宗窯、高取焼・唐津焼を研究、師加藤唐九郎・重高、早稲田大学卒、福岡、1947　〒833-0036 福岡県筑後市井田2286　0942-53-3957

SHINO TAKAMASA
吉野　貴将
漆工芸　日本文化財漆協会理事、現代工芸美術家協会員、現代工芸新人賞・現代工芸賞、個展（日本橋三越、東美アートフェア）、東京藝大大学院後期博士課程修、東京、1976　http://takamasayoshino.tumblr.com/

SHIMOTO SHUHO
好本　宗峯
陶芸　日本工芸会正会員、伝統工芸展入、中日国際陶芸展入、県展入、個展、師藤田佳郎、1938　〒705-0001 岡山県備前市伊部1463　0869-64-3709

SHIMOTO TADASHI
吉本　正
陶芸　日本工芸会理事、山陽新聞賞（文化功労）、岡山県重要無形文化財保持者認定、伝統工芸展入、金重陶陽賞、県文化奨励賞、個展、師藤原啓、岡山、1943　〒705-0036 岡山県備前市閑谷1266　0869-67-2363

KU JIKINYU
樂　直入
陶芸　十五代樂吉左衛門、無所属、日本陶磁協会金賞、織部賞、毎日芸術賞、仏文化勲章シュヴァリエ、MOA岡田茂吉賞大賞、京都市文化功労者、伊ローマ・アカデミー留、東京藝大美術学部彫刻科卒、京都、1949　〒602-0923 京都府京都市上京区油小路中立売上ル油橋詰町84　075-441-0621

KAO KEI
若尾　経
陶芸　多治見市陶磁器意匠研究所修、岐阜、1967　〒507-0004 岐阜県多治見市小名田町2-152　0572-22-0601

KAO TOSHISADA
若尾　利貞
陶芸　岐阜県重要無形文化財保持者、日本工芸会正会員、美濃陶芸協会、日本陶磁協会賞、加藤幸兵衛賞、旭日双光章受章、個展、岐阜、1933　〒507-0004 岐阜県多治見市小名田町2-152　0572-22-0601

KAO MAKOTO
若尾　誠
陶芸　日本工芸会正会員、東海伝統工芸展最高賞、現代茶陶展TOKI織部奨励賞、菊池ビエンナーレ入他、個展（高島屋・松坂屋他）、師若尾利貞、多治見工業高等学校デザイン科卒、岐阜、1959　〒507-0004 岐阜県多治見市小名田町4-6　http://www.ob.aitai.ne.jp/~makoto3438/　0572-22-7868

KASUGI SEIKO
若杉　聖子
京都市立芸術大学美術学部講師、国際陶磁器展美濃審査員特別賞他、多治見市陶磁意匠研究所修、富山、1977　http://seikowakasugi.com/

WATANABE AKIHIKO
渡部 秋彦

陶芸　日本工芸会会員、伝統工芸展入・新作展入、個展（しぶや黒田陶苑・京王百貨店他）、形、1959　静岡県田方郡函南町在住

WATANABE TAKUYA
渡辺 琢哉

陶芸　日本工芸会正会員、朝日陶芸展入、東海伝統工芸展入、日本伝統工芸展入、師秋野一
瀬戸窯業高校専攻科修、愛知、1957　〒020-0834 岩手県盛岡市永井22-1-4　019-637-91

WATANABE HIROYUKI
渡邊 博之

漆芸　縄文漆を守る会代表、環境カウンセラー、個展（2003 ～日本橋高島屋）、東京藝大大学
修、福岡、1961　〒330-0044 埼玉県さいたま市浦和区瀬ヶ崎1-21-21　048-881-63

WANI EIKO
和仁 栄幸

陶芸　正興から改名。田部美術館大賞「茶の湯の造形展」田部美術館大賞、陶陽一門展出品、展（しぶや黒田陶苑・岡山高島屋他）個展。師金重陶陽・道明・素山、岡山、1944　〒708-03
岡山県苫田郡鏡野町沢田35　0868-54-15

全国デパート、画廊・画商、鑑定人、オークション会社一覧

全国デパート内美術画廊一覧

●地域別に、画廊名・郵便番号・住所・電話番号（原則として代表番号）の順で掲載しています。

●東京

松屋銀座ギャラリー「遊びのギャラリー」／「和の座ステージ」	〒104-8130	中央区銀座3-6-1　7F	03-3567-1211
銀座三越ギャラリー	〒104-8212	中央区銀座4-6-16　7F	03-3562-1111
和光ホール	〒104-8105	中央区銀座4-5-11　本館6F	03-3562-2111
日本橋髙島屋S.C.本館美術画廊A・B・X／美術工芸サロン	〒103-8265	中央区日本橋2-4-1　6F	03-3211-4111
日本橋三越本店美術特選画廊／美術サロン／アートスクエア／美術工芸サロン	〒103-8001	中央区日本橋室町1-4-1　本館6F	03-3241-3311
大丸東京店美術画廊	〒100-6701	千代田区丸の内1-9-1　10F	03-3212-8011
伊勢丹新宿店アートギャラリー	〒160-0022	新宿区新宿3-14-1　本館6F	03-3352-1111
小田急百貨店新宿店美術画廊／アートサロン	〒160-8001	新宿区西新宿1-1-3　本館10F	03-3342-1111
京王百貨店新宿店京王ギャラリー	〒160-8321	新宿区西新宿1-1-4　6F	03-3342-2111
新宿髙島屋美術画廊	〒151-8580	渋谷区千駄ヶ谷5-24-2　10F	03-5361-1111
松坂屋上野店美術画廊	〒110-8503	台東区上野3-29-5　本館7F	03-3832-1111
西武渋谷店美術画廊／オルタナティブスペース	〒150-8330	渋谷区宇田川町21-1　B館8F	03-3462-0111
東急百貨店渋谷本店美術画廊／美術ギャラリー	〒150-8019	渋谷区道玄坂2-24-1　8F	03-3477-3111
玉川髙島屋アートサロン	〒158-8701	世田谷区玉川3-17-1　本館5F	03-3709-3111

西武池袋本店西武アート・フォーラム／アートギャラリー			
	〒171-8569	豊島区南池袋1-28-1　本館6F	03-3981-0111
東武百貨店池袋店美術画廊／アートギャラリー			
	〒171-8512	豊島区西池袋1-1-25　6F	03-3981-2211
東急百貨店吉祥寺店美術サロン／美術工芸品			
	〒180-8519	武蔵野市吉祥寺本町2-3-1　8F	0422-21-5111

●北海道・東北

東急百貨店さっぽろ店プレミアムスクエア			
	〒060-8619	北海道札幌市中央区北4条西2-1　6F	011-212-2211
札幌三越三越ギャラリー	〒060-0061	北海道札幌市中央区南1条西3丁目8　本館9F	011-271-3311
大丸札幌店美術画廊	〒060-0005	北海道札幌市中央区北5条西4丁目7　8F	011-828-1111
大丸藤井セントラル・スカイホール	〒060-0061	北海道札幌市中央区南1条西3丁目2　7F	011-231-1131
さくら野百貨店青森本店美術工芸サロン			
	〒030-8574	青森県青森市新町1-13-2　5F	017-723-4311
さくら野百貨店八戸店美術工芸サロン			
	〒031-0032	青森県八戸市三日町13　6F	0178-44-1151
中合三春屋店美術工芸サロン	〒031-8533	青森県八戸市十三日町13　4F	0178-24-7111
パルクアベニュー・カワトク ギャラリーカワトク			
	〒020-8655	岩手県盛岡市菜園1-10-1　5F	019-651-1111
仙台三越アートギャラリー	〒980-8543	宮城県仙台市青葉区一番町4-8-15　本館7F	022-225-7111
藤崎本店美術ギャラリー	〒980-8652	宮城県仙台市青葉区一番町3-2-17 本館6F	022-261-5111
大沼山形本店ギャラリー	〒990-8571	山形県山形市七日町1-2-30　7F	023-622-7111
中合福島店美術サロン／工芸サロン／版画サロン			
	〒960-8501	福島県福島市栄町5-1　7F	024-521-5151

●関東（東京以外）

京成百貨店アートギャラリー	〒310-0026	茨城県水戸市泉町1-6-1　6F	029-231-1111
東武宇都宮百貨店美術画廊	〒320-8560	栃木県宇都宮市宮園町5-4　7F	028-636-2211
スズラン高崎店美術工芸サロン	〒370-8555	群馬県高崎市宮元町13-1　本館B1	027-326-1111
高崎髙島屋アートギャラリー	〒370-8565	群馬県高崎市旭町45　5F	027-327-1111
伊勢丹浦和店美術画廊／プチギャラリー			
	〒330-0063	埼玉県さいたま市浦和区高砂1-15-1　7F	048-834-1111
そごう大宮店美術画廊	〒330-9530	埼玉県さいたま市大宮区桜木町1-6-2　7F	048-646-2111
丸広百貨店川越店ギャラリー	〒350-8511	埼玉県川越市新富町2-6-1　別館4F	049-224-1111
西武所沢店美術画廊	〒359-1198	埼玉県所沢市日吉町12-1　4F	04-2927-0111
そごう千葉店美術画廊	〒260-8557	千葉県千葉市中央区新町1000　7F	043-245-2111
東武百貨店船橋店美術画廊	〒273-8567	千葉県船橋市本町7-1-1　5F	047-425-2211
さいか屋藤沢店ギャラリー	〒251-8558	神奈川県藤沢市藤沢555　5F	0466-27-1111
そごう横浜店美術画廊	〒220-8510	神奈川県横浜市西区高島2-18-1　6F	045-465-2111

横浜髙島屋美術画廊　〒220-8601　神奈川県横浜市西区南幸1-6-31　7F　045-311-5111

東急百貨店たまプラーザ店アートサロン
〒225-0002　神奈川県横浜市青葉区美しが丘1-7　4F　045-903-2211

さいか屋横須賀店美術画廊　〒238-8501　神奈川県横須賀市大滝町1-13　6F　046-823-1234

●信越・北陸

新潟三越美術ギャラリー／工芸サロン
〒951-8530　新潟県新潟市中央区西堀通五番町866　6F　025-227-1111

大和高岡店ギャラリー　〒933-8501　富山県高岡市御旅屋町101　4F　0766-27-1111

大和富山店アートサロン　〒930-8505　富山県富山市総曲輪3-8-6　5F　076-424-1111

めいてつ・エムザ美術サロン　〒920-8583　石川県金沢市武蔵町15-1　5F　076-260-1111

大和香林坊店アートサロン　〒920-8550　石川県金沢市香林坊1-1-1　6F　076-220-1111

西武福井店美術画廊　〒910-8582　福井県福井市中央1-8-1　本館5F　0776-27-0111

岡島百貨店岡島ギャラリー　〒400-8660　山梨県甲府市丸の内1-21-15　5F　055-231-0500

井上百貨店ギャラリー井上　〒390-8507　長野県松本市深志2-3-1　6F　0263-33-1150

ながの東急百貨店美術サロン　〒380-8539　長野県長野市南千歳1-1-1　別館シェルシェ4F
026-226-8181

●東海

ジェイアール名古屋タカシマヤ美術画廊
〒450-6001　愛知県名古屋市中村区名駅1-1-4　10F　052-566-1101

名古屋三越栄店美術画廊　〒460-8669　愛知県名古屋市中区栄3-5-1　7F　052-252-1111

名鉄百貨店本店美術サロン　〒450-8505　愛知県名古屋市中村区名駅1-2-1　本館10F　052-585-1111

松坂屋名古屋店美術画廊　〒460-8430　愛知県名古屋市中区栄3-16-1　本館8F　052-251-1111

岐阜髙島屋美術画廊　〒500-8525　岐阜県岐阜市日ノ出町2-25　8F　058-264-1101

ヤナゲン百貨店大垣本店美術画廊　〒503-0901　岐阜県大垣市高屋町1-56　A館6F　0584-78-1111

松坂屋静岡店美術画廊／美術サロン
〒420-8560　静岡県静岡市葵区御幸町10-2　本館6F　054-254-1111

近鉄百貨店四日市店アートステーション
〒510-8585　三重県四日市市諏訪栄町7-34　4F　059-353-5151

津 松菱美術画廊　〒514-8580　三重県津市東丸之内4-10　6F　059-228-1311

●近畿

西武大津店アートサロン　〒520-8580　滋賀県大津市におの浜2-3-1　3F　077-521-0111

京都髙島屋美術画廊／美術工芸サロン
〒600-8520　京都府京都市下京区四条通河原町西入真町52　6F
075-221-8811

大丸京都店美術画廊／アートサロン ESPACE KYOTO
〒600-8511　京都府京都市下京区四条通高倉西入立売西町79　6F
075-211-8111

大阪髙島屋美術画廊／ギャラリーNEXT			
	〒542-8510	大阪府大阪市中央区難波5-1-5　6F	06-6631-1101
あべのハルカス近鉄本店美術画廊／アートギャラリー			
	〒545-8545	大阪府大阪市阿倍野区阿倍野筋1-1-43　タワー館11F	06-6624-1111
近鉄百貨店上本町店アートギャラリー			
	〒543-8543	大阪府大阪市天王寺区上本町6-1-55　8F	06-6775-1111
大丸心斎橋店Artglorieux GALLERY OF OSAKA			
	〒542-8501	大阪府大阪市中央区心斎橋筋1-7-1　本館8F	06-7711-7366
阪急うめだ本店阪急うめだギャラリー（9F）／アートステージ（9F）／美術画廊（7F）			
	〒530-8350	大阪府大阪市北区角田町8-7	06-6361-1381
阪神梅田本店阪神美術画廊	〒530-8224	大阪府大阪市北区梅田1-13-13　9F	06-6345-1201
高槻阪急美術画廊	〒569-1196	大阪府高槻市白梅町4-1　3F	072-683-0111
京阪百貨店守口店京阪美術画廊	〒570-8558	大阪府守口市河原町8-3　6F	06-6994-1313
神戸阪急美術画廊	〒651-8511	兵庫県神戸市中央区小野柄通8-1-8　新館7F	078-221-4181
大丸神戸店美術画廊／アートギャラリー			
	〒650-0037	兵庫県神戸市中央区明石町40　7F	078-331-8121
姫路山陽百貨店美術画廊	〒670-0912	兵庫県姫路市南町1　本館5F	079-223-1231
近鉄百貨店橿原店美術サロン	〒634-8511	奈良県橿原市北八木町3-65-11　5F	0744-25-1111
近鉄百貨店奈良店美術画廊	〒631-8511	奈良県奈良市西大寺東町2-4-1　5F	0742-33-1111
近鉄百貨店和歌山店画廊	〒640-8546	和歌山県和歌山市友田町5-18　5F	073-433-1122

●中国

一畑百貨店美術サロン	〒690-8555	島根県松江市朝日町661　5F	0852-55-2500
米子髙島屋美術サロン	〒683-0812	鳥取県米子市角盤町1-30　4F	0859-22-1111
米子しんまち天満屋美術画廊／絵画・工芸特選サロン			
	〒683-8510	鳥取県米子市西福原2-1-10　3F	0859-35-1111
鳥取大丸アートギャラリー	〒680-8601	鳥取県鳥取市今町2-151　4F	0857-25-2111
岡山髙島屋美術画廊	〒700-8520	岡山県岡山市北区本町6-40　7F	086-232-1111
天満屋岡山店美術画廊／美術ギャラリー			
	〒700-0822	岡山県岡山市北区表町2-1-1　5F	086-231-7111
天満屋倉敷店美術画廊／アートサロン			
	〒710-8550	岡山県倉敷市阿知1-7-1　4F	086-426-2111
天満屋八丁堀ビル天満屋八丁堀美術画廊			
	〒730-8540	広島県広島市中区胡町5-22　7F	082-246-5111
そごう広島店美術画廊	〒730-8501	広島県広島市中区基町6-27　本館8F	082-225-2111
広島三越三越画廊／三越ギャラリー			
	〒730-8545	広島県広島市中区胡町5-1　7F	082-242-3111

福屋八丁堀本店美術画廊／ギャラリー 101	〒730-8548	広島県広島市中区胡町6-26　7F	082-246-6111
天満屋福山店美術画廊／アートギャラリー	〒720-8636	広島県福山市元町1-1　6F	084-927-2111
下関大丸美術画廊	〒750-8503	山口県下関市竹崎町4-4-10　5F	083-232-1111
井筒屋山口店美術ギャラリー	〒753-0086	山口県山口市中市町3-3　5F	083-902-1111

●四国

そごう徳島店美術画廊	〒770-8511	徳島県徳島市寺島本町西1-5　5F	088-653-2111
高松三越美術画廊	〒760-8639	香川県高松市内町7-1　本館5F	087-851-5151
松山三越美術ギャラリー	〒790-8532	愛媛県松山市一番町3-1-1　6F	089-945-3111
いよてつ髙島屋美術画廊	〒790-8587	愛媛県松山市湊町5-1-1　本館6F	089-948-2111

●九州

井筒屋小倉店美術工芸／画廊	〒802-8511	福岡県北九州市小倉北区船場町1-1　新館7F	093-522-3111
大丸福岡天神店アートギャラリー	〒810-8717	福岡県福岡市中央区天神1-4-1　本館6F	092-712-8181
福岡三越岩田屋三越美術画廊	〒810-8544	福岡県福岡市中央区天神2-1-1　9F	092-724-3111
鶴屋百貨店美術	〒860-8586	熊本県熊本市中央区手取本町6-1　本館8F	096-356-2111
トキハ本店美術画廊	〒870-8688	大分県大分市府内町2-1-4　本館7F	097-538-1111
山形屋山形屋画廊	〒892-8601	鹿児島県鹿児島市金生町3-1　3号館3F	099-227-6111

●沖縄

デパートリウボウ美術サロン	〒900-8503	沖縄県那覇市久茂地1-1-1　7F	098-867-1171

全国画廊・画商一覧

●地域別に、画廊(画商)名・代表者・郵便番号・住所・電話番号・壁面長または床面積・使用料金・画廊形態の順で掲載しています。
●使用料金は2019年12月現在のものです。

銀座

アートオフィスシオバラ	塩原将志	〒104-0061	中央区銀座1-4-4 銀座104ビル4F	03-3564-8101
Art Gallery M84	橋本正則	〒104-0061	中央区銀座4-11-3 ウインド銀座ビル5F	03-3248-8454
	27㎡	200,000円/6日(税込)		企画・貸し併用
アートサロン青羊	髙坂幸夫	〒104-0061	中央区銀座7-8-19 東京ビル5F	03-5568-4852
アートデータバンク	新井信彦	〒104-0061	中央区銀座7-10-8 第五太陽ビル1F	03-3574-6771
	27m	330,000円/6日(税抜)		企画・貸し併用
Artglorieux GALLERY OF TOKYO		〒104-0061	中央区銀座6-10-1 GINZA SIX 5F	03-3572-8886
				企画のみ
藍画廊	倉品みき子	〒104-0061	中央区銀座1-5-2 西勢ビル2F	03-3567-8777
	17m	270,000円/6日(税抜)		企画・貸し併用
青木画廊	青木径	〒104-0061	中央区銀座3-5-16 島田ビル2F/3Fルフト	03-3535-6858
	19m	180,000円/6日(税抜)(月〜土)		企画(2F)/企画・貸し併用(3F)
あかね画廊	内田眞樹	〒104-0061	中央区銀座4-3-14 筑波ビル2F	03-3561-4930
	24.68m	350,000円/7日		企画・貸し併用
ASAGI ARTS	浅黄弥生	〒104-0061	中央区銀座6-4-13 ASAGIビル3F	03-6228-5722
	12m・23㎡	150,000円/6日(税込)		企画・貸し併用
阿曽美術	阿曽一実	〒104-0061	中央区銀座3-3-12 銀座ビルディング5F	03-3564-2209
				企画のみ
アモーレ銀座ギャラリー	LUNE	〒104-0061	中央区銀座1-9-8 奥野ビル515	03-6263-0957
	19.83㎡	要問い合わせ		企画・貸し併用
新井画廊	新井満里子	〒104-0061	中央区銀座7-10-8 第五太陽ビル1F	03-3574-6771
	27m	330,000円/6日(税抜)		企画・貸し併用

あらかわ画廊	荒川みはる	〒104-0061	中央区銀座1-10-19　銀座一ビル3F	03-3566-5213	企画のみ
飯田画廊	飯田祐三	〒104-0061	中央区銀座6-7-16　岩月ビル9F	03-3572-3746	
飯田美術	飯田功	〒104-0061	中央区銀座7-12-4　友野本社ビル3F	03-6264-1702	企画のみ
石川画廊	石川常寿	〒104-0061	中央区銀座7-7-8　前田ビル	03-3571-6571	企画・貸し併用
	13m　1F:231,000円/6日　1F+2F:396,000円/6日(土日祝祭は別途11,000円)				
㈲イマイ画廊 棟方志功専門店	今井昭吉	〒104-0061	中央区銀座3-7-20　銀座日本料理会館1F	03-3563-5941	企画のみ
ヴァニラ画廊	内藤巽	〒104-0061	中央区銀座8-10-7　東成ビルB2F	03-5568-1233	企画・貸し併用
	展示室A:21m　展示室B:14m　A:200,000円/6日　B:120,000円/6日				
うしお画廊	牛尾京美	〒104-0061	中央区銀座7-11-6　イソノビル3F	03-3571-1771	企画・貸し併用
	20m・25.6㎡　45,000円/1日(30歳まで170,000円/6日)				

永善堂画廊	山村浩一	〒104-0061	中央区銀座6-4-7　G・O・West bldg 10F/11F	03-3573-0505	企画のみ
Ecru +HM	横森明子	〒104-0061	中央区銀座1-9-8　奥野ビル4F	03-3561-8121	企画のみ
SH ART PROJECT	朴ソネ	〒104-0061	中央区銀座7-12-5　銀星ビル5F	03-6278-7970	企画のみ
江原画廊	江原修次	〒104-0061	中央区銀座1-9-8　奥野ビル4F	03-3562-1678	企画のみ
エム・アート㈱	杉田美奈子	〒104-0061	中央区銀座7-13-6　サガミビル4F	03-6228-4233	企画のみ
エムケイワン株式会社	森下恵子	〒104-0061	中央区銀座1-15-2　銀座スイムビル7F	03-3221-7777	
おいだ美術	種田ひろみ	〒104-0061	中央区銀座1-13-7　木挽ビル1F	03-3562-1740	企画のみ
Oギャラリー	大野博子	〒104-0061	中央区銀座1-4-9　第一田村ビル3F	03-3567-7772	企画・貸し併用
	25m	要問い合わせ			
Oギャラリー UP・S	大野博子	〒104-0061	中央区銀座1-4-9　第一田村ビル3F	03-3567-7772	企画・貸し併用
	15m	要問い合わせ			
小野美術画廊		〒104-0061	中央区銀座3-14-2　白鳥ビル1F	090-6526-8533	
OFFICE IIDA	飯田裕子	〒104-0061	中央区銀座1-9-8　奥野ビル408	03-3564-3218	企画のみ

olieve eye	山城一子	〒104-0061	中央区銀座6-6-1　凮月堂ビル3F	03-3575-0123
	31㎡	300,000円/6日（税抜）		貸しのみ
ガーディアン・ガーデン		〒104-0061	中央区銀座7-3-5　ヒューリックG7ビルB1F	03-5568-8818
				企画のみ
嘉祥閣	福田一生	〒104-0061	中央区銀座1-24-5　パークサイド・ギンザ3F	03-3567-6638
KATSUMI YAMATO GALLERY		〒104-0061	中央区銀座4-13-5　STビル2F	080-3085-5916
兜屋画廊	小澤禮子	〒104-0061	中央区銀座8-8-17　MGCビル2　8F	03-3571-6331
	16.5㎡	300,000円/6日（税込）		企画・貸し併用

ガリレオ画廊		〒104-0061	中央区銀座8-12-6	03-3545-5660
GALERIE SOL	箕作要子	〒104-0061	中央区銀座1-5-2　西勢ビル6F	03-6228-6050
	24m	45,000円/1日		企画・貸し併用
ガレリア・グラフィカ	栗田玲子	〒104-0061	中央区銀座6-13-4　銀座S2ビル2F	03-5550-1335
				企画のみ
ガレリア・グラフィカbis	樫山敦	〒104-0061	中央区銀座6-13-4　銀座S2ビル1F	03-5550-1335
	20m	290,000円/6日		企画・貸し併用
画廊香月		〒104-0061	中央区銀座1-9-8　奥野ビル605	03-5579-9617
				企画のみ
画廊鉄樹	小倉健一	〒104-0061	中央区銀座7-12-4　銀座ウェイフェアビル3F	03-6264-7900
画廊宮坂	宮坂瑞枝	〒104-0061	中央区銀座7-12-5　銀星ビル4F	03-3546-0343
	16m	260,000円/6日		企画・貸し併用
画廊るたん	中島三枝子	〒104-0061	中央区銀座6-13-7　新保ビル2F	03-3541-0522
	33㎡（10坪）	240,000円/6日 300,000円/10日（税抜）		企画・貸し併用
かわべ美術	川邊泰一	〒104-0061	中央区銀座4-13-3　ACN HIGASHI GINZA BLDG 2F	03-3542-3988
				企画のみ
岸本画廊	岸本孝二	〒104-0061	中央区銀座6-12-15　COI銀座61　2F/3F	03-3571-5122
				企画のみ
ギャラリー・アート・ポイント	吉村義彦	〒104-0061	中央区銀座1-22-12　藤和銀座1丁目ビル6F	03-6263-2563
ギャラリーアートもりもと	佐々井智子	〒104-0061	中央区銀座3-7-20　銀座日本料理会館2F	03-5159-7402
				企画のみ

ギャラリー暁　〒104-0061　中央区銀座6-13-6　2F　03-6264-1683
49.4m　440,000円/6日　貸しのみ

ギャラリー飛鳥　永田雅之　〒104-0061　中央区銀座1-5-16　第三太陽ビル別館3F　03-5250-0845
企画のみ

GALLERY IZU　伊豆吏子　〒104-0061　中央区銀座1-5-4　伊豆ビル2F　03-3561-3081
約22m　120,000円/6日　貸しのみ

ギャラリー一枚の繪　山城一子　〒104-0061　中央区銀座6-6-1　凮月堂ビル3F　03-3575-0123
企画のみ

GALLERYうぇすと　㈱濱地商会　〒104-0061　中央区銀座1-3-3　銀座西ビルB1F　03-3564-0800
22.77m　260,000円/6日（税抜）（月～土）　企画・貸し併用

ギャラリー上田　〒104-0061　中央区銀座6-4-7　いらか銀座ビル8F　03-3574-7553
企画のみ

GALLERY 枝香庵　荒井よし枝　〒104-0061　中央区銀座3-3-12　銀座ビルディング8F　03-3567-8110
企画のみ

枝香庵 Flat　荒井よし枝　〒104-0061　中央区銀座3-3-12　銀座ビルディング7F　03-3567-8110
企画・貸し併用

ギャラリーオカベ　岡部耕喜　〒104-0061　中央区銀座4-4-5　03-3561-1740
25m　340,000円/5日（税込）　企画・貸し併用

ギャラリー風　井上洋子　〒104-0061　中央区銀座8-10-4　和孝銀座8丁目ビル2F　03-6264-5171

Gallery Q　上田雄三　〒104-0061　中央区銀座1-14-12　楠本第17ビル3F　03-3535-2524
24m　240,000円/6日　企画・貸し併用

ギャラリー銀座　白井孝昇　〒104-0061　中央区銀座2-13-12　1F/2F　03-3541-6655
1F:18m　2F:17m　1F:180,000円/6日　2F:55,000円/7日　企画・貸し併用

Gallery銀座1丁目　〒104-0061　中央区銀座1-9-8　奥野ビル411　03-3535-0522
15.5m　160,000円/6日

ギャラリー久間木　久間木信之　〒104-0061　中央区銀座7-7-8　前田ビル　03-3573-2250

ギャラリー栗田	栗田実	〒104-0061	中央区銀座1-15-7	マック銀座ビル2F	03-3535-5070
					企画のみ
Gallery58	長崎裕起子	〒104-0061	中央区銀座4-4-13	琉映ビル4F	03-3561-9177
	25m	280,000円/6日			企画・貸し併用
ギャラリーゴトウ	後藤眞理子	〒104-0061	中央区銀座1-7-5	銀座中央通りビル7F	03-6410-8881
ギャラリー小柳	小柳敦子	〒104-0061	中央区銀座1-7-5	小柳ビル9F	03-3561-1896
					企画のみ
ギャラリー桜の木 銀座本店	岩関禎子	〒104-0061	中央区銀座5-3-12	壹番館ビルディング3F	03-3573-3313
					企画のみ
ぎゃらりいサムホール	井上哲邦	〒104-0061	中央区銀座7-10-11	日本アニメーションビル2F	03-3571-8272
	26m	50,000円/1日			企画・貸し併用

ギャラリー SIACCA	大木章子	〒104-0061	中央区銀座2-9-16	サウンドバレービルB1F	03-3563-2626
	15.53m・30.41㎡	250,000円/14日　150,000円/7日(別途販売手数料)(月～日)			
Gallery Seek		〒104-0061	中央区銀座6-3-15	銀座昭和イーティングビルB1F	03-6228-6752
					企画のみ

ギャラリー GK	河村美代子	〒104-0061	中央区銀座6-7-16	第1岩月ビル1F	03-3571-0105
	21m	210,000円/6日(学割あり)			企画・貸し併用
GALLERY G2	狩野たまき	〒104-0061	中央区銀座1-9-8	奥野ビル113	03-3567-1555
					企画・貸し併用
ギャラリー真玄堂	髙橋眞	〒104-0061	中央区銀座8-4-4		03-5568-8507
					企画のみ
ギャラリー杉野	杉野修	〒104-0061	中央区銀座1-5-15	高橋ビル1F	03-3561-1316
	約20m	40,000円/1日			企画・貸し併用
ギャラリーセイコウドウ		〒104-0061	中央区銀座1-8-21	清光堂ビル5F	03-3561-6984
	20m	270,000円/6日(税込)			企画・貸し併用

ギャラリーせいほう	田中譲	〒104-0061	中央区銀座8-10-7　東成ビル1F	03-3573-2468
				企画のみ

ギャラリー青羅	池田美恵子	〒104-0061	中央区銀座3-10-19　美術家会館1F	03-3542-3481
	29.2m	400,000円/6日(税抜)		貸しのみ
ギャラリー惣	佐々木正俊	〒104-0061	中央区銀座7-11-6　徳島新聞ビル3F	03-6228-5507
	16.8m	225,000円/6日(税込)		企画・貸し併用
Gallery龍乃屋	上野登志子	〒104-0061	中央区銀座3-4-4　大倉別館1F	03-3561-0827
	16.2m	180,000円/6日(税抜)		企画・貸し併用
ギャラリー田中		〒104-0061	中央区銀座7-2-22　同和ビル1F	03-3289-2495
ギャラリー竹柳堂	藤澤繁	〒104-0061	中央区銀座7-10-6　アスク銀座ビル1F/B1F	03-3575-4865
				企画のみ
ギャラリーＴ	積田章	〒104-0061	中央区銀座1-9-19　法研銀座ビル1F	03-3561-1251
ぎゃらりぃ朋	津野朋子	〒104-0061	中央区銀座1-5-1　第三太陽ビル2F	03-3567-7577
	13.8m	30,000円/1日(税抜)		企画・貸し併用
ギャラリー夏目	夏目和美	〒104-0061	中央区銀座1-20-9　岡崎ビル3F	03-3564-5560
				企画のみ
Gallery Nayuta	佐藤香織	〒104-0061	中央区銀座1-9-8　奥野ビル511	03-3567-4330
				企画・貸し併用
ギャラリー新居 東京	新居龍太	〒104-0061	中央区銀座1-13-4　銀座片桐ビルⅢ 5F	03-6228-7872
				企画のみ
ギャラリー長谷川	長谷川浩司	〒104-0061	中央区銀座6-7-19　ミクニ銀座ビル	03-3289-0350
				企画のみ
ギャラリー林	林大輔	〒104-0061	中央区銀座7-7-16	03-3571-4291
				企画のみ
Gallery美庵	今沢志激	〒104-0061	中央区銀座8-7-6　平つかビル5F	03-3573-8700
	16m	200,000円/6日(学生150,000円/6日)(税抜)		貸しのみ
ギャラリー広田美術	廣田登支彦	〒104-0061	中央区銀座7-3-15　ぜん屋ビル1F	03-3571-1288
				企画のみ
ギャラリーフクミ	安食憲二	〒104-0061	中央区銀座1-15-7-605	03-3564-0293
ギャラリープロット	下野幸成	〒104-0061	中央区銀座1-20-9　岡崎ビル4F	03-6228-6317
ギャラリーボヤージュ	山川秀樹	〒104-0061	中央区銀座5-4-15　銀座エフローレビル5F	03-3573-3777
				企画のみ
ギャラリームサシ	石田善計	〒104-0061	中央区銀座1-9-1　KIビル1F	03-3564-6348
	25m＋α	450,000円/6日(税抜)		企画・貸し併用

Gallery MUMON		〒104-0061	中央区銀座4-13-3	03-6226-2555
				企画のみ
ギャラリー邨	村橋信子	〒104-0061	中央区銀座1-9-8　奥野ビル410	03-5579-9618
	9.31m	130,000円/6日		企画・貸し併用
ギャラリーヤマト		〒104-0061	中央区銀座7-11-11　長谷川ビル5F	03-3573-6587(会期中のみ)
	18m・23㎡	20,000円/1日(税抜)		企画・貸し併用
ギャラリーヤマネ(アール・プランニング)	山根壽之	〒104-0061	中央区銀座5-5-12　文藝春秋別館7F	03-6215-6191
				企画のみ
ギャラリー La Mer	神保尚江	〒104-0061	中央区銀座1-9-8　奥野ビル205	03-5250-8108
	8.7m	108,000円/6日(税込)		貸しのみ
ギャラリー路地裏	北原ひとみ	〒104-0061	中央区銀座7-3-16	03-3571-3455
		12,000円/1日		企画・貸し併用
ギャラリー和田	和田正宏	〒104-0061	中央区銀座1-8-8　三神ALビル	03-3561-4207
				企画のみ
ギャルリーヴィヴァン		〒104-0061	中央区銀座2-11-4　富善ビル1F	03-5148-5051
	14m	35,000円/1日(税抜)		企画・貸し併用

ギャルリー志門	深井美子	〒104-0061	中央区銀座6-13-7　新保ビル3F	03-3541-2511
	25m	280,000円/6日(税抜)		企画・貸し併用
ギャルリーためなが	為永清嗣	〒104-0061	中央区銀座7-5-4	03-3573-5368
				企画のみ
ギャルリ・サロンドエス	下城佐知子	〒104-0061	中央区銀座6-3-2　ギャラリーセンタービル2F	03-3571-3321
				企画のみ

ギャルリさわらび	田中壽幸	〒104-0061	中央区銀座1-9-8　奥野ビル2F	050-3635-3001
	要問い合わせ			企画・貸し併用
鳩居堂画廊	熊谷道明	〒104-0061	中央区銀座5-7-4	03-3574-0058
	3F:32.20m　4F:35.30m	3F:650,000円/6日　4F:700,000円/6日(税抜)		貸しのみ

清澄画廊	田中孝一	〒104-0061	中央区銀座6-3-12 数寄屋ビル1001	03-5568-5150
				企画のみ
銀座アートスペース	向田耕介	〒104-0061	中央区銀座6-3-2 ギャラリーセンタービル4F	03-3573-1271
	約21m	30,000円/1日		貸しのみ
銀座アートホール		〒104-0061	中央区銀座8-110 高速道路ビル コリドー街	03-3571-5170
	18.2～111.4m		310,000円～/7日(税抜)	貸しのみ
銀座一穂堂	青野恵子	〒104-0061	中央区銀座1-8-17 伊勢伊ビル3F	03-5159-0599
				企画のみ
銀座一穂堂スタジオ		〒104-0061	中央区銀座1-8-17 伊勢伊ビルB1F	03-5159-0599
	約26.2m・27.2㎡		要問い合わせ	貸しのみ
銀座かねまつホール	兼松孝次	〒104-0061	中央区銀座6-9-9	03-3573-5285
	45～70m	682,500～945,000円/5日		貸しのみ
銀座ギャラリーあづま	斉藤誠一	〒104-0061	中央区銀座5-9-14 銀座ニューセントラルビル1F	03-3572-8378
	23.95m	350,000円/6日 380,000円/7日(1·2·7·8月 320,000円/6日 350,000円/7日)(税込)		企画・貸し併用
銀座ギャラリー向日葵	斉藤誠一	〒104-0061	中央区銀座5-9-13 銀座菊正ビル2F	03-3573-1680
	34m	420,000円/7日(1・2・7・8月 380,000円/7日)(税込)		貸しのみ
ギンザ・グラフィック・ギャラリー		〒104-0061	中央区銀座7-7-2 DNP銀座ビル	03-3571-5206
				企画のみ
銀座黒田陶苑	黒田美穂	〒104-0061	中央区銀座7-8-6	03-3571-3223
				企画のみ
銀座K's Gallery	増田きよみ	〒104-0061	中央区銀座1-13-4 大和銀座一ビル6F	03-5159-0809
	①23m ②12m		①240,000円/6日 ②100,000円/6日	企画・貸し併用

銀座幸伸ギャラリー		〒104-0061	中央区銀座7-7-1 幸伸ビル1F/2F	03-3572-3888
	19m	1F：480,000円/7日 2F：300,000円/7日		貸しのみ
銀座真生堂	茎田武	〒104-0061	中央区銀座5-1 銀座ファイブ2F	070-3855-5010
銀座スルガ台画廊	串田光子	〒104-0061	中央区銀座6-5-8 トップビル2F	03-3572-2828・03-3574-8691
	22m	350,000円/6日		企画・貸し併用
銀座大黒屋ギャラリー	安西章次	〒104-0061	中央区銀座5-7-6 大黒屋ビルヂング6F/7F	03-3571-0008
	壁面積41㎡・床面積87㎡		要問い合わせ	貸しのみ
銀座第7ビルギャラリー		〒104-0061	中央区銀座7-10-16 銀座第7ビル	03-6228-5433
	1F:38m·73㎡ 2F(A):19m·77㎡ 2F(B):14m·30㎡ B1F:25m·68㎡ 要問い合わせ			貸しのみ
銀座長州屋	深海信彦	〒104-0061	中央区銀座3-10-4	03-3541-8371
銀座ニコンサロン		〒104-0061	中央区銀座7-10-1 STRATA GINZA 1F	
			ニコンプラザ銀座内	03-5537-1469
		審査の上で無料で利用可能		企画・貸し併用

銀座人形館 Angel Dolls	太田千花	〒104-0061	中央区銀座7-9-16　銀座ロータリービル2F	03-5537-5534
				企画のみ
銀座美術	森田俊夫	〒104-0061	中央区銀座6-7-19　空也ビル4F	03-3574-7650
				企画のみ
銀座ふそうギャラリー		〒104-0061	中央区銀座1-7-16　扶桑ビル1F	03-3561-7908
	20.59m	30,000円/1日(税抜)		貸しのみ
銀座宝古堂美術	山田春雄	〒104-0061	中央区銀座8-18-6　二葉ビル5F	03-5148-3223
銀座メゾンエルメス フォーラム		〒104-0061	中央区銀座5-4-1　8F	03-3569-3300
				企画のみ
銀座柳画廊	野呂好彦	〒104-0061	中央区銀座5-1-7　数寄屋橋ビル3F	03-3573-7075
				企画のみ
銀座洋協ホール	長谷川智恵子	〒104-0061	中央区銀座6-3-2　ギャラリーセンタービル6F	03-3571-3402
	Aホール：66m　Bホール：64m			
	Aホール:119,048円/1日　Bホール:109,524円/1日　A+B:209,524円/1日(税抜)(各種プラン有)			
				貸しのみ
クリエイションギャラリー G8	小森福見	〒104-8001	中央区銀座8-4-17　リクルートGINZA8ビル	03-6835-2260
				企画のみ
ケーニッヒ・トウキョウ		〒104-0061	中央区銀座3-5-4　MCM GINZA HAUS1 6F	03-5524-7177
巷房	東崎喜代子	〒104-0061	中央区銀座1-9-8　奥野ビル302	03-3567-8727
	14m・16㎡	210,000円/6日(税込)		企画・貸し併用
巷房・2	東崎喜代子	〒104-0061	中央区銀座1-9-8　奥野ビルB1F	03-3567-8727
	12m・12㎡	189,000円/6日(税込)		企画・貸し併用
コバヤシ画廊	小林ひとみ	〒104-0061	中央区銀座3-8-12　ヤマトビルB1F	03-3561-0515
				企画のみ
古美術鼎		〒104-0061	中央区銀座6-3-2　ギャラリーセンタービル2F	03-5568-0247
古美術・川崎	川崎信之	〒104-0061	中央区銀座1-24-5	03-6264-4150
古美術ささき 銀座店	佐々木一	〒104-0061	中央区銀座1-14-7　吉澤ビル1F	03-5524-3324
古美術 桃青	冨永民雄	〒104-0061	中央区銀座7-10-8　第五太陽ビル1F	03-3571-1233

古美術宝満堂	蛭田啓一	〒104-0061	中央区銀座1-9-1	03-3561-6697
古美術宮下	宮下進	〒104-0061	中央区銀座7-7-1　幸伸ビル4F	03-6303-8805
相模屋美術店		〒104-0061	中央区銀座5-6-9　5F	03-3571-1222
				企画のみ
THE CLUB		〒104-0061	中央区銀座6-10-1　GINZA SIX 6F	03-3575-5605
サン・ギョーム	葛城薫	〒104-0061	中央区銀座4-2-6　第2朝日ビル3F	03-3563-4630
				企画のみ

㈱CBAギャラリー	栗田敏行	〒104-0061	中央区銀座1-16-5　三田ビル8F	03-3561-3611
資生堂ギャラリー	百武昌夫	〒104-0061	中央区銀座8-8-3　東京銀座資生堂ビルB1F	03-3572-3901
				企画のみ
篠田美術	篠田正道	〒104-0061	中央区銀座7-5-12　藤平ビル	03-3572-3880
				企画のみ
柴田悦子画廊	柴田悦子	〒104-0061	中央区銀座1-5-1　第三太陽ビル2F	03-3563-1660
	24m	250,000円/6日		企画・貸し併用
思文閣銀座	田中大	〒104-0061	中央区銀座5-3-12　壹番館ビルディング	03-3289-0001
至峰堂画廊 銀座店	鈴木庸平	〒104-0061	中央区銀座6-9-4　銀座小坂ビル4F	03-3572-3756
				企画のみ
島村画廊	島村卓司	〒104-0061	中央区銀座8-10-8　銀座8丁目10番ビル2F	03-3571-1815
				企画のみ
ジャンセンギャラリー	向田耕介	〒104-0061	中央区銀座6-6-19　若松ビル1F	03-3573-0095
				企画のみ
㈱秋華洞	田中千秋	〒104-0061	中央区銀座6-4-8　曽根ビル7F	03-3569-3620
				企画のみ
秀友画廊	浅野惠巳	〒104-0061	中央区銀座7-8-1　丸吉ビル6F	03-3573-5335
				企画のみ
純画廊	内藤純子	〒104-0061	中央区銀座1-9-8　奥野ビル2F	03-3564-8230
	14.54㎡	129,600円/6日(税込)		企画・貸し併用
瞬生画廊	今津浩太	〒104-0061	中央区銀座6-7-19　空也ビル2F	03-3574-7688
				企画のみ

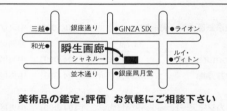

祥雲	平間美香	〒104-0061	中央区銀座1-5-15　ドゥーミラン銀座1F/2F	03-3535-1007
				企画のみ
尚雅堂	日下清	〒104-0061	中央区銀座6-4-13	03-3571-0103
シルクランド画廊	榎本宏太郎	〒104-0061	中央区銀座6-5-11　第15丸源ビル1F	03-5568-4356
	40m・69㎡	154,000円/1日(税込)		企画・貸し併用
シロタ画廊		〒104-0061	中央区銀座7-10-8	03-3572-7971
	約35m	473,000円/6日(税込)		企画・貸し併用
Shinwa Prive	中川健治	〒104-0061	中央区銀座7-4-12　銀座メディカルビル1F	03-3569-3123
杉江画廊・銀座		〒104-0061	中央区銀座7-7-1　銀座幸伸ビル3F	03-5537-3731
鈴木美術画廊	鈴木正臣	〒104-0061	中央区銀座1-13-4　大和銀座ビル1F	03-3567-1110
	約25m	240,000円/6日(月〜土)		企画・貸し併用
ステップスギャラリー銀座	吉岡まさみ	〒104-0061	中央区銀座4-4-13　琉映ビル5F	03-6228-6195
	16m	200,000円/6日		企画・貸し併用

靖山画廊	山田聖子	〒104-0061	中央区銀座5-14-16	銀座アビタシオン1F	03-3546-7356
					企画のみ
善田昌運堂	善田喜征	〒104-0061	中央区銀座6-3-2	ギャラリーセンタービル4F	03-3572-3818
セントラルミュージアム銀座					
	水野剛	〒104-0061	中央区銀座3-9-11	紙パルプ会館5F	03-3546-5855
	200m	500,000円/1日(税抜)			企画・貸し併用
創英ギャラリー	海老原英男	〒104-0061	中央区銀座6-7-18	デイム銀座8F	03-6274-6698
					企画のみ
ソニーイメージングギャラリー		〒104-0061	中央区銀座5-8-1	銀座プレイス6F	03-3571-7606
泰文堂		〒104-0061	中央区銀座6-7-16	岩月ビル2F	03-3289-1366
泰明画廊	檀上正憲	〒104-0061	中央区銀座7-3-5	ヒューリックG7ビル1F	03-3574-7225
					企画のみ
アートスペース泰明	檀上正憲	〒104-0061	中央区銀座7-3-5	ヒューリックG7ビルB1F	03-3574-7225
	22.33m	350,000円/6日(税抜)			企画・貸し併用
高輪画廊	三岸太郎	〒104-0061	中央区銀座8-10-6	MEビル1F/4F	03-3571-3331
	20.3m	150,000円/6日(税抜)			企画(1F)/企画・貸し併用(4F)
たけだ美術	武田泰幸	〒104-0061	中央区銀座7-10-11	日本アニメーションビル1F	03-6280-6663
谷庄	谷村庄太郎	〒104-0061	中央区銀座6-3-2	ギャラリーセンタービル4F	03-3572-6688
					企画のみ
中和ギャラリー	久保かずのり	〒104-0061	中央区銀座6-4-8	曽根ビル3F	03-3575-7620
	22m	240,000円/6日			企画・貸し併用
東京画廊+BTAP	山本豊津	〒104-0061	中央区銀座8-10-5	第4秀和ビル7F	03-3571-1808
					企画のみ
東京銀座画廊・美術館		〒104-0061	中央区銀座2-7-18	銀座貿易ビル8F	03-3564-1644
	34.7m～232.6m		要問い合わせ		
TomuraLee		〒104-0061	中央区銀座3-9-4	第一文成ビル603	03-6264-2536
永井画廊	永井龍之介	〒104-0061	中央区銀座8-6-25	河北新報ビル5F	03-5545-5160
					企画のみ
ナカジマアート	中島良成	〒104-0061	中央区銀座5-5-9	アベビル3F	03-3574-6008
					企画のみ

中長小西	小西哲哉	〒104-0061	中央区銀座1-15-14	水野ビル4F	03-3564-8225
					企画のみ
nada art gallery	大川教	〒104-0061	中央区銀座7-12-5	銀星ビル7F	03-6264-1752
					企画のみ

77ギャラリー	遠藤修一	〒104-0061	中央区銀座7-5-4　毛利ビル5F	03-3574-1601
				企画のみ
西川美術店	西川英治	〒104-0061	中央区銀座6-5-14　プレス銀座3F	03-3572-3443
				企画のみ
ニシムラ美術	西村行雄	〒104-0061	中央区銀座7-2-8　東建ビル5F	03-3289-4638
				企画のみ
日動画廊	長谷川徳七	〒104-0061	中央区銀座5-3-16	03-3571-2553
				企画のみ
NICHE GALLERY	西村冨彌	〒104-0061	中央区銀座3-3-12　銀座ビルディング3F	03-5250-1006
				企画のみ
NEW ART LAB	白石幸生	〒104-0061	中央区銀座1-15-2　銀座スイムビル1F	03-3567-7811
				企画のみ
NUKAGA GALLERY	額賀古太郎	〒104-0061	中央区銀座2-3-2　3F	03-5524-5544
				企画のみ
バートックギャラリー	ジェイントビイシ	〒104-0061	中央区銀座1-18-2　銀座太平ビル1F	03-3567-0005
	20.51m	198,000/6日(3日間〜)		企画・貸し併用
白滕庵 藤美術	藤城毅	〒104-0061	中央区銀座1-4-4　銀座104ビル2F	03-6263-0953·080-3265-1445
	8坪	50,000円/1日		企画・貸し併用
はくび画廊	加藤行敏	〒104-0061	中央区銀座7-13-21　銀座初波奈ビル1F	03-5565-1935
創画廊	日向野創平	〒104-0061	中央区銀座3-11-16　日向野ビル1F	03-3541-4505
	15.2m	180,000円/6日(税抜)(学割あり)		企画・貸し併用
長谷川画廊	長谷川耕樹	〒104-0061	中央区銀座7-11-11　長谷川ビル1F	03-3571-1462
	20m	180,000円/6日(税抜)		貸しのみ
花田美術	花田淳	〒104-0061	中央区銀座7-8-16　サンライズビル1F	03-3289-0666
				企画のみ
薔薇画廊	安田順江	〒104-0061	中央区銀座7-2-4　アンジェリックフォセッテビル2F	03-3573-0783
	23㎡	250,000円/6日(税別)		企画・貸し併用
光画廊	山﨑信之	〒104-0061	中央区銀座7-6-6　丸源ビル24 1F	03-3572-1855
				企画のみ

美の起原		〒104-0061	中央区銀座8-4-2　高木屋ビル1F	03-3571-7091
	21.5m	230,000円/6日(税抜)(季節により変更割引有)		企画・貸し併用
表玄	皐月啓左	〒104-0061	中央区銀座6-3-11　西銀座ビル1F	03-3572-6238
				企画のみ
ヒロ画廊	藤井公博·万博	〒104-0061	中央区銀座6-7-16　第一岩月ビル3F	03-3574-0545
				企画のみ

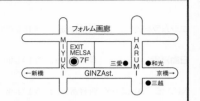

フォルム画廊	荘英武	〒104-0061	中央区銀座5-7-10　EXITMELSA 7F	03-3571-5061
	17m	要相談		企画・貸し併用

福原画廊	福原忍	〒104-0061	中央区銀座6-3-15　長谷ビル3F	03-3289-1710
				企画のみ
フジヰ画廊	永松正継	〒104-0061	中央区銀座2-8-5　銀座石川ビル3F	03-3567-8220
				企画のみ
フジカワ画廊	石川秀昭	〒104-0061	中央区銀座8-5-4　銀座マジソンビル3F	03-3574-6820
				企画のみ
藤屋画廊	濱田依子	〒104-0061	中央区銀座2-6-5　藤屋ビル2F	03-3564-1361
	32m	500,000円/6日(税抜)(前日搬入)		企画・貸し併用
プティ・プランタン		〒104-0061	中央区銀座5-1先　銀座ファイブ2F	03-3573-0345
				企画のみ
フマギャラリー	夫馬豊治	〒104-0061	中央区銀座8-8-15　青柳ビル9F	03-3571-3531
				企画のみ
flaginza gallery		〒104-0061	中央区銀座1-22-8	03-6913-2112
		1F・B1F：各10,000円/1日(土日祝 15,000円)(税込)		貸しのみ
芳山堂	久保泰助	〒104-0061	中央区銀座7-2-16　寿ビル5F(銀座コリドー街)	03-3572-0560
ポーラ ミュージアム アネックス		〒104-0061	中央区銀座1-7-7　ポーラ銀座ビル3F	03-5777-8600
				企画のみ
牧神画廊	新美康明	〒104-0061	中央区銀座7-13-22　磯部ビル2F	03-5148-5821
	13m	180,000円/6日(税込)		企画・貸し併用
Whitestone Gallery Ginza				
	白石幸栄	〒104-0061	中央区銀座5-1-10	03-3574-6161
				企画のみ
Whitestone Ginza NewGallery				
	白石幸栄	〒104-0061	中央区銀座6-4-16	03-3574-6161
松崎画廊	松崎宗仁	〒104-0061	中央区銀座4-3-11　松崎ビル3F	03-3561-9816
松田美術	松田裕功	〒104-0061	中央区銀座2-4-1　銀楽ビル2F	03-3561-0431
万葉洞 銀座店	関谷徳衛	〒104-0061	中央区銀座6-3-2　ギャラリーセンタービル2F	03-3575-4790
ミ・アモーレGallery	LUNE	〒104-0061	中央区銀座1-9-8　奥野ビル513	03-6263-0957
	13.82㎡	要問い合わせ		企画・貸し併用
みずたに美術	水谷大	〒104-0061	中央区銀座8-10-3　銀座三鈴ビル1F	03-3571-2013
				企画のみ
MUSEE GINZA	川崎力宏	〒104-0061	中央区銀座1-20-17　川崎ブランドデザインビルヂング	03-6228-6694
				企画・貸し併用

ミレージャギャラリー	大城裕一	〒104-0061	中央区銀座2-10-5　オオイビル4F	03-6303-8844
	43m	357,000円/6日（税込）		企画・貸し併用
村越画廊	桜井美穂子	〒104-0061	中央区銀座6-7-16　岩月ビル8F	03-3571-2880
				企画のみ
メグミオギタギャラリー	荻田徳稔	〒104-0061	中央区銀座2-16-12　銀座大塚ビルB1F	03-3248-3405
				企画のみ
メゾン・デ・ミュゼ・デュ・モンド	河野陽一郎	〒104-0061	中央区銀座7-7-4　DNP銀座アネックス	03-3574-2380
				企画のみ
森田画廊	森田茂昭	〒104-0061	中央区銀座1-16-5　銀座三田ビル2F	03-3563-5935
	16m	226,800円/6日（税込）		企画・貸し併用
門司ファインアートギャラリー	門司顕信	〒104-0061	中央区銀座8-4-25　大分合同新聞ビル1F/B1F	03-6228-5840
弥栄画廊 銀座店	居松靖	〒104-0061	中央区銀座7-10-8　第五太陽ビル1F	03-6263-9707
				企画のみ
ゆう画廊	志田智子	〒104-0061	中央区銀座3-8-17　ホウユウビル5F/6F	03-3561-1376
	5F：17.3m　6F：16m		240,000円/6日（税込）	企画・貸し併用
養清堂画廊		〒104-0061	中央区銀座5-5-15	03-3571-1312
	30.7m	60,000円/1日		企画・貸し併用
横井美術	横井彰	〒104-0061	中央区銀座6-4-13　山崎ビル3F	03-3571-0451
吉井画廊	吉井篤志	〒104-0061	中央区銀座8-4-25	03-3571-0412
ヨシオカ画廊	吉岡繁	〒104-0061	中央区銀座6-9-4　岩崎ビル7F	03-3571-3233
				企画のみ
万画廊	伊藤愛	〒104-0061	中央区銀座1-23-2　GINZA上野ビル1F	03-5250-3667
				企画のみ
有限会社ルブラン	島川晃子	〒104-0061	中央区銀座8-10-6　銀座MEビル5F-B	03-6263-9620
				企画のみ
Y's ARTS	つつみよしひこ	〒104-0061	中央区銀座1-9-8　奥野ビル101	090-3599-4734
渡邉三方堂	渡邉祥午	〒104-0061	中央区銀座2-4-1　銀楽ビル4F	03-3567-8382
渡邊木版美術画舗	渡邊章一郎	〒104-0061	中央区銀座8-6-19	03-3571-4684
				企画のみ
Wada Fine Arts	和田友美恵	〒104-0061	中央区銀座8-8-19　伊勢由ビル2F	03-5848-7172
				企画のみ

中央区（京橋・日本橋・八重洲ほか）

アート★アイガ	野々宮崇	〒104-0032	中央区八丁堀2-22-9　宮地ビル2F	050-3405-7096
				企画のみ
アート・紀元	伊藤幸和	〒104-0031	中央区京橋2-8-5　読売京橋ビル1F	03-5250-1870
				企画のみ
アートギャラリー環	川妻さち子	〒103-0022	中央区日本橋室町4-3-7	03-3241-3920
	15.5m	147,000円/6日（税込）		企画・貸し併用

art space kimura ASK?					
	木邑芳幸	〒104-0031	中央区京橋3-6-5　木邑ビル2F/B1F	03-5524-0771	
	2F：21m　B1F：20m	2F：240,000円/6日　B1F：120,000円/6日			企画・貸し併用
アートスペース羅針盤	岡崎こゆ	〒104-0031	中央区京橋3-5-3　京栄ビル2F	03-3538-0160	
	32㎡	270,000円/6日（税抜）			企画・貸し併用
秋山画廊	秋山智之	〒104-0032	中央区八丁堀1-3-2　佐藤ビル1F	03-3206-0436	
アサヒ画廊	赤井巧	〒104-0031	中央区京橋3-9-7　京橋ポイントビル1F	03-3535-7377	企画のみ
粟津画廊	粟津敬臣	〒103-0027	中央区日本橋3-7-12	03-3271-4041	企画のみ
飯田好日堂	飯田國宏	〒104-0031	中央区京橋1-14-2　京橋アインスビル1F	03-3561-2033	
池内美術	池内淳	〒104-0031	中央区京橋2-12-1	03-3562-5080	
一番星画廊		〒103-0027	中央区日本橋3-6-9　箔屋町ビル1F	03-3272-2525	企画のみ
井上オリエンタルアート 京橋店		〒104-0031	中央区京橋2-9-9　ASビル3F	03-6263-0727	企画のみ
井上オリエンタルアート 日本橋店		〒103-0023	中央区日本橋本町4-1-12　日本橋秋山ビル	03-3275-2130	企画のみ
宇野商店	宇野元庸	〒104-0031	中央区京橋3-3-4　京橋日英ビル1F	03-6225-2265	
浦上蒼穹堂	浦上満	〒103-0027	中央区日本橋3-6-9　箔屋町ビル3F	03-3271-3931	
永頼堂美術店	永井英子	〒103-0027	中央区日本橋1-3-8	03-3271-8884	
エトワール画廊	片口光江	〒104-0031	中央区京橋2-6-13	03-3561-2041	企画のみ
nca｜nichido contemporary art					
	長谷川暁子	〒104-0032	中央区八丁堀4-3-3　B1F	03-3555-2140	企画のみ
海老屋美術店	三宅謙三	〒103-0022	中央区日本橋室町3-2-18	03-3241-6543	
岡﨑画廊	岡﨑守一	〒104-0045	中央区築地2-14-3　NIT築地ビル501	03-3248-2530	企画のみ
小川商店	小川忠壽	〒104-0031	中央区京橋3-9-7　鈴木ビル1F	03-5524-1131	
小津ギャラリー		〒103-0023	中央区日本橋本町3-6-2　小津本館ビル2F	03-3663-8788	
	70.84㎡	210,000円/6日（税抜）（月～土）			企画・貸し併用
オンワードギャラリー	大澤道雄	〒103-8239	中央区日本橋3-10-5　B1F	03-4512-1155	企画のみ
懐古堂	佐藤文彦	〒104-0031	中央区京橋2-8-5	03-3563-5018	
加島美術	加島林衛	〒104-0031	中央区京橋3-3-2	03-3276-0700	企画のみ
かどまつ誠心堂	門松忠	〒104-0031	中央区京橋2-11-9	03-3567-7781	
金井画廊	金井充	〒104-0031	中央区京橋2-6-8　仲通りビル1F	03-5250-0860	
KAMIYA ART	北見音丸	〒103-0023	中央区日本橋本町4-7-1	03-3231-2886	企画のみ
galerieH	重冨裕実	〒103-0024	中央区日本橋小舟町7-13　東海日本橋ハイツ2F	03-3527-2545	企画のみ

吉平美術店		〒104-0031	中央区京橋2-11-11　宝永ビル	03-3561-6636
紀の国屋		〒103-0028	中央区八重洲1-6-15　登代田ビル3F	03-5202-8688
KINOSHO KIKAKU		〒104-0028	中央区八重洲2-7-4　清水ビル202	03-6262-3558
				企画のみ
KINOSHOKIKAKU CONTEMPORARY		〒104-0028	中央区八重洲2-7-4　清水ビル202	03-6262-3558
Gallery Art Composition	水谷有木子	〒104-0051	中央区佃1-11-8　ピアウエストスクエア1F	03-5548-5858
				企画のみ
ギャラリーオリム	三浦利雄	〒104-0041	中央区新富2-2-6	03-5542-0696
				企画のみ
Galerie Or・Terre	井関周	〒104-0031	中央区京橋1-6-10　ミカタビルB1	050-1143-6688
ギャラリー川船	川舩敬	〒104-0031	中央区京橋3-3-4　フジビルB1F	03-3245-8600
				企画のみ
ギャラリーくぼた	白井信雄	〒104-0031	中央区京橋2-7-11　クボタビル1F～6F・別館	03-3563-0005
	51.58m	175,000円/7日(税込)～		貸しのみ
ギャラリーぐんじ	郡司茂	〒104-0041	中央区新富2-2-13　新富太陽ビル1F	03-6280-5163
				企画のみ
ギャラリイK	宇留野隆雄	〒104-0031	中央区京橋3-9-7　京橋ポイントビル4F	03-3563-4578
	25m・30㎡	48,600円/1日(税込)		企画・貸し併用
ギャラリーこちゅうきょ	伊藤潔史	〒103-0027	中央区日本橋3-6-9　箔屋町ビル2F	03-3273-1051
				企画のみ
ギャラリー砂翁	横島佳子	〒103-0023	中央区日本橋本町1-3-1　渡辺ビル1F	03-3271-6693
	26.33m	28,000円/1日(税抜)		企画・貸し併用
ギャラリーサンカイビ	平田美智子	〒103-0007	中央区日本橋浜町2-22-5	03-5649-3710
				企画のみ
ギャラリー白百合	山田吉穂	〒103-0027	中央区日本橋3-2-6　岩上ビル1F	03-3271-3600
Gallery Suchi	須知吾朗	〒103-0025	中央区日本橋茅場町2-17-13　第2井上ビル2F	03-6661-6393
Gallery Cellar	武田美和子	〒104-0031	中央区京橋3-9-2　宝国ビルB1F	03-6225-2466
				企画のみ
ギャラリー双鶴	安藤政彦	〒103-0015	中央区日本橋箱崎町16-1　東益ビル1F	03-3808-2431
GALLERY TATSUYA TOKYO		〒104-0033	中央区新川1-11-10　明祥ビル2F	
ギャラリーツープラス	加藤晴正	〒103-0027	中央区日本橋2-1-19　三幸ビルB1F	03-6695-8964
	12m	60,000円/6日(税込)		企画・貸し併用
ギャラリー椿	椿原弘也	〒104-0031	中央区京橋3-3-10　第一下村ビル1F	03-3281-7808
	28.45m(総壁面)		220,000円/6日(税抜)　GT2(小さい部屋)のみ	企画・貸し併用
ギャラリー戸村	戸村正己	〒104-0031	中央区京橋2-8-10　丸茶ビルB1F	03-3564-0064
				企画のみ
ギャラリーなつか	長束成博	〒104-0031	中央区京橋3-4-2　フォーチュンビル1F	03-6265-1889
	22m			企画・貸し併用
ギャラリーび～た	八田茂伸	〒104-0031	中央区京橋2-8-5　京橋富士ビル1F/B1F	03-3561-5050
	33m	45,000円/1日(税抜)		企画・貸し併用
GALLERY b. TOKYO	小林勝	〒104-0031	中央区京橋3-5-4　第一吉井ビルB1F	03-5524-1071
	28m	264,000円/6日		企画・貸し併用

ギャラリー檜 e・F	高木久仁子	〒104-0031	中央区京橋3-9-2　宝国ビル4F	03-6228-6558
	31.49m	250,000円/6日(税抜)		企画・貸し併用
ギャラリー藤井	藤井正昭	〒103-0004	中央区東日本橋2-6-11　東日本橋池上ビル1F	03-5833-2262
ギャラリーマークウェル	朝倉京子	〒103-0025	中央区日本橋茅場町1-11-8　紅萌ビル1F	03-5640-8584
				企画のみ
GALLERY MOZ ART	杉山是清	〒104-0031	中央区京橋1-6-14　YKビル1F	03-6228-6848
ギャラリー八重洲・東京	池田昌弘	〒104-0028	中央区八重洲2-1　八重洲地下街中1号	03-3278-0623
	33.34m	40,000円/1日(税抜)		貸しのみ
GALLERY RIN	阪本秋子	〒104-0031	中央区京橋2-6-10　宝照ビル1F	03-3566-5558
				企画のみ
ギャラリー麗		〒104-0031	中央区京橋1-6-10　ミカタビル4F	03-3567-3939
ギャラリーY	長岡義隆	〒104-0031	中央区京橋1-6-14	03-3564-4339
ギャルリー・コパンダール	乾誠一郎	〒104-0031	中央区京橋2-7-5　京二小林ビル1F	03-3538-1611
				企画のみ

ギャルリーソレイユ	渋井政子	〒104-0031	中央区京橋2-8-2　渋井ビル1F	03-3567-6827
	23m	150,000円/6日(2・7・8月 120,000円/6日)(税抜)		企画・貸し併用
ギャルリー東京ユマニテ	土倉有三	〒104-0031	中央区京橋3-5-3　京栄ビル1F	03-3562-1305
	15.2m	129,600円/6日(税込)(学割あり)		企画・貸し併用
Galerie Floraison		〒104-0031	中央区京橋2-12-9　ACN京橋101	03-6228-6152
	14m・約19㎡	138,600円/6日(税込)		企画・貸し併用
京橋画廊	居原田健	〒104-0031	中央区京橋3-9-4　新京橋ビル	03-5524-5470
				企画のみ
去来	松沢京子	〒104-0031	中央区京橋1-6-14　佐伯ビル	03-3564-9370
孔雀画廊	伊賀静雄	〒104-0031	中央区京橋2-5-18　京橋創生館1F	03-3535-3334
	22m	165,000円/6日(税込)		企画・貸し併用
くりはら		〒103-0027	中央区日本橋3-6-10	03-3273-6017
KURUM'ART contemporary				
	車洋二	〒103-0023	中央区日本橋本町1-7-9　space2*3	090-8343-9580
				企画のみ
クロスビューアーツ	長束成博	〒104-0031	中央区京橋3-4-2　フォーチュンビル1F	03-6265-1825
				企画のみ
KSギャラリー	坂本康平・祐平	〒103-0027	中央区日本橋3-8-7	03-3271-6671
現代版画版元 株式会社大月	大槻一郎	〒104-0032	中央区八丁堀3-6-6　アドキョウバシ3F	03-5566-0775
好文画廊	斎藤正隆	〒103-0007	中央区日本橋浜町2-24-1	03-3669-1957
	70m・180㎡	400,000円/6日(税込)		貸しのみ

交隆社	三宅哉之	〒104-0044	中央区明石町1-3　明石町ツインクロス410	03-3545-2988
				企画のみ
五月堂	上野哲	〒104-0031	中央区京橋2-11-11　田中ビル	03-3567-5654
児玉美術	児玉豊久	〒104-0054	中央区勝どき3-12-12-601	03-5547-2651
				企画のみ
壺中居	井上繁雄	〒103-0027	中央区日本橋3-8-5	03-3271-1835
骨董の店 甲斐		〒104-0031	中央区京橋2-11-10　京清堂ビル2F	03-6228-7540
古美術あさひ	藤城彰太郎	〒103-0027	中央区日本橋1-7-11　日本橋東ビル1F	03-3272-3970
古美術弘誠堂	田中博久	〒104-0031	中央区京橋1-8-13　高谷ビル	03-5250-2378
古美術さかもと		〒104-0031	中央区京橋1-14-2　山崎ビル	03-3561-2598
古美術奈々八		〒104-0031	中央区京橋3-7-10　東宣ビル	03-3561-8118
古美術木瓜	伊藤啓	〒104-0031	中央区京橋1-8-10　泰ビル1F	03-3538-3228
古美術侘助	橋本眞次	〒104-0031	中央区京橋1-8-10　三洋ビル1F	03-3563-3039
Contemporary HEIS art	平山智一	〒103-0025	中央区日本橋茅場町1-1-6　小浦第一ビル1F	03-3527-3860
				企画のみ
彩光画廊	金子博	〒104-0031	中央区京橋2-1-1　第2荒川ビル2F	03-3281-4535
斎藤紫紅洞		〒104-0031	中央区京橋2-6-8　仲通りビル2F	03-3561-5583
彩鳳堂画廊	本庄俊男	〒104-0031	中央区京橋3-3-10　第1下村ビル2F	03-6262-0985
				企画のみ
酒井京清堂	酒井勝彦	〒104-0031	中央区京橋2-11-10	03-3561-3994
三溪洞画廊	三谷忠彦	〒103-0022	中央区日本橋室町4-3-15	03-3241-1003
				企画のみ
四季彩舎	石井実	〒104-0031	中央区京橋2-11-9　西堀11番地ビル2F	03-3535-2131
				企画のみ
紫鴻画廊	神部孝子	〒103-0027	中央区日本橋3-6-9　箔屋町ビル4F	03-3242-2598
				企画のみ
不忍画廊	荒井裕史	〒103-0027	中央区日本橋3-8-6　第二中央ビル4F	03-3271-3810
				企画のみ
下井美術	下井幹子	〒104-0031	中央区京橋1-14-6　京橋宏陽ビル1F	03-3535-2522
				企画のみ
秀山堂画廊	伊藤仁	〒103-0022	中央区日本橋室町3-2-18　海老屋ビル6F	03-3245-1340
				企画のみ
春風洞画廊	横井彬	〒103-0027	中央区日本橋3-8-10	03-3281-5252
				企画のみ
SILVER SHELL	林佳名	〒104-0031	中央区京橋2-10-10　KCビル1F	03-3535-0677
	10.56m	170,000円〜/6日(税抜)(夏季・冬季のみ貸し、要相談)		企画・貸し併用
翠波画廊	高橋芳郎	〒104-0031	中央区京橋3-6-12　正栄ビル1F	03-3561-1152
				企画のみ
すみれ画廊		〒104-0032	中央区八丁堀4-13-5　幸ビル1F	03-3551-3328
㈱セツアート		〒104-0054	中央区勝どき1-3-1-3201	03-6220-1304
				企画のみ
㈱瀬津雅陶堂	瀬津勲	〒103-0027	中央区日本橋3-7-9	03-3271-9630

千疋屋ギャラリー		〒104-0031	中央区京橋1-1-9	03-3281-0360
	24m	200,000円/7日(税抜)		企画・貸し併用
大聖寺屋CERAMICS GALLERY				
	大聖雄幸	〒104-0031	中央区京橋3-3-4　森ビル1F	03-3527-9628
㈱太陽	賀来達三	〒104-0031	中央区京橋2-11-9	03-5524-6066
TAKU SOMETANI Gallery				
	染谷琢	〒103-0002	中央区日本橋馬喰町2-4-1	050-5532-6058
				企画のみ
タグチファインアート	田口達也	〒103-0023	中央区日本橋本町2-6-13　山三ビルB1F	03-5652-3660
				企画のみ
田中八重洲画廊	田中正己	〒103-0028	中央区八重洲1-5-15　田中八重洲ビル1F	03-3273-6208
タマダプロジェクトコーポレーション				
	玉田俊雄	〒104-0052	中央区月島1-14-7　旭倉庫2F	03-3531-3733
近岡美術	近岡茂	〒104-0031	中央区京橋2-8-5　読売京橋ビル2F	03-3563-5717
				企画のみ
ちばぎんひまわりギャラリー		〒103-0022	中央区日本橋室町1-5-5　コレド室町3 4F	03-3270-8898
	34m・96㎡	無料		企画・貸し併用
千代春画廊	前田晃	〒103-0031	中央区京橋2-8-2　京橋MKビル	03-3561-4501
				企画のみ
椿近代画廊	椿原憲	〒103-0022	中央区日本橋室町1-12-15　テラサキ第2ビルB1F	03-3275-0861
				企画のみ

鶴画廊	齋藤千鶴子	〒103-0007	中央区日本橋浜町1-4-14-1202	03-3851-8590
				企画のみ

T-BOX	高橋盛夫	〒104-0028	中央区八重洲2-8-10　松岡八重洲ビル3F	03-5200-5201
	18m・31㎡	210,000円/6日(税込)		企画・貸し併用
TRIUMPH Gallery	関守行	〒103-0027	中央区日本橋2-3-20　栄松堂ビル1F/2F	03-3278-3500
並樹画廊		〒104-0031	中央区京橋2-7-12	

南天子画廊	青木康彦	〒104-0031	中央区京橋3-6-5　木邑ビル1F	03-3563-3511 企画のみ
西村画廊	西村建治	〒103-0027	中央区日本橋2-10-8　日本橋日光ビル9F	03-5203-2800 企画のみ
西邑画廊	渡辺光男	〒104-0028	中央区八重洲2-10-5　花長ビル1F	03-3278-1420 企画のみ
日本画廊	竹本克子 28.5㎡	〒103-0027 60,000円/1日(税抜)	中央区日本橋3-1-4　画廊ビル1F	03-3272-0011 企画・貸し併用
にほんばし・ラセーヌ／欧州美術クラブ	馬郡まりこ	〒103-0022	中央区日本橋室町1-6-12　周方社ビル5F	03-3279-3101 企画のみ
人形町vision's	三輪孝光 32.25m	〒103-0012 130,000円/5日	中央区日本橋堀留町2-2-9　ASビル1F	03-3808-1873 企画・貸し併用
バーバリーアートスペース	バーバリー	〒103-0004	中央区東日本橋2-1-6　岩田屋ビル2F	03-5820-8240
白銅鞮画廊	工藤泰子	〒104-0031	中央区京橋1-1-10　西勘本店ビル3F	03-6262-1283 企画のみ
花筥hanabako	大口真美	〒103-0027	中央区日本橋3-8-7　坂本ビル2F	03-3272-0505 企画のみ
林田画廊	林田泰尚	〒104-0031	中央区京橋2-6-16	03-3567-7778 企画のみ
美術かわぐち	川口孝志	〒104-0045	中央区築地4-4-14　ラフィネ東銀座906	03-3248-0130
ヒノギャラリー	山本隆志	〒104-0042	中央区入船2-4-3　マスダビル	03-3537-1151 企画のみ
ふげん社		〒104-0045	中央区築地1-8-4　築地ガーデンビル2F	03-6264-3665 企画のみ
FUMA Contemporary Tokyo｜BUNKYO ART	夫馬正男	〒104-0042	中央区入船1-3-9　長崎ビル9F	03-6280-3717 企画のみ
ベイスギャラリー	大西利勝	〒103-0025	中央区日本橋茅場町1-1-6　小浦第一ビル1F	03-5623-6655 企画のみ
前坂晴天堂 東京店		〒103-0027	中央区日本橋3-7-10　内藤ビル1F	03-3527-9595
MUG	宮下和秀	〒104-0041	中央区新富1-6-5-412	03-6280-5956
MASATAKA CONTEMPORARY	高橋正宏	〒103-0027	中央区日本橋3-2-9　三晶ビルB1F	03-3275-1019
松森美術	森田祥二郎	〒104-0031	中央区京橋2-8-8　新京橋ビル	03-3567-7653
繭山龍泉堂	川島公之	〒104-0031	中央区京橋2-5-9	03-3561-5146
Marie Gallery		〒103-0007	中央区日本橋浜町3-33-7　1F	03-6321-3442 企画のみ
みうらじろうギャラリー	三浦次郎	〒103-0011	中央区日本橋大伝馬町2-5　石倉ビル4FB	03-6661-7687 企画のみ
美岳画廊	林岳史	〒104-0032	中央区八丁堀4-13-5　幸ビル1F	03-3551-2262
水戸忠	中島幸雄	〒103-0027	中央区日本橋3-8-9	03-3271-2200

港屋	大平龍一	〒103-0004	中央区東日本橋2-18-13	03-3865-1555
				企画のみ
村上画廊	村上達則	〒104-0031	中央区京橋3-5-4　吉井ビル2F	03-3567-2539
				企画のみ
室町ギャラリー	松崎邦雄	〒103-0022	中央区日本橋室町1-13-10　松崎ビル1F	03-3241-1922
	23.15m	140,000円/6日		貸しのみ
木雞	大江夏子	〒104-0031	中央区京橋1-6-14　佐伯ビル	03-3561-7411
山中精華堂	山中建生	〒103-0027	中央区日本橋3-5-8　精華ビル5F	03-3277-0100
YUKI-SIS	寺嶋由起	〒103-0023	中央区日本橋本町3-2-12　日本橋小楼202	03-5542-1669
よこやま画廊	横山磊一	〒103-0022	中央区日本橋室町1-5-15　真光ビル	03-3241-7328
				企画のみ
LIXILギャラリー		〒104-0031	中央区京橋3-6-18　東京建物京橋ビル　LIXIL:GINZA 2F	03-5250-6530
				企画のみ
RED AND BLUE GALLERY				
	角張彰	〒104-0041	中央区新富1-5-5　トーア新富マンション102	03-6280-5287
				企画のみ
魯卿あん	黒田草臣	〒104-0031	中央区京橋2-9-9	03-6228-7704
				企画のみ

千代田区（有楽町・丸の内・神田ほか）

ArtComplex natua		〒102-0085	千代田区六番町6-5　六番町アンドロイドビル	03-3230-2566
ARTDYNE	三木弘子	〒101-0021	千代田区外神田6-11-14　3331 Arts Chiyoda 211号室	03-6284-4458
				企画のみ
赤坂游ギャラリー	林隆宣	〒100-0014	千代田区永田町2-14-3　東急プラザ赤坂2F	03-3595-7111
				企画のみ
アスクエア神田ギャラリー	伊藤厚美	〒101-0054	千代田区神田錦町1-8　伊藤ビルB1F	03-3219-7373
				企画のみ
海画廊	谷川美奈子	〒101-0051	千代田区神田神保町1-1　三省堂書店神保町本店4F	03-3233-3359
				企画のみ
ex-chamber museum		〒101-0021	千代田区外神田6-11-14　3331 Arts Chiyoda 205a	03-3831-7327
Ohshima Fine Art	大島義之	〒101-0061	千代田区三崎町2-21-6　1F	050-5241-4083
				企画のみ
大屋書房	纐纈公夫	〒101-0051	千代田区神田神保町1-1	03-3291-0062
絵画堂	関根朝子	〒100-0011	千代田区内幸町1-1-1　帝国ホテルアーケード	03-3503-7988
				企画のみ
KANEKO ART TOKYO	金子多朔	〒101-0032	千代田区岩本町2-6-12　曙ビル1F	03-6240-9774
				企画のみ
KANZAN GALLERY		〒101-0031	千代田区東神田1-3-4　KTビル2F	03-6240-9807
				企画のみ
北井画廊	北井康郎	〒102-0092	千代田区隼町3-1	03-5226-5117
				企画のみ
キドプレス	木戸均	〒101-0021	千代田区外神田6-11-14　3331 Arts Chiyoda 204	03-5817-8988
				企画のみ

Gallery OUT of PLACE TOKIO		〒101-0021	千代田区外神田6-11-14　3331 Arts Chiyoda 207	03-6803-0248	企画のみ
ギャラリー f分の1	舘野道子	〒101-0062	千代田区神田駿河台1-5-6　コトー駿河台	03-3293-8756	
ギャラリーかわまつ	川松義宣	〒101-0051	千代田区神田神保町2-12-1	03-3265-3030	
GALLERY小暮	小暮洋	〒101-0051	千代田区神田神保町2-14-19	03-5215-2877	企画のみ
ギャラリー册		〒102-0074	千代田区九段南2-1-17　パークマンション千鳥ヶ淵1F	03-3221-4220	企画のみ
ギャラリー白い点	橋場美耶子	〒101-0051	千代田区神田神保町2-14　朝日神保町プラザ205	03-3237-0931	企画のみ
ギャラリーそうめい堂（浮世絵）	安部宗佳	〒101-0051	千代田区神田神保町1-8　山田ビル7F	03-3219-7240	企画のみ
ギャラリー日比谷	福石茂雄	〒100-0006	千代田区有楽町1-6-5	03-3591-8945	
ギャラリー UG	佐々木栄一朗	〒101-0031	千代田区東神田1-14-11　ヤマダビル1F	03-5823-7655	企画のみ
ぎゃらりー友美堂	小黒雄藏	〒100-0004	千代田区大手町2-2-1　新大手町ビル1F	03-6202-6515	企画のみ
ギャラリー壆	大迫昌平	〒101-0052	千代田区神田小川町1-4　和田ビル2F	03-3252-4847	企画のみ
ギャルリークリヨン	佐藤瑠璃	〒102-0085	千代田区六番町6-20-401	03-3221-8824	
クリエイティブ／アートギャラリー Corso	40m・68.7㎡	〒101-0051	千代田区神田神保町3-1-6　日建ビル3F 平日100,000円/5日（土日祝20,000円/1日）（税抜）	0422-54-0051（展覧会期中のみ）	企画・貸し併用
KOKI ARTS	石橋高基	〒101-0031	千代田区東神田1-15-2　ローズビル1F		企画のみ
木ノ葉画廊	葉満田貴久子 20m	〒101-0038	千代田区神田美倉町12　木屋ビル1F 100,000～150,000円/6日	03-3256-2047	企画・貸し併用

古美術薹堂	青井義夫	〒102-0082	千代田区一番町9-23　一番町ビル1F	03-6261-2025	
小宮山書店	小宮山慶太	〒101-0051	千代田区神田神保町1-7	03-3291-0495	
三慶商店	関口敬一	〒101-0051	千代田区神田神保町2-28	03-5212-4445	
篠田商店	篠田晴久	〒102-0093	千代田区平河町2-2-3	03-3261-6618	
集雅堂	岡田二郎	〒102-0085	千代田区六番町13-5　メゾンド六番町1-B	03-3230-1200	企画のみ
角匠	角田日出男	〒100-0006	千代田区有楽町1-2-15　UNビル3F	03-3593-0777	企画のみ

㈱靖雅堂 夏目美術店	夏目進	〒102-0074	千代田区九段南4-8-28	03-3264-6606
				企画のみ
草土舎	河原英夫	〒101-0052	千代田区神田小川町1-7	03-3294-6411
	21m	35,000円/1日		企画・貸し併用
㈱第一画廊	梅澤蔦子	〒101-0044	千代田区鍛冶町2-4-5　オオタニビル2F	03-3253-0221
				企画のみ
第一生命ギャラリー		〒100-8411	千代田区有楽町1-13-1　DNタワー 21	050-3780-4984
				企画のみ
タグボート	徳光健治	〒100-8488	千代田区有楽町2-5-1　阪急メンズ東京7F	企画のみ
東京九段耀画廊	富田光明	〒102-0075	千代田区三番町7-1-105	03-5357-1960
				企画のみ
㈱東京交通会館　2Fギャラリー　ギャラリーパールルーム　ゴールドサロン　ギャラリーエメラルドルーム　シルバーサロンA・B・C　ギャラリー玻瑠				
		〒100-0006	千代田区有楽町2-10-1　東京交通会館2F/1F/B1F	03-3212-2931
		スペースに応じて要相談		貸しのみ
中嶋尚美社	中嶋嘉業	〒101-0021	千代田区外神田5-3-4	03-3831-4669
				企画のみ
成山画廊	成山明光	〒102-0074	千代田区九段南2-2-8　松岡九段ビルディング205	03-3264-4871
				企画のみ
Nii Fine Arts Tokyo	新居圭太	〒101-0021	千代田区外神田6-11-14　3331 Arts Chiyoda 211号室	
				企画のみ
H-art Beat Gallery	西山勝	〒101-0051	千代田区神田神保町2-38-10　多幸ビル2F	03-6256-8986
				企画のみ
花あさぎ	香川純子	〒100-0011	千代田区内幸町1-1-1　帝国ホテルプラザ東京3F	03-6273-3139
				企画のみ
原書房	原敏之	〒101-0051	千代田区神田神保町2-3	03-5212-7801
Bambinart Gallery	米山馨	〒101-0021	千代田区外神田6-11-14　3331 Arts Chiyoda B107	03-6240-1973
				企画のみ
一ツ橋画廊		〒101-0003	千代田区一ツ橋2-6-2　日本教育会館内	03-3230-2831
	41m	110,000円/6日(税込)		貸しのみ
檜画廊	檜よしえ	〒101-0051	千代田区神田神保町1-17	03-3291-9364
	22m	252,000円/6日(税込)		企画・貸し併用
福福堂	岡村晶子	〒102-0083	千代田区麹町2-10-3-436	050-5305-1280
				企画のみ
フジ・青木画廊	青木澄夫	〒101-0032	千代田区岩本町2-1-1　福永ビル6F	03-3862-2340
				企画のみ
FUJIFILM Imaging Plaza		〒100-0005	千代田区丸の内2-1-1　丸の内 MY PLAZA 3F	03-6259-1615

文春ギャラリー		〒102-8008	千代田区紀尾井町3-23　文藝春秋西館1F	03-3288-6111
	104.5㎡	40,000円/1日(8・1月30,000円/1日)(税抜)		貸しのみ

文房堂ギャラリー		〒101-0051	千代田区神田神保町1-21-1　文房堂ビル4F	03-5282-7941
ボヘミアンズ・ギャラリー		〒101-0051	千代田区神田神保町1-25　神保町会館3F	03-5577-6946
				企画のみ
ボヘミアンズ・ギルド		〒101-0051	千代田区神田神保町1-1　木下ビル	03-3294-3300
				企画のみ
増保美術	小暮ともこ	〒101-0065	千代田区西神田2-1-2　Y・Ⅱビル1F	03-5829-8735
丸栄堂	淺木正勝	〒101-0021	千代田区外神田5-4-8	03-3831-7821
				企画のみ
丸善・丸の内本店4階ギャラリー		〒100-8203	千代田区丸の内1-6-4	03-5288-8881
丸の内ギャラリー	星幸宏	〒102-0093	千代田区平河町2-5-7　ヒルクレスト平河町404	03-3237-6777
				企画のみ
水戸忠交易	林大介	〒102-0094	千代田区紀尾井町4-1　ホテルニューオータニロビーF	03-3239-0845
				企画のみ
MEDEL GALLERY SHU		〒100-0011	千代田区内幸町1-1-1　帝国ホテルプラザ東京2F	03-6550-8111
MORITAKA		〒101-0021	千代田区外神田6-11-14　3331 Arts Chiyoda 205a	03-3831-7327
八木書店	八木壮一	〒101-0052	千代田区神田小川町3-8	03-3291-8221
山田書店	山田靖	〒101-0051	千代田区神田神保町1-8　山田ビル2F	03-3295-0252
山脇ギャラリー		〒102-0074	千代田区九段南4-8-21	03-3264-4027
	78.85m(移動パネルを含む)・約170㎡　129,600円/6日(税込)			企画・貸し併用
彌生画廊	小川敏之	〒102-0075	千代田区三番町6-2　三番町彌生館1F	03-5211-7330
				企画のみ
㈱悠玄堂	飯岡雄一	〒100-0005	千代田区丸の内3-4-1　新国際ビル2F	03-3211-7844
有楽町朝日ギャラリー	武内雄平	〒100-0006	千代田区有楽町2-5-1　有楽町マリオン11F	03-3284-0131
	48.8m・156㎡　1,045,000円/6日(税込)			貸しのみ

港区（青山・六本木・麻布・新橋・虎ノ門ほか）

アート・ハウス白金：日西ギャラリー				
	北沢元朗	〒108-0072	港区白金1-17-1　白金タワー 1F	03-3440-7577
				企画のみ
Art Gallery 閑々居	北條和子	〒105-0004	港区新橋1-8-4　丸忠ビル5F	03-5568-7737

㈱アートグラフィックス青山（A.G.A.ギャラリー）				
	櫻井孝祐	〒107-0062	港区南青山3-12-11　ボワゼ青山1F	03-3402-6015
				企画のみ
A.G.A.bis	櫻井孝祐	〒107-0062	港区南青山3-12-11　ボワゼ青山1F/B1F	03-3402-6015
				企画のみ
art space morgenrot	福井淳子	〒107-0062	港区南青山3-4-7　第7SYビル1F	050-3740-0628
				企画のみ
㈱アールノワール岡田	岡田敏江	〒107-0052	港区赤坂6-5-38	03-3583-0211
				企画のみ
赤坂グリーンギャラリー	伊東成憲	〒107-0052	港区赤坂4-8-8　伊東ビル1F	03-3401-5255
赤坂水戸幸	吉田浩之	〒106-0031	港区西麻布3-5-42	03-3403-9829
AXISギャラリー	内藤稔	〒106-0032	港区六本木5-17-1　AXISビル4F	03-5575-8655
	4F:220.7㎡　B1F:129.3㎡　4F:336,000円/1日　B1F:189,000円/1日（税込）			企画・貸し併用
hpgrp GALLERY TOKYO		〒107-0062	港区南青山5-7-17　小原流会館B1F	03-3797-1507
				企画のみ
阿藤ギャラリー	阿藤芳樹	〒107-0062	港区南青山6-11-3　南青山三樹ビル	03-3400-1543
ANOTHER FUNCTION		〒106-0032	港区六本木7-20-2　アバンティ407	03-6447-2786
arte classica by Ishiguro Gallery				
	石黒宏一郎	〒107-0062	港区南青山6-1-6　1F	03-3499-6696
アルファ.サンギャラリー	長島艶乃	〒108-0075	港区港南4-2-1-614	03-3740-1557
アンザイアートオフィス	安西敬	〒105-0021	港区新橋2-14-1　NBFコモディオ汐留1F	03-6809-2096
㈲いけだ古美術	池田祥三	〒107-0062	港区南青山6-11-3　神通ビル1F	03-3407-5221
池正	池谷正夫	〒106-0045	港区麻布十番1-7-1　ヨーロッパハウス6F	03-3403-1007
石黒ギャラリー	石黒宏一郎	〒107-0062	港区南青山3-8-10	03-6804-1496
ICHYS GALLERY	市川博一	〒107-0062	港区南青山2-11-14	03-3401-2247
	約23m	35,000円/1日		貸しのみ
いつき美術画廊	齋藤隆	〒105-0004	港区新橋5-19-15　アド・タイヘイビル1F	03-6459-0727
				企画のみ
インターフォーラム美学研究室		〒107-0062	港区南青山2-26-35　KKビル1F	03-5785-2737
				企画のみ
英国骨董おおはら		〒107-0062	港区南青山4-26-8	03-3409-8506・7
江戸屋美術	八木康夫	〒107-0062	港区南青山6-2-10　T・Iビル2F	03-3409-0221
				企画のみ
江夏画廊	江夏大樹	〒106-0041	港区麻布台3-1-5　日ノ樹ビル302	03-6426-5139
				企画のみ
EMON PHOTO GALLERY				
	小松整司	〒106-0047	港区南麻布5-11-12　B1F	03-5793-5437
オオタファインアーツ	大田秀則	〒106-0032	港区六本木6-6-9　ピラミデビル3F	03-6447-1123
				企画のみ
大塚美術	大塚潔	〒107-0062	港区南青山5-14-4　河合ビル1F	03-3486-7610
				企画のみ
オカモトヤサロン陽光	鈴木保男	〒105-0001	港区虎ノ門1-1-24	03-3591-8181

オリエアートギャラリー	作山忠	〒107-0061	港区北青山2-9-16　AAビル1F	03-5772-5801
		200,000円/週（税抜）		企画・貸し併用
カイカイキキギャラリー	村上隆	〒106-0046	港区元麻布2-3-30　元麻布クレストビルB1F	03-6823-6038
				企画のみ
カッシーナ・イクスシー青山本店「DELL'ARTE」				
		〒107-0062	港区南青山2-12-14　ユニマット青山ビル2F	03-5474-9001
				企画のみ
KANA KAWANISHI PHOTOGRAPHY				
	河西香奈	〒106-0031	港区西麻布2-7-5　ハウス西麻布5F	03-5843-9128
カナダ大使館高円宮記念ギャラリー		〒107-8503	港区赤坂7-3-38　カナダ大使館B2F	03-5412-6200
				企画のみ
Cafeギャラリー octria8		〒107-0061	港区北青山3-9-7　表参道N&Nビル1F	03-6455-4808
画廊くにまつ青山	國松賢一	〒107-0062	港区南青山2-10-14　アオヤマアネックス1F	03-3470-5200
				企画のみ
かわかみ画廊	川上潤子	〒107-0061	港区北青山3-3-7　第一青山ビル1F	03-6447-2328
	9.47m	121,000円/6日（税込）		企画・貸し併用
河善	河合三男	〒105-0001	港区虎ノ門3-25-3　芝ロイヤル1F	03-3434-2796
ギャラリーアート六本木	安食邦雄	〒106-0032	港区六本木7-15-17　ユニ六本木ビル7F D号室	03-3405-0533
				企画のみ
ギャラリー AYA	安村文	〒105-0001	港区虎ノ門5-4-10　仙石山アートハウス4F	03-3432-3456
ギャラリーアルトン	横垣明美	〒107-0062	港区南青山3-8-13	03-5411-5221
				企画のみ
ギャラリー玉英	玉屋喜崇	〒107-0062	港区南青山6-8-3	03-6410-4478
				企画のみ
GALLERY CUORE		〒108-0074	港区高輪4-10-18　ウィング高輪West 2F	03-3280-5331
				企画のみ
ギャラリー・コンセプト21				
	大野牧子	〒107-0061	港区北青山3-15-16	03-3406-0466
	33.5m	225,000円/7日（税抜）		企画・貸し併用
GALLERY SIDE 2	島田淳子	〒106-0031	港区西麻布1-8-12　Barbizon61 1・2F	03-6447-1422
				企画のみ
GALLERY Jy	木座間ひさし	〒107-0061	港区北青山2-12-23　Uビル1F	03-3479-6422
	15m	126,000円/6日		企画・貸し併用
ぎゃらりぃ自在堂	森恭子	〒107-0062	港区南青山5-13-1　アンリビル3F	03-3498-1468
				企画のみ
ギャラリーストークス	鈴木裕子	〒107-0062	港区南青山6-2-10　TIビル4F	03-3797-0856
	16m	120,000円/6日		企画・貸し併用
ギャラリー石榴 南青山Room				
	薄井宏彦	〒107-0062	港区南青山1-11-39　1139南青山2F	03-6438-9690
				企画のみ
Gallery DAZZLE	村松真理子	〒107-0061	港区北青山2-12-20-101	03-3746-4670
	13.2m・23㎡	156,200円/6日		貸しのみ

Gallery Triplet		〒107-0062	港区南青山3-8-2　青山OGビル4F	03-6455-4808
	約40㎡	40,000円/1日（税抜）		企画・貸し併用
GALLERY NAO	中村直人	〒106-0032	港区六本木7-2-28　セントラル乃木坂101	03-6447-2407
ギャラリー西田		〒105-0004	港区新橋1-7-2　成瀬ビル1F	03-3289-4601
				企画のみ
ギャラリー美術波	大黒利幸	〒107-0061	港区北青山2-12-27	03-3403-4160
				企画のみ
ギャラリー紅屋	高島匡夫	〒107-0062	港区南青山3-10-41　ジュエル青山501	03-6459-2956
ギャラリーマイ	石塚啓子	〒106-0031	港区西麻布3-22-3	03-3402-0725
ギャラリーモナ	加美比呂行	〒106-0045	港区麻布十番2-11-3　ドエル麻布1F	090-2469-6359
	40㎡	189,000円/7日（火～月）		貸しのみ
GALLERY MoMo Projects				
	杉田鐵男	〒106-0032	港区六本木6-2-6　サンビル第3　2F	03-3405-4339
				企画のみ
ギャラリー柳井	柳井利之	〒106-0045	港区麻布十番1-5-1	03-5414-7233
				企画のみ
ギャラリーヤマココレクションズ				
	山田隆志郎	〒105-0004	港区新橋4-24-4　アートビル4F	03-3433-1695
				企画のみ
ギャラリーヤマダ	山田隆志郎	〒105-0004	港区新橋4-24-4　アートビル3F	03-3433-7059
				企画のみ
Gallery Lara Tokyo（九美洞ギャラリー）				
	若梅有子	〒106-0031	港区西麻布1-3-21-1F	03-3403-8690
				企画のみ
ギャラリー・ラ・リューシュ	牧浦泰子	〒106-0045	港区麻布十番2-13-2	03-3452-0800
	50㎡	25,000円/1日		企画・貸し併用
ギャルリーワッツ	山本詩野	〒107-0062	港区南青山5-4-44　ラポール南青山#103	03-3499-2662
	36.3㎡	要問い合わせ		企画・貸し併用
玉鳳堂	山田高久	〒107-0062	港区南青山6-11-3　神通ビル2F	03-3409-4659
清アートスペース	関藤清	〒107-0062	港区南青山3-2-9	03-6432-9535
㈲薫隆堂	神通康夫	〒107-0062	港区南青山6-11-3　神通ビル1F	03-3409-5297
好善堂	田内達夫	〒106-0047	港区南麻布2-3-5	03-3451-8788
寿屋	塩田紘章	〒107-0062	港区南青山5-10-19　塩田ビル301	03-3400-3233・8988
㈱小西大閑堂	小西基仁	〒106-0047	港区南麻布5-10-32-103	03-3446-8228
小林画廊	小林將利	〒105-0014	港区芝1-15-13　3F	03-6435-1893
				企画のみ
古美術一元堂	臼井一元	〒107-0062	港区南青山6-8-3	03-3498-2266
古美術一柳堂	柳井孝之	〒105-0011	港区芝公園1-2-17　芝公園シティーハイツ101	03-3437-6871
古美術下條	下條啓一	〒106-0032	港区六本木4-8-3　日栄ビル1F	03-3401-8460
古美術西田	西田祐三	〒106-0032	港区六本木3-15-13	03-3583-6226
古美術 はせべや	長谷部純一	〒106-0045	港区麻布十番1-7-7	03-5775-1308
古美術藤倉		〒107-0062	港区南青山6-7-4　南青山ムラマツビル8F	03-5485-1677
古美術宝満堂	蛭田啓一	〒107-0062	港区南青山2-9-2	03-3402-2229

小山登美夫ギャラリー	小山登美夫	〒106-0032	港区六本木6-5-24　complex665　2F	03-6434-7225 企画のみ
ごらくギャラリー事務所	矢澤園子	〒106-0047	港区南麻布5-6-48-803	090-9364-7451 企画のみ
サイト青山	高安史 12m	〒107-0062 60,000円/6日	港区南青山2-7-9	03-3423-2092 貸しのみ
サテライツ・アートラボ・ST		〒107-0062	港区南青山5-4-51　9F	03-5467-7281 企画のみ
ザ・ハウスオブジャパンティーク	市河敬治	〒106-0032	港区六本木3-15-19	03-3589-0560
SALIOT高輪ギャラリー		〒108-0073	港区三田3-12-14　ニッテン三田ビル1F	03-6758-6733
ジェイ・エイ・ジー	増子秀一	〒106-0032	港区六本木7-3-4　栗山ビル	03-3746-0171･2
SHIGERU YOKOTA GALLERY	横田茂	〒105-0022	港区海岸1-15-1	03-3433-4479 企画のみ
始弘画廊	平山幹子	〒107-0062	港区南青山5-7-23　始弘ビル	03-3400-0875 企画・貸し併用
シュウゴアーツ	佐谷周吾	〒106-0032	港区六本木6-5-24　complex665　2F	03-6447-2234 企画のみ
壽泉堂	久世加壽子 19m	〒105-0001 40,000円/1日	港区虎ノ門5-4-11	03-3432-6001 貸しのみ
新生堂	畑中昭彦	〒107-0062	港区南青山5-4-30	03-3498-8383 企画のみ
神通静玩堂	神通豊一	〒107-0062	港区南青山6-11-3	03-3400-6270
ストライプハウスギャラリー	要問い合わせ	〒106-0032	港区六本木5-10-33　3F	03-3405-8108 企画・貸し併用
SNOW Contemporary		〒160-0031	港区西麻布2-13-12　早野ビル404	03-6427-2511 企画のみ
スパイラルガーデン	30～320㎡	〒107-0062 400,000～1,000,000円/1日(税抜)	港区南青山5-6-23　スパイラル1F	03-3498-1171 企画・貸し併用
s+arts	山本秀明	〒106-0032	港区六本木7-6-5　六本木栄ビル3F	03-3403-0103 企画のみ
SPACE YUI	木村秀代	〒107-0062	港区南青山3-4-11　ハヤカワビル1F	03-3479-5889 企画のみ
㈱宗画房	渋谷廣見	〒107-0062	港区南青山7-4-15-106	03-6427-4035 企画のみ
㈲大信商会	市河敬治	〒106-0032	港区六本木3-15-18	03-3583-2081
タカ・イシイギャラリー	石井孝之	〒106-0032	港区六本木6-5-24　complex665　3F	03-6434-7010 企画のみ
タカ・イシイギャラリー フォトグラフィー/フィルム	石井孝之	〒106-0032	港区六本木5-17-1　2F	企画のみ
タクロウソメヤコンテンポラリーアート	染谷卓郎	〒107-0047	港区南麻布3-9-11　パインコーストハイツ1F	03-6804-3018

TAKE NINAGAWA	蜷川敦子	〒106-0044	港区東麻布2-12-4　1F	03-5571-5844	企画のみ
田島美術店	田島敬助	〒107-0062	港区南青山5-10-2　第2九曜ビル1F	03-3498-6150	企画のみ
TARO NASU	那須太郎	〒106-0032	港区六本木6-6-9　ピラミデビル4F	03-5786-6900	企画のみ
t.gallery		〒105-0014	港区芝3-16-2	03-3455-7492	
摘星館	髙木修三	〒106-0046	港区元麻布3-11-3	03-3478-4363	
桃居	広瀬一郎	〒106-0031	港区西麻布2-25-13	03-3797-4494	企画のみ
東郷ファインアート	東郷紀子	〒106-0047	港区南麻布5-11-12　1F	03-3473-0409	企画のみ
東邦アート	村瀬公一	〒105-0011	港区芝公園3-1-14　FLEX芝公園1F	03-5733-5377	企画のみ
TOTOギャラリー・間		〒107-0062	港区南青山1-24-3　TOTO乃木坂ビル3F	03-3402-1010	企画のみ
Tobin Ohashi Gallery		〒106-0032	港区六本木1-5-3　泉ガーデンレジデンス1109	03-5545-5072	企画のみ
TRiCERA MUSEUM		〒108-0074	港区高輪3-22-5　SDS高輪ビル	03-5422-8370	
NANATASU GALLERY		〒106-0031	港区西麻布2-12-4　小倉ビル3F	03-6419-7229	企画のみ
双木	双木紀行	〒107-0062	港区南青山5-17-5-101	03-3499-4980	
西浦渌水堂	西浦喜八郎	〒107-0062	港区南青山6-8-3	03-3409-3751	
日本刀剣	伊波賢一	〒105-0001	港区虎ノ門3-8-1	03-3434-4321	
ノートンギャラリー		〒107-0062	港区南青山5-10-5　青山ハイツ703	03-3498-1708	企画のみ
白白庵	石橋圭吾	〒107-0062	港区南青山2-17-14	03-3402-3021	
畑中商店	畑中正彦	〒107-0062	港区南青山5-17-5	03-3409-3677	
原美術店	原喜一郎	〒106-0031	港区西麻布3-1-23	03-3408-0124	
萬美堂	池上孝	〒108-0072	港区白金3-4-10	090-1813-5305	企画のみ
備前焼ギャラリー青山		〒107-0062	港区南青山6-1-6　パレス青山206	03-3797-4039	
Hideharu Fukasaku Gallery Roppongi	高宮洋子	〒106-0032	港区六本木7-8-9　深作眼科ビル1F/B1	03-5786-1505	企画・貸し併用
	上階:14㎡　下階:12㎡		上階:150,000円/6日　上下階:240,000円/6日（税込）		

ヒロミヨシイ六本木	吉井仁実	〒106-0032	港区六本木5-9-20-201	03-5772-5233
ファーガス・マカフリー東京		〒107-0061	港区北青山3-5-9	03-6447-2660
Books and Modern+Blue Sheep Gallery		〒107-0052	港区赤坂9-5-26　パレ乃木坂201	03-6804-1046
フヤマアート	布山博基	〒108-0075	港区港南4-6-4-1101	090-8802-7955
㈱平山堂	髙橋豊	〒105-0011	港区芝公園1-2-4　STビル1F	03-3434-0588
ペロタン東京		〒106-0032	港区六本木6-6-9　ピラミデビル1F	03-6721-0687
北斗画廊	木村明夫	〒105-0011	港区芝公園1-3-5　ジー・イー・ジャパンビル3F	03-3578-8871
松留商店	米田実	〒105-0001	港区虎ノ門3-7-4	03-3431-0725
MARUEIDO JAPAN	沖一成	〒107-0052	港区赤坂2-23-1　アークヒルズフロントタワー1F	03-5797-7040
				企画のみ
丸加	鈴木利雄	〒108-0071	港区白金台5-18-2	03-3441-1312
MISA SHIN GALLERY	辛美沙	〒108-0072	港区白金1-2-7	03-6450-2334
				企画のみ
水戸幸商会	吉田誠之助	〒106-0031	港区西麻布3-17-4	03-3470-4378
南青山［土火(どか)］	最上忠一	〒107-0062	港区南青山7-1-12　1F	03-3407-3477
	約22.5m	50,000円/10日(保証料)		企画・貸し併用

元麻布ギャラリー	関里子	〒106-0046	港区元麻布3-12-3	03-3796-5564
	34.48m	180,000円/6日(税抜)		企画・貸し併用
遊子画廊	毛束文子	〒108-0072	港区白金2-1-41-402	03-3473-5675
酉福	青山和平	〒107-0062	港区南青山2-6-12　アヌシー青山1F	03-5411-2900
ラトゥリエ		〒107-0062	港区南青山5-17-6-1F	03-3486-5343
	14m	35,000円/1日		企画・貸し併用
利菴アーツコレクション	中村圭吾	〒107-0062	港区南青山5-7-17　小原流会館B1F	03-6427-3300
				企画のみ
李青堂(Office)		〒106-0032	港区六本木6-12-2	03-5411-1622
㈱ル・モンド・デザール		〒105-6114	港区浜松町2-4-1　世界貿易センタービル14F	03-3431-1761
六本木605画廊	若梅有子	〒106-0032	港区六本木7-5-11　カサグランデ・ミワ605	03-3403-8690
	15m	150,000円/6日		企画・貸し併用
ロンドンギャラリー	田島充	〒106-0032	港区六本木6-6-9　ピラミデビル2F	03-3405-0168
ロンドンギャラリー白金	田島整	〒108-0072	港区白金3-1-15　白金アートコンプレックス4F	03-6459-3308
				企画のみ
Y's Gallery HIYOSHIDO		〒105-0014	港区芝3-12-12　サンテ・トゥルム芝公園1F	03-6809-6137
WAKO WORKS OF ART	和光清	〒106-0032	港区六本木6-6-9　ピラミデビル3F	03-6447-1820
				企画のみ

渋谷区・目黒区・品川区・大田区・世田谷区

art&river bank		〒145-0071	大田区田園調布1-55-20 浅間ビル206	03-3721-9421
㈱アートオブセッション	出川博一	〒150-0033	渋谷区猿楽町29-10 ヒルサイドテラスC棟25号室	03-5489-3686
				企画のみ
AF-LABO	関和宏	〒154-0002	世田谷区下馬4-20-5 オレンジハウス1F	03-6319-7453
				企画のみ
アートフロントギャラリー	北川フラム	〒150-0033	渋谷区猿楽町29-18 ヒルサイドテラスA棟	03-3476-4868
				企画のみ
アールビバン	野澤克巳	〒140-0002	品川区東品川4-13-14 グラスキューブ品川13F	03-5783-7171
i Gallery	牛場五朗	〒151-0065	渋谷区大山町45-2	080-7851-8666
				企画のみ
青山｜目黒	青山秀樹	〒153-0051	目黒区上目黒2-30-6	03-3711-4099
灯屋	渋谷新三郎	〒151-0053	渋谷区代々木4-8-1	03-3465-5578
秋山画廊	秋山田津子	〒151-0051	渋谷区千駄ヶ谷3-7-6	03-3401-9505
	23.8m	180,000円/6日		企画・貸し併用
麻樹画廊	川上正芳	〒157-0066	世田谷区成城5-25-21	03-5429-2317
浅野画廊	浅野圭太	〒153-0053	目黒区五本木1-34-13	03-3712-3507
㈱アズ・インターナショナル	牛嶋紀子	〒154-0014	世田谷区新町1-23-4-305	03-3425-3316
				企画のみ
アップリンク・ギャラリー	浅井隆	〒150-0042	渋谷区宇田川町37-18 トツネビル1F	03-6825-5502
	約4m	無料・要問い合わせ		企画・貸し併用
ANOMALY		〒140-0002	品川区東品川1-33-10 TERRADA Art Complex 4F	03-6433-2988
				企画のみ
ars gallery	宮崎泰彦	〒150-0001	渋谷区神宮前5-13-1 アルス表参道	03-3499-1113
アン・ギャラリー	篠田真弓	〒157-0062	世田谷区南烏山4-28-23-201	03-3326-1776
and gallery	ケンシ	〒154-0021	世田谷区豪徳寺1-7-9 1F	090-7286-5361
IKEDA GALLERY Tokyo	池田昭	〒140-0012	品川区勝島1-4-11 勝島倉庫B-604	090-6570-2141
				企画のみ
石原商店	石原悦朗	〒151-0051	渋谷区千駄ヶ谷5-2-4	03-3354-8215
伊藤美術	伊藤勉	〒152-0013	目黒区南1-18-3	03-3717-8218
稲垣美術店	稲垣哲行	〒153-0043	目黒区東山1-22-6-B	03-3719-4459
				企画のみ
器・Gallery たち花		〒145-0071	大田区田園調布2-42-18	03-5483-8286
				企画のみ
エスパス ルイ・ヴィトン東京		〒150-0001	渋谷区神宮前5-7-5 ルイ・ヴィトン表参道ビル7F	03-5766-1094
MEM	石田克哉	〒150-0013	渋谷区恵比寿1-18-4 NADiff A/P/A/R/T 3F	03-6459-3205
				企画のみ
MA2 Gallery	鳥飼めい子	〒150-0013	渋谷区恵比寿3-3-8	03-3444-1133
MDP GALLERY	田口健次	〒153-0042	目黒区青葉台1-14-18 1F	03-3462-0682
OVER THE BORDER		〒150-0022	渋谷区恵比寿南1-3-6 CIビル4F	03-6303-1514
				企画のみ

表参道画廊	里井彩里	〒150-0001	渋谷区神宮前4-17-3　アーク・アトリウムB-02	03-5775-2469
	22m・43㎡	160,000円/6日(税込)		企画・貸し併用
オリジナルクラフト	嶋谷文貴	〒141-0022	品川区東五反田1-3-20	03-6874-7499
				企画のみ
加藤画廊	加藤哲教	〒141-0031	品川区西五反田2-15-13　ニューハイツ西五反田103号	03-3493-2417
				企画のみ
加藤美術店	加藤功	〒152-0004	目黒区鷹番3-9-11	03-3712-1677
GALA	加納くに子	〒154-0022	世田谷区梅丘1-26-5　小山ビル2F	03-3439-3364
	20m	200,000円/10日		企画・貸し併用
画廊喫茶 神宮苑		〒150-0001	渋谷区神宮前3-14-17　神宮苑ビル	03-6804-3536
	9.07m	20,000円/6日(税抜)		貸しのみ
ギャラリーうえまつ	植松トシ子	〒154-0024	世田谷区三軒茶屋2-16-12	03-3410-5218
ギャラリーエーキューブ	上田力	〒150-0046	渋谷区松濤2-7-4　B1F	03-5453-6333
	30m	240,000円/6日		企画・貸し併用
ギャラリーエーキューブ プラス		〒150-0046	渋谷区松濤1-28-6	03-5456-0331
	20m	150,000円/6日		企画・貸し併用
ギャラリー KITA	北貞夫	〒145-0071	大田区田園調布5-3-15	03-3722-0139
ギャラリー 4GATS(クワトロガッツ)				
	植松節子	〒155-0033	世田谷区代田3-25-13	03-3421-7766
Gallery 工房 親		〒150-0013	渋谷区恵比寿2-21-3	03-3449-9271
	66.11㎡	150,000円/6日　25,000円/1日(税込)　他要問い合わせ		企画・貸し併用
ギャラリー古今	佐藤春喜	〒145-0064	大田区上池台2-32-4	090-1806-8885
Gallery 38	堀内晶子	〒150-0001	渋谷区神宮前2-30-28　原宿ホームズ101	03-6721-1505
				企画のみ
ギャラリー佐久間		〒140-0004	品川区南品川4-16-14-102	03-3450-3001
				企画のみ
ギャラリー6	石樽京子	〒150-0046	渋谷区松濤1-28-4	03-3461-5316
	1F:21m　B1F:41.5m	1F:200,000円/7日　B1F:350,000円/7日		企画・貸し併用
ギャラリー朱雀院	斎藤裕重	〒157-0061	世田谷区北烏山6-20-22	03-3307-6788
				企画のみ
ギャラリー space S		〒158-0082	世田谷区等々力5-14-18	03-3701-1471
	12㎡	15,000円/1日		企画・貸し併用
GALLERY TARGET	水野桂一	〒150-0001	渋谷区神宮前2-32-10	03-3402-4575
				企画のみ
ギャラリー TAO	井出玲子	〒150-0001	渋谷区神宮前4-8-6　メープルハウスB1F	03-3403-1190
GALLERY TAGA 2	田賀ひかる	〒157-0072	世田谷区祖師谷1-34-2	企画のみ
ギャラリーダッドアート	三島俊文	〒141-0023	大田区山王1-25-14	03-5743-7366
				企画のみ
ギャラリー田中温古堂	田中正	〒150-0001	渋谷区神宮前3-38-12　パズル青山2F	03-3470-2024
ギャラリー同潤会		〒150-0001	渋谷区神宮前4-12-10　表参道ヒルズ・同潤館2F	
	16m・30㎡	要問い合わせ		企画・貸し併用
ギャラリー東洋館	寺岡武男	〒145-0071	大田区田園調布1-21-18	03-3721-6200

ギャラリー東洋人	亀井節	〒150-0041	渋谷区神南1-5-2　川村ビル1F	03-3464-9140
				企画のみ
ギャラリー TOM	村山治江	〒150-0046	渋谷区松濤2-11-1	03-3467-8102
ギャラリーニイク	大畠奈緒	〒150-0001	渋谷区神宮前4-2-19	03-3479-2775
	18.15㎡	84,000円/7日(税抜)		企画・貸し併用
gallery21yo - j	黒田悠子	〒158-0082	世田谷区等々力6-24-11	03-3703-7498
				企画のみ
ギャラリー子の星		〒150-0034	渋谷区代官山13-8　キャッスルマンション113	03-6416-5919
	16.4m	108,000円/6日(税込)		企画・貸し併用
ギャラリー HANA 下北沢	本谷幸徳	〒155-0031	世田谷区北沢3-26-2	03-6380-5687
	13.70～20.66m		170,000円/6日(学割あり)	企画・貸し併用
ギャラリー広尾		〒150-0012	渋谷区広尾5-6-6　広尾プラザ2F	03-3444-1515
	29m	50,000円/1日		貸しのみ
ギャラリーみづの	水野一雄	〒140-0001	品川区北品川3-6-46-303	03-5479-6857
ギャラリー無垢里	金田正夫	〒150-0033	渋谷区猿楽町20-4	03-5458-6991
	27.25㎡	187,000円/6日		企画・貸し併用
Galerie LIBRAIRIE6	佐々木聖	〒150-0022	渋谷区恵比寿南1-12-2　南ビル3F	03-6452-3345
				企画のみ
ギャラリー・ルデコ	島中文雄	〒150-0002	渋谷区渋谷3-16-3　髙桑ビル3F～6F・B1	03-5485-5188
	30m～34m	200,000円/7日(税込)		貸しのみ
GALERIE ANDO	安藤のり子	〒150-0046	渋谷区松濤1-26-23	03-5454-2015
				企画のみ
GALERIE AZUR	坂本大	〒150-0031	渋谷区桜ヶ丘町26-1　セルリアンタワー東急ホテル1F	03-6427-0029
				企画のみ
Galerie412	村越美津子	〒150-0001	渋谷区神宮前4-12-10　表参道ヒルズ・同潤館3F	03-5410-0388
	15m・10坪	250,000円/6日(税抜)		企画・貸し併用
ギャルリ煌	菅沼茂明	〒156-0056	世田谷区八幡山1-12-28-201	03-5374-0550
CAGE GALLERY		〒150-0013	渋谷区恵比寿2-16-8　1F	
KENJI KUBOTA ART OFFICE		〒154-0012	世田谷区駒沢1-12-6-2	03-3411-9922
KOSAKU KANECHIKA	金近幸作	〒140-0002	品川区東品川1-33-10　TERRADA Art Complex 5F	03-6712-3346
				企画のみ
GoFa(Gallery of Fantasic Art)		〒150-0001	渋谷区神宮前5-52-2	03-3797-4417
	45m・70㎡	400,000円/7日(展示6日・設営1日)		企画・貸し併用
こくみん共済 coop ホール／スペースゼロ(全労済ホール)				
		〒151-0053	渋谷区代々木2-12-10　こくみん共済 coop 会館B1F	03-3375-8741
	ギャラリー：81㎡　展示室：52㎡　要問い合わせ			企画・貸し併用
児玉画廊｜天王洲	児玉公義	〒140-0002	品川区東品川1-33-10　TERRADA Art Complex 3F	03-6433-1563
				企画のみ
KOTARO NUKAGA	額賀古太郎	〒140-0002	品川区東品川1-33-10　TERRADA Art Complex 3F	03-6433-1247
御殿山ギャラリー一穂堂	青野恵子	〒140-0001	品川区北品川4-3-3	03-5420-4199
古美術ささき 本店	佐々木一	〒155-0031	世田谷区北沢3-2-11　レガーロ東北沢1F	03-5738-8332
古美術藪本	藪本俊一	〒145-0071	大田区田園調布2-25-15	03-5483-5353
古美術 結城	結城弦三	〒157-0066	世田谷区成城6-7-6　三浦ビル1F	03-3483-7118

近藤画廊		〒146-0095	大田区多摩川2-21-13	03-6671-5021
彩林堂画廊	林滋	〒150-0047	渋谷区神山町22-2	03-3467-6625
THE blank GALLERY	佐藤由基孝	〒150-0001	渋谷区神宮前3-21-6　大崎ビル3F	03-6804-5150
三青堂	青木繁	〒151-0066	渋谷区西原1-5-13	03-3469-2833
G/P gallery	後藤繁雄	〒150-0013	渋谷区恵比寿1-18-4　NADiff A/P/A/R/T 2F	03-5422-9331
				企画のみ
品川区民ギャラリー		〒140-0014	品川区大井1-3-6　イトーヨーカドー大井町店8F	03-3774-5151
	35m·125㎡	72,000円/6日(品川区民)	108,000円/6日(区民以外)(税込)	企画・貸し併用
しぶや黒田陶苑	黒田草臣	〒150-0002	渋谷区渋谷1-16-14　メトロプラザ1F	03-3499-3225
				企画のみ
島田画廊	島田茂	〒154-0002	世田谷区下馬6-43-5	企画のみ
壽泉堂画廊	久世加壽子	〒145-0071	大田区田園調布2-49-15	03-3721-5435
松壽堂	松永健嗣	〒152-0022	目黒区柿ノ木坂1-30-16	03-3718-4478
SCAI PARK	白石正美	〒140-0002	品川区東品川1-33-10　TERRADA Art Complex 5F	
STAGE 悠	服部準子	〒152-0035	目黒区自由が丘1-23-16	03-3724-5877
	1F：26m　地階：24m		1F：110,000円/5日　地階：80,000円/5日	企画・貸し併用
スマートシップギャラリー		〒155-0033	世田谷区代田6-6-1　ユニゾ下北沢3F	03-5465-1379
				企画のみ
正光画廊 戸越本店	塩野正雄	〒142-0041	品川区戸越6-1-12	03-5702-6591
				企画のみ
成城さくらさくギャラリー	青山多男	〒157-0066	世田谷区成城2-15-1	03-5727-3133
				企画のみ
青龍堂	小山健二	〒150-0012	渋谷区広尾2-2-19	03-6450-5085
積雲画廊	松浦久子	〒150-0001	渋谷区神宮前1-19-14　サンキュービル1F	03-3478-0993
	15m	150,000円/6日		企画・貸し併用
潺画廊	郷倉葉子	〒158-0081	世田谷区深沢6-4-12	03-3703-6255
				企画のみ
そうめい堂(洋画)		〒153-0042	目黒区青葉台4-5-2	03-3465-1014
千葉萬集堂	千葉延世	〒156-0043	世田谷区松原5-27-16	03-3325-0575
Tir na nog Gallery	ハンター京子	〒156-0044	世田谷区赤堤2-43-18	03-3322-1100
				企画のみ
デザインフェスタギャラリー EAST		〒150-0001	渋谷区神宮前3-20-2　1F/2F/3F	03-3479-1442
	0.58～67.3㎡	3,000円～357,000円/7日(税抜)		貸しのみ
デザインフェスタギャラリー WEST		〒150-0001	渋谷区神宮前3-20-18　1F/2F	03-3479-1442
	0.56～28.5㎡	3,000円～120,000円/7日(税抜)		貸しのみ
東美舎	中島勇雄	〒158-0095	世田谷区瀬田3-5-10	03-3700-4731
				企画・貸し併用

トキ・アートスペース	トキノリコ	〒150-0001	渋谷区神宮前3-42-5　サイオンビル1F	03-3479-0332
	28m	200,000円/6日		企画・貸し併用

中村好古堂	中村純	〒150-0036	渋谷区南平台町7-15-13	03-3461-7140
㈱那須屋	野口明嗣	〒153-0065	目黒区中町2-8-2	03-3791-8227
				企画のみ
NADiff a/p/a/r/t	田嶌直行	〒150-0013	渋谷区恵比寿1-18-4　NADiff A/P/A/R/T 1F	03-3446-4977
				企画のみ
NANZUKA	南塚真史	〒150-0002	渋谷区渋谷2-17-3　渋谷アイビスビルB2F	03-3400-0075
				企画のみ
日本画房	増本釟紀	〒151-0053	渋谷区代々木3-57-7	03-3370-2872
八犬堂ギャラリー		〒154-0001	世田谷区池尻2-4-5　IID 118	03-6453-2987
				企画のみ
鳩ノ森美術 art shop		〒151-0051	渋谷区千駄ヶ谷4-30-5	03-3408-8100
				企画のみ
鳩ノ森美術 gallery&office		〒151-0051	渋谷区千駄ヶ谷4-29-12　北参道ダイヤモンドパレス203	03-3408-8100
				企画のみ
パピエ画廊	中川瞭	〒158-0081	世田谷区深沢4-6-12-106	03-3702-7516
Pinpoint Gallery	西須由紀	〒150-0001	渋谷区神宮前5-49-5　Rハウス	03-3409-8268
	23m	185,000円（税抜）		企画・貸し併用
ふじい美術店	藤井作太郎	〒156-0043	世田谷区松原6-26-19　パラスト梅ヶ丘502号	03-3322-6355
BLUM & POE		〒150-0001	渋谷区神宮前1-14-34　原宿神宮の森5F	03-3475-1631
				企画のみ
Bunkamura Gallery		〒150-8507	渋谷区道玄坂2-24-1	03-3477-9174
Bunkamura Box Gallery		〒150-8507	渋谷区道玄坂2-24-1	03-3477-9174
	約20m・約50㎡		540,000円/7日（税込）	企画・貸し併用
㈱宝古堂美術	山田雄一郎	〒154-0011	世田谷区上馬4-16-11	03-5486-0008
宝古堂美術 代官山店	山田雄一郎	〒153-0051	目黒区上目黒1-1-6	03-3792-0008
ポスターハリスギャラリー	笹目浩之	〒150-0043	渋谷区道玄坂2-26-18　朝香ビル103	080-2023-0499
MASAHIRO MAKI GALLERY	牧正大	〒150-0001	渋谷区神宮前4-11-11　STAGE1 Omote-sando	03-6434-7705
松島書舫	嶋津外志彦	〒158-0097	世田谷区用賀3-25-1	03-3700-2545
				企画のみ
MAHO KUBOTA GALLERY	久保田真帆	〒150-0001	渋谷区神宮前2-4-7	03-6434-7716
				企画のみ

MULTICULTURE SPACE SALAD BOWL		〒158-0095	世田谷区瀬田4-29-11 833ビル1F	03-6411-7522			
ミウラ・アーツ	三浦誠	〒155-0031	世田谷区北沢1-19-14 東北沢ハウス501	03-3467-7353			企画のみ
棟方志功ギャラリー〈棟方志功鑑定委員会 受付窓口〉		〒150-8019	渋谷区道玄坂2-24-1 渋谷・東急本店8F	03-3477-3745			企画のみ
村山画廊	村山扶美子	〒141-0022	品川区東五反田2-16-1 ザ・パークタワー1907	03-3444-3015			企画のみ
Memorys Gallery 敬	関谷輝	〒154-0004	世田谷区太子堂5-15-3 R-rooms三軒茶屋1B	03-5432-9760			企画のみ
館・游彩		〒141-0021	品川区上大崎2-4-17	03-6459-3155			
ユカ・ツルノ・ギャラリー	鶴野ゆか	〒140-0002	品川区東品川1-33-10 TERRADA Art Complex 3F	03-5781-2525			企画のみ
RISE Gallery	麻生順一	〒152-0003	目黒区碑文谷4-3-12 1F	03-6303-3986			
LAPIN ET HALOT		〒150-0001	渋谷区神宮前5-44-2	03-5469-2570	17.9m	157,500円/6日	貸しのみ
六合荘書画房	石樽京子	〒150-0046	渋谷区松濤1-28-4	03-3461-5316			
緑蔭館ギャラリー AとB	柳田幸子	〒157-0066	世田谷区成城6-15-13	03-3484-4355			貸しのみ
LOKO GALLERY		〒150-0032	渋谷区鶯谷町12-6	03-6455-1376			企画のみ
㈱和光美術商会	松澤進吾	〒140-0002	品川区東品川3-23-27-906	03-3458-1582			企画のみ

新宿区

アートコンプレックスセンター	式田譲	〒160-0015	新宿区大京町12-9	03-3341-3253	30～83㎡	要問い合わせ	企画・貸し併用
eitoeiko	癸生川栄	〒162-0805	新宿区矢来町32-2	03-6873-3830			企画のみ
えすぱす ミラボオ		〒162-0825	新宿区神楽坂6-36-1 神楽坂ビル2F	03-6228-1884			
オリンパスギャラリー東京	丸山聡	〒160-0023	新宿区西新宿1-24-1 エステック情報ビルB1F	03-5909-0191	36m(最長48m)	32,400円/6日	企画・貸し併用
柿傳ギャラリー	安田尚史	〒160-0022	新宿区新宿3-37-11 安与ビルB2F	03-3352-5118			企画のみ
ギャラリー安藤	安藤佳幸	〒160-0022	新宿区新宿3-29-12	03-3353-1098			
ギャラリー飯田	飯田修巳	〒160-0034	新宿区上落合2-22-23-503	03-3364-2951			
ギャラリー絵夢	増田裕二	〒160-0022	新宿区新宿3-33-10 新宿モリエールビル3F	03-3352-0413	35m・70㎡	60,000円/1日(税抜)	企画・貸し併用
ギャラリー渓	石塚隆太郎	〒160-0021	新宿区歌舞伎町1-6-3 石塚ビル9F	03-3209-5676	24.4m		企画・貸し併用

ギャラリーころころ	砂古口一人	〒162-0056	新宿区若松町35-15	03-6457-3611
	9m	50,000円/6日(学生30,000円/6日)		企画・貸し併用
ギャラリーフォンテーヌ	泉田皇一	〒160-0022	新宿区新宿3-1-1　世界堂ビル6F	03-5360-4007
	46.5m	220,000円/6日(税抜)		企画・貸し併用
京王プラザホテルロビーギャラリー	渡辺真幸	〒160-0023	新宿区西新宿2-2-1　京王プラザホテル	03-3344-0111・(直通)03-5322-8061
ケンジタキギャラリー / 東京	滝顕治	〒160-0023	新宿区西新宿3-18-2-102	03-3378-6051
				企画のみ
KEN NAKAHASHI	中橋健一	〒160-0022	新宿区新宿3-1-32　新宿ビル2号館5F	03-4405-9552
				企画のみ
光明堂	西田岩市	〒160-0004	新宿区四谷3-9	03-3353-5231〜4
古美術 長谷雄堂	長谷川雄一郎	〒161-0033	新宿区下落合3-19-11	03-3953-6561
				企画のみ
新宿眼科画廊	タナカチエコ	〒160-0022	新宿区新宿5-18-11	03-5285-8822
新宿ニコンサロン／ニコンサロンbis新宿		〒163-1528	新宿区西新宿1-6-1　新宿エルタワー28F(ニコンプラザ新宿内)	03-3344-0565
				企画のみ
寿喜屋	渡辺雅弘	〒162-0837	新宿区納戸町35-2	03-3267-4545
清昌堂やました	山下寛一郎	〒162-0856	新宿区市谷甲良町1-8	03-5261-4566
TS4312	澤登丈夫	〒160-0004	新宿区四谷3-12　サワノボリビル9F	03-3351-8435
				企画のみ
㈱トーキョウアート	白川晴也	〒160-0022	新宿区新宿3-8-9　平生ビル8F	03-5363-8371
東洋美術学校 ギャラリー館	中込三郎	〒162-0067	新宿区富久町2-6	03-3359-7421
				企画のみ
DORADO GALLERY	小原聖史	〒162-0041	新宿区早稲田鶴巻町517	03-6809-3808
	10m	12,000円/1日		企画・貸し併用
HAGIWARA PROJECTS	萩原ゆかり	〒160-0023	新宿区西新宿3-18-2　サンビューハイツ新宿101	03-6300-5881
				企画のみ
花園画廊	関忠男	〒160-0022	新宿区新宿5-18-20　新宿オミビル10F	03-3200-8380
	28m	15,000円/1日(税込)		企画・貸し併用
パペットハウスギャラリー		〒162-0822	新宿区下宮比町1-8	03-5229-6477
パルスギャラリー	田中敏郎	〒162-0825	新宿区神楽坂2-21　パルスビル1F	03-3260-1349
	ギャラリー：22m・36㎡　カフェ：17m・36㎡			
	ギャラリー：130,000円/6日　カフェ：65,000円/6日　両方：175,000円/6日			企画・貸し併用
ヒルトピアアートスクエア		〒160-0023	新宿区西新宿6-6-2　ヒルトン東京B1F ヒルトピアショッピングアーケード内	03-3343-5252
	34.4〜95.2m	175,000円〜/7日(税抜)		貸しのみ
photographers' gallery		〒160-0022	新宿区新宿2-16-11-401	03-5368-2631
				企画のみ

フジギャラリー新宿		〒160-0023	新宿区西新宿6-6-2　ヒルトン東京B1F ヒルトピアショッピングアーケード内	03-6279-0049	企画のみ

Maki Fine Arts		〒162-0812	新宿区西五軒町5-1　エーワビル1F	03-5579-2086	企画のみ
松本美術	松本和之	〒160-0017	新宿区左門町21　ニュー信濃町ハイツ705	03-3353-1371	
ミヅマアートギャラリー	三潴末雄	〒162-0843	新宿区市谷田町3-13　神楽ビル2F	03-3268-2500	企画のみ
Yumiko Chiba Associates Viewing Room Shinjuku		〒160-0023	新宿区西新宿4-32-6　パークグレイス新宿206	03-6276-6731	企画のみ
ラ・ガルリ・デ・ナカムラ	中村あす香	〒162-0041	新宿区早稲田鶴巻町574　富陽ビル	03-3268-3309	企画のみ

台東区・文京区・北区・荒川区・足立区・葛飾区・墨田区・江戸川区・江東区

EARTH+GALLERY		〒135-0042	江東区木場3-18-17　1F	03-3630-1655	
	150㎡	HP参照			企画・貸し併用
㈱アート・スペース	福岡敏郎	〒135-0063	江東区有明3-7-26　有明フロンティアビルBタワー11F	03-6379-8885	企画のみ
ART TRACE GALLERY		〒130-0021	墨田区緑2-13-19　秋山ビル1F	050-8004-6019	企画のみ
Art Lab AKIBA	森下泰輔	〒111-0053	台東区浅草橋4-5-2　片桐ビル1F	03-5839-2985	企画のみ
Art Lab TOKYO	森下泰輔	〒111-0053	台東区浅草橋4-5-2　片桐ビル1F	03-5839-2985	企画のみ
味岡松華園	味岡一郎	〒110-0005	台東区上野5-1-7	03-3831-0325	
HARMAS GALLERY		〒135-0024	江東区清澄2-4-7	03-3642-5660	
アンドーギャラリー	安東孝一	〒135-0023	江東区平野3-3-6	03-5620-2165	企画のみ
池之端画廊	鈴木英之	〒110-0008	台東区池之端4-23-17　ジュビレ池之端	080-6588-0386	
居原田画廊	居原田真	〒113-0021	文京区本駒込6-22-8	03-3943-2159	企画のみ
いりや画廊	中村茂幸	〒110-0014	台東区北上野2-30-2	03-6802-8122	
	40m	180,000円/6日(税抜)			企画・貸し併用

WISH LESS		〒114-0014	北区田端5-12-10	03-5809-0696
				企画のみ
WAITINGROOM	芦川朋子	〒112-0005	文京区水道2-14-2　長島ビル1F	03-6304-1877
				企画のみ
上野画廊	石ヶ森俊道	〒110-0005	台東区上野6-3-11　上野ビル4F	03-3831-3834
	22m	30,000円/1日		貸しのみ
上松大雅堂	上田澄江	〒113-0031	文京区根津2-37-1　1F	03-3821-4689
				企画・貸し併用
江戸川アートミュージアム		〒132-0033	江戸川区東小松川3-1-1	03-5662-3417
㈲大谷美術	大谷一彦	〒112-0002	文京区小石川3-19-2	03-6801-5365
御茶道具 市川	市川榮一	〒113-0032	文京区弥生2-16-10	03-3813-8860
ondo STAY&EXHIBITION				
	池田敦	〒135-0024	江東区清澄2-6-12	03-6240-3673
				企画のみ
CASHI	松島英理香	〒111-0053	台東区浅草橋5-6-12　1F	03-5825-4703
				企画のみ
梶美術店	梶永一	〒113-0034	文京区湯島3-32-3	03-5812-4575
				企画のみ
GALERIEあさお		〒110-0002	台東区上野桜木1-5-9	03-3821-3960
				企画のみ
北里画廊	仲川吉雄	〒114-0015	北区中里2-5-1	03-3917-3451 ／ 03-3910-8853
	80m	285,000円/7日（税込）		企画・貸し併用
Gallery AaMo		〒112-0004	文京区後楽1-3-61　東京ドームシティ クリスタルアベニュー沿い	03-5800-9999
	730㎡	1,000,000円/1日		企画・貸し併用
ギャラリー安芸	宮島幸男	〒133-0051	江戸川区北小岩3-7-6	03-3658-1094
				企画のみ
ギャラリー五辻	五辻通泰	〒113-0022	文京区千駄木1-22-30　ヒルハウス201	03-5685-4786
				企画のみ
公益財団法人ギャラリーエークワッド				
	重田正年	〒136-0075	江東区新砂1-1-1　竹中工務店東京本店1F	03-6660-6011
				企画のみ
gallery kissa	瀧本佳成	〒111-0053	台東区浅草橋3-25-7　NIビル4F	03-5829-9268
	10m・42㎡	12,000円/1日（税抜）		企画・貸し併用
ギャラリー KINGYO		〒113-0022	文京区千駄木2-49-10	050-7573-7890
	1F：25m　2F：12m		1F：198,000円/6日　2F：66,000円/6日	企画・貸し併用
ギャラリー KOH	甲田成彦	〒112-0012	文京区大塚3-40-3	03-5981-8134
				企画のみ
ギャラリー抒情歌館	武生弘子	〒111-0033	台東区花川戸2-3-4-101	03-5830-3385
		160,000円/6日（月～土）　30,000円/1日（税抜）（各種割引あり）		企画・貸し併用
Gallery t		〒111-0052	台東区柳橋1-9-11	03-3862-8549
Gallery花影抄		〒113-0031	文京区根津1-1-14　らーいん根津202	03-3827-1323
				企画のみ

Gallery美の舎		〒110-0001	台東区谷中1-3-3 カサセレナ1F	03-5834-2048
	19.23㎡	117,000円/6日(学生60,000円/6日)		企画・貸し併用
GALLERYフェーマス	皆川槇二	〒113-0021	文京区本駒込3-20-3	03-5832-6405
Gallery Forgotten Dreams				
	田原誠	〒135-0021	江東区白河1-3-21 2F	03-5809-8217
				企画のみ
ギャラリー美香堂		〒130-0003	墨田区横川3-5-9	03-3625-0411
ギャラリーみやじま	宮島孝邦	〒120-0005	足立区綾瀬3-5-20 柏芳香ビル参号館502	03-5697-5278
GALLERY MoMo Ryogoku				
	杉田鐵男	〒130-0014	墨田区亀沢1-7-15	03-3621-6813
				企画のみ
ギャラリー森事務所	森哲美	〒120-0025	足立区千住東2-14-9	03-5244-0607
				企画のみ
K's Green Gallery	熊井芳孝	〒110-0002	台東区上野桜木2-13-3	03-3823-0901
光雲堂	大谷敬一	〒111-0053	台東区浅草橋1-30-11	03-3861-4943
弘和洞	倉田丈範	〒110-0001	台東区谷中7-18-6	03-3821-1024
				企画のみ
古美術はりま	播磨弘造	〒113-0031	文京区根津2-8-7 サニーフラット根津1F	03-3821-5798
古美術妙童	飯田次郎	〒113-0034	文京区湯島3-34-11	03-3832-1814
Contemporary Art GALLERYAN ASUKAYAMA				
		〒114-0023	北区滝野川1-18-1 1F-01	050-3553-6006
				企画のみ
西楽堂	西邦子	〒110-0005	台東区上野1-18-11 西楽堂ビル1F	03-3833-0024
サクラギャラリー		〒135-0024	江東区清澄3-7-4	03-3642-5590
				企画・貸し併用
S.O.C. Satoko Oe Contemporary				
	大柄聡子	〒135-0021	江東区白河3-18-8 第二杉田ビル1F	03-5809-9517
三柳堂	石井郡司	〒112-0011	文京区千石3-15-9-403	03-3945-0061
㈱シバヤマ	柴山裕史	〒110-0003	台東区根岸2-1-2	03-3873-9149
SCAI THE BATHHOUSE				
	白石正美	〒110-0001	台東区谷中6-1-23	03-3821-1144
				企画のみ
杉江美術店	杉江雄治	〒110-0005	台東区上野4-3-8	03-3831-7803
すぺーす小倉屋	伊藤隆夫	〒110-0001	台東区谷中7-6-8	03-3828-0562
				企画のみ
㈱晴雅堂清水	清水政吉	〒111-0032	台東区浅草2-30-11	03-3842-3777
セノオ美術 本店	妹尾泰志	〒112-0011	文京区千石2-23-4	03-3942-4111
セノオ美術 東大前店	妹尾泰志	〒113-0024	文京区西片2-23-1	03-3817-8111
千駄木画廊	河野祐治	〒113-0022	文京区千駄木1-20-8 木下ビル1F	03-3823-5021
Takashi Somemiya Gallery				
	染宮隆史	〒112-0014	文京区関口1-24-8	03-3267-0337
				企画のみ

田島美術店 上野本店	田嶋孝造	〒110-0005	台東区上野1-10-9	03-3831-6890	企画のみ
田中美術	田中康朗	〒114-0024	北区西ヶ原3-19-15	03-3910-6311	
東京絵画センター	新江勝	〒133-0044	江戸川区本一色1-9-5　新江ビル1F	03-3674-4773	
東光会アートギャラリー		〒113-0021	文京区本駒込5-60-16　セボンアダージオ文京101	03-5834-8221	
ときの忘れもの	綿貫令子	〒113-0021	文京区本駒込5-4-1　LAS CASAS	03-6902-9530	企画のみ
冨江洗心堂 アート・スペース洗心堂	冨江和夫	〒111-0033	台東区花川戸2-19-5　浅草壱番館702号	03-6427-6333	企画のみ
中井美術院	中井兂久江	〒113-0033	文京区本郷5-29-13-204	03-3812-8228	
中村美術店	中村正雄	〒113-0021	文京区本駒込6-15-20	03-3941-5928	
㈱那須屋	野口明嗣	〒110-0005	台東区上野1-13-2	03-3831-9670	企画のみ
日本美術倶楽部	野村隆昌	〒113-0034	文京区湯島3-10-5　マザービル1F	03-3837-9701	企画のみ
丹羽美術	丹羽三義	〒113-0031	文京区根津2-12-5	03-3821-4229	
羽黒洞 木村東介	木村品子	〒113-0034	文京区湯島4-6-11　湯島ハイタウン2F	03-3815-0431	210,000円/6日(税抜)　企画・貸し併用
華の実画廊	山田務	〒135-0044	江東区越中島1-3-12-212	03-3642-2682	企画のみ
半澤美術店	原良一	〒110-0002	台東区上野桜木2-9-2	03-3828-2646	企画のみ
HIGURE 17-15 cas		〒116-0013	荒川区西日暮里3-17-15	03-3823-6216	
Hiromart Gallery	西山博美	〒112-0014	文京区関口1-30-7　三村ビル1F	03-6233-9836	企画のみ
hiromiyoshii tokyo	吉井仁実	〒135-0062	江東区東雲2-9-13 2F TOLOT/heuristic SHINONOME内	03-3520-2117	
豊昇堂(小松屋)	戸田昌夫	〒110-0005	台東区上野1-14-1	03-3831-3088	
ほうよう美術	後藤豊	〒124-0006	葛飾区堀切5-31-1	03-3601-1474	
本郷美術骨董館	染谷尚人	〒113-0033	文京区本郷5-25-17　本郷美術ビル2F	03-0812-3211	
丸ヱ大野商店	大野一徳	〒113-0034	文京区湯島2-31-23	03-3811-4365	
陶器ショップ&ギャラリー「水犀」		〒111-0055	台東区三筋1-6-2　小林ビル3F		
無人島プロダクション	藤城里香	〒135-0022	墨田区江東橋5-10-5	03-6458-8225	
株式会社 茂木美術		〒135-0061	江東区豊洲2-5-1-714	03-3533-9994	
八木澤美術	八木澤秀雄	〒121-0807	足立区伊興本町1-15-3	03-3897-9387	
㈲柳井美術	柳井二郎	〒113-0022	文京区千駄木1-22-33	03-5842-1971	企画のみ
ユーラシアンアート龍		〒120-0034	足立区千住1-23-14　大倭ビル202	03-5284-1886	
吉野美術	吉野淳子	〒134-0088	江戸川区西葛西4-2-5-603	03-3686-7102	企画のみ
ロイドワークスギャラリー	井浦歳和	〒113-0034	文京区湯島4-6-12　湯島ハイタウン1F	03-3812-4712	企画のみ

湾岸画廊	山根章	〒135-0063	江東区有明3-7-11　有明パークビル1F	03-6457-2978
				企画のみ

杉並区・中野区・豊島区・板橋区・練馬区

アートギャラリー千代田	岩本明義	〒167-0043	杉並区上荻3-18-5	
アートキューブ	菅原秀一	〒170-0005	豊島区南大塚3-4-4　オークビル201号	03-3987-6461
梓美術	浅田淳一	〒170-0005	豊島区南大塚3-7-2　メゾン・ド・ルブレ1F	03-5396-0428
㈱アスペン	高良千賀子	〒177-0053	練馬区関町南2-20-9	03-6904-8098
Animanga Zingaro	村上隆	〒164-0001	中野区中野5-52-15　中野ブロードウェイ2F	03-5345-7313
				企画のみ
池袋画廊	矼博愛	〒171-0014	豊島区池袋2-2-1	03-3985-1327
井戸美術	井戸利明	〒168-0072	杉並区高井戸東4-5-15	03-3333-5775
Oz Zingaro	村上隆	〒164-0001	中野区中野5-52-15　中野ブロードウェイ4F	03-5318-4150
				企画のみ
KAYOKOYUKI	結城加代子	〒170-0003	豊島区駒込2-14-14	03-6873-6306
				企画のみ
ガレリア・プント	創形美術学校	〒171-0021	豊島区西池袋3-31-2	03-3986-1981
				企画のみ
ギャラリーあと・いず	堀川俊美	〒177-0052	練馬区関町東1-16-14　シルバーシティ石神井南館内	03-5991-8151
	11.79m	20,000円/月（光熱費）		貸しのみ
ギャラリー高雅堂	服部圭佑	〒167-0051	杉並区荻窪5-8-10	03-3393-1567
				企画のみ
Gallery香染美術	仲村信二	〒166-0015	杉並区成田東4-28-9	03-3314-9106
ギャラリー壽庵	猪鼻徳壽	〒167-0042	杉並区西荻北4-5-22	03-3399-2756
Gallery鶉（じゅん）	島田幸紀	〒171-0031	豊島区目白2-8-1	03-3971-0784
		平日30,000円/1日（土日祝祭38,000円/1日）（税抜）		企画・貸し併用
ギャラリー Shin Ei		〒170-0002	豊島区巣鴨1-17-1-101	03-3947-1333
ギャラリー高橋	高橋秀明	〒179-0072	練馬区光が丘1-6-3-605	03-3975-6444
ギャラリーたき	滝本伸一	〒168-0073	杉並区下高井戸5-26-9	03-3304-8134
ギャラリー広岡美術	廣岡典芳	〒166-0015	杉並区成田東5-2-3-206	03-3391-5514
GALLERY FUURO	早川愛美	〒171-0031	豊島区目白3-13-5　イートピア目白カレン1F	03-3950-0775
				企画のみ
Gallery FACE TO FACE		〒167-0054	杉並区松庵3-35-19　SHOEI BLDG.2 #102	03-6875-9377
ギャラリーフォルテ	澤田みどり	〒164-0001	中野区中野3-34-18　リュミエール401	03-5340-0850
ギャラリーフォレスト	林潤	〒176-0012	練馬区豊玉北1-9-1　株式会社フォレスト・ハイツ	03-3994-4473
				企画のみ
ギャラリープルシアンブルー				
	河野賢一郎	〒178-0063	練馬区東大泉1-11-9	03-3925-4860
	19.0m	50,000円/5日		企画・貸し併用
ギャラリー萠	島村和男	〒167-0051	杉並区荻窪4-29-8　オザオビル1F	03-5397-6951
				企画のみ
ギャラリーゆめじ	藤原利親	〒171-0033	豊島区高田1-36-22	03-3988-7751
	20m	100,000円/6日		企画・貸し併用

ギャラリーよし田	吉田泰典	〒168-0073	杉並区下高井戸3-1-4	03-5317-5477
	17m	129,600円/6日		貸しのみ
GALLERY RUVENT	鬼東恵司	〒171-0031	豊島区目白3-12-27	03-6908-3014
	12m	20,000円/1日(税込)		企画・貸し併用
ギャルリー・ジュイエ	福田利恵子	〒166-0002	杉並区高円寺北3-41-10　メゾンジュイエ1F	03-3310-8371
	約20m・約30㎡		50,000円/5日(税抜)	貸しのみ
栗原画廊(事務所)	栗原宏	〒171-0021	豊島区西池袋3-33-24　アポロマンション3F	03-3982-6044
栗原画廊(ギャラリー)	栗原宏	〒171-0021	豊島区西池袋3-19-5　寿マンション1F	03-3982-6041
	20m	90,000円/6日(税抜)(月～土)		企画・貸し併用
古美術 木琴堂	則武宏明	〒164-0001	中野区中野5-52-15　中野ブロードウェイセンター内4F	03-3228-2171
駒込倉庫 Komagome SOKO		〒170-0003	豊島区駒込2-14-2	
三陽アート商会	坂本勲	〒175-0083	板橋区徳丸3-28-6	03-3932-2750
昌平美術	菅野昌治	〒167-0054	杉並区松庵3-40-9　永谷ビル302	03-3334-8800

末松翠竹堂	末松郁子	〒168-0082	杉並区久我山4-43-20　ヴェール久我山302	03-5941-3513
清美堂美術店	原田克己	〒171-0021	豊島区西池袋3-8-18	03-3986-2055
Seta Gallery	勢田秀明	〒166-0012	杉並区和田2-38-8-701	03-5932-7878
				企画のみ
TURNER GALLERY		〒171-0052	豊島区南長崎6-1-3　ターナー色彩東京支店	03-3953-5155
	のべ94㎡	10,800円/1日(税込)		企画・貸し併用
TALION GALLERY		〒171-0031	豊島区目白2-2-1　B1F	03-5927-9858
長栄堂	服部郁兄	〒165-0021	中野区丸山1-16-16-218	03-5380-0127
中村美術	中村惠	〒168-0063	杉並区和泉2-36-24	03-3322-4017
西台ギャラリー・サンス	国方忠明	〒175-0045	板橋区西台3-35-13	03-3931-1599
新田美術店	新田英夫	〒176-0021	練馬区貫井1-43-12	03-3998-6328
				企画のみ
日本美商㈱	市瀬豊秋	〒170-0013	豊島区東池袋1-31-5　池袋アビタシオン103	03-3982-0355
Para GLOBE	伊丹裕	〒166-0012	杉並区和田3-54-5　第10田中ビルB1F	03-3315-6950
	50㎡	10,000円/1日		企画・貸し併用
B-gallery	長はるこ	〒171-0021	豊島区西池袋2-31-6	03-3989-8608
				企画のみ
Hidari Zingaro	村上隆	〒164-0001	中野区中野5-52-15　中野ブロードウェイ3F	03-5345-7825
				企画のみ
ポルトリブレ デ・ノーヴォ	平井勝正	〒166-0003	杉並区高円寺南3-25-18	03-6884-4769
	約10.6m・約12.4㎡		50,000円/6日　80,000円/10日	企画・貸し併用
MISAKO & ROSEN		〒170-0004	豊島区北大塚3-27-6	03-6276-1452

遊工房アートスペース		〒167-0041	杉並区善福寺3-2-10	03-3399-7549
				企画のみ
WISE ART	原澤希介・吉川晶子	〒167-0051	杉並区荻窪4-32-3　AKオギクボビル2F	03-6383-6066

吉祥寺・三鷹・国立・多摩ほか

アート石川	石川学	〒190-0003	立川市栄町3-40-8	042-529-5743
				企画のみ
アートスペース88	岩﨑春伸	〒186-0004	国立市中1-9-66	042-577-2011
	25.4m	165,000円/6日		企画・貸し併用

Art Space 水音		〒181-0001	三鷹市井の頭4-3-17	0422-26-7507
				企画・貸し併用
エスパスダール西の木		〒186-0005	国立市西2-11-36	042-577-2744
	25m	95,000円/6日		企画・貸し併用
櫂画廊	若杉博保	〒203-0054	東久留米市中央町1-14-25	042-471-2752
				企画のみ
画廊岳	佐野佳世	〒186-0002	国立市東1-14-17	042-576-9909
	25m	180,000円/6日		企画・貸し併用
画廊荘	小林克江	〒186-0003	国立市富士見台3-8-7	042-576-2553
画廊橘	中島睦夫	〒206-0801	稲城市大丸536-5-2-1106	042-378-3195
川田美術	川田秀人	〒198-0043	青梅市千ヶ瀬町3-460	0428-22-3844
ギャラリー GiNDORO		〒186-0003	国立市富士見台2-21-6	0425-27-3907
	25m	75,000円/6日		企画・貸し併用
ギャラリーケイ	久保田晃弘	〒180-0004	武蔵野市吉祥寺本町2-4-14　吉祥寺第一ホテル1F	0422-21-2350
	19m・56㎡	160,000円/6日		貸しのみ
ギャラリー桜井	櫻井武	〒189-0013	東村山市栄町2-5-1　阿辺川ビル1F	042-396-2269
				企画のみ
Galleryサテンドール	山里伊登	〒180-0003	武蔵野市吉祥寺南町2-13-4-103	0422-48-1023
	23㎡	64,800円/6日（税込）		企画・貸し併用
Gallery惺SATORU	島田夏於	〒180-0005	武蔵野市御殿山1-2-6　ビューキャニオン吉祥寺御殿山B102	0422-41-0435
				企画のみ
ギャラリージェイコ	松井文彦	〒194-0001	町田市つくし野2-25-15	042-796-8771
GALLERY TACHIBI		〒190-0022	立川市錦町1-5-17	042-527-3907
				企画のみ
ギャラリーテムズ	野崎悦子	〒184-0013	小金井市前原町3-20-2	042-384-3564
				企画のみ

ギャラリー・フロイデン	吉井政子	〒192-0081	八王子市横山町25-16　フロイデンビル地階	0426-46-0900
ギャラリー武者小路		〒181-0001	三鷹市井の頭5-17-8　ラ・パーチェ1F	0422-47-6452
				企画のみ
ギャラリーむらうち	村内道昌	〒192-8551	八王子市左入町787　村内ファニチャーアクセス2B	0426-91-2881
ギャラリー悠 YOU	前田トシ子	〒186-0004	国立市中1-9-38	042-575-2051
ギャラリーゆうき		〒183-0012	府中市押立町4-37-1	090-6116-6161
ぎゃらりー由芽	久保清子	〒181-0013	三鷹市下連雀4-15-2-101	0422-47-5241
	18m	15,000円/1日		企画・貸し併用
ぎゃらりー由芽のつづき	久保清子	〒181-0013	三鷹市下連雀4-15-1-103	0422-47-5241
	24m	12,000円/1日		企画・貸し併用
ぎゃらりーロア	萩生田進	〒192-0082	八王子市東町12-7	0426-45-8352
	15m	50,000円/6日(税抜)		企画・貸し併用
Gallery ロージナ・イトー	伊藤安ら子	〒186-0004	国立市中1-9-42	042-575-4074
galerie Colombe	佐野佳世	〒186-0002	国立市東1-14-17　2F	042-576-9909
	5.4×5.8m	140,000円/6日		企画・貸し併用
ギャルリー成瀬17	成澤賢	〒194-0045	町田市南成瀬1-1-2　2F	042-705-6840
	23m	60,000円/6日		企画・貸し併用

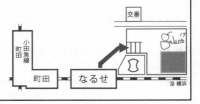

熊沢美術	熊澤次郎	〒202-0006	西東京市栄町2-1-6	042-455-5353
ケイツウアート	金谷鉄雄	〒194-0031	町田市南大谷705-6-856	042-723-7988
				企画のみ
コート・ギャラリー国立	岩﨑春伸	〒186-0004	国立市中1-8-32	042-573-8282
	ギャラリー1:33.96m ギャラリー2:33.20m	ギャラリー1:226,800円/6日	ギャラリー2:205,200円/6日(個展)	企画・貸し併用

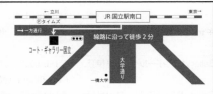

兒嶋画廊	兒嶋俊郎	〒185-0024	国分寺市泉町1-5-16	042-207-7918
				企画のみ
さかい屋美術店	寺久保宗男	〒180-0003	武蔵野市吉祥寺南町1-11-12　さかいやビル1F	0422-44-8376
自然館画廊	渋谷静雄	〒184-0004	小金井市本町1-15-18	042-381-4100
switch point	本郷かおる	〒185-0012	国分寺市本町4-12-4　1F	042-321-8956

双ギャラリー	塚本豊子	〒184-0003	小金井市緑町2-14-35	042-382-5338
				企画のみ
多摩アートコレクション	小田切民子	〒186-0003	国立市富士見台3-1-21	042-573-9701
司画廊		〒185-0012	国分寺市本町4-20-10　国分寺女子ハイツ2	0423-24-0015
	31m（可動壁使用時41m）		84,000円/6日	企画・貸し併用
なるせ美術座	村田修	〒194-0045	町田市南成瀬4-7-4　公園上	042-723-2988
美術サロンあおき	青木満男	〒186-0004	国立市中1-20-2　青木ビル1F	042-572-0174
				企画のみ
隠丘書廊 HILLSIDE GALLERY				
	唐聖予	〒192-0907	八王子市長沼町104-2　ヒルサイドテラス平山城址2-5	042-683-0177
				企画のみ
フジ・ギャラリー	鴻野雄平	〒190-0023	立川市柴崎町2-11-10	042-526-8880
プラザ・ギャラリー	伊藤容子	〒182-0002	調布市仙川町1-25-2	03-3300-1010
				企画のみ
プレヴィジョン画廊	田所孝康	〒182-0022	調布市国領町1-8-14　ハイム都1F	042-444-6590
ホンド画廊	本戸康予	〒190-0181	西多摩郡日の出町大久野6679	042-597-3714
武蔵野アート		〒180-0023	武蔵野市境南町3-21-18	0422-33-1731
森谷美術	森谷善一郎	〒193-0833	八王子市めじろ台4-18-8	042-667-0101
リベストギャラリー創	荒井伸吉	〒180-0002	武蔵野市吉祥寺東町1-1-19	0422-22-6615
	18.35m	210,000円/7日		企画・貸し併用

横浜市

アート横濱	柳原義晴	〒232-0055	横浜市南区中島町4-66-104	045-309-8239
旭ギャラリー	江崎勲	〒241-0004	横浜市旭区中白根2-5-26	045-955-3388
				企画のみ
ATELIER K・ART SPACE				
	中村弱子	〒231-0868	横浜市中区石川町1-6　三甚ビル3F	045-651-9037
				企画のみ
arte Bianca		〒234-0055	横浜市港南区日野南1-2-36	080-5517-7371
上田創美堂	上田茂行	〒231-0066	横浜市中区日ノ出町1-65	045-241-7258
神奈川県民ホールギャラリー		〒231-0023	横浜市中区山下町3-1	045-662-5901(代)
	57.7～76.4m　61,880～122,640円			企画・貸し併用
金子商店	金子紀昭	〒231-0005	横浜市中区本町1-9　SKビル1F	045-201-3277
画廊AKIRA-ISAO	佐々木勲	〒231-0023	横浜市中区山下町25-1　上田ビル3F	045-264-4835
				企画のみ
画廊 楽		〒231-0028	横浜市中区翁町1-3　小原ビル2F/1F	045-681-7255
	2F：33m　1F：30m　2F：100,000円/7日　1F：200,000円/7日（税込）			企画・貸し併用
Gallery ARK	濱田幸男	〒231-0024	横浜市中区吉浜町2-4　アクシス元町1F	045-681-6520
ギャラリーダダ		〒220-0011	横浜市西区高島2-18-1　横浜新都市ビル（そごう）9F	045-461-1533
	A:20.5m　B:15.2m　A:200,000円/7日　B:160,000円/7日　A+B:324,000円/7日（税抜）			企画・貸し併用
ギャラリー仲摩	仲摩マサ枝	〒226-0015	横浜市緑区三保町2060番地	090-1053-6642
GALLERY PAST RAYS	井上和明	〒231-0023	横浜市中区山下町246-5　秋山ビル1F	045-661-1060
				企画のみ

gallery枇杷	及川たか子	〒231-0013	横浜市中区住吉町4-42-1-4（（財）関内ホール）	080-1091-1925
				企画のみ
ギャラリーみむら	三村良子	〒220-0072	横浜市西区浅間町3-184　三村ビルB1F	045-311-8517
				企画・貸し併用
gallery元町	宮地茂	〒231-0861	横浜市中区元町5-216	045-663-7565
	13m	97,200円/6日		貸しのみ
ギャルリーパリ	森田彩子	〒231-0021	横浜市中区日本大通14番地　横浜三井物産ビル1F	045-664-3917
				企画・貸し併用
ぎゃるり じん	小林直樹	〒231-0868	横浜市中区石川町2-85	045-681-5900
	13m	63,000円/6日		貸しのみ
鶴見画廊	山本美智子	〒230-0062	横浜市鶴見区豊岡町6-9　サンワイズビル3F	045-584-7208
	25m	90,000円/6日（税抜）		企画・貸し併用
戸塚ギャラリー	須長健二	〒244-0003	横浜市戸塚区戸塚町45-3	045-871-0980
	20m	50,000円/5日（税込）		企画・貸し併用
仲通りギャラリー	箕田敏彦	〒231-0006	横浜市中区南仲通4-39-2　箕田関内ビル1F	045-211-1020
中山画廊	中山誠	〒244-0003	横浜市戸塚区戸塚町736　レジデンスアカシA-101	045-866-2211
				企画のみ
爾麗美術	鈴木正道	〒231-0023	横浜市中区山下町214　中華街延平門（西門）通り　TAO（道）ビル2F	045-222-4018
	20m	100,000円/6日		企画・貸し併用
のむら画廊	野村栄弥	〒230-0062	横浜市鶴見区豊岡町4-10	045-582-6662
				企画のみ
BankART 1929オフィス		〒231-0012	横浜市中区相生町3-61　泰生ビル1F	045-663-2812
番町画廊	松宮郁子	〒227-0061	横浜市青葉区桜台5-18	045-983-3888
f.e.i art gallery	深作秀春	〒220-0003	横浜市西区楠町5-1　深作眼科ビル1F	045-325-0081
				企画のみ
FEI ART MUSEUM YOKOHAMA				
	高宮洋子	〒221-0835	横浜市神奈川区鶴屋町3-33-2　横浜鶴屋町ビル1F	045-411-5031
	全室：160㎡　半室：80㎡		全室：360,000円　半室：280,000円/6日	企画・貸し併用
みつい画廊	三井克之	〒231-0041	横浜市中区吉田町5-1（ハヤカワ画材店）	045-261-3321
	45m	150,000円/7日		貸しのみ
横浜市民ギャラリー	松井美鈴	〒220-0031	横浜市西区宮崎町26-1	045-315-2828
	要問い合わせ			企画・貸し併用

神奈川（横浜市以外）

Artisans 北鎌倉	清田晴美	〒247-0062	鎌倉市山ノ内184-3-C	050-5806-9401
アートウィング	鷹箸富男	〒213-0015	川崎市高津区梶ヶ谷3-15-33	044-888-6689
伊豆画廊	稲葉好子	〒254-0045	平塚市見附町23-15	0463-33-9327
かさぎ画廊	笠木和子	〒238-0041	横須賀市本町1-12	0468-26-2170
				企画のみ
かさぎ画廊	笠木和子	〒248-0021	鎌倉市坂ノ下25-20	0467-23-3876
				企画のみ
鎌倉画廊	中村文則	〒248-0031	鎌倉市鎌倉山4-1-11	0467-32-1499
				企画のみ

名称	代表者	郵便番号	住所	電話
鎌倉ドゥローイング・ギャラリー	瀧口眞一	〒248-0012	鎌倉市御成町6-24	0467-61-1950
				企画のみ
画廊銀杏	高橋逸夫	〒254-0043	平塚市紅谷町10-12	0463-22-2106
画廊たくら	田倉明雄	〒252-0813	藤沢市亀井野1-25-7-101	0466-82-7773
ギャラリー樹	小野るり	〒248-0025	鎌倉市七里ガ浜東4-24-3	0467-32-0302
ギャラリー壹零参堂(いわさどう)	岩佐洋子	〒248-0005	鎌倉市雪ノ下3-8-18　ウインデア雪の下201	0467-24-5103
				企画のみ
ギャラリーエコール	須山喜義	〒257-0035	秦野市本町1-2-16	0463-81-5229
				企画のみ
ぎゃらりぃおくむら		〒248-0005	鎌倉市雪ノ下2-12-11	0467-22-6752
ギャラリー華沙里	井上みさこ	〒215-0021	川崎市麻生区上麻生1-10-6-205	044-954-2333
㈱ギャラリー華陶	加藤晴夫	〒248-0031	鎌倉市鎌倉山4-5-19	0467-31-4483
				企画のみ
ギャラリー小垣	小垣誠	〒247-0064	鎌倉市寺分2-6-8	0467-45-5676
Galleryジ・アース	若山愛加	〒248-0005	鎌倉市雪ノ下1-6-22	0467-25-5235
	1F：20m　2F：8m		70,000円/6日（税込）	企画・貸し併用
Gallery Gigi		〒251-0036	藤沢市江の島1-4-11	企画のみ
ギャラリー伸	新井伸男	〒248-0006	鎌倉市小町2-9-3　2F	0467-24-4081
	24.5m	25,000円/1日		企画・貸し併用
ギャラリーピクトル	山本紗知	〒248-0014	鎌倉市由比ガ浜3-1-28　鎌倉テーラービル202	080-7085-8404
ギャラリーひらかた	平形茂	〒211-0061	川崎市中原区小杉3-8-6　レジデンス小杉301	044-733-0805
ギャラリーヤマダ 逗子店	山田隆志郎	〒249-0001	逗子市久木4-17-35　ハウス17.35 A101	046-873-5023
				企画のみ
ギャルリーヴェルジェ	細谷玉江	〒252-0344	相模原市南区古淵2-3-7　T&T第2ビル1F	042-776-6375
	25.39m	40,000円/5日		企画・貸し併用
ギャルリソワ	千葉きぬ	〒214-0021	川崎市多摩区宿河原6-12-3　ストリーム多摩101	
久兵衛庵 東京美術	内田勝	〒212-0054	川崎市幸区小倉4-6-46	044-599-1017・1232
				企画のみ
小杉画廊		〒211-0063	川崎市中原区小杉町3-1501-1-304	044-572-9031
相模原市民ギャラリー		〒252-0231	相模原市中央区相模原1-1-3　セレオ相模原4F	042-776-1262
	第1展示室:174.2m　第2展示室:97.5m　第3展示室:85.7m（各室結合可）　第1展示室:19,500円			
	第2展示室:9,700円　第3展示室:9,700円（すべて1日あたり。土日祝は別価格）			企画・貸し併用
湘南台画廊	山本秀明	〒252-0804	藤沢市湘南台7-8-1	0466-45-0301
				企画のみ
湘南西脇画廊	西脇成治	〒251-0038	藤沢市鵠沼松ガ岡4-17-15　ウエストサイド松が岡1F	0466-22-5792
				企画のみ
大宥美術	工藤登千	〒250-0854	小田原市飯田岡44-1-102	0465-39-3226
瀧屋美術	瀧本了	〒248-0014	鎌倉市由比ガ浜3-1-31	0467-22-3927
				企画のみ
タケダ美術	武田次男	〒243-0422	海老名市中新田22-1-201	046-233-2428
ツノダ画廊	角田克宏	〒250-0011	小田原市栄町1-16-15	0465-22-4250
	28m	50,000円/5日		貸しのみ

㈱T&Tギャラリー	星野年男	〒211-0006	川崎市中原区丸子通1-639　大山第二ハウス	044-431-0631
東海美術	林皓	〒228-0001	座間市相模が丘1-38-19	046-252-8759
美術サロン泉	小泉清隆	〒238-0014	横須賀市三春町1-31	0468-23-0607
むつみ画廊	河原睦生	〒242-0002	大和市つきみ野4-12-1-406	046-275-0366
				企画のみ
大和 花の画房	髙見みさこ	〒242-0021	大和市中央7-1-28	046-264-7946
	20m	10,000円/1日(税込)		企画・貸し併用
和光洞画廊	山口益弘	〒243-0432	海老名市中央2-4-1　イオン海老名SC3F	046-232-7584
				企画のみ

千葉

アートサロン	田中京子	〒260-0855	千葉市中央区市場町2-6	043-222-2962
Art Do	吉田正美	〒285-0807	佐倉市山王2-14-2	043-483-1387
				企画のみ
アートビュー	清水護	〒286-0004	成田市宗吾2-299-8	0476-36-7971
アトリエスズキ	鈴木恒男	〒272-0021	市川市八幡4-4-12-102	047-727-1036
				企画のみ
アミュゼ柏		〒277-0005	柏市柏6-2-22	04-7164-4552
和泉画廊	和泉民人	〒272-0823	市川市東菅野3-4-12	0473-33-8190
大澤古美術店栃木屋	大澤一仁	〒274-0824	船橋市前原東1-1-1　美術会館内	047-476-2728
				企画のみ
画廊ジュライ	戸塚主税	〒260-0013	千葉市中央区中央4-5-1　きぼーる2F	043-224-4984
	32m	140,000円/6日		企画・貸し併用
河原町画廊	佐藤裕之	〒272-0021	市川市八幡2-2-19-1205	047-333-0032
				企画のみ
鬼獲堂	川井田聰	〒284-0044	四街道市和良比241	043-432-2524
掬水ギャラリー	大浦明	〒263-0054	千葉市稲毛区宮野木町1664-9	043-284-1561
				企画のみ
如月美術	木本裕司	〒272-0816	市川市本北方1-15-15	047-334-9541
				企画のみ
ギャラリーアンアート	松本琢巳	〒267-0066	千葉市緑区あすみが丘5-60-16	043-294-6010
				企画のみ
ギャラリー坂和	坂和正夫	〒272-0823	市川市東菅野3-28-5	0473-34-9100
Gallery生光	阿部研一	〒277-0832	柏市北柏1-5-1	04-7163-5678
ギャラリー古島	古島博子	〒260-0033	千葉市中央区春日2-25-11　古島ビル2F	043-243-3313
	33m・40㎡	20,000円/1日(税抜)		企画・貸し併用
Gallery睦		〒260-0045	千葉市中央区弁天3-8-11	043-287-2355
	82㎡	25,000円/1日(税込)		企画・貸し併用
ギャラリー雄美	早坂義雄	〒260-0013	千葉市中央区中央4-14-1　千葉不動産ビル1F	043-301-4833
桂林画廊	園辺哲	〒277-0023	柏市中央1-5-7　園辺ビル1F/2F	04-7163-8362
				企画のみ
下総屋画廊	山下浩美	〒260-0027	千葉市中央区新田町2-19　岩澤ビル5F	043-238-1028
昭和画廊	田島伸治	〒271-0092	松戸市松戸618-1　LM松戸柿ノ木台701	090-1845-9623

スズトヨ画廊	鈴木秀章	〒292-0831	木更津市富士見1-7-12	0438-25-2245
點燈夫ギャラリー	吉田正美	〒260-0028	千葉市中央区新町1000　そごう千葉店9F	043-245-8249
				企画のみ
陶芸ギャラリー呂久呂	野口敏勝	〒260-0013	千葉市中央区中央3-4-10	043-224-5251
東方画廊	江上華	〒260-0034	千葉市中央区汐見丘町9-13	043-243-2327
	6×6m	120,000円/6日		企画・貸し併用
中村美術	中村弘樹	〒262-0023	千葉市花見川区検見川町1-104-4	043-273-1715/090-2236-0185
				企画のみ
袴田美術店	袴田規誉計	〒285-0845	佐倉市西志津2-9-21	043-489-7112
				企画のみ
BandH Gallery	藤津恵	〒276-0037	八千代市高津東4-3-8	090-1938-5389
平成美術ギャラリー	大澤一仁	〒274-0824	船橋市前原東1-1-1　美術会館内	047-476-2828
				企画のみ
丸山美術	丸山和則	〒274-0805	船橋市二和東5-24-4	047-448-3655
				企画のみ
八千代画廊	鈴木和子	〒276-0031	八千代市八千代台北17-20-16	047-485-0870
㈲ランカイ	福徳久士	〒272-0831	市川市稲越町484-9	090-1212-8839
龍画廊	高橋英二	〒273-0104	鎌ヶ谷市東鎌ヶ谷1-1-26	

茨城

アートセンター・タキタ		〒310-0026	水戸市泉町3-1-29	029-221-2772
	1F:22m　2F:40m		要相談	企画・貸し併用
㈱赤坂・赤坂美術	説田和彦	〒300-0037	土浦市桜町1-16-6	029-821-0757
		要相談		企画・貸し併用
潮来市立水郷まちかどギャラリー				
	草野好夫	〒311-2424	潮来市潮来182-3	0299-63-3113
金澤美術 ギャラリー曜燿	金澤大介	〒309-1611	笠間市笠間2372-5	0296-71-7566
				企画のみ
画廊いいむら	飯村節江	〒309-1626	笠間市下市毛358	0296-72-6253
ギャラリー・ザザ		〒312-0043	ひたちなか市共栄町8-18	029-274-1151
ギャラリーナカタニ		〒312-0047	ひたちなか市表町12-3	029-275-0133
壽画廊	平壽朗	〒302-0034	取手市戸頭9-13-20	0297-78-7458
三彩洞	滝田宗一	〒310-0033	水戸市常盤2-7-4	029-231-5896
まつえだ画廊	松枝侊男	〒306-0011	古河市東2-19-31	0280-32-1512
				企画のみ
マロン美術館	大塚子之吉	〒310-0802	水戸市柵町1-1-13　大塚屋3F	029-224-2413
れいしん	戸祭貞次郎	〒302-0005	取手市東1-7-8	0297-73-0002

栃木

足利乾ギャラリー	茂木欽司	〒326-0814	足利市通5-3190	0284-21-8610
	33m	60,000円/6日(税込)		企画・貸し併用
石川美術品店	石川晴彦	〒320-0804	宇都宮市二荒町5-3	028-637-1213

岩船画廊	岩船哲也	〒328-0053	栃木市片柳町1-22-30	0282-22-1586
	85㎡	20,000円/1日(学割あり)		企画・貸し併用
M画廊		〒326-0814	足利市通6-3159-1	0284-22-8056
ギャラリーAi	山本悦子	〒323-0811	小山市犬塚4-10-16	0285-22-3988
	10坪	10,000円/1日(税込)		企画・貸し併用
ギャラリー・イン・ザ・ブルー				
	青木俊子	〒321-0953	宇都宮市東宿郷3-1-9　あかねビル1F	028-635-5832
				企画のみ
ギャラリーファンタジア佐野				
	藤田富貴子	〒327-0821	佐野市高萩町463-2	0283-21-0820
				企画のみ
ギャラリー碧		〒326-0805	足利市巴町2547	0284-21-3258
				企画のみ
ギャラリー緑陶里(みどり)(やまに大塚2階)				
	大塚善五	〒321-4218	芳賀郡益子町城内坂88	0285-72-7711
				企画のみ
御縁洞美術品店	福田五郎	〒320-0011	宇都宮市富士見が丘3-14-4	028-624-4034
青陽堂	青柳忠憲	〒323-0807	小山市城東6-14-22	0285-23-1472
				企画のみ
匠堂	赤川雅彦	〒321-0904	宇都宮市陽東1-10-10	028-660-0794
				企画のみ
永山表装センター	永山富夫	〒321-3531	芳賀郡茂木町茂木1596	0285-63-5573
				企画のみ
西邑画廊	渡辺光男	〒321-0953	宇都宮市東宿郷3-5-18	028-637-3721
				企画のみ

埼玉

アートギャラリー月桂樹	森務	〒350-0234	坂戸市緑町5-6	049-283-3377
	30坪			企画・貸し併用
カノーヤ美術画廊	加納正義	〒360-0815	熊谷市本石2-183	048-523-1344
川越画廊	金子勝則	〒350-0066	川越市連雀町14-2　2F	049-225-3260
				企画のみ
ギャラリー恵風	斉藤恵子	〒343-0845	越谷市南越谷4-15-13	048-989-1899
ギャラリー河野	河野昭	〒359-1146	所沢市小手指南1-6-11	04-2924-6727
				企画のみ
ギャラリーMARUMO	丸茂貴詳	〒343-0828	越谷市レイクタウン5-12-2-262	048-993-4125
				企画のみ
ギャラリーユニコン	中村美麗	〒350-0042	川越市中原町2-23-2	049-229-5201
	要問い合わせ	150,000円/6日(税抜)		企画・貸し併用
共同美術	壺内正徳	〒350-0016	川越市木野目252-6	049-235-3414
槻画廊		〒343-0002	越谷市平方3061-1	048-979-6718
古美術つくば	増淵一夫	〒338-0002	さいたま市中央区下落合6-5-7	048-854-2988
	60㎡	15,000円/1日		企画・貸し併用

古美術もとやま	本山禎一郎	〒361-0077	行田市忍2-14-1	048-556-2215
埼玉画廊	岡村睦美	〒332-8511	川口市栄町3-5-1　そごう川口店5F	048-271-5088
彩里堂	池田武夫	〒360-0823	熊谷市榎町377-3	048-524-2230
奈良美術	奈良竹一	〒334-0056	川口市峰250-1　ライオンズマンション403	048-296-8319
松屋美術	天沼義江	〒330-0063	さいたま市浦和区高砂2-13-19　大栄ビル1F	048-833-5628
				企画のみ
柳沢画廊	柳沢敏明	〒330-0063	さいたま市浦和区高砂2-14-16　柳沢ビル2F/3F	048-822-2712
				企画のみ
rings Art	大久保文之	〒360-0847	熊谷市籠原南1-39-504	090-4245-5012
私の美術館	森義行	〒362-0805	北足立郡伊奈町栄6-145	048-884-9371
				企画のみ

群馬

アートギャラリーミューズ	松村俊二	〒379-2154	前橋市天川大島町3-7-9	027-243-3888
				企画のみ
㈲アートミュージアム赤城	柿沼久康	〒371-0103	前橋市富士見町小暮2420-67	027-288-7674
	40m			企画・貸し併用
阿久津画廊	阿久津仁一	〒371-0805	前橋市南町3-44-1	027-223-2259
	31.5m	120,000円/6日		企画・貸し併用
画廊オブジェ	清水雅子	〒370-3523	高崎市福島町742-6	027-373-3922
	30.5m	10,000円/1日		企画・貸し併用
ギャラリーイシザワ	石澤毅	〒370-0803	高崎市大橋町11	027-325-9203
				企画のみ
高美堂タムラ美術店	田村次郎	〒370-0803	高崎市大橋町161-6	027-324-0794
美術サロンあいざわ	相澤一男	〒371-0017	前橋市日吉町1-1-7　アイビータウン日吉107号	027-231-7604
				企画のみ

北海道

いしい画廊	石井照子	〒040-0011	函館市本町31-22	0138-51-1302
	25～31m	50,000円/6日		企画・貸し併用
㈱懐玉堂美術	鳥谷部守	〒060-0063	札幌市中央区南3条西6-5	011-271-0555
画廊丹青	伊藤忠雄	〒085-0015	釧路市北大通5-5　丸善伊藤ビル2F/3F	0154-22-2473
				貸しのみ
ギャラリー国際美術	橋本健	〒087-0024	根室市宝林町2-91	0153-23-3578
ギャラリーシーズ	久木佐知子	〒070-0832	旭川市旭町2条3丁目11-31	0166-53-8886
				企画のみ
Gallery Jin produced by ヒラマ画廊				
	平間明鑑	〒070-0031	旭川市1条通6丁目　クリスタルビル1F	0166-29-3000
	パネル使用時70m	A室：103,000円 B室：55,000円 全室：150,000円		企画・貸し併用
ギャラリー梅鳳堂	高橋敏八	〒070-0033	旭川市3条8丁目買物公園	0166-23-4082
				企画のみ
ギャラリー門馬&ANNEX	大井恵子	〒064-0941	札幌市中央区旭ヶ丘2-3-38	011-562-1055

ギャルリ アンヴォル	高橋敏八	〒070-0822	旭川市旭岡2-13-8　北の嵐山梅鳳堂地階	0166-54-3868
				企画のみ
コンチネンタルギャラリー	本間良二	〒060-0061	札幌市中央区南1条西11丁目　コンチネンタルビルB1F	011-207-5518
	57m	150,000円/6日(税抜)		貸しのみ
さいとうgallery	齋藤友子	〒060-0061	札幌市中央区南1条西3丁目1番地　LA GALLERIA 5F	011-222-3698
	A室:28.4m　B室:27.9m		A室:178,200円/6日　B室:172,800円/6日(税込)	貸しのみ
札幌市民ギャラリー		〒060-0052	札幌市中央区南2条東6丁目	011-271-5471
	29.6m～	12,600円/6日～		企画・貸し併用
清昌堂やました	山下寛一郎	〒060-0002	札幌市中央区北二条西14-3-11	011-281-4566
テンポラリースペース	中森敏夫	〒001-0016	札幌市北区北16条西5丁目1-8	011-737-5503
	20m	70,000円/7日		企画・貸し併用
はこだてギャラリー	落合良治	〒040-0012	函館市時任町22-7	0138-32-8831
				企画のみ
原田古美術洞	原田宏	〒001-0923	札幌市北区新川3条12丁目9-18	011-762-3043
美術新彩堂	新田一博	〒060-0003	札幌市中央区北3条西18丁目　新田ビル1F	011-612-0041
				企画のみ
ミヤタ画廊	宮田勝	〒085-0245	釧路市中園町19-1	0154-22-4333
	23m	50,000円/6日(税抜)		企画・貸し併用
森美術店	森良三	〒064-0804	札幌市中央区南4条西8丁目-6	011-521-0701
横山美術	横山忠司	〒060-0053	札幌市中央区南3条東1丁目-6	011-251-7652・1788
レンガ館ギャラリー梅鳳堂	高橋敏八	〒060-0032	札幌市中央区北2条東4丁目　サッポロファクトリーレンガ館2F	011-207-4082
ワンダーランドファクトリー		〒099-2103	北見市端野町三区391-2	080-1977-6691
				企画のみ

青森

小野画廊 本店	小野剛史	〒031-0043	八戸市三日町30-2	0178-44-4198
				企画のみ

岩手

implexus art gallery		〒020-0015	盛岡市本町通1-8-22　トーカンマンション上の橋103	019-625-6380
画廊古文閣	鈴木長太夫	〒023-0826	奥州市水沢区中田町5-5　スズキビル2F	0197-22-2804
				企画のみ
正光画廊 盛岡店	塩野正雄	〒020-0133	盛岡市青山4-44-10	019-646-4190

宮城

阿部敬四郎ギャラリー	阿部敬四郎	〒980-0811	仙台市青葉区一番町4-10-16　梅原ビルB1F	022-796-1527
				企画のみ

秋田

ギャラリー杉	杉渕薫	〒010-0921	秋田市大町1-3-27　大町商屋館	018-866-5422
				企画のみ
古美術廣報堂	鷲見一彦	〒010-0013	秋田市南通築地7-14	018-832-3910

響画廊		〒010-0001	秋田市中通2-1-22	018-833-6121

山形

彩画堂	高橋吉昭	〒990-0043	山形市本町1-4-24	023-623-0336
	5×8.5m	5,000円/1日(税抜)		企画・貸し併用
新古美術助川	助川龍治	〒997-0034	鶴岡市本町1-7-8	0235-24-1002
わらべ画廊	武田雄輔	〒994-0013	天童市老野森1-15-1	023-653-0885

福島

足利ギャラリー	足利純一	〒969-3471	会津若松市河東町広田字田中原5	0242-76-1007
				企画のみ
画廊好雅堂	池田雅博	〒963-8017	郡山市長者1-3-2	0249-22-0250
菊林堂美術店	菊地秀子	〒960-8031	福島市栄町11-25	024-522-0527
ギャラリー観		〒963-8002	郡山市駅前1-6-5	0249-32-8756
				企画のみ
ギャラリーマスガ		〒962-0052	須賀川市西川字池の上31-2	0248-76-7511

新潟

アートサロン遊心堂	深田正明	〒943-0832	上越市本町4-1-6	025-526-4887
	25m	10,000円/1日		企画・貸し併用
㈱岡仙汲古堂	岡田順造	〒950-0008	新潟市中央区万代4-3-20	025-384-4884
楓画廊	三ツ井伸一	〒950-3321	新潟市北区葛塚3210-9	025-229-6792
				企画のみ
Kaede Gallery+full moon				
	三ツ井伸一	〒951-8065	新潟市中央区東堀通4-453	025-229-6792
	20m	12,000円/1日		企画・貸し併用
夃美術店	広井久一郎	〒940-0065	長岡市坂之上町3-2-12	0258-33-1509
川島美術店	川島常紀	〒953-0043	新潟市西蒲区堀山15-甲	0256-72-3277
北日本工芸㈱	北村惇夫	〒950-0912	新潟市中央区南笹口1-6-9	025-243-0181
				企画のみ
近代 長岡店	鳥越春男	〒940-2127	長岡市新産3-1-7	0258-46-3939
				企画のみ
近代 新潟店	鳥越春男	〒950-0983	新潟市中央区神道寺2-1-6	025-255-6810
				企画のみ
高久美術店	高橋久義	〒959-1258	燕市仲町4523	0256-62-2470
たけうち画廊	竹内功己	〒951-8062	新潟市中央区西堀前通2-715 スタービル1F	025-222-0751
				企画のみ
㈱冨江洗心堂 糸魚川店	冨江和夫	〒941-0068	糸魚川市本町2-8	0255-52-0429
				企画のみ
にいがた「銀花」ギャラリー		〒951-8124	新潟市中央区医学町通1-70	025-222-4395
	約12m	要相談		企画・貸し併用
㈱福田画廊	福田雄司	〒955-0092	三条市須頃2-79	0256-46-0175
	25m	10,000円/1日(税抜)		企画・貸し併用

㈱もろはし美術店 本店	諸橋弘	〒955-0045	三条市一ノ門2-14-2	0256-33-1048
ゆうき画廊	金子結城	〒959-1311	加茂市加茂新田7802	0256-53-1104
和敬堂	土肥豊久	〒940-0088	長岡市柏町1-2-16	0258-33-8510

富山

アートギャラリー栄	新田晴夫	〒930-0032	富山市栄町1-4-3	076-424-0790
	36.3㎡	6,000円/1日(税込)		貸しのみ
青木美術	老田武司	〒930-0083	富山市総曲輪2-7-12	076-421-0039
				企画のみ
ギャラリー叡観堂	川原稔	〒939-8083	富山市西中野本町11-10	076-422-6636
Gallery M	松山大伸	〒939-8211	富山市二口町2-7-2	076-491-3845
				企画のみ
ギャラリーくごう		〒930-0016	富山市柳町3-1-15	076-441-1125
GALLERY KUGO	久郷幸史	〒930-0887	富山市五福556-1	076-411-9798
				企画のみ
ギャラリーシマダアート	徳舛修	〒930-0025	富山市日之出町1-13	076-433-3738
				企画のみ
ギャラリー NOW	富山剛成	〒930-0944	富山市開85	076-422-5002
				企画のみ
ギャラリー和絵夢	平瀬和絵	〒930-0921	富山市中間島1-58	076-424-3555
古美術たなだ	棚田英明	〒934-0092	高岡市中曽根356-4	0766-82-2867
清華堂画廊	澤野進	〒930-0047	富山市常盤町8-3	076-421-5008
富山ガラス工房		〒930-0151	富山市古沢152	076-436-2600
				企画のみ
中谷画廊	中谷進	〒939-8086	富山市東中野町3-4-5	076-491-2633
				企画のみ
日吉堂		〒934-0042	射水市作道281-1	0766-84-6880
㈱松沢美術	松澤将臣	〒933-0816	高岡市二塚445-5	0766-21-0366
				企画のみ
吉江栄川堂	吉江康幸	〒939-1610	南砺市福光6705	076-352-0334

石川

atelier & gallery creava		〒920-0865	金沢市長町2-6-51	076-231-4756
	要問い合わせ			企画・貸し併用
金沢卯辰山工芸工房		〒920-0832	金沢市卯辰町ト10	076-251-7286
Galleria Ponte (ガレリアポンテ)				
	本山陽子	〒921-8031	金沢市野町1-1-44	076-244-6229
画廊プラザ樹	東良勝	〒920-0846	金沢市昌永町6-20	076-252-5888
				企画のみ
ギャラリーアルトラ	林誠平	〒920-0917	金沢市下堤町7番地 アルトラビル3F	076-231-6698
	42m	15,000円/1日(税抜)		企画・貸し併用
ギャラリー点	金田みやび	〒921-8011	金沢市入江2-243	076-292-2140
玄羅アート	黒谷政人	〒920-0853	金沢市本町2-15-1 ポルテ金沢3F	076-255-0988

白井美術		〒920-0962	金沢市広坂1-2-27	076-262-6848
serif s		〒920-0902	金沢市尾張町1-8-7	076-208-3067
谷庄 金沢店	谷村庄太郎	〒920-0906	金沢市十間町44	076-221-7000
美術商㈱石黒商店	石黒太朗	〒920-0906	金沢市十間町53	076-231-5114
ひろた美術画廊	広田芳江	〒921-8061	金沢市森戸1-103	076-240-0007
	A:33.13m　B:23m　C:20.9m	A:100,000円/7日　B:40,000円/7日　C:40,000円/7日		企画・貸し併用
ルンパルンパ	絹川大	〒921-8815	野々市市本町1-29-1　スマイリー 1F	076-287-5668
				企画のみ

福井

gallery AXIS 6917	寺下清兵衛・坂巻喜久	〒918-8076	福井市本堂町69-17	0776-37-0120
				企画のみ
美術 森川	森川裕司	〒918-8004	福井市西木田2-4-7	0776-36-0380

山梨

アサヒギャラリー	望月章子	〒400-0866	甲府市若松町10-6　ドエル・セントラル1F	055-227-7611
				企画のみ
遠藤美術	遠藤陽一	〒409-3601	西八代郡市川大門町1142	055-272-2471
山鏡堂画廊	加賀美舜	〒400-0031	甲府市丸の内1-21-21	055-232-8866
				企画のみ
三彩洞	清水透耶	〒400-0065	甲府市貢川1-1-12	090-1456-4803
				企画・貸し併用

長野

㈱永和堂	朝倉万幸	〒380-0836	長野市南県町1136　NTTビル隣	026-228-0001
echizen GALO	小池隆	〒380-0826	長野市北石堂町1452　2F	026-262-1266
	6m	要相談		貸しのみ
えびす画廊		〒392-0013	諏訪市沖田町1-131-1　カマクラビル1F	0266-58-7234
河西画廊		〒392-0004	諏訪市諏訪2-1-14	0266-58-0187
	35m	10,000円/1日		企画・貸し併用
カンヴァス城山	中村恵美子	〒380-0802	長野市上松3-1870-1	026-235-0933
	33m	110,000円/7日		企画・貸し併用
ギャラリー駒	斉藤精	〒386-1101	上田市下之条41-4	0268-25-8866
ギャラリー桜の木・軽井沢	岩関禎子	〒389-0102	北佐久郡軽井沢町軽井沢1151-21	0267-41-2788
				企画のみ
ギャラリー石榴	薄井宏彦	〒390-0821	松本市筑摩2-17-10	0263-27-5396
				企画のみ
ギャラリーブーケ	奥田久美子	〒399-8205	安曇野市豊科2248-3	
ギャルリー留歩	米澤章雄	〒399-8301	安曇野市穂高有明7403-8	0263-83-6785
				企画のみ
沢柳画廊	沢柳政彦	〒399-3105	下伊那郡高森町牛牧2672-4	0265-35-5209
信濃画廊	関悦雄	〒389-0518	東御市本海野1735	0268-64-3110

太古堂 本店	小林康雄	〒389-0115	北佐久郡軽井沢町西部小学校前	0267-45-7171
	25m	25,000円/1日		企画・貸し併用
天龍堂画廊	原貞美	〒395-0027	飯田市馬場町1-15	0265-23-0620
長野国際ギャラリー		〒380-0838	長野市県町576　ホテル国際21本館1F	026-238-8900
				企画のみ
ニシムラ画廊 長野店	大日方英一	〒380-0823	長野市南千歳1-8-4	026-224-1671
				企画のみ
はら美術		〒396-0024	伊那市坂下旭町3303	0265-74-0751
				企画のみ

岐阜

愛晃堂画廊	森康彰	〒503-0911	大垣市室本町4-68	0584-78-7449
				企画のみ
生駒美術	生駒和夫	〒500-8029	岐阜市東材木町14	058-263-5394
石原美術	石原左恵	〒500-8046	岐阜市米屋町24	058-262-4313
伊藤織喜商店	伊藤盛康	〒500-8233	岐阜市蔵前3-16-8	058-245-2374
多和田商会	多和田恵美子	〒501-6006	羽島郡岐南町伏屋4-204	058-246-2020
小野静観堂	小野由孝	〒503-0903	大垣市東外側町1-2	0584-78-4492
画廊オギソ	小木曽由雄	〒509-6101	瑞浪市土岐町7272-1	0572-67-0882
	30m	50,000円/5日(税込)		企画・貸し併用
画廊光芳堂	杉山範彦	〒500-8017	岐阜市梶川町1	058-263-2012
				企画のみ

画廊不知火	中尾斗美	〒507-0038	多治見市白山町4-19　センチュリーハイツ1F	0572-22-1221
画廊文錦堂	堀江知宏	〒500-8113	岐阜市金園町3-26	058-263-7751
ギフ美術	村山寛	〒500-8226	岐阜市野一色6-7-22	058-247-1639
ギャラリーいまじん		〒500-8113	岐阜市金園町4-12-3	058-265-6790
ギャラリーヴォイス		〒507-0033	多治見市本町5-9-1　たじみ創造館3F	0572-23-9901
				企画・貸し併用
ギャラリーゑぎぬ	渡辺人祥	〒500-8875	岐阜市柳ヶ瀬通1-15-2	058-264-1680
				企画のみ
ギャラリーカランドリエ	北村嘉久	〒502-0804	岐阜市上土居4-12-24	058-295-1357
GALLERY CLEF	青塚真由美	〒500-8116	岐阜市殿町1-12	058-242-9399
				企画のみ
ギャラリーこうけつ	纐纈君平	〒500-8847	岐阜市金宝町1-15　CUTビル	058-265-3305
				企画のみ

GALLERY KOHODO	杉山道彦	〒500-8182	岐阜市美殿町4	058-266-5255
				企画のみ
ギャラリー水無月	豊田純	〒503-1503	岐阜市明徳町5	058-263-2450
				企画のみ
Gallery Rin		〒501-3803	関市西本郷通3-5-28	0575-22-0133
ギャラリー Y's	山口康夫	〒500-8882	岐阜市西野町7-15	058-251-6468
				企画のみ
玉陽堂	田口一成	〒505-0032	美濃加茂市田島町3-10-1	0574-27-1450
國井美術眞言堂	國井増太郎	〒500-8026	岐阜市上大久和町11-5	058-263-5744
光陽社・ギャラリー紫雲	中島健治	〒500-8364	岐阜市本荘中の町10-37-3	058-272-4311
後藤紙店	後藤清七	〒500-8355	岐阜市六条片田1-15-3	058-274-6055
五番館	伏見五男	〒500-8384	岐阜市藪田南5-16-28	058-272-0005
サロン関西美術社	小島逸平	〒509-0136	各務原市松が丘5-71	058-384-2727
				企画のみ
新日本美術	辻武慶	〒501-3933	関市向山町4-8-10	0575-21-3216
星美堂	星川晏秀	〒501-0322	瑞穂市古橋1741-2	058-328-3754
田口美術	田口良成	〒500-8364	岐阜市本荘中ノ町10-43-1	058-277-0285
長江洞画廊	若山晴夫	〒500-8061	岐阜市小熊町2-22	058-262-0541
				企画のみ
㈱中島美術	長谷部貞子	〒500-8315	岐阜市六条片田1-16-3	058-273-2487
日本美術館	中島一弘	〒500-8066	岐阜市下太田町10	058-264-4147
野村骨董店	野村吉伸	〒500-8842	岐阜市金町1-17	058-264-3041
美術の森	岡崎拓	〒501-0462	本巣市宗慶557-1	058-323-8018
伏重産業㈱	伏屋和之	〒500-8241	岐阜市領下1569番地	058-245-1853
㈱丸百商会 美術部	伏屋徳弘	〒500-8185	岐阜市元町3-9	058-265-1455
				企画のみ
モリシタ画廊	森下智樹	〒506-0011	高山市本町3-50	0577-32-1590
柳ヶ瀬画廊	市川博一	〒500-8875	岐阜市柳ヶ瀬通3-21	058-262-3481
				企画のみ

吉野画廊	森弓子	〒500-8844	岐阜市吉野町3-10	058-265-1023

静岡

アフリカン アート ギャラリー		〒413-0235	伊東市大室高原1-209	0557-51-5757
GALLERYエクリュの森		〒411-0035	三島市大宮町2-16-21 伸和ビル1F	055-976-2320
ギャラリーえざき		〒420-0035	静岡市葵区七間町8-20 毎日江崎ビル2F	054-255-2231

ギャラリー清水	杉本静雄	〒426-0034	藤枝市駅前2-6-16	054-641-0850
				企画のみ
ギャラリー天竺	中川亮一	〒411-0845	三島市加屋町1-13	055-972-9676
				企画のみ
ギャラリー十夢	横井友子	〒420-0011	静岡市葵区安西1-55-1	054-273-3507
	30.2㎡	約10,000円/1日(内容により変動あり)		企画・貸し併用
ギャラリー 701		〒411-0855	三島市本町7-30　Via701　2F	055-976-0038
	49m	100,000円/6日(税抜)		企画・貸し併用
星倭画廊	長島啓介	〒420-0852	静岡市葵区紺屋町8-12	054-255-0208
髙野万洋堂	髙野万里	〒414-0002	伊東市湯川1-12-15	0557-37-8065
天象堂画廊	森山和保	〒433-8122	浜松市中区上島6-4-19	053-472-5389
三島パサディナ美術館	大庭修二	〒411-0803	三島市大場1086-72	055-983-6262
	60m	100,000円/8日		企画・貸し併用
渡邊画廊	渡邊瑛	〒424-0812	静岡市清水区小芝町1-13	0543-66-5367

名古屋市

アート買取協会	松井星生	〒460-0007	名古屋市中区新栄1-12-26　AKKビル10F	052-241-1177
アートギャラリー小森	小森鋭一	〒460-0008	名古屋市中区栄3-5-12先　栄　森の地下街南四番街	052-265-8740
				企画のみ
アート・コレクション中野	中野貴紀	〒460-0008	名古屋市中区栄3-27-7　904号	052-251-5855
アートサロン光玄	中林幸雄	〒466-0826	名古屋市昭和区滝川町47-153　名古屋TV八事ハウジング前	052-839-1877
				企画のみ

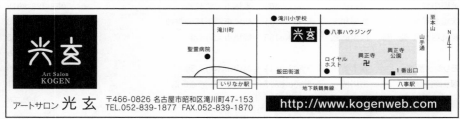

アートスペースA-1		〒460-0008	名古屋市中区栄1-24-28	052-232-6266
アートスペースNAF		〒464-8610	名古屋市千種区今池2-1-10　河合塾千種校南館	052-735-1596
				企画のみ
アート佑美	曽根卓也	〒462-0032	名古屋市北区辻町1-43-1	052-914-0751
アールグリシーヌ		〒467-0031	名古屋市瑞穂区弥富町緑ヶ岡5　Bonne ChanceⅡ	052-831-3303
				企画のみ
IDF-ANNEX	竹松千華	〒465-0051	名古屋市名東区社が丘1-108	052-702-1206(GALLERY IDF)
AIN SOPH DISPATCH	天野智恵子	〒453-0013	名古屋市中村区亀島1-8-26	052-433-1619
				企画のみ
AGA・T		〒466-0025	名古屋市昭和区下構町1-7-3	052-841-4417
IZUTO		〒460-0003	名古屋市中区錦3-13-33　いづ藤ビル2F	052-961-0230
				貸しのみ
いづみ画廊	小山雅弘	〒461-0028	名古屋市瑞穂区初日町2-13-5	052-833-1231

伊藤美術店	伊藤親志	〒460-0008	名古屋市中区栄3-2-3　日興證券ビルB2F	052-242-2278
		応相談		企画・貸し併用
岩勝画廊	岩田薫	〒460-0008	名古屋市中区栄2-6-1　RT白川ビル1F	052-202-1770
				企画のみ
ウエストベスギャラリーコヅカ	小塚正和	〒450-0002	名古屋市中村区名駅5-29-9　マリービル	052-571-8777
				企画のみ
ウロコヤ横井商店	横井一雄	〒406-0008	名古屋市中区栄2-7-33	052-231-4377
かね吉榮画廊	岩瀬吉弘	〒451-0043	名古屋市西区新道1-5-5	052-571-8288
ガレリア・デ・アルテ	渡辺元男	〒460-0003	名古屋市中区錦3-15-32　タケガビル3F	052-972-8554
				企画のみ
ガレリア フィナルテ	福田久美子	〒460-0011	名古屋市中区大須4-6-24　成田ビル上前津B1F	052-242-8684
	31m	230,000円/12日		企画・貸し併用
画廊桂花堂	中村文治	〒464-0807	名古屋市千種区東山通3-11	052-781-8880
画廊松徳	松橋徳雄	〒460-0003	名古屋市中区錦2-2-22　名古屋センタービル別館1F	052-223-5005
画廊日輪	澤野仁	〒460-0008	名古屋市中区栄3-23-14　山市ビル104	052-252-8477
				企画のみ
画廊若林		〒461-0004	名古屋市東区葵1-6-7　大昌ビル2F	052-225-7215
	約30m	44,100円/7日(1週間未満8,400円/1日)		企画・貸し併用
神田画廊	神田正勝	〒465-0065	名古屋市名東区梅森坂3-3301	052-705-0522
樹樹画廊(kiki)	下村直樹	〒454-0807	名古屋市中川区愛知町42-1	052-351-6867
				企画のみ
ギャラリーアートグラフ	神谷和憲	〒465-0093	名古屋市名東区一社1-78　名昭ビル3B号室	052-753-7695
				企画のみ
GALLERY IDF	竹松千華	〒465-0051	名古屋市名東区社が丘1-201　IDFビル2F	052-702-1206
				企画のみ
ギャラリーあおい	松原伸	〒460-0008	名古屋市中区栄3-4-5　栄ビル(ノバ)8F	052-265-2530
				企画のみ
ギャラリーアサダ	浅田健二	〒464-0057	名古屋市千種区法王町2-5　2F	052-762-7231
				企画のみ
GALLERY APA	渡邊見美	〒467-0003	名古屋市瑞穂区汐路町1-14　2F	052-842-2500
				企画のみ
ギャラリー彩(1F/4F)	杉本知枝美	〒460-0003	名古屋市中区錦3-25-12　AYA栄ビル1F/4F	052-971-4997
	4F：35.6m　1F：20.5m	4F:300,000円/9日　1F:100,000円/9日(税抜)		企画・貸し併用
ギャラリー安里	門万暉	〒464-0821	名古屋市千種区末盛通1-18　覚王ハイツ1F	052-762-5800
	16m	120,000円/7日		企画・貸し併用
ギャラリーイスクラ	浅井正人	〒460-0007	名古屋市中区新栄1-12-26　AKKビル8F	052-241-0577
GALLERY VALEUR	長谷部敏克	〒465-0094	名古屋市名東区亀の井1-2-001	052-753-4638
				企画のみ
ギャラリー A・C・S	佐藤文子	〒460-0008	名古屋市中区栄1-13-4　みその大林ビル1F	052-232-0828
				企画のみ
ギャラリー芽楽	池田哲夫	〒465-0065	名古屋市名東区梅森坂1-903	052-702-3870
		11,000円/1日(税込)		企画・貸し併用

ギャラリー 北岡技芳堂	北岡淳	〒460-0011	名古屋市中区大須3-1-76　大須本町ビル1F	052-251-5515
				企画のみ
ギャラリー・ぐりーむ	鬼頭伸子	〒460-0008	名古屋市中区栄4-6-8　名古屋東急ホテル1F	052-252-2811
				企画のみ
ギャラリー栗本くらしの器		〒460-0008	名古屋市中区栄2-1-12　ダイアパレス伏見203	052-202-1230
ギャラリー顕美子	滝顕治	〒460-0008	名古屋市中区栄3-20-25　北九ビル1F	052-264-7741
				企画のみ
ギャラリー聚	高尾加津子	〒460-0008	名古屋市中区栄3-21-1　利光ビル1F	052-263-3161
	22m	150,000円/6日		企画・貸し併用

ギャラリータカミ	内田彰	〒465-0064	名古屋市名東区大針1-185	052-704-8250
ギャラリーたかやま	高山常隆	〒450-0003	名古屋市中村区名駅南1-1-17	052-541-7813
ギャラリー東海美術	加古東洋夫	〒464-0071	名古屋市千種区若水3-19-18	052-711-7013
Gallery NAO MASAKI	正木なお	〒461-0004	名古屋市東区葵2-3-4　三光ビル	052-932-2090
				企画のみ
ギャラリー野田・NODA CONTEMPORARY				
	野田千佐子	〒460-0008	名古屋市中区栄3-32-9　アークロック栄ビル2F	052-264-9336
				企画のみ
Gallery HAM	神野公男	〒464-0075	名古屋市千種区内山2-8-22	052-731-9287
ギャラリー尋屋		〒464-0008	名古屋市中区栄3-31-3　コンフォレスト尋屋ビル5F	052-262-6800
	24.28m	150,000円/6日		貸しのみ
ギャラリー 4CATS		〒451-0042	名古屋市西区那古野1-1-5-307	052-586-0088
				企画のみ
ギャラリーホワイトキューブナゴヤジャパン				
		〒460-0002	名古屋市中区丸の内2-15-28　ビッグベン丸の内4F	090-6595-0867
	A：22m B：28m		A：80,000円/8日 B：125,000円/8日（税抜）	企画・貸し併用
ギャラリー名芳洞		〒460-0003	名古屋市中区錦1-20-12　伏見ビルB101	052-222-2588
GALLERY MOCA		〒460-0008	名古屋市中区栄4-21-5　北岡ビル1F	052-243-5751
				企画のみ
ぎゃらり壷中天	服部清人	〒460-0003	名古屋市中区錦2-16-10　GS第1伏見ビル1F	052-203-9703
				企画のみ
ギャルリー焔		〒460-0012	名古屋市中区千代田5-23-8	052-241-6954
				企画・貸し併用
ギャルリーくさ笛	久世えいこ	〒460-0008	名古屋市中区栄3-27-22　kuze bldg. 3F	052-262-2335
				企画・貸し併用

ケンジタキギャラリー	滝顕治	〒460-0008	名古屋市中区栄3-20-25	052-264-7747
				企画のみ
工芸ギャラリー手児奈		〒460-0012	名古屋市中区千代田3-14-22　杉浦ビル2F	052-332-0393
国際デザインセンター・デザインギャラリー		〒460-0008	名古屋市中区栄3-18-1　ナディアパーク・デザインセンタービル4F	052-265-2106
	約46m	330,000円/7日　55,000円/1日		企画・貸し併用
米近	近藤好孝	〒466-0013	名古屋市昭和区緑町3-1-5	052-732-5228
さいとう画廊	斉藤譲	〒460-0008	名古屋市中区栄2-1-12　ダイアパレス伏見401号	052-212-2356
				企画のみ
桜井八角堂	翁長朝明	〒451-0045	名古屋市西区名駅2-17-10	052-565-1313
佐橋美術店		〒461-0001	名古屋市東区泉2-21-25　高岳院ビル1F	052-938-4567
				企画のみ
SHUMOKU GALLERY	居松篤彦	〒461-0014	名古屋市東区橦木町2-25　磯部ビル1F	052-935-2752
				企画のみ
JILL D'ART GALLERY	田口あい	〒464-0074	名古屋市千種区仲田2-2-6	052-731-1311
				企画のみ
STANDING PINE	立松武	〒460-0003	名古屋市中区錦2-5-24　長者町えびすビルPart2　3F	052-203-3930
整古堂	武智光信	〒461-0005	名古屋市東区東桜1-10-5-4　サカエ東桜ビル201	052-971-2275
				企画のみ
茶道具商ながさか	永坂正行	〒460-0003	名古屋市中区錦2-16-12	052-231-3053
電気文化会館		〒460-0008	名古屋市中区栄2-2-5	052-204-1133
	60～150m	240,000円/6日(税抜)		貸しのみ
名古屋画廊	中山真一	〒460-0008	名古屋市中区栄1-12-10	052-211-1982
				企画のみ
名古屋市民ギャラリー矢田		〒461-0047	名古屋市東区大幸南1-1-10	052-719-0430
	46～256㎡	27,600～153,600円/6日		企画・貸し併用
ニシド画廊	西土晴彦	〒462-0869	名古屋市北区龍ノ口町2-5-3	052-991-5080
				企画のみ
日動画廊 名古屋支店	長谷川徳七	〒460-0003	名古屋市中区錦2-19-19	052-221-1311
				企画のみ
ノリタケの森ギャラリー		〒451-8501	名古屋市西区則武新町3-1-36	052-562-9811
	第一展示室:52m	第二展示室:30.5m	第一展示室:350,000円/6日　第二展示室:130,000円/6日(税抜)	貸しのみ
ハートフィールドギャラリー		〒460-0008	名古屋市中区栄5-4-33　えいわビル1F	052-251-0007
橋本美術	橋本龍史	〒460-0008	名古屋市中区栄3-27-7　シーアイマンション南大津302	052-262-8470
				企画のみ
ハセガワアート	長谷川久道	〒460-0008	名古屋市中区栄3-17-19	052-242-2864
				企画のみ
5/R Hall&Gallery	横井太	〒464-0850	名古屋市千種区今池1-3-4　1F	090-9812-8713
				企画・貸し併用
㈱藤アート	伊藤雅章	〒467-0031	名古屋市瑞穂区弥富町緑ケ岡5	052-831-3305
古川古美術	古川祐司	〒461-0005	名古屋市東区東桜1-10-5　サカエ東桜ビル1F	052-684-8998
宝鑑美術	田口一成・良成	〒464-0807	名古屋市千種区東山通5-13-1　アーバン東山1F	052-789-0506
マエマス画廊	前田康博	〒460-0008	名古屋市中区栄3-13-26	052-262-2809
				企画のみ

松島画廊	松島一彦	〒450-0001	名古屋市中村区那古野1-47-1　名古屋国際センタービルB1F	052-589-3170
				企画のみ
妙香園画廊		〒460-0008	名古屋市中区栄3-14-14	052-241-1533
	20m・61.4㎡	95,240円/6日(税抜)		貸しのみ
村瀬古美術店	村瀬一枝	〒454-0971	名古屋市中川区富田町千音寺土坪3741　スペリア千音寺104	052-432-6725
弥栄画廊	居松靖	〒460-0008	名古屋市中区栄2-1-1　日土地名古屋ビル	052-203-0150
				企画のみ
山手画廊	大脇八壽子	〒467-0022	名古屋市瑞穂区上山町2-9-1　コモード南山1F	052-832-1109
				企画のみ
友昌堂画廊	岩田鉄也	〒461-0001	名古屋市東区泉2-17-4	052-931-0086
LAD GALLERY	岩田量平	〒451-0042	名古屋市西区那古野1-14-18　那古野ビル北館121号室	052-485-9013
				企画のみ
渡邊画廊	渡邊富生	〒467-0026	名古屋市瑞穂区陽明町1-16-3	052-861-1700
				企画のみ

愛知（名古屋市以外）

ARTLINK GALLERY		〒444-0051	岡崎市本町通1-12　サンアベニュー1F	0564-25-8755
青木美術	青木稔	〒470-0117	日進市藤塚6-115	0561-73-7608
伊藤美術	伊藤四一	〒494-0001	一宮市開明墓所北56	0586-45-2254
絵のあるティータイム 木もれ陽		〒480-1168	長久手市坊の後203	0561-61-1150
岡崎画廊	本多雅夫	〒444-0905	岡崎市宇頭町字後久9-15	0564-31-5434
画廊江口	江口東	〒491-0044	一宮市大宮3-10-19	058-624-2727
ギャラリーサンセリテ		〒440-0862	豊橋市向山大池町18-11	0532-53-5651
				企画のみ
ギャラリー数寄	佐橋浩昭	〒483-8061	江南市高屋町清水105	0587-52-6172
				企画のみ
GALLERY 龍屋	吉田達矢	〒488-0007	尾張旭市柏井町公園通542	0561-52-5855
				企画のみ
GALLERY Laura		〒470-0134	日進市香久山1-2810	052-805-7930
ギャルリ ディマージュ		〒448-0028	刈谷市桜町5-5	0566-24-2291
杉浦画廊	杉浦寿美子	〒442-0027	豊川市桜木通3-25-601	0533-85-1709
第一美術	福井孝弘	〒488-0822	尾張旭市緑町緑ヶ丘100-84	0561-54-9185
				企画のみ
豊田画廊	松下英二	〒471-0027	豊田市喜多町2-160	0565-37-8567
				企画のみ

三重

ART SPACE IGA	寺村貴視子	〒518-0867	伊賀市上野福居町3305	0595-22-0522
	約40㎡	7,000円/1日(税抜)		企画・貸し併用

IKEDA GALLERY Head Office				
	池田昭	〒510-0257	鈴鹿市東磯山2-31-1	059-380-6717
内田画廊	内田節夫	〒511-0009	桑名市桑名476-72	0594-21-9065
				企画のみ
北岡技芳堂 四日市店	北岡賢	〒510-0082	四日市市中部4-9	059-352-6246
				企画のみ
ギャラリーイトウ	伊藤弘子	〒511-0911	桑名市額田165	0594-32-0557
ぎゃらりー雲母		〒510-0075	四日市市安島2-3-19 南川ビル2F	059-351-5956
ギャラリー目黒陶芸館	目黒伸良	〒512-8065	四日市市千代田町201-2	059-364-9798
				企画のみ
ギャラリー MOS	松本恵介	〒515-0083	松阪市中町1870 松本紙店2F	0598-21-0603
	53㎡	要問い合わせ		企画・貸し併用
ギャラリー森田	森田了	〒515-0083	松阪市中町1948	0598-21-3178
古美術・茶道具考古堂	市川峰新	〒510-0062	四日市市北浜田町1-21	0593-53-7932
㈱別所美術サロン	別所克美	〒514-0114	津市一身田町180-2	059-232-1017
三重画廊	山本賢司	〒514-0032	津市中央18-19	059-225-6588
	35m	20,000円/1日(税抜)		企画・貸し併用
侶居		〒510-0061	四日市市朝日町1-13	059-340-9172

京都市

ART OFFICE OZASA INC.		〒602-8216	京都市上京区竪門前町414 西陣産業会館207	075-417-4041
アートスペース感	安田ひろみ	〒603-8203	京都市北区堀川通今宮一筋下ル東入東高縄町69	075-495-4158
				企画のみ
アートゾーン神楽岡	谷口宇平	〒606-8311	京都市左京区吉田神楽岡町4	075-754-0155
arton art gallery	木村友和	〒604-8183	京都市中京区三条高倉 京都府京都文化博物館別館1F	075-211-3288
				企画のみ
芦屋画廊	北川祥子	〒606-8354	京都市左京区新間之町通二条下ル頭町357-8	075-754-8556
石屋町ギャラリー	指山健	〒604-8002	京都市中京区木屋町通三条下ル東入ル石屋町120	075-222-2171
				企画のみ
イムラアートギャラリー	井村優三	〒606-8395	京都市左京区丸太町通川端東入東丸太町31	075-761-7372
				企画のみ

上原永山堂	上原博史	〒604-8091	京都市中京区寺町通御池下ル本能寺町506	075-211-1681
宇野商店	宇野元庸	〒605-0074	京都市東山区祇園町南側582	075-531-7575
芸艸堂画廊	山田博隆	〒604-0932	京都市中京区寺町通二条下ル	075-231-3613
	17m	10,000円/1日(税抜)		企画・貸し併用
ESPACE	杉本晋一	〒604-8411	京都市中京区聚楽廻南町6-12	075-822-3635
				企画のみ
御池画廊	尾西沙生朗	〒603-8142	京都市北区小山北上総町20番地2	075-492-3083
				企画のみ
カギムラ画廊	鍵村哲男	〒604-8025	京都市中京区河原町通四条上ル2丁目下大阪町354-7	075-221-2996
				企画のみ
画箋堂	山本祐三	〒600-8029	京都市下京区河原町通五条上ル東側	075-341-3288
				企画のみ
桂美術	多和田弘之	〒615-8212	京都市西京区上桂北ノ口町168	075-392-3144
				企画のみ
KAHO GALLERY		〒605-0981	京都市東山区本町15-778-1	075-708-2670
				企画のみ
画廊夷猶軒	倉本弘三郎	〒605-0812	京都市東山区東大路毘沙門町29-4	075-204-9116
				企画のみ
画廊おかざき	永井正樹	〒606-8344	京都市左京区岡崎円勝寺町140	075-761-0027
画廊たづ	森井毅	〒605-0037	京都市東山区三条通神宮道西入西町138-1	075-771-8225
				企画のみ
画廊ビーナス	原田幸子	〒606-8376	京都市左京区三条大橋東詰北一筋目東入ル	075-771-3104
	A会場:20.3m　B会場:10.5m	A会場:60,000円/6日　B会場:40,000円/6日		企画・貸し併用
画廊百錬堂	村井源一	〒602-0858	京都市上京区寺町通広小路南入ル東側	075-221-7813
河原町画廊	佐藤裕之	〒604-0911	京都市中京区河原町通二条上ル西側　佐藤ビル1F	075-231-6249
	24.5m	129,600円/6日(税込)		企画・貸し併用
㈱祇園画廊	梶川芳友	〒605-0073	京都市東山区祇園町北側271	075-525-2711
				企画のみ
北岡技芳堂 京都店	北岡英芳	〒606-0806	京都市左京区下鴨蓼倉町56-2	075-721-7500
				企画のみ
ギャラリー器館	梅田美津子	〒603-8232	京都市北区紫野東野町20-17	075-493-4521
				企画のみ
ギャラリーa	村上彰子	〒604-0931	京都市中京区寺町通り二条下ル東側2F	075-241-4056
	20m	110,000円/6日		企画・貸し併用
ギャラリー M	松本祐佳	〒604-8141	京都市中京区蛸薬師通高倉西入ル　松本ビル1F	075-221-0979
㈲ギャラリーカト	加藤美子	〒604-8091	京都市中京区寺町御池下ル西側	075-231-7813
	1F:31m　2F:24.5m		1F:150,000円/6日　2F:140,000円/6日(税込)	貸しのみ
ギャラリー雅堂	井堂雅之	〒603-8365	京都市北区平野宮敷町27	075-464-1655
				企画のみ
ギャラリー河原町	佐藤三枝子	〒604-0911	京都市中京区河原町通二条上ル西側　佐藤ビル1F	075-231-6269
	24.5m(前面のみ14m)	129,600円(前面のみ97,200円)/6日(税込)		企画・貸し併用
ギャラリー吉象堂	西村新一郎	〒604-8083	京都市中京区三条通柳馬場東入南側	075-221-3955

ギャラリー恵風	野村恵子	〒606-8392	京都市左京区丸太町通東大路東入ル南側	075-771-1011
	1F：15m　2F：20m		1F+2F：各120,000円/6日	企画・貸し併用
ギャラリーコクトー		〒602-8023	京都市上京区烏丸通り丸太町上ル春日町425	075-222-0676
Gallery古今庵	柳孝一	〒604-0862	京都市中京区烏丸通夷川上ル少将井町229-2	075-585-5648
ギャラリーさいとう	斎藤供呉	〒604-0955	京都市中京区柳馬場通御池上ル　ロイヤルコート柳馬場302	075-241-1968
ギャラリー三条	小森一宏	〒604-8004	京都市中京区三条小橋西入　鶴の井ビル3F	075-221-3341
	22m	120,000円/6日		貸しのみ
ぎゃらりい思文閣	田中大	〒605-0089	京都市東山区古門前通大和大路東入元町386	075-761-0001
				企画のみ
ギャラリー翔	谷口庄司	〒606-0841	京都市左京区北山通下鴨中通東入北側	075-724-8154
	22m	80,000円/6日		貸しのみ
ギャラリー白川	池田真知子	〒604-8094	京都市東山区下河原通八坂鳥居前下ル2丁目上弁天町430-1	075-532-2616
ギャラリーすずき	鈴木京子	〒605-0046	京都市東山区三条通蹴上（ウェスティン都ホテル京都前）	075-751-0226
	23m	120,000円/6日		企画・貸し併用
ギャラリー創	山本順子	〒604-0924	京都市中京区河原町御池上ル　ヤサカ河原町ビル1F	075-251-0522
ギャラリータフ	宮﨑賀世子	〒607-8104	京都市山科区小山谷田町16-3	075-594-8070
				企画のみ
ギャラリーちいさいおうち		〒600-8491	京都市下京区室町通り四条下る鶏鉾町478	090-9977-1559
	30m	21,000円/1日（税抜）		企画・貸し併用
ギャラリー鉄斎堂	川﨑優	〒605-0064	京都市東山区新門前通東大路西入ル梅本町262	075-531-6164
				企画のみ
ギャラリー中井	中井節子	〒604-8001	京都市中京区木屋町通三条上ル上大阪町532	075-211-1253
	21.08m	170,000円/6日		企画・貸し併用
ギャラリーなかむら	中村幸男	〒604-8005	京都市中京区姉小路通河原町東入ル　なかむらビル2F	075-231-6632
ギャラリー美楽堂	木ノ山博一	〒605-0033	京都市東山区神宮道三条上ル夷町155-2	075-761-9710
ギャラリーヒルゲート（1F）／カフェ・ギャラリーヒルゲート（2F）				
	人見ジュン子	〒604-8081	京都市中京区寺町通三条上ル天性寺前町	075-231-3702
	1F:25.1m　2F:30m	1F:160,000円/6日　2F:100,000円/6日（税抜）		企画・貸し併用

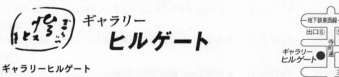

ギャラリー芙蓉美術	門幸洋	〒604-0992	京都市中京区寺町通夷川上ル藤木町22	075-256-2921
ギャラリー紅	松永ゆり	〒606-8323	京都市左京区聖護院円頓美町47-5　グランドハイツ1F	075-751-0591
ギャラリーマロニエ	西川寛	〒604-8027	京都市中京区河原町通四条上ル塩屋町332	075-221-0117
ギャラリー龍馬	中川敦子	〒604-8205	京都市中京区河原町三条下ル一筋目	075-211-7700
ギャラリー０（れい）	久保田益代	〒603-8841	京都市北区西賀茂北今原町41	075-491-7975
ギャルリー石塀小路和田	和田欣子	〒605-0825	京都市東山区八坂鳥居前下ル下河原町463	075-561-4033
				企画のみ

ギャルリー正観堂	金子勝二	〒605-0088	京都市東山区新門前西之町211-3	075-533-4110	企画のみ
ギャルリー宮脇	宮脇豊	〒604-0915	京都市中京区寺町通二条上ル東側	075-231-2321	企画のみ
京都造形芸術大学 ギャルリ・オーブ		〒606-8271	京都市左京区北白川瓜生山2-116	075-791-9122	企画のみ
京都美商	井村欣裕	〒606-0804	京都市左京区下鴨松原町29	075-722-2300	企画のみ
京都リベラルアート	西出義心	〒604-8842	京都市中京区壬生土居ノ内町40-1	075-311-3753	
KUNST ARZT		〒605-0033	京都市東山区夷町155-7	090-9697-3786	
芸術世界社		〒604-0853	京都市中京区車屋町通二条上る真如堂町321	075-746-3783	企画のみ
現代美術製作所	曽我高明	〒602-0065	京都市上京区挽木町518　ANEWAL Gallery 現代美術製作所内	070-5013-3820	企画のみ
コウジュコンテンポラリーアート	西枝英幸	〒604-0931	京都市中京区丸太町通寺町西入	075-256-4707	企画のみ
古美術 鐘ヶ江		〒603-8215	京都市北区紫野下門前町43(大徳寺総門前)	075-491-2127	
古美術 柳	柳孝	〒605-0088	京都市東山区大和大路通新門前上ル西之町195	075-551-1284	
COMBINE/BAMI gallery		〒600-8824	京都市下京区二人司町21	075-754-8154	
彩雅洞画廊	安部春邦	〒604-0033	京都市中京区御池通新町西入橋之町755-1　根崎ビル1F	075-212-7461	
㈱皐月表玄	皐月邦右	〒602-8007	京都市上京区中長者町新町東入ル東長者町547	075-441-0141	
里見有清堂		〒604-8182	京都市中京区堺町三条上ル	075-221-5423	貸しのみ
サロン田中弥	田中久雄	〒600-8005	京都市下京区四条通柳馬場東入ル	075-221-1959	
三条祇園画廊	梶川強	〒604-0925	京都市中京区寺町通御池上ル上本能寺前町485　モーリスビル1F	075-221-6401	企画のみ
山清堂	木下一栄	〒605-0862	京都市東山区清水2-207	075-525-1470	
思文閣	田中大	〒605-0089	京都市東山区古門前通大和大路東入ル元町355	075-531-0001	企画のみ
尚和正画廊	尚和正	〒605-0931	京都市東山区大和大路通茶屋町527-4-208	075-708-6389	企画のみ
神泉画廊	矢野幹雄	〒604-8281	京都市中京区西の京職司町26-13	075-812-0971	
清昌堂やました	山下寛一郎	〒602-0061	京都市上京区小川通寺ノ内上ル本法寺前町612	075-431-1366	
善田昌運堂	善田喜征	〒604-8185	京都市中京区姉小路通烏丸東入ル車屋町262	075-221-7328	
蔵丘洞画廊	岡眞純	〒604-8091	京都市中京区御池通寺町東入ル	050-3532-8486	企画のみ
艸居	藤田裕一	〒605-0089	京都市東山区古門前通縄手東入る元町381-2	075-746-4456	企画のみ
蘇鐵庵 水守	水守清隆	〒605-0071	京都市東山区円山町5	075-531-2727	
大雅堂	庄司雅一	〒605-0073	京都市東山区祇園町北側301-2	075-541-7388	企画のみ

高野至宝堂	高野一	〒605-0862	京都市東山区清水4-148	075-561-5762
俵屋画廊	松本顕龍	〒605-0073	京都市東山区祇園町北側271	075-561-8303
				企画のみ
津田画廊	津田宗之	〒604-8064	京都市中京区富小路通六角下ル	075-211-1636
	44.74m	189,000円/6日		企画・貸し併用
鐵齋堂	川崎正継	〒605-0006	京都市東山区大和大路通古門前下ル新五軒町195	075-561-3056
				企画のみ
陶額堂	谷岡知子	〒604-8101	京都市中京区御池通柳馬場角　朝日ビル7F	075-222-0282
土橋永昌堂	土橋章一	〒603-8462	京都市北区大宮玄琢北町8	075-491-0011
中路昌清堂	中路清嗣	〒615-0872	京都市右京区西京極南衣手町43	075-313-0371
西出翠宗園美術部	西出宗一	〒604-8847	京都市中京区壬生西土居ノ内町40	075-311-2022
野村美術	野村雅彦	〒603-8454	京都市北区衣笠西開キ町18-25	075-702-7357
梅軒画廊	佐藤鉄也	〒604-8153	京都市中京区烏丸通四条上ル笋町682	075-221-3510
				企画のみ
長谷川アート	長谷川義秋	〒605-0845	京都市東山区東大路五条上ル西入ル	075-541-3806
				企画のみ
長谷川友楳堂画廊	長谷川泰栄	〒604-0932	京都市中京区寺町通二条下ル妙満寺前町461	075-211-2558
濱風アート㈱	濱風勝	〒601-8114	京都市南区上鳥羽南鉾立町38	076-661-9020
				企画のみ
星野画廊	星野桂三	〒605-0033	京都市東山区神宮道三条上ル	075-771-3670
				企画のみ
マエダ・ヒロミアートギャラリー				
	前田博巳	〒604-0911	京都市中京区清水町河原町通二条上る西側　佐藤ビル2F	075-741-8757
				企画のみ
MATSUO MEGUMI+VOICE GALLERY pfs/w（ヴォイスギャラリー）				
	松尾恵	〒600-8061	京都市下京区富小路通高辻上る筋屋町147-1	075-341-0222
				企画のみ
松本松栄堂	松本喜久夫	〒604-0992	京都市中京区寺町通夷川上ル藤木町23	075-212-0626
				企画のみ
丸太町画廊	上田伝三郎	〒604-0077	京都市中京区丸太町堀川東入ル丸太町22	075-231-2233
㈱三嶋	三島正嗣	〒604-0932	京都市中京区寺町通二条下る妙満寺前町451	075-221-1093
村田画廊	村田一雄	〒606-0911	京都市左京区松ヶ崎泉川町18-4	075-703-8960
				企画のみ
MORI YU GALLERY	森裕一	〒606-8357	京都市左京区聖護院蓮華蔵4-19	075-950-5230
				企画のみ
山北光運堂	山北信雄・清	〒600-8029	京都市下京区寺町通五条上る西橋詰町786-3	075-343-2300
山総美術	山本祐三郎	〒606-8344	京都市左京区岡崎円勝寺町140　ポルト・ド・岡崎1F	075-751-6333
龍枝堂画廊	小川智史	〒604-0916	京都市中京区寺町通二条上ル要法寺前町717	075-252-4120
	約35m	78,750円/6日		貸しのみ
リューデックス	田中英雄	〒606-0911	京都市左京区松ヶ崎泉川町16	075-705-0657
				企画のみ

京都（京都市以外）

宇治画廊	三藤尚子	〒611-0031	宇治市広野町尖山2-18	0774-43-6336
				企画のみ
Gallery Den mym	手島美智子	〒619-1422	相楽郡南山城村字高尾小字下廣見35	0743-94-0012
				企画のみ
泉尚堂美術	髙田玉人	〒611-0002	宇治市木幡畑山田28-28	0774-33-8438

大阪市

アートギャラリー&プチ・マルシェ				
	㈲プチ・マルシェ	〒542-0075	大阪市中央区難波千日前12-24　水島ビル1F	06-6641-3132
アートコートギャラリー	八木光惠	〒530-0042	大阪市北区天満橋1-8-5　OAPアートコート1F	06-6354-5444
				企画のみ
アートサロン山木	山木城治	〒530-0047	大阪市北区西天満4-7-17　サン・レガシー1F	06-6363-5866
				企画のみ
アート三京	森保孝	〒540-0026	大阪市中央区内本町2-3-8　ダイアパレスビル本町302	06-6945-1456
赤井一恵堂	赤井一	〒540-0026	大阪市中央区内本町2-3-8　ダイアパレスビル本町205	06-6945-1311
				企画のみ
アクサンギャラリー	青木孝章	〒520-0015	大阪市西区南堀江2-3-12	06-6444-0366
天野画廊	天野和夫	〒530-0047	大阪市北区西天満4-3-3　星光ビル2F	06-6364-0784
	25m	120,000円/6日		企画・貸し併用
市田朝芳庵	市田芳昭	〒542-0083	大阪市中央区東心斎橋1-10-11	06-6243-1223
乙企画	中津海智子	〒530-0001	大阪市北区梅田1-1-13　大阪駅前第3ビル25F	06-6344-7448
				企画のみ
今村画廊	今村安男	〒530-0057	大阪市北区曽根崎2-10-22	06-6312-1140
ウメダアート	野呂好徳	〒530-0001	大阪市北区梅田3-4-5　毎日新聞ビル5F　梅田画廊内	06-6346-1100
				企画のみ
梅田画廊	土井俊弘	〒530-0001	大阪市北区梅田3-4-5　毎日新聞ビル内	06-6346-1100
				企画のみ
MI gallery	三通治子	〒530-0047	大阪市北区西天満1-2-23　北浜ミトオリビル1F	06-6362-0907
Oギャラリー eyes	大野博子	〒530-0047	大阪市北区西天満4-10-18　石之ビル3F	06-6316-7703
	16m	160,000円/6日（税抜）		企画・貸し併用
㈱大阪画廊	梅田裕資	〒541-0041	大阪市中央区北浜3-5-19　淀屋橋ホワイトビル303	06-6208-1010
				企画のみ
大阪現代画廊	春名潤七	〒530-0047	大阪市北区西天満4-6-24	06-6361-6088
	24m	160,000円/6日　180,000円/7日		貸しのみ
乙画廊	渡邊良隆	〒530-0047	大阪市北区西天満2-8-1　大江ビルヂング101	06-6311-3322
				企画のみ
オリンパスギャラリー大阪		〒550-0011	大阪市西区阿波座1-6-1　MID西本町ビル	06-6535-7911
	29m（可動壁有:43m）		会場諸掛りとして33,000円/1会期	企画・貸し併用（審査あり）
海岸通ギャラリー・CASO	奥田智恵子	〒552-0022	大阪市港区海岸通2-7-23	06-6576-3633
	26～45m（全室合計215.4m）		84,000～216,000円（全室842,400円）/6日（税込）	企画・貸し併用
楓ギャラリー		〒542-0062	大阪市中央区上本町西1-4-20	06-6761-0388

香川画廊	香川雄二	〒541-0041	大阪市中央区北浜2-5-13　北浜平和ビル8F	06-6201-0828	企画のみ
㈲かとう美術	加藤雄三	〒530-0012	大阪市北区芝田1-1-4　阪急17番街5F	06-6375-0017	
画廊大千	植松健至	〒541-0046	大阪市中央区平野町2-4-11　KCI平野町ビル1F	06-6201-1337	企画のみ
画廊裕貴	梅田裕貴	〒530-0047	大阪市北区西天満6-6-14	06-6364-8117	企画のみ
㈱関西画廊	溝尻真人	〒530-0003	大阪市北区堂島2-2-22	06-6341-0868	企画のみ
北川昭雲堂	北川正治	〒530-8350	大阪市北区角田町8-7　阪急百貨店7F古美術ギャラリー	06-6313-7617	
北浜画廊	上村茂生	〒530-0047	大阪市北区西天満3-1-5　英和ビル901	06-6361-0317	企画のみ
木下美術店	木下哲成	〒530-0041	大阪市北区天神橋3-1-2　正司ビル2F 204	06-4801-0102	企画のみ
ギャラリーアイ	髙田憲	〒530-0047	大阪市北区西天満4-14-15	06-6313-2000	企画のみ
ギャラリー井上	井上佳昭	〒542-0085	大阪市中央区心斎橋筋1-3-10　心斎橋井上ビル2F	06-6245-5378	
ギャラリーいわた	岩田直人	〒558-0052	大阪市住吉区帝塚山西2-1-24	06-6678-0307	
ギャラリーうえまち	中村忠雄	〒543-0021	大阪市天王寺区東高津町5-16	06-6768-1400	
ギャラリー有楽	大久保京子	〒530-0043	大阪市北区天満2-2-3	06-6357-2762	
ギャラリー海野		〒530-0047	大阪市北区西天満4-5-6　光伸ビル1F	06-6131-6000	
ギャラリー大井	大井務	〒541-0041	大阪市中央区北浜2-1-26　北浜松岡ビル	06-6201-0151・2	企画のみ
Gallery Kai		〒540-0014	大阪市中央区龍造寺町7-32	06-6763-1400	企画のみ
ギャラリー香	岡本隆夫	〒542-0071	大阪市中央区道頓堀1-10-7	06-6212-7750	
	1F：24m　2〜4F：24.5m		1F：150,000円〜/6日　2〜4F：125,000円〜/6日		貸しのみ
ギャラリー風	泉井千恵	〒541-0041	大阪市中央区北浜2-1-23　日本文化会館9F	06-6228-0138	企画のみ
ギャラリー菊	菊本久枝	〒530-0047	大阪市北区西天満4-9-2　西天満ビル1F	06-6314-0907	
	30坪	150,000円/6日(月〜土)			企画・貸し併用
ギャラリーくさかべ	日下部裕	〒545-0003	大阪市阿倍野区美章園1-1-10	06-6622-2686	
㈱ギャラリーサーティナイン	小林正一	〒530-0001	大阪市北区梅田1-2-2-B200　大阪駅前第2ビルB2F	06-6341-1539	企画のみ
ギャラリー彩々堂	岳部昌治	〒545-0005	大阪市阿倍野区三明町2-7-27	06-6628-5161	
ギャラリー瑞鳳	中宮達雄	〒530-0043	大阪市北区天満2-3-19　AMビル2F	06-4801-8755	
GALLERY ZERO	高森広大	〒550-0003	大阪市西区京町堀1-17-8　京ビル4F	06-6448-3167	企画のみ
ギャラリー琢	山下琢正	〒530-8350	大阪市北区角田町8-7　阪急うめだ本店7F		企画のみ
ギャラリーたけやま	竹山太郎	〒542-0086	大阪市中央区西心斎橋1-4-13　竹山ビル1F	06-6271-8883	企画のみ
ギャラリー田中表具店	田中一生	〒530-0001	大阪市北区梅田1-2-2　大阪駅前第2ビルB2F	06-6341-5500	

ギャラリー谷崎	谷崎義弘	〒541-0041	大阪市中央区北浜3-2-5	06-6227-1610	企画のみ
ギャラリー辻梅	辻健二	〒541-0046	大阪市中央区平野町3-3-8	06-6231-3941	企画・貸し併用
ギャラリー帝塚山	堀田昌彦	〒530-0047	大阪市北区西天満4-2-4　美術ビル	06-6363-1135	
ギャラリーなかつみ	中津海茂	〒530-0001	大阪市北区梅田1-1-3　大阪駅前第3ビル25F	06-6344-7448	企画のみ
ギャラリーノマル	林聡	〒536-0022	大阪市城東区永田3-5-22	06-6964-2323	企画のみ
ギャラリー白	吉澤敬子	〒530-0047	大阪市北区西天満4-3-3　星光ビル1F～3F	06-6363-0493	
	1F:18m　2F:19m　3F:14m	1F:150,000円/12日　2F:120,000円/6日　3F:80,000円/6日			企画・貸し併用
ギャラリーファインアート	片野田旨侶	〒550-0012	大阪市西区立売堀1-6-10　奥成ビル3F	06-6541-7766	企画のみ
ギャラリー風雅	金田修	〒542-0062	大阪市中央区上本町西2-5-56	06-6762-6201	
	23m	54,000～58,000円/6日(税込)			企画・貸し併用
ギャラリープチフォルム	青柳清孝	〒541-0046	大阪市中央区平野町4-6-15	06-6231-2302	企画のみ
ギャラリーフランソワ	大塚好美	〒543-0041	大阪市天王寺区真法院町18-10	06-6771-8078	
	27.6m	95,000円/6日			貸しのみ
ギャラリーベルンアート		〒530-0047	大阪市北区西天満4-2-4　美術ビル2F	06-6361-5507	
ギャラリーほそかわ	細川佳洋子	〒556-0016	大阪市浪速区元町1-2-25　A.I.R1963ビル	06-6633-0116	企画のみ
ギャラリーミューズ	鈴木雅子	〒530-0047	大阪市北区西天満2-2-18　真砂ビル1F	06-6365-1737	企画のみ
Gallery Yamaguchi Kunst-Bau	山口孝	〒530-0057	大阪市北区曾根崎1-7-3　山川ビル1F	06-6809-2434	企画のみ
ギャラリーヤマノ	山野茂	〒543-0052	大阪市天王寺区大道1-8-11　山野ビル4F	06-6772-6572	
ギャラリー米原	米原信杞	〒542-0076	大阪市中央区難波1-8-20　米原ビル2F	06-6212-4100	企画のみ
ギャラリーら・む～	矢代修子	〒530-0001	大阪市北区梅田1-11-4　大阪駅前第4ビル1F24	06-6344-7603	
ギャルリーソノリテ	山口幸助	〒540-0036	大阪市中央区船越町2-2-13	06-6941-2345	
ギャルリーためなが大阪		〒540-0001	大阪市中央区城見1-4-1　ホテルニューオータニ大阪1F	06-6949-3434	
芸術風景 近江洞	北川宗康	〒556-0016	大阪市浪速区元町2-8-4　難波レジデンスビル503	06-6647-0077	
賢祥堂美術店	山本健之輔	〒530-0047	大阪市北区西天満4-7-17　サン・レガシ1F	06-6365-8324	
現代クラフトギャラリー	春名潤七	〒530-0047	大阪市北区西天満4-6-24	06-6361-6088	
	17m	130,000円/6日　150,000円/7日			貸しのみ
コウイチ・ファインアーツ	岡田光市	〒550-0002	大阪市西区江戸堀1-7-13	06-6444-1237	企画のみ
光鐘	高山秀則	〒537-0025	大阪市東成区中道3-2-25	06-6972-7656	
古美術ふくむら	福村茂	〒530-0047	大阪市北区西天満4-1-1	06-6364-2629	
佐久間晴造商店	名尾秀樹	〒542-0085	大阪市中央区心斎橋筋2-7-25	06-6211-4596	企画のみ

The Third Gallery Aya	綾智佳	〒550-0002	大阪市西区江戸堀1-8-24 若狭ビル2F	06-6445-3557	企画のみ
the three konohana	山中俊広	〒554-0013	大阪市此花区梅香1-23-23 2F	06-7502-4115	企画のみ
さつき洞	内田富太郎	〒550-0013	大阪市西区新町1-8-21	06-6541-6723	企画のみ
(有)佐野美術店	佐野哲也	〒545-0035	大阪市阿倍野区北畠1-13-2	06-6624-2675	
芝田町画廊	31m	〒530-0012 160,000円/6日(税込)	大阪市北区芝田2-9-19 イノイ第2ビル1F	06-6372-0007	企画・貸し併用
至峰堂画廊	鈴木務孝	〒541-0046	大阪市中央区平野町3-2-7 泰和ビル1F	06-6232-1363	企画のみ
集雅堂(株)		〒541-0041	大阪市中央区北浜2-4-9	06-6231-0860	企画のみ
城谷有美術館	城谷信安	〒541-0051	大阪市中央区備後町1-1-4	06-6271-0598	企画のみ
スギヤマアート	杉山憲央	〒530-0047	大阪市北区西天満6-4-13	06-6311-3538	企画のみ
studio J	仁義千春	〒550-0014	大阪市西区北堀江3-12-3	06-6110-8508	企画のみ
瀬戸美術	嶋本吉孝	〒541-0044	大阪市中央区伏見町3-2-8 池芳ビル6F	06-6223-3332	企画のみ
ダイガク堂島画廊	中野博貴	〒540-0005	大阪市中央区上町1-25-17 大額本社ビル内	06-6768-7770	企画のみ
大進美術	小林清孝	〒547-0034	大阪市平野区背戸口1-20-9	06-6704-5920	
太陽画廊	田中敦宏	〒530-0003	大阪市北区堂島2-4-27 新藤田ビルB1F	06-6345-6325	企画のみ
たきい画廊	滝井鎮	〒541-0041	大阪市中央区北浜2-1-19 サンメゾン北浜 ラヴィッサ302	06-6231-3009	
瀧川画廊	瀧川清	〒530-0047	大阪市北区西天満4-5-7 三旺ビル2F	06-6365-6578	企画のみ
多田画廊	多田毅	〒530-0001	大阪市北区梅田1-3-1-200 大阪駅前第1ビル2F	06-6344-2188	企画のみ
谷松屋戸田ギャラリー	戸田博	〒541-0044	大阪市中央区伏見町3-3-10 谷松屋戸田商店内	06-6121-6150	企画のみ
土屋現代美術画廊	土屋憲津子	〒541-0046	大阪市中央区平野町4-5-10 山内ビル3F	06-6231-3130	企画のみ
TEZUKAYAMA GALLERY	松尾良一	〒550-0015	大阪市西区南堀江1-19-27 山崎ビル2F	06-6534-3993	企画のみ
(株)とりゐや美術店	松宮秀信	〒541-0043	大阪市中央区高麗橋2-3-5 柳湖堂ビル1F	06-6226-0607	企画のみ
中野美術	中野松三	〒544-0031	大阪市生野区鶴橋3-1-38-311	06-6717-5033	企画のみ
中宮画廊	中宮時男	〒530-0047	大阪市北区西天満4-6-12-201	06-6361-5454	企画のみ

ナルミヤ戎橋画廊	油野奈那子・木村あつ子	〒542-0071	大阪市中央区道頓堀1-9-3　心斎橋筋戎橋南詰	06-6211-7692
	23～26m×4室		140,000円/6日	貸しのみ
Nii Fine Arts	新居圭太	〒531-0071	大阪市北区中津1-15-37　キタの北ナガヤ101号	090-5893-4550
				企画のみ
NUKAGA GALLERY OSAKA	額賀古太郎	〒530-0047	大阪市北区西天満5-8-8　2F	06-6362-1038
				企画のみ
八番館画廊	中西慶佐	〒530-0054	大阪市北区南森町1-3-10　河野ビル1F	090-1141-6514
	12m	90,000円/6日(税込)		企画・貸し併用
早川画廊	早川隆之	〒530-0047	大阪市北区西天満2-6-8　堂島ビルヂング	06-6364-0788
				企画のみ
美工画廊	河野幸広	〒541-0044	大阪市中央区伏見町4-4-1　日生伏見町ビル本館1F	06-6232-1506
				企画のみ
美術工藝 丹中	中西薫	〒541-0041	大阪市中央区北浜2-5-23　小寺プラザ1F	06-6223-1181
				企画のみ
福住画廊	福住伸一郎	〒541-0044	大阪市中央区伏見町3-2-12　春海ビル3F	06-6232-0608
前坂晴天堂	前坂浩之	〒530-0047	大阪市北区西天満4-5-2　老松ビル	06-6364-3397
				企画のみ
マサゴ画廊	古野咲子	〒530-0047	大阪市北区西天満2-2-4	06-6361-2255
	23m	150,000円/6日		企画・貸し併用
三好宝生堂		〒542-0081	大阪市中央区南船場4-12-2	06-6245-4766
山木美術	山木武夫	〒530-0047	大阪市北区西天満3-14-6　センチュリー西天満ビル 1F/3F	06-6940-0139
				企画のみ
Yoshiaki Inoue Gallery	井上佳昭	〒542-0085	大阪市中央区心斎橋筋1-3-10　心斎橋井上ビル2F/3F	06-6245-5347
				企画のみ
Yoshimi Arts	稲葉征夫	〒550-0002	大阪市西区江戸堀1-8-24　若狭ビル3F	06-6443-0080
				企画のみ
吉美画廊	吉川元佑	〒557-0041	大阪市西成区岸里2-5-10	06-6651-4743
				企画のみ
淀画廊	石上雅紀	〒530-0047	大阪市北区西天満4-9-15　第1神明ビル2F	06-6364-0717
				企画のみ
美術處 米田春香堂	米田良三	〒541-0044	大阪市中央区伏見町4-4-1	06-6228-1467
				企画のみ
ラッズギャラリー	兵野豊子	〒553-0003	大阪市福島区福島3-1-39　メリヤス会館1F	06-6453-5706
				企画のみ
LIXILギャラリー（大阪）		〒530-0011	大阪市北区大深町4-20　グランフロント大阪南館タワーA 12F	06-6733-1790
				企画のみ
李青堂		〒530-0051	大阪市北区太融寺町7-10	06-6311-7487
隆画廊	福田隆夫	〒540-0037	大阪市中央区内平野町1-4-1-904	06-6943-0274
				企画のみ
YOD Gallery	石上良太郎	〒530-0047	大阪市北区西天満4-9-15　第1神明ビル1F	06-6364-0775
				企画のみ

大阪（大阪市以外）

アートスポット ギャラリーマーヤ				
	丸谷悠子	〒569-0804	高槻市紺屋町3-1-216 グリーンプラザ3号館2F	090-7348-3506
アートデアート・ビュー	杉田由紀子	〒569-0802	高槻市北園町13-30	072-685-0466
	19m			企画・貸し併用
近現代美術工芸 和泉玉箒堂				
	和泉周一	〒593-8327	堺市西区鳳中町4丁97-6	072-275-4552
				企画のみ
いばらきアート	梶田清子	〒567-0816	茨木市永代町5 ソシオいばらき1	0726-26-1797
カワスミ画廊	河澄清男	〒589-0022	大阪狭山市西山台2-23-10	0723-65-6666
ギャラリーアクセス	早川信宏	〒573-1118	枚方市楠葉並木2-28-18 K1ビル3F	072-851-8055
				企画のみ
GALLERYいろはに	北野庸子	〒590-0953	堺市堺区甲斐町東1丁2-29	072-232-1682
				企画のみ
ギャラリー恭美堂	上農恭子・西上久美子	〒570-0012	守口市大久保町2-29-15-1317	090-1968-0405
				企画のみ
ギャラリー嶋ノ内	東本了	〒561-0801	豊中市曽根西町3-9-19	070-2305-7278
㈱ギャラリー清水	清水隆志	〒565-0854	吹田市桃山台3-37-8	06-6835-5810
				企画のみ
ギャラリー新居	新居紘一	〒593-8303	堺市西区上野芝向ヶ丘町3-3-51	072-249-7550
				企画のみ
堺画廊	川口義二	〒590-0924	堺市堺区桜之町東1-1-8	072-224-1130
三英美術		〒562-0036	箕面市船場西2-7-5 シーモア千里ビル1F	072-736-9919
	10m	90,000円/5日		企画・貸し併用
土夢画廊	高橋実輝	〒590-0144	堺市南区赤坂台3-2-6	090-3265-5627
				企画のみ
Note Gallery	上田真由美	〒573-0057	枚方市堤町8-15	072-396-0708
美術画廊きしわだ	弦川武市	〒596-0056	岸和田市北町1-20	0724-22-3014
				企画のみ
マーメイド画廊	西尾栄一	〒599-8237	堺市中区深井水池町2833-1	072-279-2669
丸市美術店	滝北守男	〒596-0052	岸和田市並松町20-24	0724-22-1801
三浦アートギャラリー	三浦和幸	〒561-0872	豊中市寺内2-9-5-403	06-6868-0880
				企画のみ
矢倉画廊	矢倉喜八郎	〒583-0885	羽曳野市南恵我之荘3-14-9	072-955-1375

神戸市

アートフォーラムアルペジオ	桐野明子	〒658-0054	神戸市東灘区御影中町1-6-11 中野ビル2F	078-854-2063
川田画廊	川田泰	〒658-0081	神戸市東灘区田中町1-13-22-102	078-451-5555
				企画のみ
ギャラリーあじさい	中院俊子	〒650-0021	神戸市中央区三宮町1-9-1 センタープラザ東館2F	078-331-1639
	46.4m	200,000円/6日（税抜）		企画・貸し併用
ギャラリーヴォーセジュール	瀧修一	〒650-0041	神戸市中区新港町8-2	078-334-7088

ギャラリー AO		〒650-0003	神戸市中央区山本通5-1-8	078-341-5399
GALLERY北野坂	潘やすこ	〒650-0003	神戸市中央区山本通1-7-17 WALL AVENUE 2F/3F/4F	078-222-5517
	2F：23m 3・4F：27m	2F：130,000円/6日 3・4F：140,000円/6日（税抜）		貸しのみ
ギャラリー島田 Un/Deux/Trois				
	島田誠	〒650-0003	神戸市中央区山本通2-4-24 リランズゲート1F/B1F	078-262-8058
	30m	140,000円/6日		企画（Un/Trois）、企画・貸し併用（Deux）
ギャラリー space show	しょうみのり	〒650-0022	神戸市中央区元町通1-13-11 新光ビル6F	090-6373-9728
	9.2m・11.1㎡	35,000円/6日（税抜）		企画・貸し併用
ギャラリーベイエ元町		〒650-0022	神戸市中央区元町2-3-2 ジェムビル1F	078-393-3733
ギャラリーむかい	向井慎一	〒650-0012	神戸市中央区北長狭通3-10-1	078-331-0740
	約20m	120,000円/5日（税込）		企画・貸し併用
ギャラリーヤマキファインアート				
	山木加奈子	〒650-0022	神戸市中央区元町通3-9-5 2F	078-391-1666
				企画のみ
ギャラリー和商	谷村貴司	〒650-0012	神戸市中央区北長狭通2-6-2 華蘭ビル2F	078-321-5517
				企画のみ
ぎゃるりー神戸	澤邉昭彦	〒651-0084	神戸市中央区磯辺通4-2-26 新芙蓉ビル1F	078-251-8880
神戸元町歩歩琳堂画廊	川部由紀子	〒650-0022	神戸市中央区元町通1-10-11 元町エビスビル3F	078-321-1154
	3.66×3.91m	80,000円/5日		企画・貸し併用
末積製額	末積隆夫	〒650-0021	神戸市中央区三宮町3-2-2	078-331-1309
ダイヤモンドギャラリー	小松春生	〒650-0004	神戸市中央区中山手通1-8-17 ダイヤモンドビル1F	078-331-1214
	27.9m	159,000円/6日（税込）		貸しのみ
田中美術		〒650-0002	神戸市中央区北野町1 ANAクラウンプラザホテル神戸 4Fロビープラザ	078-242-7578
トアロード画廊	石橋直樹	〒650-0022	神戸市中央区元町通り6-5-8 松尾ビル	078-351-2269
南京町ギャラリー 蝶屋		〒650-0023	神戸市中央区栄町2-8-10	078-331-3387
南天荘画廊	行永禮子	〒658-0054	神戸市東灘区御影中町6-1-8	078-851-6729
日興堂	峪田洋一	〒652-0802	神戸市兵庫区水木通8-3-14	078-575-9728
㈱野村美術	野村辰二	〒655-0021	神戸市垂水区馬場通7-23	078-709-6688
FLORE Artist Gallery		〒650-0003	神戸市中央区山本通1-7-9 ブーミン北野1F	078-262-7564
	58～120㎡	70,000～250,000円/6日（木～火）		企画・貸し併用
松岡美術	松岡博幸	〒650-0002	神戸市中央区北野町2-7-1-512	078-232-3171
宮崎画廊	宮崎忠顕	〒651-1231	神戸市北区青葉台35-5	078-583-7500

兵庫（神戸市以外）

アートビューローミコノス	中嶌優	〒661-0033	尼崎市南武庫之荘2-8-1 ルネ武庫之荘107号	06-6436-1491
アートホール蔵	池本長蔵	〒664-0846	伊丹市伊丹2-5-11 JR伊丹駅前アリオ2 1F	072-783-4966
	23m	50,000円/6日		企画・貸し併用
Atelier623KT	塚田清	〒663-8032	西宮市高木西町12-12-105 VILLA11	0798-24-1503
				企画のみ
加古川市立松風ギャラリー		〒675-0017	加古川市野口町良野1736	079-420-2050
	展示室Ⅰ：25m 展示室Ⅱ：32.1m	展示室Ⅰ：1,000円/1日 展示室Ⅱ：800円/1日（税込）（冷暖房期間は50%加算）		企画・貸し併用

ギャラリーアイ	高田正	〒670-0854	姫路市五軒邸4-79	079-285-2025
ギャラリー芦屋	武山豊和	〒659-0011	芦屋市六麓荘町8-28	0797-22-6626
				企画のみ
GALLERYえびはら	海老原あかね	〒670-0875	姫路市南八代町20-8	079-295-5700
				企画のみ
ギャラリー倉	板倉修二	〒665-0845	宝塚市栄町2-11-7　宝塚ティム	0797-87-7001
				企画・貸し併用
ギャラリー新光	麻生正斎	〒660-0882	尼崎市昭和南通3-21-203	06-7664-2530
				企画のみ
ギャラリー琢	山下琢正	〒665-0877	宝塚市中山桜台2-5-3	0797-89-8233
				企画のみ
ギャラリー俵	俵正市	〒659-0084	芦屋市月若町6-1	0797-23-2878
ギャラリーナカジマ	中嶌優	〒661-0033	尼崎市南武庫之荘2-8-5　ルネ武庫之荘1F	06-6436-3914
GALLERY雛	山田理子	〒662-0051	西宮市羽衣町5-28	0798-70-7257
	24.7m・53㎡	100,000円/6日(税込)		貸しのみ
ギャラリー窓		〒662-0965	西宮市郷免町7-26　アンマリエK 1F	0798-22-2340
ギャラリー無限	福本敏幸	〒670-0936	姫路市古二階町164　小林ビル2F	079-288-7745
				企画のみ
ギャルリーシャルグラン	長井孝夫	〒659-0092	芦屋市大原町7-17　団ビル2F	0797-32-3692
賢祥堂美術店 芦屋店	山本健之輔	〒659-0094	芦屋市松ノ内町3-14　チェリービュウ芦屋川1F	0797-22-4480
㈱甲風画苑	小野公	〒662-0832	西宮市甲風園1-7-8	0798-67-9174
	59m	152,000円/6日(税抜)		企画・貸し併用
COLLÉ	小林中	〒659-0093	芦屋市船戸町10-19	080-4010-3989
	約40.5m	18,000円～/1日		貸しのみ
サコダアートギャラリー		〒663-8201	西宮市田代町19-12　Beehive西宮1F	0798-66-0667
				企画のみ
Jiku Art Creation	向井佳子	〒666-0212	川辺郡猪名川町旭ヶ丘1-238	072-723-7277
				企画のみ
創治朗		〒664-0851	伊丹市中央6-1-33	072-773-3910
高宮画廊	高宮剛一	〒666-0034	川西市寺畑2-4-4-503	072-764-5105
				企画のみ
タマヤ画廊		〒662-0088	西宮市苦楽園四番町7-27	090-5017-5334
				企画のみ
花岡画廊	花岡忠男	〒659-0003	芦屋市奥池町13-3	0797-35-0575
				企画のみ
森画廊		〒670-0902	姫路市白銀町96	0792-81-8377
ルネッサンス・スクエア	㈱パナホーム兵庫	〒670-0940	姫路市三左衛門堀西の町205-2	079-224-8772
				企画のみ

滋賀

ギャラリー唐橋		〒520-0851	大津市唐橋町23-3　滋賀県青年会館前	077-531-1310
	26.37m	63,000円/6日	10,500円/1日(税込)	企画・貸し併用
Gallery 三彩		〒520-0113	大津市坂本3-11-39	077-536-6701

ギャラリーすぎうら	杉浦正史	〒520-0016	大津市比叡平1-21-20	090-7759-2102
				企画のみ
東洋古美術山紫房		〒520-0113	大津市坂本8-13-22	077-579-0403
				企画のみ

奈良

アートサロン宮崎	宮崎金治	〒636-0116	生駒郡斑鳩町法隆寺1931-1	0745-75-3434
				企画のみ
アートスペース上三条	片岡和子	〒630-8228	奈良市上三条町4	0742-23-0114
	35.74m・約89.95㎡		120,000円/6日（税込）	貸しのみ
赤井南明堂	赤井高禧	〒630-8213	奈良市登大路三番町58	0742-22-3764
泉ギャラリー	吉岡迪子	〒633-0112	桜井市初瀬町川上	0744-47-7334
				企画のみ
画廊学園前アート	岡田純一	〒631-0021	奈良市鶴舞東町2-25　第1岡田ビル	0742-48-1248
Gallery OUT of PLACE	野村ヨシノリ	〒630-8243	奈良市今辻子町32-2	0742-26-1001
車木工房		〒635-0143	高市郡高取町車木215	0745-62-2701
古美術大谷	大谷寛	〒630-8213	奈良市登大路町59	0742-24-7030
美術花紋	島田美智子	〒631-0041	奈良市学園大和町3-185	0742-45-8537
不二画廊	村上豊子	〒636-0116	生駒郡斑鳩町法隆寺1-9-33	070-2311-7737
		90,000円/6日		企画・貸し併用

和歌山

画廊ビュッフェファイヴ	堀内俊延	〒642-0022	海南市大野中608-11	073-482-1994
				企画のみ
ギャラリー白石	白石明	〒640-8281	和歌山市湊通丁南1-8	073-422-5700
	40m	97,200円/6日（税込）		企画・貸し併用

鳥取

ギャラリー栄光舎	松本健一	〒680-0802	鳥取市青葉町2-202	0857-26-5935
				企画のみ
現代工芸美術の館	現代工芸美術㈱	〒689-3106	西伯郡大山町羽田井1419	0858-58-4111
				企画のみ
新古美術大村	大村善弘	〒680-0044	鳥取市御弓町57	0857-22-2750
				企画のみ
呂仙堂	蘆川誠	〒683-0814	米子市尾高町71	0859-22-4282

島根

ギャラリー土岐	土岐智則	〒690-0846	松江市末次町42番地	0852-27-6616
				企画のみ
佐藤美術店	佐藤隆浩	〒690-0001	松江市東朝日町168-4	0852-24-0597
				企画のみ
紫泉堂ギャラリー	藤井明	〒690-0887	松江市殿町125　紫泉堂ビル	0852-21-3127
				企画のみ

新古美術内藤	内藤重夫	〒693-0001	出雲市今市町678	0853-21-0030
松林道具店	松林民弘	〒690-0064	松江市天神町89	0852-21-0575

岡山

明日香画廊	中野和之	〒700-0814	岡山市北区天神町10-18	086-222-2854
祇園画廊	祇園清	〒709-0861	岡山市東区瀬戸町瀬戸41-4	090-3743-3368
				企画のみ
ギャラリィオグラ	小倉重臣	〒700-0822	岡山市北区表町2-1-48	086-222-3597
				企画のみ
Gallery ONO	小野善平	〒700-0903	岡山市北区幸町9-11	086-225-1772
				企画のみ
ギャラリー備中堂	藤原之弘	〒700-0913	岡山市北区大供2-1-8	086-897-6116
ギャラリーミトモ	御供源八郎	〒700-0827	岡山市北区平和町3-23	086-224-6339
				企画のみ
岡南ギャラリー	重田賢吾	〒700-0822	岡山市北区表町1-3-22	086-222-6334
				企画のみ
セト美術店	角南雄一郎	〒711-0906	倉敷市児島下の町1-12-2	086-473-0033
				企画のみ
豊池美術店	豊池勇	〒714-0081	笠岡市笠岡2445-6	0865-62-2732
Penny Lane	中川和子	〒710-0055	倉敷市阿知2-19-29	086-421-3987
	18m	60,000円/6日		貸しのみ
㈱三沢美術	三沢壮一郎	〒700-0822	岡山市北区表町2-7-53	086-233-2227
メルシー美術	景山義夫	〒700-0047	岡山市北区関西町1-3	086-254-1588
若林画廊	若林勝彦	〒710-0055	倉敷市阿知3-8-4	086-422-6407

広島

アシダ画廊	芦田京一	〒739-0007	東広島市西条土与丸3-4-12	0824-23-9536
	24m	60,000円/6日		企画・貸し併用
おだ画廊	織田耕治	〒722-0036	尾道市東御所町6-14	0848-23-6006
	35m	要相談		企画・貸し併用
ギャラリーたむら	田村宗忠	〒730-0029	広島市中区三川町10-17　ホンジョウビル2F	082-241-7739
				企画のみ
GALERIE青鞜		〒732-0804	広島市南区西蟹屋1-1-46-2	082-262-5210
				企画のみ
クシノテラス		〒720-0803	福山市花園町2-5-20	090-2094-2652
九嶺画廊	浅海斉	〒737-0051	呉市中央1-4-9	0823-21-3565
スズカワ画廊	鈴川誠	〒730-0029	広島市中区三川町4-4	082-247-2011
				企画のみ
㈲第一美術	佐古利浩	〒721-0966	福山市手城町3-1-9	0849-24-8235
㈱檀上美術	檀上敬	〒720-0064	福山市延広町6-25	084-926-7733
				企画のみ
竹僊堂	新田量二	〒730-0044	広島市中区宝町8-14	082-243-8830
徳岡画廊	徳岡元造	〒720-0815	福山市野上町2-19-1	0849-23-3358

無垢画廊	吉田慶良	〒730-0037	広島市中区中町5-19　小畑ビル	082-246-0690
				企画のみ

山口

アート新下関画廊	対馬博	〒751-0873	下関市秋根西町1-7-13	0832-56-1550
	25m	10,000円/1日(税込)		企画・貸し併用
アートフォーラム千 壇ノ浦画廊		〒751-0813	下関市みもすそ川町6-20	092-626-5858
おとまつ画廊	藤井忠雄	〒747-0037	防府市八王子1-15-15	0835-23-1300
				企画のみ
ニシオカ画廊	西岡和則	〒742-0031	柳井市南町6-4-2	0820-23-3306
				企画のみ
パレット画廊	平野壽美子	〒745-0016	周南市若宮町2-27	0834-21-8022
	50m	60,000円/6日(税抜)		企画・貸し併用

徳島

眉峰ギャラリー	杉本敏宏	〒770-0911	徳島市東船場町1-10	088-623-5363
				企画のみ
丸善画廊	河野勇	〒770-0843	徳島市両国本町1-25	088-625-3839
				企画・貸し併用

香川

あーとらんどギャラリー	山下高志	〒763-0022	丸亀市浜町4	0877-24-0927
				企画のみ
GALLERY MIYAWAKI		〒760-0029	高松市丸亀町4-1　宮脇書店パイロットビル2F	087-821-3703
ナルホド画廊	稲井敬一郎	〒760-0017	高松市番町1-9-11	087-851-5941
松村画廊	松村久行	〒760-0034	高松市内町1-2　佐々木ビル1F	087-822-0470
				企画のみ

愛媛

アートギャラリー風		〒790-0012	松山市湊町4-14-5　1F	090-8286-3517
	25m	70,000円/6日(税込)		企画・貸し併用
伊万里美術店		〒790-0966	松山市立花1-1-8	089-931-7147
ギャラリーラボ	野間省一	〒793-0030	西条市大町708-3　メイビス白石1F	0897-47-3207
				企画のみ
東洋美術	高橋弓人	〒790-0903	松山市東野4-4-25	089-977-4581
べにばら画廊	吉田陽次	〒798-0041	宇和島市本町追手2-8-6	0895-22-1104
	25m	5,000円/1日		企画・貸し併用

高知

高新画廊		〒780-8666	高知市本町3-3-39　高知放送南館2F	088-825-4322
	150㎡(45坪)	220,000円/6日(税込)		貸しのみ
野町商店	野町照成	〒787-0012	中村市右山五月町14-1	0880-34-7272

福岡

アートディーラー モリ	森徹	〒838-0141	小郡市小郡418-1　G308	0942-73-1857
アートフォーラム千 夕陽ヶ丘画廊		〒810-0032	福岡市中央区輝国2-25-12	092-626-5858
	約50坪	21,000円/1日(税込)		企画・貸し併用
アート プロ ガラ	たなか照未	〒810-0073	福岡市中央区舞鶴1-3-31　ハイラーク舞鶴南側1F	092-738-0655
				企画のみ
カジキ美術画廊	外丸常治	〒806-0021	北九州市八幡西区黒崎2-9-17	093-642-0200
	35m・60㎡	7,000円/1日		企画・貸し併用
画廊さかもと	坂本暁彦	〒810-0041	福岡市中央区大名2-10-2　シャンボール大名B棟101	092-713-1943
				企画のみ
翰林画廊	髙嶋桂子	〒810-0034	福岡市中央区笹丘3-20-8　ロイヤルヒルズ笹丘402	092-526-6141
ギャラリー尾形	尾形憲昭	〒810-0042	福岡市中央区赤坂2-4-3　シャトレ赤坂2F	092-713-1835
				企画のみ
ギャラリー季の風	山口美智子	〒819-1303	糸島市志摩野北1982-1	092-332-2161
				企画のみ
GALLERYとわーる	長崎由美	〒810-0001	福岡市中央区天神2-8-34　住友生命ビル7F	092-714-3767
ギャラリーモリタ	森田俊一郎	〒810-0042	福岡市中央区赤坂3-9-28　ロフティ赤坂2F	092-716-1032
				企画のみ
ギャラリーやまもと	山本俊明	〒818-0125	太宰府市五条1-14-14	092-924-9770
フォーヴギャラリー	下園幸子	〒810-0023	福岡市中央区警固1-5-29	092-712-1321
	45㎡	77,000円/7日(税込)		企画・貸し併用
福岡日動画廊	長谷川徳七	〒810-0004	福岡市中央区渡辺通1-1-2　ホテルニューオータニ博多1F	092-713-0440
				企画のみ
ふじの美術店	藤野貞典	〒807-0821	北九州市八幡西区陣原3-18-23	093-631-4437
平寛堂	平山智一	〒812-0018	福岡市博多区住吉3-5-3　平寛堂ビル2F	092-271-2018
				企画のみ
マスダ画廊	増田啓一郎	〒828-0021	豊前市八屋2575-24	0979-82-4187
				企画のみ
みぞえ画廊	溝江昭男	〒810-0065	福岡市中央区地行浜1-2-5	092-738-5655
				企画のみ
W.A.O.!	和田英作	〒812-0016	福岡市博多区博多駅南2-3-5　ティー・アイビル3F/4F	092-481-2361

佐賀

画廊憩(やすら)ひ	中島邦子	〒840-0815	佐賀市天神2-5-25　ニューセンチュリー天神ビル1F	0952-23-2353
				企画のみ
武藤画廊	武藤久平	〒840-0833	佐賀市中の小路4-24	0952-26-6700

長崎

現代画廊	山下亨	〒850-0035	長崎市元船町7-4　松永ビル2F	095-823-2766
				企画のみ
㈱山下画廊	山下博之	〒854-0014	諫早市東小路町5-6　ホームビル2F	0957-24-1368
				企画のみ

熊本

たかやま	髙山俊彦	〒867-0045	水俣市桜井町3-4-25	0966-63-3755
東京画廊	本田芳廣	〒866-0852	八代市大手町2-33-1	0965-34-3403
	90㎡	10,800円/7日(税込)		企画・貸し併用

宮崎

ギャラリーゲルボア	緒方豊	〒880-0852	宮崎市高洲町119-1	0985-20-9355
				企画のみ

大分

アートプラザ	椎葉美穂	〒870-0046	大分市荷揚3-31	097-538-5000
				企画・貸し併用
えだ画廊	小野真寿男	〒870-1172	大分市緑ヶ丘1-2-3	企画のみ
陶雅堂		〒874-0839	別府市南立石一区5-5　第一山口コーポ105	
みさき画廊	池田利男	〒870-0021	大分市府内町1-5-3	097-536-8800
				企画のみ

鹿児島

Mizuho Oshiroギャラリー	大城瑞穂	〒890-0082	鹿児島市紫原6-51-25	099-813-5460
				企画のみ
山形屋画廊	嶋憲	〒892-8601	鹿児島市金生町3-1　㈱山形屋3号館3F	099-227-6091
ロンドンハウスギャラリー	松山マツエ	〒899-5106	霧島市隼人町内山田1-3-31	0995-42-9558
				企画のみ

美術鑑定人一覧

●ジャンル別に、作家名（50音順）・鑑定人名・連絡先（郵便番号・住所・電話番号）の順で掲載しています。
●工芸の鑑定に関し、東美鑑定評価機構では原則共箱作品のみ受付（板谷波山・富本憲吉のみ共箱なし可）

日本画・書

作家名	鑑定人名	連絡先		
會津八一	(公財)會津八一記念館	〒950-0088	新潟県新潟市中央区万代3-1-1　メディアシップ5F	025-282-7612
青木大乗	青木母	〒565-0874	大阪府吹田市古江台1-27-12	06-6832-6818
秋野不矩	秋野不矩鑑定委員会	〒605-0064	京都府京都市東山区新門前通東大路西入ル梅本町262 ギャラリー鉄斎堂内	075-531-6164
池上秀畝	東美鑑定評価機構	〒105-0004	東京都港区新橋6-19-15　東京美術倶楽部内	03-3432-0713
池田遙邨	池田良則	〒605-0064	京都府京都市東山区新門前通東大路西入ル梅本町262 ギャラリー鉄斎堂内	075-531-6164
池大雅	西村南岳	〒110-0008	東京都台東区池之端4-23-6	03-3821-4125
石本正	東美鑑定評価機構	〒105-0004	東京都港区新橋6-19-15　東京美術倶楽部内	03-3432-0713
市野龍起	市野境子	〒251-0035	神奈川県藤沢市片瀬海岸3-9-12	0466-22-8085
伊東深水	東美鑑定評価機構	〒105-0004	東京都港区新橋6-19-15　東京美術倶楽部内	03-3432-0713
今尾景祥	今尾景之	〒606-0814	京都府京都市左京区下鴨芝本町26	075-781-1438
今尾景年	今尾景之	〒606-0814	京都府京都市左京区下鴨芝本町26	075-781-1438
今村紫紅	東美鑑定評価機構	〒105-0004	東京都港区新橋6-19-15　東京美術倶楽部内	03-3432-0713
入江波光	望月真千子	〒602-8365	京都府京都市上京区御前通丸太町上ル	075-841-7262
岩倉壽	岩倉壽鑑定委員会	〒605-0064	京都府京都市東山区新門前通東大路西入ル梅本町262 ギャラリー鉄斎堂内	075-531-6164
岩橋英遠	岩橋英遠鑑定会	〒101-0021	東京都千代田区外神田5-4-8　丸栄堂内	03-3831-7821
上村松園	東美鑑定評価機構	〒105-0004	東京都港区新橋6-19-15　東京美術倶楽部内	03-3432-0713
上村松篁	東美鑑定評価機構	〒105-0004	東京都港区新橋6-19-15　東京美術倶楽部内	03-3432-0713
宇田荻邨	宇田喜久子	〒602-8063	京都府京都市上京区上長者町通堀川東入橋本町36	075-451-2401

大橋翠石	東美鑑定評価機構	〒105-0004	東京都港区新橋6-19-15　東京美術倶楽部内	03-3432-0713
大山忠作	東美鑑定評価機構	〒105-0004	東京都港区新橋6-19-15　東京美術倶楽部内	03-3432-0713
小川芋銭	東美鑑定評価機構	〒105-0004	東京都港区新橋6-19-15　東京美術倶楽部内	03-3432-0713
奥村土牛	東美鑑定評価機構	〒105-0004	東京都港区新橋6-19-15　東京美術倶楽部内	03-3432-0713
小倉遊亀	小倉健一	〒104-0061	東京都中央区銀座7-12-4　銀座ウェイフェアビル3F　画廊鉄樹内	03-6264-7900
小野竹喬	小野竹喬鑑定委員会	〒605-0064	京都府京都市東山区新門前通東大路西入ル梅本町262　ギャラリー鉄斎堂内	075-531-6164
小茂田青樹	東美鑑定評価機構	〒105-0004	東京都港区新橋6-19-15　東京美術倶楽部内	03-3432-0713
加倉井和夫	東美鑑定評価機構	〒105-0004	東京都港区新橋6-19-15　東京美術倶楽部内	03-3432-0713
片岡球子	東美鑑定評価機構	〒105-0004	東京都港区新橋6-19-15　東京美術倶楽部内	03-3432-0713
堅山南風	堅山寿子	〒104-0061	東京都中央区銀座8-10-3　みずたに美術内	03-3571-2013
加藤栄三	長縄士郎	〒500-8222	岐阜県岐阜市琴塚1-9-25	058-248-1046
加藤東一	東美鑑定評価機構	〒105-0004	東京都港区新橋6-19-15　東京美術倶楽部内	03-3432-0713
金島桂華	東美鑑定評価機構	〒105-0004	東京都港区新橋6-19-15　東京美術倶楽部内	03-3432-0713
鏑木清方	東美鑑定評価機構	〒105-0004	東京都港区新橋6-19-15　東京美術倶楽部内	03-3432-0713
川合玉堂	東美鑑定評価機構	〒105-0004	東京都港区新橋6-19-15　東京美術倶楽部内	03-3432-0713
川﨑小虎	川﨑鈴彦	〒166-0001	東京都杉並区阿佐谷北2-26-6	03-3330-7144
川端康成	(財)川端康成記念会	〒248-0016	神奈川県鎌倉市長谷1-12-5	0467-22-3474
川端龍子	東美鑑定評価機構	〒105-0004	東京都港区新橋6-19-15　東京美術倶楽部内	03-3432-0713
川村曼舟	東美鑑定評価機構	〒105-0004	東京都港区新橋6-19-15　東京美術倶楽部内	03-3432-0713
吉川霊華	東美鑑定評価機構	〒105-0004	東京都港区新橋6-19-15　東京美術倶楽部内	03-3432-0713
木村武山	木村正夫	〒259-1145	神奈川県伊勢原市板戸536-10	0463-94-2647
小泉淳作	東美鑑定評価機構	〒105-0004	東京都港区新橋6-19-15　東京美術倶楽部内	03-3432-0713
郷倉和子	郷倉伸人	〒158-0081	東京都世田谷区深沢6-4-12	03-3701-0879
郷倉千靭	郷倉伸人	〒158-0081	東京都世田谷区深沢6-4-12	03-3701-0879
小杉放菴	東美鑑定評価機構	〒105-0004	東京都港区新橋6-19-15　東京美術倶楽部内	03-3432-0713
後藤純男	東美鑑定評価機構	〒105-0004	東京都港区新橋6-19-15　東京美術倶楽部内	03-3432-0713
小林古径	東美鑑定評価機構	〒105-0004	東京都港区新橋6-19-15　東京美術倶楽部内	03-3432-0713
小松均	小松均美術館鑑定委員会	〒601-1246	京都府京都市左京区大原井出町369	
近藤浩一路	近藤暾	〒170-0004	東京都豊島区北大塚1-11-15-502	03-3940-3119
今野忠一	今野忠一鑑定会	〒101-0021	東京都千代田区外神田5-4-8　丸栄堂内	03-3831-7821
酒井三良	中谷智子	〒168-0082	東京都杉並区久我山5-35-8	03-3332-5323
榊原紫峰	東美鑑定評価機構	〒105-0004	東京都港区新橋6-19-15　東京美術倶楽部内	03-3432-0713
榊莫山	榊せい子	〒604-8091	京都府京都市中京区御池通寺町東入　蔵丘洞画廊内	075-255-2232
柴田是真	庄司文夫	〒271-0044	千葉県松戸市西馬橋4-81	047-343-8700

下村観山	東美鑑定評価機構	〒105-0004	東京都港区新橋6-19-15　東京美術倶楽部内	03-3432-0713
杉山寧	東美鑑定評価機構	〒105-0004	東京都港区新橋6-19-15　東京美術倶楽部内	03-3432-0713
髙山辰雄	東美鑑定評価機構	〒105-0004	東京都港区新橋6-19-15　東京美術倶楽部内	03-3432-0713
竹内栖鳳	東美鑑定評価機構	〒105-0004	東京都港区新橋6-19-15　東京美術倶楽部内	03-3432-0713
竹久夢二	東美鑑定評価機構	〒105-0004	東京都港区新橋6-19-15　東京美術倶楽部内	03-3432-0713
橘天敬	ギャラリーAYA	〒105-0001	東京都港区虎ノ門5-4-10　仙石山アートハウス401	03-3432-3456
田中以知庵	三上幸子	〒104-0061	東京都中央区銀座1-20-9　3F　ギャラリー夏目内	03-3564-5560
谷文晁	西村南岳	〒110-0008	東京都台東区池之端4-23-6	03-3821-4125
土田麦僊	東美鑑定評価機構	〒105-0004	東京都港区新橋6-19-15　東京美術倶楽部内	03-3432-0713
寺崎廣業	東美鑑定評価機構	〒105-0004	東京都港区新橋6-19-15　東京美術倶楽部内	03-3432-0713
寺島紫明	山平義正	〒651-0084	兵庫県神戸市中央区磯辺通4-2-26　新芙蓉ビル1F ぎゃるりー神戸内	078-251-8880
堂本印象	堂本印象鑑定委員会	〒605-0064	京都府京都市東山区新門前通東大路西入ル梅本町262 ギャラリー鉄斎堂内	075-531-6164
徳岡神泉	徳岡房子・紀子	〒176-0011	東京都練馬区豊玉上1-18-13	03-3993-4697
富岡鉄斎	富岡鉄斎鑑定委員会	〒541-0042	大阪府大阪市中央区今橋2-4-5 大阪美術倶楽部内	06-6231-9626
	（東京窓口）	〒104-0061	東京都中央区銀座7-2-16 寿ビル3F　芳山堂内	03-3572-0560
冨田溪仙	東美鑑定評価機構	〒105-0004	東京都港区新橋6-19-15　東京美術倶楽部内	03-3432-0713
中路融人	中路融人鑑定委員会	〒605-0064	京都府京都市東山区新門前通東大路西入ル梅本町262 ギャラリー鉄斎堂内	075-531-6164
中村岳陵	中村岳陵鑑定会	〒249-0002	神奈川県逗子市山の根2-2-13　中村方	046-871-2379
中村大三郎	中村実	〒611-0014	京都府宇治市明星町3-12-39	0774-22-8603
中村正義	中村正義の美術館	〒215-0001	神奈川県川崎市麻生区細山7-2-8	044-953-4936
西内利夫	西内登志子	〒602-8057	京都府京都市上京区下長者町堀川東入ル紹巴町19	075-451-8750
西村五雲	東美鑑定評価機構	〒105-0004	東京都港区新橋6-19-15　東京美術倶楽部内	03-3432-0713
西山翠嶂	西山翠嶂鑑定会	〒604-8064	京都府京都市中京区富小路通六角下ル　津田画廊内	075-211-1636
西山英雄	西山英雄鑑定会	〒604-8064	京都府京都市中京区富小路通六角下ル　津田画廊内	075-211-1636
橋本雅邦	東美鑑定評価機構	〒105-0004	東京都港区新橋6-19-15　東京美術倶楽部内	03-3432-0713
橋本関雪	東美鑑定評価機構	〒105-0004	東京都港区新橋6-19-15　東京美術倶楽部内	03-3432-0713
橋本明治	橋本弘安	〒167-0032	東京都杉並区天沼2-40-5	03-3220-5927
濱田観	濱田昇児	〒603-8341	京都府京都市北区小松原北町76	075-462-3473
林功	東美鑑定評価機構	〒105-0004	東京都港区新橋6-19-15　東京美術倶楽部内	03-3432-0713
速水御舟	吉田耕三	〒253-0061	神奈川県茅ヶ崎市南湖4-22-35	0467-85-3628
東山魁夷	東美鑑定評価機構	〒105-0004	東京都港区新橋6-19-15　東京美術倶楽部内	03-3432-0713
菱田春草	東美鑑定評価機構	〒105-0004	東京都港区新橋6-19-15　東京美術倶楽部内	03-3432-0713
平川敏夫	東美鑑定評価機構	〒105-0004	東京都港区新橋6-19-15　東京美術倶楽部内	03-3432-0713
平福百穂	中田百合	〒158-0081	東京都世田谷区深沢5-6-12　舟山方	03-3702-6520
平山郁夫	東美鑑定評価機構	〒105-0004	東京都港区新橋6-19-15　東京美術倶楽部内	03-3432-0713

福田平八郎	東美鑑定評価機構	〒105-0004	東京都港区新橋6-19-15　東京美術倶楽部内	03-3432-0713
前田青邨	東美鑑定評価機構	〒105-0004	東京都港区新橋6-19-15　東京美術倶楽部内	03-3432-0713
正岡子規	寒川知佳子	〒110-0003	東京都台東区根岸2-5-11　子規庵保存会内	070-5597-4287
松尾敏男	東美鑑定評価機構	〒105-0004	東京都港区新橋6-19-15　東京美術倶楽部内	03-3432-0713
松本哲男	東美鑑定評価機構	〒105-0004	東京都港区新橋6-19-15　東京美術倶楽部内	03-3432-0713
三輪晁勢	三輪晃久	〒603-8321	京都府京都市北区平野鳥居前町76	075-463-8875
武者小路実篤	無車会	〒181-0001	東京都三鷹市井の頭5-17-8　ラ・パーチェ 1F ギャラリー武者小路内	0422-47-6452
村上華岳	村上伸	〒657-0068	兵庫県神戸市灘区篠原北町2-4-25	078-861-4712
望月春江	鈴木美江	〒110-0008	東京都台東区池之端4-23-17	03-3828-9744
森田恒友	東美鑑定評価機構	〒105-0004	東京都港区新橋6-19-15　東京美術倶楽部内	03-3432-0713
安田靫彦	安田靫彦鑑定委員会	〒104-0061	東京都中央区銀座8-10-8　銀座8丁目10番ビル2F 島村画廊内	03-3571-1815
山岸純	山岸セツ子	〒606-0023	京都府京都市左京区岩倉南三宅町82	075-791-2650
山口華楊	東美鑑定評価機構	〒105-0004	東京都港区新橋6-19-15　東京美術倶楽部内	03-3432-0713
山口蓬春	東美鑑定評価機構	〒105-0004	東京都港区新橋6-19-15　東京美術倶楽部内	03-3432-0713
山田申吾	東美鑑定評価機構	〒105-0004	東京都港区新橋6-19-15　東京美術倶楽部内	03-3432-0713
山本丘人	山本由美子	〒410-1326	静岡県駿東郡小山町用沢1373-1	0550-78-1400
山元春挙	山元寛昭	〒520-0837	滋賀県大津市中庄1-19-23	077-522-2183
横山大観	横山隆・浩一	〒110-0008	東京都台東区池之端1-4-24　横山大観記念館内	03-3821-1017
横山操	東美鑑定評価機構	〒105-0004	東京都港区新橋6-19-15　東京美術倶楽部内	03-3432-0713
吉田善彦	東美鑑定評価機構	〒105-0004	東京都港区新橋6-19-15　東京美術倶楽部内	03-3432-0713
若山牧水	榎本篁子	〒104-0031	東京都中央区京橋3-3-2　加島美術内	03-3276-0700
渡辺崋山	西村南岳	〒110-0008	東京都台東区池之端4-23-6	03-3821-4125

洋画

作家名	鑑定人名	連絡先		
相原求一朗	日本洋画商協同組合鑑定登録委員会	〒104-0061	東京都中央区銀座6-3-2　ギャラリーセンタービル6F 日本洋画商協同組合内	03-3571-3402
靉光	東美鑑定評価機構	〒105-0004	東京都港区新橋6-19-15　東京美術倶楽部内	03-3432-0713
靉光	日本洋画商協同組合鑑定登録委員会	〒104-0061	東京都中央区銀座6-3-2　ギャラリーセンタービル6F 日本洋画商協同組合内	03-3571-3402
青木繁	東美鑑定評価機構	〒105-0004	東京都港区新橋6-19-15　東京美術倶楽部内	03-3432-0713
青木繁	日本洋画商協同組合鑑定登録委員会	〒104-0061	東京都中央区銀座6-3-2　ギャラリーセンタービル6F 日本洋画商協同組合内	03-3571-3402

青山熊治	日本洋画商協同組合鑑定登録委員会	〒104-0061	東京都中央区銀座6-3-2　ギャラリーセンタービル6F 日本洋画商協同組合内	03-3571-3402
青山義雄	東美鑑定評価機構	〒105-0004	東京都港区新橋6-19-15　東京美術倶楽部内	03-3432-0713
朝井閑右衛門	東美鑑定評価機構	〒105-0004	東京都港区新橋6-19-15　東京美術倶楽部内	03-3432-0713
朝井閑右衛門	朝井閑右衛門の会	〒104-0061	東京都中央区銀座5-3-16　日動画廊内	03-3571-2553
浅井忠	東美鑑定評価機構	〒105-0004	東京都港区新橋6-19-15　東京美術倶楽部内	03-3432-0713
浅井忠	日本洋画商協同組合鑑定登録委員会	〒104-0061	東京都中央区銀座6-3-2　ギャラリーセンタービル6F 日本洋画商協同組合内	03-3571-3402
麻生三郎	東美鑑定評価機構	〒105-0004	東京都港区新橋6-19-15　東京美術倶楽部内	03-3432-0713
有島生馬	東美鑑定評価機構	〒105-0004	東京都港区新橋6-19-15　東京美術倶楽部内	03-3432-0713
有元利夫	有元利夫作品鑑定委員会 有元容子	〒102-0075	東京都千代田区三番町6-2　小川美術館内	03-3263-3021
石井柏亭	松村三冬	〒169-0075	東京都新宿区高田馬場1-19-10	03-3200-6587
伊藤清永	日本洋画商協同組合鑑定登録委員会	〒104-0061	東京都中央区銀座6-3-2　ギャラリーセンタービル6F 日本洋画商協同組合内	03-3571-3402
糸園和三郎	東美鑑定評価機構	〒105-0004	東京都港区新橋6-19-15　東京美術倶楽部内	03-3432-0713
糸園和三郎	日本洋画商協同組合鑑定登録委員会	〒104-0061	東京都中央区銀座6-3-2　ギャラリーセンタービル6F 日本洋画商協同組合内	03-3571-3402
猪熊弦一郎	日本洋画商協同組合鑑定登録委員会	〒104-0061	東京都中央区銀座6-3-2　ギャラリーセンタービル6F 日本洋画商協同組合内	03-3571-3402
伊原宇三郎	日本洋画商協同組合鑑定登録委員会	〒104-0061	東京都中央区銀座6-3-2　ギャラリーセンタービル6F 日本洋画商協同組合内	03-3571-3402
今西中通	東美鑑定評価機構	〒105-0004	東京都港区新橋6-19-15　東京美術倶楽部内	03-3432-0713
今西中通	日本洋画商協同組合鑑定登録委員会	〒104-0061	東京都中央区銀座6-3-2　ギャラリーセンタービル6F 日本洋画商協同組合内	03-3571-3402
上野山清貢	東美鑑定評価機構	〒105-0004	東京都港区新橋6-19-15　東京美術倶楽部内	03-3432-0713
上野山清貢	北海道絵画商協同組合鑑定委員会	〒060-0063	北海道札幌市中央区南三条西2 KT三条ビル2F	011-210-5911
浮田克躬	浮田和枝	〒166-0004	東京都杉並区阿佐谷南3-10-18	03-3391-6710・080-3340-6710
梅原龍三郎	東美鑑定評価機構	〒105-0004	東京都港区新橋6-19-15　東京美術倶楽部内	03-3432-0713
梅原龍三郎	梅原龍三郎の会	〒104-0061	東京都中央区銀座5-3-16　日動画廊内	03-3571-2553
瑛九	東美鑑定評価機構	〒105-0004	東京都港区新橋6-19-15　東京美術倶楽部内	03-3432-0713
海老原喜之助	東美鑑定評価機構	〒105-0004	東京都港区新橋6-19-15　東京美術倶楽部内	03-3432-0713
海老原喜之助	日本洋画商協同組合鑑定登録委員会	〒104-0061	東京都中央区銀座6-3-2　ギャラリーセンタービル6F 日本洋画商協同組合内	03-3571-3402
大藪雅孝	大藪淳子	〒198-0172	東京都青梅市沢井3-901	0428-78-8203
岡鹿之助	東美鑑定評価機構	〒105-0004	東京都港区新橋6-19-15　東京美術倶楽部内	03-3432-0713
岡鹿之助	日本洋画商協同組合鑑定登録委員会	〒104-0061	東京都中央区銀座6-3-2　ギャラリーセンタービル6F 日本洋画商協同組合内	03-3571-3402

岡田謙三	日本洋画商協同組合鑑定登録委員会	〒104-0061	東京都中央区銀座6-3-2　ギャラリーセンタービル6F 日本洋画商協同組合内	03-3571-3402
岡田三郎助	東美鑑定評価機構	〒105-0004	東京都港区新橋6-19-15　東京美術倶楽部内	03-3432-0713
岡田三郎助	岡田三郎助の会	〒104-0061	東京都中央区銀座5-3-16　日動画廊内	03-3571-2553
荻太郎	日本洋画商協同組合鑑定登録委員会	〒104-0061	東京都中央区銀座6-3-2　ギャラリーセンタービル6F 日本洋画商協同組合内	03-3571-3402
荻須高徳	荻須恵美子	〒153-0065	東京都目黒区中町2-14-5 レザミ・ド・オギス	03-5723-8409
刑部人	日本洋画商協同組合鑑定登録委員会	〒104-0061	東京都中央区銀座6-3-2　ギャラリーセンタービル6F 日本洋画商協同組合内	03-3571-3402
小野末	日本洋画商協同組合鑑定登録委員会	〒104-0061	東京都中央区銀座6-3-2　ギャラリーセンタービル6F 日本洋画商協同組合内	03-3571-3402
小山田二郎	日本洋画商協同組合鑑定登録委員会	〒104-0061	東京都中央区銀座6-3-2　ギャラリーセンタービル6F 日本洋画商協同組合内	03-3571-3402
香月泰男	香月婦美子	〒104-0061	東京都中央区銀座6-7-19　瞬生画廊内	03-3574-7688
金山平三	金山平三の会	〒104-0061	東京都中央区銀座5-3-16　日動画廊内	03-3571-2553
金山康喜	東美鑑定評価機構	〒105-0004	東京都港区新橋6-19-15　東京美術倶楽部内	03-3432-0713
鹿子木孟郎	日本洋画商協同組合鑑定登録委員会	〒104-0061	東京都中央区銀座6-3-2　ギャラリーセンタービル6F 日本洋画商協同組合内	03-3571-3402
彼末宏	東美鑑定評価機構	〒105-0004	東京都港区新橋6-19-15　東京美術倶楽部内	03-3432-0713
鴨居玲	東美鑑定評価機構	〒105-0004	東京都港区新橋6-19-15　東京美術倶楽部内	03-3432-0713
鴨居玲	鴨居玲の会	〒104-0061	東京都中央区銀座5-3-16　日動画廊内	03-3571-2553
川口軌外	日本洋画商協同組合鑑定登録委員会	〒104-0061	東京都中央区銀座6-3-2　ギャラリーセンタービル6F 日本洋画商協同組合内	03-3571-3402
川村清雄	日本洋画商協同組合鑑定登録委員会	〒104-0061	東京都中央区銀座6-3-2　ギャラリーセンタービル6F 日本洋画商協同組合内	03-3571-3402
岸田劉生	劉生の会	〒104-0061	東京都中央区銀座5-3-16　日動画廊内	03-3571-2553
木田金次郎	北海道絵画商協同組合鑑定委員会	〒060-0063	北海道札幌市中央区南三条西2 KT三条ビル2F	011-210-5911
北川民次	日本洋画商協同組合鑑定登録委員会	〒104-0061	東京都中央区銀座6-3-2　ギャラリーセンタービル6F 日本洋画商協同組合内	03-3571-3402
鬼頭鍋三郎	鬼頭伊佐郎	〒464-0850	愛知県名古屋市千種区今池1-23-5	052-731-5409
木村荘八	東美鑑定評価機構	〒105-0004	東京都港区新橋6-19-15　東京美術倶楽部内	03-3432-0713
木村荘八	日本洋画商協同組合鑑定登録委員会	〒104-0061	東京都中央区銀座6-3-2　ギャラリーセンタービル6F 日本洋画商協同組合内	03-3571-3402
木村忠太	木村忠太の会	〒104-0061	東京都中央区銀座5-3-16　日動画廊内	03-3571-2553
国吉康雄	東美鑑定評価機構	〒105-0004	東京都港区新橋6-19-15　東京美術倶楽部内	03-3432-0713
熊谷守一	東美鑑定評価機構	〒105-0004	東京都港区新橋6-19-15　東京美術倶楽部内	03-3432-0713
熊谷守一	熊谷守一水墨淡彩画鑑定登録会	〒104-0031	東京都中央区京橋3-9-4　(株)京橋画廊内	03-5524-5470

久米桂一郎	日本洋画商協同組合鑑定登録委員会	〒104-0061	東京都中央区銀座6-3-2　ギャラリーセンタービル6F 日本洋画商協同組合内	03-3571-3402
黒田清輝	東美鑑定評価機構	〒105-0004	東京都港区新橋6-19-15　東京美術倶楽部内	03-3432-0713
黒田清輝	日本洋画商協同組合鑑定登録委員会	〒104-0061	東京都中央区銀座6-3-2　ギャラリーセンタービル6F 日本洋画商協同組合内	03-3571-3402
小磯良平	小磯良平鑑定委員会	〒530-0001	大阪府大阪市北区梅田3-4-5 5F　梅田画廊内	06-6346-1100
小出楢重	小出楢重の会	〒541-0054	大阪府大阪市中央区南本町2-4-3　丸全ビル203 にいファインアーツ内	06-4708-7839
小絲源太郎	東美鑑定評価機構	〒105-0004	東京都港区新橋6-19-15　東京美術倶楽部内	03-3432-0713
河野通勢	日本洋画商協同組合鑑定登録委員会	〒104-0061	東京都中央区銀座6-3-2　ギャラリーセンタービル6F 日本洋画商協同組合内	03-3571-3402
古賀春江	東美鑑定評価機構	〒105-0004	東京都港区新橋6-19-15　東京美術倶楽部内	03-3432-0713
國領經郎	日本洋画商協同組合鑑定登録委員会	〒104-0061	東京都中央区銀座6-3-2　ギャラリーセンタービル6F 日本洋画商協同組合内	03-3571-3402
児島善三郎	兒嶋俊郎	〒185-0024	東京都国分寺市泉町1-5-16　兒嶋画廊内	042-207-7918
児島虎次郎	児島塊太郎	〒719-1124	岡山県総社市三須半妻481	0866-93-3287
五姓田芳柳	日本洋画商協同組合鑑定登録委員会	〒104-0061	東京都中央区銀座6-3-2　ギャラリーセンタービル6F 日本洋画商協同組合内	03-3571-3402
二世　芳柳	日本洋画商協同組合鑑定登録委員会	〒104-0061	東京都中央区銀座6-3-2　ギャラリーセンタービル6F 日本洋画商協同組合内	03-3571-3402
五姓田義松	日本洋画商協同組合鑑定登録委員会	〒104-0061	東京都中央区銀座6-3-2　ギャラリーセンタービル6F 日本洋画商協同組合内	03-3571-3402
児玉幸雄	東美鑑定評価機構	〒105-0004	東京都港区新橋6-19-15　東京美術倶楽部内	03-3432-0713
児玉幸雄	児玉幸雄の会	〒104-0061	東京都中央区銀座5-3-16　日動画廊内	03-3571-2553
小林萬吾	東美鑑定評価機構	〒105-0004	東京都港区新橋6-19-15　東京美術倶楽部内	03-3432-0713
小林和作	東美鑑定評価機構	〒105-0004	東京都港区新橋6-19-15　東京美術倶楽部内	03-3432-0713
小松崎邦雄	日本洋画商協同組合鑑定登録委員会	〒104-0061	東京都中央区銀座6-3-2　ギャラリーセンタービル6F 日本洋画商協同組合内	03-3571-3402
五味悌四郎	五味悌四郎鑑定委員会	〒104-0061	東京都中央区銀座6-9-4　銀座小坂ビル4F 至峰堂画廊 銀座店内	03-3572-3756
古茂田守介	日本洋画商協同組合鑑定登録委員会	〒104-0061	東京都中央区銀座6-3-2　ギャラリーセンタービル6F 日本洋画商協同組合内	03-3571-3402
小山敬三	東美鑑定評価機構	〒105-0004	東京都港区新橋6-19-15　東京美術倶楽部内	03-3432-0713
小山敬三	小山敬三の会	〒104-0061	東京都中央区銀座5-3-16　日動画廊内	03-3571-2553
小山正太郎	日本洋画商協同組合鑑定登録委員会	〒104-0061	東京都中央区銀座6-3-2　ギャラリーセンタービル6F 日本洋画商協同組合内	03-3571-3402
斎藤三郎	日本洋画商協同組合鑑定登録委員会	〒104-0061	東京都中央区銀座6-3-2　ギャラリーセンタービル6F 日本洋画商協同組合内	03-3571-3402

斎藤真一	日本洋画商協同組合鑑定登録委員会	〒104-0061	東京都中央区銀座6-3-2　ギャラリーセンタービル6F 日本洋画商協同組合内	03-3571-3402
斎藤義重	日本洋画商協同組合鑑定登録委員会	〒104-0061	東京都中央区銀座6-3-2　ギャラリーセンタービル6F 日本洋画商協同組合内	03-3571-3402
斎藤与里	東美鑑定評価機構	〒105-0004	東京都港区新橋6-19-15　東京美術倶楽部内	03-3432-0713
佐伯祐三	東美鑑定評価機構	〒105-0004	東京都港区新橋6-19-15　東京美術倶楽部内	03-3432-0713
佐伯祐三	日本洋画商協同組合鑑定登録委員会	〒104-0061	東京都中央区銀座6-3-2　ギャラリーセンタービル6F 日本洋画商協同組合内	03-3571-3402
坂本繁二郎	坂本暁彦	〒810-0041	福岡県福岡市中央区大名2-10-2 B-101	092-713-1943
佐竹徳	日本洋画商協同組合鑑定登録委員会	〒104-0061	東京都中央区銀座6-3-2　ギャラリーセンタービル6F 日本洋画商協同組合内	03-3571-3402
里見勝蔵	日本洋画商協同組合鑑定登録委員会	〒104-0061	東京都中央区銀座6-3-2　ギャラリーセンタービル6F 日本洋画商協同組合内	03-3571-3402
里見勝蔵	山内滋夫	〒251-0033	神奈川県藤沢市片瀬山5-30-11	0466-26-0345
佐野繁次郎	日本洋画商協同組合鑑定登録委員会	〒104-0061	東京都中央区銀座6-3-2　ギャラリーセンタービル6F 日本洋画商協同組合内	03-3571-3402
佐分真	東美鑑定評価機構	〒105-0004	東京都港区新橋6-19-15　東京美術倶楽部内	03-3432-0713
清水登之	東美鑑定評価機構	〒105-0004	東京都港区新橋6-19-15　東京美術倶楽部内	03-3432-0713
清水登之	日本洋画商協同組合鑑定登録委員会	〒104-0061	東京都中央区銀座6-3-2　ギャラリーセンタービル6F 日本洋画商協同組合内	03-3571-3402
白髪一雄	日本洋画商協同組合鑑定登録委員会	〒104-0061	東京都中央区銀座6-3-2　ギャラリーセンタービル6F 日本洋画商協同組合内	03-3571-3402
白滝幾之助	東美鑑定評価機構	〒105-0004	東京都港区新橋6-19-15　東京美術倶楽部内	03-3432-0713
菅創吉	日本洋画商協同組合鑑定登録委員会	〒104-0061	東京都中央区銀座6-3-2　ギャラリーセンタービル6F 日本洋画商協同組合内	03-3571-3402
菅井汲	日本洋画商協同組合鑑定登録委員会	〒104-0061	東京都中央区銀座6-3-2　ギャラリーセンタービル6F 日本洋画商協同組合内	03-3571-3402
菅野圭介	日本洋画商協同組合鑑定登録委員会	〒104-0061	東京都中央区銀座6-3-2　ギャラリーセンタービル6F 日本洋画商協同組合内	03-3571-3402
杉本健吉	東美鑑定評価機構	〒105-0004	東京都港区新橋6-19-15　東京美術倶楽部内	03-3432-0713
鈴木信太郎	東美鑑定評価機構	〒105-0004	東京都港区新橋6-19-15　東京美術倶楽部内	03-3432-0713
鈴木信太郎	鈴木信太郎の会	〒104-0061	東京都中央区銀座5-3-16　日動画廊内	03-3571-2553
鈴木千久馬	鈴木美江	〒110-0008	東京都台東区池之端4-23-17	03-3828-9744
須田国太郎	東美鑑定評価機構	〒105-0004	東京都港区新橋6-19-15　東京美術倶楽部内	03-3432-0713
須田剋太	須田剋太鑑定委員会	〒103-0022	東京都中央区日本橋室町3-2-18-6F　秀山堂画廊内	03-3245-1340
関根正二	東美鑑定評価機構	〒105-0004	東京都港区新橋6-19-15　東京美術倶楽部内	03-3432-0713
曽宮一念	東美鑑定評価機構	〒105-0004	東京都港区新橋6-19-15　東京美術倶楽部内	03-3432-0713

曽宮一念	日本洋画商協同組合鑑定登録委員会	〒104-0061	東京都中央区銀座6-3-2　ギャラリーセンタービル6F 日本洋画商協同組合内	03-3571-3402
髙島野十郎	日本洋画商協同組合鑑定登録委員会	〒104-0061	東京都中央区銀座6-3-2　ギャラリーセンタービル6F 日本洋画商協同組合内	03-3571-3402
高田誠	日本洋画商協同組合鑑定登録委員会	〒104-0061	東京都中央区銀座6-3-2　ギャラリーセンタービル6F 日本洋画商協同組合内	03-3571-3402
高橋由一	日本洋画商協同組合鑑定登録委員会	〒104-0061	東京都中央区銀座6-3-2　ギャラリーセンタービル6F 日本洋画商協同組合内	03-3571-3402
高畠達四郎	日本洋画商協同組合鑑定登録委員会	〒104-0061	東京都中央区銀座6-3-2　ギャラリーセンタービル6F 日本洋画商協同組合内	03-3571-3402
高松次郎	日本洋画商協同組合鑑定登録委員会	〒104-0061	東京都中央区銀座6-3-2　ギャラリーセンタービル6F 日本洋画商協同組合内	03-3571-3402
高光一也	高光寂	〒920-0212	石川県金沢市北間町イ50	076-238-2505
田崎廣助	田崎廣助鑑定登録会	〒104-0061	東京都中央区銀座1-9-19　法研銀座ビル1F　ギャラリーT内	03-3561-1251
田中保	日本洋画商協同組合鑑定登録委員会	〒104-0061	東京都中央区銀座6-3-2　ギャラリーセンタービル6F 日本洋画商協同組合内	03-3571-3402
田辺三重松	日本洋画商協同組合鑑定登録委員会	〒104-0061	東京都中央区銀座6-3-2　ギャラリーセンタービル6F 日本洋画商協同組合内	03-3571-3402
田辺三重松	北海道絵画商協同組合鑑定委員会	〒060-0063	北海道札幌市中央区南三条西2 KT三条ビル2F	011-210-5911
田村孝之介	東美鑑定評価機構	〒105-0004	東京都港区新橋6-19-15　東京美術倶楽部内	03-3432-0713
田村孝之介	大西洋	〒112-0002	東京都文京区小石川5-6-9-704	03-3945-0744
鳥海青児	東美鑑定評価機構	〒105-0004	東京都港区新橋6-19-15　東京美術倶楽部内	03-3432-0713
鳥海青児	鳥海青児の会	〒104-0061	東京都中央区銀座5-3-16　日動画廊内	03-3571-2553
椿貞雄	東美鑑定評価機構	〒105-0004	東京都港区新橋6-19-15　東京美術倶楽部内	03-3432-0713
椿貞雄	日本洋画商協同組合鑑定登録委員会	〒104-0061	東京都中央区銀座6-3-2　ギャラリーセンタービル6F 日本洋画商協同組合内	03-3571-3402
鶴岡政男	日本洋画商協同組合鑑定登録委員会	〒104-0061	東京都中央区銀座6-3-2　ギャラリーセンタービル6F 日本洋画商協同組合内	03-3571-3402
鶴岡義雄	鶴岡麗子	〒142-0041	東京都品川区戸越6-1-12　正光画廊内	03-5702-6591
寺内萬治郎	東美鑑定評価機構	〒105-0004	東京都港区新橋6-19-15　東京美術倶楽部内	03-3432-0713
寺内萬治郎	寺内士郎	〒330-0075	埼玉県さいたま市浦和区針ヶ谷2-18-12	048-825-3011
東郷青児	東郷青児鑑定委員会	〒104-0061	東京都中央区銀座1-20-9　3F　ギャラリー夏目内	03-3564-5560
中川一政	東美鑑定評価機構	〒105-0004	東京都港区新橋6-19-15　東京美術倶楽部内	03-3432-0713
中川一政	中川一政の会	〒104-0061	東京都中央区銀座5-3-16　日動画廊内	03-3571-2553
中川紀元	紀元会	〒104-0031	東京都中央区京橋2-8-5　アート・紀元内	03-5250-1870
中谷泰	東美鑑定評価機構	〒105-0004	東京都港区新橋6-19-15　東京美術倶楽部内	03-3432-0713

中西利雄	中西利一郎	〒164-0001	東京都中野区中野3-11-10	03-3381-7402
中根寛	日本洋画商協同組合鑑定登録委員会	〒104-0061	東京都中央区銀座6-3-2　ギャラリーセンタービル6F	
			日本洋画商協同組合内	03-3571-3402
中畑艸人	東美鑑定評価機構	〒105-0004	東京都港区新橋6-19-15　東京美術倶楽部内	03-3432-0713
中村研一	馬目世母子	〒184-0012	東京都小金井市中町2-9-7　ライオンズマンション武蔵小金井中町403	
				042-381-3328
中村清治	東美鑑定評価機構	〒105-0004	東京都港区新橋6-19-15　東京美術倶楽部内	03-3432-0713
中村善策	北海道絵画商協同組合鑑定委員会	〒060-0063	北海道札幌市中央区南三条西2 KT三条ビル2F	011-210-5911
中村琢二	日本洋画商協同組合鑑定登録委員会	〒104-0061	東京都中央区銀座6-3-2　ギャラリーセンタービル6F	
			日本洋画商協同組合内	03-3571-3402
中村彝	東美鑑定評価機構	〒105-0004	東京都港区新橋6-19-15　東京美術倶楽部内	03-3432-0713
中村直人	日本洋画商協同組合鑑定登録委員会	〒104-0061	東京都中央区銀座6-3-2　ギャラリーセンタービル6F	
			日本洋画商協同組合内	03-3571-3402
中村不折	日本洋画商協同組合鑑定登録委員会	〒104-0061	東京都中央区銀座6-3-2　ギャラリーセンタービル6F	
	（※油彩のみ鑑定）		日本洋画商協同組合内	03-3571-3402
鍋井克之	東美鑑定評価機構	〒105-0004	東京都港区新橋6-19-15　東京美術倶楽部内	03-3432-0713
難波田龍起	日本洋画商協同組合鑑定登録委員会	〒104-0061	東京都中央区銀座6-3-2　ギャラリーセンタービル6F	
			日本洋画商協同組合内	03-3571-3402
西村龍介	東美鑑定評価機構	〒105-0004	東京都港区新橋6-19-15　東京美術倶楽部内	03-3432-0713
野口謙蔵	野謙の会	〒104-0061	東京都中央区銀座6-9-4 岩崎ビル8F　岡崎画廊内	03-3575-4795
野口弥太郎	東美鑑定評価機構	〒105-0004	東京都港区新橋6-19-15　東京美術倶楽部内	03-3432-0713
野田英夫	東美鑑定評価機構	〒105-0004	東京都港区新橋6-19-15　東京美術倶楽部内	03-3432-0713
野田英夫	日本洋画商協同組合鑑定登録委員会	〒104-0061	東京都中央区銀座6-3-2　ギャラリーセンタービル6F	
			日本洋画商協同組合内	03-3571-3402
野間仁根	東美鑑定評価機構	〒105-0004	東京都港区新橋6-19-15　東京美術倶楽部内	03-3432-0713
野間仁根	野間仁根の会	〒104-0061	東京都中央区銀座5-3-16　日動画廊内	03-3571-2553
長谷川利行	東美鑑定評価機構	〒105-0004	東京都港区新橋6-19-15　東京美術倶楽部内	03-3432-0713
長谷川利行	長谷川利行の会	〒113-0034	東京都文京区湯島4-6-11　羽黒洞木村東介内	03-3815-0431
長谷川潾二郎	日本洋画商協同組合鑑定登録委員会	〒104-0061	東京都中央区銀座6-3-2　ギャラリーセンタービル6F	
			日本洋画商協同組合内	03-3571-3402
林倭衛	日本洋画商協同組合鑑定登録委員会	〒104-0061	東京都中央区銀座6-3-2　ギャラリーセンタービル6F	
			日本洋画商協同組合内	03-3571-3402
林武	東美鑑定評価機構	〒105-0004	東京都港区新橋6-19-15　東京美術倶楽部内	03-3432-0713
林武	武の会	〒104-0061	東京都中央区銀座5-3-16　日動画廊内	03-3571-2553
原勝四郎	日本洋画商協同組合鑑定登録委員会	〒104-0061	東京都中央区銀座6-3-2　ギャラリーセンタービル6F	
			日本洋画商協同組合内	03-3571-3402
原精一	日本洋画商協同組合鑑定登録委員会	〒104-0061	東京都中央区銀座6-3-2　ギャラリーセンタービル6F	
			日本洋画商協同組合内	03-3571-3402

原撫松	日本洋画商協同組合鑑定登録委員会	〒104-0061	東京都中央区銀座6-3-2　ギャラリーセンタービル6F 日本洋画商協同組合内　03-3571-3402
原田直次郎	日本洋画商協同組合鑑定登録委員会	〒104-0061	東京都中央区銀座6-3-2　ギャラリーセンタービル6F 日本洋画商協同組合内　03-3571-3402
平野遼	日本洋画商協同組合鑑定登録委員会	〒104-0061	東京都中央区銀座6-3-2　ギャラリーセンタービル6F 日本洋画商協同組合内　03-3571-3402
福井良之助	東美鑑定評価機構	〒105-0004	東京都港区新橋6-19-15　東京美術倶楽部内　03-3432-0713
福沢一郎	日本洋画商協同組合鑑定登録委員会	〒104-0061	東京都中央区銀座6-3-2　ギャラリーセンタービル6F 日本洋画商協同組合内　03-3571-3402
藤井勉	藤井勉鑑定委員会	〒232-0055	神奈川県横浜市南区中島町4-66-104　アート横濱内 045-309-8239
藤島武二	東美鑑定評価機構	〒105-0004	東京都港区新橋6-19-15　東京美術倶楽部内　03-3432-0713
藤島武二	藤島武二の会	〒104-0061	東京都中央区銀座5-3-16　日動画廊内　03-3571-2553
藤田嗣治	東美鑑定評価機構	〒105-0004	東京都港区新橋6-19-15　東京美術倶楽部内　03-3432-0713
藤田嗣治	日本洋画商協同組合鑑定登録委員会	〒104-0061	東京都中央区銀座6-3-2　ギャラリーセンタービル6F 日本洋画商協同組合内　03-3571-3402
藤田吉香	佐藤真鳥	〒190-0013	東京都立川市富士見町1-20-13　090-8775-5273
藤田吉香	日本洋画商協同組合鑑定登録委員会	〒104-0061	東京都中央区銀座6-3-2　ギャラリーセンタービル6F 日本洋画商協同組合内　03-3571-3402
前田寛治	東美鑑定評価機構	〒105-0004	東京都港区新橋6-19-15　東京美術倶楽部内　03-3432-0713
牧野虎雄	東美鑑定評価機構	〒105-0004	東京都港区新橋6-19-15　東京美術倶楽部内　03-3432-0713
俣野第四郎	日本洋画商協同組合鑑定登録委員会	〒104-0061	東京都中央区銀座6-3-2　ギャラリーセンタービル6F 日本洋画商協同組合内　03-3571-3402
松本竣介	東美鑑定評価機構	〒105-0004	東京都港区新橋6-19-15　東京美術倶楽部内　03-3432-0713
三岸好太郎	東美鑑定評価機構	〒105-0004	東京都港区新橋6-19-15　東京美術倶楽部内　03-3432-0713
三岸好太郎	三岸太郎	〒104-0061	東京都中央区銀座8-10-6-1F　高輪画廊内　03-3571-3331
三岸節子	東美鑑定評価機構	〒105-0004	東京都港区新橋6-19-15　東京美術倶楽部内　03-3432-0713
三岸節子	三岸節子の会	〒104-0061	東京都中央区銀座5-3-16　日動画廊内　03-3571-2553
三岸節子	三岸太郎	〒104-0061	東京都中央区銀座8-10-6-1F　高輪画廊内　03-3571-3331
満谷国四郎	東美鑑定評価機構	〒105-0004	東京都港区新橋6-19-15　東京美術倶楽部内　03-3432-0713
満谷国四郎	日本洋画商協同組合鑑定登録委員会	〒104-0061	東京都中央区銀座6-3-2　ギャラリーセンタービル6F 日本洋画商協同組合内　03-3571-3402
南薫造	東美鑑定評価機構	〒105-0004	東京都港区新橋6-19-15　東京美術倶楽部内　03-3432-0713
宮永岳彦	東美鑑定評価機構	〒105-0004	東京都港区新橋6-19-15　東京美術倶楽部内　03-3432-0713
宮本三郎	東美鑑定評価機構	〒105-0004	東京都港区新橋6-19-15　東京美術倶楽部内　03-3432-0713
宮本三郎	宮本三郎の会	〒104-0061	東京都中央区銀座5-3-16　日動画廊内　03-3571-2553
棟方志功	棟方志功鑑定委員会	〒150-8019	東京都渋谷区道玄坂2-24-1　渋谷東急本店 棟方志功ギャラリー内　03-3477-3745

村上肥出夫	村上肥出夫鑑定登録会	〒104-0061	東京都中央区銀座8-8-17　伊勢萬ビル8F　兜屋画廊内	
				03-3571-6331
村山槐多	東美鑑定評価機構	〒105-0004	東京都港区新橋6-19-15　東京美術倶楽部内	03-3432-0713
森芳雄	東美鑑定評価機構	〒105-0004	東京都港区新橋6-19-15　東京美術倶楽部内	03-3432-0713
森田茂	日本洋画商協同組合鑑定登録委員会	〒104-0061	東京都中央区銀座6-3-2　ギャラリーセンタービル6F	
			日本洋画商協同組合内	03-3571-3402
森本草介	森本草介鑑定委員会	〒103-0027	東京都中央区日本橋3-8-10　春風洞画廊内	03-3281-5252
安井曾太郎	東美鑑定評価機構	〒105-0004	東京都港区新橋6-19-15　東京美術倶楽部内	03-3432-0713
安井曾太郎	安井曾太郎の会	〒104-0061	東京都中央区銀座5-3-16　日動画廊内	03-3571-2553
山口薫	東美鑑定評価機構	〒105-0004	東京都港区新橋6-19-15　東京美術倶楽部内	03-3432-0713
山下菊二	日本洋画商協同組合鑑定登録委員会	〒104-0061	東京都中央区銀座6-3-2　ギャラリーセンタービル6F	
			日本洋画商協同組合内	03-3571-3402
山下清	山下清鑑定会	〒104-0028	東京都中央区八重洲2-10-5　西邑画廊内	03-3278-1420
山下新太郎	東美鑑定評価機構	〒105-0004	東京都港区新橋6-19-15　東京美術倶楽部内	03-3432-0713
山下大五郎	日本洋画商協同組合鑑定登録委員会	〒104-0061	東京都中央区銀座6-3-2　ギャラリーセンタービル6F	
			日本洋画商協同組合内	03-3571-3402
山本鼎	東美鑑定評価機構	〒105-0004	東京都港区新橋6-19-15　東京美術倶楽部内	03-3432-0713
山本鼎	日本洋画商協同組合鑑定登録委員会	〒104-0061	東京都中央区銀座6-3-2　ギャラリーセンタービル6F	
			日本洋画商協同組合内	03-3571-3402
山本彪一	日本洋画商協同組合鑑定登録委員会	〒104-0061	東京都中央区銀座6-3-2　ギャラリーセンタービル6F	
			日本洋画商協同組合内	03-3571-3402
山本芳翠	日本洋画商協同組合鑑定登録委員会	〒104-0061	東京都中央区銀座6-3-2　ギャラリーセンタービル6F	
			日本洋画商協同組合内	03-3571-3402
吉井淳二	日本洋画商協同組合鑑定登録委員会	〒104-0061	東京都中央区銀座6-3-2　ギャラリーセンタービル6F	
			日本洋画商協同組合内	03-3571-3402
吉原治良	日本洋画商協同組合鑑定登録委員会	〒104-0061	東京都中央区銀座6-3-2　ギャラリーセンタービル6F	
			日本洋画商協同組合内	03-3571-3402
萬鉄五郎	東美鑑定評価機構	〒105-0004	東京都港区新橋6-19-15　東京美術倶楽部内	03-3432-0713
萬鉄五郎	日本洋画商協同組合鑑定登録委員会	〒104-0061	東京都中央区銀座6-3-2　ギャラリーセンタービル6F	
			日本洋画商協同組合内	03-3571-3402
脇田和	脇田和の会	〒 104-0061	東京都中央区銀座 5-3-16　日動画廊内	03-3571-2553
和田英作	東美鑑定評価機構	〒 105-0004	東京都港区新橋 6-19-15　東京美術倶楽部内	03-3432-0713
和田英作	日本洋画商協同組合鑑定登録委員会	〒 104-0061	東京都中央区銀座 6-3-2　ギャラリーセンタービル 6F	
			日本洋画商協同組合内	03-3571-3402
和田三造	日本洋画商協同組合鑑定登録委員会	〒 104-0061	東京都中央区銀座 6-3-2　ギャラリーセンタービル 6F	
	（※油彩のみ鑑定）		日本洋画商協同組合内	03-3571-3402

彫　刻

作家名	鑑定人名	連絡先		
朝倉文夫	台東区立朝倉彫塑館	〒110-0001	東京都台東区谷中7-18-10	03-3821-4549
圓鍔勝三	圓鍔元規	〒211-0063	神奈川県川崎市中原区小杉町2-291	044-722-2739
古賀忠雄	古賀美代子	〒176-0002	東京都練馬区桜台1-37-3	03-3994-7707
桜井祐一	桜井直樹	〒356-0008	埼玉県ふじみ野市元福岡3-1-1	049-264-8422・090-3130-9952
佐藤忠良	笹戸千津子	〒184-0012	東京都小金井市中町2-5-11	042-381-1045
澤田政廣	澤田秀之助	〒158-0085	東京都世田谷区玉川田園調布2-13-15	03-3721-2981
清水多嘉示	青山敏子	〒391-0115	長野県諏訪郡原村17217-1611　八ヶ岳美術館内	0266-74-2701
砂沢ビッキ	北海道絵画商協同組合鑑定委員会	〒060-0063	北海道札幌市中央区南三条西2　KT三条ビル2F	011-210-5911
高田博厚	大野慶子	〒251-0037	神奈川県藤沢市鵠沼海岸2-9-5	0466-34-8447
高村光雲	高村達	〒113-0022	東京都文京区千駄木5-20-6	03-3827-6401
高村光太郎	高村達	〒113-0022	東京都文京区千駄木5-20-6	03-3827-6401
髙村東雲	高村美智子・三代高村晴雲	〒248-0026	神奈川県鎌倉市七里ヶ浜1-17-7	0467-32-1025
初代髙村晴雲	高村美智子・三代高村晴雲	〒248-0026	神奈川県鎌倉市七里ヶ浜1-17-7	0467-32-1025
二代髙村晴雲	高村美智子・三代高村晴雲	〒248-0026	神奈川県鎌倉市七里ヶ浜1-17-7	0467-32-1025
平櫛田中	平櫛弘子	〒187-0045	東京都小平市学園西町1-7-7	042-342-2062
平野富山	平野千里	〒116-0013	東京都荒川区西日暮里5-5-5	03-3805-0780
舟越保武	舟越苗子	〒156-0053	東京都世田谷区桜1-56-15	
本郷新	本郷慶子・弦	〒154-0022	東京都世田谷区梅丘2-23-1	03-3428-0464
三木富雄	日本洋画商協同組合鑑定登録委員会	〒104-0061	東京都中央区銀座6-3-2　ギャラリーセンタービル6F 日本洋画商協同組合内	03-3571-3402
柳原義達	日本洋画商協同組合鑑定登録委員会	〒104-0061	東京都中央区銀座6-3-2　ギャラリーセンタービル6F 日本洋画商協同組合内	03-3571-3402
山崎朝雲	山崎澄枝	〒103-0024	東京都墨田区菊川1-17-2-703	03-3846-7068

工　芸

作家名	鑑定人名	連絡先		
青木龍山	東美鑑定評価機構	〒105-0004	東京都港区新橋6-19-15　東京美術倶楽部内	03-3432-0713
荒川豊蔵	東美鑑定評価機構	〒105-0004	東京都港区新橋6-19-15　東京美術倶楽部内	03-3432-0713
荒川豊蔵	荒川達	〒507-0818	岐阜県多治見市大畑町4	0572-22-5538
石黒宗麿	東美鑑定評価機構	〒105-0004	東京都港区新橋6-19-15　東京美術倶楽部内	03-3432-0713
板谷波山	東美鑑定評価機構	〒105-0004	東京都港区新橋6-19-15　東京美術倶楽部内	03-3432-0713
岡部嶺男	東美鑑定評価機構	〒105-0004	東京都港区新橋6-19-15　東京美術倶楽部内	03-3432-0713

岡部嶺男	岡部美喜	〒112-0001	東京都文京区白山4-12-7　嶺男記念館	090-5412-5630
十三代柿右衛門	東美鑑定評価機構	〒105-0004	東京都港区新橋6-19-15　東京美術倶楽部内	03-3432-0713
十四代柿右衛門	東美鑑定評価機構	〒105-0004	東京都港区新橋6-19-15　東京美術倶楽部内	03-3432-0713
鹿児島寿蔵	東美鑑定評価機構	〒105-0004	東京都港区新橋6-19-15　東京美術倶楽部内	03-3432-0713
鹿児島寿蔵	鹿児島成恵	〒176-0011	東京都練馬区豊玉上1-14-6	03-3991-4492
加藤唐九郎	東美鑑定評価機構	〒105-0004	東京都港区新橋6-19-15　東京美術倶楽部内	03-3432-0713
加藤唐九郎	加藤重高	〒463-0011	愛知県名古屋市守山区小幡北山2758-50	052-794-0011
加藤土師萌	東美鑑定評価機構	〒105-0004	東京都港区新橋6-19-15　東京美術倶楽部内	03-3432-0713
加藤土師萌	加藤絹子	〒299-2226	千葉県南房総市市部541	0470-57-4035
香取秀真	香取忠彦	〒152-0012	東京都目黒区洗足2-13-17	03-3716-6644
香取正彦	香取忠彦	〒152-0012	東京都目黒区洗足2-13-17	03-3716-6644
金重陶陽	金重晃介	〒705-0012	岡山県備前市香登本1172	0869-66-7068
加守田章二	東美鑑定評価機構	〒105-0004	東京都港区新橋6-19-15　東京美術倶楽部内	03-3432-0713
河井寛次郎	河井寛次郎記念館	〒605-0875	京都府京都市東山区五条坂鐘鋳町569	075-561-3585
河本五郎	河本太郎	〒489-0836	愛知県瀬戸市一里塚町102	0561-84-2671
北大路魯山人	東美鑑定評価機構	〒105-0004	東京都港区新橋6-19-15　東京美術倶楽部内	03-3432-0713
北大路魯山人	黒田陶々庵	〒104-0061	東京都中央区銀座7-8-6　黒田陶苑	03-3571-3223
楠部彌弌	東美鑑定評価機構	〒105-0004	東京都港区新橋6-19-15　東京美術倶楽部内	03-3432-0713
楠部彌弌	楠部敦子	〒606-8344	京都府京都市左京区岡崎円勝寺町140	075-771-3152
黒田辰秋	東美鑑定評価機構	〒105-0004	東京都港区新橋6-19-15　東京美術倶楽部内	03-3432-0713
黒田辰秋	黒田丈二	〒601-1412	京都府京都市伏見区日野畑出町38-5	075-571-8260
小山冨士夫	東美鑑定評価機構	〒105-0004	東京都港区新橋6-19-15　東京美術倶楽部内	03-3432-0713
近藤悠三	東美鑑定評価機構	〒105-0004	東京都港区新橋6-19-15　東京美術倶楽部内	03-3432-0713
近藤悠三	近藤高弘	〒605-0862	京都府京都市東山区清水1-287　近藤悠三記念館内	075-561-2917
清水卯一	東美鑑定評価機構	〒105-0004	東京都港区新橋6-19-15　東京美術倶楽部内	03-3432-0713
高村豊周	高村達	〒113-0022	東京都文京区千駄木5-20-6	03-3827-6401
田村耕一	田村田	〒327-0845	栃木県佐野市久保町126	0283-24-5621
塚本快示	東美鑑定評価機構	〒105-0004	東京都港区新橋6-19-15　東京美術倶楽部内	03-3432-0713
辻清明	東美鑑定評価機構	〒105-0004	東京都港区新橋6-19-15　東京美術倶楽部内	03-3432-0713
富本憲吉	東美鑑定評価機構	〒105-0004	東京都港区新橋6-19-15　東京美術倶楽部内	03-3432-0713
富本憲吉	山本茂雄	〒636-0971	奈良県生駒郡平群町梨本769-2	090-1074-2727
中里無庵	十四代中里太郎右衛門	〒847-0821	佐賀県唐津市町田5-2-10	0955-72-8171
十二代中里無庵	東美鑑定評価機構	〒105-0004	東京都港区新橋6-19-15　東京美術倶楽部内	03-3432-0713
十三代中里逢庵	東美鑑定評価機構	〒105-0004	東京都港区新橋6-19-15　東京美術倶楽部内	03-3432-0713
濱田庄司	浜田晋作	〒321-4217	栃木県芳賀郡益子町大字益子3387	02857-2-5311
藤本能道	藤本芳子	〒102-0094	東京都千代田区紀尾井町4H　ニューオータニ 水戸忠交易内	03-3271-7511

藤原啓	藤原和	〒705-0033	岡山県備前市穂浪3863	0869-67-9090
藤原雄	藤原和	〒705-0033	岡山県備前市穂浪3863	0869-67-9090
松井康成	東美鑑定評価機構	〒105-0004	東京都港区新橋6-19-15　東京美術倶楽部内	03-3432-0713
三浦小平二	東美鑑定評価機構	〒105-0004	東京都港区新橋6-19-15　東京美術倶楽部内	03-3432-0713
宮之原謙	東美鑑定評価機構	〒105-0004	東京都港区新橋6-19-15　東京美術倶楽部内	03-3432-0713
八木一夫	八木明	〒605-0865	京都府京都市東山区五条通東大路東入白糸町570	075-561-7382
和太守卑良	東美鑑定評価機構	〒105-0004	東京都港区新橋6-19-15　東京美術倶楽部内	03-3432-0713

主要オークション会社一覧

●オークション会社名・代表者名・郵便番号・住所・電話番号・ホームページアドレスの順で掲載しています。

株式会社アートマスターズ 前川克也
[本　　社] 〒542-0086　大阪市中央区西心斎橋1-15-13　アートマスターズ心斎橋ビル　06-6251-5755
[東京支店] 〒105-0013　港区浜松町2-1-13　芝エクセレントビル5F　03-6402-4700
https://artmasters.co.jp/

アイアート株式会社 柳喜之
〒105-0004　港区新橋5-14-10　新橋スクエアビル3F　03-6402-5333
https://www.ise-art.co.jp/

エー・シー・エヌ株式会社 藤原英俊
〒103-0012　中央区日本橋堀留町2-1-8　神野ビル1F　03-6810-9757
https://artcomposer.net/

エスト・ウェストオークションズ株式会社 関敬
〒141-0022　品川区東五反田2-5-15　03-5791-3131
https://www.est-ouest.co.jp/

SBIアートオークション株式会社 森田俊平
〒135-0063　江東区有明3-6-11　TFTビル東館7F　03-3527-6692
https://www.sbiartauction.co.jp/

カーム株式会社 甲村達也
〒460-0008　名古屋市中区栄3-35-44　カームアートビル2F　0120-69-9911
http://www.kahm-art.co.jp/

株式会社クリスティーズジャパン 山口桂
〒100-0005　千代田区丸の内2-1-1　明治生命館4F　03-6267-1766
https://www.christies.com/

株式会社クレド 花田淳
〒104-0061　中央区銀座7-8-16　サンライズビル10F　03-5939-7126
https://credo-auction.jp/

株式会社古裂會 柿本雅義
〒604-0811　京都市中京区堺町通二条上る亀屋町176　075-254-8851
https://www.kogire-kai.co.jp/

株式会社日興堂（サコダアートオークション） 峪田洋一
〒663-8201　西宮市田代町19-12　0120-350-620
http://www.sakoda-art.com/

株式会社サザビーズジャパン 石坂泰章
〒100-0011　千代田区内幸町1-1-1　帝国ホテル本館M2F　03-6457-9160
https://www.sothebys.com/jp/

株式会社CBAアートオークション 栗田敏行
〒104-0061 中央区銀座1-16-5 三田ビル8F 03-3561-3611
http://www.artcba.com/auc/

JADEオークション株式会社（日本美協拍賣） 藤城彰太郎
〒135-0064 江東区青海2-4-32 TIME24ビル7F東棟 03-6265-1558
http://www.jade-auction.com/

Shinwa Auction株式会社 石井一輝
〒104-0061 中央区銀座7-4-12 銀座メディカルビル2F 03-3569-0030
https://www.shinwa-auction.com/

中国嘉徳国際拍賣有限公司（中国嘉徳国際オークション） 日本事務所代表 原川雅貴子
［日本事務所］〒100-0011 千代田区内幸町1-1-1 帝国ホテルタワー 13F・C-5 03-6206-6682
http://www.cguardian-japan.com/

日本美商株式会社（日美アートオークション） 市瀬豊秋
〒170-0013 豊島区東池袋1-31-5 池袋アビタシオン103 03-3982-0355
http://www.nichibi-art-auction.co.jp/

北京保利国際拍賣有限公司（ポーリーインターナショナルオークション）
［日本事務所］〒104-0061 中央区銀座2-12-4 アジリア銀座601 03-6278-8011
http://www.polypmjp.com/

株式会社毎日オークション 望月宏昭
〒135-0063 江東区有明3-5-7 TOC有明ウエストタワー 5F 03-3527-7330
https://www.my-auction.co.jp/

株式会社マレット ジャパン 高橋智明
〒135-0016 江東区東陽3-22-6 東陽町AXISビル1F 03-5635-1777
https://mallet.co.jp/

物故作家略歴

●原則的に明治以降、令和元年9月末までに逝去した物故作家を対象にしています。

物故作家（日本画）

●明治以降の物故作家を、名前（50音順）・生年〜没年・略歴の順で掲載しています。生没地表記が都府県のみの場合、都・府・県は省略。
●本文の数字は元号表記をしています。
京絵専=京都市立絵画専門学校　京美工=京都市立美術工芸学校　東美校=東京美術学校

青木大乗（あおきだいじょう）
明治24年（1891）大阪市〜昭和54年（1979）川西市。関西美術院で洋画を、京絵専で日本画を学ぶ。昭和12年結城素明、川﨑小虎と大日美術院創立。27年大日美術院解散後無所属で活躍。

赤松雲嶺（あかまつうんれい）
明治25年（1892）大阪〜昭和33年（1958）。小山雲泉、姫島竹外に師事。大正4年文展初入選、昭和5年帝展無鑑査。日本南画院同人。

秋野不矩（あきのふく）
明治41年（1908）静岡〜平成13年（2001）京都。石井林響、西山翠嶂に師事。昭和5年帝展初入選、13年新文展特選。23年創造美術結成参加（49年創画会）。24年京美専助教授（後教授を経て名誉教授）。26年上村松園賞。37〜38年タゴール国際大学客員教授として渡印後インドを主題に制作。平成3年文化功労者、11年文化勲章。10年故郷に秋野不矩美術館開館。

秋葉長生（あきばちょうせい）
明治44年（1911）千葉〜昭和53年（1978）狛江市。本名武。昭和3年川端画学校入学。6年山口蓬春の内弟子に。日展、新日展で特選・白寿賞、菊華賞受賞。日展会員。

麻田鷹司（あさだたかし）
昭和3年（1928）京都〜昭和62年（1987）東京。本名昂。父は日本画家麻田辨自、弟は洋画家麻田浩。昭和24年京美校卒。創画会創立会員。武蔵野美大教授。

麻田辨自（あさだべんじ）
明治32年（1899）京都〜昭和59年（1984）京都。本名弁次。大正10年京絵専卒。同年帝展入選。西村五雲に師事。日展特選、文部大臣賞、昭和35年日本藝術院賞。4年京都創作版画協会結成。49年京都市文化功労者、50年京都府美術工芸功労者。

朝見香城（あさみこうじょう）
明治23年（1890）姫路市〜昭和49年（1974）名古屋市。本名寅次郎。森月城、西山翠嶂に師事。文展、帝展入選。昭和3年中京美術院開設。25年愛知県文化功労賞。

東韶光（あずましょうこう）
大正11年（1922）東京〜平成26年（2014）茨城。日展にて特選2・白寿賞2・菊華賞受賞。中村岳陵に師事。日展参与。

我妻碧宇（あづまへきう）
明治37年（1904）米沢市〜昭和45年（1970）名古屋市。

本名栄之助。昭和4年日本美術学校卒。中村岳陵に師事。17年〜法隆寺金堂壁画模写に従事。18年新文展初入選、特選。22年一采社に参加後日展、一采社展中心に活動。26年特選・朝倉賞・白寿賞、29年中日文化賞、33年日展評議員。36年森緑翠らと白士会結成。名古屋造形芸術短大教授。

跡見花蹊（あとみかけい）
天保11年（1840）大阪〜大正15年（1926）。名は竜野。別号木花、西成。円山応立、中島来章、日根対山に師事。跡見学園の創設者。

荒井寛方（あらいかんぽう）
明治11年（1878）栃木〜昭和20年（1945）福島。本名寛十郎。水野年方に師事。紅児会創立に参加。初期文展で受賞多数。後日本美術院同人。法隆寺金堂の壁画模写従事。

新井勝利（あらいしょうり）
明治28年（1895）東京京橋〜昭和47年（1972）。梶田半古・安田靫彦に師事。昭和14・15年日本美術院賞受賞。院展評議員。多摩美術大学名誉教授。

荒木寛一（あらきかんいち）
文政10年（1827）〜明治44年（1911）。名は縄。父は荒木寛快。江崎寛斎に師事。内国絵画共進会で銅章。荒木寛友は息子。

荒木寛畝（あらきかんぽ）
天保2年（1831）江戸〜大正4年（1915）東京本郷。別号達庵。9歳で文晁派の荒木寛快に学び後養子となる。明治23年内国勧業博覧会二等妙技賞、34年パリ博覧会金賞、38年セントルイス二等賞。東美校教授。

荒木寛友（あらきかんゆう）
嘉永2年（1849）江戸〜大正9年（1920）。名は鐸。初め父荒木寛一、後山本琴谷に師事。内国勧業博覧会他出品。日本画会評議員。日本南画協会会員。日本美術協会委員。

荒木十畝（あらきじっぽ）
明治5年（1872）長崎〜昭和19年（1944）東京。旧姓朝長、本名悌二郎。明治25年上京、荒木寛畝に入門。26年寛畝の娘鈴と結婚。38年日本美術協会展銀賞。41年〜文展出品。43年日英大博覧会で金牌。大正13年帝国美術院会員。

荒木探令（あらきたんれい）→狩野探令

在原古玩（ありはらこがん）
文政12年（1829）江戸小石川〜大正11年（1922）東京神田。名は重寿。別号鳩杖翁、昔男軒。荒井尚春に師事。絵画共進会、内国勧業博覧会等出品、受賞。日本美術協会会員、日本漆工会会員。

安西啓明（あんざいけいめい）
明治38年（1905）東京〜平成11年（1999）。本名正男。広瀬東畝・川端龍子に師事。大正15年院展初入選。昭和3年院展退会、青龍社展参加。Y氏賞、奨励賞、蒼穹賞受賞、17年社人。41年の解散以降無所属。36年より青明会主宰。坂口安吾「信長」、室生犀星「杏っ子」等の新聞挿絵を担当。

猪飼嘯谷（いかいしょうこく）
明治14年（1881）京都〜昭和14年（1939）京都。明治33年京都市立工芸学校卒。谷口香嶠に師事。

生田花朝女（いくたかちょうじょ）
明治26年（1893）大阪〜昭和53年（1978）。京絵専卒。池田遙邨、北野恒富等に師事。大正15年帝展特選、その後日展に出品。

井口華秋（いぐちかしゅう）
明治13年（1880）〜昭和5年（1930）。本名陣三郎。竹内栖鳳に師事。明治29年絵画共進会二等褒状、31年〜3年連続受賞。文展入選、褒状。大正8年日本自由画壇結成。

池上秀畝（いけがみしゅうほ）
明治7年（1874）長野県高遠町〜昭和19年（1944）。本名国三郎。父は四条派の秀華。荒木寛畝に入門。明治41年文展初入選、褒状、二等・三等賞、特選3年連続等受賞多。大正13年帝展委員、昭和8年審査員。大正4年師の没後に伝神洞画塾を主宰、門下を多数輩出。

池田桂仙（いけだけいせん）
文久3年（1863）京都〜昭和6年（1931）。父は南画家池田雲樵。明治13年京都府画学校入学。明治40年〜文展出品。大正8年日本自由画壇・日本南画院結成。

池田蕉園（いけだしょうえん）
明治19年（1886）東京〜大正6年（1917）。旧姓榊原。本名百合子。明治34年水野年方、年方没後は川合玉堂に師事。44年同門の池田輝方と結婚。明治40年〜文展出品。

池田輝方（いけだてるかた）
明治16年（1883）東京～大正10年（1921）神奈川。明治28年水野年方に師事。34年鏑木清方らと烏合会結成。巽画会会員。年方没後、川合玉堂に師事。44年榊原蕉園と結婚。大正元年～文展出品。

池田遙邨（いけだようそん）
明治28年（1895）岡山～昭和63年（1988）京都。本名昇一。明治45年松原三五郎の天彩画塾で洋画を学ぶ。大正3年文展に水彩画入選。8年竹内栖鳳に師事。第1回帝展に日本画入選。15年京絵専研究科卒。昭和3・5年帝展特選。28年青塔社結成。29年京都日本画家協会理事長。33年日展評議員。35年日本藝術院賞受賞、51年同会員。59年文化功労者。52年勲三等瑞宝章、62年文化勲章受章。

石井鼎湖（いしいていこ）
嘉永元年（1848）江戸～明治30年（1897）。鈴木鵞湖の次男。父に日本画を、彰技堂で国沢新太郎に洋画を学ぶ。明治22年明治美術会創立に参加。石井柏亭、石井鶴三の父。

石井林響（いしいりんきょう）
明治17年（1884）千葉県大和田～昭和5年（1930）大網町。橋本雅邦に師事。明治40年文展入選。帝国絵画協会、紅児会等会員。大正13年帝展委員。

石川寒巌（いしかわかんがん）
明治23年（1890）栃木～昭和11年（1936）東京。名寅寿。明治42年太平洋画会研究所入所、後佐竹永邨に南画を学ぶ。大正9年小室翠雲に師事。日本南画院同人。小杉放庵等と華厳社を結成。

石川響（いしかわきょう）
大正10年（1921）千葉～平成12年（2000）鎌倉市。本名宣俶（のりよし）。昭和17年東美校図画師範科卒。29年加藤栄三に師事。22年日展初入選、41・48年特選、52年会員。平成2年評議員、10年内閣総理大臣賞受賞。

石川晴彦（いしかわはるひこ）
明治34年（1901）京都～昭和55年（1980）大阪。本名利治。大正3年京美校に入学。入江波光に師事し国画創作協会展出品。後村上華岳に師事。昭和3年新樹社結成に参加。

石崎光瑤（いしざきこうよう）
明治17年（1884）富山～昭和22年（1947）。本名猪四一。竹内栖鳳に師事。大正3年文展褒賞。7・8年特選。11・13年帝展委員。高野山金剛峯寺の襖絵制作。

石田武（いしだたけし）
大正11年（1922）京都市～平成23年（2011）神奈川。本名武男。昭和15年京美工図案科卒。兵役を挟んで戦後京都新制作研究所で洋画を桑田道夫等に学ぶ。25年頃～児童書、図鑑のイラストで国際的に知られる。46年日本画家への転身を決意、48年山種美術館賞展大賞受賞。日本画リアリズムで独自の境地を拓き、無所属で、個展・グループ展等で作品を発表。

石本正（いしもとしょう）
大正9年（1920）島根県岡見村～平成27年（2015）。本名正（ただし）。昭和19年京絵専卒。日展、創造美術展出品。23年京都市美術展京展賞第一席。26年新制作展新作家賞（以後3回）。27年サロン・ド・プランタン第一席。31年新制作協会会員（49年創画会）。46年日本芸術大賞、芸術選奨文部大臣賞受賞、以後全ての賞を辞退。平成13年三隅町立石正美術館開館。長らく京都市立美術大学で教鞭をとり名誉教授、京都造形芸術大学開学より教授。

磯田長秋（いそだちょうしゅう）
明治13年（1880）東京～昭和22年（1947）船橋市。本名内田孫三郎。狩野派の芝永章に、後小堀鞆音に師事。明治31年安田靫彦らと紫紅会結成、33年紅児会と改称。40年文展入選。

礒部草丘（いそべそうきゅう）
明治30年（1897）群馬～昭和42年（1967）東京。名は覚太。別号尺山子。川合玉堂に師事。昭和2年児玉希望らと戊辰会結成。9年帝展特選。14年戊辰会解散、无尤会結成。

板倉星光（いたくらせいこう）
明治28年（1895）京都市～昭和39年（1964）乙訓郡。本名捨次郎。大正6年京絵専卒、菊池契月に師事。在学中の同4年文展初入選。昭和4・5年帝展特選。

市野龍起（いちのたつおき）
昭和17年（1942）愛知～平成9年（1997）藤沢市。父は日本画家市野亨。昭和35年県立旭ヶ丘高校卒。青龍社展入選、受賞を重ねる。41年青龍社解散により髙山辰雄に師事。49・51年日展特選、56年審査員、57年会員、平成6年評議員。

市野亨（いちのとおる）
明治43年（1910）愛知～昭和41年（1966）名古屋市。朝見香城、川端龍子に師事。青龍社展Y氏賞。青龍社社人。37年中日文化賞受賞。市野龍起は息子。

伊藤小坡（いとうしょうは）
明治10年（1877）伊勢～昭和43年（1968）京都。名は佐登（さと）。はじめ森川曽文、谷口香嶠、後竹内栖鳳に師事。文展、帝展出品。伊勢市猿田彦神社に小坡美術館開館。

伊東深水（いとうしんすい）
明治31年（1898）東京～昭和47年（1972）東京。本名一。明治44年鏑木清方に師事。翌年第12回巽画会入選。大正3年再興日本美術院第1回展入選。大正5年川瀬巴水らと新版画運動参加。昭和2年画塾（朗峯画塾）設立。7年山口蓬春らと青々会、14年山川秀峰らと青衿会（25年児玉希望の国風会と合同し日月社）を結成。23年日本藝術院賞受賞。33年同会員。

伊藤晴雨（いとうせいう）
明治15年（1882）東京浅草～昭和36年（1961）東京文京区。本名一。野沢堤雨に学ぶ。明治末新聞社で挿絵、後松竹新派の絵看板等を担当。風俗画家として、特に責め絵、縛り絵で有名。

伊東万燿（いとうまんよう）
大正10年（1921）東京～昭和45年（1970）。伊東深水の次男。父深水に師事、青衿会展出品。昭和22・24年日展特選。42年日展総理大臣賞、翌年日本藝術院賞。日展評議員。

稲木皓人（いなきこうじん）
大正14年（1925）東京～平成3年（1991）。本名輝雄。昭和16年東美校日本画科卒。安田靫彦、羽石光志に師事。院展奨励賞（白寿賞）2回。日本美術院特待。

稲元実（いなもとまこと）
昭和21年（1946）石川～平成25年（2013）。武蔵野美大卒。加藤東一に師事。日展評議員・特選、日春展運営委員・奨励賞・日春賞。

井上石邨（いのうえせきそん）
明治26年（1893）兵庫～昭和50年（1975）。本名龍。田近竹邨・小室翠雲に師事。昭和35年松林桂月らの日本南画院再興に参加、会長賞、日本南画院賞受賞。大徳寺塔頭龍源院天井画制作。日本南画院理事。平安南画壇常任理事。

猪原大華（いのはらたいか）
明治30年（1897）広島～昭和55年（1980）京都。本名壽。大正12年京絵専卒。昭和12年西村五雲、後山口華楊に師事。29年日展特選。38年京都市立美大教授。47年日展内閣総理大臣賞。48年日本藝術院賞恩賜賞受賞。京都市文化功労者。日展評議員。

茨木杉風（いばらぎさんぷう）
明治31年（1898）近江八幡市～昭和51年（1976）東京中野区。本名芳蔵。近藤浩一路に師事。太平洋画会研究所入所。再興院展入選。日本美術院院友。昭和12年小林三季等と日本美術院脱退、新興美術院結成。新興美術院理事。

今尾景祥（いまおけいしょう）
明治35年（1902）京都市～平成5年（1993）京都市。本名孝則。今尾景年の養嗣子。寺院襖絵を制作、個展中心に発表。京都黒谷方丈に、久保田米僊の子金僊と共に金地襖絵制作。

今尾景年（いまおけいねん）
弘化2年（1845）京都～大正13年（1924）京都。本名猪三郎。梅川東居、鈴木百年に師事。京都府画学校に出仕、帝室技芸員、帝国美術院会員。日本画家の今尾景祥、今尾景春は養子。

今中素友（いまなかそゆう）
明治19年（1886）福岡～昭和34年（1959）。本名善蔵。別号草江軒。初め博多の上田鉄耕に、後上京して川合玉堂に師事。文展、巽画会等出品。

今村紫紅（いまむらしこう）
明治13年（1880）横浜～大正5年（1916）東京。本名寿三郎。兄は日本画家今村興宗。明治30年松本楓湖画塾に入門。34年安田靫彦らと紅児会結成。日本美術協会、日本絵画共進会、国画玉成会、巽画会、文展にも出品。大正3年速水御舟、小茂田青樹らを率い赤曜会結成。日本美術院同人。

入江波光（いりえはこう）
明治20年（1887）京都～昭和23年（1948）京都。本名幾治郎。12歳頃から四条派の森本東閣に学ぶ。明治38年京美校、44年京絵専卒。大正7年国画創作協会第1回展で国画賞受賞、会員。昭和11年京絵専教授。16年以降法隆寺壁画模写に従事。

入江酉一郎（いりえゆういちろう）
大正10年（1921）～平成25年（2013）。京絵専修。昭和33年晨鳥社入塾、山口華楊に師事。59年日展会員、平成6年日展会員賞。12年京都府文化賞功労賞。日展評議員、参与など歴任。

岩壁冨士夫（いわかべふじお）
大正14年（1925）茅ヶ崎市～平成19年（2007）。昭和22年東美校卒。30年小谷津任牛、33年奥村土牛に師事。31年院展初入選以後奨励賞7、春季展賞1、春季展奨励賞6、日本美術院賞・大観賞2、58年同人推挙。50年の欧遊以降、特にポルトガルの人と自然を重厚に表現。日本美術院評議員・同人。

岩上青稜（いわかみせいりょう）
大正4年（1915）茨城～平成17年（2005）。本名四郎。昭和42年日本水墨画協会創立参加、文部大臣賞受賞、会長を務めた。大英博物館等作品収蔵。平成2年勲四等瑞宝章。

岩倉壽（いわくらひさし）
昭和11年（1936）香川～平成30年（2018）京都。昭和34年京都市立美術大学卒業。山口華楊に師事。33年日展初入選、特選2回、内閣総理大臣賞。平成15年日本藝術院賞受賞。日本藝術院会員、日展顧問、京都市立芸術大学名誉教授。

岩崎巴人（いわさきはじん）
大正6年（1917）東京新宿～平成22年（2010）千葉。本名彌壽彦。昭和9年川端画学校卒。12年青龍社展入選。13年小林古径に師事し院展初入選。26年新興美術院再興に参加。32年日本表現派結成、主宰。52年禅林寺で出家、異色の画僧。

岩澤重夫（いわさわしげお）
昭和2年（1927）日田市～平成21年（2009）京都市。昭和27年京美専卒。東丘社入塾。堂本印象に師事。35・36年日展特選・白寿賞、43年菊華賞、60年文部大臣賞。同年山種美術館賞展大賞。平成4年MOA美術館岡田茂吉賞大賞、5年日本藝術院賞、12年同会員。日展理事、常務理事を経て20年顧問。21年文化功労者。東京歌舞伎座、京都南座の緞帳原画や金閣寺客殿障壁画を手がけた。

岩田専太郎（いわたせんたろう）
明治34年（1901）東京浅草～昭和49年（1974）。伊東深水に師事。永井荷風、吉川英治、大佛次郎などの挿絵を担当、人気画家となる。美人画も制作。昭和39年第3回菊池寛賞受賞。

岩田正巳（いわたまさみ）
明治26年（1893）新潟～昭和63年（1988）東京。東美校卒。後松岡映丘に師事。昭和5・9年帝展特選。戦後日展に出品し審査員、会員。35年日本藝術院賞受賞、52年会員。日展顧問。

岩橋英遠（いわはしえいえん）
明治36年（1903）北海道～平成11年（1999）。本名英遠（ひでとお）。21歳で上京、山内多門塾入門。昭和7・8年青龍社展出品。9年院展、11年第1回改組帝展初入選。12年日本美術院院友、安田靫彦に師事。25・26年日本美術院賞・大観賞、28年同人。29年芸術選奨文部大臣賞。34年院展文部大臣賞。42年法隆寺金堂壁画再現模写参加。43年東京藝大教授。61年名誉教授。47年日本藝術院賞。54年毎日芸術賞。56年日本藝術院会員。平成元年文化功労者。6年文化勲章受章。

上田臥牛（うえだがぎゅう）
大正9年（1920）兵庫～平成11年（1999）。本名栄一。昭和16年川端画学校卒。小林古径に師事。21～26年院展出品。26年新興美術院再興に参加（～36年）。41年現代日本美術展受賞。朝日秀作展、国際展等招待出品。無所属で個展中心に活動。

上田珪草（うえだけいそう）
明治37年（1904）大阪市～昭和60年（1985）相模原市。本名辰太郎。大正14年大阪美術学校卒。郷倉千靭に師事。院展を中心に制作発表、奨励賞、白寿賞・G賞、昭和38年特待。奈良当麻寺格天井絵制作。

上田鉄耕（うえだてっこう）
嘉永2年（1849）博多～大正3年（1914）。本名要三郎。父の南画家上田桂園、後中西耕石、日根対山に師事。博多に画塾開設、冨田渓仙、今中素友らが学ぶ。九州美術協会代表。

上田萬秋（うえだばんしゅう）
明治2年（1869）京都～昭和27年（1952）。本名巳之太郎。別号柳外。明治20年京都府画学校卒。今尾景年に師事。内国勧業博覧会、文展出品・受賞。大正8年日本自由画壇結成に参加。

植中直斎（うえなかちょくさい）
明治18年（1885）奈良～昭和52年（1977）京都市。本名直治郎。30年頃深田直斎に、38年橋本雅邦に師事。40年文展三等賞。45年山元春挙に師事。大正4年以後文展、帝展入選、8年日本自由画壇結成。15年官展に復帰、昭和7年帝展推薦。48年身延山久遠寺に「日蓮聖人絵伝」奉納。

上野泰郎（うえのやすお）
大正15年（1926）東京雑司谷～平成17年（2005）。父は染色家、母は日本画家。15歳頃受洗。昭和23年東美校日本画科卒。在学中猪熊弦一郎主宰の研究所に通

う。23年山本丘人主宰「凡宇会」参加。卒制が第1回創造美術展初入選、25年佳作賞、26年新制作協会と合併、新作家賞3、34年会員。49年以降創画会会員として活動。指で直接描く手法で、ダイナミックな群像を表現。聖イグナチオ教会ステンドグラス（原画）制作。多摩美術大学（平成8年名誉教授）等で後進を指導。

上原卓（うえはらたく）
大正15年（1926）京都市〜昭和61年（1986）京都市。京美専日本画科卒。創造美術展、新制作展出品、昭和29年と33年〜3回連続新作家賞受賞、36年会員。49年創画会発足、会員。京都市立芸大教授。

上村松園（うえむらしょうえん）
明治8年（1875）京都〜昭和24年（1949）奈良県。本名津禰。京都府画学校に学び、鈴木松年、幸野楳嶺、後竹内栖鳳に師事。内国勧業博覧会、日本青年絵画共進会、日本美術協会展で受賞。明治40年文展創設と共に出品、40・41・43年三等賞受賞。昭和16年帝国芸術院会員。19年帝室技芸員。23年女性初の文化勲章受章。日本画家上村松篁は長男、上村淳之は孫。

上村松篁（うえむらしょうこう）
明治35年（1902）京都市〜平成13年（2001）京都市。母は上村松園。西山翠嶂に師事。大正10年京絵専在学中、帝展初入選、昭和3年特選、22年日展審査員となるが、翌年脱退、山本丘人らと創造美術（現・創画会）創設。34年芸術選奨文部大臣賞、42年日本藝術院賞受賞。43年皇居新宮殿屏風制作。56年日本藝術院会員。58年文化功労者。59年文化勲章受章。京都芸大名誉教授。上村淳之は長男。

牛尾武（うしおたけし）
昭和30年（1955）兵庫〜平成24年（2012）。神戸芸術学林日本画科卒。昇外義に師事。60年上野の森大賞展特別優秀賞、平成3年山種美術館賞展優秀賞。三越本店、成川美術館など個展多数。

牛田雞村（うしだけいそん）
明治23年（1890）横浜市〜昭和51年（1976）横浜市。本名治。松本楓湖の安雅堂画塾入塾。巽画会、紅児会展出品。大正3年赤曜会結成。院展入選を重ね6年最初の樗牛賞を受賞。21年第31回院展入選以後は春日光の名で舞台装置、舞台美術を手がける。

宇田荻邨（うだてきそん）
明治29年（1896）松阪市〜昭和55年（1980）京都。本名善次郎。明治44年中村左洲に学び、大正2年京都で菊池芳文・契月に師事。6年京絵専卒。8年〜帝展入選、14・15年連続特選（15年帝国美術院賞）受賞。昭和25年京都美大教授。36年日本藝術院会員。48年日展顧問。日本画家宇田裕彦は次男。

内山雨海（うちやまうかい）
明治40年（1907）東京芝〜昭和58年（1983）。本名楙。書家、墨画家。浦上玉堂に私淑。下村為山に師事。濹人社主宰。昭和38年渡独、40年ケルン・レンベルツ美術館で個展、レンベルツ芸術賞受賞。日本墨象会結成。洋画家内山懋は三男。

内海吉堂（うつみきつどう）
嘉永2年（1849）京都〜大正14年（1925）京都。名は鹿六。森寛斎、塩川文麟に師事。明治初年中国訪問後南画の道に。30年日本南画協会結成参加。日本絵画協会共進会一等褒状。全国絵画共進会三等銅牌。京都新古美術品展受賞等京都南画壇で活躍。

浦田正夫（うらたまさお）
明治43年（1910）熊本〜平成9年（1997）東京。昭和3年松岡映丘に師事、9年東美校日本画科卒。帝展、新文展入選。11年杉山寧等と瑠爽画社を、16年高山辰雄等と一采社結成。26年山口蓬春に師事。日展特選・白寿賞、菊華賞、桂花賞、文部大臣賞受賞。37年日展会員、理事・参事を経て顧問。53年日本藝術院賞受賞、63年同会員。

江崎孝坪（えざきこうへい）
明治37年（1904）長野県高遠町〜昭和38年（1963）。前田青邨に師事。昭和2年帝展初入選。15年文展・21年日展特選。25年日展審査員。

榎本千花俊（えのもとちかとし）
明治31年（1898）東京〜昭和48年（1973）。本名親智。大正5年鏑木清方に入門。10年東美校日本画科卒。帝展特選。新文展無鑑査。

遠藤教三（えんどうきょうぞう）
明治30年（1897）東京〜昭和45年（1970）。大正10年東美校日本画科卒。松岡映丘に師事。帝展、新文展入選。昭和10年国画院結成に参加。戦後は資生堂ギャラリー、日本橋三越本店で個展中心に発表。女子美専教授。

大島哲以（おおしまてつい）
大正15年（1926）愛知〜平成11年（1999）。本名寿康。昭和23年中村貞以に師事。翌年院展初入選、以後出

品。35〜44年新制作展日本画部出品。以後無所属で個展や国際展等で活動。46〜47年文化庁在外研修員としてウィーン留学。東京国立近代美術館、名古屋市美術館等作品収蔵。

太田聴雨（おおたちょうう）
明治29年（1896）仙台市〜昭和33年（1958）。明治42年内藤晴州、後前田青邨に師事。昭和5年院展日本美術院賞。11年院展同人。

大智勝観（おおちしょうかん）
明治15年（1882）今治市〜昭和33年（1958）。本名恒一。明治35年東美校卒。横山大観に学ぶ。大正2年文展三等賞。3年日本美術院再興に参加、同人。

大塚楠緒子（おおつかくすおこ）
明治8年（1875）東京麹町〜明治43年（1910）神奈川県大磯。本名久壽雄。26年東京女子師範付属女学校を首席で卒業、在学中に跡見玉枝、橋本雅邦に師事。日本青年絵画共進会三等褒状。日本絵画共進会入選。小説家、詩人としても知られる。

大野俶嵩（おおのひでたか）
大正11年（1922）京都〜平成14年（2002）。本名秀隆。昭和18年京絵専日本画科卒。22年日展入選。24年三上誠、下村良之介等とパンリアル美術協会結成、33年まで実験的作品を発表。以後無所属で個展中心に活動。34年AICA国際批評家連盟が日本現代美術代表作家に選出。45年以降緻密で静謐な花の絵に一転。49〜62年京都芸大教授、以後名誉教授。紺綬褒章、京都市文化功労者、京都府文化賞功労賞等受賞。

大野百樹（おおのももき）
大正9年（1920）埼玉〜平成31年（2019）。本名慶蔵。小谷津任牛・奥村土牛に師事。昭和23年院展初入選、61年日本美術院賞（大観賞）、平成13年同人推挙、20年文部科学大臣賞、23年内閣総理大臣賞。日本美術院同人。

大橋翠石（おおはしすいせき）
慶応元年（1865）岐阜県大垣〜昭和20年（1945）兵庫。本名宇一郎。明治19年渡辺小崋に師事。28年内国勧業博覧会で褒状、33年パリ万国博覧会で金牌。

大平華泉（おおひらかせん）
大正2年（1913）福島〜昭和58年（1983）東京。本名正男。昭和5年南画家荒川華関、15年松林桂月に師事。27年日展特選・朝倉賞、42年日本南画院展文部大臣賞・桂月賞受賞。日展会友、日本南画院副理事長。

大森運夫（おおもりかずお）
大正6年（1917）豊川市〜平成28年（2016）船橋市。昭和15年広島高等師範学校病気中退。33年中部日本画総合展最高賞。37年新制作展新作家賞、同年教職を辞し、画家を志し上京。41年神奈川県展大賞、同年海外派遣。46年新制作協会会員（49年創画会）。50年山種美術館大賞展大賞。日本秀作美術展等連年出品。中国各地や西欧ロマネスク美術取材多数。

大矢黄鶴（おおやこうかく）
明治44年（1911）新潟県三島郡〜昭和41年（1966）東京。本名三郎。児玉希望に師事。文展、日本画会展、日本画院展出品。戦後は田中青坪に師事。院展に入選を重ね奨励賞（白寿賞）受賞。日本画家大矢紀は長男、大矢十四彦は三男。

大山忠作（おおやまちゅうさく）
大正11年（1922）福島〜平成21年（2009）東京。昭和18年学徒出陣で東美校繰上げ卒業。21年日展初入選、翌年山口蓬春に師事。27年日展特選・白寿賞・朝倉賞、30年特選・白寿賞、43年文部大臣賞。48年日本藝術院賞、61年同会員。42〜43年法隆寺金堂壁画再現模写に従事。平成4〜7年日展理事長、17年〜会長。11年文化功労者、18年文化勲章。多彩なモチーフを平明且つ骨太に描いた。特に鯉は美術市場での人気が高い。

大山魯牛（おおやまろぎゅう）
明治35年（1902）東京〜平成7年（1995）東京。本名龍一郎。大正8年小室翠雲の環堵画塾入門。13年日本南画院展初入選、奨励賞受賞。15年帝展初入選、以後入選。昭和30年新興美術院初入選以後入選、新興美術院会員。44、63年内閣総理大臣賞受賞。

岡崎忠雄（おかざきただお）
昭和18年（1943）京都〜平成14年（2002）京都。昭和43年京都市立美大専攻科修。新制作展、後創画展を中心に伝統的な花鳥、中世ヨーロッパ美術に影響を受けた風景や人物画を制作。

尾形月耕（おがたげっこう）
安政6年（1859）江戸京橋〜大正9年（1920）東京。尾形光哉の家名を襲名。菊池容斎の画風や浮世絵に学ぶ。日本美術協会会員。

岡田雄眺（おかだゆうこう）
明治35年（1902）埼玉県妻沼〜平成9年（1997）。本名計司。父は南画家岡田白柳。大正4年荒木十畝、後橋本静水に師事。昭和2年〜院展入選。戦後は画壇を離れて制作。

岡本神草（おかもとしんそう）
明治27年（1894）神戸市〜昭和8年（1933）。本名敏郎。大正7年京絵専卒、卒業制作が国画創作協会展入選。10年帝展入選。菊池契月に師事。昭和3、7年帝展に入選するが翌年急逝。

岡本彌壽子（おかもとやすこ）
明治42年（1909）東京〜平成19年（2007）。昭和5年女子美専卒。奥村土牛・小林古径に師事。9年院展初入選、22・23年無監査賞、以後奨励賞9、佳作1、37年日本美術院賞次賞、42年日本美術院賞・大観賞受賞、女性で7人目の同人推挙。51年内閣総理大臣賞、61年文部大臣賞。他に紺綬褒章4回、平成3年勲四等瑞宝章、9年神奈川文化賞受賞。

小川芋銭（おがわうせん）
明治元年（1868）江戸赤坂溜池〜昭和13年（1938）茨城県牛久沼畔。明治14年彰技堂で洋画を、抱朴斎に漢画を学ぶ。大正4年平福百穂らと珊瑚会を結成。6年日本美術院同人。昭和10年帝国美術院参与。

小川翠村（おがわすいそん）
明治35年（1902）大阪〜昭和39年（1964）。大正9年西山翠嶂に師事。10年帝展初入選。14年、昭和3年、4年と特選。

荻生天泉（おぎゅうてんせん）
明治15年（1882）福島県二本松〜昭和20年（1945）。明治40年東美校日本画科卒。昭和4年帝展特選。

奥田元宋（おくだげんそう）
明治45年（1912）広島県双三郡〜平成15年（2003）東京。本名厳三。昭和5年上京し児玉希望に師事。11年文展初入選、13、24年特選。25年日月社結成に参加。37年日展文部大臣賞。38年日本藝術院賞、48年同会員。52〜54年日展理事長。56年宮中歌会始召人、文化功労者。59年文化勲章。平成8年京都・慈照寺（銀閣寺）襖絵完成。精神性の濃い独特な赤の色彩で幽玄な胸中山水を描いた。

奥原晴湖（おくはらせいこ）
天保8年（1837）下総〜大正2年（1913）埼玉県熊谷。牧田水石に師事。明清画を研究。女流南画家の第一人者。

奥村厚一（おくむらこういち）
明治37年（1904）京都市〜昭和49年（1974）京都市。昭和3年京絵専卒、研究科修了。西村五雲に師事。帝・文・新文展入選。13年山口華楊の晨鳥社結成に評議員として参加。21年日展特選。23年丘人、松篁等と創造美術創立、26年新制作協会日本画部になり出品。京都市立芸大名誉教授。

奥村土牛（おくむらとぎゅう）
明治22年（1889）東京〜平成2年（1990）東京。梶田半古塾に入門し、小林古径の指導を受けた。昭和7年日本美術院同人。10年帝国美術学校日本画科主任教授。22年日本藝術院会員。37年文化勲章。平成2年日本美術院名誉理事長。

小倉遊亀（おぐらゆき）
明治28年（1895）大津市〜平成12年（2000）東京。大正6年奈良女子高等師範卒。9年安田靫彦に師事。15年日本美術院初入選、昭和7年同人。13年山岡鉄舟門下の小倉鉄樹と結婚。気品溢れるデフォルメ、明るく爽やかな画風で知られる。29年上村松園賞、37年日本藝術院賞受賞。51年日本藝術院会員。53年文化功労者。55年文化勲章。平成2〜8年日本美術院理事長。

小栗潮（おぐりうしお）
大正10年（1921）佐賀〜平成25年（2013）東京。東京美術学校卒。山口蓬春に師事。日展にて特選2・白寿賞2・菊華賞・文部大臣賞受賞、文化庁買上。日展参与。

尾竹越堂（おだけえつどう）
慶応4年（1868）新潟〜昭和6年（1931）東京。本名熊太郎。弟の竹坡・国観も共に日本画家。歌川国政に浮世絵、小堀鞆音に歴史画を学ぶ。巽画会会員。44年〜文展入選。大正2年弟らと八華会結成。

尾竹国観（おだけこっかん）
明治13年（1880）新潟〜昭和20年（1945）。本名亀吉。兄の越堂、竹坡も日本画家。高橋太華、小堀鞆音に師事。40年東京勧業博覧会二等賞牌、42年文展初入選二等賞。以後三等賞、褒状受賞。兄弟と八華会を結成。

尾竹竹坡（おだけちくは）
明治11年（1878）新潟〜昭和11年（1936）東京。本名染吉。兄越堂、弟国観も日本画家。笹田雲石に南画を学び、明治29年川端玉章に師事。日本絵画協会・日本美術院連合絵画共進会等受賞、内国勧業博覧会三等賞。40年文展開設の際新派の国画玉成会に参加、翌年弟国観と共に退会。42年文展三等賞、以降二等賞、褒状、三等賞。大正13年帝展入選以後連続入選。大正2年八華会結成。

落合芳幾（おちあいよしいく）
天保4年（1833）江戸浅草～明治37年（1904）東京本所区。歌川国芳に師事。安政2年の大地震による吉原の惨状を錦絵に描く。慶応2年弟弟子の月岡芳年と血みどろ絵を合作。維新後横浜開化絵を手がけ、明治8年『平仮名絵入新聞』を創刊、新聞挿絵にいち早く取り組む。後『歌舞伎新報』の挿絵を制作。

落合朗風（おちあいろうふう）
明治29年（1896）東京～昭和12年（1937）東京。本名平次郎。小村大雲に師事。青龍社に参加し同人に。大正9年明朗美術連盟創立。

小野朱竹（おのしゅちく）
明治13年（1880）岡山県笠岡～昭和34年（1959）京都市。本名益太郎。弟は竹喬。一時竹内栖鳳に師事。大正3年鍋井克之、永瀬義郎らと美術劇場設立。8年～帝展連続入選3。13年～国画創作協会入選、昭和3年解散後は新樹社結成に版画会員として参加。新樹社解散後は画壇から離れ文人生活を送る。

小野竹喬（おのちっきょう）
明治22年（1889）岡山県笠岡～昭和54年（1979）京都。本名英吉。竹内栖鳳に入門。44年京絵専別科卒。大正7年土田麦僊らと国画創作協会結成。昭和22年日本藝術院会員。43年文化功労者。

小茂田青樹（おもだせいじゅ）
明治24年（1891）川越市～昭和8年（1933）逗子市。本姓小島、幼名茂吉。号は錦仙、空明、大河。大正3年日本美術院再興に参加、今村紫紅の赤曜会にも加わった。日本美術院同人。

尾山幟（おやまのぼり）
大正10年（1921）釧路市～平成7年（1995）東京。昭和21年多摩帝国美術学校日本画科卒。中村岳陵塾蒼野社入門。日展特選・朝倉賞受賞。52年日展審査員。53年日展会員。平成4年日展評議員。

甲斐庄楠音（かいのしょうただおと）
明治27年（1894）京都市～昭和53年（1978）京都市。本姓甲斐荘。明治45年京美校図案科卒、京絵専進学、川北霞峰塾に通う。大正4年研究科に進級。7年国画創作協会第1回展入選樗牛賞候補。翌年落選した「青衣の女」で帝展初入選。15年国画創作協会会員、昭和3年解散で新樹社結成に会員として参加するが、6年解散。15年以後溝口健二監督映画の衣装や風俗考証を担当。

柿内青葉（かきうちせいよう）
明治25年（1892）東京～昭和57年（1982）。明治43年女子美高等科修了、鏑木清方に師事。巽画会展で受賞を重ね大正10年帝展初入選、以後帝展出品。母校で後進を指導、青柿会をまとめる。

加倉井和夫（かくらいかずお）
大正8年（1919）横浜市～平成7年（1995）山梨。昭和19年東美校卒。山口蓬春に師事。日展特選、菊華賞、総理大臣賞、55年日本藝術院賞受賞。平成元年日本藝術院会員。日展常務理事。

笠原可雄（かさはらよしお）
大正元年（1912）埼玉～平成2年（1990）。野田九浦に師事。院展と官展で入選を重ねるが昭和21年日展特選以後官展を選択。日月社委員。

梶喜一（かじきいち）
明治37年（1904）～昭和55年（1980）。京絵専卒。西村五雲、山口華楊に師事。文・帝・日展に出品し、特選、白寿賞受賞。日展審査員、会員。

梶田半古（かじたはんこ）
明治3年（1870）東京～大正6年（1917）東京。本名錠次郎。鍋田玉英、鈴木華邨に師事。岡倉天心の日本美術院で研修。日本青年絵画協会創立に参加。

梶原緋佐子（かじはらひさこ）
明治29年（1896）京都～昭和63年（1988）京都。菊池契月に師事。文・帝展に出品。日展特選、評議員、参与。京都市文化功労賞受賞。

片岡球子（かたおかたまこ）
明治38年（1905）北海道～平成20年（2008）神奈川。札幌高女から女子美専進学。吉村忠夫、戦後は安田靫彦に師事。昭和5年院展初入選、27年院賞・大観賞受賞、同人推挙。41年新設の愛知県立芸大日本画科主任教授就任。50年日本藝術院賞・恩賜賞、57年会員。61年文化功労者、平成元年文化勲章。武将や浮世絵師の「面構」シリーズの他、富士山、裸婦で独自の画風を築いた。

堅山南風（かたやまなんぷう）
明治20年（1887）熊本～昭和55年（1980）静岡。本名熊次。高橋広湖に入門。大正2年文展初入選二等賞。3年横山大観に師事、再興日本美術院に参加、昭和13年同人。33年日本藝術院会員。43年文化勲章。

勝田蕉琴（かつたしょうきん）
明治12年（1879）福島～昭和38年（1963）。名は良雄、別号研思荘。明治38年東美校日本画科卒業後、橋本雅邦に師事。文・帝・日展で活躍。

勝田深氷（かつたしんぴょう）
昭和12年（1937）東京～平成24年（2012）米サンフランシスコ。伊東深水の次男、本名新一。27年父に日本画、29年小絲源太郎に洋画を学ぶ。30～32年米留学。47年再渡米、サンフランシスコにアトリエ設立。平成6年石川県珠洲市に国際文化交流館「勝東庵」設立。8年松浦史料博物館美術館顧問就任。サンフランシスコアジア美術館、王子製紙史料博物館等作品収蔵。三越、松坂屋、小津画廊などで個展。

勝田哲（かつたてつ）
明治29年（1896）京都～昭和55年（1980）。京絵専で学んだ後東美校を卒業。山元春挙に師事。昭和4・6年帝展特選。日展審査員、会員。

加藤栄三（かとうえいぞう）
明治39年（1906）岐阜市～昭和47年（1972）神奈川。昭和6年東美校卒。4年帝展初入選。結城素明に師事。11年新文展文部大臣賞。14年文展特選。22年創造美術結成に同人参加するが25年脱退、日展に復帰。33年日本藝術院賞受賞。

加藤晨明（かとうしんめい）
明治43年（1910）名古屋市～平成10年（1998）神奈川。本名清。渡辺幾春に美人画を学ぶ。中村岳陵の蒼野社に入門。院展で日本美術院賞第三賞受賞、入選を重ねるが、18年官展に移る。日展特選、白寿賞・朝倉賞、文部大臣賞受賞。日展参与。

加藤東一（かとうとういち）
大正5年（1916）岐阜市～平成9年（1996）神奈川。昭和22年東美校卒。山口蓬春に師事。日展出品、特選、総理大臣賞受賞。52年日本藝術院賞受賞、59年会員。平成元年～3年日展理事長。平成7年文化功労者。加藤栄三の弟。

金島桂華（かなしまけいか）
明治25年（1892）広島～昭和49年（1974）京都。本名政太。西家桂州、平井直水に師事。44年竹内栖鳳に入門。大正7年文展初入選。14年帝展特選。昭和元年、2年連続特選。28年日本藝術院賞受賞、34年会員。

狩野永悳（かのうえいとく）
文化11年（1814）～明治24年（1891）。木挽町狩野伊川院栄信の第六子。幼名熊五郎。名は立信。別号晴雪斎。徳川幕府で四代の将軍の奥絵師。

狩野勝川院（かのうしょうせんいん）
文政6年（1823）江戸木挽町～明治13年（1880）。幼名栄次郎。別号雅信。徳川幕府奥絵師。木挽町狩野家末期の名手。門人に狩野芳崖、橋本雅邦等がいる。

狩野忠信（かのうただのぶ）
元治元年（1864）名古屋市～没年未詳。狩野永悳に師事、養子となる。明治14年狩野友信、曾山幸彦、中丸精十郎に洋画を学ぶ。24年家督相続。大正15年狩野家歴代の絵画展を開催。

狩野探令（かのうたんれい）
安政4年（1857）山形～昭和6年（1931）。本姓荒木。狩野探美に師事。内国絵画共進会入選。日本美術協会委員。日本画会副主任幹事。明治40年東京勧業博覧会三等賞。大正5年より狩野姓を名乗る。

狩野友信（かのうとものぶ）
天保14年（1843）江戸浜町～大正元年（1912）。狩野中信の子。名は春川。狩野勝川院に師事。同門に橋本雅邦、狩野芳崖等がいた。明治21年東美校助教授。

狩野芳崖（かのうほうがい）
文政11年（1828）山口県長府～明治21年（1888）東京。本姓諸葛、幼名幸太郎。父諸葛晴泉に手ほどきを受け、狩野勝川院に入門。明治17年第2回内国絵画共進会出品、フェノロサに認められ新日本画創造に情熱を傾けた。重文「悲母観音」。

鏑木清方（かぶらぎきよかた）
明治11年（1878）東京神田～昭和47年（1972）鎌倉。本名健一。水野年方に師事。烏合会結成。金鈴社を創立。昭和4年帝国美術院会員、19年帝室技芸員。29年文化勲章受章。

下保昭（かほあきら）
昭和2年（1927）富山～平成30年（2018）京都。昭和24年西山翠嶂に師事。25年日展初入選、特選・白寿賞、菊華賞、文部大臣賞、会員・評議員等歴任するも画業専念のため63年に日展退会。独自の画境を深める。他に芸術選奨、日本芸術大賞、MOA岡田茂吉大賞等受賞。平成16年旭日小綬章受章。

鎌倉秀雄（かまくらひでお）
昭和5年（1930）東京～平成29年（2017）東京。昭和21年安田靫彦に師事。26年院展初入選、53年・56年日本美術院賞受賞、同年同人推挙。院展奨励賞・文部大臣賞・内閣総理大臣賞等受賞。日本美術院同人、業務執行理事。

鴨下晁湖（かもしたちょうこ）
明治23年（1890）東京浅草～昭和42年（1967）。本名中雄。松本楓湖に師事。東美校中退。40年文展三等賞。巽画会展、紅児会展出品、後巽画会評議員。文・帝・新文展出品。戦後は挿絵・装幀に活躍、出版美術家連盟などの要職を歴任。

加山又造（かやままたぞう）
昭和2年（1927）京都市～平成16年（2004）京都市。父は西陣織の図案家。昭和19年京美校修了後、東美校に進学、24年卒業。山本丘人に師事。創造美術展、新制作展出品。31年会員、49年会員として創画会参加。55年芸術選奨文部大臣賞。多摩美大、東京藝大教授として後進を指導、平成7年東京藝大名誉教授。9年文化功労者、10年井上靖文化賞受賞。大和絵や琳派に倣った装飾世界を象徴的に表現。

粥川伸二（かゆかわしんじ）
明治29年（1896）大阪～昭和24年（1949）姫路市。長谷川等仲、山口草平、土田麦僊に師事。大正7年国画創作協会第1回展入選、13年会友、15年会員。昭和3年解散で新樹社に会員として参加、6年脱退。4年院展初入選。13年日本美術院院友。

河合英忠（かわいえいちゅう）
明治15年（1882）東京～大正10年（1921）。名は六之助。右田年英に師事。文展受賞。烏合会会員。

川合玉堂（かわいぎょくどう）
明治6年（1873）愛知～昭和32年（1957）東京。本名芳三郎。望月玉泉、幸野楳嶺、橋本雅邦に師事。大正4年東美校教授。5年帝室技芸員、8年帝国美術院会員。昭和15年文化勲章受章。

河合健二（かわいけんじ）
明治41年（1908）京都市～平成8年（1996）。京美校、京絵専卒、研究科修了。西村五雲に師事。晨鳥社に所属。文・日展入選。日展特選、白寿賞、菊華賞受賞。昭和44年改組日展審査員、45年会員、53年評議員。58年第1回京都府文化賞功労賞受賞。59年日展参与。60年京都市文化功労者。晨鳥社総務。

川北霞峰（かわきたかほう）
明治8年（1875）京都～昭和15年（1940）。幸野楳嶺、菊池芳文に師事。大正13年帝展委員。京都市立美術学校教授。

河口楽土（かわぐちらくど）
明治31年（1898）香川～平成3年（1991）東京。本名喜代市。大正元年富岡鉄斎の薫陶を受け、10年大阪美術学校卒。橋本関雪に師事。昭和35年日本南画院創立に理事として参加、後会長。51年自由画壇結成、理事長。

川﨑小虎（かわさきしょうこ）
明治19年（1886）岐阜～昭和52年（1977）東京。本名中野隆一。祖父の川﨑千虎、後小堀鞆音に師事。明治43年東美校卒。昭和18年同校教授。36年日本藝術院賞恩賜賞受賞。42年武蔵野美大名誉教授。日本画家鈴彦・春彦は息子。

川﨑千虎（かわさきせんこ）
天保6年（1835）名古屋～明治35年（1902）。沼田月斎、土佐光文に師事。明治15年絵画共進会褒状。東美校教授。

川﨑春彦（かわさきはるひこ）
昭和4年（1929）東京～平成30年（2018）東京。昭和25年東京美術学校卒業。父川﨑小虎、義兄東山魁夷に師事。日展特選2回、文部大臣賞。平成17年日本藝術院賞・恩賜賞、30年紺綬褒章（2回）、旭日中綬章受章。日本藝術院会員、日展顧問。

河崎蘭香（かわさきらんこう）
明治15年（1882）愛媛～大正7年（1918）。菊池芳文、寺崎廣業に師事。文展受賞。美人画、花鳥画。

川島浩（かわしまひろし）
明治43年（1910）京都市～平成6年（1994）京都市。昭和7年京絵専卒、研究科進級、西村五雲塾入塾。帝展入選。12年研究科修了、13年五雲没後、新・晨鳥社の結成に参加。新文・日展入選。日展特選、51年審査員、52年会員。63年京都府文化功労賞受賞、京都市文化功労者。書家川島鳳村は妻、日本画家川島睦郎は長男。

川瀬麿士（かわせまろし）
昭和16年（1941）愛知～令和元年（2019）愛知。今野忠一に師事。昭和43年再興院展初入選、60年特待推挙、平成3年日本美術院賞（大観賞）、4年招待推挙、9年天心記念茨城賞、12年同人推挙、18年文部科学大臣賞、21年内閣総理大臣賞。13年～愛知県立芸術大学日本画科非常勤講師を務めた。

河鍋暁斎（かわなべきょうさい）
天保2年（1831）下総古河～明治22年（1889）東京。本名陣之、号惺々狂斎、画鬼、酒乱斎、猩々斎など。歌川国芳、前村洞和、狩野洞白に師事。内国勧業博覧会受賞。

河鍋暁翠（かわなべきょうすい）
慶応4年（1868）江戸本郷～昭和10年（1935）国府津。名はとよ。父河鍋暁斎の手ほどきを受け、内国絵画共進会、内国勧業博覧会入選。近代的で穏和な美人画を制作。日本美術協会会員。

川辺御楯（かわのべみたて）
天保9年（1838）筑後～明治38年（1905）東京。号花陵、別号鷺外、墨流亭、都多の舎、後素堂。三善真琴、宝田通文、西原晃樹らに師事。土佐派。内国絵画共進会、日本美術協会展で受賞。

川端玉章（かわばたぎょくしょう）
天保13年（1842）京都～大正2年（1913）東京。本名滝之助。中島来章に円山派を高橋由一に油絵を学ぶ。内国絵画共進会受賞。東美校教授、明治29年帝室技芸員、日本美術院会員。42年川端画学校設立。円山派の花鳥山水画を得意とした。

川端健生（かわばたたけお）
昭和19年（1944）京都市～平成7年（1995）京都市。父は水墨画家川端皐白。42年京都美大日本画科卒、44年専攻科修了。同年新制作展初入選・新作家賞。新制作展、創画展に入選を重ね、創画会賞受賞、56年会員。大阪芸大助教授。昭和59年京都市芸術新人賞。平成3年滋賀県文化奨励賞。6年髙島屋新鋭作家奨励賞受賞。

川端龍子（かわばたりゅうし）
明治18年（1885）和歌山市～昭和41年（1966）東京。本名昇太郎。白馬会洋画研究所、太平洋画会研究所で学び、大正2年渡米。帰国後日本画に転向。大正6年再興日本美術院同人。昭和4年「会場芸術」を標榜、青龍社設立。34年文化勲章受章。

川村曼舟（かわむらまんしゅう）
明治13年（1880）京都～昭和17年（1942）京都。本名万蔵。明治31年山元春挙門に入塾。文展三等賞、二等賞、特選。京絵専教授、後校長。帝国美術院会員。

川本末雄（かわもとすえお）
明治40年（1907）熊本～昭和57年（1982）鎌倉市。東美校卒。松岡映丘に師事。日展特選、文部大臣賞。51年日本藝術院賞恩賜賞。日展理事。新興大和絵系の風景画を得意とした。

菊川多賀（きくかわたか）
明治43年（1910）札幌市～平成3年（1991）東京。本名孝子。清原斉、堅山南風に師事。院展奨励賞、日本美術院賞、文部大臣賞、内閣総理大臣賞。日本美術院同人。

菊池契月（きくちけいげつ）
明治12年（1879）長野～昭和30年（1955）京都。本名完爾。旧姓細野。師菊池芳文の嗣子。第1回以来文展出品、受賞。審査員。大正14年帝国美術院会員。昭和9年帝室技芸員、京都市立絵画専門学校校長。歴史画や人物画を得意とした。

菊池隆志（きくちたかし）
明治44年（1911）京都～昭和57年（1982）。菊池契月の次男。帝展特選、審査員。昭和23年創造美術協会に会員として参加。

菊池芳文（きくちほうぶん）
文久2年（1862）大阪～大正7年（1918）京都。名は常次郎。菊池家の養子。滋之芳園、幸野楳嶺に師事。内国勧業博覧会二等賞。第１回～11回連続文展審査員。京都画壇の重鎮。軽快な筆致の花鳥画を物した。

菊池容斎（きくちようさい）
天明8年（1788）江戸下谷～明治11年（1878）。名は武保。狩野派の高田円乗に師事。有職故実を研究し歴史画に秀で、本版本「前賢故実」は後の歴史画に大きな影響を与えた。

岸竹堂（きしちくどう）
文政9年（1826）彦根～明治30年（1897）京都。幼名米次郎。名は昌禄。狩野永岳、岸連山に師事。連山の女婿。京都府画学校設立に尽力。明治29年帝室技芸員。動物画をよくする。

岸浪百艸居（きしなみひゃくそうきょ）
明治22年（1889）館林市～昭和27年（1952）。父岸浪柳渓、小室翠雲に師事。文・帝展出品、審査員も。昭和8年日本南画院同人。魚を得意とする。

岸浪柳渓（きしなみりゅうけい）
安政2年（1855）江戸下谷～昭和10年（1935）。本名静司。福島柳圃、田崎草雲に師事。日本美術協会展受賞多数、会員。日本南宗画会幹事、文墨協会協議員。明治40年文展開設の際旧派の正派同志会結成に評議員として参加。南画家岸浪百艸居は息子。

北澤映月（きたざわえいげつ）
明治40年（1907）京都～平成2年（1990）東京。本名智子。上村松園、土田麦僊に師事。16年日本美術院第三賞、同人推挙。日本美術院評議員。内閣総理大臣賞。文部大臣賞。歴史の中の女性を描く。

北野恒富（きたのつねとみ）
明治13年（1880）金沢～昭和22年（1947）大阪。本名富太郎。稲野年恒、都路華香に師事、富田溪仙と親交。大正6年日本美術院同人。情感豊かな美人画。

北野治男（きたのはるお）
昭和21年（1946）大阪～平成30年（2018）京都。昭和42年日展初入選。45年京都教育大学日本画科卒業。日展特選、会員賞、内閣総理大臣賞。京都市芸術新人賞、京都府文化賞功労賞。日展理事、京都市文化功労者。ライフワークとして米テネシーの風景をその空気を感じられるまでに表現した。

吉川霊華（きっかわれいか）
明治8年（1875）東京～昭和4年（1929）東京。本名準。狩野良信、山名貫義に師事。冷泉為恭の大和絵を研究。文展褒状。京都方向寺天井画を制作。鏑木清方らと金鈴社を結成。帝展審査員。

鬼頭篁（きとうたかむら）
明治40年（1907）横浜市～昭和63年（1988）愛知。本名昭三。昭和6年京絵専卒。中村岳陵に師事。院展、日展入選。23年日本美術院院友となるが、復帰して24年から日展出品。36年白士会を結成、のち顧問。

衣笠豪谷（きぬがさごうこく）
嘉永3年（1850）倉敷～明治30年（1897）。佐竹永海、中西耕石に師事。明治30年日本南画協会創立。

木村斯光（きむらしこう）
明治28年（1895）京都～昭和51年（1976）。京美校、京絵専卒。菊池契月に師事。帝展特選。

木村武夫（きむらたけお）
明治41年（1908）茨城県五浦～昭和62年（1987）笠間市。父は木村武山。父に手ほどきを受け、前田青邨に師事。昭和13年～院展入選、47年特待。55年青邨没後、平山郁夫に師事。

木村武山（きむらぶざん）
明治9年（1876）茨城県笠間～昭和17年（1942）東京。本名信太郎。川端玉章に師事。東美校に学ぶ。岡倉天心の理想に傾倒し日本美術院の発展に貢献。壮麗な仏画で知られる。

清原斉（きよはらひとし）
明治29年（1896）竜ヶ崎市～昭和31年（1956）藤沢市。松本楓湖、今村紫紅、速水御舟、小茂田青樹らに師事。のち堅山南風門下生。院展奨励賞、日本美術院賞受賞、31年同人推挙。

桐谷洗鱗（きりやせんりん）
明治9年（1876）新潟県三島郡～昭和7年（1932）。富岡永洗、橋本雅邦に師事。明治40年東美校日本画選科卒。仏画を得意。

日下八光（くさかはっこう）
明治32年（1899）徳島～平成8年（1996）東京。本名喜一郎。大正13年東美校日本画科卒。帝・新文・日展入選。昭和20年東美校教授。昭和30年代から文部省の委嘱で全国の装飾古墳壁画模写を手掛けた。東京藝大名誉教授。

楠瓊州（くすのきけいしゅう）
明治25年（1892）尾道～昭和31年（1956）東京都北区。本名善二郎。服部五老の内弟子となり、のち江上瓊山家に寄寓。若くして画才を認められ理解者、支援者がいたが画壇から離れて生涯の多くを生活苦のままに送る。

工藤甲人（くどうこうじん）
大正4年（1915）青森～平成23年（2011）神奈川。昭和9年上京。翌年川端画学校日本画科に学ぶ。14年新美術人展で受賞、福田豊四郎の研究会に参加。25年創造美術展出品、翌年合同した新制作展で新作家賞受賞。以後新制作展や創画展で会員として活動。54年第1回～23回展まで毎年日本秀作美術展出品。53年東京藝大教授、58年名誉教授。63年芸術選奨文部大臣賞、平成元年勲四等旭日章、4年毎日芸術賞他受賞、8年弘前市名誉市民。

久保田米僊（くぼたべいせん）
嘉永5年（1852）京都～明治39年（1906）京都。幼名米吉、本名満貫。鈴木松年、鈴木百年に師事。京都府画学校設立に尽力。日清戦争で国民新聞特派員として報道画や挿絵に新境地。日本画家米斎は長男、金僊は次男。

熊谷直彦（くまがいなおひこ）
文政11年（1828）京都～大正2年（1913）。号篤雅。岡本茂彦に入門。明治17年絵画展覧会優賞。37年帝室技芸員。

倉島丹浪（くらしまたんろう）
明治32年（1899）長野～平成4年（1992）。本名泰。大正8年橋本静水に師事、15年横山大観の書生となり院展入選。昭和8年ホクト社参加、童画・漫画や装幀を手がける。19年疎開後郷里で暮らす。新興美術院、日本画府参加後、43年創作画人協会結成、名誉理事。日本画家倉島美友は次男、倉島重友は三男。

黒光茂樹（くろみつしげき）
明治42年（1909）愛媛～平成5年（1993）京都市。金島桂華に入門、昭和10年京絵専選科卒。帝・新文・日展に入選を重ね、特選・白寿賞・朝倉賞受賞。47年審査員、49年日展会員。60年京都・妙心寺霊雲院御光の間障壁画。62年京都府文化賞功労賞受賞。日本画家黒光茂明は次男。

鍬形蕙林（くわがたけいりん）
文政9年（1826）埼玉～明治42年（1909）。旧姓福島。狩野雅信に入門。鍬形蕙斎の養子となり津和野藩絵師。維新後は『集古十種』続集の編纂に従事。生涯狩野派を固守。

小泉勝爾（こいずみかつじ）
明治16年（1883）東京～昭和20年（1945）。明治40年東美校日本画科卒。帝展特選、審査員。昭和13年日本画院結成、同人。

小泉淳作（こいずみじゅんさく）
大正13年（1924）神奈川～平成24年（2012）神奈川。東美校で山本丘人に師事。卒業後、新制作展・創画展出品。昭和52年山種美術館賞展優秀賞。陶芸も手がける。40歳を過ぎて無所属となってからは水墨画を追求し、建長寺・建仁寺・東大寺等に天井画や襖絵を奉納した。

郷倉和子（ごうくらかずこ）
大正3年（1914）東京谷中～平成28年（2016）。日本画家郷倉千靭の長女。昭和10年女子美術専門学校卒。安田靫彦・馬場不二・岩橋英遠に師事。昭和11年院展初入選、14年院友、32年・35年院賞大観賞、同年同人推挙、45年文部大臣賞、59年内閣総理大臣賞、平成2年恩賜賞・日本藝術院賞受賞。9年日本藝術院会員、14年文化功労者。

郷倉千靭（ごうくらせんじん）
明治25年（1892）富山県射水郡～昭和50年（1975）東京。本名与作。大正2年東美校卒。寺崎廣業に師事。大正13年日本美術院同人推挙。昭和7年帝国美術学校教授、11年多摩造形芸術専門学校教授。35年日本藝術院賞受賞、47年同会員。日本画家郷倉和子は長女。

河野秋邨（こうのしゅうそん）
明治23年（1890）愛媛～昭和62年（1987）京都市。本名循。田近竹邨に師事。一貫して南画の研鑽、普及に尽力。文展入選。大正10年日本南画院結成。帝展入選。昭和21年南画院結成に委員として参加、35年日本南画院再興、会長・理事長。59年第3回京都府文化賞功労賞受賞。

幸野楳嶺（こうのばいれい）
天保15年（1844）京都～明治28年（1895）京都。本名直豊。中島来章、塩川文麟に師事。後進の指導、育成に努め門下に竹内栖鳳、菊池芳文、川合玉堂らがいる。明治26年帝室技芸員。

小坂芝田（こさかしでん）
明治5年（1872）伊那市～大正6年（1917）。別号寒松居、天恩居。児玉果亭に師事。明治41年～文展出品、毎回受賞。中村不折の従弟、彫刻家小坂昇平は四男。

小坂象堂（こさかしょうどう）
明治4年（1871）兵庫～明治32年（1899）。京都府画学校で学び、浅井忠につき洋画も学んだ。

小杉放庵（こすぎほうあん）
明治14年（1881）栃木県日光～昭和39年（1964）新潟県新赤倉。本名国太郎。五百城文哉、小山正太郎に師事。明治35年太平洋画会会員。未醒と号する。雑誌「平旦」「方寸」創刊、同人として参加。大正11年春陽会創立に参加。12年放庵と改号。昭和4年華厳社を組織。10年帝国美術院会員。

小嶋悠司（こじまゆうじ）
昭和19年（1944）京都市～平成28年（2016）京都市。昭和44年京都市立美術大学専攻科修。48年山種美術館賞展優秀賞、新制作協会会員（49年創画会）。50年文化庁芸術家在外研修員。平成2年京都新聞日本画賞展大賞、9年京都府文化賞功労賞、10年京都美術文化賞、13年芸術選奨文部科学大臣賞。創画会副理事長、京都市立芸術大学名誉教授、京都市文化功労者。

巨勢小石（こせしょうせき）
天保14年（1843）京都～大正8年（1919）。岸連山、中西耕石に師事。東美校教授。仏画を得意。

児玉果亭（こだまかてい）
天保12年（1841）長野県高井郡～大正2年（1913）。佐久間雲窓、田能村直入に師事。絵画共進会銀賞。

児玉希望（こだまきぼう）
明治31年（1898）広島県高田郡～昭和46年（1971）東京。本名省三。川合玉堂に師事。帝展特選。昭和25年伊東深水らと日月社結成。27年日本藝術院賞受賞。34年日本藝術院会員。36年日展常務理事。

児玉三鈴（こだまさんれい）
大正4年（1915）長野～平成14年（2002）埼玉。本名庄二。川端龍子に師事、御形塾で学ぶ。昭和31年日本画府創立。38年同理事長就任。

後藤純男（ごとうすみお）
昭和5年（1930）千葉県関宿～平成28年（2016）。昭和21年山本丘人に師事、のち田中青坪に師事。27年院展初入選、37年奨励賞、40年日本美術院賞・大観賞、49年同人推挙、51年院展文部大臣賞、55年評議員推挙、61年院展総理大臣賞、平成12年理事推挙。昭和63年～平成9年東京藝術大学教授。平成9年北海道に後藤純男美術館開設。28年恩賜賞・日本藝術院賞受賞。

後藤碩田（ごとうせきでん）
文政元年（1818）豊後国乙津～明治20年（1887）。名は守。田能村竹田に師事。山水画。

木島桜谷（このしまおうこく）
明治10年（1877）京都～昭和13年（1938）。本名文治郎。今尾景年に師事。文展に出品。大正9年から昭和2年まで帝展審査員。

小畠鼎子（こばたけていこ）
明治31年（1898）東京神田～昭和39年（1964）東京。池上秀畝、川端龍子に師事。第1回青龍社展から出品、奨励賞受賞。23年青龍社社人。

小早川秋声（こばやかわしゅうせい）
明治18年（1885）神戸市～昭和49年（1974）京都市。本名盈麿。京絵専中退、谷口香嶠に師事。文展入選。香嶠没後山元春挙に師事。帝展入選。昭和6年以後従軍画家として戦地に赴き、19年戦時特別展まで官展出品。戦後は宗教画を描く。

小林柯白（こばやしかはく）
明治29年（1896）大阪～昭和18年（1943）。今村紫紅、安田靫彦に師事。大正13年院展同人。

小林恒岳（こばやしこうがく）
昭和7年（1932）東京～平成29年（2017）茨城。本名恒吉。小林巣居人の三男。父、前田青邨に師事。昭和34年東京藝術大学専攻科修了。同年新興美術院展初出品、37年会員、51年理事を経て常務理事、平成7年副理事長、後退会。新興展にて文部大臣奨励賞（文化庁買上げ）・内閣総理大臣賞等受賞。

小林古径（こばやしこけい）
明治16年（1883）新潟～昭和32年（1957）東京。本名茂。梶田半古に師事。今村紫紅、安田靫彦らの紅児会に参加、大正元年文展出品。3年日本美術院再興から同展出品、同人。昭和10年帝国美術院会員。19年東京美術学校教授、帝室技芸員。25年文化勲章受章。

小林巣居人（こばやしそうきょじん）
明治30年（1897）茨城～昭和53年（1978）。小川芋銭、平福百穂に師事。昭和6年日本美術院院友。12年新興美術院を結成。日本画家小林恒岳は三男。

小堀鞆音（こぼりともと）
文久4年（1864）栃木～昭和6年（1931）。別号弦廼舎。明治17年川﨑千虎に入門。30年東美校助教授。同年日本美術院創立に参加。大正6年帝国技芸員。8年帝国美術院会員。国宝保存会の委員も務めた。

小松均（こまつひとし）
明治35年（1902）山形～平成元年（1989）京都。川端画学校で岡本葵園に師事。のち土田麦僊門下。昭和3年国画創作協会日本画部解散後、帝展出品、5年特選。21年院展日本美術院賞・同人推挙。50年芸術選奨文部大臣賞。54年院展内閣総理大臣賞。61年文化功労者。

小宮山俊（こみやましゅん）
大正7年（1918）東京～平成18年（2006）千葉。本名込山俊男。昭和16年東美校卒、35年新美術協会展協会賞受賞、20数年中断後再び絵筆をとり59年以降同展にて大賞・文部大臣奨励賞・総理大臣賞等6年連続受賞。後同会理事長。平成4年紫綬褒章。

小村雪岱（こむらせったい）
明治20年（1887）埼玉県川越～昭和15年（1940）東京。本名安並泰輔。荒木寛畝塾に入門。東美校入学。下村観山の指導を受ける。明治41年同校卒業。装丁・挿絵多数。昭和10年国画会同人。

小室翠雲（こむろすいうん）
明治7年（1874）群馬県館林～昭和20年（1945）東京。

本名貞次郎。明治22年田崎草雲に師事。日本美術協会展、文展受賞。大正10年矢野橋村らと日本南画院創立。13年帝国美術院会員。昭和19年帝室技芸員。

小谷津任牛（こやつにんぎゅう）
明治34年（1901）東京四谷〜昭和41年（1966）。小林古径に師事。院展日本美術院賞。人物、花鳥、山水を得意とする。小谷津雅美は息子。

小谷津雅美（こやつまさみ）
昭和8年（1933）東京下落合〜平成23年（2011）東京。小谷津任牛の長男。昭和28年院展初入選、30年安田靫彦に師事、院展院友推挙。院次賞2・奨励賞15、白寿賞10、36年〜春の院展奨励賞23・外務大臣賞1。39年特待・平成4年招待・10年同人・13年評議員推挙。昭和54年紺綬褒章、平成15年文部科学大臣賞他受賞。初期は人物を、平成以降5年ほど仏画を、晩年は風景を主題に自然美や時の流れを表現した。

小山栄達（こやまえいたつ）
明治13年（1880）東京小石川〜昭和20年（1945）。本名政治。本多錦吉郎、鈴木栄暁、小堀鞆音に師事。連合絵画共進会受賞多数、巽画会、日月会にも参加。東京勧業博覧会三等賞牌。文展褒状。帝展に入選を重ね、昭和10年帝展改組で第一部会結成に実行委員として参加。歴史画、武者絵の第一人者。

小山大月（こやまたいげつ）
明治24年（1891）東京〜昭和21年（1946）。名は光造。松本楓湖に師事。今村紫紅、速水御舟らと赤曜会に入る。大正15年院展同人。

近藤浩一路（こんどうこういちろ）
明治17年（1884）山梨県南巨摩郡〜昭和37年（1962）東京。本名浩。東美校西洋画科に学ぶ。のち日本画に転向。大正10年日本美術院同人。フランス留学後、独自の画風を展開。昭和34年日展会員。

近藤弘明（こんどうこうめい）
大正13年（1924）東京下谷区〜平成27年（2015）。本名弘明（ひろあき）。6歳で得度、天台宗僧侶。昭和24年東京美術学校卒。山本丘人に師事。創造美術展出品。新制作協会日本画部春季展春季展賞（4回）、新制作展新作家賞（4回）。38年新制作協会会員（49年創画会）。46年山種美術館賞展優秀賞。50年日本芸術大賞。62年創画会退会。平成3年・12年紺綬褒章。

今野忠一（こんのちゅういち）
大正4年（1915）山形〜平成18年（2006）。昭和15年郷倉千靱に師事。同年院展初入選、文部大臣賞・日本美術院賞・奨励賞3・白寿賞3・大観賞3・次賞2と6年連続入賞、同人推挙、後常務理事。52年院展内閣総理大臣賞受賞。53〜55年愛知芸大日本画科主任教授。62年勲四等旭日小綬章。山岳や大樹等を題材とする重厚な風景画。東北芸術工科大名誉教授。

西郷孤月（さいごうこげつ）
明治6年（1873）長野県松本〜大正元年（1912）東京。本名規。狩野友信に師事。明治27年東美校卒。在学中橋本雅邦に認められのち母校の助教授。日本美術院で活躍。雅邦の女婿となるが後離別して各地を歴遊。

酒井三良（さかいさんりょう）
明治30年（1897）福島県大沼郡〜昭和44年（1969）東京。本名三郎。坂内青嵐に師事。大正13年日本美術院同人推挙。昭和37年院展文部大臣賞。

榊原始更（さかきばらしこう）
明治28年（1895）京都市〜昭和44年（1969）京都市。本名捨三。父は榊原蘆江。兄は榊原佳山、榊原紫峰、榊原苔山。大正3年京美工、6年京絵専校卒、研究科に進級。7年第1回国画創作協会展入選、15年会員。昭和3年解散に伴い新樹社会員として結成に参加、6年解散後は公募展を離れ、個展や京展を中心に発表。

榊原紫峰（さかきばらしほう）
明治20年（1887）京都〜昭和46年（1971）京都。本名安造。明治40年京美工、44年京絵専卒。大正7年土田麦僊らと国画創作協会結成、昭和3年協会解散後展覧会不出品で独自の画境を築く。12年京絵専教授。37年日本藝術院賞恩賜賞受賞。

佐々木邦彦（ささきくにひこ）
明治42年（1909）広島〜昭和47年（1972）京都市。本名義視。福田平八郎、川端龍子に師事。昭和14年青龍社展初入選、27年社人。41年師龍子没後、6月旧社人10名とともに東方美術協会を創立。

佐々木裕久（ささきひろひさ）
昭和17年（1942）樺太〜平成14年（2002）東京。昭和22年秋田県角館に引き揚げ。41年多摩美大日本画科卒。同年新制作展初入選、42年〜新作家賞3年連続、62年創画会会員。文化庁現代美術選抜展、両洋の眼展他出品。59年横の会結成、平成5年まで毎回出品。

佐多芳郎（さたよしろう）
大正11年（1922）東京〜昭和57年（1982）。安田靫彦に師事。院展に入選を重ね、昭和50年特待。大佛次郎、山本周五郎の時代物小説の挿絵でも知られる。

佐竹永海（さたけえいかい）
享和3年（1803）福島県会津〜明治7年（1874）。別号周村、愛雪楼。江戸に出て谷文晁に師事。

佐竹永湖（さたけえいこ）
天保6年（1835）〜明治42年（1909）東京日本橋。旧姓加藤。沖一峨に師事、師没後は永海の嗣子となり南北合派を学ぶ。明治日本画壇の中心で活躍。内国絵画共進会で銅印、銅章、内国勧業博覧会、妙技二等受賞。皇室御用画を揮毫。

佐竹永陵（さたけえいりょう）
明治5年（1872）東京浅草〜昭和12年（1937）東京本郷。旧姓黒田。本名銀十郎。佐竹永湖に師事。明治32年師の娘と結婚、佐竹家を嗣ぐ。日本美術協会展受賞多数、31年日本画会結成、40年東京勧業博覧会三等賞牌。同年文展開設の際正派同志会結成に参加、幹事。文展褒状、三等賞。

佐藤圀夫（さとうくにお）
大正11年（1922）岩手〜平成18年（2006）。東美校卒業、山口蓬春に師事。昭和21年院展初入選。24年日展初入選、29・34年特選・白寿賞、37年菊花賞、39年会員、51年評議員、52年文部大臣賞、平成元年理事、12年常務理事、15年顧問。9年勲四等旭日小綬章、11年日本藝術院会員、名古屋芸大名誉教授。

佐藤太清（さとうたいせい）
大正2年（1913）福知山市〜平成16年（2004）東京板橋。本名實。福知山実践商業卒後、昭和7年児玉希望塾入門。18年文展初入選。21年〜日展出品、22年特選、27年特選・朝倉賞、41年文部大臣賞。42年日本藝術院賞、56年同会員、紺綬褒章、60年勲三等瑞宝章。52年日展理事、58〜60年事務局長、60〜62年理事長。63年文化功労者、平成4年文化勲章。平成14年〜福知山市主催佐藤太清賞公募美術展開催。

佐藤多持（さとうたもつ）
大正8年（1919）国分寺市〜平成16年（2004）国分寺市。観音寺の次男。昭和16年東美校日本画科卒。常岡文亀、戦後山本丘人に師事。昭和24年〜読売アンデパンダン展に日本画、旺玄展に油絵10年間出品。32年知求会（〜平成8年解散）、平成10年画友会結成。昭和24年〜水芭蕉をテーマに明快な曼陀羅を創造。2002年上海劉海粟美術館「日本現代墨表現展」代表、同協会会長。

沢宏靭（さわこうじん）
明治38年（1905）滋賀〜昭和57年（1982）。名は日露支。西山翠嶂に師事。昭和9年京絵専卒。23年創造美術協会に参加、会員。

塩川文麟（しおかわぶんりん）
文化5年（1808）京都〜明治10年（1877）。四条派の岡本豊彦に師事。抒情的な山水画を得意。

塩出英雄（しおでひでお）
明治45年（1912）広島〜平成13年（2001）東京。奥村土牛に師事。昭和11年帝国美術学校日本画科卒。12年再興院展初入選、25・36年日本美術院賞・大観賞、44年総理大臣賞受賞、36年日本美術院同人推挙、理事、常務理事を歴任。武蔵野美大名誉教授。

塩見仁朗（しおみにろう）
昭和4年（1929）宮崎市〜平成8年（1996）京都市。本名仁郎。昭和31年京美専研究科修了。29年新制作展入選、新作家賞受賞、44年会員。49年創画会創立後も会員として平成6年まで毎回出品。

直原玉青（じきはらぎょくせい）
明治37年（1904）岡山〜平成17年（2005）。本名正。大正9年家族と死生別。上阪。昭和2年大阪美校入学。南画家矢野橋村に師事する傍ら禅を修行、現代南画を創作。昭和5年帝展初入選、以降日展入選16回。35年日本南画院創立に参加、40年文部大臣賞他多数受賞、後会長。紺綬褒章、勲三等。黄檗宗国清寺中興開山。高浜虚子に学び、俳句結社ホトトギス同人。

柴田是真（しばたぜしん）
文化4年（1807）〜明治24年（1891）。古満寛哉に蒔絵を学んだのち四条派の鈴木南嶺、岡本豊彦に師事。明治23年帝室技芸員。蒔絵と漆絵においても貢献。

澁澤卿（しぶさわけい）
昭和24年（1949）群馬〜平成24年（2012）神奈川。本名瑩俊（えいしゅん）。東京藝大卒業。昭和52年出家、日蓮宗僧侶となる。無所属でロンドン・ルフェーブルギャラリー、上海美術館他国内各地デパート等で個展中心に発表。

島成園（しませいえん）
明治26年（1893）堺市〜昭和45年（1970）。本名成栄。父島栄吉、兄島一翠も画家。大正元年文展第二科初入選、褒状。2・4年褒状。北野恒富、野田九浦に師事。文展、帝展入選。上村松園、池田蕉園と並び閨秀美人画家の三園と称される。

島崎柳塢（しまざきりゅうう）
安政3年（1856）東京〜昭和13年（1938）。桜井謙吉に洋画、松本楓湖、川端玉章に日本画を学ぶ。文展、日本美術協会、内国勧業博覧会等出品。美人画。

島多訥郎（しまだとつろう）
明治31年（1898）栃木〜昭和58年（1983）栃木。郷倉千靱に入門。昭和25年〜院展奨励賞3年連続。29年再び奨励賞。32年日本美術院賞、同人推挙。44年文部大臣賞受賞。明るい色彩の抽象的作品。

島田墨仙（しまだぼくせん）
明治元年（1868）福井〜昭和18年（1943）。円山派の父に学びのち橋本雅邦に師事。大正14年帝展委員、昭和3年審査員。18年日本藝術院賞受賞。

嶋谷自然（しまやしぜん）
明治37年（1904）鳥羽市〜平成5年（1993）名古屋。昭和4年帝展初入選。25年日展特選、白寿賞、54年文部大臣賞。日展参与。名古屋芸大教授。中部日本画会理事長。

志村立美（しむらたつみ）
明治40年（1907）高崎市〜昭和55年（1980）東京。本名仙太郎。山川秀峰に入門。『婦人界』など雑誌口絵で知られる。青衿会、戦後は後身日月社展に美人画を出品。出版美術家連盟会長。昭和51年日本作家クラブ賞受賞。

下倉祺世子（しもくらきよこ）
大正14年（1925）大阪〜平成9年（1997）。山口華楊に師事。昭和33年晨鳥社会員。新日展、改組日展に入選を重ね、51年日展会友。関西美術展審査員。京展市長賞受賞。大阪美術協会常任委員。

下条桂谷（しもじょうけいこく）
天保3年（1842）山形県米沢〜大正9年（1920）。名は正雄。海軍主計大佐を退官後貴族院議員。北宗画を修めた。東京帝室博物館評議員。

下村観山（しもむらかんざん）
明治6年（1873）和歌山市〜昭和5年（1930）横浜。本名晴三郎。狩野芳崖、橋本雅邦に師事。東美校第1回生。卒業後助教授。日本美術院創立の際教職を辞したが、後復職。大正3年日本美術院を横山大観らと共に再興。

下村良之介（しもむらりょうのすけ）
大正12年（1923）大阪〜平成11年（1999）。能楽師の家に生まれる。本名良之助。昭和18年京絵専卒。24年三上誠、星野眞吾らと「パンリアル美術協会」発足。前衛的な新風をおこす。鳥を主題に紙粘土を盛り上げて彩色する独自の画風で知られる。62年京都府文化賞功労賞、平成元年京都市文化功労者、7年京都美術文化賞受賞。元大谷大教授。

荘司福（しょうじふく）
明治43年（1910）松本市〜平成14年（2002）。横浜で育つ。昭和7年女子美専日本画科卒。21年郷倉千靱に師事、院展初入選、以後毎年出品、奨励賞・白寿賞、日本美術院賞・大観賞等受賞、39年同人推挙、49年総理大臣賞、59年文部大臣賞受賞。61年文化庁芸術選奨文部大臣賞受賞。

白鳥映雪（しらとりえいせつ）
明治45年（1912）長野〜平成19年（2007）。本名九寿男。昭和7年上京、伊東深水に入門。13年川端画学校、本郷絵画研究所に夜間学び、18年文展、22年日展初入選、特選・白寿賞2、40年会員、57年評議員、61年総理大臣賞。32年日月社総務部長、42年紺綬褒章。平成5年日展参与、後参事、顧問。平成6年日本藝術院賞・恩賜賞、9年同会員。15年勲三等瑞宝章。10年白鳥映雪美術館併設の市立小諸美術館開館。

真道黎明（しんどうれいめい）
明治30年（1897）熊本〜昭和53年（1978）。名は重彦。はじめ太平洋画会研究所に学んだ。大正4年日本美術院研究会員になり安田靫彦、堅山南風に師事。10年院展同人。昭和33年から評議員。

神保朋世（じんぼともよ）
明治35年（1902）東京〜平成6年（1994）東京。本名貞三郎。鰭崎英朋、伊東深水に師事。美人画を描く。時代物の挿絵画家として新聞、雑誌の挿絵を手がける。

菅楯彦（すがたてひこ）
明治11年（1878）鳥取〜昭和38年（1963）大阪。本名藤太朗。独力で土佐派などを学んで大和絵的画風を独創、大阪の庶民風俗を描いた。日展出品。大阪市民文化賞、大阪府芸術賞等受賞。昭和32年日本藝術院賞恩賜賞受賞。37年大阪市初の名誉市民。

杉浦非水（すぎうらひすい）
明治9年（1876）松山市〜昭和40年（1965）。旧姓白石、本名朝武。中学在学中松浦巌暉に学び、30年川端玉章の天真社入門。東美校日本画科専科入学、34年卒業。図案研究を志す。43年三越呉服店図案部主任。45年光風会創立に参加。大正11〜13年渡欧。昭和4

年帝国美術学校図案科長、10年多摩帝国美術学校創設に参加、校長。30年日本藝術院賞恩賜賞受賞、記念新作日本画展を三越本店で開催。

杉本哲郎（すぎもとてつろう）
明治32年（1899）大津市～昭和60年（1985）京都市。本名哲二郎。山元春挙の早苗塾入門。大正9年京絵専別科卒。11年帝展初入選。翌年研究会白光社結成、早苗会破門。東洋の古美術を研究、アジャンタ、シギリヤ、遼寧省慶陵の壁画模写、東南アジア仏教美術調査。昭和26年インド国立大学客員教授。世界各地で個展。51年ブラジル政府から国際文化勲章。

杉山寧（すぎやまやすし）
明治42年（1909）東京～平成5年（1993）東京。昭和8年東美校日本画科卒。同年帝展特選。その後松岡映丘に師事。32年日本藝術院賞受賞。45年日本藝術院会員。49年文化勲章受章。

鈴木鷲湖（すずきがこ）
文化13年（1816）下総～明治3年（1870）。名は雄。谷文晁、相沢石湖に師事。花鳥山水。

鈴木華邨（すずきかそん）
万延元年（1860）江戸下谷～大正8年（1919）。中島享斎に師事。土佐派や浮世絵を研究。明治40年文展受賞。43年日英博覧会金牌。花鳥山水。

鈴木松年（すずきしょうねん）
嘉永2年（1849）京都～大正7年（1918）。父百年に学ぶ。明治13年京都府画学校入学。花鳥山水、人物。

鈴木百年（すずきひゃくねん）
文政8年（1825）京都～明治24年（1891）東京。名は世寿。岸岱、岸連山に師事。内国絵画共進会受賞。京都府画学校教師。山水画。

須田珙中（すだきょうちゅう）
明治41年（1908）福島県岩瀬郡～昭和39年（1964）東京。昭和9年東美校卒。松岡映丘に師事。映丘没後は前田青邨に師事。院展日本美術院賞次賞。35年日本美術院賞受賞、同人に推挙。

関主税（せきちから）
大正8年（1919）千葉～平成12年（2000）東京。結城素明、中村岳陵に師事。昭和16年東美校卒。23年院展初入選。24年日展初入選、29・30年特選、38年日展会員、43年総理大臣賞受賞。61年日本藝術院賞受賞、平成4年同会員。5年日展常務理事。9年日展事務局長、11年から理事長を務める。

関口正男（せきぐちまさお）
大正元年（1912）東京～平成17年（2005）埼玉。昭和2年東京府立第三中学卒業後、荒井寛方に、後堅山南風に師事。18年院展初入選、41・47年奨励賞・白寿賞・G賞、49年日本美術院賞・大観賞、50～58年奨励賞5、58年同人、平成2年文部大臣賞、7年総理大臣賞。10年勲四等瑞宝章。

高木保之助（たかぎやすのすけ）
明治24年（1891）東京～昭和16年（1941）。初め川端玉章について川端画学校で学んだ。後東美校入学、松岡映丘に師事し、新興大和絵会同人。帝展特選。

髙木義夫（たかぎよしお）
大正12年（1923）東京～平成13年（2001）。伊東深水、髙山辰雄に師事。昭和21年第1回日展初入選。59年日展総理大臣賞受賞。日展評議員、日春展委員として活躍。

高島祥光（たかしましょうこう）
明治27年（1894）山形県村山～昭和62年（1987）山形市。本名孝蔵。上京して太平洋画会研究所に学ぶ。大正6年帰郷し、小松雲涯に、8年再度上京して山内多門に師事。日大美学科に学ぶ。帝展、中央美術展、日本画会展等出品。昭和8年小室翠雲に師事。15年大東南宋院結成に参加、委員。16年新文展入選。26年新興美術院再興に会員として参加、56年理事長。

高島北海（たかしまほくかい）
嘉永3年（1850）長州阿武郡～昭和6年（1931）東京。本名得三。絵は独学。フランス留学中にエミール・ガレらと交遊。日欧米各地の山岳風景を描く。

高取稚成（たかとりちせい）
慶応3年（1867）佐賀～昭和10年（1935）。名は熊夫。山名貫義、松原佐久に師事。文展、帝展に出品。大正13年帝展審査員。歴史人物画。

高橋一斎（たかはしいっさい）
享和3年（1803）京都～明治9年（1876）。名は正順。山脇東暉に師事。仏像、人物画。

高橋應真（たかはしおうしん）
安政2年（1855）江戸～明治34年（1901）東京。本名善之介。弟は円山派の画家高橋玉淵。山本素堂、山本琴谷、のち柴田是真に師事。内国絵画共進会褒状。鑑画会四等褒状。連合絵画共進会二等褒状。パリ万国博覧会褒状。是真十哲の一人。

高橋玉淵（たかはしぎょくえん）
安政5年（1858）江戸〜昭和13年（1938）。本名柳三郎。兄は柴田是真高弟の高橋應真。初め兄に、後川端玉章に師事。内国絵画共進会、鑑画会、内国勧業博覧会受賞。パリ万博銅賞。明治40年文展開設に旧派の正派同志会幹事として参加。日本美術協会や日本画会の評議員。31年〜共立美術学館教授、42年〜川端画学校教授。晩年は川合玉堂の長流画会に参加。

高橋光輝（たかはしこうき）
大正2年（1913）群馬〜昭和60年（1985）。昭和8年池上秀畝に師事。読画会展受賞、大日美術院展出品。24年望月春江に師事。同年以後日展入選、日本画院展受賞を重ね、27年日本画院同人。38年華光会主宰、55年群馬県文化功労賞受賞。56年パリで個展。

高橋広湖（たかはしこうこ）
明治8年（1875）熊本県山鹿町〜明治45年（1911）。明治29年松本楓湖に師事。43年文展出品、二等賞。歴史画を得意。

高橋周桑（たかはししゅうそう）
明治33年（1900）愛媛〜昭和39年（1964）。速水御舟に師事。昭和5年日本美術院賞受賞、後院友となるが23年創造美術創立、26年新制作派協会の日本画部に入った。

高橋常雄（たかはしつねお）
昭和2年（1927）前橋市〜昭和63年（1988）神奈川。昭和25年望月春江、後福王寺法林に師事。28〜32年日展入選。33年武蔵野美術学校日本画科編入、奥村土牛や塩出英雄の指導を受け、35年卒。同年、院展初入選。37年院友、院展で奨励賞・白寿賞、日本美術院賞・大観賞受賞、60年同人。

高橋立洲人（たかはしりっしゅうじん）
大正2年（1913）愛媛〜平成8年（1996）奈良市。大阪美術学校卒業。矢野橋村に師事。昭和24年から日展に入選を重ね、日本南画院展で文部大臣賞受賞。立鼎社水墨協会を主宰。日中水墨交流協会名誉理事。奈良県文化賞受賞。

篁牛人（たかむらぎゅうじん）
明治34年（1901）富山県婦負郡〜昭和59年（1984）。本名浄信。県立高岡工芸学校本科図案科卒。富山県売薬同業組合図案部勤務、富山工芸会参加。商工省工芸展二等賞、三等賞。昭和15年頃画作に専念、ピカソ、小杉放庵に啓示を得、23年頃から渇筆技法で独自の表現主義的水墨画制作。郷土で高評を得、46年池袋西武百貨店で展覧会開催、山種美術館賞展選抜出品。平成元年富山市篁牛人記念美術館開館。

高森砕巌（たかもりさいがん）
弘化4年（1847）上総〜大正6年（1917）。名は敏。山本琴谷に師事、南宗派の画、中国の古画を研究。山水、花鳥。

髙山辰雄（たかやまたつお）
明治45年（1912）大分市〜平成19年（2007）東京。昭和5年上京、11年東美校日本画科を首席卒業。8年松岡映丘の木之華社入塾。9年帝展初入選、21・24年日展特選、26年白寿賞、35年日本藝術院賞、40年芸術選奨文部大臣賞、45年日本芸術大賞。47年日本藝術院会員、50〜52年日展理事長、後顧問。54年文化功労者、57年文化勲章。平成2年大嘗祭祝宴屏風制作。4年末〜高野山金剛峯寺奥殿障壁画制作。昭和62〜平成11年『文藝春秋』表紙画担当。自己の宇宙観を込めた精神性の高い独自の作風を確立。

滝和亭（たきかてい）
天保3年（1833）江戸千駄木〜明治34年（1901）。名は謙。大岡雲峰、日高鉄翁に師事。陳逸舟、銭少虎らと交流、南宗画を極めた。山水、人物、花鳥。

竹内栖鳳（たけうちせいほう）
元治元年（1864）京都〜昭和17年（1942）神奈川。本名恒吉。土田英林、幸野楳嶺に師事。京都府画学校、京美工で指導。明治33年パリ万博受賞。画塾竹杖会主宰。42年京絵専教授。大正2年帝室技芸員。8年帝国美術院会員。昭和12年第1回文化勲章。

竹久夢二（たけひさゆめじ）
明治17年（1884）岡山県本庄村〜昭和9年（1934）長野。本名茂次郎。明治34年上京。荒畑寒村の勧めで雑誌に詩や絵を投稿。画家を志し藤島武二、鏑木清方の影響を受ける。叙情豊かな夢二式美人は大流行。『春の巻』等画集、詩画集多数。昭和6〜8年欧米旅行。岡山、伊香保、日光、東京文京区にそれぞれ記念館、美術館がある。

竹山博（たけやまひろし）
大正12年（1923）東京〜平成6年（1994）神奈川。本名博二。昭和19年東美校日本画科卒。21年院展初入選。23年創造美術第1回展入選、25年第3回展佳作賞、新制作協会展、新作家賞、41年会員。49年日本画部独立で創画会創立、以後平成5年まで出品。

田崎草雲（たざきそううん）
文化12年（1815）江戸～明治31年（1898）栃木県足利市。名は芸。四条派を学び、のち鈴木南溟に師事。足利藩の御用絵師。明治15年内国絵画共進会銀賞。23年帝室技芸員。

田近竹邨（たぢかちくそん）
元治元年（1864）大分～大正11年（1922）。名は岩彦。藤野桂僊、田能村竹田に師事。京都府立画学校南宗画科卒。明治41年～文展出品。日本南画院創立参加。

橘天敬（たちばなてんけい）
明治39年（1906）～昭和59年（1984）。京都生まれ九州育ち、波瀾万丈の生涯を送る。伝統を重んじながら下図無しに天然岩絵具で描いた屛風絵は欧米で評価され、米国立フリーア美術館、大英博物館、国内では逓信総合博物館、明治神宮、池上本門寺等収蔵。イタリア文化勲章、パリ市芸術功労賞受賞。

立石春美（たていしはるみ）
明治41年（1908）佐賀～平成6年（1994）神奈川県湯河原。伊東深水に師事。文展、帝展、日展に出品。日展特選。日展参与。美人画。

田中案山子（たなかあんざんし）
明治39年（1906）東京～昭和45年（1970）東京。大正11年田中以知庵に師事。昭和7年院展院友。12年小林巣居人、小林三季らと新興美術院創立。

田中以知庵（たなかいちあん）
明治26年（1893）東京本所～昭和33年（1958）。明治42年松本楓湖に師事。43年巽画会、美術研精会などに出品。大正12年春陽会創立に客員として迎えられた。昭和4年日本南画院同人。25年日展審査員。

田中一村（たなかいっそん）
明治41年（1908）栃木～昭和52年（1977）鹿児島県名瀬市。父は彫刻家田中稲村。大正15年東美校日本画科に入学するが退学。昭和22年青龍社初入選、翌年搬入した二点のうち一点が入選、自信作が落選したため公募展から離れ、注文により画作。33年奄美大島に移住。南洋の植物や鳥をモティーフに描く。

田中青坪（たなかせいひょう）
明治36年（1903）前橋市～平成6年（1994）東京。小茂田青樹に師事。院展出品、昭和42年文部大臣賞受賞。院展理事。横山大観記念館理事長。東京藝大名誉教授。

田中頼璋（たなからいしょう）
明治元年（1868）島根～昭和15年（1940）。森寛斎、川端玉章に師事。明治41年～文展出品、受賞多数。大正13年帝展委員。日本美術協会日本画部評議員。山水画。

田中路人（たなかろじん）
大正14年（1925）須坂市～平成14年（2002）取手市。帝国美術学校洋画科卒。昭和26年岩崎巴人に会い、日本画転向。32年日本表現派創立に参加。42年創作画人協会創立、代表。紺綬褒章、日本芸術奨励賞。

田南岳璋（たなみがくしょう）
明治9年（1876）三重～昭和3年（1928）。幸野楳嶺、久保田米僊に師事。文展出品。花鳥山水。

谷口藹山（たにぐちあいざん）
文化13年（1816）富山～明治32年（1899）。本名貞二。高久靄厓、長崎で陳逸舟、京都で貫名海屋に学び、独自の画風を創った。関西南宋画壇の重鎮。

谷口香嶠（たにぐちこうきょう）
元治元年（1864）京都～大正4年（1915）。幸野楳嶺に師事。明治40年文展三等賞。43、44年審査員。京都市立美術学校、京絵専教授。

田之口青晃（たのぐちせいこう）
明治30年（1897）兵庫県宍粟郡～昭和40年（1965）。昭和4年京絵専卒。西村五雲に入門。昭和11年帝展特選。五雲没後山口華揚に師事。花鳥、魚類。

田能村直外（たのむらちょくがい）
明治36年（1903）京都市～平成9年（1997）。田能村直入の曾孫。田中柏陰に師事。京都書画院理事長。

田能村直入（たのむらちょくにゅう）
文化11年（1814）豊後竹田～明治40年（1907）。名は癡。田能村竹田の画法を学び、田能村姓を継いだ。京都府画学校の設立、開設につとめ摂理兼教頭。明治の京都南画壇の重鎮の一人。

玉村方久斗（たまむらほくと）
明治26年（1893）京都～昭和26年（1951）。本名善之助。京絵専卒、菊池芳文に師事。のち日本美術院研究生。院展入選。大正13年三科造形美術協会、また単位三科を結成、前衛美術運動をした。

玉舎春輝（たまやしゅんき）
明治13年（1880）岐阜県高山～昭和23年（1948）。名は秀次郎。原在泉、山元春挙に師事。文展出品。大正8年自由画壇同人に参加。

丹阿彌岩吉（たんあみいわきち）
明治34年（1901）東京両国～平成4年（1992）東京。大正6年横山大観の書生となる。8年院展初入選、10年院友。12年独立。昭和10年落合朗風の明朗美術連盟展出品、研究会賞、11年同人。12年朗風逝去で連盟脱退、新国画協会結成、翌年解散。以後無所属で白木屋、日本橋三越本店で個展。長女谷津子は女優、次女丹波子は銅版画家。

月岡榮貴（つきおかえいき）
大正5年（1916）東京～平成9年（1997）神奈川。本名栄吉。昭和6年太平洋美術学校で洋画を学び12年東美校日本画科入学、17年卒。前田青邨に師事。23年以後院展入選、26年院友。奨励賞・白寿賞・G賞等受賞多数。法隆寺壁画再現模写、高松塚古墳壁画模写従事。56年日本美術院賞・大観賞受賞、同人、60年文部大臣賞、62年総理大臣賞受賞、評議員。

月岡耕漁（つきおかこうぎょ）
明治2年（1869）東京日本橋～昭和2年（1927）。旧姓羽生、後坂巻、月岡芳年の養子となる。初め宮内林谷に、東京府画学伝習所で結城正明に学び、月岡芳年、尾形月耕に師事。日本美術協会展で受賞を重ね、日本美術協会会員、日月会幹事。明治40年東京勧業博覧会褒状。同年文展開設に旧派正派同志会評議員として参加。41年文展入選。43年日英博覧会で受賞。

月岡芳年（つきおかよしとし）
天保10年（1839）江戸～明治25年（1892）。本名吉岡米次郎。号は一魁斎、大蘇等。歌川国芳に師事、後菊池容斎の画風に学ぶ。武者絵、戦争絵、美人画、妖怪絵、戯画など幅広い分野の作品を残した。同門の落合芳幾と共作した『英名二十八衆句』は残虐表現で有名。門人に水野年方がいる。

月居偉光（つきおりいこう）
明治45年（1912）秋田～平成5年（1993）大阪市。本名英四郎。上京し佐竹永陵に入門、後大阪に移住して大阪美術学校卒、矢野橋村に師事。新文展、日展に入選。日本南画院展文部大臣賞等受賞。月居会主宰。日本南画院常務理事。現代南画協会副理事長。

都路華香（つじかこう）
明治3年（1870）京都～昭和6年（1931）京都。名辻宇之助。明治13年幸野楳嶺に入門。内国勧業博覧会で褒賞。文展三等賞、特選。14年帝国美術院会員。15年京絵専校長、京美工校長を兼務。

津田青楓（つだせいふう）
明治13年（1880）京都～昭和53年（1978）東京。本名亀次郎。谷口香嶠に日本画を、関西美術院で鹿子木孟郎、浅井忠に洋画を学ぶ。パリ留学、J=P・ローランスに師事。大正元年斎藤与里らとフュウザン会結成。昭和3年石井柏亭らと二科会創立。以後、日本画に転向、画壇を離れ独自の道を歩んだ。

蔦谷竜岬（つたやりゅうこう）
明治19年（1868）弘前市～昭和8年（1933）。名は幸作。明治43年東美校日本画科卒。寺崎廣業に師事。文展、帝展特選。昭和2年帝展審査員。風景画。

土田麦僊（つちだばくせん）
明治20年（1887）新潟～昭和11年（1936）京都。本名金二。鈴木松年、竹内栖鳳に師事。明治42年京絵専入学。大正7年国画創作協会設立。昭和3年国画創作協会解散後に帝展復帰。9年帝国美術院会員。

常岡文亀（つねおかぶんき）
明治31年（1898）兵庫～昭和55年（1980）。大正11年東美校卒、結城素明に師事。文展、帝展出品、帝展特選。昭和12年大日美術院同人。19年東美校教授。

津端道彦（つばたみちひこ）
明治元年（1868）新潟～昭和13年（1938）神奈川。名は魁。父は南画家津端藍亭。福島柳圃、片山貫道、山名貫義、松原佐久に師事。明治30年～日本美術協会展で賞多数、日本美術協会歴史部主事。40年東京勧業博覧会二等賞牌。同年文展開設に旧派正派同志会幹事として参加。41年文展三等賞、以後文展賞多数。後官展を離れ、日本美術協会で画作。画壇から遠ざかる。

坪内滄明（つぼうちそうめい）
昭和14年（1939）愛知～平成18年（2006）神奈川。本名・完剛（さだよし）。昭和33年中村岳陵の内弟子、35年日展初入選、40年特選・白寿賞・山種美術館買上げ、41年日春展日春賞、無鑑査となるが、師岳陵の死後、日展不出品、個展やグループ展で活躍。

寺崎廣業（てらざきこうぎょう）
慶応2年（1866）秋田～大正8年（1919）東京。小室秀俊に狩野派を学び、後平福穂庵に師事。日本美術院会員。東美校教授、帝室技芸員。

寺島紫明（てらしましめい）
明治25年（1892）兵庫県明石～昭和50年（1975）西宮市。本名徳重。大正2年鏑木清方に入門。3年巽画会

で三等賞。文展特選。昭和45年日本藝術院賞恩賜賞。独自の女性観を表現。

登内微笑（とうちみしょう）
明治24年（1891）長野〜昭和39年（1964）。本名正吉。大正14年京絵専卒。菊池契月、寺崎廣業に師事。帝展特選。帝展審査員。

堂本印象（どうもといんしょう）
明治24年（1891）京都〜昭和50年（1975）京都。本名三之助。京絵専本科・研究科に学ぶ。帝展特選。帝国美術院賞。昭和19年帝室技芸員。25年日本美術院会員。36年文化勲章受章。日本画における純粋抽象を追求。京美工、京絵専教授。東丘社主宰。

堂本元次（どうもともとつぐ）
大正12年（1923）京都市〜平成22年（2010）京都市。本名塩谷元次。日本画家堂本印象の甥。昭和16年京美工から京絵専に進み18年繰上げ卒業し応召。22年日展初入選、25年特選、27年特選・朝倉賞、35年菊華賞、38年会員、57年総理大臣賞。26年印象画塾東丘社の常任理事。日展では理事・参事。62年日本藝術院賞、同年京都市文化功労者。平成9年京都府文化賞特別功労賞。

常盤大空（ときわたいくう）
大正元年（1912）福島県東白川郡〜昭和58年（1983）東京。本名正男。昭和7年上京、川端画学校入学、岡村葵園の指導を受け、11年卒。15、18年院展入選、27年院友。この頃堅山南風に師事。院展奨励賞、日本美術院賞・大観賞受賞。42年同人。49年文部大臣賞。

徳岡神泉（とくおかしんせん）
明治29年（1896）京都市〜昭和47年（1972）京都市。本名時次郎。竹内栖鳳に入門。大正6年京絵専卒。帝展特選。昭和25年日本藝術院賞。27年毎日美術賞受賞。32年日本藝術院会員。41年文化勲章。

戸田康一（とだこういち）
昭和15年（1940）千葉〜平成24年（2012）東京。東京藝大大学院修。吉岡堅二に師事。新制作展・創画展にて新作家賞・創画会賞2、昭和59年会員。山種美術館賞展、昭和世代日本画展他出品。多摩美大教授も務めた。

富岡永洗（とみおかえいせん）
元治元年（1864）信濃〜明治38年（1905）。小林永濯に師事。明治25年都新聞社に入社し挿絵制作、雑誌挿絵も手がける。31年日本画会結成に参加、評議員。日本美術院特別賛助員となり、日本美術院連合絵画共進会で一等褒状、その後も受賞、審査員。

富岡鉄斎（とみおかてっさい）
天保7年（1837）京都〜大正13年（1924）京都。15歳頃から国学、漢学を学び、18歳頃から南画を窪田雪鷹、小田海仙に、大和絵を浮田一蕙に学んだ。幕末に国事に奔走、維新後は大和石上神宮少宮司、神道の復興に力を注ぐ一方、京都美術協会を中心に制作。大正6年帝室技芸員。8年帝国美術院会員。重文。

冨田溪仙（とみたけいせん）
明治12年（1879）博多〜昭和11年（1936）京都。本名鎮五郎。初め狩野派を、明治29年都路華香に四条派を学び自由闊達な独自の画風を確立。文展出品作が横山大観に認められ大正4年日本美術院同人。特定の様式に捉われない作域の広さを示した。

富取風堂（とみとりふうどう）
明治25年（1892）東京〜昭和58年（1983）。名は次郎。松本楓湖に師事。大正13年院展同人。昭和41年文部大臣賞を受賞。

豊秋半二（とよあきはんじ）
明治40年（1907）富山〜平成4年（1992）京都市。本名半次。安田靫彦に師事。再興院展に入選を重ね、昭和23年院友。院展奨励賞（白寿賞）、次賞（大観賞）を受賞。後院展を離れる。大徳寺障壁画を制作。

豊原国周（とよはらくにちか）
天保6年（1835）江戸京橋〜明治33年（1900）。豊原周信、三代歌川豊国に師事。役者絵を得意として、国芳門下の落合芳幾と人気を競う。

鳥居禮（とりいれい）
昭和27年（1952）東京〜平成30年（2018）。武蔵野美術大学卒業。ウクライナ国立美術館、エストニア国立美術館、ベルリン国立アジア美術館、日本橋髙島屋他個展多数。大圓寺、三嶋大社、笠間稲荷神社他多数奉納。平成25年伊勢神宮・第62回式年遷宮「遷御の儀」にて内宮新宮・内院庭燎役に任ぜられる。

長井雲坪（ながいうんぺい）
天保4年（1833）越後沼垂〜明治32年（1899）長野市。名は元。長崎で日高鉄翁や木下逸雲に師事。後上海に渡り徐雨亭、陸応祥らに学び帰国後は放浪の末、戸隠山に隠棲。枯淡飄逸な画を描き、書もよくした。

永井久晴(ながいひさはる)
明治8年(1875)水戸市～昭和19年(1944)水戸市。明治23年国民新聞の絵画を担当。久保田米僊に師事。大正2年明治画史大正画家列伝に『鳳仙』の名がでた。

中路融人(なかじゆうじん)
昭和8年(1933)京都～平成29年(2017)京都。昭和27年日吉ヶ丘高校日本画科卒。29年晨鳥社入会。山口華楊に師事。31年日展初入選、37年特選・白寿賞、50年特選、55年会員、63年評議員、平成9年理事、14年常務理事。7年京都府文化賞功労賞、日展文部大臣賞。9年日本藝術院賞。10年京都市文化功労者。13年日本藝術院会員。24年文化功労者顕彰。日本の風景を叙情豊かに描き続けた。日展顧問、晨鳥社会長。

中島清之(なかじまきよし)
明治32年(1899)京都～平成元年(1989)東京。本名清。松本楓湖の安雅堂画塾で山村耕花にも師事。日本美術院賞4回受賞。昭和27年日本美術院同人、36年評議員、43年文部大臣賞、53年理事。52年三渓園臨春閣襖絵制作。日本画家中島千波は三男。

中島多茂都(なかじまたもつ)
明治33年(1900)静岡県沼津～昭和45年(1970)。本名保。前田青邨に師事。昭和22年から3年連続日本美術院賞受賞、38年文部大臣賞。

中島来章(なかじまらいしょう)
寛政8年(1796)大津～明治4年(1871)。渡辺南岳、円山応瑞に師事。山水、人物、花鳥画。

中西耕石(なかにしこうせき)
文化4年(1807)九州筑前～明治17年(1884)。名は寿。篠崎小竹、小田海僊に師事。山水画。

中野弘彦(なかのひろひこ)
昭和2年(1927)山口～平成16年(2004)京都。昭和20年京美工絵画科卒。34年立命館大哲学科卒業、京大哲学科内地留学。26年新制作展初入選、46年春季賞。53年東京セントラル日本画大賞展優秀賞、54年山種美術館賞展優秀賞。成安造形大名誉教授。

長野草風(ながのそうふう)
明治18年(1885)東京～昭和24年(1949)。名は守敬。川合玉堂に師事。紅児会を結成。大正5年院展同人。

中村岳陵(なかむらがくりょう)
明治23年(1890)静岡～昭和44年(1969)。本名恒吉。土佐派の川辺御楯に学び大正元年東美校卒。4年日本美術院同人推挙。昭和10年帝国美術院改組で参与。以後新文展、日展出品。22年日本藝術院会員。36年朝日文化賞、毎日芸術大賞。37年文化勲章。

仲村進(なかむらすすむ)
昭和4年(1929)飯田市～平成16年(2004)飯田市。高山辰雄に師事。昭和29年新制作展、41年日展初入選、以後日展で発表。56年山種美術館賞展大賞、平成6年日展総理大臣賞。日展評議員、日春展委員。

中村大三郎(なかむらだいさぶろう)
明治31年(1898)京都～昭和22年(1947)京都。大正5年京美工、8年京絵専卒。帝展特選。西山翠嶂の青甲社に在籍、後翠嶂の女婿。昭和3年帝展審査員。京絵専教授。現代美人画。

中村貞以(なかむらていい)
明治33年(1900)大阪～昭和57年(1982)大阪。本名清貞。北野恒富に師事。昭和11年院展同人。美人画に独自の画境を切り開いた。35年院展文部大臣賞。41年日本藝術院賞受賞。

中村正義(なかむらまさよし)
大正13年(1924)豊橋市～昭和52年(1977)川崎市。中村岳陵に師事。昭和24年一采社同人。日展特選・朝倉賞、特選・白寿賞。35年中部日本文化賞受賞。36年岳陵門を去り日展脱退。37年～現代日本美術展出品。49年从会を結成、東京展開催。

名取春仙(なとりしゅんせん)
明治19年(1886)山梨県櫛形～昭和35年(1960)。本名芳之助。久保田米僊、金僊、平福百穂に師事。明治40年東京朝日新聞社で小説挿絵やスケッチを担当。45年无声会会員。大正4年珊瑚会参加。6年院展入選、院友。役者絵の浮世絵版画で活躍。昭和11年春の改組帝展入選。35年青山・高徳寺で妻と服毒自殺。平成3年櫛形町立春仙美術館開館。

那波多目煌星(なばためこうせい)
明治38年(1905)茨城～平成元年(1989)。木村武山、中村岳陵に師事。昭和27～31年日展連続入選。後田中青坪、今野忠一に師事。院展入選、39年院友、57年特待。日本画家那波多目功一は長男。

鍋島紀雄(なべしまただお)
明治30年(1897)大阪市～昭和43年(1968)。大正4年東美校日本画科選科入学、結城素明、松岡映丘の指導を受け10年卒業。個展中心に制作発表。昭和40年

二元会結成に参加、日本画部理事・審査員。43年交通事故で没。48年東京とパリで遺作展開催。

西晴雲（にしせいうん）
明治15年（1882）島根～昭和38年（1963）島根。南画家吉嗣拝山に学ぶ。大正3年訪中、北京で金清源に師事、上海の呉昌碩の知遇を得る。昭和20年帰国、個展を中心に発表。37年三越本店で個展、同年郷里大田市に西晴雲美術館完成。

西内利夫（にしうちとしお）
昭和7年（1932）京都～昭和56年（1981）。昭和26年京都市立日吉ヶ丘高校日本画科卒。29年山口華楊に師事。晨鳥社に属して日展に出品。54年晨鳥社を退会して無所属。

西沢笛畝（にしざわてきほ）
明治22年（1889）東京浅草～昭和40年（1965）。大正2年荒木寛畝、後荒木十畝に師事。昭和9年帝展審査員。

西村五雲（にしむらごうん）
明治10年（1877）京都～昭和13年（1938）京都。本名源次郎。初め岸竹堂に、竹堂没後は竹内栖鳳に師事。日本美術協会展、全国絵画共進会、文展受賞。京絵専教授。画塾晨鳥社を主宰。8年帝国美術院会員、12年帝国藝術院会員。

西村昭二郎（にしむらしょうじろう）
昭和2年（1927）京都市～平成11年（1999）市川市。昭和24年東美校卒。第2回創造美術展初入選、以後26年～新制作展日本画部、49年～創画展出品、新制作展新作家賞受賞4回、36年会員。元筑波大教授。

西山翠嶂（にしやますいしょう）
明治12年（1879）京都～昭和33年（1958）京都。本名卯三郎。竹内栖鳳に学び、明治32年京美工卒。文展特選。昭和4年帝国美術院会員。京絵専・京美工校長。19年帝室技芸員、32年文化勲章受章。

西山英雄（にしやまひでお）
明治44年（1911）京都～平成元年（1989）京都。西山翠嶂に師事。昭和11年京絵専専科卒。日展特選。京都学芸大学教授。33年日展文部大臣賞。36年日本藝術院賞受賞。48年京都市文化功労者。51年京都日本画家協会理事長。55年京都府美術工芸功労者、日本藝術院会員。

根上富治（ねあがりとみじ）
明治28年（1895）山形県酒田市～昭和56年（1981）。大正11年東美校卒、結城素明に師事。大正11年帝展特選。日展出品。

野生司香雪（のうすこうせつ）
明治18年（1885）香川～昭和48年（1973）長野。本名述太。41年東美校日本画科卒。大正6年仏教美術研究のため訪印、荒井寛方を補佐してアジャンタ石窟寺院壁画を模写。翌年桐谷洗鱗と帰国。9年院展初入選。昭和7年急逝した洗鱗を代行、11年インド初転法輪寺の釈迦の一代記壁画完成、帰国。後長野・善光寺雲上殿壁画完成。初転法輪寺壁画下絵を永平寺に奉納。

野口小蕙（のぐちしょうけい）
明治11年（1878）滋賀～昭和19年（1944）。本名郁子。母野口小蘋の指導で南画を修め、絵画共進会等に入選を重ね二等褒状を受ける。日本美術協会、日本画会会員。一時小室翠雲と結婚。

野口小蘋（のぐちしょうひん）
弘化4年（1847）大阪～大正6年（1917）。日根対山に師事。明治34年日本美術協会展金牌。華族女学校教授、帝室技芸員。明治女流南画家の第一人者。

野崎貢（のざきみつぐ）
大正5年（1916）東京～平成13年（2001）千葉。山本丘人に師事。川端画学校卒。昭和27、30、31、33年新制作展新作家賞受賞。34年会員。49年創画会発足に参加。

野島青茲（のじませいじ）
大正4年（1915）静岡～昭和46年（1971）東京。本名清一。松岡映丘に師事。昭和13年東美校日本画科卒。在学中新文展入選。13年瑠爽画社展出品。14年日本画院第1回展日本画院賞受賞。15年一采社を結成、36年まで出品。17年中村岳陵に師事、19年法隆寺金堂壁画模写に中村班で、42年模写は橋本明治班で従事。22年～日展入選、特選、朝倉賞、菊華賞受賞、37年日展会員。40年文部大臣賞受賞。

野田九浦（のだきゅうほ）
明治12年（1879）東京～昭和46年（1971）東京。本名道三。寺崎廣業に師事。東美校日本画科入学。明治31年騒動で退学、日本美術院研究生。40年文展最高賞、大正6年文展特選。13年帝展委員、同展審査員多数。昭和13年日本画院創立に参加。22年日本藝術院会員。23年金沢美術工芸大学教授。24年日展常務理事、33年顧問。

野長瀬晩花（のながせばんか）
明治22年（1889）和歌山～昭和39年（1964）東京狛江市。本名弘男。中川蘆月、谷口香嶠に師事。大正7年国画創作協会結成に参加、昭和3年解散以後はほとんど展覧会には不出品。

昇外義（のぼりがいぎ）
大正14年（1925）高岡市～平成7年（1995）神戸。昭和18年京絵専入学、小野竹喬、上村松篁に師事。63年兵庫県文化賞。平成2年神戸市文化功労賞受賞。

野村文挙（のむらぶんきょ）
安政元年（1854）京都～明治44年（1911）。梅川東挙、塩川文麟、のち森寛斎に師事。明治13年京都府画学校教授。40年文展三等賞。41～43年審査員。

橋口五葉（はしぐちごよう）
明治13年（1880）鹿児島市～大正10年（1921）東京。版画家。本名清。日本画を橋本雅邦、洋画を黒田清輝に学び、明治38年東美校西洋画科卒。40年東京勧業博覧会二等賞。文展入選。夏目漱石、谷崎潤一郎、泉鏡花の小説の装丁も行う。

橋本永邦（はしもとえいほう）
明治19年（1886）東京～昭和19年（1944）。父橋本雅邦と、後下村観山に師事。明治40年文展三等賞。大正3年～院展に出品、10年同人。

橋本雅邦（はしもとがほう）
天保6年（1835）江戸木挽町～明治41年（1908）東京。本名長郷。13歳のとき狩野勝川院雅信に学ぶ。明治15年第1回内国絵画共進会銀賞。23年内国勧業博覧会一等妙技賞。同年帝室技芸員、東美校教授。31年岡倉天心と共に日本美術院創立。重文「白雲紅樹」。

橋本関雪（はしもとかんせつ）
明治16年（1883）神戸～昭和20年（1945）京都。本名関一。竹内栖鳳の画塾竹杖会に学ぶ。文展特選。昭和9年帝室技芸員。10年帝国美術院会員。

橋本静水（はしもとせいすい）
明治9年（1876）尾道～昭和18年（1943）。本名宗次郎。橋本雅邦に師事し、後養子に。大正3年再興院展出品、5年同人。

橋本周延（はしもとちかのぶ）→**楊洲周延**

橋本明治（はしもとめいじ）
明治37年（1904）島根～平成3年（1991）東京。昭和6年東美校卒。松岡映丘に師事。新文展連続特選。15年法隆寺壁画模写。23年創造美術結成参加。25年日展に復帰。27年芸術選奨文部大臣賞。30年日本藝術院賞。42年法隆寺壁画再現模写、43年皇居新宮殿壁画制作。46年日本藝術院会員。49年文化勲章。

蓮尾辰雄（はすおたつお）
明治37年（1904）福岡～昭和63年（1988）横浜市。昭和4年東美校卒。松岡映丘に師事。帝展、文展、新文展入選。戦後は前田青邨に師事。院展入選、46年特待、48・49年奨励賞（白寿賞・G賞）受賞。法隆寺金堂壁画再現模写、高松塚古墳壁画の模写に従事。

長谷川青澄（はせがわせいちょう）
大正5年（1916）長野～平成16年（2004）大阪。本名義治。昭和9年上京、吉村忠夫に大和絵を学ぶ。27年中村貞以に師事。28年院展初入選、57年同人、平成元年評議員、2年総理大臣賞、6年文部大臣賞。昭和57年貞以没後、画塾「春泥会」を継承。「含翠」と改称し、後進の育成・研鑽の場として尽力。

長谷川路可（はせがわろか）
明治30年（1897）神奈川県鵠沼～昭和42年（1967）ローマ。本名竜三。大正10年東美校日本画科卒業と同時に渡欧、昭和2年帰国。帝展にキリスト教絵画を出品。フレスコ、モザイクの作品を遺した。

秦テルヲ（はたてるを）
明治20年（1887）京都～昭和20年（1945）。本名輝男。明治37年京美工図案科卒。丙午画会展で注目され無名会に土田麦僊と参加。麦僊、竹喬らと黒猫会を結成。45年京都・妙心寺で初個展。龍村織物図案部に勤め、同僚の野長瀬晩花と大正2年に二人展を開催、反官展をアピール。放浪生活の貧困の中で、虐げられた女性を洋画的手法で描いた。

畠山錦成（はたけやまきんせい）
明治30年（1897）金沢市～平成7年（1995）。大正10年東美校卒。結城素明に師事。7年文展初入選。10年～帝展入選。昭和3・4年連続特選、5年帝展推薦。10年帝展改組で第一部会結成実行委員。13年日本画院創立同人。35年新日展審査員。36年日展会員。

服部有恒（はっとりありつね）
明治23年（1890）名古屋～昭和32年（1957）。大正4年東美校卒、松岡映丘に師事。新興大和絵運動の国画院同人として活躍。帝展特選。文・日展審査員。

服部五老（はっとりごろう）
明治4年（1871）山形県鶴岡〜昭和5年（1930）。本名安之。京都に出、田能村直入に師事。大正3・4年文展連続入選。13年日本南画院展に同人として出品。

羽石光志（はねいしこうじ）
明治36年（1903）栃木〜昭和63年（1988）東京。安田靫彦に師事。昭和21年〜3年連続院展院賞、30年大観賞、31年院次賞、43年総理大臣賞受賞。院展理事。

馬場不二（ばばふじ）
明治39年（1906）高松市〜昭和31年（1956）東京。本名和夫。昭和3年東美校卒。9年落合朗風主宰の明朗美術連盟創立に、12年歴程美術協会に参加。13年頃から郷倉千靱に師事。院展佳作、日本美術院賞受賞。

濱田観（はまだかん）
明治31年（1898）姫路市〜昭和60年（1985）京都。竹内栖鳳に入門。昭和11年京絵専卒。22・23年日展特選。38年日展文部大臣賞。39年日本藝術院賞。50年京都市美術功労者。59年日本藝術院会員。

濱田台児（はまだたいじ）
大正5年（1916）鳥取〜平成22年（2010）東京。本名健一。昭和10年伊東深水の内弟子になる。16年新文展初入選、翌年特選、21年日展特選。25年日月社創立参加。師の死去により、翌48年、橋本明治に師事。51年日展総理大臣賞。55年日本藝術院賞。平成元年藝術院会員。6年日展事務局長、7〜9年理事長。

林功（はやしいさお）
昭和21年（1946）千葉〜平成12年（2000）中国・西安。昭和44年東京藝大日本画科卒。同年院展初入選。46年同大学院保存修復技術専攻修。47年シェル美術賞展1等賞、56年山種美術館賞展優秀賞。59年横の会結成参加（〜平成5年）。平成3年日本美術院特待。8年伊藤彬らと目展結成。文化財復元や古典模写の第一人者として、法隆寺金堂壁画飛天図、国宝源氏物語絵巻等の復元事業に携わる。

速水御舟（はやみぎょしゅう）
明治27年（1894）東京〜昭和10年（1935）東京。旧姓蒔田、本名栄一。松本楓湖の安雅堂画塾に入門。巽画会や紅児会で頭角を現し、再興日本美術院に『洛外六題』を出品、同人推挙。重文「翠苔緑芝」「名樹散椿」。

原在泉（はらざいせん）
嘉永2年（1849）京都〜大正5年（1916）。父在照に師事。明治13年京都府画学校教授。

樋笠数慶（ひがさすうけい）
大正5年（1916）香川〜昭和61年（1986）東京。郷倉千靱に師事。院展出品、大観賞、総理大臣賞、文部大臣賞受賞。院展同人。

東山魁夷（ひがしやまかいい）
明治41年（1908）横浜市〜平成11年（1999）。本名新吉。昭和6年東美校卒（在学中帝展初入選）、研究科に在籍、結城素明に師事。8〜11年ベルリン大学留学。帰国後、川崎小虎の長女と結婚。22年日展特選。31年日本藝術院賞。35年東宮御所大広間・43年皇居新宮殿壁画制作。40年日本藝術院会員。44年毎日芸術大賞、文化勲章受章、文化功労者。同年日展常務理事、49〜50年理事長。56年東京国立近代美術館個展。59年〜日展顧問。代表作に「道」、皇居新宮殿壁画、唐招提寺障壁画他。文筆もよくし、著書多数。

菱田春草（ひしだしゅんそう）
明治7年（1874）長野県飯田町〜明治44年（1911）東京。本名三男治。結城正明に師事、東美校入学、橋本雅邦、川端玉章らの指導を受けた。31年日本美術院創立に参加。日本画の近代化を推進。重文「落葉」。

泥谷文景（ひじやぶんけい）
明治32年（1899）香川〜昭和26年（1951）東京。父も豊後出身の画家。姫島竹外に南画を学ぶ。大正15年頃九州歴遊。朝鮮、中国を度々旅行。朝鮮で髙島屋社長飯田直次郎の知遇を得、髙島屋で個展開催。

飛田周山（ひだしゅうざん）
明治10年（1877）茨城〜昭和20年（1945）。本名正雄。竹内栖鳳、橋本雅邦に師事。文展、帝展出品。大正13年帝展委員、14年帝展審査員。

日高鉄翁（ひだかてつおう）
文化8年（1811）長崎〜明治4年（1871）。はじめ石崎融思、後中国人江稼圃に学ぶ。長崎三大南画家の一人。

日根対山（ひねたいざん）
文化10年（1813）大阪堺市〜明治2年（1869）。名は盛長。貫名海屋に書と画を学んだ。

平井楳仙（ひらいばいせん）
明治22年（1889）京都市〜昭和44年（1969）京都市。本名秀三。明治39年京美工卒。竹内栖鳳に師事。40年〜文展入選・無鑑査出品、三等賞、二等賞受賞。

明治43年日英博覧会受賞。大正13年帝展委員、昭和10年帝展改組で第一部会に参加。新文展無鑑査。

平川敏夫（ひらかわとしお）
大正13年（1924）愛知～平成18年（2006）愛知。昭和25年創造美術展初入選。29・33・37年新制作展新作家賞、38年会員。49年以後創画会会員。水墨の白抜き描法による自然の神秘を表現。

平福穂庵（ひらふくすいあん）
天保15年（1844）秋田県角館～明治23年（1890）。竜池会展、絵画共進会に出品。平福百穂の父。

平福百穂（ひらふくひゃくすい）
明治10年（1877）秋田県角館～昭和8年（1933）秋田市。本名貞蔵。平福穂庵の子。川端玉章に入門。明治32年東美校卒。33年无声会を組織。40年雑誌「方寸」を創刊。大正5年金鈴社を興した。昭和5年帝国美術院会員。7年東美校教授。

平山郁夫（ひらやまいくお）
昭和5年（1930）広島～平成21年（2009）鎌倉市。昭和27年東美校卒、前田青邨に師事。48年東京藝大教授、第6代・第8代学長。昭和28年院展初入選、院賞大観賞2、39年文部大臣賞・同人推挙、53年総理大臣賞、平成8年～理事長。平成3年仏コマンドール勲章、10年文化勲章、11年米J・スミスソン勲章他賞多数。12年薬師寺玄奘三蔵院壁画献納。故郷瀬戸田町と山梨県に美術館開館。

鰭崎英朋（ひれざきえいほう）
明治14年（1881）東京京橋～昭和45年（1970）。本名太郎。右田年英に浮世絵を学ぶ。明治34年池田輝方、鏑木清方らと烏合会結成。35年春陽堂入社、挿絵制作。37年川端玉章に師事。40年文展に新派国画玉成会評議員として参加。41年文部省嘱託、教科書の挿絵を描く。44年烏合会解散後は挿画に専念。

広瀬東畝（ひろせとうほ）
明治8年（1875）高知県佐川～昭和5年（1930）。本名済。天野痩石、荒木寛畝に師事。明治37年セントルイス万博銀牌。日本美術協会会員。40年文展に旧派正派同志会評議員として参加。文展、帝展入選。昭和2年帝展委員。

広田多津（ひろたたづ）
明治37年（1904）京都～平成3年（1991）京都。竹内栖鳳、西山翠嶂に師事。文展、日展特選。昭和30年上村松園賞受賞。49年創画会創立会員。53年京都市文化功労賞受賞。

福井江亭（ふくいこうてい）
安政3年（1856）江戸～昭和13年（1938）。名は信之助。川端玉章に師事。平福百穂、結城素明らと无声会結成。東美校教授。花鳥山水。

福王寺法林（ふくおうじほうりん）
大正9年（1920）山形～平成24年（2012）東京。本名雄一。6歳で左眼を失明。上村廣成（狩野派）・田中青坪に師事。昭和24年院展初入選、以降日本美術院賞大観賞、次賞大観賞、35年同人推挙、46年総理大臣賞、後理事を経て最高顧問。52年芸術選奨文部大臣賞、59年日本藝術院賞受賞、平成6年日本藝術院会員、10年文化功労者、16年文化勲章受章。荘厳なヒマラヤの大自然を描いた。

福田浩湖（ふくだこうこ）
明治16年（1883）東京本郷～昭和34年（1959）。本名浩治。佐竹永湖に師事。日本美術協会会員、日本画会会員。日本南画協会評議員。40年文展に旧派正派同志会評議員として参加。文展、帝展入選。昭和5年日本南画院同人。21年南画院結成に参加、委員。

福田豊四郎（ふくだとよしろう）
明治37年（1904）秋田～昭和45年（1970）東京。本名豊城。京絵専卒。土田麦僊に師事。昭和13年新美術人協会、23年創造美術創立参加、26年新制作協会日本画部。30年毎日美術賞受賞。

福田眉仙（ふくだびせん）
明治8年（1875）兵庫～昭和38年（1963）。久保田米僊、橋本雅邦に師事。絵画共進会、内国勧業博覧会等に出品。山水風景。

福田平八郎（ふくだへいはちろう）
明治25年（1892）大分市～昭和49年（1974）大分市。大正7年京絵専卒。帝国藝術院会員。後日本藝術院会員。第1回毎日美術賞受賞。昭和36年文化勲章受章。

筆谷等観（ふでやとうかん）
明治8年（1875）北海道小樽～昭和25年（1950）。名は儀三郎。明治33年東美校日本画科卒、橋本雅邦に師事。文展、院展出品。大正5年院展同人。

帆足杏雨（ほあしきょうう）
文化7年（1810）豊後～明治17年（1884）。名は遠。田能村竹田、浦上春琴に師事。元、明の画蹟を研究。山水。

星野眞吾（ほしのしんご）
大正12年（1923）豊橋市～平成9年（1997）豊橋市。昭和23年京絵専卒、三上誠、八木一夫等とパンリアル結成。翌年大野俶嵩、下村良之介等を加えパンリアル美術協会（52年退会）。37年中部日本画総合展最優秀賞。49年中村正義等と从会結成。人拓で独自の表現世界を創造。日本画家高畑郁子は妻。

堀文子（ほりふみこ）
大正7年（1918）東京麹町～平成31年（2019）神奈川県平塚市。昭和15年女子美専卒。日本画家として23年第１回創造美術入選、26年会員、以降新制作・創画会で活躍する傍ら挿絵・装幀なども手がける。27年上村松園賞。47年伊・ボローニャ国際絵本原画展グラフィック賞。49年多摩美大教授（のち客員教授。～平成11年）。平成11年創画会退会、以後無所属。伊・アレッツォに5年滞在した他、アマゾン、マヤ・インカ、ヒマラヤと世界各地をスケッチ。ブルーポピーから生命の根源のミクロの世界まで、自然の姿を描き続けた。

本多天城（ほんだてんじょう）
慶応3年（1867）江戸深川～昭和21年（1946）。本名祐輔。近藤勝美に洋画を学ぶが明治18年狩野芳崖に師事。21年東美校に第1期生入学、26年選科卒。絵画共進会二等褒状、銅牌。金剛峯寺、三井寺、醍醐寺等で宝物模写。内国勧業博覧会、東京勧業博覧会褒状。文展に入選するが画壇から遠ざかる。

前田青邨（まえだせいそん）
明治18年（1885）岐阜～昭和52年（1977）東京。本名廉造。梶田半古に師事。紅児会に参加。大正3年再興院展同人。昭和12年帝国藝術院会員、19年帝室技芸員、26～34年東京藝大教授。30年文化勲章。法隆寺壁画再現事業や高松塚古墳壁画模写に従事。

正井和行（まさいかずゆき）
明治43年（1910）兵庫～平成11年（1999）。本名幸蔵。昭和6年福田平八郎に師事。13年京絵専研究科修了。28年平八郎の勧めで池田遙邨の青塔社入塾。47・57年日展特選、60年会員。平成元年京都市芸術功労賞、2年京都府文化賞受賞。4年日展参与。

益頭峻南（ますずしゅんなん）
嘉永2年（1849）江戸下谷～大正5年（1916）。明治8年野口幽谷に師事。41～大正2年文展審査員。

町田曲江（まちだきょくこう）
明治12年（1879）長野～昭和42年（1967）。内海吉堂、寺崎廣業に師事。文展、帝展受賞。戦後、日本画院同人。

松尾敏男（まつおとしお）
大正15年（1926）長崎市～平成28年（2016）。堅山南風に師事。昭和24年院展初入選、26年院友。41年院展院賞・大観賞（以後3回）。46年山種美術館賞展優秀賞、日本美術院同人。47年芸術選奨新人賞。50年・53年院展文部大臣賞。54年日本藝術院賞。平成6年日本藝術院会員。10年勲三等瑞宝章。12年文化功労者、21年日本美術院理事長就任。24年文化勲章。

松岡映丘（まつおかえいきゅう）
明治14年（1881）兵庫県神崎郡～昭和13年（1938）東京。本名輝夫。橋本雅邦、山名貫義に師事。明治37年東美校卒、昭和10年まで東美校教授。大正5年～文展連続特選3。金鈴社を、10年新興大和絵会結成。昭和4年帝国美術院賞。5年帝国美術院会員。

松林桂月（まつばやしけいげつ）
明治9年（1876）萩市～昭和38年（1963）東京。本名伊藤篤。野口幽谷に師事。昭和7年帝国美術院会員。帝室技芸員。日本美術協会理事長。日展理事。33年文化勲章受章。

松村梅叟（まつむらばいそう）
明治18年（1885）京都～昭和9年（1934）。今尾景年に師事。京絵専卒。明治42年以降文展出品、入賞。大正8年自由画壇を組織。

案本一洋（まつもといちよう）
明治26年（1893）京都～昭和27年（1952）。京絵専卒。山元春挙、川村曼舟に師事。帝展特選。帝展審査員。

松本榮（まつもとさかえ）
昭和2年（1927）福島～平成19年（2007）東京。昭和25年東美校卒。27年山口蓬春に師事、日展初入選、33年日本美術協会展佳作賞、34年同総裁賞。43年日展特選・白寿賞、47年特選、53年会員。平成元年評議員、12年総理大臣賞、15年監事、19年参与。

松本姿水（まつもとしすい）
明治20年（1887）宇都宮～昭和47年（1972）東京。本名秀次郎。川合玉堂に師事。文・帝展入選。明治14年帝展特選、昭和2年委員、9年審査員、10年帝展改組に第一部会実行委員として参加。13年日本画院結成、創立同人。戦後は日展に委嘱出品。

松本哲男（まつもとてつお）
昭和18年（1943）佐野市～平成24年（2012）。昭和43

年宇都宮大学教育学部美術科卒。49、51年院展にて日本美術院・大観賞受賞。58年日本美術院同人。59年昭和58年度芸術選奨文部大臣新人賞。平成元年春の院展文部大臣賞。5年院展にて内閣総理大臣賞。6年栃木県文化功労者。

松本楓湖（まつもとふうこ）
天保11年（1840）茨城県稲敷郡～大正12年（1923）東京。本名敬忠。初め沖一峨に入門、洋峨と、佐竹永海に師事し永峨、菊池容斎に入門、楓湖と号した。東洋絵画共進会、内国勧業博覧会、文展等審査員。明治31年日本美術院創立に参加。安雅堂画塾開設。

真野満（まのみつる）
明治34年（1901）東京～平成13年（2001）神奈川。昭和2年京絵専卒。12年安田靫彦に師事。13年院展初入選、32年院賞・大観賞受賞、同人、46年文部大臣賞、55年総理大臣賞。法隆寺金堂壁画保存模写従事。

丸木位里（まるきいり）
明治34年（1901）広島～平成7年（1995）埼玉。田中頼璋、川端龍子に師事。美術文化協会を中心に活躍。昭和16年洋画家の俊と結婚。22年頃から夫婦共同で「原爆の図」を制作。

丸山石根（まるやまいわね）
大正8年（1919）大阪～平成11年（1999）。入江波光・中村岳陵に師事。16年京絵専卒。30年日展初入選。32年日展特選・白寿賞。38年以降無所属。54年朝日新聞で陳舜臣作「西域異聞」、58年同「録外録」挿絵担当。平成5年大阪市文化功労賞、翌年大阪芸術賞受賞。菅楯彦大賞展審査員、関西美術家連合会長。

三上誠（みかみまこと）
大正8年（1919）大阪市～昭和47年（1972）福井市。昭和19年京絵専卒。23年星野眞吾らとパンリアル美術協会を創立。コラージュなど多様な技法による幾何学的な作品で日本画界に新領域を開拓。46年福井県文化協議会第1回文化芸術賞受賞。

水越松南（みずこししょうなん）
明治21年（1888）神戸市～昭和60年（1985）。本名達也。谷口香嶠に師事。京美工図案科、京絵専卒、研究科に進級。大正10年日本南画院第1回展入選、12年同人。日本南画松声会主宰。昭和5～6年小室翠雲に随行して渡独。戦後は無所属で現代日本美術展、日本国際美術展等に招待出品。

水谷愛子（みずたにあいこ）
大正13年（1924）広島市～平成17年（2005）。昭和19年女子美専卒。23年日本画家山中雪人と結婚。中島清之、前田青邨に師事。30年院展初入選、41年～奨励賞5回、62～平成2年院賞・大観賞3回他、12年同人。

水野年方（みずのとしかた）
慶応2年（1866）江戸神田～明治41年（1908）。本名粂次郎。月岡芳年、柴田芳州に師事。明治20年頃から、やまと新聞の挿絵を担当。日本美術協会、初期日本美術院、日本画会等の評議員、審査員。

三谷十糸子（みたにとしこ）
明治37年（1904）神戸市～平成4年（1992）東京。女子美専卒。西山翠嶂に師事。帝展特選、日展文部大臣賞。昭和44年日本藝術院賞。女子美大学長。

三井淳生（みついあつお）
昭和4年（1929）京都～平成12年（2000）栃木県塩原町。評論家河北倫明に師事。昭和36年歌舞伎訪ソに際し、中村歌右衛門による「八つ橋」を木版画で制作。伝統的創作版画に堪能。日本の仏教版画の研究でも著名。神宮美術館嘱託、日本仏教版画館館長。

三橋節子（みつはしせつこ）
昭和14年（1939）京都市～昭和50年（1975）京都市。昭和38年京都市立美大専攻科修了。35年～新制作展入選。43年日本画家鈴木靖将と結婚。44・46年新作家賞受賞。48年右腕を手術で切断、左手で制作を続ける。49年第1回創画会展出品。

水上泰生（みなかみたいせい）
明治15年（1882）福岡～昭和26年（1951）。荒木墨仙、寺崎廣業に師事。明治39年東美校日本画専科卒。文展三等賞。

三宅呉暁（みやけごぎょう）
元治元年（1864）京都～大正8年（1919）。名は清三郎。森川曽文に師事。文展入選。日本画家三宅鳳白は次男。

三輪晁勢（みわちょうせい）
明治34年（1901）新潟～昭和58年（1983）京都。大正13年京絵専卒。堂本印象に師事。帝展特選。戦後東丘社に入り、印象没後は東丘社主宰。昭和37年日本藝術院賞受賞、54年同会員。京都府美術工芸功労者、京都市文化功労者。

三輪良平（みわりょうへい）
昭和4年（1929）京都市～平成23年（2011）京都市。昭

和28年京美専専攻科修。26年晨鳥社入塾、山口華楊に師事。27年日展初入選、35・36年特選・白寿賞、37年菊華賞、39年会員、59年評議員。京都市展、関西展等受賞、京都画壇日本画秀作展等出品。優麗な女性美に定評、都をどりのポスターも手掛けた。

向井久万（むかいくま）
明治41年（1908）大阪～昭和62年（1987）鎌倉。京都高工芸図案科卒。西山翠嶂に師事。文展出品、特選受賞。創画会創立に参加、会員。

村上華岳（むらかみかがく）
明治21年（1888）大阪～昭和14年（1939）神戸。本名震一。京美工、京絵専卒。文展褒状、特選。大正7年土田麦僊、榊原紫峰らと国画創作協会結成。昭和3年国展日本画部の解散後は展覧会出品をやめ、孤高の道を歩んだ。

村田香谷（むらたこうこく）
天保2年（1831）福岡～大正元年（1912）。南宗画家村田東圃の子。貫名海屋、日高鉄翁等に師事。中国に渡り胡公寿らと交遊。

村松乙彦（むらまつおとひこ）
大正元年（1912）愛知～昭和58年（1983）東京。昭和10年日本美術学校卒。児玉希望に師事。海洋美術展連続受賞。日展特選。会員、審査員。

村山徑（むらやまけい）
大正6年（1917）新潟～昭和62年（1987）神奈川。児玉希望に師事。昭和33・34年新日展特選・白寿賞、36年菊華賞受賞。40年会員、47年評議員。53年内閣総理大臣賞。59年日本藝術院賞恩賜賞受賞。

室井東志生（むろいとしお）
昭和10年（1935）福島～平成24年（2012）神奈川。本名利夫。橋本明治に師事。昭和35年日展初入選、44年特選・白寿賞、52年特選。57年日展審査員（以降5）、58年会員、平成7年会員賞、10年評議員、16年内閣総理大臣賞受賞、19年監事、評議員を経て24年理事。美人画、特に舞妓を得意とし、坂東玉三郎や草刈民代など著名人をモデルにした人物画でも光彩を放った。

毛利武彦（もうりたけひこ）
大正9年（1920）東京～平成22年（2010）東京。昭和10年川﨑小虎に師事。17年東美校繰上げ卒業、応召。24年山本丘人に師事。創造美術・新制作日本画部出品、新作家賞3回、39年会員、49年以降創画会会員。23～57年慶應義塾高校美術科教諭、33年～武蔵野美大で指導、平成3年名誉教授。

望月玉泉（もちづきぎょくせん）
天保5年（1834）京都～大正2年（1913）。明治13年京都画学校設立。37年帝室技芸員。

望月金鳳（もちづききんぽう）
弘化3年（1846）大阪～大正4年（1915）。森二鳳、西山完瑛に師事。明治41～47年文展審査員。狸が得意。

望月定夫（もちづきさだお）
大正2年（1913）山梨～平成6年（1994）新潟。兄は日本画家望月春江。昭和12年東美校卒。結城素明に師事。新文展、日展入選、23年中村岳陵の蒼野社に入塾。日展特選・白寿賞・朝倉賞。59年評議員。

望月春江（もちづきしゅんこう）
明治26年（1893）山梨～昭和54年（1979）東京。本名尚。東美校卒。結城素明に師事。昭和3・4年帝展特選。13年川﨑小虎らと日本画院創立。33年日本藝術院賞受賞。50年山梨県特別文化功労者。

森一鳳（もりいっぽう）
寛政10年（1798）大阪～明治4年（1871）。名は敬之。森徹山の養子。

森寛斎（もりかんさい）
文化11年（1814）萩～明治27年（1894）。森徹山に師事、後養子となり寛斎と号す。円山四条派の正流を後世に伝えた。京都府画学校教授。明治23年帝室技芸員。

森守明（もりしゅめい）
明治25年（1892）京都市～昭和26年（1951）京都市。明治43年京美工図案科、大正12年京絵専別科卒。西山翠嶂に師事、青甲社に入塾。11年以後帝展入選。昭和2・5年特選。6年推薦。11年文展、新文展無鑑査出品。日本画家森公孝は弟、堂本印象は義弟。

森白甫（もりはくほ）
明治31年（1898）東京～昭和55年（1980）東京。本名喜久雄。荒木十畝に師事。帝展特選。昭和13年から審査員歴任。日展参与。33年日本藝術院賞、53年同会員。多摩美大教授。

森緑翠（もりりょくすい）
大正6年（1917）東京～平成11年（1999）。本名博。昭和5年蒼野社入門、中村岳陵に師事。10年院展、12年文展初入選。18年新文展特選、法隆寺金堂壁画模写に岳陵班で参加。34年日展特選。36年白士会結成、40年公募制、創立会員、52年顧問。55年豊橋文化賞。平成4年愛知県文化功労者表彰。名古屋造形芸術短大顧問、豊橋市文化財保護審議会委員。

森川曽文（もりかわそぶん）
弘化4年（1847）～明治35年（1902）。前川五嶺、長谷川玉峯に師事。

守住貫魚（もりずみつらな）
文化6年（1809）徳島～明治25年（1892）。渡辺広輝、住吉弘貫に師事。絵画共進会金賞。紫宸殿の賢聖障子描画。明治23年帝室技芸員。

森田曠平（もりたこうへい）
大正5年（1916）京都～平成6年（1994）横浜市。関西美術院で洋画を学ぶ。小林柯白に師事。明治18年安田靫彦に師事。43年日本美術院賞大観賞受賞、同人。

森田沙伊（もりたさい）
明治31年（1898）北海道～平成5年（1993）東京。東美校卒業後、帝展、新文展、日展に出品。昭和34年日本藝術院賞受賞。50年日本藝術院会員。日展顧問。

森田恒友（もりたつねとも）
明治14年（1881）埼玉～昭和8年（1933）千葉。小山正太郎の不同舎で学び、後東美校卒。美術雑誌「方寸」創刊、多くの挿絵を発表。文展出品。大正3～4年欧州留学。日本美術院洋画部同人、解散後は春陽会創立に参加。中期以降は水墨の田園風景を描いた。

森本遙（もりもとはるか）
大正12年（1923）小田原市～平成16年（2004）青梅市。矢野鉄山に師事。昭和19年アトリエを東京青梅市に移す。42年全日本水墨画協会創立会員、50年文部大臣奨励賞。49年遙桃会創立。56年遙玄水墨画協会設立、同会主宰。

守屋多々志（もりやただし）
大正元年（1912）大垣市～平成15年（2003）。本名正。昭和5年上京、前田青邨に師事。11年東美校卒。16年院展初入選、18年多々志と号す。29～31年渡伊。帰国後、法隆寺金堂壁画や高松塚古墳壁画模写に従事。49～53年愛知芸大教授。49年日本美術院同人、52年文部大臣賞、55年評議員、60年内閣総理大臣賞。54年芸術選奨文部大臣賞。平成8年文化功労者、13年文化勲章、同年大垣市守屋多々志美術館開館。歴史画。

矢沢弦月（やざわげんげつ）
明治19年（1886）長野～昭和27年（1952）。本名貞則。明治44年東美校日本画科卒。寺崎廣業に師事。大正8年帝展で特選。13年帝展委員、審査員。

安田半圃（やすだはんぽ）
明治22年（1889）新潟～昭和22年（1947）。児玉果亭、姫島竹外、水田竹圃に師事。文展、帝展入選。大正10年日本南画院創立に参加、同人。

安田靫彦（やすだゆきひこ）
明治17年（1884）東京～昭和53年（1978）神奈川。本名新三郎。小堀鞆音に師事。明治31年紫紅会結成、34年紅児会と改称、東美校中退。41年国画玉成会を組織。日本美術院再興に同人として参加。昭和9年帝室技芸員、10年帝国美術院会員、後日本藝術院会員。東美校教授。23年文化勲章受章。

安田老山（やすだろうざん）
文政12年（1829）岐阜～明治16年（1883）。名は養。日高鉄翁、徐雨亭に師事。元治元年頃中国に渡り、胡公寿に学んだ。

矢野橋村（やのきょうそん）
明治23年（1890）愛媛県越智郡～昭和40年（1965）大阪府豊中市。本名一智。永松春洋に師事。大正13年大阪美術学校設立。昭和36年日本藝術院賞受賞。

矢野鉄山（やのてつざん）
明治27年（1894）愛媛～昭和50年（1975）。小野翠雲に師事。大正9年帝展初入選。帝展特選。昭和18年審査員。33年新日展会員。

山内多聞（やまうちたもん）
明治11年（1878）宮崎～昭和7年（1932）。中原南渓、橋本雅邦、川合玉堂に師事。日本絵画協会展、文展出品。大正9年～帝展の審査員。

山岡米華（やまおかべいか）
明治元年（1868）高知県土佐～大正3年（1914）。名は尚樹。初め名草逸峰、後に川谷雨谷に師事。明治41年から文展審査員。水墨山水。

山川秀峰（やまかわしゅうほう）
明治31年（1898）京都～昭和19年（1944）。本名嘉雄。鏑木清方、池上秀畝に師事。帝展特選。美人画。

山岸純（やまぎしじゅん）
昭和5年（1930）京都～平成12年（2000）京都。徳岡神泉に師事。昭和30年京都市立美大専攻科修。同年日展初入選、36・40年特選、41年菊華賞、44年会員、49年評議員、50年文部大臣賞。平成4年日本藝術院賞、11年同会員。12年日展常務理事。京都市立芸大名誉教授。名古屋芸大教授。

山口華楊（やまぐちかよう）
明治32年（1899）京都〜昭和59年（1984）京都。本名米次郎。西村五雲に師事、大正5年京絵専選科に入り同年文展初入選。以後官展に出品。昭和46年日本藝術院会員。56年文化勲章受章。

山口蓬春（やまぐちほうしゅん）
明治26年（1893）北海道〜昭和46年（1971）神奈川。本名三郎。東美校洋画科から転じ日本画科を卒業。松岡映丘に師事。昭和25年日本藝術院会員。40年文化勲章受章。

山下彰一（やましたしょういち）
昭和26年（1951）兵庫〜平成23年（2011）兵庫。昭和50年武蔵野美大卒。54年日展初入選、平成3・7年特選、18年審査員、翌年会員。日春展日春賞2・奨励賞2。文化庁現代美術選抜展出品2、兵庫県新進芸術家奨励賞受賞。京都府日本画家協会会員、東丘社会員、兵庫大学短期大学部教授。

山田介堂（やまだかいどう）
明治2年（1869）福井〜大正13年（1924）。田能村直入、富岡鉄斎に師事。明治44年〜文展出品。

山田敬中（やまだけいちゅう）
明治元年（1868）東京浅草〜昭和9年（1934）。名は忠蔵。川端玉章に師事。日本青年絵画会、日本美術院創立に参加。明治42年〜文展出品。大正14年帝展委員。東美校・金沢工業学校・川端学校教授。

山田申吾（やまだしんご）
明治41年（1908）東京〜昭和54年（1979）東京。昭和6年東美校卒後、研究科に進み結城素明に師事。帝展、日展特選、新日展文部大臣賞受賞。日展審査員。昭和38年日本藝術院賞。44年日展理事。

山名貫義（やまなつらよし）
天保7年（1836）江戸〜明治35年（1902）。名は広政。住吉弘貫に師事。東美校教授。帝室技芸員。

山中雪人（やまなかゆきと）
大正9年（1920）広島市〜平成15年（2003）横浜市。昭和11年上京、翌年川端画学校、13年東美校入学。17年繰上げ卒業で応召、21年復員。31年院展初入選、58年奨励賞、59〜61年連続院賞・大観賞、60年前田青邨賞、61年同人、平成4年文部大臣賞、9年総理大臣賞。

山村耕花（やまむらこうか）
明治18年（1885）東京〜昭和17年（1942）東京。本名豊成。尾形月耕に師事。後東美校卒。大正5年院展同人。

山本丘人（やまもときゅうじん）
明治33年（1900）東京下谷〜昭和61年（1986）神奈川県大磯町。本名正義。大正13年東美校卒。松岡映丘に師事。文展特選。昭和23年上村松篁等と共に創造美術結成、新制作日本画部を経て創画会を設立。39年日本藝術院会員。52年文化勲章受章。

山本琴谷（やまもときんこく）
文化8年（1811）津和野〜明治6年（1873）。名は謙。多胡逸斎、渡辺崋山に師事。山水、人物。

山元春挙（やまもとしゅんきょ）
明治5年（1872）滋賀県膳所〜昭和8年（1933）京都。本名金右衛門。野村文挙、森寛斎に師事。京絵専教授。帝室技芸員、帝国美術院会員。

山本倉丘（やまもとそうきゅう）
明治26年（1893）高知〜平成5年（1993）京都。京絵専卒。堂本印象に師事。昭和41年日本藝術院賞、63年京都府文化賞特別功労者賞。

山本梅荘（やまもとばいそう）
弘化3年（1846）愛知県半田町〜大正10年（1921）。名は倉蔵。三谷雪庵に南宗画を学んだ。明治40年文展三等賞。45年より文展審査員。山水画。

結城素明（ゆうきそめい）
明治8年（1875）東京〜昭和32年（1957）東京。本名貞松。川端玉章に入門。東美校卒。无声会結成。金鈴社創立。大正14年帝国美術院会員、後日本藝術院会員。

結城天童（ゆうきてんどう）
大正2年（1913）山形〜平成23年（2011）神奈川。本名正雄。昭和6年小松均に師事。11年関西美術院卒、上京し川端龍子に師事。27年青龍社社人。41年青龍社解散により翌年東方美術協会結成に参加。青龍展にて青雲賞、東方展奨励賞多数、川崎市文化賞、紺綬褒章他。川崎大師障壁画、清水要之助や梅若万三郎の能舞台鏡板絵等を制作。

幸松春浦(ゆきまつしゅんぽ)
明治30年(1897)大分〜昭和37年(1962)。姫島竹外、水田竹圃に師事。帝展特選。日展委嘱。日本南画院同人。

湯田玉水(ゆだぎょくすい)
明治12年(1879)福島〜昭和4年(1929)。名は和平。川端玉章に師事。のち南画を学び南画院同人。

楊洲周延(ようしゅうちかのぶ)
天保9年(1838)江戸〜大正元年(1912)東京下大崎。本名橋本直義。父は越後・高田藩士。歌川国芳、三代歌川豊国、豊原国周に師事。慶応4年彰義隊と共に上野で戦い、榎本武揚らと函館・五稜郭に赴く。翌年降伏し高田藩に幽閉。明治4年頃上京、10年西南の役の戦争錦絵で評判をとる。15年第1回内国絵画共進会褒状。30年日本絵画協会共進会三等褒状。

横山大観(よこやまたいかん)
明治元年(1868)水戸〜昭和33年(1958)東京。本名秀麿。明治22年東美校第1期生。29年同校教授、31年辞職、日本美術院創立に参加。大正3年再興。昭和6年帝室技芸員。10年帝国美術院会員。後日本藝術院会員、25年同会員を辞退。12年文化勲章。

横山操(よこやまみさお)
大正9年(1920)新潟県西蒲原郡〜昭和48年(1973)東京。昭和14年川端画学校に学ぶ。15年以降青龍社に出品。37年青龍社を脱退。40年多摩美大教授。

吉岡堅二(よしおかけんじ)
明治39年(1906)東京〜平成2年(1990)東京。野田九浦に師事。帝展特選。昭和23年創造美術結成、以後創造美術、新制作協会、創画会の中心メンバー。26年毎日美術賞、芸術選奨文部大臣賞。東京藝大教授。42年法隆寺金堂壁画再現模写。46年日本藝術院賞受賞。

吉田登穀(よしだとうこく)
明治16年(1883)千葉〜昭和37年(1962)。岡田華亭、松林桂月に師事。日展特選。

吉田善彦(よしだよしひこ)
大正元年(1912)東京〜平成13年(2001)東京。本名誠二郎。速水御舟に師事。昭和12年院展初入選。法隆寺金堂壁画・高松塚古墳壁画模写従事。57年日本藝術院賞恩賜賞。日本美術院理事、東京藝大名誉教授。

吉嗣拝山(よしつぐはいざん)
弘化3年(1846)福岡〜大正4年(1915)。中西耕石に師事。明治4年右手を事故で骨折後左手で描いたので別号左手拝山。山水花鳥。

吉村忠夫(よしむらただお)
明治31年(1898)福岡〜昭和27年(1952)。東美校卒。松岡映丘に師事。帝展特選。帝展審査員。歴史的風俗人物画。

四方田草炎(よもだそうえん)
明治35年(1902)埼玉〜昭和56年(1981)。本名清次郎。川端龍子に師事。青龍社展入選、昭和9年社子となるが、13年退会。木内克と親交、彫刻も手がける。戦後はデッサンに打ち込み私淑する横山大観に批評を請う。22年巴人、臥牛、谷口らと筵上会を結成、34年解散。45年草草会を発足。

渡瀬凌雲(わたせりょううん)
明治37年(1904)長野〜昭和55年(1980)京都市。本名幸茂。半田市に移住。山本梅荘に学ぶ。大正8年上京、福田浩湖の画塾で修業。昭和5年京都で菁莪会研究所に学ぶ。帝展入選、文展特選候補。33年渡米、約1年間各地で個展開催、34年帰国。35年日本南画院再興に理事として参加。41年文部大臣賞。48年日本南画院副理事長、和歌山県文化功労賞受賞。

渡辺學(わたなべがく)
大正5年(1916)千葉〜平成12年(2000)千葉。昭和16年東美校日本画科卒。24年より創造美術、以後新制作・創画展出品、32・34年新作家賞、35年新制作協会日本画部会員。

渡辺玉花(わたなべぎょっか)
明治34年(1901)東京〜平成8年(1996)。本名貞子。山内多門、吉村忠夫に師事。帝展、文展鑑査展、新文展入選。新興美術院で受賞を重ね内閣総理大臣賞、文部大臣奨励賞受賞。新興美術院理事長、顧問を歴任。

渡辺小華(わたなべしょうか)
天保5年(1834)〜明治20年(1887)。渡辺崋山の次男。父崋山、椿椿山に学んだ。

渡辺省亭(わたなべせいてい)
嘉永4年(1852)江戸〜大正7年(1918)東京。本名良助。菊池容斎に師事。明治11年パリ万国博覧会等で受賞。

物故作家（洋画）

●明治以降の物故作家を、名前（50音順）・生年～没年・略歴の順で掲載しています。生没地表記が都府県のみの場合、都・府・県は省略。
●本文の数字は元号表記をしています。
京絵専=京都市立絵画専門学校　京美工=京都市立美術工芸学校　東美校=東京美術学校

靉光（あいみつ）
明治40年（1907）広島～昭和21年（1946）上海。本名石村日郎。大正12年大阪天彩画塾で学ぶ。14年上京、太平洋画会研究所入所。15年二科展初入選、以後二科、太平洋、中美展、1930年協会展、独立展出品。昭和4年洪原会結成。14年美術文化協会創立、会員。18年新人画会結成。応召先で戦病死。

阿以田治修（あいだじしゅう）
明治27年（1894）東京～昭和46年（1971）。大正3年太平洋画会研究所入所、満谷国四郎に師事。11～14年渡欧、ビシエールに師事。14年太平洋画会会員、帝展初入選。15～昭和3年帝展連続特選。10年太平洋退会。15年創元会創立会員。23年無所属。

相原求一朗（あいはらきゅういちろう）
大正7年（1918）埼玉～平成11年（1999）。本名茂吉。猪熊弦一郎に師事。昭和25年新制作派展初入選、38・40年新作家賞。43年新制作会員。59～61年国際形象展、62～平成10年日本秀作美術展出品。昭和62年埼玉文化賞。平成4年川越市初雁文化章。5年安井賞選考委員。8年川越市名誉市民。北海道中札内村に美術館、川越市立美術館に記念室。

青木繁（あおきしげる）
明治15年（1882）久留米市～明治44年（1911）福岡市。上京して不同舎で小山正太郎に学ぶ。明治33年東美校洋画科選科で黒田清輝の外光派表現を学び36年白馬会展で第1回白馬会賞。37年美校卒。40年東京府勧業博覧会3等賞。後帰郷して放浪生活。代表作は「海の幸」等。

青山熊治（あおやまくまじ）
明治19年（1886）兵庫～昭和7年（1932）。本名熊次。岡田三郎助に師事。明治37年東美校入学。40年東京府勧業博覧会2等賞。43年白馬会に卒業制作出品、白馬会賞を受賞したが病のため大学中退。大正3～11年欧州歴遊。帝展特選、帝国美術院賞受賞、審査員も務めた。昭和4年美術協議会創立。

青山義雄（あおやまよしお）
明治27年（1894）神奈川～平成8年（1996）神奈川。明治44年日本水彩画会研究所で学ぶ。大正10年渡仏。マティスに師事。平成5年中村彝賞。国画会客員。

赤城泰舒（あかぎやすのぶ）
明治22年（1889）静岡～昭和30年（1955）東京。大下藤次郎に師事。太平洋画会研究所、日本水彩画研究

所で学ぶ。文展、帝展、日展、二科展、光風会展等出品、文展審査員を務めた。大正2年日本水彩画会を改組。光風会会員。

赤塚徹（あかつかとおる）
大正12年（1923）東京～平成19年（2007）。昭和22年東京帝大医学部卒、23年医師国家試験合格。終戦後絵画を始め、安井曾太郎、稲田三郎に師事。22年新制作派展、29年自由美術展入選、30年会員。31年初個展（瀧口修造企画、神田タケミヤ画廊）。32年アートクラブ会員。39年自由美術退会、主体美術協会設立。平成5年主体美術退会、新作家美術協会委員。現代日本美術選抜展等出品。

赤穴宏（あかなひろし）
大正11年（1922）北海道～平成21年（2009）東京。昭和18年東京高等工芸（現千葉大）卒。21年猪熊弦一郎に師事。22年～新制作展出品、新作家賞2、協会賞受賞、31年会員。26年タケミヤ画廊以降不忍画廊、東京画廊他個展多数、平成14年道立釧路芸術館回顧展。カーネギー国際展、現代日本美術展（NY近代美術館）、日本秀作美術展等出品。17年中村彝賞、他紺綬褒章、勲三等瑞宝章。千葉大学教授（後名誉教授）、武蔵野美大教授。

赤星亮衛（あかぼしりょうえ）
大正10年（1921）熊本～平成4年（1992）松戸市。本名亮一。海老原喜之助に師事。昭和27年自由美術展初入選。41年挿絵でサンケイ児童文化賞。43年行動展入選、47年奨励賞、64年会員。童話の挿絵は500冊に及ぶ。

赤松麟作（あかまつりんさく）
明治11年（1878）津山市～昭和28年（1953）大阪。山内愚僊に師事、後黒田清輝に師事。明治33年東美校卒。40年赤松洋画塾開設。白馬会展白馬会賞。文展出品。光風会会員、大阪市美術協会会員。関西女子美術学校校長。

秋元清弘（あきもときよひろ）
大正11年（1922）東京～平成7年（1995）東京。昭和19年東美校油画科卒。31年日展初入選。日展評議員。

秋元松子（あきもとまつこ）
明治32年（1899）千葉～平成7年（1995）。本名まつ。夫は笹岡了一。岡田三郎助に師事。昭和21年光風会会員、後名誉会員。女流画家協会委員、日展会友。

朝井閑右衛門（あさいかんうえもん）
明治34年（1901）和歌山～昭和58年（1983）鎌倉市。独学で油絵を研究。昭和元年二科展初入選。9年光風会展入選。11年文展文部大臣賞。13年新文展審査員。22年新樹社結成。37年国際形象展同人。

浅井忠（あさいちゅう）
安政3年（1856）江戸～明治40年（1907）京都。黒沼槐山に日本画を学ぶ。明治8年彰技堂で国沢新九郎に学び、9年工部美術学校入学、フォンタネージに師事。22年明治美術会創立に参加。31年東美校教授。33～35年仏留学。35年帰国、京都高等工芸学校教授。聖護院洋画研究所（のちの関西美術院、初代院長）設立。代表作は「春畝」等。

朝倉摂（あさくらせつ）
大正11年（1922）東京～平成26年（2014）東京。彫刻家朝倉文夫の長女。朝倉響子は妹。父の方針で小学校卒業後は家庭で才能教育を受ける。伊東深水に師事し日本画家として出発。昭和26年新制作協会展出品、28年上村松園賞受賞。35年頃から舞台美術中心に活動。テアトロ演劇賞、日本アカデミー賞、芸術祭賞、朝日賞等受賞。平成18年文化功労者。絵本の挿絵で講談社出版文化賞絵本賞受賞。

麻田浩（あさだひろし）
昭和6年（1931）京都市～平成9年（1997）。父は版画・日本画家辨自、兄は日本画家鷹司。昭和29年新制作展初入選。38～39年渡欧。46～57年在仏。サロン・ドートンヌ会員、ソシエテ・ナショナル・デ・ボザール会員。50年安井賞展佳作賞、51年オステンド欧州絵画賞展第2位、52年カンヌ国際版画ビエンナーレ（銅版画）第1位。新制作協会会員。平成元年京都美術文化賞。7年宮本三郎記念賞。

朝妻治郎（あさづまじろう）
大正4年（1915）東京～昭和55年（1980）東京。本名金治郎。昭和10年本郷洋画研究所で学ぶ。14年自由美術展初入選、後会員。昭和12年長谷川三郎、山口薫に師事。25年自由美術家協会退会、モダンアート協会創立に参加。

浅野竹二（あさのたけじ）
明治33年（1900）京都～平成11年（1999）。大正12年京絵専卒。初め土田麦僊に師事するが、後木版画に転向。造形をデフォルメしたユーモラスな創作木版の他、伝統技法による自刻自摺「名所絵版画」も手がけた。昭和56年京都市文化功労者。国内各地の他、メキシコ、ドイツ等で個展多数。

浅野弥衛（あさのやえ）
大正3年（1914）鈴鹿市～平成8年（1996）。中卒後職業軍人として渡満。2・3度目の応召でフィリピン転戦。昭和14年帰国時に美術創作家協会展出品。20年復員。25年鈴鹿信用組合理事（28～34年鈴鹿信用金庫代表理事）。25年美術文化協会会員、31年常任委員、38年退会。36年名古屋画廊のシンボルマーク作成。52年鈴鹿市龍光寺本堂襖絵作成。60年名古屋市芸術賞特賞。62～平成2年愛知県立芸大客員教授。3年三重県民功労賞。秀作美術展他、LA、ストックホルム等海外展グループ展出品多数。三重県立美術館他美術館、画廊等で個展。東京国立近代美術館、名古屋市美術館他作品収蔵。

淺羽保治（あさばやすじ）
昭和6年（1931）大阪市～平成20年（2008）。昭和31年大阪学芸大学美術コース専攻修了。31・41年独立展受賞、42年会員推挙。平成14年会員功労賞。昭和52年精鋭展結成・主宰、千葉県立美術館で展覧会。芸術文化勲章、世界平和芸術勲章等受章。

旭正秀（あさひまさひで）
明治33年（1900）京都～昭和31年（1956）。上京し川端画学校で学ぶ。大正11年『詩と版画』創刊。15年素描社創設。昭和2年日本創作版画協会会員。5～7年渡欧。6年日本版画協会創立会員。春陽会展等に出品。22年日展委員。

朝比奈文雄（あさひなふみお）
大正3年（1914）東京～平成4年（1992）東京。昭和8年光風会展出品、初入選。24年日展特選、35年菊華賞、43年評議員。

畦地梅太郎（あぜちうめたろう）
明治35年（1902）愛媛～平成11年（1999）町田市。内閣印刷局勤務中に平塚運一に師事。昭和5年内国美術展覧会国際賞、帝展初入選。7年日本版画協会会員。19年国展会員（46年退会）。戦後国際版画ビエンナーレ出品。51年松山市に畦地梅太郎松山館開館。60年愛媛新聞賞、愛媛県教育文化賞。平成9年町田市名誉市民。日本版画協会名誉会員。

麻生三郎（あそうさぶろう）
大正2年（1913）東京～平成12年（2000）川崎市。昭和8年太平洋美術学校中退後、11年エコール・ド・東京、13年美術文化協会設立に参加。18年靉光、松本竣介らと新人画会を結成。22～39年自由美術家協会会員。34年日本国際美術展優秀賞、38年芸術選奨文部大臣賞。武蔵野美大名誉教授。代表作に「赤い空」シリーズ、「人」等。

安宅髙雄（あたかとらお）
明治35年（1902）新潟市～平成元年（1989）。別号虎雄。洋画を独学。大正15年帝展初入選。春陽会展、二科展に一時出品。昭和14年一水会参加。日展参与。一水会運営委員。

安宅安五郎（あたかやすごろう）
明治16年（1883）新潟市～昭和35年（1960）。明治45年東美校卒。大正元年文展褒状。11年帝展特選、後審査員。官展出品。

足立源一郎（あだちげんいちろう）
明治22年（1889）大阪～昭和48年（1973）鎌倉市。明治39年開設の関西美術院で浅井忠に学ぶ。41年上京、太平洋画会研究所で学ぶ。大正3～7年渡仏。11年春陽会創立参加。12～14年再渡仏。昭和11年日本山岳画協会創立。

足立真一郎（あだちしんいちろう）
明治37年（1904）足利市～平成6年（1994）鎌倉市。昭和5年光風会展初入選。6年帝展入選。8年日本美術学校洋画科卒。21年光風会会員。35年日本山岳画協会会員。日展会友。平成5年光風会名誉会員。

跡見泰（あとみゆたか）
明治17年（1884）東京～昭和28年（1953）浦和市。明治36年東美校卒。黒田清輝に師事。39年白馬会会員。40～42年文展連続受賞。45年同志と光風会創立。大正11～13年渡仏、その後帝展、新文展、日展出品。

阿部展也（あべのぶや）
大正2年（1913）新潟～昭和46年（1971）ローマ。初め前衛写真の撮影から超現実主義的絵画に移行。昭和2年～独立展出品。13年創紀美術協会参加。14年美術文化協会結成参加、27年退会。28年国際アート・クラブ結成参加。34年イタリアに定住。

阿部平臣（あべひらおみ）
大正9年（1920）直方市～平成18年（2006）。昭和19年東美校油画科卒、34年行動展新人賞・M氏賞、35年行動美術賞受賞。61年文化庁作品買上げ（東京国立近代美術館）。福岡市立美術館等で回顧展。行動美術協会会員、日本美術家連盟会員。

網谷義郎（あみたによしろう）
大正12年（1923）兵庫～昭和57年（1982）神戸市。昭和23年京大法学部卒。小磯良平に師事。30年新制作展新作家賞、34年協会賞、35年会員。安井賞候補新人展出品。

荒井龍男（あらいたつお）
明治38年（1905）大分～昭和30年（1955）東京。大正13年太平洋画会研究所で学ぶ。昭和7年二科展初入選。9～11年渡仏。12年自由美術家協会会員。国際美術家協会会員。27年NY、30年サンパウロ美術館、ブリヂストン美術館で個展開催。

荒川修作（あらかわしゅうさく）
昭和11年（1936）名古屋市～平成22年（2010）米NY。昭和29年旭丘高校卒、武蔵野美術学校中退。33～36年読売アンデパンダン展出品。35年ネオ・ダダイズム・オルガナイザーズ結成、反芸術的制作を推進。36年渡米、NYを拠点に図式絵画を展開。詩人のマドリン・ギンズと結婚、共同で著作や空間創造。ホイットニー美術館、パリ市立美術館等で個展開催。コンセプチュアルアートの先駆者。

荒谷直之介（あらたになおのすけ）
明治35年（1902）富山市～平成6年（1994）。大正7年赤城泰舒に水彩画を学ぶ。9年葵橋洋画研究所に入り、黒田清輝に師事。15年小堀進らと水彩連盟結成。日展参与、一水会常任委員。

有岡一郎（ありおかいちろう）
明治33年（1900）京都～昭和41年（1966）。本郷洋画研究所で学び、岡田三郎助に師事。大正8年帝展初入選、昭和9年特選。25年立軌会会員。

有島生馬（ありしまいくま）
明治15年（1882）横浜市～昭和49年（1974）鎌倉市。本名壬生馬。明治37年東京外語学校卒。藤島武二に師事。38年留学、ローマでカルロス・デュラン、39年～パリでR・コランらに師事。43年帰国、『白樺』創刊に参加。大正2年二科会創立参加。昭和10年帝国美術院会員。12年一水会創立。同年帝国芸術院会員。39年文化功労者。

有馬三斗枝（ありまさとえ）
明治26年（1893）鹿児島市～昭和53年（1978）東京。本名サト。明治44年上京、本郷洋画研究所で岡田三郎助に師事。大正3年文展初入選、15・昭和3年帝展特選。21年光風会会員、後名誉会員。33年日展会員、後評議員、参事。

有馬侃（ありまただし）
昭和3年（1928）佐渡島～平成22年（2010）東京。満州国立建国大学進学、敗戦後帰国し島根青年師範学校卒。森田茂に師事。昭和58年上京。日展特選2、会員推挙。東光展文部大臣賞、安井賞展、現代美術選抜展等出品。日展評議員、東光会理事長。

有元利夫（ありもととしお）
昭和21年（1946）津山市～昭和60年（1985）東京。昭和48年東京藝大卒。卒制大学買上げ。3年間電通勤務後、創作活動に専念。55年以降彌生画廊で多数発表。版画、木彫など多方面に制作。53年安井賞展特別賞、56年安井賞受賞。59年第1回青年画家展優秀賞。東京国立近代美術館他収蔵。

安徳瑛（あんとくえい）
昭和15年（1940）上海～平成8年（1996）。昭和19年帰国。海老原喜之助に師事。38年東京藝大油画科卒、40年大学院修了。38年国展入選、40年国画賞、44年佳作賞、49年会員。安井賞展出品。

安保健二（あんぽけんじ）
大正11年（1922）新居浜市～平成6年（1994）横浜市。昭和17年東美校入学。学徒出陣するが23年復学、同年卒業。21年日展初入選。24年新制作展入選、27年新作家賞、41年会員。渡欧多数。

飯島一次（いいじまかずつぐ）
明治42年（1909）福岡～平成10年（1998）。川端画学校に学ぶ。昭和24年立軌会創立会員。27～29年仏留学。

飯田弥生（いいだやよい）
大正8年（1919）東京～平成26年（2014）。東京府立第一高等女学校卒。岡田三郎助・中村研一に師事。昭和28年日展岡田賞、30年特選、36年菊華賞受賞。

飯塚隆雄（いいづかたかお）
明治43年（1910）豊橋市～昭和61年（1986）船橋市。橋本八百二に師事。昭和8年～東光展入選連続9。24年白日会入選。25年日本水彩展初入選、28年白滝賞、35年文部大臣奨励賞、会員、49年評議員、58年理事。38年～日展連続入選。

五百城文哉（いおきぶんさい）
文久3年（1863）水戸市～明治39年（1906）。本名熊吉。高橋由一に師事、画塾天絵楼で洋画を学ぶ。浅井忠、長原孝太郎とは同門。23年内国勧業博覧会で褒状。26年シカゴ万国博覧会出品。高山植物の研究家でもある。

伊上凡骨（いがみぼんこつ）
明治8年（1875）徳島～昭和8年（1933）。本名純三。24年上京、木版師大倉半兵衛に師事。肉筆画の木版複製技法を研究。与謝野鉄幹の『明星』の挿絵木版で注目。38年白馬会機関誌『光風』の挿絵制作。東京彫工会出品、受賞多数、同会会員。

生沢朗（いくざわほがら）
明治39年（1906）兵庫～昭和59年（1984）東京。本名正一。昭和3年日本美術学校卒業。11年二科展入選。23～33年行動美術協会会員。新聞、雑誌の連載小説の挿絵で活躍。

池内登（いけうちのぼる）
大正14年（1925）大阪～平成14年（2002）兵庫。東美校卒。寺内萬治郎に師事。春陽会会員、姫路短大名誉教授。

池田満寿夫（いけだますお）
昭和9年（1934）満州～平成9年（1997）熱海市。昭和35年東京国際版画ビエンナーレ文部大臣賞、36年パリビエンナーレ優秀賞、41年ヴェネチアビエンナーレ大賞。52年小説「エーゲ海に捧ぐ」で芥川賞。平成9年長野県に池田満寿夫美術館開館。

池部鈞（いけべひとし）
明治19年（1886）東京～昭和44年（1969）東京。東美校卒。昭和3・5年帝展特選。日展評議員、一水会委員。40年日本藝術院賞恩賜賞受賞。

井坂正（いさかただし）
昭和4年（1929）茨城～平成24年（2012）茨城。服部正一郎に師事。昭和36年二科展特選、43年金賞、45年会員推挙、平成7年会員賞受賞。他、中村彝奨励賞受賞、水戸博物館買上。二科会評議員・茨城支部長。

石井茂雄（いしいしげお）
昭和8年（1933）～昭和37年（1962）。昭和25～27年国展、28年読売アンデパンダン展出品。33年前衛美術会会員。35年前衛美術展、日本版画協会展で受賞。37年急逝、日本版画協会会員に追贈。

石井鶴三（いしいつるぞう）→〔彫刻〕石井鶴三

石井柏亭（いしいはくてい）
明治15年（1882）東京～昭和33年（1958）東京。本名満吉。父石井鼎湖に日本画を学び、水彩画を独習、明治31年浅井忠に師事。中村不折に油絵を学び无声会員となる。37年東美校選科入学、黒田清輝、藤島武二に師事。眼病のため中退。40年森田恒友、山本鼎と「方寸」創刊。42年文展受賞。43年渡欧、大正元年帰国。2年日本水彩画会創立。3年二科会結成（10年退会）。4年美術雑誌「中央美術」創刊。10年文化学院創設。帝国美術院会員。11年安井曾太郎らと一水会創設。24年日本藝術院会員。

石垣栄太郎（いしがきえいたろう）
明治26年（1893）和歌山～昭和33年（1958）東京。明治42年渡米。大正3年Cal.州立美術学校、4年NYアート・スチューデンツ・リーグに学び、J・スローンに師事。7年片山潜の社会主義研究会参加。14年以後アメリカの独立美術協会展で主に発表。昭和4年ジョン・リード・クラブ結成参加。10年ハーレム裁判所壁画主任。11年アメリカ美術家会議創立準備委員。26年敵性外国人として国外退去、帰国。30年岡本唐貴らの点々会に参加。

石川欽一郎（いしかわきんいちろう）
明治4年（1871）静岡～昭和20年（1945）。浅井忠、川村清雄に師事。明治40年～文展出品。光風会・日本水彩画会会員。

石川滋彦（いしかわしげひこ）
明治42年（1909）東京～平成6年（1994）東京。父は水彩画家の石川欽一郎。昭和7年東美校卒。岡田三郎助に師事。

石川寅治（いしかわとらじ）
明治8年（1875）高知～昭和39年（1964）。明治24年小山正太郎の不同舎で学ぶ。34年太平洋画会創立に参加。38年～40年渡欧米。40年東京勧業博覧会3等。第1回文展出品。太平洋美術学校校長、東京師範学校教授。昭和27年日本藝術院賞恩賜賞。

石河彦男（いしかわひこお）
大正6年（1917）～昭和61年（1986）。昭和14年東美校図画師範科卒。23年日展初入選。29年光風会会員。日展会員、名古屋芸術大学教授。

石川實（いしかわみのる）
昭和3年（1928）東京～平成30年（2018）東京。昭和24年東京第二師範学校本科卒業。日展特選2回、平成10年審査員。平成5年光風会展辻永記念賞。日展会員、光風会名誉会員。

石沢清（いしざわきよし）
大正12年（1923）長野～平成13年（2001）長野。武蔵野美術学校（現武蔵野美大）卒。奥田郁太郎に師事。

昭和50年一水会展会員、59年会員佳作賞。日展会友、日本水彩画会理事。

石田徹也（いしだてつや）
昭和48年（1973）焼津市～平成17年（2005）町田市。平成8年武蔵野美大卒。在学中「ひとつぼ」展グランプリ、毎日広告デザイン賞優秀賞、卒業後もJACA日本ヴィジュアルアート展グランプリ他受賞・出品を重ねたが事故死。一周忌の追悼展・画集出版を機にNHKで番組が放映され、各地の展覧会で一挙にブレイクした。

石橋和訓（いしばしかずのり）
明治9年（1876）島根～昭和3年（1928）。滝和亭に日本画を学び後洋画に転向。明治36～大正7、10～12年渡英、明治40年ロイヤル・アカデミー卒。文展連続受賞。帝展審査員。

石本秀雄（いしもとひでお）
明治41年（1908）長崎～昭和61年（1986）佐賀。昭和5年1930年協会展初入選。6年東美校図画師範科卒。9年帝展入選。13年東光会会員。24年佐賀大教授。26年日展特選、35年菊華賞、38年会員。

出岡実（いずおかみのる）
昭和4年（1929）東京～平成13年（2001）東京。春陽会展春陽会賞、中川賞等受賞、昭和35年会員推挙。34年シェル美術賞展佳作賞、56年アメリカ国際展銀賞、平成3年NY版画大賞等国際展でも活躍。寺院・病院等の壁画・障壁画制作多数。著書多数。春陽会会員、日本現代詩人会会員、歴象同人。

泉茂（いずみしげる）
大正11年（1922）大阪～平成7年（1995）大阪。昭和14年大阪市立工芸学校卒。26年デモクラート美術協会創立会員。32年東京国際版画ビエンナーレ新人奨励賞。33～42年日本版画協会会員。34～43年NY、パリ滞在。現代日本美術展、サンパウロ・ビエンナーレ等出品。40年頃より油彩画を始める。

泉地靖雄（いずみちやすお）
昭和8年（1933）大阪～平成23年（2011）京都。京都市立芸大卒。昭和48年17年勤めた京都新聞社を退社し絵に専念する。仏・伊等外遊。50年シエナ市主催美術セミナー招待。フレスコ・テンペラ技術修得。二紀展宮本賞、田村賞他。平成10年文部大臣賞、19年黒田賞等。嵯峨美術短大で指導。個展多数。

伊勢正義（いせまさよし）
明治40年（1907）秋田～昭和60年（1985）東京。東美校卒。藤島武二に師事。帝展特選。昭和11年小磯良平、猪熊弦一郎らと新制作協会創立、会員。

磯江毅（いそえつよし）
昭和29年（1954）大阪～平成19年（2007）広島市。昭和48年大阪市立工芸高校卒、翌年渡西。アカデミー・ペーニャ、王立美術研究所に学ぶ。プラド美術館でデューラーやフランドル絵画を模写し研鑽。サロン・デ・オトーニョ、シルクロ・ドス賞小品展共に1等賞、バルセロナ伯爵夫人賞展優秀賞等受賞・発表多数、日本でもグループ展出品、平成7年富田賞受賞。広島市立大芸術学部教授。

磯村敏之（いそむらとしゆき）
昭和2年（1927）刈谷市～平成19年（2007）東京。昭和26年東京高師卒。在学中から自由美術展出品、30年会員。35年安井賞候補選抜展出品（以後6回）。39年自由美術退会、主体美術協会創立会員。文化庁現代美術選抜展、新鋭選抜展等出品。

井田照一（いだしょういち）
昭和16年（1941）京都～平成18年（2006）。昭和40年京都市立美大専攻科修了。51年東京国際版画ビエンナーレ文部大臣賞、52年現代版画大賞展優秀賞、56年リュブリアナ国際版画ビエンナーレ第2位他、国内外で受賞・個展多数。

伊谷賢蔵（いたにけんぞう）
明治35年（1902）鳥取市～昭和45年（1970）京都。黒田重太郎に師事。大正13年京都工芸高等学校図案科卒。6年二科展二科賞、14年会友優秀賞、16年会員。20年行動美術協会創立会員。京展審査員・評議員。京都学芸大・京都精華短大教授。

市川加久一（いちかわかくいち）
明治38年（1905）鈴鹿市～昭和63年（1988）大阪。昭和3年上京、太平洋美術学校で学ぶ。高間惣七に師事。8～11年東光会出品。11年主線美術会創立に参加。17年新文展初入選。25年～旺玄会展出品、29年委員（後理事）。

一木万寿三（いちきますみ）
明治36年（1903）滝川市～昭和56年（1981）石狩町。大正15年本郷洋画研究所で岡田三郎助に師事。昭和2年白日会展出品。中央美術展、1930年協会展、16年～一水会展出品、21年会員。20年全道美術協会創立会員。

井手宣通（いでのぶみち）
明治45年（1912）熊本～平成5年（1993）東京。昭和5年東美校西洋画科入学、小絲源太郎に師事。10年卒業、彫刻科に再入学、朝倉文夫、北村西望に師事。22年朝井閑右衛門らと新樹会創立。39年日展文部大臣賞。41年日本藝術院賞。44年同会員。52年日洋展創立、運営委員長。平成2年文化功労者。3年日展理事長。

井戸三郎（いどさぶろう）
大正7年（1918）名古屋市～平成12年（2000）。昭和16年東美校卒。23年一水会展初入選·受賞5、37年会員、52年委員、後常任委員。25年日展初入選、58年会友、平成9年会員。地元三河と欧州の風景。

伊藤應久（いとうおうきゅう）
明治40年（1907）岩手～平成6年（1994）東京。東美校卒後、小絲源太郎に師事。帝・文・日展出品、特選受賞。光風会展レートン賞受賞、会員となるが41年退会。42年からサロン・ドートンヌ出品、56年パリ賞1位金メダル受賞、会員。

伊藤久三郎（いとうきゅうさぶろう）
明治39年（1906）京都市～昭和52年（1977）京都市。大正12年京美工絵画科本科卒、昭和3年京絵専門本科卒。1930年協会研究所で学ぶ。4年～二科展出品、8年特待。13年九室会結成に参加。16年二科会会員。21年行動美術協会参加、会員。30年アート・クラブ会員。

伊藤清永（いとうきよなが）
明治44年（1911）兵庫～平成13年（2001）。岡田三郎助に師事。昭和10年東美校卒。8年帝展入選以来白日会展、日展等で発表。51年日展内閣総理大臣賞。52年日本藝術院賞恩賜賞、59年会員。61年～白日会会長。平成3年文化功労者。8年文化勲章受章。愛知学院大学「釈尊伝四部作」大壁画、吉祥寺天井画等制作。

伊藤勲志（いとうくんじ）
大正9年（1920）豊橋市～平成17年（2005）。昭和16年東美校卒。南薫造、加山四郎に師事。42年太平洋展奨励賞、43年会員、44年～審査員、52年会員秀作賞、63年理事。平成7年退会。以降個展、グループ展で発表。56年紺綬褒章。57年絶展同人。

伊藤正三（いとうしょうぞう）
大正13年（1924）東京～平成16年（2004）横須賀市。宮本三郎、土方定一の薫陶を得、富田温一郎、多田栄二に師事。昭和23年太平洋画会初入選、58年常務理事、61年退会。53年絶展同人。

伊藤継郎（いとうつぐろう）
明治40年（1907）大阪～平成6年（1994）神戸市。天彩画塾で赤松麟作に師事。昭和22年～新制作展出品、会員。京都市立美大教授。

伊藤悌三（いとうていぞう）
明治40年（1907）東京～平成10年（1998）。岡田三郎助に師事。東美校卒。元光風会会員。文展・帝展出品。元日展委嘱。岡田賞、佐分賞受賞。

伊藤勉黄（いとうべんおう）
大正6年（1917）静岡～平成4年（1992）静岡。本名勉。版画を独学。昭和26年日本版画協会会員。34年国画会会員。55年静岡県文化功労者。

伊藤快彦（いとうよしひこ）
慶応3年（1867）京都～昭和17年（1942）。明治17年田村宗立に学び、21年京都府画学校卒。小山正太郎、原田直次郎にも師事。文展出品。関西美術院院長。

伊藤廉（いとうれん）
明治31年（1898）名古屋市～昭和58年（1983）名古屋市。本郷洋画研究所で学ぶ。大正12年二科展初入選。14年東美校卒。昭和2～5年渡仏。滞欧作特別陳列で二科賞。同年独立美術協会創立に参加、12年退会。18年国画会会員。29年東京藝大教授。41年名誉教授。同年設立の愛知芸大美術学部長。44年中日文化賞受賞。48年国画会退会。

井堂雅夫（いどうまさお）
昭和20年（1945）中国・北票～平成28年（2016）京都市。幼少期を盛岡で過ごし、15歳で京都に移る。昭和36年伝統工芸士・吉田光甫に弟子入り、染色を学ぶ。47年木版画制作を開始。ふるさと切手「京の催事」原画制作、京都新聞市民版「京都百景」作品連載等。IDO GREENと称された落ち着いた緑の作品が特徴。

糸園和三郎（いとぞのわさぶろう）
明治44年（1911）大分～平成13年（2001）東京。川端画学校を経、前田寛治写実研究所で学ぶ。昭和8年四軌会結成、14年美術文化協会創立会員。18年新人画会創立。戦後は自由美術家協会展出品、39年退会。43年現代日本美術展K氏賞。

稲垣知雄（いながきともお）
明治35年（1902）東京～昭和55年（1980）東京。恩地孝四郎、平塚運一に師事。昭和7年日本創作版画協会会員。22年～国展出品、31年会員。27年日本広告美術学校創立、教授。日本版画協会名誉会員。

井上覚造（いのうえかくぞう）
明治38年（1905）大阪～昭和55年（1980）大阪。小出楢重に師事。二科展出品、会員（後常務理事）。渡欧、サロン・ドートンヌ会員。

井上三綱（いのうえさんこう）
明治39年（1906）福岡～昭和56年（1981）神奈川。本郷洋画研究所で学ぶ。大正12年坂本繁二郎に師事。15年帝展初入選。昭和26～36年国画会会員。32年サンパウロ・ビエンナーレ出品。

井上自助（いのうえじすけ）
大正元年（1912）福岡～昭和61年（1986）東京。南薫造に師事。昭和11年東美校油画科卒。同年文展鑑査展、17年新文展入選、21年第1回日展から入選を重ね、38年特選。創元会運営委員。

井上長三郎（いのうえちょうさぶろう）
明治39年（1906）神戸市～平成7年（1995）東京。大正12年太平洋画会で学ぶ。昭和元年～二科展出品。後独立展出品、6年独立美術賞、8年独立美術協会会員。20年自由美術協会会員、以後自由美術展に出品、会長も務めた。

井上俊郎（いのうえとしろう）
大正13年（1924）朝鮮～平成28年（2016）。昭和20年東京美術学校工芸科彫金部卒。29年今泉篤男の紹介で森芳雄に師事。自由美術を経て40年主体美術創立に参加。54年・平成17年紺綬褒章受章。昭和56年文化庁現代美術選抜展に出品。世界各地、特にアジア、シルクロードを歴訪して東洋の象徴美を描いた。

猪熊弦一郎（いのくまげんいちろう）
明治35年（1902）高松市～平成5年（1993）東京。本名玄一郎。藤島武二に師事。東美校中退、昭和3～15年滞欧。11年小磯良平、内田巌らと新制作派協会設立。27～51年渡米。平成3年丸亀市猪熊弦一郎現代美術館開館。

伊庭伝治郎（いばでんじろう）
明治34年（1901）滋賀～昭和42年（1967）京都。大正12年関西美術院、15年太平洋画会研究所で学ぶ。昭和2年二科展初入選。3年全関西洋画協会会員。18年二科30周年記念賞、会員（後理事）。京都市立美大教授。

伊原宇三郎（いはらうさぶろう）
明治27年（1894）徳島～昭和51年（1976）。東美校洋画科卒。大正14～18年仏留学。昭和4・5・7年帝展特選。日展理事。

今井繁三郎（いまいしげざぶろう）
明治43年（1910）山形～平成14年（2002）山形。芝絵画研究所で学ぶ。美術雑誌「美之国」編集に携わり、昭和12年自由美術家協会発足に参加（30年退会）。51年～光陽会に参加、委員。O美術館、山形美術館他で個展多数。

今井俊満（いまいとしみつ）
昭和3年（1928）京都市～平成14年（2002）東京。昭和23年旧制武蔵高校文科卒。荻太郎に師事。27年渡仏。アンフォルメル運動の中心となり日本の戦後美術に多大な影響を与えた。37年現代日本美術展優秀賞。ヴェニス、サンパウロ・ビエンナーレ等出品。平成9年仏芸術文化勲章。30年代末に琳派的作品、晩年はポップへ画風を大胆に変えた。

今井ロヂン（いまいろぢん）
明治42年（1909）愛媛～平成6年（1994）。太平洋美術学校卒。藤田嗣治に師事。二科会会員。

今関啓司（いまぜきけいじ）
明治26年（1893）千葉～昭和21年（1946）茂原市。再興日本美術院研究所で学ぶ。院展樗牛賞。文展出品。大正11年春陽会創立に際し客員、13年会員。

今西中通（いまにしちゅうつう）
明治41年（1908）高知～昭和22年（1947）。本名忠通。昭和2年川端画学校、後1930年協会研究所で学び、5年～独立美術研究所で前田寛治、里見勝蔵らに師事。6年第1回独立展出品、10年D氏賞、22年会員に推挙されるが、同年逝去。

伊牟田經正（いむたつねまさ）
昭和9年（1934）鹿児島～平成30年（2018）千葉。昭和28年光風会美術研究所等に学ぶ。日展特選2回、審査3回。光風会特別記念賞2・つばき賞。昭和会展林武賞。安井賞展入13。日展会員、光風会名誉会員、千葉県教育功労者。

岩井弥一郎（いわいやいちろう）
明治31年（1898）埼玉～昭和43年（1968）東京。牧野虎雄に師事。槐樹社出品。昭和8年旺玄社創立委員。後一線美術会創立、代表委員。日展評議員。

岩織治（いわおりいさお）
昭和4年（1929）八戸市〜平成11年（1999）東京。寺内萬治郎、田中佐一郎に師事。自由美術家協会会員を経て、昭和39年主体美術協会創立に参加、以後会員。

岩下三四（いわしたみつし）
明治40年（1907）鹿児島市〜平成12年（2000）鹿児島市。鹿児島師範卒。熊岡美彦に師事。昭和8年帝展初入選後、文展・日展入選。特選、朝倉賞等受賞。57年日展参与。南日本文化賞受賞。東光会理事。鹿児島大教授。

岩田榮吉（いわたえいきち）
昭和4年（1929）東京〜昭和57年（1982）パリ。昭和32年東京藝大専攻科修。仏政府給費留学生として渡仏、パリ国立美術学校で学び、サロン・コンパレゾン等出品。国際形象展、安井賞展、具象現代展等出品。

印藤真楯（いんどうまたて）
文久元年（1861）〜大正3年（1914）。明治5〜10年川上冬崖の聴香読画館で学ぶ。9年工部美術学校入学、11年連袂退学して浅井忠、小山正太郎らと十一会結成。13年塾丹青舎創設。14年内国勧業博覧会で褒状、23年2等賞受賞。

上田哲農（うえだてつのう）
明治44年（1911）中国天津〜昭和45年（1970）。本名徹雄。昭和9年文化学院美術部卒。22年水彩連盟展水彩連盟賞、会員。25年一水会展一水会賞、26年会員（43年委員）。日展特選（39年会員）。日本山岳会会員で登山家としても著名。

上野誠（うえのまこと）
明治42年（1909）長野〜昭和55年（1980）松戸市。昭和7年東美校中退、木版画を始め12年国展初入選。日本アンデパンダン、東京国際版画ビエンナーレ等出品。24年日本版画運動協会創立会員。33年日本版画協会会員。34年ライプツィヒ国際書籍美術版画展金賞。49〜53年美術家平和会議代表委員。

上野實（うえのみのる）
昭和3年（1928）富山〜平成14年（2002）千葉。昭和31年自由美術家協会会員。39年主体美術協会、平成7年新作家美術協会創立に参加、委員。

上野山清貢（うえのやまきよつぐ）
明治22年（1889）北海道〜昭和35年（1960）東京。明治45年太平洋画会で学ぶ。大正13年帝展初入選。14年〜連続3回槐樹社賞。15〜連続3回帝展特選。昭和4年武蔵野洋画研究所開設。8年牧野虎雄主導の旺玄会、20年全道美術協会に参画。25年一線美術創立。

上原欣二（うえはらきんじ）
大正4年（1915）〜平成13年（2001）。中川一政に師事。春陽会賞、文展岡田賞等受賞。春陽会会員。

上前智祐（うえまえちゆう）
大正9年（1920）京都〜平成30年（2018）兵庫。黒田重太郎、吉原治良に師事。22年二紀展初入選。29年具体美術協会創立に参加。29〜45年モダンアート展出品、32年新人賞。平成11年紺綬褒章、兵庫県文化賞、27年神戸市文化賞。

浮田克躬（うきたかつみ）
昭和5年（1930）東京〜平成元年（1989）東京。小林萬吾に学ぶ。昭和25年東美校（安井教室）卒。一水会展、日展を中心に発表。33・42年日展特選、51年会員、56年会員賞、63年内閣総理大臣賞。34年一水会会員。43年昭和会賞。61年宮本三郎記念賞。

宇佐美圭司（うさみけいじ）
昭和15年（1940）大阪〜平成24年（2012）福井。高校卒業後上京。38年南画廊で初個展。41年以降「投げる」「走る」「かがむ」「たじろぐ」の4種の人型を配置し、グラデーションの独特な幾何学的作品を制作。45年大阪万博鉄鋼館美術監督。47年ヴェネツィア・ビエンナーレ日本代表。平成元年日本芸術大賞。4年福井県越前町に移住。14年芸術選奨文部大臣賞。セゾン美術館、福井県立美術館、大岡信ことば館等個展多数。武蔵野美大、京都市立芸大教授を務めたほか、『絵画論』等著書多数。

牛島憲之（うしじまのりゆき）
明治33年（1900）熊本〜平成9年（1997）東京。昭和2年東美校卒。帝展、日展に出品。24年須田寿らと立軌会創立。44年芸術選奨文部大臣賞。56年日本藝術院会員。57年文化功労者。58年文化勲章受章。東京藝大教授。

宇治山哲平（うじやまてっぺい）
明治43年（1910）日田市〜昭和61年（1986）別府市。本名哲夫。昭和6年日田工芸学校卒。7年日本版画協会展初入選。13年造型版画協会会員。14年〜国画会展に油彩画を出品、19年会員。46年毎日芸術賞。48

年西日本文化賞。別府大学教授。日田市に宇治山哲平美術館開館。

内田巌（うちだいわお）
明治33年（1900）東京～昭和28年（1953）。大正15年東美校卒。帝展、光風会展出品。昭和11年同志らと新制作派協会創立。

内田武夫（うちだたけお）
大正2年（1913）東京～平成12年（2000）横浜市。昭和13年帝国美術学校西洋画科卒。12～14年新制作展3回連続新作家賞、16年会員。28年～武蔵野美大で指導（53～56年油絵学科主任教授、59年退任、名誉教授）。平成5年小山敬三美術賞。

内間安瑆（うちまあんせい）
大正10年（1921）米Cal.州～平成12年（2000）NY市。昭和15年早稲田大留学、油彩を学んだ後、恩地孝四郎に師事。35年NY移住。35・37年グッゲンハイム・フェローシップ版画部門受賞。32年サンパウロ、45年ヴェネチア両ビエンナーレ出品。米版画協会会員。日本版画協会名誉会員。サラ・ローレンス大学、コロンビア大学教授。メトロポリタン美術館、東京国立近代美術館等作品収蔵。

内間俊子（うちまとしこ）
大正7年（1918）満州～平成12年（2000）米NY。夫は内間安瑆。小磯良平に師事。昭和27・28年読売アンデパンダン展、33年グレンヘン国際版画展（スイス）、41年ハンプトンインスティテュート美術館コレクション展（NY）等出品。35年～NY在住。

梅津五郎（うめづごろう）
大正9年（1920）山形～平成15年（2003）東京。森田茂に師事。その紹介で熊岡美彦絵画道場入門。昭和37年仏留学、翌年サロン・デ・ボザール出品。18年東光展初入選、24年会員、55年常務理事、平成7年文部大臣奨励賞、13年理事長。昭和21年日展初入選、31・39年特選、52年～審査員6回、53年会員、平成2年評議員、13年参与。

梅原龍三郎（うめはらりゅうざぶろう）
明治21年（1888）京都市～昭和61年（1986）東京。本名良三郎。浅井忠の聖護院洋画研究所で学ぶ。41～大正2年渡仏、アカデミー・ジュリアンに入学したがルノワールに師事。3年二科会創立に参加（後退会）。9年再渡仏、帰国後春陽会創立に参加。15年国画創作協会洋画部創設。昭和14～17年中国北京滞在。10年帝国美術院会員（32年辞退）。19～27年東美校教授。帝室技芸員。27年文化勲章。

浦崎永錫（うらさきえいしゃく）
明治33年（1900）沖縄県那覇～平成3年（1991）東京。大正10年川端画学校で学ぶ。昭和5年雑誌『美術界』刊行。6年大潮会結成、後会長。『日本近代美術発達史・明治篇』を著した。

漆原木虫（うるしばらもくちゅう）
明治21年（1888）東京～昭和28年（1953）。本名由次郎。木版技術に秀で、渡英。43年日英博覧会で木版の実演を行う。昭和9年帰国。

瑛九（えいきゅう）
明治44年（1911）宮崎～昭和35年（1960）浦和市。本名杉田秀夫。大正14年日本美術学校洋画科入学、昭和2年中退。5年フォトグラムの制作、写真評論を始める。11年瑛九の名でフォト・デッサン発表。新時代展同人。12年自由美術家協会結成に参加、翌年退会するが24年に復帰。26年デモクラート美術協会結成。リトグラフ制作を始める。前衛美術運動に強い影響を与えた。

江崎寛友（えざきひろとも）
明治43年（1910）岐阜～昭和59年（1984）東京。不同舎で学び中村不折、石井柏亭に師事。昭和9年太平洋画会会員。22年示現会創立に参加、後理事。33年新日展特選。

江藤純平（えとうじゅんぺい）
明治31年（1898）大分～昭和62年（1987）東京。大正12年東美校卒。岡田三郎助に師事。昭和3・4・8年帝展特選。日展、光風会展出品。44年日展総理大臣賞、48年監事。光風会名誉会員。

江藤哲（えとうてつ）
明治42年（1909）大分～平成3年（1991）鹿児島。昭和8年熊岡絵画道場入門。帝展初入選。9年東光展入選、14年会員。22年日展特選、40年会員、53年評議員、55年総理大臣賞。52年東光会副理事長。

榎倉康二（えのくらこうじ）
昭和17年（1942）東京～平成8年（1996）。父は二科・行動で活動した前衛画家榎倉省吾。41年東京藝大油画科卒。46年パリ青年ビエンナーレ留学賞。47～48年パリ滞在。49年西独留学。54年東京国際版画ビエンナーレ東京都美術館賞。59年パリ個展。

蛯子善悦（えびこぜんえつ）
昭和7年（1932）北海道稚内～平成5年（1993）パリ。昭和32年武蔵野美校卒。37年国展出品、38年国画会賞、41年会員。47年渡仏。60年サロン・ドートンヌ会員。

海老原喜之助（えびはらきのすけ）
明治37年（1904）鹿児島市～昭和45年（1970）パリ。大正11年川端画学校で学ぶ。12～昭和8年滞仏。藤田嗣治の薫陶を受けた。10年独立展最優秀賞。35年第1回毎日芸術賞。37年国際形象展同人。39年芸術選奨文部大臣賞受賞。

江見絹子（えみきぬこ）
大正12年（1923）明石市～平成27年（2015）横浜市。本名荻野絹子。長女は作家の荻野アンナ。昭和16年伊川寛に学び、20～24年神戸市立洋画研究所に在籍。24年行動展初出品。奨励賞・新人賞・行動美術賞受賞、28年会員推挙。27年女流画家協会会員推挙。28年渡米、翌年パリに移り、30年まで滞在。31・33年シェル展3等賞。33年ピッツバーグ国際展、35年グッゲンハイム国際美術賞展、37年ヴェネチアビエンナーレ等国際展に参加。59年地域文化功労者文部大臣表彰。50年以降四大元素をモチーフに宇宙的抽象画を展開。横浜市民ギャラリー、神奈川県立近代美術館（鎌倉）で展覧会開催。

円地信二（えんちしんじ）
大正14年（1925）小松市～平成27年（2015）金沢市。金沢美術工芸専門学校卒。中村研一、高光一也に師事。昭和25年日展初入選、38・47年特選、審査員2、光風会展文部大臣賞・中沢賞等受賞4。58年北國文化賞、平成8年金沢市文化賞受賞。日展会員・光風会名誉会員。金沢美術工芸大学や金城大学で教授として後進を指導。石川県立美術館他作品所蔵。

大内田茂士（おおうちだしげし）
大正2年（1913）福岡～平成6年（1994）東京。昭和8年髙島野十郎に師事、12年新宿絵画研究所で学ぶ。14年光風会展、21年日展初入選。23年示現会創立会員。39年日展会員、59年総理大臣賞。63年日本藝術院賞恩賜賞、平成2年同会員。日展常務理事、示現会理事長。

大國章夫（おおくにあきお）
大正12年（1923）満州～平成18年（2006）東京。猪熊弦一郎に師事。昭和24年新制作展初入選、27年新作家賞、40年会員。安井賞展、日本秀作美術展等出品。62年知事褒賞、平成8年出雲市文化功労賞。島根県立美術館、参議院、東京都美術館等作品収蔵。新制作協会会員、日本ガラス絵協会会員。

大久保作次郎（おおくぼさくじろう）
明治23年（1890）大阪市～昭和48年（1973）東京。大正4年東美校卒、7年研究科修。4年～文展で連続3回特選。12年仏留学、昭和2年帰国。後帝展、新文展審査員。35年日本藝術院賞、38年同会員。

大久保実雄（おおくぼじつお）
明治44年（1911）佐賀～昭和52年（1977）東京。昭和9年帝国美術学校本科西洋画科卒。12年独立展初入選。25年～二紀展出品、36年委員、47年理事。武蔵野美大評議員歴任。

大久保泰（おおくぼたい）
明治38年（1905）豊橋市～平成元年（1989）東京。昭和3年早稲田大学卒。6年欧米留学、翌年帰国、児島善三郎に師事。22年独立展独立賞、24年岡田賞、25年独立美術協会会員。

大河内信敬（おおこうちのぶたか）
明治36年（1903）東京～昭和42年（1967）。明治大学卒。太平洋画会研究所で学ぶ。岡田三郎助にも習う。昭和6年本郷洋画研究所で学ぶ。8年帝展初入選。9年光風会展受賞。12年渡欧。15年光風会会員。22年新樹会結成。23年光風会展岡田賞。

大里光春（おおさとみつはる）
大正14年（1925）川口市～平成17年（2005）。昭和24年東京高師芸能科卒。26～36年読売アンデパンダン7、32年第1回アジア青年美術家展出品。37年新制作展初出品、新作家賞2、53年会員。60年ファナック本社壁画制作。東京国際美術館他個展。

大沢昌助（おおさわしょうすけ）
明治36年（1903）東京～平成9年（1997）東京。昭和3年東美校卒。4年二科展初入選、17年二科賞、18年会員。日本国際美術展、国際形象展等出品。29年～多摩美大教授。57年二科会退会。個展、美術館企画展等多数。

大下藤次郎（おおしたとうじろう）
明治3年（1870）東京～明治44年（1911）東京。水彩画家。中丸精十郎に師事。明治31年欧州遊学。34年『水彩画の栞』、38年『みづゑ』創刊。40年日本水彩画会研究所設立。

太田喜二郎（おおたきじろう）
明治16年（1883）京都～昭和26年（1951）京都。明治

41年東美校卒。大正3年〜文展出品。帝展、日展で審査員歴任。

大津鎮雄（おおつしずお）
大正9年（1920）東京〜平成20年（2008）。昭和12年一水会展初入選、戦後安井曾太郎に師事。24年日展初入選。一水会展（一水会賞、優賞）、日展（菊華賞、岡田賞、文部大臣賞）で一水会運営委員、日展参与歴任。平成12年小山敬三美術賞、13年勲四等瑞宝章。40歳で渡欧以降欧州風景を描いた。

大西弘之（おおにしひろゆき）
大正6年（1917）奈良〜平成29年（2017）。帝国美術学校卒業。清水多嘉示に師事。美術文化協会元代表・名誉会員、日本ガラス絵協会会員。

大沼静巌（おおぬまじょうごん）
明治32年（1899）福井〜昭和58年（1983）東京。太平洋画会研究所で学ぶ。石川寅治、中村不折に師事。昭和22年示現会創立会員。日展会員。大沼映夫の父。

大野五郎（おおのごろう）
明治43年（1910）東京〜平成18年（2006）。川端画学校修。1930年協会美術研究所に入所、里見勝蔵に師事、フォーヴィスムを知る。昭和5年1930年協会展協会賞、6年独立展O氏賞受賞。独立展準会員、自由美術家協会を経て39年主体美術協会結成。

大野幸彦（おおのさちひこ）
安政6年（1859）鹿児島〜明治25年（1892）東京。旧姓曾山。明治11年工部美術学校でサンジョバンニに師事。工部大学校助教授の傍ら私塾で多くの人材を輩出。死後私塾は大幸館と称し継承された。

大野隆徳（おおのたかのり）
明治19年（1886）千葉〜昭和20年（1945）。東美校で和田英作、長原孝太郎に師事。文展・帝展で特選。大正11年渡欧、サロン・ナショナル・ボザール入選。帰国後、光風会会員。

大森啓助（おおもりけいすけ）
明治31年（1898）神戸市〜昭和62年（1987）東京。本名多満四郎。川端画学校で学ぶ。大正9年金山平三に師事。15〜昭和7年渡欧。サロン・ドートンヌ出品。9年春陽会展春陽会賞、会友。11年国画会に移り、17年会員。

大森朔衛（おおもりさくえ）
大正8年（1919）香川〜平成13年（2001）東京。猪熊弦一郎に師事。昭和16年日本美術学校卒。25年モダンアート協会創立会員。34年〜行動美術協会会員（平成11年退会）。35年現代日本美術展K氏賞。武蔵野美大教授を10年間務める。

大藪雅孝（おおやぶまさたか）
昭和12年（1937）ソウル〜平成28年（2016）。昭和35年東京藝術大学工芸科図案計画卒業。37年シェル美術賞展佳作賞。54年明日への具象展招待出品。57年東京藝術大学美術学部デザイン科助教授、平成2〜16年教授（後に名誉教授）。横の会展招待出品他個展開催、グループ展参加多数。

岡鹿之助（おかしかのすけ）
明治31年（1898）東京〜昭和53年（1978）東京。岡田三郎助に師事。大正13年東美校卒。昭和14年まで滞仏、サロン・ドートンヌ会員。帰国後春陽会会員。27年芸術選奨文部大臣賞。32年毎日美術賞。39年日本藝術院賞、44年同会員。47年文化勲章。

岡精一（おかせいいち）
明治元年（1868）東京〜昭和19年（1944）東京。浅井忠や本多錦吉郎に学び、後不同舎で小山正太郎に学ぶ。明治36年渡仏、J・P・ローランスに師事。帰国後、太平洋画会で活躍。

岡田謙三（おかだけんぞう）
明治35年（1902）横浜市〜昭和57年（1982）東京。大正11年東美校に入学するが中退、13〜昭和2年仏留学。4年〜二科展出品、12年会員。25年渡米、以後NY在住。ヴェネチア、サンパウロ両ビエンナーレ展受賞。42年毎日芸術賞。日本的感性の非具象的作風がユーゲニズムとして評価された。

岡田三郎助（おかださぶろうすけ）
明治2年（1869）佐賀〜昭和14年（1939）東京。明治20年大野幸彦の画塾に入る。22年明治美術会会員。27年天真道場入門、黒田清輝に学び、29年白馬会創立参加。同年東美校助教授（35年教授）。30〜35年第1回文部省留学生として渡仏、R・コランに師事。40年東京勧業博覧会1等賞。文展等審査員歴任。45年本郷洋画研究所創設。大正8年帝国美術院会員。昭和9年帝室技芸員。12年文化勲章。

岡田節子（おかだせつこ）
大正6年（1917）宮城〜平成20年（2008）。昭和12年女子美専高等科西洋画部卒。22年女流画家協会創立会員、T氏賞・毎日新聞社賞等受賞、後委員。30年〜文部省給費留学で1年半渡仏。27年女子美大助教授、教授を経て名誉教授。平成6年紺綬褒章。

岡田徹（おかだてつ）
大正3年（1914）名古屋市〜平成19年（2007）。昭和14年美術文化協会創立に参加、23年会員推挙。会員努力賞・美術文化賞等受賞、長く代表を務める。40年日米加文化親善使節団長、以降度々渡欧米。戦後、児童美術教育に尽力。60年『子供たちからの赤信号』刊行。平成9年岡田徹絵画館開館。

岡田又三郎（おかだまたさぶろう）
大正3年（1914）東京〜昭和59年（1984）軽井沢。昭和13年東美校卒。21年日展入選、28年特選・朝倉賞。35〜38年渡仏、ル・サロン展銀賞・金賞、仏アカデミー賞受賞。46年藝術選奨文部大臣賞、51年日本藝術院賞。日展理事、光風会評議員。

緒方亮平（おがたりょうへい）
明治34年（1901）広島〜昭和54年（1979）東京。本名勝。本郷洋画研究所で岡田三郎助に師事。昭和2年帝展初入選、9年特選。光風会理事、日展参事。

岡野栄（おかのさかえ）
明治13年（1880）東京〜昭和17年（1942）。白馬会研究所で黒田清輝に学ぶ。明治35年東美校卒。大正元年中沢弘光、三宅克己らと光風会創立。

岡本一平（おかもといっぺい）
明治19年（1886）函館市〜昭和23年（1948）。東美校西洋画科卒。明治44年文展入選。芸術性の高い風刺のきいた漫画を描いた。岡本太郎の父。

岡本帰一（おかもときいち）
明治21年（1888）兵庫〜昭和5年（1930）。葵橋洋画研究所で黒田清輝に師事。43年白馬会展、45年フュウザン会出品。日本創作版画協会展出品。

岡本太郎（おかもとたろう）
明治44年（1911）川崎市〜平成8年（1996）東京。父一平、母かの子。昭和4年東美校に入学するが半年で退学し渡仏、パリ大学で人類学や哲学を学び、前衛芸術に参加、シュルレアリスムの画風を展開。15〜36年二科会所属。21年頃グループ「夜の会」結成。戦後日本の前衛美術の旗手として活躍。45年大阪万博「太陽の塔」制作。

岡本唐貴（おかもととうき）
明治36年（1903）倉敷市〜昭和61年（1986）東京。本名登喜男。大正12年東美校彫刻科中退。11年二科展初入選。13年アクションに参加。三科、造型の他昭和4年プロレタリア美術同盟設立に参加。21年現実会や日本美術会創立会員。37年全ソ美術家同盟の招待で訪ソ。長男は漫画家白土三平。

岡本半三（おかもとはんぞう）
大正14年（1925）東京〜平成24年（2012）神奈川。昭和9〜13年奥村土牛に学ぶ。東京帝大美学美術史学科入学、入隊・罹病を挟み25年東大大学院修了。27〜34年仏留学、パリを拠点に欧州巡遊。アンデパンダン展（仏政府買上げ）、サロン・ダルト・リブレ（33年奨励賞）等出品。帰国後大江健三郎『孤独な青年の休暇』、福永武彦『廃市』等の装丁を100冊以上手がける。安井賞候補新人展、五都展（53〜60年）、現美展（61〜平成5年）等出品。

小川博史（おがわひろし）
大正2年（1913）愛知〜平成22年（2010）愛知。鬼頭鍋三郎・辻永に師事。昭和16年〜光風会展出品、57年辻永記念賞。11年文展初入選、18年岡田賞。24年日展特選、37年菊華賞、平成元年文部大臣賞。紺綬褒章、勲四等瑞宝章。名古屋市総合体育館壁画制作。

小川マリ（おがわまり）
明治34年（1901）札幌市〜平成18年（2006）東京。本名三雲マリ。東京女子大卒業後、絵を始める。三雲祥之助と結婚、全道展創立に参加。平成16年道立近代美術館で回顧展。

荻太郎（おぎたろう）
大正4年（1915）愛知〜平成21年（2009）東京。昭和14年東美校油画科卒。同年新制作展新作家賞、22年会員推挙。カーネギー国際展、ピッツバーグ国際美術展、日本秀作美術展等出品。56年長谷川仁記念賞、63年小山敬三美術賞、平成15年中村彝賞受賞。個展多数。大阪ホテル・エコーや岡崎商工会議所等に壁画制作。

荻須高徳（おぎすたかのり）
明治34年（1901）稲沢市〜昭和61年（1986）パリ。大正10年川端画学校で学び、11年東美校入学、藤島武二に師事。昭和2年卒業、仏留学。15年帰国、新制作派協会会員。23年戦後日本人画家初の渡仏。以後パリで制作。29年毎日美術賞。31年レジオン・ドヌール勲章。37年国際形象展創立同人。47年中日文化賞。48年パリ市よりヴェルメイユメダル授与。52年サロン・ナショナル・デ・ボザール会員。56年文化功労者。61年没後に文化勲章。

荻野康児（おぎのこうじ）
明治30年（1897）横浜市～昭和48年（1973）東京。京美工中退。川端画学校で学ぶ。昭和9年日本水彩画会会員。一時二科展に出品。15年水彩連盟創立。30年一陽会創立会員。長野県文化賞。

奥龍之介（おくりゅうのすけ）
大正12年（1923）東京～昭和61年（1986）。本名龍雄。東美校油画科中退。伊原宇三郎に師事。光陽会運営委員。

奥瀬英三（おくせえいぞう）
明治24年（1891）三重～昭和50年（1975）埼玉。明治45年太平洋画会研究所で中村不折に師事。大正3年文展初入選。6年太平洋画会会員。13年槐樹社結成。14～昭和2年帝展で3年連続特選。10年二部会に会員として参加。22年示現会創立会員、後代表。33年日展評議員、45年参与。35年埼玉文化賞。

奥村光正（おくむらみつまさ）
昭和17年（1942）長野～平成9年（1997）パリ。昭和44年東京藝大大学院修。42年新制作展初出品、43～46年連続新作家賞。47年渡仏、パリで制作、国際形象展毎年出品。53年昭和会賞受賞。54年安井賞展、明日への具象展等出品。日動画廊（東京・名古屋・大阪・パリ）で個展。

刑部人（おさかべじん）
明治39年（1906）栃木～昭和53年（1978）東京。昭和4年東美校卒。和田英作に指導を受ける。3年帝展初入選。21・23年日展特選。33年新世紀美術協会委員。43年日展会員。

尾崎正章（おざきまさあき）
明治45年（1912）山口～平成13年（2001）山口。昭和16年一水会展初出品。18年安井曾太郎に師事。24年一水会会員、35年委員、43年常任委員。35年日展特選、53年会員、58年会員賞。日展参与、一水会運営委員。

織田一磨（おだかずま）
明治15年（1882）東京～昭和31年（1956）東京。兄は洋画家織田東禹。川村清雄に洋画を、金子政次郎に石版画を学ぶ。32年京都新古美術展1等賞。42年パンの会会員。『方寸』同人。大正7年日本創作版画協会、昭和4年洋風版画協会創立。6年両協会を合同発展し日本版画協会創立に参加。11年～新文展出品。28年織田石版術研究所開設。

織田廣喜（おだひろき）
大正3年（1914）福岡～平成24年（2012）東京。日本美術学校卒。二科展二科賞・会員努力賞・総理大臣賞・東郷青児賞。平成6年日本藝術院賞・恩賜賞、翌年同会員。15年仏芸術文化賞シュヴァリエ受章。18年二科会理事長就任、後名誉理事長。独特のペーソス漂うアンニュイな女性像で人気を博した。

織田広比古（おだひろひこ）
昭和28年（1953）東京～平成21年（2009）東京。父は洋画家織田廣喜。昭和51年東京造形大卒。59年日伯美術展日伯賞、60年MOA美術館賞受賞。63年上野の森絵画大賞展受賞。61年二科展初出品・特選、63年パリ賞、平成6年会友賞、8年会員推挙、13年会員賞。三越本店他全国で個展多数。

尾田龍（おだりゅう）
明治39年（1906）姫路市～平成4年（1992）東京。大正14年上京、川端画学校入学。昭和3～12年二科展、1930年協会展入選。国際美術協会展協会賞。6年東美校卒。15年～国展出品、27年会員。48～57年姫路学院女子大学教授。50年兵庫県文化賞。

小野幸吉（おのこうきち）
明治42年（1909）酒田市～昭和5年（1930）。大正14年上京、太平洋画会研究所で学ぶ。高間惣七、上野山清貢に師事。昭和3年1930年協会研究所で学ぶ。4年槐樹社展、1930年協会展入選。

小野州一（おのしゅういち）
昭和2年（1927）北海道～平成12年（2000）北海道。サンケイ児童出版文化賞、道立近代美術館賞等受賞。倉本聰の作品等を装丁。元自由美術協会会員。

小野末（おのすえ）
明治43年（1910）新潟市～昭和60年（1985）東京。安井曾太郎に師事。13年一水会展出品、18年一水会賞、23年一水会優賞。国際形象展出品。26年一水会委員。32年安井賞展運営委員会評議員等歴任。

小野忠重（おのただしげ）
明治42年（1909）東京～平成2年（1990）東京。本郷洋画研究所で学ぶ。昭和7年新版画集団結成。11年日本版画協会展、協会賞。12年造型版画協会創立。東光展、国展、新制作展出品。戦後東京国際版画ビエンナーレ展等出品。版画史研究でも著名。

小野忠弘（おのただひろ）
大正2年（1912）青森～平成13年（2001）福井。昭和13

年東美校彫刻科卒。32年ユネスコ文化賞受賞。35年ヴェネチア・ビエンナーレ出品。米ライフ誌上で「現代美術分野の世界の7人」に選出。

小野木学（おのぎまなぶ）
大正13年（1924）東京～昭和51年（1976）東京。独学で洋画を学ぶ。昭和28年自由美術家協会展初入選、33年会員。34年シェル美術賞展第2席。38年無所属。シルクスクリーン。43年東京国際版画ビエンナーレ、44年リュブリアナ国際版画展出品。

オノサト・トシノブ（おのさととしのぶ）
明治45年（1912）飯田市～昭和61年（1986）桐生市。本名小野里利信。津田青楓画塾で学ぶ。昭和10年二科展入選。12年自由美術家協会創立に参加、24年会員。38年日本国際美術展最優秀賞受賞。

小野里理平（おのざとりへい）
大正12年（1923）栃木～平成30年（2018）。昭和18年早稲田高工卒業。23年シベリア抑留より帰還。石井鶴三、小山良修に師事。平成3年日本水彩展会員奨励賞、審査員、監事。11年画集刊行（生活の友社）。日本水彩画会会員、日本美術会会員。

小山田二郎（おやまだじろう）
大正3年（1914）中国～平成3年（1991）。昭和11年帝国美術学校本科中退。12年独立展、15年美術文化展出品。22～34年自由美術家協会会員。日本国際美術展、現代日本美術展、32年サンパウロ・ビエンナーレ等出品。

恩地孝四郎（おんちこうしろう）
明治24年（1891）東京～昭和30年（1955）東京。明治42年白馬会葵橋洋画研究所で学ぶ。43年東美校入学、大正4年中退。在学中の3年田中恭吉、藤森静雄と『月映』創刊。6年萩原朔太郎『月に吠える』の装丁と挿絵を担当。7年日本創作版画協会創立に参加。昭和2年帝展入選。6年日本版画協会創立に参加、常務委員。11年国画会会員。

甲斐仁代（かいひとよ）
明治35年（1902）佐賀市～昭和38年（1963）東京。大正8年女子美術学校入学。岡田三郎助に師事。昭和12年二科展に女性初の入選。一水会にも出品、22年会員、30年会員優賞。32年～日展出品。

加賀美勣（かがみいさお）
昭和14年（1939）甲府～平成11年（1999）。昭和40年東京藝大大学院修、大橋賞。41年国展初出品、国画賞・40周念記念賞。42年国画賞、43年会員。46～47年愛知芸大在外研修員で欧米留学（平成4年同大教授）。44年十騎会、49年黎の会結成参加。

郭仁植（かくいんしく）
大正8年（1919）大韓民国～昭和63年（1988）東京。19歳で来日。昭和16年独立展初入選。32年美術文化展出品。32～34年エコール・ド・トーキョー参加。以後無所属。もの派の先駆的作品を制作。44年サンパウロ、51年シドニー両ビエンナーレ代表。

葛西四雄（かさいよつお）
大正14年（1925）青森～平成2年（1990）東京。昭和33年～示現会展出品。46・53年日展特選。示現会理事。日展会員。

風間完（かざまかん）
大正8年（1919）東京京橋～平成15年（2003）東京京橋。昭和18年油彩で新制作展初入選、29年会員。32～33年パリ留学。44年「週刊現代」連載の五木寛之著『青春の門』以後新聞や雑誌で司馬遼太郎、向田邦子、遠藤周作らの小説挿絵を手がける。平成14年菊池寛賞。

梶進（かじすすむ）
大正4年（1915）東京～平成3年（1991）。昭和16年東美校油画科卒。藤島武二に師事。35年光風会会員。日展会友。

柏原覚太郎（かしわはらかくたろう）
明治34年（1901）高松市～昭和52年（1977）。大正12年東美校卒。昭和2年二科展入選、12年会友、17年会員。20年向井潤吉らと行動美術協会創立、会員。

春日部たすく（かすかべたすく）
明治36年（1903）会津若松市～昭和60年（1985）。本名弼。大正13年川端画学校で学ぶ。昭和3年日本水彩画会展初入選、後会員。4年帝展初入選。以後帝展、新文展に出品。15年渡部菊二、荒谷直之介らと水彩連盟創立、18年みづゑ賞。日本山岳画協会会員、日本ガラス絵協会会員。

春日部洋（かすかべひろし）
昭和5年（1930）東京～平成10年（1998）。昭和24年東京高等工芸学校（現千葉大）修了。30年野口弥太郎に師事。独立、水彩連盟、国際形象展出品。36～38年滞欧。38年ル・サロン受賞。45～56年パリ定住。46年サロン・ドートンヌ、54年サロン・デ・ボザール会員。49・55年ボルドー国際展、50年ツール国際展出品。52年～和の会に参加。

片岡伸介（かたおかしんすけ）
昭和10年（1935）東京～平成24年（2012）東京。日大芸術学部卒業。独立展奨励賞3・独立賞2、第1回海老原喜之助記念賞受賞。48年会員推挙。

片多徳郎（かただとくろう）
明治22年（1889）大分～昭和9年（1934）。明治40年東美校入学。在学中42年文展初入選、大正6年特選。以後帝展に出品、審査員。名古屋東別院の墓地で自殺。

香月泰男（かづきやすお）
明治44年（1911）山口県大津郡～昭和49年（1974）山口県大津郡。昭和11年東美校卒。藤島武二に師事。在学中国展受賞。14年文展特選。15年国展佐分賞、会員推挙。18年応召、敗戦後シベリア抑留、22年復員。24年以降シベリア・シリーズ制作。37年国画会退会。44年第1回日本芸術大賞受賞。

勝山海治（かつやまうみはる）
昭和10年（1935）岐阜市～平成16年（2004）。昭和25年山川利夫に師事。30年上京、楢原健三に師事。33年第1回日展入選（以後7回）。38年示現会展奨励賞、39年会員、平成12年楢原賞。

桂ゆき（かつらゆき）
大正2年（1913）東京～平成3年（1991）東京。本名雪子。アヴァンギャルド洋画研究所で学ぶ。昭和13年九室会創立。21年女流画家協会創立会員。25～36年二科会会員。31～36年渡米、アフリカ旅行。36年日本国際美術展最優秀賞。38年毎日出版文化賞。41年現代日本美術展最優秀賞。

桂川寛（かつらがわひろし）
大正13年（1924）札幌市～平成23年（2011）東京。札幌市生まれ。札幌商業学校在学中道展入選。昭和23年上京、翌年安部公房等の「世紀の会」参加、27年前衛美術会入会。28年山下菊二等と青年美術会結成。「小河内村」等先駆的ルポルタージュ。

角卓（かどたく）
昭和3年（1928）高松市～平成11年（1999）。本名成夫（しげお）。武蔵野美校卒。昭和25年光風会展初入選、32年特別賞、33年会員、45年評議員。53年退会し日洋展運営委員、後常任委員。26年日展初入選、32年特選・岡田賞、55年会員、平成4年評議員。昭和38年初渡欧、アイズピリに師事。60年国際フランス展、61年モントリオール国際展等出品。同年海外展開催（ニース、パリ等）。62年兵庫県文化賞、63年神戸市文化賞。

角浩（かどひろし）
明治42年（1909）広島県府中市～平成6年（1994）東京。昭和8年東美校卒。12年渡仏、サロン・ドートンヌ等出品。14年帰国、新制作展出品、新作家賞受賞。28年新制作協会会員。

加藤一（かとうはじめ）
大正14年（1925）東京～平成12年（2000）パリ市。昭和22～24年国体自転車競技で優勝。国際プロ自転車競技連盟副会長を務めた。33年画家を志し渡仏。光と風がモチーフのスピード感溢れる抽象。

加藤正信（かとうまさのぶ）
大正2年（1913）台湾麻豆市～平成17年（2005）。昭和6年上京、本郷絵画研究所、川端画学校で学び、7年東美校油画科入学。藤島武二に師事。12年朔日会創立に参加（後委員）、13年卒業、都庁勤務。14～18年召集。22年中学教師の傍ら朔日会復帰。平成13年朔日会展文部科学大臣奨励賞他受賞。

金沢重治（かなざわしげはる）
明治20年（1887）東京～昭和35年（1960）。明治45年東美校卒。大正3年～文展出品。13年熊岡美彦、牧野虎雄らと槐樹社結成。昭和16年創元会創立に参加。

金沢秀之助（かなざわひでのすけ）
明治28年（1895）横手市～昭和42年（1967）。東美校卒。岡田三郎助に師事。光風会に所属。昭和27年日展特選、32年審査員、41年評議員。

金守世士夫（かなもりよしお）
大正11年（1922）富山市～平成28年（2016）。版画家。棟方志功に師事。多摩帝国美術学校中退。昭和23～27年まで、志功と版画誌「越中版画」を刊行。国展、日本版画協会展、国際版画展等に出品。国画会会員、日本版画協会名誉会員。

金山平三（かなやまへいぞう）
明治16年（1883）神戸市～昭和39年（1964）東京。明治42年東美校卒。45～大正4年欧州留学。5年文展初入選・特選、6年特選。以後文展、帝展出品。昭和10年松田改組を機に画壇から離れた。

金山康喜（かなやまやすき）
大正15年（1926）富山市～昭和34年（1959）東京。昭和26年仏留学。28年サロン・ドートンヌ出品。パリ近代美術館買上げ。33年帰国。

金子國義（かねこくによし）
昭和11年（1936）埼玉～平成27年（2015）東京。昭和31年日大芸術学部入学、在学中長坂元弘（歌舞伎舞台美術家）に師事、新橋演舞場で秋の東をどり「青海波」等手がける。卒業後グラフィックデザイン会社勤務、3ヶ月で解雇。39年～独学で油彩を描き始める。41年～唐十郎の状況劇場の舞台美術を担当、女形としても出演。42年澁澤龍彦に勧められ銀座で初個展。以降個展多数開催。富士見ロマン文庫等装幀も手がけ、絵本『不思議の国のアリス』など、著書、画集多数刊行。

金子博信（かねこひろのぶ）
明治31年（1898）久留米市～昭和63年（1988）。大正13年東美校西洋画科卒。昭和3年以後二科展出品。11年一水会創立後は同展出品。16年一水会賞、会員（後常任委員）。新文展無鑑査。

金子隆一（かねこりゅういち）
昭和6年（1931）横浜市～平成23年（2011）横浜市。水船六州、成井弘に師事。33年二紀展初入選、42年同人・53年会員・平成3年委員推挙、会員賞2回。二紀選抜100人展100人展賞、会員展会員展賞等受賞。松岡美術館買上げ。岩崎ミュージアム他個展開催。

金田新治郎（かねだしんじろう）
明治35年（1902）東京～平成4年（1992）。太平洋美術学校で学ぶ。帝展、日展入選。新世紀美術協会委員。

金田辰弘（かねだたつひろ）
大正5年（1916）大阪～平成8年（1996）京都。昭和22年二紀会第1回展から入選を重ね、24年二紀賞、25年同人、29年委員（後評議員）。京都府文化賞功労賞。

狩野守（かのうまもる）
昭和4年（1929）渋川市～平成16年（2004）世田谷区。昭和31年東京教育大芸術学科卒。24年二科展初入選、41年会員、55年評議員、57年文部大臣賞。62年監事、平成6年理事、8年常務理事。昭和41年渡欧。群馬大学名誉教授。

鹿子木孟郎（かのこぎたけしろう）
明治7年（1874）岡山～昭和16年（1941）京都。松原三五郎に師事、後小山正太郎に学ぶ。欧米遊学、ジャン・P・ローランスに師事。高等工芸学校講師、関西美術院院長。

彼末宏（かのすえひろし）
昭和2年（1927）東京～平成3年（1991）東京。昭和27年東美校油画科（梅原教室）首席卒。29年国展出品、新人賞、32年国画会賞。33年西欧学芸研究所より奨学金を受け渡欧。35年国画会会友賞、会員推挙。55年東京藝大教授。

上島一司（かみじまいっし）
大正9年（1920）高知～平成6年（1994）奈良。寺内萬治郎に師事。昭和19年東美校図画師範科卒。22年日展初入選。26～42年光風会会員。35年渡欧。日展評議員。日洋会委員。

上田保隆（かみたやすたか）
昭和12年（1937）三重県伊賀市～平成31年（2019）。鍋井克之・森本健二に師事。昭和36年関西学院大学美学科卒。61年二紀会会員。二紀展会員賞・宮永賞他。大阪成蹊女子短大・大阪成蹊大学教授（～平成18年）。池田市美術協会名誉会長、三重県洋画協会会長も務める。

亀井至一（かめいしいち）
天保14年（1843）江戸～明治38年（1905）。旧姓北島。弟は洋画家亀井竹次郎。横山松三郎に学ぶ。明治7年玄々堂で石版画を始める。10年～内国勧業博覧会出品。22年明治美術会創立に参加。

亀高文子（かめたかふみこ）
明治19年（1886）横浜市～昭和52年（1977）西宮市。旧姓渡辺ふみ。父は水彩画家渡辺豊太郎。明治40年女子美術学校高等科卒。満谷国四郎に師事。太平洋画会研究所で中村不折にデッサンを学ぶ。40年東京府勧業博覧会、41年太平洋画会展出品。42年文展褒状。以後文展、帝展出品。大正7～昭和4年朱葉会創立、出品。15年赤艸社女子絵画研究所開設。37年兵庫県文化賞。46年西宮市民文化賞。

鴨居玲（かもいれい）
昭和3年（1928）～昭和60年（1985）。金沢（一説に1927年大阪）に生まれ神戸で自殺。昭和25年金沢美工大卒。29·33年二紀展同人努力賞。34～36年パリ、40～41年南米・欧州、46年～スペイン、49年～パリに滞在し52年帰国。37年シェル美術賞展佳作賞、44年昭和会展優秀賞、同年安井賞。48年二紀展文部大臣賞。57年二紀会委員を経て、同会退会。

加山四郎（かやましろう）
明治33年（1900）横浜市～昭和47年（1972）東京。大正10年東美校西洋画科中退。15年～春陽会展出品、

昭和3年会員。2年東美校再入学、卒業。5〜8年渡仏。アカデミー・ジュリアンで学ぶ。14年春陽会会員。

栢森義（かやもりよし）
明治34年（1901）新潟〜平成4年（1992）東京。本名政義。大正10年本郷洋画研究所で岡田三郎助に師事。15年1930年協会展、昭和2年帝展初入選。新文展入選、8〜24年光風会展出品。31年新世紀美術協会創立委員、黒田賞、大久保賞、和田賞等受賞。

河合新蔵（かわいしんぞう）
慶応3年（1867）大阪〜昭和11年（1936）。鈴木雷斎や前田吉彦に指導を受け、上京して五姓田芳柳に入門。後小山正太郎の不同舎で学ぶ。明治34年渡仏、アカデミー・ジュリアンで学ぶ。40年日本水彩画研究所創設。文展、関西美術展出品。

河井清一（かわいせいいち）
明治24年（1891）奈良市〜昭和54年（1979）横浜市。大正3年文展初入選。5年東美校西洋画科卒。6年光風会展今村奨励賞、15年会員。11、昭和3年帝展特選。7年渡欧。21年日展特選。45年光風会名誉会員。日展参与。

河井達海（かわいたつみ）
明治38年（1905）津山市〜平成8年（1996）大阪。昭和4年帝展初入選。後文展、東光展出品、16年東光会会員、18年文展特選、22年日展岡田賞。24年〜大阪学芸大教授、42年〜大阪教育大教授。45年大阪芸術賞。東光会名誉会員、全関西美術展顧問。

河上左京（かわかみさきょう）
明治22年（1889）山口〜昭和46年（1971）山口。関西美術院、太平洋画会研究所で学ぶ。大正2年日本水彩画会創立参加。8年二科展入選。9年光風会展今村奨励賞、10年会員。昭和2年二科会会員。3年日本水彩画会退会。21年日本美術会会員。

川上澄生（かわかみすみお）
明治28年（1895）横浜市〜昭和47年（1972）宇都宮市。版画家。青山学院高等科卒。カナダ、アラスカへ旅行、帰国後版画の制作を始め、大正13年以降国展出品、会員。平成4年鹿沼市立川上澄生美術館開館。

川上冬崖（かわかみとうがい）
文政10年（1827）長野〜明治14年（1881）静岡。旧姓山岸、名は万之丞、後寛。18歳で江戸に出て大西椿年に学ぶ。幕府の蕃書調所で絵画取調出役、画学局出役。西洋画法を研究しながら後進を指導。明治維新後の明治3年聴香読画館開設、西洋画法を教える。10・14年内国勧業博覧会審査主任。

川上涼花（かわかみりょうか）
明治20年（1887）東京〜大正10年（1921）。本名乙次郎。38年太平洋画会研究所で学ぶ。45年フュウザン会結成に参加。大正5年斎藤与里らと日本美術家協会創立。6年二科展初入選。

川口軌外（かわぐちきがい）
明治25年（1892）和歌山〜昭和41年（1966）東京。本名孫太郎。明治44年太平洋画会研究所で中村不折に学ぶ。大正3年日本美術院研究所に入り小杉未醒（放庵）に師事。8〜昭和4年滞欧、アカデミー・ランソンでモーリス・ドニに学ぶ。5年独立美術協会結成に参加。戦後は国画会会員。

川島理一郎（かわしまりいちろう）
明治19年（1886）足利市〜昭和46年（1971）東京。明治38年渡米、43年ワシントンのコーコラン美術学校、44年NYナショナル・アカデミー・オブ・デザイン卒。同年渡仏、アカデミー・ジュリアンとコラロッシで学ぶ。大正2年サロン・ドートンヌ入選。4年再渡米、8年帰国、9年再渡欧。11年ドートンヌ会員。以後毎年外遊。14年国画創作協会第二部同人、昭和3年梅原龍三郎と国画会創立、10年退会。以後新文展、日展出品。23年日本藝術院会員。

川瀬巴水（かわせはすい）
明治16年（1883）東京〜昭和32年（1957）東京。本名文治郎。41年白馬会葵橋洋画研究所で学び、岡田三郎助に師事。大正7年以降、木版画を制作。

川西英（かわにしひで）
明治27年（1894）神戸市〜昭和40年（1965）神戸市。版画家。本名英雄。大正12年日本創作版画展初出品、昭和3年〜国展出品。絵本や商業デザインも手がけた。

川西祐三郎（かわにしゆうざぶろう）
大正12年（1923）神戸市。〜平成27年（2015）神戸市。川西英の三男で8歳から父に木版画技法を学ぶ。昭和17年日本版画協会展初出品、翌年会員、後に名誉会員。22年関西学院大学商経学部卒。46年国画会会員推挙。60年神戸市文化賞、平成7年兵庫県文化賞受賞。ピストイア等国際版画展出品、東京国立近代美術館・ホノルル美術館等作品収蔵。

川端実（かわばたみのる）
明治44年（1911）東京～平成13年（2001）。祖父は日本画家川端玉章、父茂章も日本画家。昭和9年東美校油画科卒。11年新文展選奨。14年光風会会員、27年同会脱退、新制作協会会員。25年～多摩美大教授。サンパウロ・ビエンナーレ、日本国際美術展、現代日本美術展等出品。33年グッゲンハイム国際展個人表彰名誉賞。同年渡米、NYで活動。

河原英雄（かわはらひでお）
明治44年（1911）兵庫～平成17年（2005）豊岡市。日本版画協会名誉会員。昭和33年日本版画協会展受賞。但馬の自然美を題材とした独特の石版。

川村清雄（かわむらきよお）
嘉永5年（1852）江戸麴町～昭和9年（1934）天理市。幼少の頃住吉内記に入門、大坂で田能村直入に師事。後江戸に戻り、明治元年頃川上冬崖の開成所で西洋画を学ぶ。4年米留学、ランマンに師事。5年渡仏、後ヴェネチア美術学校に学ぶ。14年帰国。22年明治美術会創立参加。34年同会解散後、巴会結成参加。40年以後展覧会不出品。

川村信雄（かわむらのぶお）
明治25年（1892）熊本市～昭和43年（1968）横浜市。41年太平洋画会研究所で学ぶ。大正元年フュウザン会結成。3年～文・帝展入選。5年斎藤与里らと日本美術家協会結成。昭和40年横浜文化賞。神奈川美術家協会会員、太平洋美術会理事歴任。

河原温（かわらおん）
昭和8年（1933）愛知～平成26年（2014）NY。昭和26年刈谷高校卒。翌年から日本アンデパンダン展、読売アンデパンダン展に出品。28年デモクラート美術家協会に参加するが翌年退会。「浴室」シリーズで脚光を浴びる。34年日本を離れ、メキシコ、アメリカ、ヨーロッパを巡り、40年以降NY在住。「日付絵画」などコンセプチュアルアートの旗手として世界的に知られる。平成3年カーネギー国際展大賞。パリ・ポンピドゥーセンター、NYグッゲンハイム美術館（27年）他欧米各地で個展開催。

神田日勝（かんだにっしょう）
昭和12年（1937）東京～昭和45年（1970）。兄は洋画家神田一明。20年帯広に入植。35年全道美術協会展初入選。40・45年独立展入選。41年全道美術協会会員。平成5年北海道鹿追町に神田日勝記念館開館。

神戸文子（かんべふみこ）
昭和元年（1926）東京～平成21年（2009）東京。昭和22年女子美専卒。25年光風会展・日展初入選。28年女流画家協会会員、35年会員賞受賞。光風会展受賞、会員推挙。36年日展特選。37～38年NY・パリ留学後、女流画家協会展と個展中心に発表。35年日米交換女流展（NY）、49年日米女流合同展（パサディナ）、安井賞展（3回）出品。

菊地精二（きくちせいじ）
明治41年（1908）札幌市～昭和48年（1973）。大正4年道展初入選。昭和2年上京、同舟舎洋画研究所で学ぶ。佐伯祐三に師事。中央美術展、1930年協会展、二科展等出品。6年以降独立展出品、15年会員。30年～多摩美大教授。

岸田劉生（きしだりゅうせい）
明治24年（1891）東京～昭和4年（1929）。岸田吟香の四男。白馬会葵橋洋画研究所で学ぶ。明治43年文展入選。後期印象派を知り大正元年フュウザン会結成。北方ルネサンスに感化され写実に転じ、大正4～11年草土社主宰。大正11年春陽会創立に際し客員。12年関東大震災後京都に転居、浮世絵や宋元画に傾倒、日本画も制作。『図画教育論』『美乃本体』著書多数。山口県徳山で客死。

木田金次郎（きだきんじろう）
明治26年（1893）北海道～昭和37年（1962）北海道。絵は独学。明治43年有島武郎に激励され画業を志す。大正8年有島主催で習作展、昭和28年個展開催。29年北海道文化賞、32年北海道新聞文化賞。

北久美子（きたくみこ）
昭和20年（1945）大阪～令和元年（2019）神奈川県横浜市。昭和41年浪速短期大学美術科卒。平成元年文化庁買上、2年文化庁芸術家在外研修員（スコットランド）。同年安井賞。二紀会委員、女流画家協会委員。20年大阪芸術大学教授。

北蓮蔵（きたれんぞう）
明治9年（1876）岐阜～昭和24年（1949）。上京し明治22年山本芳翠の生巧館画塾で学び、天真道場で黒田清輝に師事。30年東美校入学、31年卒業。白馬会会員。帝展、新文展出品。43～大正3年帝国劇場背景部主任。昭和2～5年渡欧。

北岡文雄（きたおかふみお）
大正7年（1918）東京～平成19年（2007）。昭和16年東美校油画科卒。平塚運一に木版技法を学ぶ。30～31

年欧州留学、エコール・デ・ボザールで木口木版技術習得。内外の国際展出品。39～40年フルブライト交換教授（ミネアポリス美術学校他）。モスクワ、台北、北京等でも講習会を行う。春陽会会員、日本版画協会名誉会員。

北川民次（きたがわたみじ）
明治27年（1894）静岡～平成元年（1989）愛知。大正2年渡米、NYアート・スチューデンツ・リーグでスローンに学ぶ。12年メキシコに移り、サン・カルロス美術学校卒、昭和6年タスコの野外美術学校校長。11年帰国。12年二科展出品、会員推挙。24年名古屋動物園美術学校、26年北川児童美術研究所開設。51年メキシコ政府よりアギラ・アステカ勲章授与。53年二科会会長となるが同年辞任。

北島浅一（きたじませんいち）
明治20年（1887）佐賀～昭和23年（1948）東京。白馬会洋画研究所で学ぶ。45年東美校卒。大正2年文展初入選。6年光風会展今村奨励賞。8～11年渡欧。サロン・ドートンヌ出品。13年白日会創立会員。14年帝展特選、15年無鑑査。昭和4～9年第一美術協会創立会員。

北代省三（きただいしょうぞう）
大正10年（1921）東京～平成13年（2001）埼玉。美術は独学。昭和26年武満徹、秋山邦晴、山口勝弘らと前衛芸術グループ「実験工房」結成。抽象絵画、モビール、写真、舞台装置等幅広い分野で活躍。

北爪三男（きたづめみつお）
昭和5年（1930）群馬～平成17年（2005）群馬。昭和30年日大文学部中退、清水刀根に師事。42年二科展明治百年記念賞、62年会員推挙、平成8年会員努力賞他。ル・サロン会員。（特別賞、金賞他）、日伯現代美術展日伯賞、他大潮展等出品・受賞。

北村巌（きたむらいわお）
大正10年（1921）福岡～平成12年（2000）神奈川。文化学院美術科卒。築山節生、安井曾太郎、田崎廣助に師事。昭和24年一水会展初入選、29年一水会賞、30年会員推薦、40年会員優賞、委員を経て一水会常任委員。25年日展初入選、特選2、59年会員。

北脇昇（きたわきのぼる）
明治34年（1901）名古屋市～昭和26年（1951）京都。大正8年鹿子木孟郎の洋画塾、昭和5年津田青楓塾で学ぶ。7年二科展初入選。12年独立展に超現実主義的作品出品。14年美術文化協会創立参加。

橘野富彦（きつのとみひこ）
昭和5年（1930）山口～平成6年（1994）。安井曾太郎に師事。30年東京藝大油画科卒。31年国展30周年記念賞、36年会員。

城戸義郎（きどよしろう）
昭和16年（1941）京都市～平成26年（2014）。昭和42年東京藝術大学大学院修。52年渡仏。岩田榮吉に師事。54年ソシエテ・ナショナル・デ・ボザール出品（以後3回）、55年サロン・ドートンヌ出品。59年帰国。具象絵画ビエンナーレ、現代洋画秀作展他出品、個展多数。

鬼頭鍋三郎（きとうなべさぶろう）
明治32年（1899）名古屋市～昭和57年（1982）名古屋市。大正12年光風会展初入選。岡田三郎助に指導を受ける。13年帝展初入選、辻永に師事。昭和9年帝展特選。30年日本藝術院賞。37年日本藝術院会員。日展顧問、審査員、光風会理事長。

城所祥（きどころよしみ）
昭和9年（1934）東京～昭和63年（1988）東京。昭和32年早稲田大学卒。36年日本版画協会会員。52～53年文化庁芸術家在外研修員。武蔵野美大、武蔵野美術学園、金沢美術工芸大講師を務める。

木下孝則（きのしたたかのり）
明治27年（1894）東京～昭和48年（1973）神奈川。京都帝大経済学部在籍中に東京帝大哲学科に入学するが退学。大正10年二科展初入選。10～13年渡仏。15年1930年協会設立に参加、春陽会会員推挙。昭和3～10年再渡仏。11年一水会創立に参加。一水会、文展、日展に出品、評議員、委員等歴任。

木下義謙（きのしたよしのり）
明治31年（1898）東京～平成8年（1996）。兄は木下孝則。大正10年二科展初入選。12年萬鉄五郎の円鳥会に参加。14年1930年協会会員。昭和3～7年渡欧。仏アンデパンダン、サロン・ドートンヌ出品。11年一水会結成。24年芸術選奨文部大臣賞。陶芸も始め、一水会陶芸部創設。

木村荘八（きむらしょうはち）
明治26年（1893）東京～昭和33年（1958）東京。白馬会葵橋洋画研究所で学ぶ。大正元年フュウザン会結成参加。大正4年草土社創立。11年春陽会に招かれ会員。没後の34年日本藝術院賞恩賜賞受賞。

木村忠太（きむらちゅうた）
大正6年（1917）高松市〜昭和62年（1987）パリ。昭和12年独立展初入選。18年高畠達四郎推薦で帝国美術学校入学。23年独立美術協会会員。28年渡仏。仏、米国で個展開催。38年パリ市買上げ。東京国立近代美術館、パリ国立近代美術館買上げ。45年サロン・ドートンヌ会員。

木村鐵雄（きむらてつお）
大正10年（1921）大阪〜平成30年（2018）。昭和18年東京美術学校卒業。小林萬吾に師事。26〜31年自由美術展出品・佳作賞。32年渡仏（グランショミエール研修）、33年渡米（シカゴアートインスティテュート聴講）。平成7年日中美術展山口県知事賞。11年画集刊行（生活の友社）。立軌会同人、グループアンチーム同人。

清川泰次（きよかわたいじ）
大正8年（1919）静岡〜平成12年（2000）東京。慶應大卒。昭和22年二科展初入選。26〜33年渡米。以降無所属。38年再渡米。白を基調とした無対象の純粋抽象芸術を確立。58年安田火災東郷青児美術館大賞。晩年はステンレス彫刻も制作。平成7年静岡県御前崎に芸術館、15年世田谷に記念ギャラリー開館。

清原啓一（きよはらけいいち）
昭和2年（1927）富山〜平成20年（2008）東京。昭和27年明治大学政経学部卒。同年日展初入選、34年特選。辻永に師事。39年光風会展50回記念会員賞、49年60回記念特別賞、53年辻永記念賞。平成6年日展総理大臣賞、14年日本藝術院賞恩賜賞、同会員。日展顧問、光風会常務理事。富山県文化功労賞、旭日中綬章等。

清原玉（きよはらたま）→**ラグーザ玉**

桐野江節雄（きりのえさだお）
大正14年（1925）大阪〜平成11年（1999）。大阪市立工芸学校で赤松麟作に、東美校で安井曾太郎に師事。昭和24年光風会展、日展初入選。藤本東一良に師事。26年光風会展プールブ賞、38年会員、55年寺内賞、平成元年評議員、9年文部大臣賞。昭和41・57年日展特選、平成5年会員。昭和33年から4年半北米・欧を巡遊、各地で個展。

木和村創爾郎（きわむらそうじろう）
明治33年（1900）松山市〜昭和48年（1973）。本名正次郎。大正15年京絵専卒。昭和18年〜版画制作。21年〜日展出品。23〜35年日本版画協会会員。31年光風会会員。35年日版会創立会員。47年ル・サロン金賞。

串田ベル（くしだべる）
大正2年（1913）岡山〜平成6年（1994）岡山。本名串田岩彦。昭和13年二科展初入選。藤田嗣治、東郷青児に師事。32年渡仏。36年二科会会員、38年会員努力賞、48年総理大臣賞、59年理事。51年コマンドール文化勲章。サロン・ドートンヌ会員。

工藤哲巳（くどうてつみ）
昭和10年（1935）青森〜平成2年（1990）東京。33年東京藝大油画科卒。37年国際青年美術家展大賞。パリ留学。以後欧州中心に活躍。51年カーニュ国際絵画フェスティバルグランプリ、52年サンパウロ・ビエンナーレ出品。62年東京藝大教授。

国枝金三（くにえだきんぞう）
明治19年（1886）大阪〜昭和18年（1943）。関西美術院卒。鹿子木孟郎に師事。大正12年二科会会員。

国沢新九郎（くにさわしんくろう）
弘化4年（1848）土佐高知〜明治10年（1877）東京。明治3年ロンドン留学、西洋画を学ぶ。7年帰国、画塾影技堂を開設、後進を指導。日本で最初の洋画展覧会を開催。

国松登（くにまつのぼる）
明治40年（1907）函館市〜平成6年（1994）東京。昭和5年本郷洋画研究所で学ぶ。8年独立展初入選。14年帝国美術学校卒。15年国展岡田賞、18年会員。20年全道展創立、会員。34年北海道文化賞。

国吉康雄（くによしやすお）
明治22年（1889）岡山市〜昭和28年（1953）米NY。17歳で渡米。明治43年NYインデペンデント・アート・スクール、アート・スチューデンツ・リーグで学ぶ。大正14・昭和3年欧遊。4年NY近代美術館主催〈19人現存アメリカ作家〉展招待出品。8年アート・スチューデンツ・リーグ教授。18年カーネギー国際展1等賞。アメリカ美術組合初代会長、アメリカ美術家会議副議長歴任。

久保守（くぼまもる）
明治38年（1905）札幌市〜平成4年（1992）。昭和4年東美校卒。在学中春陽展初入選。5年渡欧。7年〜国展出品、12年同人、18年会員。東京藝大教授。

熊岡美彦（くまおかよしひこ）
明治22年（1889）茨城県新治郡～昭和19年（1944）東京。大正2年東美校卒。2・7年光風会展、4年文展で受賞。8年新洋画会結成。10年光風会会員。13年槐樹社創立。昭和2年パリ滞在、4年帰国。6年槐樹社解散、7年東光会結成。洋画研究所開設。

熊谷守一（くまがいもりかず）
明治13年（1880）岐阜～昭和52年（1977）東京。明治37年東美校西洋画科選科卒。初め文展、大正4年～二科展出品、5年会員。22年二紀会創立に参加するが26年退会、以後世俗を離れ、色と形を単純化した作風を展開。東京豊島区に熊谷守一美術館、岐阜県中津川市に熊谷守一記念館がある。

熊川昭典（くまかわあきのり）
昭和5年（1930）長崎～平成12年（2000）東京。本名昭則。自由美術展佳作賞。抒情派展、アンチーム展出品。昭和49年～立軌会同人。

熊田千佳慕（くまだちかぼ）
明治44年（1911）横浜市～平成21年（2009）横浜市。本名五郎。兄精華は詩人。昭和4年東美校鋳造科入学、8年兄の友人山名文夫に師事、翌年卒業前に第2次日本工房入社。56年ボローニャ国際絵本展招待。絵本作家として国際的評価を確立。平成元年小学館出版文化賞、8年神奈川県文化賞。

久米桂一郎（くめけいいちろう）
慶応2年（1866）佐賀～昭和9年（1934）東京。明治17年藤雅三に学ぶ。19年仏留学、R・コランに師事。26年帰国、天真道場開設。白馬会創立に参加。31年東美校教授。考古学、解剖学などを講義。

倉員辰雄（くらかずたつお）
明治33年（1900）福岡～昭和53年（1978）東京。川端画学校で学ぶ。昭和4年東美校西洋画科卒。帝展初入選。10年第二部会展文化賞特選。11年昭和洋画奨励賞。12年新文展特選、昭和洋画奨励賞。15年創元会創立会員。51年日展参与。

倉田三郎（くらたさぶろう）
明治35年（1902）東京～平成4年（1992）東京。大正9年葵橋洋画研究所で学ぶ。13年春陽展初入選。15年東美校図画師範科卒。昭和7年春陽展春陽会賞、11年会員。24～41年東京学芸大教授、後名誉教授。

庫田叕（くらたてつ）
明治40年（1907）福岡～平成6年（1994）東京。本名倉田哲介。川端画学校で学ぶ。国展出品するが戦後退会、個展中心に作品発表。東京藝大教授。

倉田白羊（くらたはくよう）
明治14年（1881）埼玉県浦和～昭和13年（1938）。浅井忠、黒田清輝に学ぶ。明治34年東美校卒。大正9年春陽会結成。

栗﨑武成（くりさきたけなり）
昭和18年（1943）福岡～平成31年（2019）。新協展都知事賞、第45回記念展賞他。新協美術会委員。

栗林今朝男（くりばやしけさお）
大正13年（1924）長野県北牧村～平成28年（2016）。昭和19年スマラン南方軍官学校卒。30年日向裕に師事。43年国画会会員。49年現代日本洋画精鋭作家賞、終戦50周年記念パリ芸術祭展グランプリ、平成9年国際芸術文化賞、受賞記念画集（生活の友社刊）。10年・16年紺綬褒章受章。16年旭日芸術大賞受賞。国画会年功会員。

栗原喜依子（くりはらきえこ）
昭和10年（1935）茨城～平成21年（2009）。昭和33年女子美大卒。31年～二科展出品（42年特選、49年会員推挙、平成10年会員努力賞）。41・48年渡仏、サロン・ドートンヌ、ル・サロン（銀賞）等出品。安井賞展、国際形象展、五都展等出品。37年銀座・村松画廊で初個展以来全国各地で個展。

栗原信（くりはらしん）
明治27年（1894）茨城～昭和41年（1966）。明治45年茨城師範卒。昭和3～6年渡欧。7年二科会退会、二紀会創立に参加。

胡桃沢源人（くるみざわげんじん）
明治35年（1902）松本市～平成4年（1992）松本市。本名源市。昭和3年帝展初入選。斎藤与里に師事。4年大阪美校洋画科卒。8年～東光展出品、10年会員。16・17年新文展連続特選。戦後は日展出品、28・34年審査員。日展参与、浪速芸術大学教授。

黒崎彰（くろさきあきら）
昭和12年（1937）満州大連市～令和元年（2019）。昭和37年京都工芸繊維大学工芸学部卒、48～49年文化庁芸術家在外研究員としてハーバード大学、ハンブルク造形芸術大学に学ぶ。45年東京国際版画ビエンナーレ展文部大臣賞、47年フィレンツェ国際版画ビエンナーレ大賞他国際展受賞多数。平成12年紫綬褒章。京都精華大学名誉教授。現代木版画の第一人者。

黒田重太郎（くろだじゅうたろう）
明治20年（1887）滋賀県大津～昭和45年（1970）京都。明治37年鹿子木孟郎に入門、後浅井忠の関西美術院で学ぶ。大正3年二科会出品。5～7年渡欧、グランド・ショミエール等入学。8年二科展二科賞。10～12年再渡欧、R・ビシエール、アカデミー・モンパルナスでA・ロートに師事。13年信濃橋洋画研究所開設。昭和22年二紀会創立。25年京都市立美大教授。44年日本藝術院賞恩賜賞。

黒田清輝（くろだせいき）
慶応2年（1866）鹿児島～大正13年（1924）東京。明治17年法律研究のため仏留学したが洋画に転じ、R・コランに師事。26年帰国、27年天真道場創立。29年白馬会結成。東美校西洋画科新設に際し指導に当たる。33～34年再渡仏。40年文展創設に尽力。43年洋画家初の帝室技芸員。大正2年国民美術協会会頭。8年帝国美術院会員、11年第2代院長。東京国立文化財研究所内に黒田記念室がある。

桑原実（くわばらみのる）
明治45年（1912）新潟～昭和54年（1979）東京。昭和8年東美校図画師範科卒。10年二科展初入選、22年会員。45年東京藝大教授。

小泉清（こいずみきよし）
明治33年（1900）東京～昭和37年（1962）東京。小泉八雲の三男。大正10年東美校中退。昭和21年第1回新興日本美術展読売賞。23年梅原龍三郎の推薦により一燈美術賞を受賞。29年国画会会員。

小磯良平（こいそりょうへい）
明治36年（1903）神戸市～平成元年（1989）神戸市。大正14年帝展初入選、15年特選。昭和2年東美校卒。3～5年渡仏。7年帝展特選。11年新制作派協会結成、創立会員。15年朝日文化賞。17年陸軍省派遣画家。同年第1回帝国芸術院賞。28年東京藝大教授（46年名誉教授）。54年文化功労者、57年日本藝術院会員、58年文化勲章。平成4年神戸市立小磯記念美術館開館、小磯良平大賞展開催。

小出三郎（こいでさぶろう）
明治41年（1908）大阪～昭和42年（1967）大阪。信濃橋洋画研究所で小出楢重に師事。昭和12年～独立美術協会展出品、15年独立賞、22年会員。13年全関西美術協会会員。22年吉原治良らと汎美術家協会結成。

小出卓二（こいでたくじ）
明治36年（1903）大阪～昭和53年（1978）大阪。信濃橋洋画研究所で小出楢重に師事。昭和2年二科展初入選、17年会員。20年向井潤吉らと行動美術協会創立。35年大阪府芸術賞。

小出楢重（こいでならしげ）
明治20年（1887）大阪～昭和6年（1931）芦屋。大正3年東美校卒。大正8年二科展樗牛賞、9年二科賞。10年渡欧、翌年帰国。12年二科会会員。13年信濃橋洋画研究所設立、関西洋画壇の指導者。

小出泰弘（こいでやすひろ）
大正7年（1918）大阪～平成11年（1999）。父は小出楢重。汎具象美術協会創立会員、元神戸山手女子短大教授。

小絲源太郎（こいとげんたろう）
明治20年（1887）東京～昭和53年（1978）東京。本名小糸源太郎。明治38年東美校金工科入学、白馬会菊坂研究所でも学ぶ。43年文展初入選。44年金工科卒、西洋画科編入。大正3年病で中退。昭和29年日本藝術院賞、34年同会員。40年文化勲章。

合田佐和子（ごうださわこ）
昭和15年（1940）高知市～平成28年（2016）鎌倉市。昭和38年武蔵野美術学校卒。唐十郎主宰の劇団状況劇場・唐組、寺山修司主宰の天井桟敷の宣伝・舞台芸術などに参加。平成3年朝日新聞で中上健次の連載小説「軽蔑」の挿絵を手がける。作品集、個展多数。

神津港人（こうづこうじん）
明治22年（1889）長野～昭和53年（1978）東京。丸山晩霞に師事。明治45年東美校卒。大正4年文展初入選。9～11年渡欧。昭和2年創立直後の構造社参加、絵画部主任。14年緑巷会創立（戦後創芸協会に改称）、32年第一美術協会と合同し副会長。

こうのこのみ
大正15年（1926）東京～平成18年（2006）茅ヶ崎市。昭和25年頃出版物に描き始め、51年現代童画展大賞、63年文部大臣奨励賞受賞。現代童画会常任委員。62年以後数回ユニセフのカードに採用。

河野通勢（こうのつうせい）
明治28年（1895）群馬県伊勢崎～昭和25年（1950）東京。大正3年第1回二科展出品。7年草土社同人。13年春陽展春陽会賞、15年会員となるが昭和2年退会。4年国画会会員。

河野日出雄（こうのひでお）
大正11年（1922）～平成7年（1995）。日本美校油画科卒。二科展、毎日連合展出品。出版物に童画を描く。昭和43年一陽展特選、青麦賞受賞、会員。47年文化庁現代美術選抜展出品。日韓美術交友会展招待2回。53年紺綬褒章、現代童画展文部大臣賞。現代童画名誉会長、日本美術学校名誉教授。

高野三三男（こうのみさお）
明治33年（1900）東京～昭和54年（1979）東京。本郷洋画研究所で学ぶ。東美校入学、大正13年中退、渡仏。昭和15年帰国。二科展出品、二科賞受賞。後一水会創立参加。戦後日展参与、審査員等。

郡山三郎（こおりやまさぶろう）
明治41年（1908）鹿児島～昭和57年（1982）東京。昭和13年帝国美術学校本科西洋画科卒業。中央美術協会会長、中央美術学園長等歴任。

古賀耕児（こがこうじ）
昭和6年（1931）久留米市～平成21年（2009）。昭和28年～二科展出品、43年会員推挙、51年会員努力賞、平成9年総理大臣賞等受賞、12年理事。昭和39年渡仏、ル・サロン銀賞他ドートンヌ等出品。安井賞候補展、文化庁現代美術選抜展等出品。久留米市功労者、アジア国際美術展運営委員等。

古賀春江（こがはるえ）
明治28年（1895）久留米市～昭和8年（1933）東京。本名亀雄。大正元年太平洋画会研究所で学ぶ。大正2年日本水彩画研究所で石井柏亭に師事。5年日本水彩画会会員。6年二科展初入選、11年二科賞。アクション結成。昭和5年二科会会員。

國領經郎（こくりょうつねろう）
大正8年（1919）横浜市～平成11年（1999）。昭和16年東美校図画師範科卒。22年日展初入選、30・44・46年特選、55年会員賞、61年総理大臣賞。26年光風会展初入選、30年光風賞、32年会員、50年評議員、53年退会。52年日洋会に運営委員として参加。58年宮本三郎記念賞、神奈川文化賞。平成3年日本藝術院賞、同年会員。4年日展常務理事。5年日洋会会長。6年勲三等瑞宝章。昭和47～60年横浜国大教授、55～59年大学美術教育学会理事長。

児島喜久雄（こじまきくお）
明治20年（1887）東京～昭和25年（1950）。三宅克己に水彩画、B・リーチに銅版画を学ぶ。明治43年白樺同人。大正2年東京帝大文科卒、西洋美術史研究。5年同大学院進学、矢代幸雄と『美術新報』編集。10～大正15年渡欧。16～23年東大教授。

児島善三郎（こじまぜんざぶろう）
明治26年（1893）福岡市～昭和37年（1962）千葉市。大正10年二科展入選。13～昭和3年滞欧。帰国後二科展に滞欧作発表、二科会会員、5年退会、独立美術協会創立に参加。

小島善太郎（こじまぜんたろう）
明治25年（1892）東京～昭和59年（1984）東京。安井曾太郎に師事。二科展出品、二科賞受賞。昭和5年独立美術協会創立会員。

児島虎次郎（こじまとらじろう）
明治14年（1881）高梁市～昭和4年（1929）岡山市。明治37年東美校卒。明治41～大正元年滞欧。大原孫三郎の依頼で大正8～10年再滞欧、西洋美術品を蒐集。サロン・ナショナル会員。昭和2年帝展審査員。

小島真佐吉（こじままさきち）
大正3年（1914）小樽市～昭和61年（1986）東京。川端画学校で学ぶ。昭和18年白日会会員。27年二紀会同人、31年委員、後評議員。

小杉未醒（こすぎみせい）→〔日本画〕小杉放庵

五姓田芳柳〈初代〉（ごせだほうりゅう）
文政10年（1827）江戸～明治25年（1892）東京。本名浅田。浮世絵と狩野派を学ぶ。長崎で西洋画法を独修。幕末、横浜に住み風俗画、肖像画を描いた。明治6年東京に移り、宮内庁委嘱により明治天皇の肖像を描いた。

五姓田芳柳〈2代〉（ごせだほうりゅう）
元治元年（1864）茨城～昭和18年（1943）。旧姓倉持、本名子之吉。明治11年五姓田義松、後にワーグマンに師事。13年初代芳柳の養嗣子となる。

五姓田義松（ごせだよしまつ）
安政2年（1855）江戸～大正4年（1915）長崎。初代五姓田芳柳の次男。ワーグマンに学び、工部美術学校入学。明治13年パリ留学、レオン・ボナに師事。21年帰国。明治美術会創立に参加。

児玉幸雄（こだまゆきお）
大正5年（1916）大阪～平成4年（1992）東京。昭和11年全関西洋画展入選、13年全関賞。12年二科展入選。22年二紀会創立展に参加、同人、25年同人賞、27年

同人優賞、委員。32年渡欧。39年以降毎年渡欧、欧州風景を描き続けた。

小寺明子（こでらあきこ）
大正2年（1913）神戸市～平成14年（2002）東京。光風会展文部大臣奨励賞、光風賞等受賞多数。光風会会員、女流画家協会委員。

小寺健吉（こでらけんきち）
明治20年（1887）大垣市～昭和52年（1977）東京。東美校卒。文展、帝展に出品、昭和3年帝展特選。後日展、光風会展出品、光風会名誉会員。日展参与。

後藤よ志子（ごとうよしこ）
昭和2年（1927）中国青島～平成4年（1992）東京。昭和33年～二紀展、34年～女流画家協会展出品。47年安井賞展佳作賞。57年二紀展文部大臣賞。平成2年安田火災東郷青児美術館大賞。

小西保文（こにしやすふみ）
昭和6年（1931）奈良～平成20年（2008）埼玉。神戸芸術研究所で中西勝に師事。昭和32年二紀展初出品以降34年褒賞、50年黒田賞、52年文部大臣賞、58年菊華賞、平成8年総理大臣賞他受賞、二紀会事務局長、常任理事を務めた。昭和53年金山平三記念賞受賞。他安井賞展、日本秀作美術展等出品。平成11年吉野の芸術家村にアトリエ移転。

小林喜一郎（こばやしきいちろう）
明治28年（1895）岡山～昭和36年（1961）。大正5年上京、中川一政、安井曾太郎に師事。10年二科会展初入選、翌年樗牛賞。昭和8年岡山に転居、赤坂洋画研究所開設。9年昭和洋画奨励賞。17年二科会会員。

小林清親（こばやしきよちか）
弘化4年（1847）江戸～大正4年（1915）。河鍋暁斎、柴田是真らと交友し、ワーグマンに師事。明治9年大黒屋松木平吉より『東京江戸橋の真景』出版。西洋画の遠近法、陰影法を取り入れた「光線画」は一世を風靡した。

小林哲夫（こばやしてつお）
昭和2年（1927）佐渡～平成9年（1997）藤沢市。昭和23年関西パステル画研究所、26年大阪府立美術研究所、30年武蔵野美術学校で学ぶ。33年～一水会展出品、39年会員、52年委員。39年パステル画協会結成。

小林徳三郎（こばやしとくさぶろう）
明治17年（1884）福山市～昭和24年（1949）東京。明治42年東美校卒。大正元年フュウザン会創立に参加。2年島村抱月らの芸術座の舞台装飾担当。15年春陽会会員。

小林萬吾（こばやしまんご）
明治3年（1870）香川～昭和22年（1947）鎌倉市。原田直次郎、後黒田清輝に学ぶ。明治31年東美校卒。36年内国勧業博覧会、40・42年文展受賞。44年仏・独・伊留学。大正3年帰国。7年東美校教授。白馬会、文展出品。昭和16年帝国芸術院会員。

小林和作（こばやしわさく）
明治21年（1888）山口県吉敷郡～昭和49年（1974）尾道市。京絵専日本画科卒。大正9年洋画を志し鹿子木孟郎の画塾で学ぶ。11年～梅原龍三郎、中川一政らに学ぶ。昭和2年春陽会会員。3～4年滞欧。9年独立美術協会会員。33年芸術選奨文部大臣賞。

小堀進（こぼりすすむ）
明治37年（1904）茨城～昭和50年（1975）東京。大正12年葵橋洋画研究所で黒田清輝に学ぶ。昭和7年白日会初入選。8年以降二科展出品。15年同志と水彩連盟創立。17年文展初入選。26年～日展審査員、44年理事。45年日本藝術院賞。名古屋芸大教授。49年水彩画家として初の日本藝術院会員。

駒井哲郎（こまいてつろう）
大正9年（1920）東京～昭和51年（1976）東京。昭和9年日本エッチング研究所で銅版画を学ぶ。17年東美校油画科卒。16年第4回新文展初入選。23年日本版画協会展受賞、会員推挙。25年春陽会展春陽会賞、26年会員。第1回サンパウロ・ビエンナーレや27年ルガノ国際版画展受賞。28年日本銅版画家協会設立。29年渡仏、パリ国立美術学校でビュランを学び、30年帰国。47年東京藝大教授。

小牧源太郎（こまきげんたろう）
明治39年（1906）京都市～平成元年（1989）京都市。昭和10年独立美術協会京都研究所で学ぶ。12年独立展初入選。14～29年美術文化協会創立会員。36年国画会会員。日本のシュルレアリスムの草分け。京都府美術工芸功労者、京都市文化功労者。

小松崎邦雄（こまつざきくにお）
昭和6年（1931）東京～平成4年（1992）埼玉。昭和29年東京藝大油画科卒（安宅賞、大橋賞）、31年専攻科修。一水会展一水会賞、33年会員。44年昭和会展昭和会賞。57年東郷青児美術館大賞。平成3年宮本三郎記念賞。

五味秀夫(ごみひでお)
大正11年(1922)東京〜平成22年(2010)東京。学徒動員で航空飛行隊所属、昭和20年東美校復学、翌年卒業。26年J.A.N.同人。27年〜春陽展出品、29年春陽会賞、32年会員推挙。31年第1回シェル美術賞受賞。安井賞候補新人展、毎日現代日本美術展、日本国際美術展等招待出品。52年〜奈良の車木工房で版画制作開始、62年〜春陽展版画部出品、版画部会員推挙。平成7年作品集刊行(生活の友社)。東京セントラル美術館、東京国際美術館等で回顧展。

古茂田守介(こもだもりすけ)
大正7年(1918)松山市〜昭和35年(1960)東京。昭和12年上京、猪熊弦一郎、脇田和に師事。15年新制作派展初入選、25年会員。24年〜日本アンデパンダン展出品。

小山敬三(こやまけいぞう)
明治30年(1897)小諸市〜昭和62年(1987)茅ヶ崎市。川端画学校で藤島武二に学ぶ。大正9年渡仏。アカデミー・コラロッシでC・ゲランに師事。13年春陽会会員。15年サロン・ドートンヌ会員。昭和3年帰国。8年春陽会脱退、二科会会員。11年二科会退会、一水会結成。以後一水会、日展を中心に活躍。34年日本藝術院賞、35年同会員。45年文化功労者。50年文化勲章受章。小諸に小山敬三美術館開館。61〜平成16年小山敬三美術賞。

小山正太郎(こやましょうたろう)
安政4年(1857)長岡市〜大正5年(1916)東京。川上冬崖に、工部美術学校ではフォンタネージに指導を受ける。明治美術会創立参加。東京高等師範教授。不同舎設立、後進を指導。明治40〜大正2年文展審査員。

小山良修(こやまりょうしゅう)
明治31年(1898)長岡市〜平成3年(1991)。日本水彩画会研究所で学ぶ。大正12年東京帝大医学部卒。13年不破章と蒼原会結成。昭和4年光風会展で受賞。15年水彩連盟創立会員、後退会。17年新制作派展新作家賞。

金野宏治(こんのこうじ)
大正9年(1920)札幌市〜平成13年(2001)東京。昭和21年東美校油画科卒。26年自由美術展初入選、31年会員、39年同会脱退、主体美術協会創立参加。平成6年同会を脱退、新作家美術協会設立に参加。13年傘寿記念画集(生活の友社)刊行。

紺野五郎(こんのごろう)
大正5年(1916)男鹿市〜平成9年(1997)。秋田師範(現秋田大)卒。佐藤敬を囲むデッサン会参加。新制作展出品、新作家賞受賞2回。新制作協会会員。現代日本美術展、浅井忠記念賞展出品。

サイタ亨(さいたとおる)
明治36年(1903)熊本〜昭和61年(1986)。九州大学医学部卒。水彩連盟委員。医家美術協会会長。アートクラブ会員。

斎藤義重(さいとうぎじゅう)
明治37年(1904)東京〜平成13年(2001)横浜市。本名義重(よししげ)。旧制中学在学中から油絵を始める。昭和11年二科展出品、13年九室会結成。14年美術文化協会創立参加。32年日本国際美術展K氏賞、34年国際美術評論家連盟賞、35年現代日本美術展最優秀賞、グッゲンハイム国際美術展国内・国際賞、60年朝日賞。多摩美術大学教授。

斎藤清(さいとうきよし)
明治40年(1907)福島〜平成9年(1997)。宣伝広告業従事の傍ら油絵を学ぶ。日本版画協会展、二科展(油絵)出品。一木会参加。昭和23年サロン・ド・プランタン1等賞他サンパウロ等国際展受賞。24年国画会会員。31年米国に招待され各地で実技指導、個展開催。平成7年文化功労者。

斎藤紅一(さいとうこういち)
明治40年(1907)東京〜平成8年(1996)立川市。本名好一。同舟舎、太平洋画会研究所で学ぶ。1930年協会展入選。独立展出品、31年独立賞、38年会員。

斎藤三郎(さいとうさぶろう)
大正6年(1917)熊谷市〜平成8年(1996)浦和市。絵画を独学。昭和21年二科展初入選、23年特待賞、25年二科賞、29年会員、36年パリ賞、44年青児賞、47年総理大臣賞。二科会評議員。58年埼玉県文化賞。

斎藤真一(さいとうしんいち)
大正11年(1922)岡山〜平成6年(1994)東京。昭和23年東美校卒。34年仏留学。46年安井賞展佳作賞。48年日本エッセイストクラブ賞受賞。

斎藤長三(さいとうちょうぞう)
明治43年(1910)酒田市〜平成6年(1994)東京。永地秀太郎に師事。昭和6年独立展入選、以後出品、15年岡田賞、16年会員。31年〜武蔵野美大教授、後名誉教授。

斎藤豊作（さいとうとよさく）
明治13年（1880）埼玉県越谷～昭和26年（1951）仏ヴェネヴェル。明治35年白馬会出品。38年東美校西洋画選科卒。39年仏留学、R・コランに学ぶ。45年帰国、第1回光風会展に滞欧作発表。大正元年文展出品。3年二科会創立参加。カミーユ・サランソンと結婚。8年二科展出品後、9年妻子と共に渡仏。

齋藤求（さいとうもとむ）
明治40年（1907）鶴岡市～平成15年（2003）東京。昭和7年東美校油画科卒。藤島武二、中山巍に師事。在学中から二科展、1930年協会展、独立展出品。16年独立美術協会賞、22年会員、平成3年特別功労賞。山形美術館、致道博物館等で個展。

斎藤与里（さいとうより）
明治18年（1885）埼玉県加須～昭和34年（1959）東京。本名与里治。浅井忠、鹿子木孟郎に学ぶ。明治39～43年滞仏。フュウザン会結成参加。大正8年大阪美校創設。13年槐樹社創立参加、解散後は東光会結成、会頭。

佐伯祐三（さえきゆうぞう）
明治31年（1898）大阪市～昭和3年（1928）パリ郊外。赤松麟作の画塾に通う。大正6年上京、川端画学校で藤島武二に学ぶ。7年東美校入学。在学中に佐伯米子（旧姓池田）と結婚。12年美校卒業後渡仏、ヴラマンクに学び、フォーヴィスムの影響を受ける。14年サロン・ドートンヌ入選。15年帰国。1930年協会結成。二科展に滞欧作発表、二科賞受賞。昭和2年再渡仏、翌年客死。

佐伯米子（さえきよねこ）
明治30年（1897）東京～昭和47年（1972）東京。川合玉堂に日本画を学ぶ。大正10年佐伯祐三と結婚。12年渡仏、ヴラマンクに師事。14年サロン・ドートンヌ入選。昭和元年帰国、2年再渡仏。3年祐三の死により帰国。15年まで二科展出品。戦後は二紀会同人、24年理事、42年文部大臣奨励賞。

彭城貞徳（さかきていとく）
安政5年（1858）長崎～昭和14年（1939）。高橋由一の天絵舎で学ぶ。昭和9年工部美術学校入学、フォンタネージに学ぶが中退。26～33年渡欧米。長崎に戻り画塾を開く。

坂倉新平（さかくらしんぺい）
昭和9年（1934）岐阜～平成16年（2004）神奈川。昭和35年モダンアート協会展新人賞受賞。37年文化学院美術科卒。翌年渡仏（56年帰国）。岐阜県美術館他パリの画廊等で個展。日本秀作美術展、NICAF他、パリ、LA、東京等でグループ展多数。神奈川県立近代美術館、岐阜県美術館他作品収蔵。

阪倉宜暢（さかくらよしのぶ）
大正2年（1913）西宮市～平成10年（1998）。大阪市立工芸学校、帝国美術学校西洋画科卒。昭和17年光風会展初入選、19年光風賞、22年会員、31年評議員、55年辻永記念賞、61年理事。21年第1回日展初入選・特選、41年菊華賞、45年会員、63年評議員、平成6年参与。昭和27～29年グラン・ショミエールで学ぶ。仏サロン・デ・ザルティスト金賞他受賞、48年終身無鑑査会員。阪倉みさ子は妻。

坂田一男（さかたかずお）
明治22年（1889）岡山市～昭和31年（1956）倉敷市。川端画学校で学ぶ。大正10～昭和8年滞仏、レジェの研究所で学び、サロン・ドートンヌ出品。サロン・デ・テュイルリー会員。

坂本善三（さかもとぜんぞう）
明治44年（1911）熊本～昭和62年（1987）熊本。昭和4年本郷洋画研究所で学ぶ。6年独立展入選、以後出品、24年会員。51年西日本文化賞。52年長谷川仁賞。

坂本繁二郎（さかもとはんじろう）
明治15年（1882）久留米市～昭和44年（1969）八女市。幼少から森三美に洋画を学び、明治35年不同舎入門。初期文展で度々受賞。大正3年二科会創立参加、昭和18年まで出品。大正10～13年仏留学。昭和29年毎日美術賞。31年文化勲章。38年朝日文化賞。

桜井浜江（さくらいはまえ）
明治41年（1908）山形市～平成19年（2007）東京。大正15年に家出同然で上京、岡田三郎助に師事。昭和3年1930年協会洋画研究所に入所、里見勝蔵に学ぶ。6年第1回独立展以来出品、29年同会会員。22年女流画家協会設立。創立、委員。23年独立賞、読売美術賞受賞。

櫻田精一（さくらだせいいち）
明治43年（1910）熊本～平成11年（1999）野田市。昭和8年日本美術学校卒。小絲源太郎に師事。7～41年光風会展初出品、21年会員。14年新文展初入選、38年日展菊華賞。52年日洋展結成に参加、運営委員。62年小山敬三美術賞。平成4年勲四等瑞宝章、6年紺綬褒章。日展参与、千葉県美術会常任理事、日洋会副委員長。

物故作家（洋画）▼さ

笹岡了一（ささおかりょういち）
明治40年（1907）新潟～昭和62年（1987）松戸市。本姓秋元。昭和5年白日会展初入選、翌年帝展入選。安宅安五郎に師事。8～15年白日会会員。16年創元会創立会員。21年光風会会員。34年日展会員、53年内閣総理大臣賞。夫人は秋元松子。

笹鹿彪（ささかひょう）
明治34年（1901）鳥取県米子～昭和52年（1977）東京。本郷洋画研究所で学ぶ。大正9年光風会展、翌年帝展初入選。21年光風会会員。34年日展会員、39年評議員、51年参与。

佐々木信平（ささきしんぺい）
昭和11年（1936）旧満州～平成29年（2017）。昭和37年武蔵野美術学校西洋画本科卒。46年二紀展佳作賞・二紀会同人推挙。同年安井賞展出品（54年・平成2年）。53年二紀会委員、62年理事、平成14年常務理事。二紀展文部大臣奨励賞・内閣総理大臣賞受賞。文化庁現代美術選抜展他出品。

笹島喜平（ささじまきへい）
明治39年（1906）栃木～平成5年（1993）栃木。版画家。棟方志功に師事。昭和15年国展初入選。16年文展入選。27年日本板画院創立。42年サンパウロ・ビエンナーレ展、47年ミラノ現代国際木版画展出品。

笹谷幸吉（ささやこうきち）
大正6年（1917）新潟～平成14年（2002）新潟。昭和50年新芸術展協会賞、平成2年文部大臣奨励賞。ル・サロン、仏国際展等出品、受賞。新芸術協会理事・参事を務める。

佐田勝（さたかつ）
大正3年（1914）長崎～平成5年（1993）東京。昭和14年東美校油画科卒、藤島武二に師事。美術文化協会創立参加。14～23年芝浦工業専門学校建築科教授。26年日本ガラス絵協会創立。

佐竹徳（さたけとく）
明治30年（1897）大阪～平成10年（1998）岡山。関西美術院、川端画学校で学ぶ。昭和21年日展特選、42年内閣総理大臣賞。43年日本藝術院賞。44年～4年間日展理事。日本藝術院会員。

佐藤敬（さとうけい）
明治39年（1906）大分市～昭和53年（1978）別府市。昭和5年東美校卒。6～9年滞仏。帰国後、官展出品。11年新制作派協会創立会員。27年朝日新聞特派員として渡仏、以降パリ在住。

佐藤昌祐（さとうしょうすけ）
大正9年（1920）酒田市～平成17年（2005）東京。昭和16年東美校卒。南薫造、伊原宇三郎に師事。21年山形師範学校（現山形大）助教授、朔日会同人。23年山形県青年画家会結成。26年上京。34年蒼騎会創立（後会長）、53年文部大臣奨励賞。平成5年練馬区文化事業功労者。本間美術館、山形美術館、文藝春秋画廊等で個展。

佐藤文雄（さとうふみお）
明治37年（1904）秋田市～平成10年（1998）。昭和3年東美校西洋画科卒。4年帝展入選。37年新世紀美術協会参加、同会委員、48年黒田清輝記念賞、55年文部大臣賞。52年日伯現代美術展日伯賞。61年秋田県文化功労章、平成6年紺綬褒章受章。

里見勝蔵（さとみかつぞう）
明治28年（1895）京都～昭和56年（1981）鎌倉市。大正元年鹿子木孟郎にデッサンを学ぶ。8年東美校卒。大正6年二科展、院展初入選。10年渡欧、ヴラマンクに師事、11年グラン・ショミエールで学ぶ。14年帰国、二科展で滞欧作発表、樗牛賞受賞。昭和元年1930年協会創立参加。昭和2年二科展二科賞、5年会員に推挙されるが、独立美術協会創立に参加（12年退会）。29年国画会会員。

佐原和行（さはらかずゆき）
昭和21年（1946）愛知～平成18年（2006）。昭和43年愛知教大卒、45年東京藝大大学院油画専攻修。44年水彩連盟展初入選、春日部たすくに師事、57年会員推挙。日常的な優しさに溢れる詩的水彩。

佐分真（さぶりまこと）
明治31年（1898）名古屋市～昭和11年（1936）。大正11年東美校卒。15年白日会会員。翌年渡仏。昭和4年光風会会員。5年帰国、帝展特選。6～7年再渡仏。10・11年帝展連続特選。

沢田哲郎（さわだてつろう）
大正8年（1919）岩手～昭和61年（1986）。昭和11年藤田嗣治に師事。13年上京、文化学院、川端画学校で学ぶ。二科会展初入選、17年会友、27年特待。32～34年春陽展出品。35年～NYで個展。38年日本国際美術展出品。

沢村美佐子（さわむらみさこ）
大正14年（1925）静岡～平成20年（2008）東京。柿内青葉、清水錬徳、佐川敏子に師事。昭和33年独立展初入選、40年会員推挙(独立賞2、新人選抜展最高賞、会員功労賞)。35年女流画家協会会員推挙(日航賞、会員努力賞他)、後委員。37〜38年パリ滞在、欧州、中近東周遊。安井賞展出品7。資生堂、東京国際美術館、髙島屋他個展多数。

三田康(さんだやすし)
明治33年(1900)大津市〜昭和43年(1968)。大正11年東美校西洋画科卒。藤島武二に師事。昭和5年帝展特選。11年新制作派協会結成。

山東洋(さんとうひろし)
大正10年(1921)和歌山市〜昭和63年(1988)東京。猪熊弦一郎に師事。昭和21年新制作展初入選、26・27・29年新作家賞、30年新制作賞、31年会員。

塩水流功(しおずるいさお)
大正13年(1924)宮崎〜平成8年(1996)柏市。元自由美術協会会員。昭和39年主体美術協会創立に参加、同会会員。

地主悌助(じぬしていすけ)
明治22年(1889)鶴岡市〜昭和50年(1975)神奈川県二宮町。白道と号す。大正元年上京、坂本繁二郎に師事。長く師範学校、中学校で教鞭を執ったが昭和29年画業に専念。31年日本橋丸善で個展開催、小林秀雄に認められる。個展中心に作品を発表。46年日本芸術大賞受賞。

篠崎輝夫(しのざきてるお)
昭和4年(1929)成田市〜平成17年(2005)成田市。日展特選、光風会展記念特別賞等受賞。平成13年芸術文化・14年教育行政で文部科学大臣賞受賞、15年旭日小綬章。具象と抽象の交錯したシャープな作風。日展評議員、光風会常務理事。

芝田米三(しばたよねぞう)
大正15年(1926)京都市〜平成18年(2006)京都市。昭和20年独立美術京都研究所で須田國太郎に師事。22年独立展初入選、25年独立賞。33年会員推挙。38年安井賞受賞。平成6年日本藝術院賞、会員。11年勲三等瑞宝章。リオデジャネイロ近代美術館、サンパウロ美術館、東京国立近代美術館他作品収蔵。金沢美術工芸大特別客員教授。

島崎鶏二(しまざきけいじ)
明治40年(1907)東京〜昭和18年(1943)。島崎藤村の子。川端画学校で学ぶ。昭和4年〜3年間渡仏。帰国後二科展出品、11年会員。

島田章三(しまだしょうぞう)
昭和8年(1933)神奈川〜平成28年(2016)愛知。昭和35年東京藝大専攻科修。国展国画賞、第11回安井賞、中日文化賞、東郷青児美術館大賞、愛知県芸術文化選奨、宮本三郎記念賞、東海TV文化賞、日本藝術院賞、旭日重光章他。個展(三重県立美術館他巡回、横須賀市主催、伊勢丹美術館他)。横須賀美術館館長、愛知県立芸術大学学長を歴任。文化功労者、日本藝術院会員。

島野重之(しまのしげゆき)
明治35年(1902)滋賀県彦根〜昭和41年(1966)東京。昭和2年東美校西洋画科卒。岡田三郎助に師事。光風会展、帝展入選。5年光風会会員、10年評議員。12年文展特選、昭和洋画奨励賞。33年日展評議員、37年日本美術家連盟理事。彫刻家島野重人の父。

島村三七雄(しまむらみなお)
明治37年(1904)大阪〜昭和53年(1978)東京。昭和3年帝展初入選。昭和4年東美校卒。藤島武二に師事。パリ留学、E・ベルナールにフレスコ、テンペラ等古典画法を学ぶ。サロン・デ・ザルチスト・フランセで受賞。帰国後独立展出品、21年会員。42年日本藝術院賞。東京藝大教授(47年退官)。

清水登之(しみずとし)
明治20年(1887)栃木〜昭和20年(1945)栃木。明治40年渡米、アート・スチューデンツ・リーグでJ・スローン、G・ベローらに指導を受け、大正13年渡仏。サロン・ドートンヌで受賞。昭和2年帰国後、二科展出品、4年樗牛賞、5年二科賞。同年独立美術協会創立参加。

清水刀根(しみずとね)
明治38年(1905)前橋市〜昭和59年(1984)前橋市。本名刀根男。大正13年日本美術学校洋画科卒。15年二科展初入選、昭和6年二科賞、7年会友、18年会員、54年理事。5〜10年太平洋画会会員。25〜45年群馬大学教授。

清水錬徳(しみずれんとく)
明治37年(1907)石川〜平成7年(1995)東京。本名貞吉。本郷洋画研究所で学ぶ。昭和5年二科展初入選。7年〜独立展出品、15年独立賞、25年会員。

下岡蓮杖(しもおかれんじょう)
文政6年(1823)伊豆下田〜大正3年(1914)東京。狩

野董川に師事。安政3年ハリスの通訳だったヒュースケンに写真術を学ぶ。文久2年横浜で写真館開業。ビジンに石版術を学び、横山松三郎にその技術を伝える。ショイヤー夫人に油絵を学び、多くの洋風画を描いた。

下郷羊雄（しもざとよしお）
明治40年（1907）愛知～昭和56年（1981）名古屋市。昭和4年津田青楓の洋画塾で学ぶ。7年二科会展初入選。12年名古屋アヴァンギャルド・クラブ結成。戦後は「不条理芸術」を発表。23～31年美術文化協会会員。

下沢木鉢郎（しもざわきはちろう）
明治43年（1910）青森～昭和61年（1986）。本名下山喜八郎。大正13年日本水彩画会会員。昭和3年日本創作版画協会会員。6年国画奨学賞。日本版画協会創立会員。18年国画会会員。27年日本板画院創立会員。

庄司栄吉（しょうじえいきち）
大正6年（1917）大阪～平成27年（2015）東京。昭和11年赤松麟作に師事。13年大阪外語学校仏語科卒、東京美術学校入学、寺内萬治郎に師事。在学中に新文展初入選、光風会展にも出品。17年繰上卒業。海軍派遣教員としてセレベス赴任。21年帰国。27年日展特選・朝倉賞、42年菊華賞、46年会員、62年文部大臣賞。56年光風会展辻永記念賞、57年理事。平成10年勲四等瑞宝章、12年恩賜賞・日本藝術院賞受賞、同年日本藝術院会員。日展顧問。13～20年光風会理事長・21年会長就任。従四位・旭日中綬章。

白髪一雄（しらがかずお）
大正13年（1924）尼崎市～平成20年（2008）。昭和23年京絵専日本画科卒。27年現代美術懇談会に参加、0会結成。30年具体美術協会に参加。天井からロープにつかまり足で描く画法他、泥土の中でもがき、斧で木材を切りつけ、新奇な衣装で舞うなど、アクションペインティングの草分けとして国際的に評価された。34年伊プレミオ・リソーネ買上賞、40年日本国際美術展優秀賞。

白木正一（しらきしょういち）
大正元年（1912）名古屋市～平成7年（1995）静岡。昭和10年上京、独立美術研究所、福沢一郎研究所で学ぶ。15年第1回美術文化協会展入選、23年会員。33年渡米。62年飯能市文化賞。平成元年帰国。

白滝幾之助（しらたきいくのすけ）
明治6年（1873）兵庫～昭和35年（1960）。明治23年山本芳翠の画塾に入り、後黒田清輝に師事。31年東美校卒。内国勧業博覧会、白馬会展出品。37年欧米遊学、パリでR・コランの指導を受け、43年帰国。44年文展褒状、大正3年2等賞。13年～帝展審査員。昭和27年日本藝術院賞恩賜賞。

新道繁（しんどうしげる）
明治40年（1907）福井～昭和56年（1981）東京。大正13年東京府立工芸学校卒。14年帝展初入選。同舟舎研究所で学ぶ。大正2年鈴木千久馬の指導を受ける。2年連続光風会賞受賞、9年会員。17～18年戦争記録画制作のため訪中。31年渡欧。33年新日展文部大臣賞、日本藝術院賞。43年光風会理事。44年日展理事、49年評議員、50年常務理事。54年光風会理事長。

進藤蕃（しんどうばん）
昭和7年（1932）東京～平成10年（1998）。本名蕃（しげる）。昭和31年東京藝大卒（大橋賞）、33年専攻科修。35～37年仏政府給費生として仏国立美術学校（ブリアンション教室）で学び、37年帰国。58～59年滞仏、FIAC（パリ、グラン・パレ）で個展。60年ベルギー国際現代絵画展出品。

神中糸子（じんなかいとこ）
万延元年（1860）和歌山～昭和18年（1943）神戸市。本名以登。明治6年上京、10年工部美術学校に女子初の入学をするが、13年退学。14年小山正太郎に師事。明治女学校や日本女子美術学校、東京女子高等師範学校等で女子美術教育に尽力。

菅創吉（すがそうきち）
明治38年（1905）姫路市～昭和57年（1982）東京。本名彼末己之助。大正14年上京、講談社などで図版カット、政治漫画を描く。昭和13年満州に渡り20年引揚げ。25年再度上京。毎日新聞などに挿絵を描く。38年渡米、NYで制作。47年欧遊し帰国。

菅井汲（すがいくみ）
大正8年（1919）神戸市～平成8年（1996）神戸市。昭和27年渡仏。36年日本国際美術展優秀賞。37年ヴェネチア・ビエンナーレでD・ブライト基金賞、40年サンパウロ・ビエンナーレで最優秀外国作家賞等高い評価を得る。41年芸術選奨文部大臣賞。

菅野圭介（すがのけいすけ）
明治42年（1909）東京～昭和38年（1963）。京都帝国大学文学部中退。渡仏し、A・ドラン等に師事。昭和11年～独立展出品、13年協会賞、16年I氏賞、17年岡田賞、18年会員。23～28年三岸節子と別居結婚。24年画号を圭哉、29年以降は恵介とした。

菅野矢一（すがのやいち）
明治41年（1908）山形～平成3年（1991）東京。昭和11年文展初入選。安井曾太郎に師事。戦後は日展、一水会で活躍。54年日展文部大臣賞。57年日本藝術院賞。61年日本藝術院会員。

杉全直（すぎまたただし）
大正3年（1914）東京～平成6年（1994）東京。昭和13年東美校卒。14年独立展独立賞、美術文化協会創立に参加、会員。28年退会、無所属。33年現代日本美術展優秀賞。サンパウロ、ヴェネチア・ビエンナーレ等出品。56年芸術選奨文部大臣賞。多摩美大、東京藝大教授。

杉本ヘンリー（すぎもとへんりー）
明治34年（1901）和歌山～平成2年（1990）米NY。本名謙。大正8年和歌山中学校卒業後渡米。昭和3年オークランド芸術大学、翌年Cal.美術専門学校卒。渡仏、アカデミー・コラロッシで学ぶ。サロン・ドートンヌ入選。7年帰米。第二次世界大戦で収容所生活を送る。戦後、NYに定住。日本に一時帰国、二科会会員。47年第1回ドキュメンタリー絵画優秀賞受賞。

勝呂孝資（すぐろたかし）
大正14年（1925）静岡～平成7年（1995）栃木県日光。大調和会委員。

鈴木金平（すずききんぺい）
明治29年（1896）四日市市～昭和53年（1978）東京。白馬会葵橋洋画研究所で学ぶ。大正元年フュウザン会結成参加。中村彝に師事。11年帝展初入選。太平洋画会展受賞。昭和8年旺玄社創立に参加、会員。10年頃合羽版を創案。

鈴木信太郎（すずきしんたろう）
明治28年（1895）東京～平成元年（1989）東京。明治43年白馬会洋画研究所入所、黒田清輝に学ぶ。大正5年文展初入選。11年二科展初入選。以後石井柏亭に師事。15年二科展樗牛賞、昭和11年会員。装丁、挿絵を手がけた。25年武蔵野美大教授、28年多摩美大教授。30年二科会退会、一陽会結成。35年日本藝術院賞、44年同会員。63年文化功労者。

鈴木千久馬（すずきちくま）
明治27年（1894）福井市～昭和54年（1979）東京。大正10年東美校卒、帝展初入選。14年～帝展連続特選3。昭和15年創元会結成。帝展、日展審査員。32年日本藝術院賞、47年同会員。日展評議員、顧問。

鈴木亜夫（すずきつぐお）
明治27年（1894）大阪～昭和59年（1984）東京。東美校卒。藤島武二、石井柏亭に師事。二科展出品、会友。昭和5年独立美術協会創立会員。

鱸利彦（すずきとしひこ）
明治27年（1894）千葉～平成5年（1993）東京。東美校卒。藤島武二に師事。文展、帝展に出品。二科展に出品、会員。後一陽会創立に参加、委員。

鈴木博尊（すずきひろたか）
明治37年（1904）愛知～昭和63年（1988）大阪。高間惣七、堀田清治に師事。二元会理事長。

鈴木誠（すずきまこと）
明治30年（1897）大阪～昭和44年（1969）。大正11年東美校西洋画科卒。12年～パリ留学、グラン・ショミエールで学ぶ。昭和4年帝展特選。11年新制作派協会創立会員。多摩美大教授。

鈴木保徳（すずきやすのり）
明治24年（1891）東京～昭和49年（1974）。大正5年東美校西洋画科卒。昭和3年二科展二科賞、会友。5年独立美術協会創立、会員。

鈴木良三（すずきりょうぞう）
明治31年（1898）茨城～平成8年（1996）東京。大正10年中村彝を中心に金塔社結成に参加。11年帝展初入選。昭和3年渡仏、サロン・ドートンヌに入選。6年帰国。12年～一水会展出品、21年会員。日展審査員、一水会常任委員、中村彝会会長歴任。

須田国太郎（すだくにたろう）
明治24年（1891）京都～昭和36年（1961）京都。大正6年関西美術院で学ぶ。8年渡欧、スペイン滞在。昭和9年独立美術協会会員。22年日本藝術院会員。25年京都市立美大教授、後学長代理。34年毎日美術賞受賞。

須田剋太（すだこくた）
明治39年（1906）埼玉～平成2年（1990）西宮市。川端画学校で学ぶ。昭和14・17年新文展特選。15年光風会会員。16年国画会会員。22年日展特選。32年サンパウロ・ビエンナーレ日本代表。40年西宮市民文化賞受賞。司馬遼太郎「街道をゆく」の挿絵を担当。

須田寿（すだひさし）
明治39年（1906）東京日本橋～平成17年（2005）世田谷区。旧姓門井（下村観山の縁戚）、昭和6年須田家養子。同年東美校洋画科卒。長原孝太郎、和田英作に師事。5年帝展初入選。15年創元会創立参加。22年日展特選。24年退会し牛島憲之らと立軌会創立、会員。40年武蔵野美大教授（53年名誉教授）。55年紺綬褒章、57年長谷川仁記念賞、60年芸術選奨文部大臣賞、勲四等瑞宝章、平成12年中村彝賞。5年世田谷美術館で回顧展。

砂田友治（すなだともじ）
大正5年（1916）苫小牧市～平成11年（1999）札幌市。昭和19年東京高等師範学校卒。24年独立展独立賞、40年独立美術協会会員推挙、平成8年功労賞。北海道教育大学名誉教授。

陶山侃（すやまかん）
昭和6年（1931）広島～平成10年（1998）。本名侃（つよし）。昭和25年竹谷富士雄に師事。26年毎日連合展、28～31年自由美術展、39年以降三軌展出品。三軌展委員優賞、25周年記念賞、文部大臣賞等受賞。53年安井賞候補展出品。58年～三軌会代表。

清宮質文（せいみやなおぶみ）
大正6年（1917）東京～平成3年（1991）東京。父は清宮彬。同舟舎で学ぶ。昭和17年東美校油画科卒。後木版画に取り組む。29年春陽展初入選、32年会員（49年まで出品）。東京国際版画ビエンナーレ等招待出品。35年より南天子画廊等で個展。

清宮彬（せいみやひとし）
明治19年（1886）広島市～昭和44年（1969）。白馬会葵橋研究所で学ぶ。白馬会展出品。大正元年フュウザン会結成参加。3年巽画会展2等賞。4年草土社創立会員。11年木版画制作を始め、昭和6年日本版画協会創立会員。

関口俊吾（せきぐちしゅんご）
明治44年（1911）神戸市～平成14年（2002）パリ。鹿子木孟郎に師事。昭和10年仏留学、12年サロン・ドートンヌ初入選。16年パリ国立高等美術学校卒。同年世界大戦で帰国、26年再渡仏。32年新制作協会会員。34年ヴィシー国際展受賞他国際展で活躍。

関根正二（せきねしょうじ）
明治32年（1899）福島県白河～大正8年（1919）東京。伊東深水の紹介で印刷会社図案部に就職。初め日本画を描いたが大正2年洋画に転じ、本郷洋画研究所で学ぶ。4年二科展初入選、7年樗牛賞を受けるが翌年肺結核のため夭折。

関野準一郎（せきのじゅんいちろう）
大正3年（1914）青森市～昭和63年（1988）東京。版画家。今純三、後に恩地孝四郎に師事。昭和13年日本版画協会会員。15年日本エッチング協会創立。国展出品、22年会員。28年日本銅版画家協会創立に参加。36年リュブリアナ国際版画展特別賞。50年芸術選奨文部大臣賞。

全和鳳（ぜんわこう）
明治42年（1909）韓国～平成8年（1996）大津市。本名鳳斎。須田國太郎に師事。昭和28年行動美術協会会員。京都に全和鳳美術館設立。

曽宮一念（そみやいちねん）
明治26年（1893）東京～平成6年（1994）富士宮市。本名喜七。東美校で学ぶ。在学中文展入選。大正14年二科展樗牛賞。戦後は国画会出品。

曾山幸彦（そやまさちひこ）→**大野幸彦**

高井寛二（たかいかんじ）
大正10年（1921）岡山県勝山町～平成17年（2005）。昭和19年東美校油画科卒。田辺至に師事。23年行動展初出品、25年行動美術賞、26年会員。朝日新人選抜展等出品。ローザ工芸常務取締役、商業施設団体連合会理事、日本マネキンディスプレイ商工組合理事等歴任。

高井貞二（たかいていじ）
明治44年（1911）徳島～昭和61年（1986）東京。和歌山で育ち昭和5年上京、二科展初入選。昭和3年九室会結成に参加。21年行動美術協会創立に参加するが、26年退会。29年渡米、30年～NYに住む。28年～二紀会展出品。二紀会委員。

互井開一（たがいかいいち）
明治37年（1904）埼玉～昭和42年（1967）東京。昭和7年日本水彩画会展、太平洋画会展入選。9年光風会展、二科展に初入選。11年より官展に水彩画を出品。21年白日会会員。24年新水彩作家協会創立委員長、30年三軌会と改称、委員長を務める。

高岡徳太郎（たかおかとくたろう）
明治35年（1902）大阪～平成3年（1991）東京。松原三五郎の天彩学舎で学び、上京後本郷洋画研究所で岡田三郎助に師事。大正13年信濃橋洋画研究所に入

り、二科展入選。昭和6年二科賞、11年会員。30年一陽会創立。

高木志朗（たかぎしろう）
昭和9年（1934）青森～平成11年（1999）。武蔵野美大中退。昭和32・39年東京国際版画ビエンナーレ出品、33年グレンヘン色彩版画トリエンナーレ受賞、33年クラコウ国際版画ビエンナーレグランプリ受賞他、各地の国際版画展出品。ポーランド国立美術館、スウェーデン国立美術館等収蔵。

高木背水（たかぎはいすい）
明治10年（1877）佐賀市～昭和18年（1943）東京。本名誠一郎。明治31年白馬会洋画研究所で学ぶ。32年白馬会展出品。37～39年岩村透、白瀧幾之助らと渡米、コロンビア大学美術科で学ぶ。40年文展出品。43～大正元年渡英。ロイヤル・アカデミーに出品。昭和11年朝鮮美術展設立。帝展、光風会、白日会展に出品。

高岸昇（たかぎしのぼる）
昭和9年（1934）名古屋市～平成12年（2000）東京。昭和34年東京藝大油画科卒。49年新制作協会会員。国際青年美術家展、シェル美術賞展、安井賞展等出品、受賞。53～54年文化庁芸術家在外研修員としてウィーン留学。

高崎研一郎（たかさきけんいちろう）
昭和5年（1930）兵庫～平成29年（2017）。昭和31年六甲洋画研究所にて田村孝之介、中西勝、鴨居玲に師事。32年二紀展初入選以降毎年出品、黒田賞、文部大臣賞、鍋井賞等受賞。平成23年画集刊行（生活の友社）。神戸市文化賞、兵庫県文化賞。二紀会参与。

高沢圭一（たかざわけいいち）
大正3年（1914）群馬～昭和59年（1984）東京。日大芸術学部中退。昭和14年聖戦美術展朝日新聞社賞。50～57年「婦人公論」表紙絵担当。

髙島野十郎（たかしまやじゅうろう）
明治23年（1890）福岡～昭和50年（1975）千葉。本名弥寿（やじゅ）、字は光雄。福岡県立中学明善校、旧制八校を経て東京帝大農学部水産学科を首席で卒業。学究生活をなげうって、独学で絵の道に進む。大正13年銀座資生堂で個展。昭和4年渡欧、各国を巡り8年帰国。ひたすら写生を追求し、画壇とは無縁の孤高の画家を貫いた。没後、その静謐な画面が評価され、全国でたびたび展覧会が開催されるようになった。

高田誠（たかだまこと）
大正2年（1913）浦和市～平成4年（1992）浦和市。昭和4年16歳で二科展初入選。安井曾太郎に師事。12年一水会創立に参加、翌年一水会賞。17年新文展特選。43年日展文部大臣賞。47年日本藝術院賞、53年同会員。58～60年日展理事長。62年文化功労者。

高田保雄（たかだやすお）
昭和2年（1927）横浜市～平成28年（2016）。昭和25年東京藝術大学卒。無所属。横浜シリーズで知られる。

高塚省吾（たかつかせいご）
昭和5年（1930）岡山市～平成19年（2007）東京。高校時代から受賞多数。昭和28年東京藝大梅原教室卒。30年日本アンデパンダン展出品。映画美術や、舞台衣裳・装置、台本、CM映画の監督や、NHK広報室のディスプレイデザイン、「朝日ジャーナル」の挿画等担当。日動画廊、三越百貨店他での200回近い個展を中心に無所属で制作。

高梨潔（たかなしきよし）
昭和6年（1931）横浜市～平成21年（2009）。昭和30年長岡忠三郎に師事。31年太平洋展初入選（会員秀作賞、90回記念賞等）、36年会員推挙、理事、副会長を経て平成20年会長。昭和54年～写実画壇展出品、ハマ展でも神奈川県教育委員長賞等受賞。

高橋源吉（たかはしげんきち）
安政5年（1858）江戸～大正2年（1913）。高橋由一の次嗣子。父由一の主宰する天絵学舎で学ぶ。明治9年工部美術学校入学、フォンタネージの指導を受ける。11年退学、十一会結成。13年日本初の美術誌「臥遊席珍」創刊。22年明治美術会創立。

高橋由一（たかはしゆいち）
文政11年（1828）江戸～明治27年（1894）東京。初め狩野洞庭らに日本画を学ぶが、文久2年蕃書調所画学局で川上冬崖の薫陶を受け、慶応2年ワーグマンに実技を学ぶ。明治6年天絵楼（のち天絵学舎）設立、後進の指導に尽力（～17年）。近代日本初の洋画家。代表作は「鮭」「美人（花魁）」等。

高橋力雄（たかはしりきお）
大正6年（1917）東京～平成10年（1998）。恩地孝四郎に師事。昭和37年Cal.を皮切りに米・欧・南米で個展。40年Cal.美術学校入学、米国各地で版画講習。59年ザイロン国際版画展1等賞。東京国立近代美術館、NY近代美術館、大英博物館等作品収蔵。日本版画協会名誉会員。

高畠華宵（たかばたけかしょう）
明治21年（1888）愛媛～昭和41年（1966）東京。本名幸吉。明治36年京都市立美術学校で日本画を、関西美術院で洋画を学ぶがいずれも中退、18歳で上京。『講談倶楽部』『少年倶楽部』表紙、口絵、挿絵等担当。

高畠達四郎（たかばたけたつしろう）
明治28年（1895）東京～昭和51年（1976）東京。大正5年慶応大学理財科中退、白馬会本郷洋画研究所に通う。11～昭和3年滞仏、パリのアカデミー・ランソンで学び、キスリングらの影響を受ける。帰国後は国展出品、独立美術協会創立に参加。昭和26年毎日美術賞。

高間惣七（たかまそうしち）
明治22年（1889）東京～昭和49年（1974）横浜市。大正5年東美校卒。和田英作に師事。3年大正博覧会、文展で受賞。8～13年帝展特選4回。13年槐樹社結成。昭和8年東光会組織。11年主線美術協会創立。30年独立美術協会創立に参加。34年日本国際展優秀賞。35年横浜文化賞。

高間筆子（たかまふでこ）
明治33年（1900）～大正11年（1922）。兄は高間惣七。川端画学校で学ぶ。大正9年～朱葉会展出品。11年自殺。

高松次郎（たかまつじろう）
昭和11年（1936）東京～平成10年（1998）。本名新八郎。昭和33年東京藝大卒。36年～読売アンデパンダン展出品。38年赤瀬川原平、中西夏之とハイレッド・センター結成。40年シェル美術賞展1等賞、42年日本国際美術展やパリ青年ビエンナーレで受賞、43年芸術選奨文部大臣新人賞、ヴァネチア・ビエンナーレでカルロ・カルダッツォ賞、44年現代日本美術展大原美術館賞、47年東京国際版画ビエンナーレ国際大賞等出品・受賞多数。

高光一也（たかみつかずや）
明治40年（1907）金沢市～昭和61年（1986）金沢市。大正14年石川県立工業学校図案絵画卒。昭和7年帝展初入選。中村研一に師事。12年文展特選。22年光風会会員。30年金沢美術工芸大学教授。38年新日展文部大臣賞。42年光風会理事。46年日本藝術院賞。52年日展理事。54年日本藝術院会員。61年文化功労者。

多賀谷伊徳（たがやいとく）
大正7年（1918）福岡～平成7年（1995）北九州市。同郷の寺田政明を頼り上京。昭和14年独立展初入選。21～27年美術文化協会会員。30～36年二科会会員、36年無所属となり郷里で制作。47年タガヤ美術館開館。56年西日本文化賞。

鷹山宇一（たかやまういち）
明治41年（1908年）青森～平成11年（1999年）。昭和5年日本美術学校卒、二科展初入選。13年絶対象派協会結成。二科九室会に参加するが14年退会、美術文化協会創立に参加。20年二科会再建に向け会員として復帰、中心メンバーとして活躍、42年内閣総理大臣賞、後名誉理事。39年青森県褒賞。平成6年青森県七戸町に鷹山宇一記念美術館開館。10年東京国際美術館で卒寿記念展。日本美術学校名誉教授。

田口省吾（たぐちせいご）
明治30年（1897）秋田～昭和18年（1943）。大正10年東美校卒、石井柏亭、安井曾太郎に師事。昭和4年渡欧。7年帰国、二科会会員。

武井武雄（たけいたけお）
明治27年（1894）岡谷市～昭和58年（1983）。大正8年東美校西洋画科卒。『赤い鳥』の挿絵担当。昭和2年日本童画家協会創立会員。19年日本版画協会会員、50年名誉会員。岡谷市のイルフ童画館に収蔵多数。平成11年～武井武雄記念日本童画大賞開催。

武内鶴之助（たけうちつるのすけ）
明治14年（1881）横浜市～昭和23年（1948）。明治39年白馬会洋画研究所で学ぶ。41～大正3年渡英。ロイヤル・アカデミー会員。文展、国民美術協会展、光風会展出品。12年光風会会員。昭和3年日本パステル画会創立、顧問。

竹田一夫（たけだかずお）
大正12年（1923）大阪～平成10年（1998）東京。昭和25年各公募美術展、アンデパンダン展出品。35年現展招待出品、会員、36年現展賞。61～平成7年現代美術家協会代表。

武田範芳（たけだのりよし）
大正2年（1913）北海道旭川～平成元年（1989）東京。昭和8年上野山清貢、牧野虎雄に師事。後本郷研究所で学ぶ。37年渡欧、仏国立研究所、グラン・ショミエールで学ぶ。38年～ル・サロン出品、金・銀・銅賞受賞。シュビジー国際招待最優秀作品賞、シュビジー賞等受賞。54年紺綬褒章受章。

竹久夢二（たけひさゆめじ）→〔日本画〕竹久夢二

竹谷富士雄（たけやふじお）
明治40年（1907）新潟～昭和59年（1984）東京。昭和7年渡欧、ベルリン、パリに滞在。10年帰国。11年二科展初出品。藤田嗣治に師事。15年二科展佐分賞。22年新制作派展新作家賞。41年国際形象展愛知県美術館賞。新制作協会会員。

田崎廣助（たざきひろすけ）
明治31年（1898）福岡県八女～昭和59年（1984）東京。本名広次。関西美術院で学び坂本繁二郎、安井曾太郎に師事。昭和7～10年滞仏、サロン・ドートンヌ出品。11年一水会展受賞、14年委員。42年日本藝術院会員。48年ブラジル政府最高名誉勲章、50年文化勲章受章。61年軽井沢に田崎美術館開館。

田澤茂（たざわしげる）
大正14年（1925）青森～平成26年（2014）神奈川。昭和28年猪熊弦一郎に会い純粋美術研究所入所。同年新制作展初入選。新作家賞受賞3回。42年会員推挙。安井賞展選抜入選2回。平成5年日本秀作美術展選抜（以降6回）。田澤茂画集2冊刊行、他雑誌表紙、単行本装幀・挿画、新聞小説等挿画に多数携わる。NHK、日本テレビなど美術番組出演。平成12年郷里田舎館村に村立田澤茂記念美術館開館。16年第80回記念箱根駅伝ポスター制作、青森県文化賞受賞。横浜美術館、平塚市美術館他作品収蔵。

多々羅義雄（たたらよしお）
明治27年（1894）福岡～昭和43年（1968）東京。青木繁、後満谷国四郎に師事。太平洋画会展出品。大正2年文展初入選、特選。5年帝展無鑑査。昭和4年太平洋美術学校教授。25年太平洋画会代表。27年光陽会創立、会長。

立花重雄（たちばなしげお）
大正9年（1920）～平成7年（1995）田川市。日展会員、日洋会常任委員。田川市文化功労者。

辰野登恵子（たつのとえこ）
昭和25年（1950）岡谷市～平成26年（2014）東京。昭和49年東京藝大大学院修了。49～50年同大版画科助手を務める。大学在学中からグループ「コスモスファクトリー」結成。48年村松画廊で初個展開催。のびやかな抽象画で知られ、平成6年サンパウロビエンナーレに日本代表で出品。7年東京国立近代美術館で個展開催。8年芸術選奨文部大臣新人賞、25年毎日芸術賞受賞。15年から多摩美大客員教授（翌年教授）として後進を指導。

立石大河亞（たていしたいがー）
昭和16年（1941）福岡～平成10年（1998）。昭和38年武蔵野美術短大芸能デザイン科卒。同年読売アンデパンダンに前衛的レリーフ作品を出品。翌年初個展（サトウ画廊）。42年までは「立石紘一」、43年から「タイガー立石」名で、油彩の他漫画・絵本など制作。44年渡欧し、デザインソットサス研究所に所属、ミラノの画廊と契約しコマ割り絵画等を制作。57年に帰国。平成2年頃からは「立石大河亞」として、10年の没後も現在に至るまで、全国の美術館等で開催されるグループ展に作品が展示される。パブリックコレクション多数。

田中阿喜良（たなかあきら）
大正7年（1918）大阪～昭和57年（1982）パリ。昭和18年京都工芸学校卒。23年行動美術協会展出品、会員。32年シェル美術賞展1等賞。33年渡仏。36年サロン・ドートンヌ会員。

田中敦子（たなかあつこ）
昭和7年（1932）大阪～平成17年（2005）奈良。本名金山敦子。京都市美中退後、吉良治良に師事。昭和30年具体美術協会会員、40年退会。「電気服」のパフォーマンス等、独特の精神世界を表す斬新な前衛的作風。

田中恭吉（たなかきょうきち）
明治25年（1892）和歌山市～大正4年（1915）和歌山市。版画家。白馬会研究所を経て、東美校日本画科中退。大正3年恩地孝四郎らと雑誌「月映」創刊。萩原朔太郎「月に吠える」の装画を担当。

田中佐一郎（たなかさいちろう）
明治33年（1900）京都～昭和42年（1967）東京。初め日本画を学ぶ。大正14年京絵専予科卒業後、上京。川端画学校で学ぶ。安井曾太郎に師事。昭和4年二科展初入選。1930年協会展入選。6年独立展独立賞、9年会員。13年従軍画家として戦地に赴く。

田中繁吉（たなかしげきち）
明治31年（1898）福岡～平成6年（1994）東京世田谷。大正10年東美校卒。藤島武二に師事。11年帝展初入選。昭和元年渡欧、キスリングに傾倒。帰国後、8年帝展特選。16年創元会設立に参加。創元会理事長。日展参与。紺綬褒章2回。

田中善之助（たなかぜんのすけ）
明治22年（1889）京都～昭和21年（1946）。初め日本画を学んだが聖護院洋画研究所で浅井忠に師事。文展、関西美術院展に出品。後春陽会会員。昭和32年新興美術協会創立。

田中岑（たなかたかし）
大正10年（1921）香川～平成26年（2014）。昭和14年東美校に入学するが、5月に憧れの海老原喜之助に勧められ、日芸に転校。17年繰上卒業。最初独立展に出品、戦後25年以降春陽展出品、28年会員推挙。32年第1回安井賞受賞。他に国際形象展。ＪＡＮ展など出品、個展多数。

田中忠雄（たなかただお）
明治36年（1903）札幌市～平成7年（1995）東京。前田寛治に師事。二科展出品、17年会員。20年行動美術協会創立。35年現代日本美術展優秀賞。60年毎日芸術賞。武蔵野美大名誉教授。

田中稔之（たなかとしゆき）
昭和3年（1928）山口～平成18年（2006）。昭和24年山口青師卒。26年上京、向井潤吉に師事。28～32年読売アンデパンダン展出品、31年アジア青年美術家展F氏賞。33年行動展行動美術賞、34年会員推挙。38～40年滞欧。61年東郷青児美術館大賞、平成元年山口県芸術文化功労賞、平成14年両洋の眼展河北倫明賞。昭和59～平成11年多摩美大教授、後名誉教授。東京都現代美術館等作品収蔵。

田中春弥（たなかはるや）
大正3年（1914）～平成22年（2010）東京。福岡で生まれ、熊本で育つ。昭和8年伊原宇三郎に師事。12年東美校卒。25年一水会展・日展初入選。26年安井曾太郎・田崎廣助に師事。一水会展で会員佳作賞・会員優賞、日展で特選・菊華賞・文部大臣賞。平成2年小山敬三美術賞受賞。日展参与、一水会運営委員を務める。

田中実（たなかみのる）
大正12年（1923）刈谷市～平成28年（2016）。昭和25年日展初入選。27年日展岡田賞、29年水彩連盟会員、31年光風会会員。46年水彩連盟展第30回記念会員賞、56年第40回記念会員賞。53年日展会員、59年日展会員賞。平成元年埼玉文化賞。2年日展評議員、後参与。光風会名誉会員、水彩連盟名誉会員。

田中保（たなかやすし）
明治19年（1886）埼玉県岩槻～昭和16年（1941）パリ。中学卒業後、単身渡米。シアトルのフォッコ・タダマ画塾で油彩と素描を学ぶ。大正9年渡仏。サロン・デ・ザンデパンダン会員、サロン・ドートンヌ会員、サロン・デ・チュイリュリー会員、ソシエテ・ナショナル・ボザール会員。

田辺至（たなべいたる）
明治19年（1886）東京～昭和43年（1968）鎌倉市。明治43年東美校西洋画科卒。大正8年東美校助教授。11年文部省在外研究員として2年間西欧遊歴。昭和2年帝展帝国美術院賞。3年東美校教授、二科会創立に参加、4年脱退。19年東美校教授退官。第１回文展～出品、褒状、特選。官展で審査員歴任。

田辺栄次郎（たなべえいじろう）
明治43年（1910）石川～平成10年（1998）。昭和4年石川師範本科専攻科卒。二科、二紀展出品。31年以降30回余欧米等に写生旅行。随筆、素描集出版。57・61年文化省招待により訪ソ。紺綬褒章2回。一陽会常任委員。

田辺三重松（たなべみえまつ）
明治30年（1897）函館市～昭和46年（1971）東京。大正15年北海道美術協会会員。昭和3年二科展初入選。9年新美術協会会員。11年二科展特選、17年二科賞、会員。20年行動美術協会創立に参加。24年北海道文化賞。25年北海道新聞文化賞。

谷内六郎（たにうちろくろう）
大正10年（1921）東京～昭和56年（1981）東京。独学で絵画を学ぶ。昭和30年文藝春秋漫画賞。31年「週刊新潮」創刊号から表紙絵担当。52年～ねむの木学園で絵の指導を始め、児童画展開催、子供の美術教育に尽力。

谷中安規（たになかやすのり）
明治30年（1897）奈良県長谷～昭和21年（1946）。版画家。永瀬義郎に師事。日本創作版画協会、日本版画協会、国画会に出品。挿絵・装幀を多数手がける。東京で餓死。

田淵安一（たぶちやすかず）
大正10年（1921）福岡～平成21年（2009）パリ。京都三校時代須田國太郎に師事、大学時代猪熊弦一郎の研究所で油彩画を学ぶ。23年東大卒。22年新制作展出品、24年岡田賞、33年会員。26年渡仏。色鮮やかな抽象画でサロン・ド・メ、カーネギー等海外の国際展等でも活躍、国内外で受賞。

玉之内満雄（たまのうちみつお）
昭和4年（1929）埼玉県日高市～平成9年（1997）。昭和23年埼玉師範卒。24年日展入選（以後4回）、旺玄会展初出品。29年旺玄会会員。33・34年安井賞展出品。52年日本大使館後援・パリ個展。56・62年紫綬褒章。

田村一男（たむらかずお）
明治37年（1904）東京～平成9年（1997）。大正13年本郷研究所で学び、岡田三郎助に師事。昭和3年帝展初入選。15年光風会展会員。21年日展特選。38年日本藝術院賞。55年同会員。平成4年文化功労者。日展顧問。

田村孝之介（たむらこうのすけ）
明治36年（1903）大阪～昭和61年（1986）藤沢市。大正9年上京、太平洋画会研究所で学ぶ。10年大阪に戻り小出楢重に師事。13年創設の信濃橋洋画研究所で学ぶ。15年二科展初入選。昭和2年全関西洋画展全関西賞。12年二科会会員。22年二紀会創立。27～28年渡欧。30年兵庫県文化賞。37年渡米、38年欧遊。49年二紀会理事長。59年日本藝術院会員。60年文化功労者。

田村宗立（たむらそうりゅう）
弘化3年（1846）京都府園部～大正7年（1918）京都市。号月樵。ワーグマンに洋画を学ぶ。後京都府画学校で洋画を指導、関西美術会創立に尽力。

千本裕三（ちもとゆうぞう）
大正12年（1923）和歌山～平成6年（1994）奈良。昭和18年大阪中之島洋画研究所で学ぶ。25年～春陽会展出品。37年～鉄鶏会展招待出品。関西を中心に活動。56年五条市文化賞。

鳥海青児（ちょうかいせいじ）
明治35年（1902）神奈川県平塚～昭和47年（1972）東京。本名正夫。大正13年～春陽展出品、昭和3、4年春陽会賞。5～8年欧州旅行。帰国後、春陽会会員。18年独立美術協会会員。31年芸術選奨文部大臣賞。34年毎日美術賞。

塚本張夫（つかもとはるお）
明治40年（1907）広島～平成2年（1990）。昭和7年東美校西洋画科卒。創元会常任委員。日展会員。

辻愛造（つじあいぞう）
明治28年（1895）大阪～昭和39年（1964）。初め赤松麟作に学ぶ。大正4年太平洋画会研究所入所。15年国展出品、昭和9年会員。32年兵庫県文化賞。

辻永（つじひさし）
明治17年（1884）広島～昭和49年（1974）東京。明治39年東美校卒、岡田三郎助に師事。大正7年光風会会員。9～10年欧州留学。光風会、帝展で活躍。帝展審査員。22年日本藝術院会員。34年文化功労者。33～44年日展理事長。

辻まこと（つじまこと）
大正2年（1913）東京～昭和51年（1976）。父は詩人の辻潤。昭和4年父と共に渡仏。帰国後は職を転々とし、戦時中は従軍記者と兵役を務める。24年復員、詩誌『歴程』に発表。風刺的な絵画作品と『平和への道』『山からの絵本』等を著した。

辻利平（つじりへい）
明治33年（1900）長崎県松浦～昭和63年（1988）長崎県松浦。昭和3年東美校図画師範科卒。斎藤与里に師事。41年新日展菊花賞、後会員。東光会名誉会員。

津高和一（つたかわいち）
明治44年（1911）兵庫県西宮～平成7年（1995）。中之島洋画研究所で学ぶ。昭和27年行動美術協会会員（31年退会）。33年現代日本美術展優秀賞。32・34年サンパウロ・ビエンナーレ、36年グッゲンハイム賞美術展出品。43～60年大阪芸大教授（後名誉教授）。42年兵庫県文化賞、61年大阪芸術賞。阪神淡路大震災により西宮で没。

土田文雄（つちだふみお）
明治34年（1901）山形～昭和48年（1973）東京。洋画家。国画会会員。川端画学校で藤島武二に師事。大正15年国展出品、昭和4年樗牛賞、18年会員。文展、美術団体連合展等出品。29年～武蔵野美術学校・37～46年武蔵野美大教授。32年米沢市名誉市民。

都竹伸政（つづくしんせい）
大正2年（1913）岐阜県萩原町～平成15年（2003）東京。藤田嗣治に師事。第一美術協会展市川特賞、創芸努力賞、文部大臣奨励賞等受賞。退会後、個展を中心に発表。尾崎士郎、丹羽文雄、竹田敏彦等の小説挿絵・装画を担当。

椿貞雄（つばきさだお）
明治29年（1896）米沢市～昭和32年（1957）千葉市。大正3年上京、岸田劉生に師事。巽画会出品、後草土社会員。11年春陽会創立に客員として参加。昭和2年大調和会審査委員、後国画会会員。

坪内正（つぼうちただし）
明治42年（1909）広島〜平成8年（1996）東京。昭和10年東美校卒。53年改組日展特選、後会員。日洋会常任委員。

鶴岡政男（つるおかまさお）
明治40年（1907）高崎市〜昭和54年（1979）東京。大正11年太平洋画会研究所入所。昭和3年1930年協会展入選により太平洋画会研究所除名、洪原会結成。5年洪原会解散、NOVA美術協会創立（〜12年）。18年新人画会結成。22年自由美術家協会会員。38年日本国際美術展最優秀賞。「重い手」等。

鶴岡義雄（つるおかよしお）
大正6年（1917）土浦市〜平成19年（2007）。昭和16年日本美術学校卒。同年二科展初出品、22年二科賞、25年会員推挙、40年会員努力賞、45年青児賞、49年総理大臣賞、55年常務理事。平成2年日本藝術院賞、6年同会員。5年旭日小綬章。12〜18年二科会理事長、後名誉理事。カンヌ国際展、サロン・ドートンヌ（昭和44年会員）等出品。20〜30年代は抽象、滞欧を機に40年代はマドモアゼル、50年以後舞妓シリーズ、晩年は再び大胆な色彩と構図の抽象を描いた。

弦田英太郎（つるたえいたろう）
大正9年（1920）東京〜平成26年（2014）東京。昭和17年東京美術学校（藤島武二教室）卒業、同年コンラッド・メイリ、24年有島生馬に師事。23年一水会会員推挙。25年日展特選。47年から舞妓を描きに京都祇園に通う。一水会展にて44・55・57年会員佳作賞、59年会員優賞受賞、平成4年委員、後に常任委員。5年日展会員推挙。大田区美術協会会長も務めた。

鶴田吾郎（つるたごろう）
明治23年（1890）東京〜昭和44年（1969）東京。明治38年倉田白羊に師事。39年白馬会研究所、40年太平洋画会研究所で学ぶ。大正元年朝鮮に渡り、6年満州、ロシアを放浪、9年帰国。太平洋画会太平洋賞、帝展初入選。昭和5年欧州遊歴。22年示現会創立に参加、26年退会。30年日本スポーツ芸術協会会員。

勅使河原宏（てしがはらひろし）
昭和2年（1927）東京〜平成13年（2001）東京。父は草月流家元勅使河原蒼風。昭和25年東美校卒。日本画と油絵を学び、超現実派や前衛芸術、ピカソや岡本太郎の影響を受け、安部公房の「世紀の会」参加。37年劇映画第1作「おとし穴」でNHK新人監督賞、39年「砂の女」でカンヌ映画祭審査員特別賞。55年草月流第3代家元を継承。平成元年「利休」で芸術選奨文部大臣賞、モントリオール映画祭最優秀芸術賞。8年仏芸術文化勲章。現代生け花の発展に取り組む他、多彩に活動。

寺内萬治郎（てらうちまんじろう）
明治23年（1890）大阪〜昭和39年（1964）浦和。明治38年松原三五郎の天彩画塾で学ぶ。43年上京、白馬会で黒田清輝に学ぶ。大正5年東美校西洋画科卒。7年文展初入選後文展、日展、光風会出品。14・昭和2年帝展特選。4年光風会会員。8年〜帝展審査員歴任。26年日本藝術院賞、35年同会員。

寺崎武男（てらさきたけお）
明治16年（1883）東京〜昭和42年（1967）。明治40年東美校西洋画科卒。20年にわたり伊滞在、エッチングを中心に制作。大正5年帰国、翌年日本水彩画会展、文展出品。7年日本創作版画協会創立会員。昭和5年洋風版画会創立同人。6〜8年日本版画協会創立会員。日展無鑑査。

寺島龍一（てらしまりゅういち）
大正7年（1918）東京〜平成13年（2001）東京。川端画学校で学ぶ。昭和17年東美校油画科卒。小林萬吾、寺内萬治郎に師事。16年新文展、翌年光風会展に初入選。55年光風会理事、59年日展評議員。52年光風会展辻永記念賞、平成4年日展総理大臣賞等受賞。9年日本藝術院賞恩賜賞、翌年同会員。9年日展理事、11年顧問、12年光風会理事長。

寺田竹雄（てらだたけお）
明治41年（1908）福岡〜平成5年（1993）東京。昭和7年Cal.州美術専門学校卒。米政府の依頼でサンフランシスコ市コイト記念塔内壁画制作。帰国後二科展出品、51年総理大臣賞。54年日本美術家連盟理事長。59年日本藝術院賞、平成2年同会員。二科会常務理事。

寺田政明（てらだまさあき）
明治45年（1912）福岡〜平成元年（1989）東京。昭和5年太平洋美術学校入学。6年太平洋近代洋画研究会結成。7年独立展初入選、12年同協会賞。14年美術文化協会結成に参加。18年新人画会結成。19年中国を取材。24年日本美術家連盟創立委員。美術文化協会退会、自由美術協会に移る。39年主体美術協会創立。

寺松国太郎（てらまつくにたろう）
明治8年（1875）岡山〜昭和18年（1943）。明治33年上京、小山正太郎の不同舎で学ぶ。43年文展褒状、大正2年3等賞。後関西美術院で後進を指導。

土井俊泰（どいとしやす）
大正7年（1918）静岡～平成24年（2012）神奈川。菅野圭介に師事。独立展独立賞・最高賞、昭和36年会員推挙、平成8年功労賞。11年茅ヶ崎市美術館にて回顧展開催。安井賞候補展、現代絵画の動向展、太陽展他出品。

東郷青児（とうごうせいじ）
明治30年（1897）鹿児島市～昭和53年（1978）旅行中に熊本市で没。本名鉄春。有島生馬に師事。大正5年二科展二科賞。大正10～昭和3年渡仏、帰国後二科展に滞欧作発表。戦後二科会の再建に尽力、長年会長を務める。35年日本藝術院会員。51年新宿に東郷青児美術館開館。

東城鉦太郎（とうじょうしょうたろう）
慶応元年（1865）東京～昭和4年（1929）。川村清雄に師事。日清、日露戦争等戦争画を多数描いた。

堂本尚郎（どうもとひさお）
昭和3年（1928）京都～平成25年（2013）。堂本印象は伯父。昭和24年京美専日本画卒、27年研究科修了。同年印象に随行し渡欧。26・28年日展特選。30年仏留学。アンフォルメル運動に参加。33年パリ在住外国人青年画家展グランプリ、38年サンマリノ・ビエンナーレ金賞、39年ヴェネチアビエンナーレレイワ賞他、国際展で相次ぎ受賞。42年帰国。54年パリ市立近代美術館で回顧展。58年仏政府芸術文化勲章（シュバリエ）、63年東郷青児美術館大賞、平成7年紫綬褒章、8年レジオン・ドヌール勲章（シュバリエ）・13年（オフィシエール）、15年旭日小綬章、19年文化功労者など、日仏で顕彰。国内欧米各地で作品発表。

遠山清（とおやまきよし）
明治36年（1903）名古屋市～昭和38年（1963）。大正12年サンサシオン結成。15年東美校図画師範科卒。昭和3年帝展初入選。光風会展光風賞、9年会員、16年岡田賞。33～34年渡欧。35年日展会員。

土岐国彦（ときくにひこ）
明治41年（1908）福岡～昭和60年（1985）西宮市。太平洋画会研究所で学ぶ。昭和11年二科展初入選、以後出品。22年二紀会創立に参加、同人、25年委員、後理事。37年欧州、米国に滞在。47年二紀会展菊華賞、51年総理大臣賞。

徳力富吉郎（とくりきとみきちろう）
明治35年（1902）京都市～平成12年（2000）。西本願寺絵所12代目。大正13年京絵専卒。昭和3年土田麦僊塾入門、国画創作協会展に日本画を出品し樗牛賞、翌年国画賞受賞。一方で棟方志功、平塚運一らと「版」、麻田辨次らと「大衆版画」等同人誌を発行、21年版画制作所を興して日本独自の多色刷木版の後進を育成、創作版画の普及、量産に努める。53年勲四等瑞宝章。

都鳥英喜（ととりえいき）
明治6年（1873）佐倉市～昭和18年（1943）。従兄浅井忠の指導を受ける。明治40・41年文展入選。大正8～10年渡欧、パリで制作。

利根山光人（とねやまこうじん）
大正10年（1921）茨城～平成6年（1994）東京。本名光男。昭和18年早稲田大学卒。川端画学校で学ぶ。戦後自由美術協会、読売アンデパンダン展出品。35年メキシコに渡る。38年マヤ芸術の拓本展を日本で開催。51年自宅アトリエに音楽・絵画研究所開設。54年メキシコ文化勲章、吉田五十八賞、60年日本芸術大賞。

富岡惣一郎（とみおかそういちろう）
大正11年（1922）新潟～平成6年（1994）。昭和29年新制作展初入選、36年新作家賞、37年協会賞、38年会員。サンパウロ・ビエンナーレ近代美術館賞。40～47年渡米。59年東郷青児美術館大賞。平成2年新潟県にトミオカホワイト美術館開館。

土味川独甫（とみかわどっぽ）
大正7年（1918）～昭和40年（1965）。本郷洋画研究所で学ぶ。藤島武二に師事。新象作家創立会員、後無所属。

富田温一郎（とみたおんいちろう）
明治20年（1887）金沢市～昭和29年（1954）。明治44年東美校西洋画科卒。大正9・昭和2年帝展特選。日展審査員。

富田卓司（とみたたくじ）
大正10年（1921）大阪～平成14年（2002）大阪。東美校師範科卒。昭和30～44年自由美術家協会会員、44年（社）日本インテリアデザイナー協会会員、47年理事、平成4年名誉理事。8年新作家美術協会委員。

富山芳男（とみやまよしお）
明治43年（1910）富山～平成13年（2001）。鹿子木孟郎のアカデミー、後太平洋美術学校で学ぶ。昭和11年文展、21年日展入選、以後19回入選。23年白日会会員、33年白日会展中沢賞、平成元年内閣総理大臣賞。白日会委員。

外山卯三郎（とやまうさぶろう）
明治36年（1903）和歌山～昭和55年（1980）御殿場市。大正11年北海道帝国大学予科入学。道展等にダダイズム的な作品を発表。14年三科出品。15年京都帝国大学文学部で学ぶ。昭和2年1930年協会に参加。この頃から美術評論活動を始める。戦後は女子美大等で教授を歴任。

豊島弘尚（とよしまひろなお）
昭和8年（1933）青森～平成25年（2013）栃木。昭和32年東京藝大油画科（林武教室）卒。安宅賞受賞。49～50年文化庁在外研修（北米/北欧）。平成10年安田火災東郷青児美術館大賞受賞。20年両洋の眼展河北倫明賞、デーリー東北賞受賞。八戸美術館、池田20世紀美術館で回顧展。

豊田一男（とよだかずお）
明治42年（1909）北海道～平成元年（1989）。昭和6年東美校図画師範科卒。9年二科展初入選。12年自由美術家協会展出品、23年会員（39年退会）。主体美術協会創立参加、会員。

鳥居敏文（とりいとしふみ）
明治41年（1908）新潟～平成18年（2006）東京。昭和7年東京外語学校独語科卒。8～10年滞仏。12年独立展初出品、14年同協会賞、18年岡田賞、21年会員推挙、38年独立G賞。21年日本美術会結成に参加、22年日本アンデパンダン展開催。46年日本美術家連盟委員。

名井万亀（ないまき）
明治29年（1896）広島市～昭和51年（1976）東京。本郷洋画研究所で学ぶ。大正15～昭和8年渡欧、サロン・ドートンヌ、アンデパンダン展出品。12年二科展出品、20年会員となるが翌年退会。現代日本美術展等に出品。

内藤秀因（ないとうしゅういん）
明治23年（1890）山形～昭和62年（1987）東京。東美校図画師範科中退。石川寅治、石井柏亭に師事。日本水彩画会顧問。昭和27年示現会会員。

中出那智子（なかいでなちこ）
昭和6年（1931）東京～平成29年（2017）。宮本三郎に師事。昭和31年二紀展初入選、31～54年ブラジル滞在。イタリアを経て55年帰国。平成3年日本女流美術大賞。個展（サンパウロ、ミラノ、東京他）。

中川一政（なかがわかずまさ）
明治26年（1893）東京～平成3年（1991）。油絵を独学。大正3年巽画会展初入選、翌年2等賞。4年岸田劉生に誘われ草土社結成に参加。10年二科展二科賞。11年春陽会設立で客員、13年会員。昭和14年新文展審査員。35年宮中歌会始召人。50年中国文化交流使節日本美術家代表名誉団長として訪中。同年文化勲章。日本画、書、陶芸にも精通、著作も多数。

中川紀元（なかがわきげん）
明治25年（1892）長野～昭和47年（1972）東京。旧姓有賀、本名紀元次。明治45年東美校彫刻科入学も半年で退学。本郷洋画研究所、太平洋画会研究所で石井柏亭、正宗得三郎に洋画を学ぶ。大正4年～二科展出品。8～14年仏留学、マチスに学ぶ。9年二科展樗牛賞、10年二科賞、12年会員。昭和8年日本画に転じ二科会退会、10年復帰。22年同志と二紀会結成。39年日本藝術院賞恩賜賞。

中川八郎（なかがわはちろう）
明治10年（1877）愛媛～大正11年（1922）。大阪で松原三五郎に、上京して小山正太郎に師事。明治35年太平洋画会創立。40年東京勧業博覧会出品、文展3等賞。文展、帝展審査員歴任。

中川安弌（なかがわやすいち）
明治43年（1910）兵庫～平成6年（1994）。姫路師範学校卒。新構造社会員。兵庫女子短期大学講師。

中川力（なかがわりき）
大正7年（1918）和歌山～平成6年（1994）東京。昭和12～19年中之島洋画研究所で学ぶ。後有島生馬に師事。23年日展特選。24年一水会展一水会賞、25年会員。30年パリのアカデミー・ジュリアンで学び、サロン・ド・ラールリーブル2等賞。38年日展、一水会を退会、個展中心に作品発表。

中沢弘光（なかざわひろみつ）
明治7年（1874）東京～昭和39年（1964）東京。大野幸彦、堀江正章、黒田清輝に学ぶ。明治43年東美校卒。白馬会創立に参加。40年～文展出品、受賞。昭和5年帝国美術院会員。9年帝室技芸員。

永瀬義郎（ながせよしろう）
明治24年（1891）茨城県那珂郡～昭和53年（1978）東京。版画家。長原孝太郎、荒木十畝に師事。東美校彫刻科中退。京絵専で学ぶ。日本創作版画倶楽部を長谷川潔らと結成。大正8年日本創作版画協会会員。昭和4年渡欧、10年帰国。35年日版会創立に参加するが45年以降無所属で活動。

仲田好江（なかだよしえ）
明治35年（1902）大阪～平成7年（1995）東京。本名菊代。信濃橋洋画研究所で学び、小出楢重に師事。昭和2年上京、安井曾太郎に師事。一水会に出品を重ね、会員。21年三岸節子、桜井浜江らと女流画家協会創立、委員。

中谷健次（なかたにけんじ）
明治34年（1901）兵庫～昭和60年（1985）。大正14年東美校西洋画科卒。昭和11年文部省教科書編集委員。22年示現会創立委員。38年武蔵野美大教授。47年アトリエ・フォンテーヌ主宰。

中谷貞彦（なかたにさだひこ）
大正15年（1926）東京～平成19年（2007）。昭和18年同舟舎研究所でデッサンを学び翌年東美校入学。25年安井教室卒後研究科に1年在籍。37・40年仏留学。42年立軌展招待出品、会員推挙。国際形象展、日本秀作美術展等出品。56年毎日新聞連載「ひとひらの雪」（渡辺淳一）挿絵。平成3年小山敬三美術賞受賞。日大芸術学部名誉教授。中谷千代子は妻。

中谷泰（なかたにたい）
明治42年（1909）三重～平成5年（1993）東京。昭和4年川端画学校、6年春陽会洋画研究所で学び、春陽会展出品、13年春陽会賞。14年文展特選。18年春陽会会員。34年日本国際美術展優秀賞。46年東京藝大教授。

中谷龍一（なかたにりゅういち）
大正6年（1917）小樽市～平成20年（2008）。昭和10年灘中学卒。宝塚舞台美術研究所を経て宝塚音楽学校に就職、舞台装置担当。油彩を小磯良平、木下孝則に師事。25年一水会展・日展入選、27年一水会会員推挙、同年日展特選・朝倉賞受賞。44年日展会員推挙、評議員を経て参与。52年一水会常任委員、後運営委員。

永地秀太（ながちひでた）
明治6年（1873）山口～昭和17年（1942）。松岡寿に学んだ。後明治美術会研究所入所。明治40年文展初入選。42・大正2年文展受賞。11年帝展審査員。

中西利雄（なかにしとしお）
明治33年（1900）東京～昭和23年（1948）東京。大正13年帝展初入選。昭和2年東美校西洋画科卒。3～6年パリ滞在。5年サロン・ドートンヌ展入選。9年帝展で水彩初の特選。11年新制作派協会結成に参加。

中西夏之（なかにしなつゆき）
昭和10年（1935）東京～平成28年（2016）。昭和33年東京藝術大学卒業。38年赤瀬川原平、高松次郎と共にハイレッド・センターを創設、「ハプニング」と呼ばれるパフォーマンスを披露し前衛美術を牽引した。40年土方巽、大野一雄らと舞踏の協力を始める。美学校設立の企画に携わり、「中西アトリエ」、「中西夏之・素描教室」を開いた。平成8～15年東京藝術大学教授。

中西勝（なかにしまさる）
大正13年（1924）大阪市～平成27年（2015）神戸市。昭和17年中之島洋画研究所で学ぶ。22年武蔵野美大卒業。大阪市立美術館付設研究所で小磯良平等に学ぶ。24年二紀展初出品、二紀大賞受賞、以降黒田賞、文部大臣賞、菊華賞など受賞多数、29年委員、62年常任理事。バレエ団の舞台意匠を多数手がける。40～45年夫婦で世界一周旅行（米・墨・グアテマラからＮＹに1年滞在後、独から欧州各国、露を経て帰国）。47年安井賞受賞。平成4年文化庁地域文化功労者表彰。池田20世紀美術館、神戸市立小磯記念美術館で特別展開催。個展、グループ展他現代日本美術展、日本国際美術展など出品多数。

中根寛（なかねひろし）
大正14年（1925）愛知～平成30年（2018）。東京藝術大学卒（第1回大橋賞）、専攻科修。安井曾太郎、林武に師事。34年黒士会結成。中村彝賞、新鋭選抜展優秀賞。国際形象展、現代日本美術展、安井賞展、現美展、21世紀展他出品。日本美術家連盟常任理事、東京藝術大学名誉教授、紺綬褒章、勲三等瑞宝章。

中野和高（なかのかずたか）
明治29年（1896）愛媛～昭和40年（1965）。大正3年白馬会研究所で黒田清輝に師事。10年東美校西洋画科卒。12～昭和2年仏留学。2～4年帝展連続特選。16年創元会創立。32年日本藝術院賞。

中野淳（なかのじゅん）
大正14年（1925）東京～平成29年（2017）。昭和20年川端画学校卒。22年自由美術展出品、23年会員推挙。32年国際美術展（モスクワ）プーシキン美術館賞受賞。39年主体美術創立会員。平成6年新作家美術会結成。小山敬三美術賞受賞。11年『青い絵具の匂い』（中央公論新社）刊行。武蔵野美術大学で教授を務めた。

中畑艸人（なかはたそうじん）
明治45年（1912）和歌山～平成11年（1999）。昭和7年和歌山師範卒。5～9年日本水彩展、8年帝展出品。13年上京、硲伊之助に師事、油彩に転向。14年～一水会展出品、28年会員優賞、平成6年運営委員。昭和30年日展初出品・特選、31年無鑑査出品（以後不参加）。44、54年Horse Artists of the World招待出品。63年JRA日本中央競馬会馬事文化賞選考委員。躍動的な馬の作品。

中原淳一（なかはらじゅんいち）
大正2年（1913）香川～昭和58年（1983）。日本美術学校卒。挿絵画家。『少女の友』を舞台に独自の世界を確立。昭和21年『それいゆ』創刊。

中原實（なかはらみのる）
明治26年（1893）東京～平成2年（1990）。日本歯科医学専門学校を経て、大正7年ハーバード大学卒。渡仏、仏陸軍に歯科医として従軍。12年帰国、二科展初入選。13年アクション結成参加。後単位三科、劇場三科等前衛運動を進める。13～15年画廊九段開設。昭和17年二科会会員、後名誉理事。

長原孝太郎（ながはらこうたろう）
元治元年（1864）岐阜～昭和5年（1930）東京。小山正太郎、原田直次郎に師事。明治21年十一会展覧会出品。明治31年東美校助教授、後教授。白馬会会員。文展受賞、大正8～昭和2年帝展審査員。

中間冊夫（なかまさつお）
明治41年（1908）鹿児島～昭和60年（1985）東京。大正12年上京。昭和2年川端画学校入学。4年～1930年協会で中山巍、林武、里見勝蔵等に学ぶ。6年独立展出品、11年独立賞、15年会員推挙。37年武蔵野美大教授、56年名誉教授。

中丸精十郎（なかまるせいじゅうろう）
天保12年（1841）甲府～明治29年（1896）。初め京都で日根対山に南画を、後上京して川上冬崖の聴香読画館で洋画を学ぶ。工部美術学校入学、フォンタネージに師事。

長宗希佳（ながむねきよし）
昭和12年（1937）神奈川～平成18年（2006）。昭和34年多摩美大卒。44年伊ローマ・アカデミア留学。二紀展で44年黒田賞、56・59年会員賞、63・平成8年栗原賞、14年文部科学大臣奨励賞等受賞。二紀会委員。他に神奈川県展特選、ハマ展大賞等。

中村一郎（なかむらいちろう）
大正7年（1918）岡山～平成5年（1993）岡山。鈴木千久馬、中野和高に師事。昭和26年日展初入選、32年特選。32～33年渡欧。53年日展会員、後評議員。日洋会常任委員。63年岡山文化賞。

仲村一男（なかむらかずお）
明治44年（1911）岸和田市～昭和57年（1982）岸和田市。信濃橋洋画研究所で学び、小出楢重に師事。昭和13年二科会展初入選。22年独立展入選、24年独立賞、31年会員。

中村研一（なかむらけんいち）
明治28年（1895）福岡県～昭和42年（1967）東京。大正3年鹿子木孟郎の内弟子。9年東美校卒。岡田三郎助に師事。9年帝展初入選。12年渡仏。昭和3年帰国。2年サロン・ドートンヌ会員。3・4年帝展連続特選。5年帝国美術院賞。17年野間奨励賞。25年日本藝術院会員。

中村静勇（なかむらしずお）
昭和17年（1942）石川～平成23年（2011）静岡。昭和43年横浜市に移住、46年～第一美術展出品、協会賞・文部大臣奨励賞他受賞6、50年委員推挙、後運営・常任審査委員。神奈川県展朝日新聞社賞・県知事賞等、日本青年館新作家展新作家賞、モンテカルロ現代国際美術賞展カルゴア賞他多数。58年グループ蒼蒼結成他グループ展多数。

中村清治（なかむらせいじ）
昭和10年（1935）横浜市～平成23年（2011）神奈川。昭和23年東京藝大油画科（伊藤廉教室）卒。同年グループ大地、49年黎の会、52年和の会結成、以降多数のグループ展に参加。52年伊勢丹美術館や平成6年大丸ミュージアム他、髙島屋、梅田画廊、泰明画廊、名古屋画廊等で個展。オーソドックスな表現法を基に、明快な色調で堅固な画面を構成し、光と影を捉えた。平成4年NHK趣味百科「絵画への誘い」講師。

中村善策（なかむらぜんさく）
明治34年（1901）小樽市～昭和58年（1983）東京。大正5年小樽洋画研究所で学び、13年上京、川端画学校で安井曾太郎、石井柏亭に師事。道展創立会員。昭和12年一水会展出品、会員。43年日本藝術院賞。一水会運営委員、日展参事。

中村琢二（なかむらたくじ）
明治30年（1897）佐渡～昭和63年（1988）鎌倉市。昭和5年二科展初出品。安井曾太郎に師事。12年～一水会展出品、14年一水会賞他受賞。16年新文展特選。17年一水会会員。28年芸術選奨。37年日展文部大臣賞。38年日本藝術院賞、56年同会員。

中村彝（なかむらつね）
明治20年（1887）水戸市～大正13年（1924）東京。明治39年白馬会研究所で黒田清輝に、40年太平洋画会研究所に移り中村不折、満谷国四郎に学ぶ。43年文展3等賞、大正5年文展特選。9年帝展出品の「エロシェンコ氏の肖像」は名作。平成元年業績を記念し中村彝賞創設（～19年）。

中村直人（なかむらなおんど）
明治37年（1904）長野～昭和56年（1981）東京。初め彫刻を吉田白嶺に学ぶ。大正15年院展初入選、昭和5年日本美術院賞、11年同人。15年新文展審査員。陸軍美術展陸軍大臣賞。26年渡仏、藤田嗣治の影響で油絵に転向。39年帰国。41年二科展招待出品、45年努力賞、55年総理大臣賞。

中村不折（なかむらふせつ）
慶応2年（1866）江戸京橋～昭和18年（1943）東京。本名鈼太郎。不同舎で小山正太郎、浅井忠に学び、明治美術会出品。明治34年仏留学、コランやJ.P.ローランスの指導を受け、38年帰国。文展審査員、太平洋画会の代表的作家として活躍。大正8年帝国美術院会員。書の造詣も深く、昭和11年東京根岸の自邸に書道博物館設立。

中村善種（なかむらよしたね）
大正3年（1914）和歌山～平成7年（1995）京都。和歌山師範学校卒。昭和13年独立展初入選、17年独立賞、24年会員。61年京都市文化功労賞、62年和歌山市文化賞。京都芸大教授。

中山巍（なかやまたかし）
明治26年（1893）岡山市～昭和53年（1978）東京。明治44年葵橋洋画研究所で学ぶ。大正9年東美校卒。藤島武二に師事。11～昭和3年滞欧、ヴラマンクに師事。帰国後、滞欧作を二科展出品、二科賞受賞。1930年協会会員。5年独立美術協会結成。26年日本藝術院賞。

鍋井克之（なべいかつゆき）
明治21年（1888）大阪～昭和44年（1969）大阪。大正4年東美校卒。同年二科展二科賞。11年渡欧、12年帰国、二科会会員。13年大阪に信濃橋研究所設立。昭和22年二紀会結成、委員。25年日本藝術院賞。

並木治予視（なみきはるよし）
大正8年（1919）東京～平成14年（2002）藤沢市。本名義治。里見勝蔵に師事。川端画学校で学ぶ。第一美術展、旺玄展、大調和展等出品を経て、たぶろう美術協会設立、会長。

奈良岡正夫（ならおかまさお）
明治36年（1903）弘前市～平成16年（2004）東京。本名政雄。大正8年上京、独学。白日展、独立展、二科展、東光展等出品。21年日展初入選、29・31年特選、38年会員、54年評議員を経て参与。22年示現会創立会員、平成6年会長。昭和61年紺綬褒章、平成9年中村彝賞。長女は女優の奈良岡朋子。

楢原健三（ならはらけんぞう）
明治40年（1907）東京～平成11年（1999）。昭和3年東美校入学、藤島武二に師事。5年帝展初入選。8年同校卒。21年～日展出品、22年岡田三郎助賞、33年会員、46年文部大臣賞、56年理事、58年参事、平成元年～顧問。昭和25年示現会創立、会員、54年～理事長。56年日本藝術院賞、63年同会員。

成井弘（なるいこう）
明治43年（1910）神奈川～平成11年（1999）。本名弘文（こうぶん）。昭和12年東美校卒。岡田三郎助に師事。22年二紀会創立に参加、46年25周年記念大賞、47年菊華賞、56年35周年記念大賞等受賞。27～29年仏グラン・ショミエールでE・ゴエルグに学ぶ他、藤田嗣治に師事。62～平成9年二紀会理事長、後名誉会員。リオデジャネイロ名誉市民。

南城一夫（なんじょうかずお）
明治33年（1900）前橋市～昭和61年（1986）前橋市。東美校卒。岡田三郎助に師事。春陽会出品、会員。12年間滞仏、サロン・ドートンヌ、国際展等に出品。

難波田龍起（なんばたたつおき）
明治38年（1905）旭川市～平成9年（1997）東京世田谷。昭和2年早稲田大学修了、太平洋画会研究所で学ぶ。高村光太郎、川島理一郎に師事。13年自由美術協会会員、34年退会。63年毎日芸術賞。平成8年文化功労者、同年東京オペラシティ内に難波田龍起展示室開館。難波田紀夫、史男は息子。

難波田史男（なんばたふみお）
昭和16年（1941）東京～昭和49年（1974）。父は龍起。文化学院美術科で村井正誠等に学ぶが、昭和37年中退。制作に没頭するが再び勉学の必要性を感じ、40年早稲田大学美術専攻科入学（45年卒業）。42年初個展、47年東邦画廊で個展。49年九州旅行の帰途、フェリーから転落死。

新延輝雄（にいのべてるお）
大正11年（1922）広島～平成24年（2012）広島。東美校で南薫造に師事。昭和23年日展初入選、55年会員推挙、同年日洋会常任委員、後副委員長を経て顧問。平成4年日展評議員、後参与を務める。9年広島文化賞受賞。

鳰川誠一（におかわせいいち）
明治30年（1897）茂原市～昭和58年（1983）東京。昭和8年独立展初入選、白日会展出品（～17年）。17年独立展独立賞、23年会員。51年蒼樹会展文部大臣賞。

西岡一郎（にしおかいちろう）
大正11年（1922）兵庫～平成24年（2012）大分。昭和18年慶応大学仏文科在学中に学徒動員で海軍入隊。56年現代童画会賞、57年会員推挙、61年会員作家賞、常任委員推挙、平成6年特別賞受賞。文藝春秋画廊他で個展。20年西岡一郎画集を生活の友社から刊行。

西嶋俊親（にしじまとしちか）
昭和3年（1928）東京～平成25年（2013）。昭和25年東美校油画科（安井教室）卒。山田智三郎、宮本三郎に師事。50年二紀会委員。57年二紀展菊華賞、平成元年黒田賞。2年二紀会理事。11年千葉県庁油絵壁画制作。12年二紀展栗原賞、18年60回記念賞。

西田亨（にしだとおる）
大正9年（1920）岡山～平成27年（2015）東京。昭和16年東京美術学校繰上卒業、18年応召。21年シンガポールから復員。24年光風会展、26年日展入選。以降両展で主に活動。光風会展で奨励賞・会員賞・寺内賞、日展特選・会員賞など受賞。32年以降安井賞展出品5回。33年光風会会員、63年理事を経て平成14年名誉会員。日展会員・評議員を経て平成12年参与。紺綬褒章、勲三等瑞宝章。昭和60年茨城大学退官記念展（茨城県民文化センター）他茨城芸文センター、岡山髙島屋他個展多数。茨城大学名誉教授。

西村功（にしむらいさお）
大正12年（1923）大阪～平成15年（2003）神戸市。昭和23年帝国美術学校（現武蔵美）卒。田村孝之介に師事。25年二紀展初入選・佳作賞、26年同人、31年委員、41年文部大臣賞、54年菊華賞、61年総理大臣賞。40年安井賞受賞。

西村愿定（にしむらもとさだ）
大正3年（1914）東京～平成5年（1993）東京。昭和14年東美校油画科卒。13年光風会展光風賞、21年会員。25年日展特選、35年新日展菊華賞、43年日展評議員、光風会評議員。

西村龍介（にしむらりゅうすけ）
大正9年（1920）小野田市～平成17年（2005）。本名一男。日本美術学校で日本画を学び、昭和15年卒業、応召。戦後油絵に転向、二科展出品（33年金賞、35年会員、38年会員努力賞、41年評議員、43年東郷青児賞、46年総理大臣賞、47年委員、50～52年委員長）、平成13年退会。以降個展中心に発表。平成元年芸術選奨文部大臣賞。6年学習院功労賞。緻密な点描の幻想的古城を描く。

西山真一（にしやましんいち）
明治39年（1906）福井～平成元年（1989）東京。昭和6年光風会展、帝展初入選。鈴木千久馬、辻永に師事。光風会展、日展出品。55年日本藝術院賞、59年同会員。光風会常任理事、日展顧問。

西脇順三郎（にしわきじゅんざぶろう）
明治27年（1894）新潟～昭和57年（1982）新潟。大正6年慶應大卒。オックスフォード大学留学。帰国後、文学活動を始める。近代詩に大きな足跡を残した。昭和36年日本藝術院会員。46年文化功労者。詩人の余技をこえる絵画制作も行った。

塗師祥一郎（ぬししょういちろう）
昭和7年（1932）小松市～平成28年（2016）さいたま市。昭和27年金沢美術工芸大学卒業、小絲源太郎に師事。41年光風会会員推挙。41年・46年日展特選。52年日展会員推挙、日洋展運営委員就任。56年紺綬褒章。62年新日洋会常任委員。平成2年日展評議員。9年日展文部大臣賞。11年～13年日展監事。15年日本藝術院賞、同年日本藝術院会員推挙。16年日展常務理事、日洋会委員長。20年勲三等旭日中綬章。

沼倉正見（ぬまくらまさみ）
明治43年（1910）宮城～昭和62年（1987）宮城。熊谷守一、鈴木千久馬に師事。昭和22年日展初入選、40・48年特選。日展会員。創元会常任理事。

沼田稔夫（ぬまたとしお）
昭和8年（1933）茨城～平成12年（2000）茨城。上野山清貢に師事。昭和25年～一線美術展出品、受賞。33年新塊樹社創立委員、受賞。50年近代日本美術協会創立、理事長・会長、後名誉会長。61年国際芸術ア

カデミー賞、63年国際平和大賞、平成3年国際アカデミー賞、5年世界平和芸術栄誉賞他、国際展出品、受賞。東陽美術学院院長。

納富進（のうとみすすむ）
明治44年（1911）佐賀～昭和51年（1976）長崎。昭和8年二科展初入選。10年文化学院美術科卒。12年一水会展入選。17年文展岡田賞。18年一水会賞、36年常任委員、41年日展評議員。44年日展文部大臣賞。45年佐賀県文化賞。

能見三次（のうみさんじ）
明治40年（1907）兵庫～平成12年（2000）東京。白瀧幾之助に師事。太平洋画会研究所で学ぶ。昭和3年帝展初入選、以降帝・文・日展入選。22年示現会創立に参加、常務理事。

野口謙蔵（のぐちけんぞう）
明治34年（1901）滋賀～昭和19年（1944）滋賀。明治13年東美校卒。黒田清輝、和田英作に師事、卒業後は日本画を野口少蘋、平福百穂に学ぶ。昭和3年帝展初入選、6・8・9年特選。9年東光会会員。10年帝展騒動以後東光会で発表。15年近江美術家連盟結成に参加。

野口弥太郎（のぐちやたろう）
明治32年（1899）東京～昭和51年（1976）東京。川端画学校で学ぶ。大正11年二科展入選。15年1930年協会会員。昭和4年渡欧、サロン・ドートンヌ出品。8年帰国、独立美術協会会員、37年国際形象同人。39年毎日芸術賞、48年芸術選奨文部大臣賞。50年日本藝術院会員。

野田健郎（のだけんろう）
大正10年（1921）旭川市～平成5年（1993）熊本市。昭和14年川端画学校修了。19年東美校油画科卒。29年創元展、日展初入選。43年創元会会員。日展特選2、58年会員。62年新日洋会設立に参加。

野田英夫（のだひでお）
明治41年（1908）米Cal.～昭和14年（1939）東京。小・中学校は熊本で過ごし大正15年渡米、Cal.美術学校で学ぶ。D・リベラの壁画助手を務め、国吉康雄らの影響を受けた。昭和9、11年帰国、二科展出品。12年新制作協会会員。

野田好子（のだよしこ）
大正14年（1925）静岡県田子の浦～平成28年（2016）。昭和18年静岡県立富士高女卒、同年曽宮一念に師事。28年国画会会員。42年田口善国に蒔絵を習う。44年「潮」展結成、同人に（～58年）。平成20年文化庁長官表彰。

野間仁根（のまひとね）
明治34年（1901）愛媛～昭和54年（1979）東京。大正5年川端画学校入学。大正13年二科展初入選。14年東美校卒。昭和3年二科展樗牛賞、4年二科賞、8年会員。30年鈴木信太郎らと一陽会結成。

野村守夫（のむらもりお）
明治37年（1904）広島～昭和54年（1979）東京。藤島武二に師事。二科展で努力賞、青児賞等受賞。国際展サロン・ドートンヌ等にも出品。昭和47年日本藝術院賞恩賜賞。

萩谷巌（はぎのやいわお）
明治24年（1891）福岡～昭和54年（1979）。東美校西洋画科卒。黒田清輝に師事。大正11年渡仏、C・ゲランに師事。サロン・ドートンヌ会員。

硲伊之助（はざまいのすけ）
明治28年（1895）東京～昭和52年（1977）石川。明治44年日本水彩画研究所入所。45年フュウザン会結成参加。大正3・7年二科展二科賞、昭和8年会員。同年渡仏、マチスに師事。10年二科会退会。11年石井柏亭、安井曾太郎らと一水会創立、委員。25～26年再渡仏。帰国後三彩亭と号し作陶に専念。61年加賀市に硲伊之助美術館開館。

橋本興家（はしもとおきいえ）
明治32年（1899）鳥取～平成5年（1993）埼玉。大正13年東美校図画師範科卒。田辺至、平田松堂に師事。昭和10年頃より版画制作、12年国展初入選。13年新文展入選。24年国画会会員。日本版画協会展にも出品、15年会員、49年～理事長。

橋本三郎（はしもとさぶろう）
大正2年（1913）北海道～平成元年（1989）。本郷洋画研究所で学ぶ。青山義雄に師事。昭和23年国画会会員。

橋本花（はしもとはな）
明治38年（1905）青森～昭和58年（1983）。大正14年帝展初入選。昭和2年女子美術学校卒。4年橋本八百二と結婚。同年帝展特選、8年無鑑査。33年日展委嘱。創元会運営委員。

橋本博英（はしもとひろひで）
昭和8年（1933）岐阜市～平成12年（2000）東京。昭和33年東京藝大（伊藤廉教室）卒。42～43年渡仏、アカデミー・ジュリアン、グランド・ショミエールに通う。49年黎の会、52年和の会、56年杜の会展結成に参加。平成9年高岡市美術館で代表作展開催（東京・名古屋・大阪巡回）。

橋本八百二（はしもとやおじ）
明治36年（1903）岩手～昭和54年（1979）岩手。川端画学校に通う。大正14年白日会展白日賞。15年帝展初入選。昭和4年東美校西洋画科卒。5年帝展特選。7年東光会創立会員。11年主線美術会創立会員。従軍画家として戦争記録画制作。50年盛岡橋本美術館創設。

長谷川潔（はせがわきよし）
明治24年（1891）横浜市～昭和55年（1980）パリ。白馬会研究所で藤島武二、岡田三郎助に師事。雑誌「仮面」同人として木版画を制作。大正7年渡仏、以来生涯パリで制作。古典技法、マニエール・ノワールの復興に尽力。大正15年サロン・ドートンヌ会員。昭和10年レジオン・ドヌール勲章。39年仏芸術院コレスポンダン会員。41年仏文化勲章。

長谷川三郎（はせがわさぶろう）
明治39年（1906）山口～昭和32年（1957）サンフランシスコ。昭和4年東京帝国大学文学部卒。信濃橋研究所で小出楢重に師事。欧米遊学、帰国後二科展出品。12年自由美術家協会結成。28年渡米、Cal.美術大学等で東洋美術、禅を講義。

長谷川利行（はせかわとしゆき）
明治24年（1891）京都～昭和15年（1940）東京。大正10年新光洋画会展初入選。昭和2年二科展樗牛賞。3年1930年協会展協会賞。7年浅草、三河島周辺を放浪、激烈な作品を描き続け二科展に発表。14年路上で行き倒れとなり、板橋養育院で死去。

長谷川昇（はせがわのぼる）
明治19年（1886）福島～昭和48年（1973）東京。東美校卒。大正9年春陽会結成、会員、後退会し日展出品、昭和32年日本藝術院会員。日展顧問。

長谷川潾二郎（はせがわりんじろう）
明治37年（1904）北海道～昭和63年（1988）。兄は小説家長谷川海太郎。大正13年上京、川端画学校で学ぶ。昭和6～7年パリ滞在。7年二科展、18年一水会展に入選。日動画廊、フォルム画廊、サカモト画廊で個展開催。

長谷川路可（はせがわろか）
明治30年（1897）藤沢市～昭和42年（1967）ローマ。本名竜三。大正5年再興院展入選。10年東美校日本画科卒。同年～昭和2年渡欧、フレスコ画を学ぶ。5年カトリック美術協会結成。武蔵野美大教授、日本美術家連盟理事歴任。

服部正一郎（はっとりしょういちろう）
明治40年（1907）茨城～平成7年（1995）取手市。昭和4年日本美術学校洋画科卒、二科展初入選。11年宮本三郎、田村孝之介らと新美術家協会参加。16年二科会会員、18年評議員推挙、27年会員努力賞、53年～常務理事。43年日本藝術院賞、62年日本藝術院会員。サロン・ドートンヌ会員。

服部亮英（はっとりりょうえい）
明治20年（1887）三重～昭和30年（1955）東京。明治45年光風会展入選。大正3年東美校西洋画科卒。14年帝展初入選。昭和2年渡欧。サロン・ドートンヌ出品。6年光風会会員。11～14年北京美術学校校長。

初山滋（はつやましげる）
明治30年（1897）東京～昭和48年（1973）東京。本名繁蔵。明治44年井川浩崖に師事。北原白秋や小川未明の童話等の装丁、挿絵を手がける。昭和19年日本版画協会賞。42年国際アンデルセン賞国内賞。

羽藤馬佐夫（はとうまさお）
大正3年（1914）今治市～平成9年（1997）東京。昭和13年東美校彫刻科（塑造）卒。昭和12年朔日会創立、代表。紺綬褒章。

羽藤淑子（はとうよしこ）
大正13年（1924）～平成14年（2002）東京。朔日会創立委員。

塙賢三（はなわけんぞう）
大正5年（1916）茨城～昭和61年（1986）東京。昭和21年二科展初入選、25年35周年記念賞、37年会員。サロン・ドートンヌ会員。

馬場彬（ばばあきら）
昭和7年（1932）東京～平成12年（2000）秋田。昭和30年東京藝大卒。31年サトウ画廊での個展以降個展・グループ展中心に活動。36年シェル美術賞展1等賞。63年池田20世紀美術館で個展。戦後の抽象画をリードした一人。版画や立体作品も制作。

浜口陽三（はまぐちようぞう）
明治42年（1909）和歌山～平成12年（2000）東京。昭和5年東美校彫刻科中退、渡仏（～14年）。12年自由美術家協会、13年歴程美術協会結成参加。23年～本格的に銅版画制作。28年関野準一郎、駒井哲郎らと日本銅版画協会結成後、再渡仏。32年東京国際版画ビエンナーレ東京国立近代美術館賞、サンパウロ・ビエンナーレ版画部門大賞。56年～米サンフランシスコ移住。平成8年帰国。10年ミュゼ浜口陽三開館。妻の南桂子も銅版画家。

浜田知明（はまだちめい）
大正6年（1917）熊本～平成30年（2018）熊本。版画・彫刻家。本名知明（ともあき）。昭和14年東美校油画科卒。藤島武二に師事。58年から彫刻も手がける。銅版画「初年兵哀歌（歩哨）」でルガノ国際版画展次賞、他に現代日本美術展優秀賞、西日本文化賞。フィレンツェ美術アカデミー版画部名誉会員、熊本県近代文化功労者、フランス政府芸術文化章（シュヴァリエ章）。国内外の美術館で個展開催。

浜田葆光（はまだほこう）
明治19年（1886）高知～昭和22年（1947）。太平洋画研究所で学ぶ。中村不折、満谷国四郎に師事。大正元年フュウザン会創立に参加。10年～渡欧。昭和7年二科会会員。

早川義孝（はやかわぎこう）
昭和11年（1936）東京～平成24年（2012）千葉。高校2・3年と全日本学生油絵コンクール文部大臣賞連続受賞。武蔵野美大中退後絵を中断。昭和37年堀田清治と出会い制作再開、新槐樹社展栄誉賞・総理大臣賞・文部大臣賞他受賞、会員・委員を経て、後名誉会長。安井賞展・現美展・21世紀展等出品。国内外で個展、画集刊行多数。

早川芳彦（はやかわよしひこ）
明治32年（1899）山梨～昭和48年（1973）。川端画学校で学ぶ。昭和10年春陽会展初入選。13年太平洋画会展出品、15年協会賞、会員、28年委員。29年光陽会創立委員。日展委嘱。

林喜市郎（はやしきいちろう）
大正8年（1919）千葉～平成11年（1999）東京。一水会展出品。エコール・ド・東京招待。日伯美術展入選。欧州・中国取材旅行数回。各地の百貨店、画廊で毎年個展開催。

林重義（はやししげよし）
明治29年（1896）神戸市～昭和19年（1944）。大正3年京絵専入学、日本画を学ぶが、5年中退、関西美術院で鹿子木孟郎に学ぶ。12年二科展初入選、昭和元年二科賞。日本水彩画会展初出品、会員。3～5年滞仏。5年独立美術協会創立に参加、12年退会。後文展出品。17年国画会会員。

林倭衛（はやししずえ）
明治28年（1895）上田市～昭和20年（1945）浦和市。苦学しながら油絵を修得。大正5年二科展初出品、6年樗牛賞、7年二科賞。10年渡欧。15年帰国、春陽会会員。昭和3年再渡欧、翌年帰国。9年春陽会退会。12年文展審査員、17年委員。

林武（はやしたけし）
明治29年（1896）東京～昭和50年（1975）東京。本名武臣。大正9年日本美術学校中退、10年二科展樗牛賞、11年二科賞。15年1930年協会参加。昭和5年独立美術協会結成に参加。9～10年渡仏。24年毎日美術賞。26～38年東京藝大教授。42年文化勲章受章。

原勝四郎（はらかつしろう）
明治19年（1886）和歌山～昭和39年（1964）和歌山。東美校中退。大正3年白馬会洋画研究所で学ぶ。6年渡仏、グランド・ショミエール、アカデミー・ボザールで学ぶ。10年帰国。二科展初入選、昭和15年特待、16年会友。23～35年二紀会展に同人として出品。

原精一（はらせいいち）
明治41年（1906）神奈川～昭和61年（1986）東京。川端画学校で学び、萬鉄五郎に師事。昭和23～42年国画会会員。国際形象展同人。

原撫松（はらぶしょう）
慶応2年（1866）岡山市～大正元年（1912）東京。明治17年京都府画学校西宗卒。小山三造、田村宗立に師事。岩崎弥太郎、伊藤博文、西園寺公望らの肖像画制作。37年渡英、ナショナル・ギャラリーで模写。40年帰国。

原光子（はらみつこ）
昭和6年（1931）東京～平成14年（2002）東京。昭和29年女子美大洋画科卒、助手、50年助教授、59年教授、平成9年名誉教授。独立展独立賞2回他、48年会員。女流画家協会展受賞4回、33年会員、47年委員。平成8年小山敬三美術賞。

原田直次郎（はらだなおじろう）
文久3年（1863）江戸小石川～明治32年（1899）小田原市。明治14年東京外語学校卒業。山岡成章、高橋由一に学ぶ。17年独留学、G・マックスに師事。20年帰国、私塾鐘美館開設。22年明治美術会創立に参加。

人見友紀（ひとみともき）
昭和15年（1940）東京～平成11年（1999）岐阜県関市。名古屋市の教護施設で育つ。本名安雄。古美術窃盗団の一員として昭和48年海外逃亡。国際手配犯第1号として欧州9ヶ国を逃亡する中絵画を学ぶ。ギリシャで人気画家となるが、61年日本大使館に出頭し帰国。2年余の服役後、油絵制作を続ける。平成11年国際芸術大賞等国内外で受賞。

日向裕（ひなたゆたか）
大正元年（1912）長野～昭和49年（1974）長野。南薫造に師事。昭和13年東美校油画科卒。18年国画会展初入選、20年奨学賞、23年会員。

日野耕之祐（ひのこうのすけ）
大正14年（1925）福岡～平成25年（2013）。昭和23年日本美術学校洋画科卒。38年光風会会員。51年日展会員、日洋会発足にあたり運営委員。55年財団法人日本美術協会・上野の森美術館常務理事。59年日展評議員、62年日洋展副委員長、紺綬褒章。

百武兼行（ひゃくたけかねゆき）
天保13年（1842）佐賀～明治17年（1884）佐賀。明治4年佐賀藩主の英国留学に随行、ロンドン滞在、洋画を学び、ロイヤル・アカデミー展出品。11年パリに移りボナに師事、帰国。13年公使館の書記官として再渡欧、ローマでマッカーリに学ぶ。15年帰国。明治初期に本格的西洋画法を修得し日本の洋画に影響を与えた。

平賀亀祐（ひらがかめすけ）
明治22年（1889）三重県志摩町～昭和46年（1971）パリ。明治39年移民として渡米、サンフランシスコ美術学校入学。大正14年渡仏、アカデミー・ジュリアンでL・シモンに師事。15年ル・サロン入選、昭和13年銀賞、29年金賞・コロー賞、会員推挙。30年以降数回帰国。36年勲三等瑞宝章、45年仏ジョノール勲章受章。46年国際美術協会副会長。

平賀敬（ひらがけい）
昭和11年（1936）東京～平成12年（2000）神奈川。昭和33年立教大学経済学部卒。39年国際青年美術家展大賞（パリ留学賞）。49年までパリ滞在。サンパウロ・ビエンナーレ等海外で活躍。“アバンギャルド戯作画家”“現代の絵師”等と評される。

平澤篤（ひらさわあつし）
昭和36年（1961）福島～平成30年（2018）。昭和61年東京造形大学卒、63年研究科修。白日会展文部大臣奨励賞、内閣総理大臣賞等受賞。個展、グループ展多数。白日会会員。

平沢喜之助（ひらさわきのすけ）
大正8年（1919）長野～平成6年（1994）東京。帝国美術学校卒。中川紀元、朝井閑右衛門に師事。昭和38年大調和会委員。

平塚運一（ひらつかうんいち）
明治28年（1895）松江市～平成9年（1997）。石井柏亭に師事。伊上凡骨に彫版技術を学ぶ。大正2年二科展出品。昭和5年国画会会員。6年国画会版画部創設。以後国画会、日本版画協会出品。昭和37年渡米。以後100歳までワシントンD.C.に居住、米国各地で指導。帰国後、各地で回顧展開催。

平通武男（ひらどおりたけお）
明治40年（1907）大阪～平成3年（1991）大阪。上京し熊本美彦に師事。川端画学校で学ぶ。昭和7年東光展初入選。8年帝展入選。12年東光会会員。日展特選、33年会員、後参与。38～48年岡山大学教授。55年東光会副理事長。

平野遼（ひらのりょう）
大正14年（1925）大分～平成4年（1992）北九州市。昭和24年新制作展初入選。自由美術協会会員を経て、39年主体美術協会創立に参加、50年退会。無所属で小倉を拠点に制作を続けた。

平松譲（ひらまつゆずる）
大正3年（1914）三宅島～平成25年（2013）。昭和9年東京府立豊島師範学校卒。19年白日会会員。57年日展評議員。60年日展にて文部大臣賞。平成4年日本藝術院賞。5年日展理事。7年日展参事。同年日本藝術院会員、白日展にて内閣総理大臣賞。8年日展顧問。9年勲三等瑞宝章。11年日本山林美術協会会長。

広瀬勝平（ひろせかつへい）
明治10年（1877）兵庫～大正9年（1920）。山本芳翠、黒田清輝に師事。東美校西洋画科卒。明治30年頃より白馬会出品、後後身の光風会会員。

広瀬功（ひろせこう）
大正10年（1921）神奈川～平成18年（2006）神奈川。安井曾太郎に師事。昭和21年東美校油画科卒、一水会・日展初入選。24年一水会会員。25年日展特選。27年一水会展会員優賞。38年日展菊花賞、41年会員、57年総理大臣賞、61年日本藝術院賞、小山敬三美術賞。日展参事、一水会運営委員。

日和崎尊夫（ひわさきたかお）
昭和16年（1941）高知市～平成4年（1992）高知市。昭和38年武蔵野美大西洋画科卒。畦地梅太郎に師事。41年日本版画協会展新人賞、42年協会賞。44年フィレンツェ国際版画ビエンナーレ金賞。49年渡欧。平成3年山口源大賞。

深井克美（ふかいかつみ）
昭和23年（1948）函館～昭和53年（1978）。旧姓赤崎。45年武蔵野美術学園夜間部に通う。47年自由美術協会展初入選、以後出品。53年自殺。

深尾庄介（ふかおしょうすけ）
大正12年（1923）東京～平成13年（2001）東京。東美校工芸科漆工部中退。昭和27年新制作協会新作家賞、36年会員。東京造形大学教授、東京展代表・委員長も歴任。

深沢紅子（ふかざわこうこ）
明治36年（1903）岩手～平成5年（1993）山梨。大正12年女子美術学校卒。14年～二科展出品。昭和12年一水会創立に参加、16年一水会賞、21年会員。女流画家協会創立に参加。

深沢省三（ふかざわしょうぞう）
明治32年（1899）岩手～平成4年（1992）山梨。大正12年東美校西洋画科卒。9年帝展入選。『赤い鳥』『子供之友』等の挿絵で知られ、日本童画家協会結成。岩手大学特設美術科教授。

深沢幸雄（ふかざわゆきお）
大正13年（1924）山梨～平成29年（2017）千葉。版画家。昭和24年東京美術学校卒。28年自由美術展入選、翌年より独学で銅版画を始める。33年日本版画協会展入選・準会員推挙。35年春陽会会員推挙。37年現代日本美術展で優秀賞・47年フィレンツェ国際版画ビエンナーレ展で受賞。61年多摩美大教授、後名誉教授。サンパウロ・ビエンナーレ、東京国際版画ビエンナーレ等出品。

深見公道（ふかみこうどう）
大正11年（1922）久留米市～平成4年（1992）湯河原。昭和19年東美校油画科卒。31年自由美術家協会会員。39年主体美術協会創立に参加。国際形象展出品。

深谷徹（ふかやてつ）
大正2年（1913）前橋市～平成4年（1992）東京。昭和28～30年渡仏。グランド・ショミエール、西マドリッド美術学校で学ぶ。帰国後は創元展出品、常任委員。27年日展特選、40年菊華賞、評議員。

蕗谷虹児（ふきやこうじ）
明治31年（1898）新潟～昭和54年（1979）中伊豆。本名一男。吉屋信子の新聞小説の挿絵で人気。大正14年渡仏、サロン・ドートンヌ、サロン・ナショナル入選。昭和4年帰国。62年新発田市に蕗谷虹児記念館開館。

福井勇（ふくいいさむ）
明治41年（1908）京都～昭和63年（1988）京都。昭和3年京都府師範学校卒。8年関西美術院で学ぶ。黒田重太郎に師事。二科展初入選。行動美術協会結成に参加、会員。

福井市郎（ふくいいちろう）
明治26年（1893）奈良～昭和41年（1966）湯河原。大正10年頃、銅版画制作を始める。14年渡仏。サロン・ドートンヌで受賞。昭和3年帰国。日本創作版画協会出品。10年以降無所属。神戸に画廊一歩堂を開く。

福井芳郎（ふくいよしろう）
明治45年（1912）広島～昭和49年（1974）。大阪美術学校卒。斎藤与里に師事。帝展、新文展、日展出品。新協美術会創立会員。

福井良之助（ふくいりょうのすけ）
大正12年（1923）東京～昭和61年（1986）鎌倉市。昭和19年東美校工芸科卒。21年太平洋画会展1等賞。29年自由美術家協会展佳作賞。以後無所属。東京国際版画ビエンナーレ展、国際形象展等出品。

福沢一郎（ふくざわいちろう）
明治31年（1898）富岡市～平成4年（1992）東京。彫刻を志し、東京帝大中退。朝倉文夫に師事。大正13～昭和6年渡欧、絵画に転向。滞欧中二科展、1930年協会展出品。6年独立美術協会結成に参加。14年美術文化協会創立。32年芸術選奨文部大臣賞。53年文化功労者。平成3年文化勲章。

福島金一郎（ふくしまきんいちろう）
明治30年（1897）岡山〜平成6年（1994）東京。信濃橋洋画研究所で学ぶ。大正13年二科展入選。昭和3年渡仏、アカデミー・ランソンでビシェールに師事。サロン・ドートンヌ出品、後会員。16年二科会会員、48年青児賞、56年総理大臣賞。

福田新生（ふくだしんせい）
明治38年（1905）福岡〜昭和63年（1988）東京。大正13年光風会展初入選、14・15年光風会賞。15年川端画学校で学ぶ。帝展入選。昭和15年〜一水会展出品、21年会員、27年委員、後常任委員。23年日展特選、35年会員、45年総理大臣賞、55年参与。

福本章（ふくもとしょう）
昭和7年（1932）岡山〜平成23年（2011）東京。昭和33年東京藝大専攻科修了。40年国際形象展愛知県美術館賞。42年昭和会賞受賞後渡欧。平成9年小山敬三美術賞、12年東郷青児美術館大賞受賞。朝日新聞等連載小説挿絵担当。2〜19年立軌展参加。9〜14年ヴェニスで制作。10〜16年倉敷芸術科学大学教授。大原美術館他個展、日本秀作美術展、両洋の眼展等出品。

藤井二郎（ふじいじろう）
明治39年（1906）大阪市〜平成4年（1992）西宮市。川端画学校、信濃橋洋画研究所で学ぶ。昭和2年〜二科展出品、16年会員。3〜7年渡仏。46年二科展青児賞、54年文部大臣賞。

藤井勉（ふじいつとむ）
昭和23（1948）秋田県仙南村〜平成29年（2017）岩手。昭和45年岩手大学教育学部特設美術科卒。51年シェル美術賞展佳作賞、52年昭和会展優秀賞、58年安井賞展佳作賞。少女像で人気を博し、デパート等のグループ展、個展を中心に発表。

藤井令太郎（ふじいれいたろう）
大正2年（1913）長野市〜昭和55年（1980）東京。昭和9年JAN結成。12年帝国美校本科西洋画科卒。28年春陽展春陽会賞、29年会員。30年〜武蔵野美大教授。32年日本国際美術展神奈川県立近代美術館賞。33年JAN展最優秀賞。

藤川栄子（ふじかわえいこ）
明治34年（1901）高松市〜昭和58年（1983）東京。旧姓坪井。彫刻家藤川勇造と結婚。昭和2年二科展初入選、11年特待、22年会員、45年青児賞、57年総理大臣賞。22年女流画家協会創立に参加。サロン・ドートンヌ、サロン・ド・コンパレゾン等出品。

藤沢典明（ふじさわのりあき）
大正5年（1916）福井〜昭和62年（1987）東京。昭和11〜21年新制作派展出品。22〜26年美術文化展出品、会員。30年二科展二科賞、34年会員、後理事、61年総理大臣賞。

藤島奨（ふじしましょう）
大正4年（1915）東京〜平成14年（2002）名古屋市。本名奨（すすむ）。昭和22年一水会展、25年日展初入選。28年一水会展一水会賞、翌年会員。44・51年日展特選、58年会員、平成4年評議員、8年参与。河合美術研究所長。

藤島武二（ふじしまたけじ）
慶応3年（1867）鹿児島〜昭和18年（1943）東京。明治18年川端玉章に入門。23年大野幸彦、松岡寿に学び、山本芳翠の生巧館で洋画の指導を受け、明治美術会出品。29年東美校西洋画科助教授。白馬会創立会員。38年仏・伊留学、パリでF・コルモン、ローマでC・デュランの薫陶を受け、43年帰国、東美校教授。大正13年帝国美術院会員、昭和9年帝室技芸員、12年文化勲章受章。

藤田嗣治（ふじたつぐはる）
明治19年（1886）東京〜昭和43年（1968）チューリッヒ。明治43年東美校卒。大正2年渡仏。8年サロン・ドートンヌ会員推挙、エコール・ド・パリの一員として脚光を浴びた。昭和4年一時帰国、5〜8年・14〜15年滞仏。9年二科会会員。16年帝国芸術院会員。18年朝日文化賞。24年米経由で渡仏、30年仏に帰化。34年カトリックの洗礼を受け、レオナール・フジタと改名。32年レジオン・ドヌール勲章受章。34年ベルギー王立アカデミー会員。

藤田吉香（ふじたよしか）
昭和4年（1929）福岡〜平成11年（1999）。昭和30年東京藝大卒。34年国展初出品・国画賞、42年サントリー賞、会員。37〜41年マドリッドのサン・フェルナンド美術学校に通う傍らプラド美術館で模写に励む。43年昭和会展優秀賞、45年安井賞、56年宮本三郎記念賞。京都造形芸大名誉教授。

藤林叡三（ふじばやしえいぞう）
昭和3年（1928）〜平成8年（1996）東京。26年武蔵野美校本科西洋画科卒。自由美術協会会員。武蔵野美術大学教授。

藤牧義夫（ふじまきよしお）
明治44年（1911）館林市～昭和10年（1935）。昭和4年頃から版画を始め、6年春陽展出品。日本版画協会展出品。7年小野忠重らと新版画集団結成。8年帝展入選。10年失踪、消息不明となる。

藤本東一良（ふじもととういちりょう）
大正2年（1913）静岡～平成10年（1998）。寺内萬治郎に師事。昭和14年光風会展初入選。15年東美校藤島武二教室卒。16年文展初入選。日展特選2、文部大臣賞。光風会展光風特賞2。朝日新聞社賞、小山敬三美術賞、日本藝術院賞・恩賜賞他受賞。光風会常任理事、日展顧問、日本藝術院会員、日本美術家連盟理事、金沢美術工芸大学客員教授。

藤森静雄（ふじもりしずお）
明治24年（1891）久留米市～昭和18年（1943）飯塚市。白馬会原町洋画研究所に通う。明治44年東美校入学。大正2年恩地孝四郎、田中恭吉と『月映』創刊、木版画を始める。5年東美校卒。7年日本創作版画協会創立参加。春陽会展出品。昭和6年日本版画協会創立参加。

布施信太郎（ふせしんたろう）
明治32年（1899）宮城～昭和40年（1965）。太平洋画会研究所で中村不折に師事。後太平洋美術学校教授。太平洋美術会代表。

布施悌次郎（ふせていじろう）
明治34年（1901）宮城～平成4年（1992）東京。兄は布施信太郎。15年太平洋画会研究所に通う。太平洋画会展出品、昭和3年会員。戦後太平洋美術会会長、太平洋美術学校教授。

二重作龍夫（ふたえさくたつお）
大正5年（1916）水戸市～昭和63年（1988）富士宮市。熊岡美彦に学ぶ。東光展出品、昭和11年文展入選。14年東光賞。17年国展褒状。32年日展特選。44年ル・サロン銅賞。ニース仏国際展グランプリ。NY国際展金賞。45年ル・サロン銀メダル、46年金メダル。47年日本藝術院賞。仏国際展国際芸術絵画大賞。50年太陽美術協会創立、会長。

普門暁（ふもんぎょう）
明治29年（1896）奈良市～昭和47年（1972）大阪。本名常一。川端画学校に通う。個展で石井柏亭に認められる。大正7年二科展初入選。太平洋画会展出品。9年未来派美術協会結成。21年GHQ美術顧問、日本美術の海外紹介に尽力。

古沢岩美（ふるさわいわみ）
明治45年（1912）佐賀～平成12年（2000）東京。昭和3年上京、岡田三郎助に師事。10年頃からダリやタンギーの影響でシュールに作風が一変、14年福沢一郎、北脇昇らと美術文化協会結成。26年サンパウロ・ビエンナーレ等国際展出品多数。29年美術文化協会退会後は無所属。『千夜一夜物語』等の挿絵も手がけた。

古家新（ふるやしん）
明治30年（1897）明石市～昭和52年（1977）川西市。大正13年鍋井克之に師事。昭和3年仏留学。4年全関西洋画協会会員。16年二科会会員。20年行動美術協会創立会員。36年大阪市民文化賞、37年大阪府芸術賞。

不破章（ふわあきら）
明治34年（1901）東京～昭和54年（1979）東京。大正12年日本水彩展出品。光風会展今村奨励賞。昭和22年一水会会員、後常任委員。28年日展特選・朝倉賞、31年特選、42年会員。49年日本水彩画会理事長。

別車博資（べっしゃひろすけ）
明治33年（1900）兵庫～昭和51年（1976）。本名繁太郎。石井柏亭に師事。昭和5年～日本水彩展出品、7年会員。25年一水会会員。49年日本水彩画会評議員。41年兵庫県文化賞。

別府貫一郎（べっぷかんいちろう）
明治33年（1900）佐賀～平成4年（1992）東京。川端画学校に通い、藤島武二に師事。大正15年春陽展春陽会賞。昭和4～8年渡伊。8年春陽展特別陳列、昭和洋画奨励賞。8～9年春陽会会員。10～11年渡欧。11～15年国画会会員。26～28年日本美術会委員長。一線美術会、新世紀美術協会所属。

逸見享（へんみたかし）
明治28年（1895）和歌山市～昭和19年（1944）東京。昭和3年日本創作版画協会会員。6年日本版画協会創立会員。

星襄一（ほしじょういち）
大正2年（1913）新潟～昭和54年（1979）千葉。版画を独習。日本版画協会展出品、27年会員。国展出品。31年武蔵野美校西洋画科卒。35～51年国画会会員。東京国際版画ビエンナーレ、サンパウロ・ビエンナーレ出品。

星崎孝之助（ほしざきこうのすけ）
明治38年（1905）小田原市〜平成6年（1994）大磯町。昭和3年渡仏、ヴラマンクに師事。サロン・デ・ザンデパンダン、サロン・ド・メ出品。32年二紀会委員。アン展会員。

堀田清治（ほったせいじ）
明治31年（1898）福井市〜昭和59年（1984）。川端画学校で学ぶ。大正11年帝展初入選。昭和33年新槐樹社結成、後代表。日展参与。

堀内貞明（ほりうちさだあき）
昭和15年（1940）東京〜平成29年（2017）。昭和39年武蔵野美術学校本科西洋画科卒。42年春陽会初出品・初入選、45年新人賞受賞、56年会員推挙、平成5年中川一政賞受賞。昭和60年武蔵野美大教授。

堀内孝恵（ほりうちたかえ）
大正2年（1913）山梨〜昭和63年（1988）東京。創元会運営委員。山梨大学名誉教授。

堀江優（ほりえゆう）
昭和8年（1933）神戸市〜平成25年（2013）。昭和31年神戸大美術専攻卒。兼行武四郎の指導を受ける。35年〜水彩連盟展出品。春日部たすく、三橋兄弟治、田中実等に師事。46年水彩連盟展奨励賞、50年準会員賞。同年会員。54年水彩連盟展文部大臣奨励賞、55年安井賞。

堀尾貞治（ほりおさだはる）
昭和14年（1939）神戸市〜平成30年（2018）。昭和41年具体美術協会会員、47年解散まで参加。定年まで三菱重工に勤務する傍ら制作。60年より「あたりまえのこと」というテーマで活動、年間100回以上の展示・パフォーマンスを行った。

堀川素弘（ほりかわもとひろ）
昭和10年（1935）兵庫〜平成30年（2018）。33年第1回新槐樹社展出品（以後連続）、文部大臣奨励賞、第30回記念大賞、内閣総理大臣賞他。新槐樹社代表、アトリエ槐主宰。

堀越千秋（ほりこしちあき）
昭和23年（1948）東京都本郷〜平成28年（2016）スペイン・マドリード。昭和50年東京藝術大学大学院修了後スペイン政府給費留学生として渡西。マドリードを拠点に活動した。平成26年スペイン文民功労章受章。文筆もよくし、週刊朝日、朝日新聞等で連載。ANA「翼の王国」表紙絵など挿画、装画多数。

本多錦吉郎（ほんだきんきちろう）
嘉永3年（1851）江戸〜大正10年（1921）東京。明治7年国沢新九郎に入門。国沢没後、画塾彰技堂を継承、後進の指導に尽力。22年明治美術会創立。

前川千帆（まえかわせんぱん）
明治22年（1889）京都〜昭和35年（1960）東京。版画家。本名重三郎。関西美術院で学び、浅井忠、鹿子木孟郎に師事。日本創作版画協会展、帝展等で独自の木版活動を展開。

前田寛治（まえだかんじ）
明治29年（1896）鳥取〜昭和5年（1930）東京。白馬会葵橋洋画研究所に入り、大正10年東美校卒。藤島武二に師事。10年二科展、帝展初入選。11年渡仏。14年帰国、帝展特選。15年1930年協会結成に参加、前田写実研究所開設。昭和4年帝展帝国美術院賞。

前田孝造（まえだこうぞう）
昭和7年（1932）高梁市〜平成10年（1998）。武蔵野美校卒。自由美術協会会員を経て、主体美術協会創立に参加、会員。平成2年岡山県芸術祭展出品。6、8年岡山県現代洋画選抜展出品。

前田常作（まえだじょうさく）
大正15年（1926）富山〜平成19年（2007）。昭和28年武蔵野美校卒。32年アジア青年美術家展国際大賞・副賞で翌年渡仏（〜41年）。パリ留学時に「マンダラ的」と評され、仏教世界をモチーフに創造。54年日本芸術大賞、平成元年仏教伝道文化賞、北日本新聞文化賞、富山県功労賞。4年紫綬褒章。5年東郷青児美術館大賞。東京造形大、京都市立芸大で教えた後、昭和58年〜武蔵野美大教授、平成6年学長、12年理事長就任。

前田政雄（まえだまさお）
明治37年（1904）函館市〜昭和49年（1974）東京。大正13年川端画学校で学ぶ。梅原龍三郎、平塚運一に師事。昭和7年日本版画協会会員。18年国画会会員。

牧野邦夫（まきのくにお）
大正14年（1925）東京〜昭和61年（1986）東京。昭和23年東美校卒。34年東京で初個展、以後個展を中心に活躍。37〜44年安井賞候補新人展出品。

牧野虎雄（まきのとらお）
明治23年（1890）新潟〜昭和21年（1946）東京。大正2年東美校卒、在学中黒田清輝、藤島武二に師事。文展入選・受賞。8年新光洋画会結成。13年槐樹社組織、昭和6年解散。7年旺玄社創立、主宰。4年帝国美術学校教授、10年多摩美術学校創立に参画。

正宗得三郎（まさむねとくさぶろう）
明治16年（1883）岡山～昭和37年（1962）東京。明治40年東美校卒。大正3～5年仏留学、マチスに師事。3年二科会創立会員。昭和22年二紀会結成に参加。

真下慶治（ましもけいじ）
大正3年（1914）山形～平成5年（1993）山形。昭和9年文化学院卒業後、石井柏亭に師事。日展、一水会展出品。17年一水会展一水会賞、21年会員。46年日展審査員、61年評議員。平成4年小山敬三美術賞。

増田誠（ますだまこと）
大正9年（1920）山梨～平成元年（1989）横浜市。絵を独学。昭和27年～一線美術展出品、受賞を重ねる。32年渡仏。35年シェルブール国際展グランプリ。サロン・ドートンヌ、サロン・ナショナル・デ・ボザール会員、ル・サロン金賞等仏画壇で活躍。

益山英吾（ますやまえいご）
明治41年（1908）和歌山～平成12年（2000）和歌山。東美校卒。在学中に帝展初入選以降、帝展、光風会展出品、光風賞他3回受賞。昭和13年光風会会員、後評議員。31年日展特選、58年日展会員。和歌山文化賞、田辺市文化賞、地域文化功労者文部大臣表彰、紺綬褒章。

松井叔生（まついしゅくせい）
昭和9年（1934）兵庫～平成19年（2007）鎌倉市。本名良通。昭和33年武蔵野美大卒。同大受験の際小磯良平の指導を受け、在学中31年二紀展初入選以後連続出品、宮本三郎に師事。同人賞2、菊華賞2、62年文部大臣賞。他に現代日本美術展、安井賞候補新人展等出品。二紀会理事。

松井正（まついしょう）
明治39年（1906）広島市～平成5年（1993）西宮市。大正13年小出楢重の信濃橋洋画研究所で学ぶ。昭和2年二科展初入選、特待、佐分真賞、16年会員、58年常務理事。62年サロン・ドートンヌ会員。大阪芸大名誉教授。

松井昇（まついのぼる）
安政元年（1854）兵庫～昭和8年（1933）静岡市。川上冬崖の画塾聴香読画館で学ぶ。22年明治美術会創立に参加。

松岡寿（まつおかひさし）
文久2年（1862）岡山市～昭和19年（1944）逗子市。川上冬崖の聴香読画館で学び、明治9年工部美術学校入学、フォンタネージに師事。13～21年伊ローマ美術学校留学。22年明治美術会設立に参加。東京高等工芸学校校長など美術教育に寄与。

松木重雄（まつきしげお）
大正6年（1917）長野～平成22年（2010）東京。昭和21年東京文理科大卒。24年示現会展、翌年日展初入選。日展にて特選、菊華賞、会員賞、平成6年評議員、10年参与。示現会にて会員、委員、常務理事を経て理事長。東京高師助教授から教育大・筑波大教授を務め、56年名誉教授。

松樹路人（まつきろじん）
昭和2年（1927）北海道～平成29年（2017）東京。本名路人（みちと）。東京美術学校卒業。昭和25年独立展初入選。29年独立賞。東郷青児美術館大賞、昭和会賞、安井賞展佳作賞、宮本三郎記念賞、芸術選奨文部大臣賞、旭日小綬章。独立美術協会会員、武蔵野美術大学名誉教授。

松沢宥（まつざわゆたか）
大正11年（1922）長野～平成18年（2006）。日本のコンセプチュアルアートの先駆者および代表者の一人。昭和39年以降は言葉やパフォーマンスを主体として活動。欧州での発表活動が多い。

松島正幸（まつしままさゆき）
明治43年（1910）札幌市～平成11年（1999）東京都中野区。太平洋美術学校卒。児島善三郎、海老原喜之助に師事。昭和6年二科展初入選。7年～独立展入選、16年独立賞、22年会員。37～40年滞欧、46年渡欧、ル・サロン受賞。47～60年カンヌ滞在。平成2年岩見沢市に松島正幸記念館開館。

松田正平（まつだしょうへい）
大正2年（1913）島根～平成16年（2004）宇部市。昭和12年東美校（藤島武二教室）卒後、渡欧（14年帰国）。16年国展初入選、26年会員。59年日本芸術大賞。平成14年文化庁長官表彰。昭和62年山口県立美術館、平成16年宇部市文化会館で大規模個展。「周防灘」シリーズで故郷の海を表現。

松田緑山（まつだりょくざん）
天保8年（1837）京都～明治36年（1903）東京。版画家。京都の銅版師初代玄々堂保居の子。父にエッチング法を学ぶ。東京に移り、銅石版工房を洋画塾と兼ねて設立。

松原三五郎（まつばらさんごろう）
元治元年（1864）岡山～昭和21年（1946）。初代五姓田芳柳に師事。画塾天彩学舎（後天彩画塾と改称）開設。29年関西美術会結成。

松本英一郎（まつもとえいいちろう）
昭和7年（1932）福岡～平成13年（2001）山梨で客死。林武に師事。昭和34年東京藝大専攻科修。32年独立展初入選。翌年から3年連続独立賞、35年会員。安井賞展、日本秀作美術展等多数出品。「さくら・うし」シリーズ等、簡潔な構成の幻視風景。

松本竣介（まつもとしゅんすけ）
明治45年（1912）東京～昭和23年（1948）東京。旧姓佐藤、本名俊介。盛岡で育つ。盛岡中学在学中に聴覚を失い絵画を志す。彫刻家の舟越保武と同窓。中学中退後上京、昭和4年太平洋画会研究所で学ぶ。二科展出品、前衛グループ九室会に属す。11～12年雑誌「雑記帳」編集発行。18年新人画会結成、21年自由美術家協会参加。

松本富太郎（まつもととみたろう）
明治38年（1905）大阪～平成7年（1995）東京。昭和3年上京、田辺至に師事。4年帝展初入選。28年日展特選。30年新世紀美術協会結成、31年黒田清輝賞、36年川島理一郎賞。37年日展、新世紀美術協会退会。40年近代美術協会結成。

真鍋博（まなべひろし）
昭和7年（1932）愛媛～平成12年（2000）東京。多摩美大大学院修了。昭和30年二紀会同人。池田満寿夫らとグループ「実在者」結成。後イラストレーターに転身。35年久里洋二、柳原良平と「アニメーション3人の会」結成。第1回講談社さしえ賞。NY世界博日本館の壁画他、大阪万博、つくば科学博等参画。星新一、筒井康隆らの挿絵制作。

真野紀太郎（まのきたろう）
明治4年（1871）名古屋市～昭和33年（1958）。中丸精十郎、原田直次郎に師事。明治37年大下藤次郎らと日本水彩画研究所設立。大正2年日本水彩画会結成。

馬渕聖（まぶちとおる）
大正9年（1920）東京～平成6年（1994）茅ヶ崎市。昭和16年東美校工芸科卒。29～35年日本版画協会会員。32年光風会会員、42年評議員。35年日本版画会創立に参加、56年会長。

丸木俊（まるきとし）
大正元年（1912）北海道～平成12年（2000）埼玉。女子美専で洋画を学ぶ。昭和16年日本画家丸木位里と結婚、「原爆の図」「南京大虐殺の図」「水俣の図」等を共同制作、昭和28年世界平和文化賞、平成7年度朝日賞。昭和42年東松山の自宅に原爆の図丸木美術館開館。絵本作家としても受賞多数。『ひろしまのぴか』は13ヶ国語で翻訳・出版。

丸山晩霞（まるやまばんか）
慶応3年（1867）長野～昭和17年（1942）。勧画学舎で学び、後国沢新九郎の彰技堂画塾に入学。明治32年太平洋画会設立に尽力。40年文展入選。大下藤次郎らと日本水彩画研究所設立。

三浦俊輔（みうらしゅんすけ）
明治44年（1911）小田原市生まれ〈山口出身〉～平成22年（2010）東京。昭和25年日本美術学校卒。10年安井曾太郎に師事。12年第１回一水会展出品、31年会員優賞。37年文化庁買上、国立近代美術館収蔵、同年大調和会再興創立に参加、委員。48年一水会常任委員（後運営委員）、慈彩会理事長、50年民生文化協会理事長。日本美術学校名誉教授。

三尾公三（みおこうぞう）
大正13年（1924）名古屋市～平成12年（2000）京都市。昭和22年京絵専日本画科卒。在学中から紫野洋画研究所で太田喜二郎に洋画を学ぶ。27年光風会展初入選、翌年光風賞、34年会員（39年退会）。37年頃の壁派的抽象表現を経て41年以降アクリル系絵具とエアブラシによる幻想的作品。「フォーカス」表紙を56年創刊～18年間担当。サンパウロ等国際展日本代表、49年東京国際具象絵画ビエンナーレ大賞、50年印度トリエンナーレ金メダル、54年東郷青児美術館大賞、平成3年毎日芸術賞、9年芸術選奨文部大臣賞。京都造形芸大客員教授。

三上知治（みかみともはる）
明治19年（1886）東京～昭和49年（1974）東京。不同舎、太平洋画会研究所で学ぶ。明治41年太平洋画会会員。42・44年文展褒状。大正11年東京博覧会受賞。13～14年渡仏。昭和3年帝展特選。22年示現会創立会員、39年代表。日本水彩画会名誉会員。

三上浩（みかみひろし）
昭和6年（1931）福岡～平成18年（2006）。昭和26年福岡学芸大卒。大内田茂士に師事。日展特選2回、文部大臣賞受賞。示現会展受賞4。安井賞展等出品。平成11年日展評議員、16年示現会理事。

三岸好太郎（みぎしこうたろう）
明治36年（1903）札幌市～昭和9年（1934）名古屋市。油絵を独学、大正12年春陽展入選、13年春陽会賞。昭和5年独立美術協会創立参加。42年遺作を収蔵した北海道立美術館開館（52年道立三岸好太郎美術館と改称）。妻は三岸節子、息子は黄太郎。

三岸節子（みぎしせつこ）
明治38年（1905）愛知～平成11年（1999）。大正10年上京、岡田三郎助に師事。13年女子美術学校卒、同年三岸好太郎と結婚。14年春陽展出品、昭和7～14年独立展出品（10年D氏賞、11年会友）。13年新制作派協会会員。22年女流画家協会創立に参加。26年芸術選奨文部大臣賞。29～30・43～平成元年渡仏。昭和55年長谷川仁賞、平成2年朝日賞。3年ワシントンの女性芸術美術館で回顧展。6年文化功労者。10年愛知に三岸節子記念美術館開館。

三雲祥之助（みぐもしょうのすけ）
明治35年（1902）京都市～昭和57年（1982）東京。京都帝大東洋史学科中退。大正14年渡欧、昭和10年帰国、春陽展出品、18年会員。戦後国際美術展、国際形象展出品、32年日本国際美術展佳作賞。

御厨純一（みくりやじゅんいち）
明治20年（1887）佐賀市～昭和23年（1948）東京。白馬会第二研究所に通う。明治45年東美校西洋画科卒。大正9年帝展初入選。15～昭和3年渡仏。サロン・ドートンヌ入選。サロン・デ・ザンデパンダン会員。4年第一美術協会会員。12年海洋美術会創立会員。従軍画家として戦争記録画を制作。

三栖右嗣（みすゆうじ）
昭和2年（1927）神奈川～平成22年（2010）埼玉。昭和27年東京藝大安井曾太郎教室卒。30～34年一水会展出品、その後10年間作品発表をやめる。50年沖縄海洋博海を描く現代絵画コンクール大賞、翌年安井賞受賞。三越・松坂屋等での個展・グループ展で透徹した写実の生命感溢れる作品を発表。

溝江勘二（みぞえかんじ）
明治42年（1909）福岡～平成13年（2001）。昭和4年上京、同舟舎、本郷絵画研究所で学ぶ。6年帝展初入選。21年光風会会員、25年岡田賞、51年辻永記念賞。評議員を経て平成6年光風会名誉会員。昭和25年日展特選、52年会員。デリケートな色彩の溶け合う日本の風土を捉えた作風。

満谷国四郎（みつたにくにしろう）
明治7年（1874）岡山～昭和11年（1936）東京。五姓田芳柳、小山正太郎に学び、明治33年渡仏、J・P・ローランスに師事。34年帰国、同志と太平洋画会結成。40年第1回文展～審査員歴任。大正14年帝国美術院会員。

三橋兄弟治（みつはしいとじ）
明治44年（1911）茅ヶ崎市～平成8年（1996）。槐樹社展、旺玄会展、創元会展に出品。水彩連盟結成に参加、会員。昭和39年渡欧。スペイン風景。

光安浩行（みつやすひろゆき）
明治24年（1891）福岡～昭和45年（1970）。太平洋画会研究所で中村不折に師事。大正15年帝展初入選。昭和22年示現会創立会員。25年日展特選。29年山林美術協会結成。42年日展評議員。示現会常任委員。

南薫造（みなみくんぞう）
明治16年（1883）広島～昭和25年（1950）広島。明治40年東美校卒。英留学、渡仏。43年帰国。文展、帝展に出品、審査員歴任。昭和4年帝国美術院会員、後帝室技芸員。7年東美校教授、後進の指導に尽力。

南桂子（みなみけいこ）
明治44年（1911）高岡市～平成16年（2004）。夫は浜口陽三。昭和3年高岡高女卒。終戦後上京、壺井栄（童話）、森芳雄（油絵）、浜口陽三（版画）に学ぶ。25年～自由美術展（30年会員）、JAN（32年会員）、日本版画協会展（後名誉会員）出品。29年渡仏（～57年パリ滞在）、フリードランデルの研究所で銅版画を学ぶ。30年アンデパンダン（パリ市買上げ）、40年リュブリアナビエンナーレ出品。33年国連児童基金クリスマスカード採用。57年米サンフランシスコに移住。平成8年帰国。

南政善（みなみまさよし）
明治41年（1908）石川～昭和51年（1976）東京。昭和9年帝展初入選。10年東美校油画科卒。第二部会展特選。10年新文展特選。12年光風会会員。13年従軍画家。16年文展特選。17年聖戦美術展陸軍大臣賞・海軍大臣賞。22年新樹会創立会員。33年日展会員、40年文部大臣賞。

南大路一（みなみおおじはじめ）
明治44年（1911）東京～平成6年（1994）。春陽会研究所に学ぶ。昭和23年春陽会会員。国際形象展同人。

耳野卯三郎（みみのうさぶろう）
明治24年（1891）大阪〜昭和49年（1974）東京。白馬会葵橋洋画研究所で学ぶ。大正5年東美校卒。3年文展初入選。昭和8年光風会会員。9年帝展特選。以後文展、日展、光風会出品、審査員歴任。33年日展評議員。37年日本藝術院賞。40年光風会退会。41年日本藝術院会員。42年勲三等瑞宝章。

三村英一（みむらえいいち）
明治23年（1890）広島〜昭和33年（1958）東京。明治41年白馬会洋画研究所で学ぶ。44〜大正2年関西美術会展出品。昭和4年〜構造社展出品、7年会員。11年新構造社結成、代表。

宮城音藏（みやぎおとぞう）
大正10年（1921）立川市〜平成16年（2004）。府立第二中学で倉田三郎に学ぶ。22年造型美術学園（23年武蔵野美術学校に改名、現大学）入学、26年卒。31年春陽展初入選・春陽会賞、32年準会員、33年会員。シェル美術賞展（33年2等）、安井賞展等出品。48年渡墨を機に欧州、中国、チベット等遍歴。45年武蔵野美術大学教授、平成3年名誉教授。

三宅克己（みやけこっき）
明治7年（1874）徳島〜昭和29年（1954）。大野幸彦、原田直次郎に師事。明治30〜31年エール大学美術学校で学ぶ。明治45年光風会創立。大正15年帝展審査員。昭和25年日本藝術院賞恩賜賞。

宮坂勝（みやさかまさる）
明治28年（1895）長野〜昭和28年（1953）東京。大正8年東美校西洋画科卒。12〜昭和2年渡仏、O・フリエスに師事。帰国後、国画創作協会展奨学賞。4年1930年協会会員。5年国画会会員。6年帝国美術学校教授。21年日展第1回展、2回展特選。

宮崎進（みやざきしん）
大正11年（1922）山口〜平成30年（2018）。本名進（すすむ）。昭和17年日本美術学校卒業。寺内萬治郎に師事。第10回安井賞、芸術選奨文部大臣賞、山口県芸術選奨、神奈川文化賞、サンパウロビエンナーレ他出品。多摩美術大学名誉教授、多摩美術大学美術館名誉館長、周南市美術博物館名誉館長。シベリア抑留体験に根ざした作品群で知られる。

宮崎精一（みやざきせいいち）
明治45年（1912）〜平成8年（1996）熊本県人吉市。昭和23年独立美術協会会員。

宮下実（みやしたまこと）
昭和14年（1939）北安〜平成22年（2010）東京。昭和39年東京藝大卒（大橋賞）、41年大学院修了、同大助手を経て非常勤講師（〜49年）。44年国展新人賞、十騎会結成。46年国画会会員、54年安井賞展出品（以後4回）、55年具象現代展同人賞。63年耕人会結成、絵本『中世の村の生活』刊行（岩波書店）。髙島屋、サヱグサ画廊、彩壺堂他個展。文星芸術大学教授。

宮永岳彦（みやながたけひこ）
大正8年（1919）静岡〜昭和62年（1987）東京。昭和11年名古屋市立工芸学校卒。17年横井礼以に師事、二科展初入選。正宗得三郎に師事。22年二紀創立展褒賞。25年日本宣伝美術協会創立参加。32年二紀展会員、42年委員、47年理事、49年菊華賞、61年理事長。35年世界観光ポスター展最優秀賞、石川達三、今日出海の挿絵も描き、38年講談社挿絵賞、43年現代水墨画会結成。54年日本藝術院賞。

宮本三郎（みやもとさぶろう）
明治38年（1905）小松市〜昭和49年（1974）東京。川端画学校で藤島武二に師事。昭和2年〜二科展出品、11年会員。18年帝国芸術院賞、19年朝日文化賞。22年二紀会創立、理事長。41年日本藝術院会員。平成16年東京世田谷のアトリエ跡に宮本三郎記念美術館開館。

三芳悌吉（みよしていきち）
明治43年（1910）新潟〜平成12年（2000）東京。太平洋画研究所で学ぶ。昭和21年行動美術協会会員。雑誌や絵本の挿絵も手がけ、小学館児童出版文化賞、日本児童文化功労賞等受賞。

三吉雅（みよしまさ）
大正15年（1926）東京〜平成23年（2011）東京。本名比田井雅。川島理一郎・三雲祥之助に師事。女子美専卒。春陽会会員、女流画家協会委員。新東京百景展、女子美大創立百周年記念展等出品。個展も多数開催。

向井潤吉（むかいじゅんきち）
明治34年（1901）京都〜平成7年（1995）東京。大正5年京美工中退。関西美術学院、川端画学校、信濃橋洋画研究所で学ぶ。昭和2年渡仏、グラン・ショミエールで西洋絵画研究に専念。11年二科会会員。20年行動美術協会創立参加。東京世田谷に向井潤吉アトリエ館がある。

武者小路実篤（むしゃのこうじさねあつ）
明治18年（1885）東京～昭和51年（1976）東京。東京帝大中退。明治43年志賀直哉らと『白樺』創刊、西洋美術を紹介。大正12年頃より画作。昭和2年大調和展を主唱。7年国画会会員。26年文化勲章。27年日本藝術院会員。55年埼玉県毛呂山町に新しき村美術館、60年調布市武者小路実篤記念館開館。

棟方志功（むなかたしこう）
明治36年（1903）青森市～昭和50年（1975）東京。版画家。昭和3年平塚運一を訪ね版画制作に入る。帝展に油絵、日本創作版画協会展、春陽展に木版画を出品、5～28年国展出品。27年日本板画院結成。29年ルガノ国際版画展優秀賞。30年サンパウロ、31年ヴェネチアビエンナーレでグランプリ。40年伊芸術院名誉会員。45年文化勲章受章。

棟方末華（むなかたまっか）
大正2年（1913）青森市～平成7年（1995）。昭和6年木版画を始める。27年日本板画院創立、49年同院会長。

村井正誠（むらいまさなり）
明治38年（1905）岐阜～平成11年（1999）。石井柏亭に師事。昭和2年文化学院在学中に二科展初入選。翌年卒業、渡仏。7年帰国、二科、独立を経て12年自由美術家協会結成。25年山口薫らとモダンアート協会創設。37年現代日本美術展最優秀賞、東京国際版画ビエンナーレ文部大臣賞。平成9年抽象絵画発展への功績で中日文化賞。10年中村彝賞。勲四等旭日小綬章、世田谷文化功労章。武蔵野美大名誉教授、文化学院デザイン科長、日本美術家連盟理事長。

村岡平蔵（むらおかへいぞう）
明治45年（1912）佐賀～平成7年（1995）。昭和11年文展初入選。12年東美校油画科卒。中村研一に師事。22年日展特選、47年内閣総理大臣賞、参与。

村上三郎（むらかみさぶろう）
大正14年（1925）神戸市～平成8年（1996）西宮市。昭和24年～新制作派協会展出品。30年具体美術協会参加。日本のパフォーミング・アートの先駆者。漫画評論家村上知彦の父。

村上肥出夫（むらかみひでお）
昭和8年（1933）岐阜～平成30年（2018）岐阜。独学で絵を学ぶ。昭和35年東光展初入選。36年本郷新の紹介で兜屋画廊主西川武郎の知遇を得、交友が始まる。平成9・10年のアトリエ火災により体調を崩し、以来制作は行われなかった。国内外で個展多数。

村上善男（むらかみよしお）
昭和8年（1933）盛岡市～平成18年（2006）盛岡市。岩手大学学芸学部卒。昭和28～36年二科展で岡本太郎の影響を受ける。退会後は個展やグループ展で活動。35年シェル美術賞佳作賞。東北的土俗表現を志し、東北の美術を研究。弘前大学名誉教授。

村田省蔵（むらたしょうぞう）
昭和4年（1929）石川～平成30年（2018）神奈川。昭和25年金沢美術工芸大卒。小絲源太郎に師事。24年日展初入選。日展特選、菊華賞、内閣総理大臣賞、北國文化賞、恩賜賞・日本藝術院賞、旭日中綬章。個展（石川県立美術館、日本橋三越、画廊他）。日本藝術院会員、日展顧問、金沢学院大学名誉教授。

村山槐多（むらやまかいた）
明治29年（1896）横浜市～大正8年（1919）東京。少年時代従兄の山本鼎の影響を受け、大正3年小杉未醒宅に寄寓、日本美術院研究所で洋画を学ぶ。二科展、再興日本美術院展出品。6年日本美術院院友。代表作は「バラと少女」等。

村山密（むらやましずか）
大正7年（1918）茨城～平成25年（2013）パリ。岡鹿之助に師事。昭和17～61年春陽展出品。29～30年渡仏。34年再渡仏、以降パリ居住（56年仏国籍取得）。37年パリ16区風景画コンクールド・ゴール大統領賞、他サロン・ナシオナル、サロン・ド・オンフルール、アニュール展等出品、グランプリ等受賞。59年グランド・ショミエール教授。平成3年パリ市ヴェルメイユ勲章（名誉市民賞）、7年仏芸術院グラン・ド・メダイユ・ドール（栄誉大賞）、勲四等旭日小綬章、9年仏政府レジオン・ドヌール勲章（シュバリエ）等、顕彰多数。

村山知義（むらやまともよし）
明治34年（1901）東京～昭和52年（1977）東京。大正10年東京帝大文学部中退、渡独。12年帰国、構成主義を日本に紹介、マヴォを結成。13年三科の結成に参加。

米良道博（めらどうはく）
明治36年（1903）和歌山～昭和58年（1983）大阪。信濃橋洋画研究所で鍋井克之に師事。昭和4年二科展出品、23年会員、29年退会。30年一陽会創立。

杢田たけを（もくたたけを）
明治43年（1910）豊岡市～昭和62年（1987）東京。初め日本画を学ぶが、洋画に転向。須田國太郎に師事。

昭和10年独立展初入選、22年独立賞、24年独立美術協会会員。

望月省三（もちづきしょうぞう）
明治24年（1891）栃木～昭和29年（1954）。明治40年日本水彩画会研究所で学ぶ。大正2年日本水彩画会創立に参加。3年文展入選。以後帝展、新文展出品。7年光風会展今村奨励賞。

元永定正（もとながさだまさ）
大正11年（1922）三重～平成23年（2011）兵庫。昭和19年同郷の文展系洋画家・濱邊萬吉に師事。30年具体美術協会に参加、第1回展から46年退会まで出品。その後無所属。34年プレミオ・リソーネ国際展買上賞、現代日本美術展39・41年優秀賞・46年京都国立近代美術館買上賞。58年芸術文化振興協会賞、日本芸術大賞、ソウル国際版画ビエンナーレ大賞、63年仏芸術文芸シュバリエ章、平成3年紫綬褒章、『もけらもけら』で絵本にっぽん賞。9年勲四等旭日小綬章。19年東郷青児美術館大賞受賞。平成8年～成安造形大学教授（17年～客員）。

百瀬郷志（ももせさとし）
昭和24年（1949）松本市～平成22年（2010）松本市。昭和49年国展新人賞・50年国画賞・54年会員。54～55年スペイン滞在。在スペイン日本人作家選抜展（マドリッド）グランプリ。60年今日の作家展（辰野町美術館企画）、現代の作家展（信濃美術館）出品。

森英（もりえい）
明治40年（1907）香川～昭和51年（1976）東京。昭和7年東美校西洋画科卒。二科展出品。正宗得三郎に師事。22年二紀会第1回展に招待出品、同人、23年委員、後理事。31年渡欧。米、墨に滞在。

守洞春（もりどうしゅん）
明治42年（1909）岐阜～昭和60年（1985）。本名守ヶ洞守造。昭和18～35年日本版画協会会員。23年東光会会員。37年日本板画院会員。

森通（もりとおる）
大正15年（1926）大連～平成13年（2001）東京。坂本繁二郎、海老原喜之助に師事。昭和26年独立展初入選、37年独立賞・30回記念賞。38年独立美術協会会員。

森信雄（もりのぶお）
昭和27年（1952）千葉～平成30年（2018）。版画家。中美展中央美術協会賞、文部科学大臣賞、東京都知事賞他。板院展棟方志功賞、記念賞。個展48。木版画集刊行。中央美術協会委員、日本板画院委員、千葉県美術会会員。

森秀雄（もりひでお）
昭和10年（1935）三重～平成24年（2012）神奈川。東京藝大卒。林武、小磯良平に師事。昭和37年モダンアート展奨励賞、38年新人賞受賞。42年一陽会展一陽会賞、44年会員推挙。48・49年新鋭選抜展優賞、55年安井賞展特別賞、62年東郷青児美術館大賞他出品受賞多数。一陽会代表・運営委員を長く務め、「偽りの青空」シリーズなど、エアブラシ技法の幻想的な作品で人気があった。

森芳雄（もりよしお）
明治41年（1908）東京～平成10年（1998）。大正14年白瀧幾之助に木炭デッサンを学ぶ。昭和3年1930年協会絵画研究所で中山巍に師事。4年1930年協会展・5年二科展初出品。6年第1回独立展入選、11年D氏賞、14年退会。6～9年渡仏。7年サロン・ドートンヌ入選。14年自由美術協会展会員。39年退会、主体美術協会結成。武蔵野美大教授。

森由太郎（もりよしたろう）
明治34年（1901）福井～昭和44年（1969）。鈴木信太郎に師事。二科展出品。一陽会創立会員。

森義利（もりよしとし）
明治31年（1898）～平成4年（1992）。大正4年山川霽峰に師事。14年文様連盟会員。柳宗悦に師事。昭和31～37年国画会会員。31～40年日本板画院会員。ライデン国立民族学博物館で回顧展開催。合羽摺の創始者。

森相實（もりあいみのる）
昭和8年（1933）東京～平成30年（2018）。春日部たすくに師事。水彩連盟展MO賞、古川弘賞、文部大臣奨励賞、50回記念展賞、創立会員賞（荒谷直之介賞）。個展多数。長年事務局長を務め、理事を経て顧問。

森田訓司（もりたくんじ）
昭和14年（1939）福山市～昭和62年（1987）横浜市。安井賞展、独立展等出品。昭和49年グラン・ショミエールで学ぶ。ル・サロン、カンヌ国際展出品。

森田茂（もりたしげる）
明治40年（1907）茨城～平成21年（2009）東京。昭和3年上京、5年から熊岡美彦に師事。8年東光展、9年帝展初入選。40年代にライフワーク羽黒山の黒川能

に出会う。41年日展文部大臣賞。45年日本藝術院賞、51年同会員。55年東光会理事長、平成11年会長。元年文化功労者、5年文化勲章受章。

森田恒友（もりたつねとも）
明治14年（1881）熊谷市～昭和8年（1933）。不同舎に通う。明治39年東美校卒、研究科進級、40年中退。文展入選。同人誌「方寸」創刊。「パンの会」結成に参加。大正3～4年渡欧。4～6年二科会会員。5～9年日本美術院同人。11年春陽会創立会員。昭和4年帝国美術学校教授。

森田元子（もりたもとこ）
明治36年（1903）東京～昭和44年（1969）。岡田三郎助に師事。大正13年女子美術学校卒業後、仏留学。15年帰国。昭和12、13年文展特選。35年日展文部大臣賞、評議員、光風会会員。女子美大教授。

森本草介（もりもとそうすけ）
昭和12年（1937）朝鮮全州府～平成27年（2015）。昭和37年東京藝術大学卒。在学中に安宅賞受賞。38年国展初出品、初入選。以後毎年出品。39年東京藝術大学専攻科修了、大橋賞受賞。44年国画会会員推挙、同年十騎会結成に参加、以後毎年出品。五都展、現美展、21世紀展他グループ展、個展多数。

八木伸子（やぎのぶこ）
大正14年（1925）札幌市～平成24年（2012）札幌市。庁立札幌高女専攻科修。三雲祥之助・小川マリに師事。春陽会会員、全道展会員、元女流画家協会委員。安井賞展、ドートンヌ他出品、紺綬褒章、札幌市民芸術賞等受賞。

矢崎千代二（やざきちよじ）
明治5年（1872）横須賀市～昭和22年（1947）中国北京。大野幸彦の画塾で学ぶ。明治33年東美校卒。36年内国勧業博覧会受賞。文展受賞。昭和17年満州旅行、18年～北京滞在。

矢島俊一（やじましゅんいち）
大正14年（1925）羽生市～平成22年（2010）。昭和29年武蔵野美術学校卒。34年同志と蒼騎会創立、36年第1回展以後毎年出品、47年蒼騎会賞、52年都知事賞、56年文部大臣賞、平成3年会員優賞受賞。ヤマト画廊、文藝春秋画廊等で個展多数。

安井明光（やすいあきみつ）
昭和2年（1927）東京～平成30年（2018）。昭和23年横浜専門学校（現神奈川大）卒業。63年亜細亜現代美術展出品、常任委員を経て平成14年退会。15年汎美展出品。汎美術協会会員。

安井曾太郎（やすいそうたろう）
明治21年（1888）京都～昭和30年（1955）湯河原。明治37年聖護院洋画研究所で浅井忠に師事、後関西美術院で学ぶ。明治40年渡仏、アカデミー・ジュリアンでＪ・Ｐ・ローランスに学ぶ傍らセザンヌに傾倒。大正4年帰国。5年二科展に滞欧作特陳、会員。10年帝国美術院会員。11年石井柏亭らと一水会創設。19年帝室技芸員、東美校教授。24年日本美術評論家連盟初代会長。27年文化勲章。

安田謙（やすだけん）
明治44年（1911）京都市～平成9年（1997）。本名謙三郎。昭和4年京美工卒。独立美術京都研究所で学ぶ。10年独立展初入選、35年会員。45～52年京都市立芸大教授。京都府美術功労者。京都市文化功労者。

梁川剛一（やながわごういち）
明治35年（1902）～昭和61年（1986）東京。昭和3年東美校彫刻科卒。挿絵で児童文化功労賞。

柳敬助（やなぎけいすけ）
明治14年（1881）君津市～大正12年（1923）東京。明治36年東美校中退。渡米、NYに5年間滞在、ブリッヂマン、チェイスらに師事。欧州経由で42年帰国。文展出品、43年褒状。大正3年二科会創立鑑査委員となるが、翌年退会、文展復帰。

柳沢淑郎（やなぎさわよしろう）
大正12年（1923）群馬～平成18年（2006）東京。昭和25年東美校卒。白日展で26年白日賞、58年総理大臣賞、平成11年75周年功労者・三洋電機記念賞、常任委員。33年日展特選、61年会員、63年会員賞、平成6年評議員、14年内閣総理大臣賞、15年参与。昭和53年現代の裸婦展大賞受賞の他、安井賞展等に出品。

柳瀬俊雄（やなせとしお）
明治43年（1910）東京～昭和52年（1977）。本郷絵画研究所で学び、岡田三郎助・中村研一に師事。昭和8年帝展初入選。26年日展特選、39年菊華賞受賞。40年日展審査員。十柯会展(上野の森美術館)でも大作を発表。

柳瀬正夢（やなせまさむ）
明治33年（1900）松山市～昭和20年（1945）東京。筆名は夏川八朗。大正3年日本水彩画会研究所で学び、日本美術院洋画部に出品、10年同人。未来派美術協

会、マヴォなど前衛美術運動に参加、以後プロレタリア美術へ傾倒、労働運動のポスターや政治漫画などを描いた。

矢橋六郎（やばしろくろう）
明治38年（1905）岐阜〜昭和63年（1988）大垣市。昭和5年東美校西洋画科卒。山口薫らと渡仏（〜8年）。12年自由美術家協会創立会員、25年退会。モダンアート協会創立会員。

藪内正幸（やぶうちまさゆき）
昭和15年（1940）〜平成12年（2000）東京都杉並区。動物画家。絵本『どうぶつのおやこ』等の他、『広辞苑』、『世界大百科事典』の挿絵等も手がけた。毛の1本1本まで細密に描く生命感あふれる作風。昭和48年サントリー愛鳥キャンペーンで朝日広告賞第2部グランプリ。

藪野正雄（やぶのまさお）
明治40年（1907）福岡〜平成2年（1990）名古屋市。新文展無鑑査。昭和22年二紀会第1回展委員、51年30周年記念大賞、常任理事、後参与。

矢部友衛（やべともえ）
明治25年（1892）村上市〜昭和56年（1981）東京。大正7年東美校日本画科卒。渡欧米（〜11年）。アカデミー・ランソンでM・ドニに師事。11年二科展出品。アクション、三科造形美術協会、「造形」の結成に参加。昭和4年日本プロレタリア美術家同盟創立委員長。21年日本美術会創立会員。現実会創立会員。

山川輝夫（やまかわてるお）
昭和15年（1940）東京〜平成4年（1992）東京。昭和39年東京藝大油画科卒、41年大学院修了。61〜62年文部省在外研修員として渡英。国際形象展、十騎会展に出品。

山喜多二郎太（やまきたじろうた）
明治30年（1897）福岡〜昭和40年（1965）。藤島武二、寺崎廣業に師事。大正9年東美校西洋画科卒、帝展初入選。昭和9年帝展特選。新文展、日展に出品を重ね、33年日展評議員。大正14年〜光風会展出品、昭和9年会員、33年理事。

山口薫（やまぐちかおる）
明治40年（1907）群馬県箕輪町〜昭和43年（1968）東京。昭和5年東美校卒。在学中から帝展、国展入選。5〜8年欧州留学。9年村井正誠らと集団「新時代」結成。12年自由美術協会創立。25年モダンアート協会設立。サンパウロ・ビエンナーレ等国際展にも出品。35年芸術選奨文部大臣賞。39年東京藝大教授。

山口源（やまぐちげん）
明治29年（1896）富士市〜昭和51年（1976）沼津市。本名源吾。一時台湾に渡り、藤森静雄を知る。大正12年恩地孝四郎に師事。昭和3年日本創作版画協会展初入選。14年一木会創立に参加。16年〜国展出品、24年会員。32年リュブリアナ（優秀賞）、33年ルガノ（グランプリ）、グレンヘン（佳作賞）等国際版画トリエンナーレ、日本版画協会展出品。58年沼津市が山口源大賞を創設。

山口操助（やまぐちそうすけ）
大正2年（1913）名古屋市〜平成16年（2004）。昭和2年石川県立小松中学校入学後、宮本三郎に師事。7年同校卒。12年二科展初入選。22年二紀会同人、29年委員、44年理事。47·55年菊華賞。57年紺綬褒章。二紀会参与。

山口長男（やまぐちたけお）
明治35年（1902）京城〜昭和58年（1983）東京。昭和2年東美校卒、仏留学。6年帰国、二科展出品。13年吉原治良らと九室会結成。戦後は二科展の他、サンパウロ、ヴェネチアビエンナーレ等海外展出品。29年現代日本美術展優秀賞、37年芸術選奨文部大臣賞。長年武蔵野美術大学教授。

山崎省三（やまざきしょうぞう）
明治29年（1896）横須賀市〜昭和20年（1945）。日本美術院研究所で学ぶ。大正5年院展初入選。7・8年奨励賞。11〜昭和10年春陽会に客員参加。12年新文展無鑑査。20年ハノイで戦病死。

山崎つる子（やまざきつるこ）
大正14年（1925）兵庫県芦屋市〜令和元年（2019）。昭和23年小林聖心女子学院卒。29年具体美術協会の結成に参加。50年AU（アーティスト・ユニオン）結成に参加。ブリキによる前衛作品や鮮やかな色彩の抽象絵画を手掛けた。

山下菊二（やましたきくじ）
大正8年（1919）徳島〜昭和61年（1986）。昭和12年香川県立工芸学校金属工芸科卒。13年福沢一郎絵画研究所に通う。15年美術文化展初入選、19年奨励賞、22年会員。26年〜日本アンデパンダン展出品。49年中村正義らと从会結成。

山下清（やましたきよし）
大正11年（1922）～昭和46年（1971）。精神薄弱児施設八幡学園でちぎり絵による点描風の貼り絵を学び、式場隆三郎に認められ、昭和14年展覧会開催、人気を呼ぶ。15年学園を脱走、18年に戻るが、以後放浪を繰り返す。

山下新太郎（やましたしんたろう）
明治14年（1881）東京～昭和41年（1966）東京。明治37年東美校卒。38～43年渡欧、R・コラン、後F・コルモンに指導を受ける。大正3年二科会創立に参加。昭和6年再渡仏。10年帝国美術院会員。11年一水会創立。30年文化功労者。

山下大五郎（やましただいごろう）
明治41年（1908）藤沢市～平成2年（1990）東京。昭和4年東美校卒。3年帝展初入選。12・14年文展特選。24年牛島憲之、須田寿らと立軌会結成。58年長谷川仁記念賞受賞。

山下充（やましたたかし）
大正15年（1926）静岡県大井川町～平成28年（2016）。小堀進に水彩画を学び、上京後、水彩連盟研究所を経て野口彌太郎に師事。水彩連盟展、新制作展、独立展に出品。昭和38年以降国際形象展招待出品多数。39年渡仏。42年安井賞候補新人展招待出品。56年長谷川仁記念賞、平成元年宮本三郎賞、2年川村賞。平成14年帰国。以後個展を中心に作品を発表。

山下忠平（やましたちゅうへい）
明治38年（1905）東京～平成12年（2000）鎌倉市。川端画学校で学び辻永に師事。昭和7年光風会展光風賞、13年会員、61年名誉会員。3年帝展初入選。22年日展特選、会員、評議員を経て55年参与。

山下りん（やましたりん）
安政4年（1857）笠間市～昭和14年（1939）。中丸精十郎に師事。明治10年工部美術学校入学、13年退学。13～16年ペテルブルグに留学。ギリシャ正教の聖画を学ぶ。帰国後は神田駿河台教会に住み、聖像画を制作。

山田貞實（やまださだみ）
大正4年（1915）岐阜～平成12年（2000）。小林萬吾、南薫造、伊原宇三郎に師事。昭和12年東美校図画師範科卒。独立展に出品を重ね、36年独立賞、37年会員。玉雲の雅号で墨絵も制作。53年全日本水墨画会主宰。長年、玉川大学教授。

山田茂人（やまだしげと）
昭和4年（1929）愛媛～平成3年（1991）東京。昭和30年多摩美短期大学卒。光風会展出品、36年会員。41・47年日展特選。59年光風会展70回特別記念賞。60年日展会員。62年光風会展辻永記念賞。

山田新一（やまだしんいち）
明治32年（1899）台北～平成3年（1991）。大正12年東美校卒。昭和3年渡仏、E・アマン・ジャンに師事。帰国後、日展、光風会展出品。23年光風会会員。30年日展会員。51年京都市文化功労者。

山田正亮（やまだまさあき）
昭和5年（1930）東京～平成22年（2010）東京。昭和25年東京府立工業高専卒。長谷川三郎に師事。24～28年読売アンデパンダン展、25年～自由美術家協会展出品。ストライプ、グリッド等自律的平面絵画制作。62年サンパウロビエンナーレ出品。

山寺重子（やまでらしげこ）
昭和7年（1932）神奈川～平成29年（2017）。山口薫、中村好宏、土田文雄、山崎隆夫他に師事。国展新人賞・国画賞、女流画家協会展F夫人賞・島あふひ賞、シェル美術賞、教育委員会賞他。国画会会員、女流画家協会委員。

大和屋巌（やまとやいわお）
大正7年（1918）北海道～平成24年（2012）東京。札幌師範学校卒。藤野高常に師事。昭和24年日本水彩展日本水彩画会賞、会員推挙。同会理事長を長年務め、後顧問。

山内愚僊（やまのうちぐせん）
慶応2年（1866）江戸～昭和2年（1927）。名は貞郎。初め高橋由一に、後渡辺文三郎に学ぶ。明治34年関西美術院創立。

山本鼎（やまもとかなえ）
明治15年（1882）岡崎市～昭和21年（1946）上田市。明治39年東美校卒。40年「方寸」創刊。大正元年～6年滞欧。帰国後、再興日本美術院洋画部同人。7年日本創作版画協会創立。11年春陽会結成に参加。

山本吉雄（やまもときちお）
大正11年（1922）静岡～平成11年（1999）。昭和29年上京、奈良岡正夫に師事。同年示現会展初出品、34年会員。31年日展初入選、特選2、56年会員、67年会員賞。日展評議員、示現会常務理事。

山本甚作（やまもとじんさく）
大正4年（1915）鶴岡市～平成8年（1996）。昭和14年東美校建築科卒。示現会第17回展より出品。日展入選8回。示現会理事。絶展創立、同人。

山本日子士良（やまもとひこしろう）
明治43年（1910）奈良～平成5年（1993）東京。東美校西洋画科卒業後、和田英作に師事。東光会所属、昭和42年菊華賞。

山本彪一（やまもとひょういち）
明治45年（1912）栃木～平成11年（1999）。早稲田大学大学院修了。猪熊弦一郎に師事。初め新制作展出品、18年文展初入選。22年光風会展O氏賞、会員。28年日展無鑑査。52年仏パルム・コマンドール勲章受章。43年以降度々渡欧。

山本不二夫（やまもとふじお）
明治38年（1905）千葉～昭和59年（1984）八千代市。昭和9年二科展、日本水彩画会展初入選、16年会員。30年二科会会員、40年総理大臣賞、49年青児賞。二科会理事。

山本芳翠（やまもとほうすい）
嘉永3年（1850）岐阜～明治39年（1906）東京。初め南画を学ぶ。明治元年五姓田芳柳に師事。9年工部美術学校で学ぶが中退、明治11年パリ留学、20年帰国。21年生巧館画塾創立。明治美術会結成、白馬会創立に参加。

山本森之助（やまもともりのすけ）
明治10年（1877）長崎～昭和3年（1928）。明治28年明治美術会研究所で浅井忠、山本芳翠に学ぶ。29年東美校西洋画科入学、黒田清輝に師事。40年～文展、帝展出品、審査員歴任。45年光風会創立。

山脇信徳（やまわきしんとく）
明治19年（1886）高知～昭和27年（1952）高知。明治42年文展3等賞。43年東美校卒。大正6年院展洋画部樗牛賞。13年春陽会会員、昭和2年国画創作協会に移る。大正14年～昭和4年滞欧。

湯浅一郎（ゆあさいちろう）
明治元年（1868）安中市～昭和6年（1931）東京。山本芳翠の生巧館画塾、後天真道場で洋画を学び、明治31年東美校選科卒、白馬会に参加。38～43年滞仏。大正3年二科会創立に参加。

柚木久太（ゆのきひさた）
明治18年（1885）倉敷市～昭和45年（1970）。父は日本画家柚木玉邨。太平洋画会研究所で満谷国四郎に師事。44年文展初入選。渡仏。アカデミー・ジュリアンでJ・P・ローランスに師事。大正4年帰国。文展3等賞、5・8年特選。11年帝展特選。平和記念東京博覧会銅賞。昭和5・8・11年帝展特選。14年帝国美術院会員。30年新世紀美術協会創立参加。31年岡山県文化賞。32年日展会員、45年参与。

横井礼以（よこいれいい）
明治19年（1886）愛知県海部郡～昭和55年（1980）名古屋市。本名礼一。上京して白馬会洋画研究所に通う。明治44年東美校西洋画科卒。大正3年文展初入選。8年二科展二科賞、12年会員。昭和5年緑ヶ丘洋画研究所設立。22年第二紀会創立会員。25年中日文化賞。名古屋造形芸術短期大学教授。

横尾茂（よこおしげる）
昭和8年（1933）新潟～平成24年（2012）東京。昭和28年上京、文化学院美術科で山口薫、佐藤忠良に師事。36年自由美術展初入選、40年会員推挙。52年安井賞受賞。町田市民ホール緞帳等制作。自由美術協会運営委員。

横地康国（よこちやすくに）
明治44年（1911）東京～平成2年（1990）。昭和9年JAN結成。11年独立展入選。12年帝国美術学校本科西洋画科卒。14～16年美術文化協会会員。後独立美術協会会員。武蔵野美大名誉教授。華道阿弥流十九世家元。

横堀角次郎（よこぼりかくじろう）
明治30年（1897）群馬～昭和53年（1978）東京。岸田劉生に師事。大正4年巽画会展3等賞。草土社創立同人。12、13年春陽展春陽会賞。昭和5年春陽会会員。

横山潤之助（よこやまじゅんのすけ）
明治36年（1903）東京～昭和46年（1971）各務原市。大正9年川端画学校で学ぶ。10年二科展初入選、11年樗牛賞、13年二科賞、会員。

横山松三郎（よこやままつさぶろう）
天保9年（1838）千島択捉島～明治17年（1884）東京。江戸末期、函館に来航したロシアのレーマンに油絵を学ぶ。香港、バタビアに航海。帰国後、下岡蓮杖に写真術の指導を受け、明治6年上野池之端に私塾を開く。

横山義雄（よこやまよしお）
明治39年（1906）香川～昭和57年（1982）鎌ヶ谷市。高松工芸高学校卒。小出楢重に師事。新協美術会創立委員。美術団体連合展等に出品。

吉井淳二（よしいじゅんじ）
明治37年（1904）鹿児島～平成16年（2004）。中学同級の海老原喜之助と上京。大正13年東美校入学、和田英作に師事。13年光風会展、14年白日展、昭和元年二科展初入選。4年卒業、仏留学（7年帰国）。15年二科会会員、44年総理大臣賞、54～平成10年理事長。海老原と南日本美術展創設、郷里の若手育成。昭和40年日本藝術院賞、51年同会員、52年勲三等瑞宝章。59年日伯美術連盟会長、60年文化功労者、平成元年文化勲章。63年加世田市に特別養護老人ホーム開設、社会福祉に貢献。

吉井忠（よしいただし）
明治41年（1908）福島市～平成11年（1999）。主体美術協会会員。大正15年上京、太平洋美術研究所で寺田政明、麻生三郎、松本竣介等と学ぶ。昭和3年帝展初入選。11年独立展初入選、渡欧。翌年帰国、糸園和三郎らと創紀美術結成。14年美術文化協会創立に参加。21年自由美術家協会会員、39年退会、森芳雄、寺田政明らと主体美術協会創立。

吉田克朗（よしだかつろう）
昭和18年（1943）深谷市～平成11年（1999）鎌倉市。昭和43年多摩美大卒、斎藤義重に師事。同年現代日本美術展初入選。前衛美術もの派の代表的作家として内外で活躍。版画も手がけ、東京、リュブリアナ、クラコウ他国際展に出品、45年ソウル・ビエンナーレ東亜大賞。48年文化庁派遣芸術家在外研修員・渡英。武蔵野美大教授。

吉田苞（よしだしげる）
明治16年（1883）岡山～昭和28年（1953）岡山。明治41年東美校西洋画科卒。45年岡山洋画研究所創設。大正4年文展初入選。9～10年渡欧。10・11年帝展特選。12年光風会会員。28年岡山県文化賞。

吉田遠志（よしだとおし）
明治44年（1911）東京～平成7年（1995）東京。父吉田博、母ふじを、弟穂高。父に木版画を学ぶ。同舟舎に通う。昭和10年太平洋美術学校卒。太平洋画会展出品。27年日本版画協会会員。

吉田博（よしだひろし）
明治9年（1876）久留米市～昭和25年（1950）。初め田村宗立に、上京後は小山正太郎の不同舎で学ぶ。明治33年パリ万博で褒状。35年太平洋画会創立。40年～文展出品、受賞、審査員歴任。昭和22年日展審査員。大正末から木版画中心に制作。太平洋画会会長。

吉田ふじを（よしだふじを）
明治20年（1887）福岡市～昭和62年（1987）東京。本名藤遠。小山正太郎の不同舎で学ぶ。明治35年太平洋画会展出品。36～39年渡米欧。40年文展入選。吉田博と結婚。43年文展で受賞。大正7年朱葉会展に参加、後会長。

吉田穂高（よしだほだか）
大正15年（1926）東京～平成7年（1995）東京。父吉田博、母ふじを、兄遠志。昭和26年木版画制作を始める。28年日本版画協会展出品。30年渡米。37年ルガノ国際版画ビエンナーレ優秀賞、47年ソウル国際版画ビエンナーレ大賞、48年世界版画コンペティション受賞。62年山口源大賞。

吉仲太造（よしなかたいぞう）
昭和3年（1928）京都～昭和60年（1985）東京。京都の行動美術研究所で学ぶ。昭和21年行動展出品、28年行動美術賞。30年二科展出品、34年退会。無所属で個展、企画展中心に制作発表。

吉野純（よしのじゅん）
大正11年（1922）長野～平成30年（2018）。本名純夫。昭和20年東京高等師範学校卒業。二紀展二紀賞、同人優賞、菊華賞、黒田賞、第45回記念展大賞、文化庁買上げ。二紀会事務局長・常任理事、副理事長を経て名誉会員、筑波大学名誉教授。

吉原治良（よしはらじろう）
明治38年（1905）大阪～昭和47年（1972）大阪。昭和9年二科展初入選、12年特待賞、16年会員、13年山口長男、斎藤義重らと九室会結成。23年芦屋市美術協会結成、代表。26年大阪府芸術賞。29年具体美術協会創立、前衛絵画を牽引。42年日本国際美術展国内大賞。46年印度トリエンナーレゴールドメダル。55年吉原治良賞美術コンクール創設。

吉原英雄（よしはらひでお）
昭和6年（1931）広島～平成19年（2007）高槻市。昭和25～27年大阪市立美術研究所修。32年以降リュブリアナ、クラコフ等版画ビエンナーレやサンパウロ等国際展出品。43年現代日本美術展優秀賞、東京国際版画ビエンナーレ文部大臣賞、44年現代日本美術展ブリヂストン美術館賞、45年芸術選奨文部大臣賞受

賞。平成6年紫綬褒章、7年京都市文化功労者。京都市立芸大名誉教授。

吉村芳松（よしむらよしまつ）
明治19年（1886）東京～昭和40年（1965）。東美校西洋画科卒。大正14・昭和2年帝展特選。18年新文展審査員。30年日展審査員、後評議員。

米山郁生（よねやまいくお）
昭和18年（1943）愛知～平成29年（2017）。日本表現派展日本表現派賞、新人賞、O氏賞、奨励賞。アートセラピーによる活動・講演を多数行う。日本表現派代表、グループ青焰主宰、青焰美術研究所代表、日本文芸家クラブ会員、無名會（書）会員。

萬鉄五郎（よろずてつごろう）
明治18年（1885）岩手県東和町～昭和2年（1927）茅ヶ崎市。白馬会研究所で長原孝太郎にデッサンを学び、渡米。明治45年東美校卒。フュウザン会参加。日本美術院洋画部、二科展にキュビスム風の作品を出品。故郷の東和町に萬鉄五郎記念美術館がある。

ラグーザ玉（らぐーざたま）
文久元年（1861）江戸～昭和14年（1939）。旧姓清原。明治10年ビンチェンツォ・ラグーザに西洋画の指導を受ける一方、彫刻のモデルとなる。15年渡伊。22年ラグーザと結婚。43年NY国際美術展出品、婦人部最高賞受賞。昭和3年夫が没。8年帰国。

若松光一郎（わかまつこういちろう）
大正3年（1914）福島～平成7年（1995）いわき市。昭和13年東美校油画科卒。藤島武二に師事。新制作協会会員。

脇田和（わきたかず）
明治41年（1908）東京～平成17年（2005）東京。大正12年独留学、昭和5年ベルリン美術学校卒。11年猪熊弦一郎、小磯良平等と新制作派協会結成。内外の国際展出品。30年日本国際美術展最優秀賞、31年毎日美術賞・グッゲンハイム国内賞受賞。平成3年軽井沢に脇田美術館開館、勲四等旭日小綬章。10年文化功労者。11年東京藝大名誉教授。

和気史郎（わけしろう）
大正14年（1925）栃木～昭和63年（1988）大阪。昭和27年東京藝大卒。安井曾太郎に学ぶ。独立展出品。31年関西独立展1席。32年独立展独立賞。33年関西総合展1席。34年独立美術協会会員。40年頃抽象から具象に転じた。48年安井賞候補展出品。

鷲田新太（わしだしんた）
明治33年（1900）滋賀～昭和52年（1977）東京。本名新一。川端画学校で学び同舟舎に通う。昭和8年安井曾太郎に師事。10年『美之国』の編集に携わる。31年光陽会展出品、43年文部大臣奨励賞、後代表。

和田英作（わだえいさく）
明治7年（1874）鹿児島～昭和34年（1959）清水市。大野幸彦、原田直次郎、後黒田清輝に師事。明治29年白馬会創立に参加。30年東美校卒。32年独・仏留学、R・コランに師事。35年帰国、東美校教授。大正8年帝国美術院会員。昭和7年～東美校校長。9年帝室技芸員。18年文化勲章受章。

和田賢一（わだけんいち）
昭和31年（1956）広島～平成20年（2008）。昭和55年東京藝大卒。56～58年国際ロータリー奨学生として伊留学。平成2・9年ホルベインスカラシップ、17年文化庁作品買上。19年文化庁芸術家在外派遣研修で再度伊留学の予定だったが、翌年アトリエで逝去。文化庁、セゾン現代美術館等に作品収蔵。

和田三造（わださんぞう）
明治16年（1883）兵庫～昭和42年（1967）東京。白馬会研究所で黒田清輝に学ぶ。明治37年東美校卒。白馬会展白馬賞、文展2等賞。42年欧州留学。大正4年帰国。昭和2年帝国美術院会員。7年東美校教授。20年色彩研究所理事長。33年文化功労者。

和田徹（わだとおる）
大正12年（1923）東京～平成7年（1995）横浜市。昭和22年近代絵画研究所でデッサン、25年田園調布純粋美術研究所で人体描写を学ぶ。26年新制作展入選、33年新作家賞。44年立軌展招待、45年会員。

渡辺菊二（わたなべきくじ）
明治40年（1907）会津若松市～昭和22年（1947）会津若松市。昭和6年日本水彩展入選。7年上京。白日会展、太平洋画会展入選。10年日本水彩画会会員。11年白日会会員。15年水彩連盟結成に参加。

渡辺恂三（わたなべじゅんぞう）
昭和8年（1933）東京～平成25年（2013）。昭和32年東京藝大油画科卒。38年パリ青年ビエンナーレ展丸善石油芸術賞佳作賞。44年国際青年美術家展ストラレム賞一席。51年カンヌ版画ビエンナーレ・リト部門第1位賞。京都府文化賞功労賞。

渡辺審也（わたなべしんや）
明治8年（1875）大垣市～昭和25年（1950）。浅井忠、松岡寿に師事。太平洋画会創立に参加、会員。

渡邉武夫（わたなべたけお）
大正5年（1916）東京～平成15年（2003）埼玉。南薫造、寺内萬治郎に師事。昭和14年東美校卒。在学中に光風会展入選、以後、日展、光風会展に出品、受賞を重ね、44年光風会会員。61年日展会員、66年評議員、85年理事。85年日本藝術院賞、88年同会員。97年光風会理事長、後名誉会長。

渡辺文三郎（わたなべぶんざぶろう）
嘉永6年（1853）岡山～昭和11年（1936）。明治6年五姓田義松に洋画の指導を受ける。10・14年内国勧業博覧会出品。22年明治美術会創立に参加。35年太平洋画会創立に参加。五姓田義松の妹幽香と結婚。40年文展出品。晩年は墨画を制作。

渡辺幽香（わたなべゆうこう）
安政3年（1856）江戸～昭和17年（1942）東京。名は勇子。初代五姓田芳柳の長女。父芳柳、兄五姓田義松に油彩技法を学ぶ。明治10年内国勧業博覧会、明治美術会に出品。17年頃、石版画と銅版画の技法を学んで版画集を刊行。

物故作家（彫刻）

●明治以降の物故作家を、名前（50音順）・生年〜没年・略歴の順で掲載しています。生没地表記が都府県のみの場合、都・府・県は省略。
●本文の数字は元号表記をしています。
京絵専=京都市立絵画専門学校　京美工=京都市立美術工芸学校　東美校=東京美術学校

朝倉響子（あさくらきょうこ）
大正14年（1925）東京〜平成28年（2016）東京。本名矜子（きょうこ）。彫刻家朝倉文夫の次女。昭和23年日展特選（26年まで連続4回）。31年日展脱退、以後無所属。54年長野県野外彫刻賞、57年中原悌二郎賞優秀賞。

朝倉文夫（あさくらふみお）
明治16年（1883）大分県竹田〜昭和39年（1964）東京。旧姓渡辺。明治40年東美校彫刻科選科卒。翌年の第2〜第8回文展連続受賞（最高賞の2等賞4）。大正10年東美校教授。13年帝国美術院会員。昭和2年〜朝倉彫塑塾主宰、後進を育成。19年帝室技芸員、23年文化勲章受章、26年文化功労者。谷中のアトリエ朝倉彫塑館で遺作を公開。長女摂は舞台美術家、次女響子は彫刻家。

吾妻兼治郎（あづまけんじろう）
大正15年（1926）山形市〜平成28年（2016）イタリア・ミラノ。東京藝術大学卒業後、昭和31年政府給費留学生としてイタリアへ留学、ブレラ美術学校にてマリノ・マリーニに学び、後に助手となる。「MU（無）」「YU（有）」のシリーズを展開し、抽象彫刻家として国際的な評価を得る。高村光太郎賞、毎日芸術賞他、海外での受賞多数。平成11年中原悌二郎賞、13年勲四等旭日小綬章。

雨宮淳（あめのみやあつし）
昭和12年（1937）東京〜平成22年（2010）東京。父雨宮治郎、姉の敬子共に日本藝術院会員の彫刻家。日本大学芸術学部卒。昭和38年日展・日彫展初入選。日彫展奨励賞、努力賞、西望賞受賞。日展特選2回、平成3年内閣総理大臣賞受賞。他東京野外彫刻展大衆賞。9年日本藝術院賞、13年同会員。日展・日本彫刻会常務理事、14〜17年日本彫刻会理事長。

雨宮敬子（あめのみやけいこ）
昭和6年（1931）東京〜令和元年（2019）。父は雨宮治郎、弟は淳。昭和31年日本大学芸術学部卒。57年長野市野外彫刻賞、58年中原悌二郎賞優秀賞、60年日展内閣総理大臣賞、平成2年日本藝術院賞。6年日本藝術院会員。29年旭日中綬章、文化功労者顕彰。日展常務理事、日本彫刻会理事長を歴任。

雨宮治郎（あめのみやじろう）
明治22年（1889）水戸市〜昭和45年（1970）。大正9年東美校彫刻科本科卒。12年同科研究科修了。在学中の7年文展初入選。昭4・5年帝展特選。32年日本藝

術院賞、39年同会員。娘は敬子、息子は淳。

飯田善國（いいだよしくに）
大正12年（1923）栃木～平成18年（2006）長野。慶応大学文学部卒業後、東京藝大油画科で梅原龍三郎に師事、昭和28年卒。31年～欧州留学し彫刻を学ぶ。ウィーン市芸術奨励賞、現代日本美術展神奈川県立近代美術館賞、ベルリン市モニュメント彫刻コンペ1等賞等。版画家、詩人としても活動。

石井鶴三（いしいつるぞう）
明治20年（1887）東京～昭和48年（1973）東京。石井鼎湖の三男。長兄は柏亭。明治37年不同舎に入り小山正太郎に師事。同年加藤景雲に木彫を学ぶ。43年東美校彫刻科卒、研究科進学（大正2年修了）。明治44年文展褒状。大正3年日本美術院研究所で絵画、彫刻を追求。5年日本美術院同人。同年二科展に水彩画出品、二科賞。10年日本水彩画会会員。11年春陽会創立に際し客員、13年会員。昭和11年日本版画協会会員（16年会長）。19年東美校教授（36年東京藝大名誉教授）。25年日本藝術院会員。吉川英治『宮本武蔵』等の挿絵で著名。

石川光明（いしかわみつあき）
嘉永5年（1852）～大正2年（1913）。江戸浅草で代々続く宮彫師の長男。本名藤太郎。家業の木彫を修めつつ狩野素川に日本画、根付師菊川正光に牙角彫刻を学ぶ。明治14年第2回内国勧業博覧会で牙彫置物が妙技賞牌2等受賞、第一人者となり26年シカゴ万博優秀賞、33年パリ万博金賞他内外の博覧会で受賞。23年帝室技芸員、翌年東美校教授。木彫・牙彫を中心とした伝統的な彫刻技法の保護育成に努めた。

石黒鏘二（いしぐろしょうじ）
昭和10年（1935）愛知～平成25年（2013）。東京藝大卒業後、地元のマネキン製作会社勤務。元行動美術協会会員。鉄溶接、ステンレスによるモニュメントやインスタレーション等幅広く制作。ヘンリー・ムーア大賞展優秀賞他、現代日本彫刻展などで受賞。平成10～18年名古屋造形芸大学長。

石田清（いしだきよし）
明治40年（1907）愛知～平成10年（1998）。幼少時、寺川春吉に木彫を習う。昭和6年名古屋市民美術展初入選。7年加藤顕清に師事。17年日本彫刻家協会会員。21年日展入選、35年特選、39年審査員、53年評議員。34年創彫会主宰。35年愛知県教育文化表彰、54年中日文化賞、51年愛知県文化功労者、56年勲四等瑞宝章。45年名古屋芸大彫刻科教授、60年名誉教授。

市村緑郎（いちむらろくろう）
昭和11年（1936）茨城～平成26年（2014）。東京教育大（現筑波大）在学中の昭和36年日展初入選。他高村光太郎大賞展佳作賞・優秀賞、ロダン大賞展優秀賞・彫刻の森美術館賞、現代具象彫刻展大賞等受賞。52年渡欧（文部省在外研究員）。平成15年日展内閣総理大臣賞。18年日本藝術院賞、20年日本藝術院会員。日展常務理事、日本彫刻会理事長。白日会常任委員等も務めた。埼玉大学、崇城大学で後進を指導。

一色五郎（いっしきごろう）
明治36年（1903）茨城～昭和44年（1969）土浦市。大正9年上京、長谷川栄作に師事。12年東台彫塑会展1等賞。13年～帝展毎回出品。昭和4年日本美術協会展銀賞。8年芸術使節として満州訪問。11年文展招待展出品作文部省買上げ。23年第1回県展審査員。24年～日展毎回出品。

伊藤五百亀（いとういおき）
大正7年（1918）愛媛～平成4年（1992）東京。昭和15年多摩帝国美術学校彫刻科修了。吉田三郎に師事。17年新文展初入選、翌年特選。戦後29・30年連続日展特選。49年文部大臣賞、57年日本藝術院賞受賞。日展参事、日本彫刻会理事。

井上武吉（いのうえぶきち）
昭和5年（1930）奈良～平成9年（1997）神奈川。昭和30年武蔵野美術学校彫刻科卒。36年まで自由美術家協会会員。初期は昆虫をテーマに鉄彫刻。35年頃から抽象彫刻。サンパウロ・ビエンナーレ、アントワープ国際野外彫刻展等出品。彫刻の森美術館、池田20世紀美術館の建築設計も担当。49年～独・仏を中心に活動、53年ベルリン美術大学客員教授。59年帰国。中原悌二郎賞、吉田五十八賞、平成7年芸術選奨文部大臣賞他受賞。昭和44年ユーロトンネル・仏側ターミナル等モニュメント設置多数。

岩野勇三（いわのゆうぞう）
昭和6年（1931）新潟～昭和62年（1987）東京。昭和24年上京、佐藤忠良に師事。30年新制作展初入選、35年会員。44年昭和会展林武賞、56年長野市野外彫刻賞、61年中原悌二郎賞受賞。東京造形大学教授を務めた。

植木茂（うえきしげる）
大正2年（1913）札幌市～昭和59年（1984）。同郷の先輩三岸好太郎に師事。独立美術研究所で里見勝蔵や林武にも学ぶ。昭和7年～独立展出品4回。三岸の死後、彫刻に転向、自由美術家協会展出品。会友となるが25年退会、モダンアート結成。29年モダンアート退会後無所属。サンパウロ、ヴェネチア両ビエンナーレ、日本国際美術展等出品。伝統的木彫技法を生かした日本の抽象彫刻のパイオニア。

上野弘道（うえのひろみち）
昭和17年（1942）東金市～平成19年（2007）。昭和42年東京教育大学専攻科修。41年白日展白日賞、43年同会友奨励賞、45年日展初入選、46年特選、48年日彫展日彫賞。51年長崎大学助教授。平成6年千葉大学教授。日展評議員、日彫展運営委員、白日会委員。

圓鍔勝三（えんつばかつぞう）
明治38年（1905）広島～平成15年（2003）神奈川。本名勝二。昭和7年日本美術学校卒業、澤田政廣に師事。5年帝展初入選。14年新文展特選、21・22・25年日展特選、32年川合玉堂賞、40年文部大臣賞、翌年日本藝術院賞。44年日展理事（56年顧問）、45年日本藝術院会員、57年文化功労者、63年文化勲章。日本美術学校、多摩美術学校で教え、28年多摩美術大学教授（53年名誉教授）。日本彫刻会理事長、各種コンクール選考委員等歴任。平成5年広島県御調町に圓鍔記念館開館。圓鍔元規は長男。

大内青圃（おおうちせいほ）
明治31年（1898）東京港区～昭和56年（1981）世田谷区。本名正。幼少から父青巒に篆刻、兄青坡に絵画、デッサンを習う。大正11年東美校木彫科卒。高村光雲に木彫、水谷鉄也に塑造を学ぶ。13年院展初入選、昭和2年同人、33年評議員。35年文部大臣賞。翌年院展彫刻部解散後は個展で発表。38年日本藝術院賞、44年同会員。52年楠一木造りで世界最大の永平寺東京別院本尊「十一面観音」完成。

大熊氏広（おおくまうじひろ）
安政3年（1856）埼玉～昭和9年（1934）。日本画、洋画を学んだ後、明治9年工部美術学校彫刻科入学、ラグーザに学ぶ。在学中に助手を務め、15年卒業。有栖川宮御殿や皇居造営で彫刻を担当。18年ニュルンベルク万国金属博覧会銀牌。21年渡仏、後、伊でアレグレッティ、モンテヴェルグに師事し騎馬銅像研究。22年帰国。26年大村益次郎像完成。皇族や伊藤博文、福沢諭吉等肖像多数。東京彫工会、建築学会会員。40～大正2年文展審査員。

荻原守衛（おぎわらもりえ）
明治12年（1879）長野～明治43年（1910）東京。号は碌山。初め画家を志し、明治32年上京、小山正太郎の不同舎に学ぶ。34年渡米、NYアート・ステューデンツ・リーグに通う。高村光太郎を知り、戸張孤雁と親交。36年渡仏、ロダンの「考える人」に感銘を受け彫刻に転向。一度帰米するが再渡仏、39年アカデミー・ジュリアンでロダンに師事。41年帰国、太平洋美術会参加。第2・3回文展で連続3等賞。第4回文展に遺作出品された「女」は近代日本彫刻史上記念碑的作品。郷里穂高に碌山美術館。

小田襄（おだじょう）
昭和11年（1936）東京～平成16年（2004）東京。父は彫刻家小田寛一。昭和35年東京藝大彫刻科卒、37年専攻科修了。在学中から新制作展出品、35・36年新作家賞、39年会員。42年伊政府給費留学で渡伊、平成元年までローマで制作。須磨現代彫刻展大賞、ラベンナ国際彫刻ビエンナーレ展金メダル、長野市野外彫刻賞他受賞多数。サンパウロ・ビエンナーレ等国際展出品。ステンレス素材の制作全工程を自らの手で行う、数少ない抽象彫刻家。日本美術家連盟理事長、多摩美術大学教授。

笠置季男（かさぎすえお）
明治34年（1901）姫路市～昭和42年（1967）。昭和3年東美校彫刻科卒。藤川勇造に師事。二科展出品、4年樗牛賞、6年二科賞、11年会員。戦後、幾何学的抽象作品を発表。代表作は地下鉄銀座駅「マーキュリー」、セメントの野外彫刻大作「花の精」（深大寺）等。多摩美術大学彫刻科教授。

加藤昭男（かとうあきお）
昭和2年（1927）愛知県瀬戸町～平成27年（2015）。愛知県立窯業学校、京都工業専門学校を経て24年東京藝術大学（新制大学の1期生）彫刻科入学。30年同大専攻科修了。在学中から新制作展に入選、30・31年新作家賞連続受賞、33年会員推挙。32年北川民次の長女と結婚。45年昭和会展優秀賞、49年長野市野外彫刻賞、57年高村光太郎大賞展優秀賞、平成6年中原悌二郎賞、12年倉吉・緑の彫刻賞受賞。14年円空大賞、16年旭日小綬章等受賞。松下政経塾アーチ門レリーフ等、パブリックスペースのモニュマン等多数設置。平成5年～9年武蔵野美大彫刻学科主任教授、退官後は名誉教授。

加藤顕清（かとうけんせい）
明治27年（1894）岐阜～昭和41年（1966）。幼少は北海道で過ごす。本名鬼頭太。上智大学哲学科、東美校彫刻科・油画科で学ぶ。昭和3年油画科卒。彫刻科在学中の大正3年帝展初入選、以後帝・文・日展出品、審査員歴任。昭和9～28年東美校塑造科講師。11年日本彫刻家協会創設、会長。27年日本藝術院賞、37年同会員。美学美術史の著書多数。

菊池一雄（きくちかずお）
明治41年（1908）京都市～昭和60年（1985）東京。日本画家菊池契月の長男。昭和3年藤川勇造に師事。4年二科技塾で造形を始め、翌年二科展初入選。7年東大文学部美学美術史学科卒。9年二科展特待賞。11年渡仏、デスピオに師事。帰国後15年新制作展招待出品、翌年会員。20年に召集、終戦後京都に復員。22年京都新美術人協会、京都彫塑協会結成に参加。24年第1回毎日美術賞、25年著書『ロダン』で毎日出版文化賞。22～24年京美専教授、27～51年東京藝大教授（後名誉教授）。

北村四海（きたむらしかい）
明治4年（1871）長野市～昭和2年（1927）東京。幼少から宮彫師の父に習う。明治26年上京、牙彫家島村俊明に師事。29年～小倉惣次郎に大理石彫刻を学ぶ傍ら軍医に解剖学も学ぶ。33年渡仏し彫塑を学ぶが、肺結核で約2年で帰国。40年東京勧業博覧会の出品作も審査に対する不満から自ら破壊。41年・大正4年文展3等賞。以後13年まで文展審査員、帝展委員。日本の大理石彫刻の先駆者。

北村西望（きたむらせいぼう）
明治17年（1884）長崎～昭和62年（1987）東京。京美工彫刻科を経て明治45年東美校彫刻科卒。41年文展初入選、42・44年褒状、大正4年2等賞、5年特選。8年第1回帝展審査員、14年帝国美術院会員。10～昭和19年東美校教授。44～49年日展会長。33年「長崎平和祈念像」完成、文化勲章。井の頭自然文化園内の彫刻園で東京都寄贈作品を展示。

北村治禧（きたむらはるよし）
大正4年（1915）島原市～平成13年（2001）東京。父は西望。昭和12年東美校彫刻科塑造部卒、14年研究科修了。11年文展鑑査展初入選、18年新文展・22・24・25年日展特選、41年文部大臣賞、43年日本藝術院賞、55年同会員、62～64年日展理事長。

木内克（きのうちよし）
明治25年（1892）水戸市～昭和52年（1977）東京。明治45年彫刻家海野美盛に師事。大正3年上京、朝倉文夫の彫塑塾に学ぶ。5年文展初入選。10年渡欧、パリでブールデルに師事、サロン・ドートンヌ等出品。昭和2年ラシュナルのもとで陶芸を試み、5年頃からテラコッタ技法を修得。10年帰国。11年二科展に出品し特待、12年会友（16年退会）、新文展出品。26年新樹会会員。第3回毎日美術賞、37年現代日本美術展優秀賞、45年第1回中原悌二郎賞。33年ヴェネチア・ビエンナーレ出品。

木下繁（きのしたしげる）
明治41年（1908）和歌山～昭和63年（1988）東京。昭和8年東美校彫刻科卒、10年研究科修了。在学中の5年帝展初入選。14年新文展特選。44年日展文部大臣賞。48年和歌山県文化賞、49年日本藝術院賞、日展理事、52年日本藝術院会員、53年勲三等瑞宝章。47年武蔵野美大教授（56年名誉教授）。

清水九兵衞（きよみずきゅうべえ）
大正11年（1922）愛知～平成18年（2006）。昭和17年名古屋高工繰上卒、復員後、28年東京藝大工芸科鋳金部卒。在学中に陶芸を始め、日展北斗賞3・特選2、審査員2。日展退会後、金属立体造形制作を開始。43年京都市立芸大教授、46年伊留学。毎日芸術賞、日本芸術大賞、彫刻の森美術館大賞、神戸須磨離宮公園現代彫刻展大賞、吉田五十八賞、中原悌二郎賞他受賞多数。57年オークランド国際彫刻会議で個展、平成7年国立国際美術館他国内外で個展。2年紫綬褒章、3年京都造形芸大教授。アルミによる抽象彫刻の傍ら、義父の6代清水六兵衞を継ぎ昭和56年7代六兵衞を襲名、平成12年に長男柾博に譲るまで陶器制作にも力を傾注。

桑原巨守（くわばらひろもり）
昭和2年（1927）群馬～平成5年（1993）東京。昭和24年東美校卒。在学中より関野聖雲に師事、23年日展初入選。後二紀展で発表、50年菊華賞以後、宮本賞、文部大臣賞等受賞。平成2年長野市野外彫刻賞。女子美大名誉教授、二紀会委員。

古賀忠雄（こがただお）
明治36年（1903）佐賀市～昭和54年（1979）東京。昭和5年東美校彫塑科卒。在学中の4年帝展初入選、以後帝・新文・日展に出品。14年特選、17年度帝国芸術院賞受賞。39年日本彫塑会委員長（後日本彫刻会理事長）、42年日展理事、日本藝術院会員。

小坂圭二（こさかけいじ）
大正7年（1918）青森県野辺地町～平成4年（1992）。25年新制作展新作家賞、33年新制作協会彫刻部会員推挙、以後新制作展に継続出品。34年仏留学。48年日本キリスト教美術協会会員推挙、後運営委員代表。55年高村光太郎大賞展優秀賞受賞。

小畠廣志（こばたけひろし）
昭和10年（1935）東京〜平成8年（1996）武蔵野市。東京藝大卒、菊池一雄に師事。昭和52年平櫛田中賞、57年神戸須磨離宮公園現代彫刻展群馬県立近代美術館賞他受賞。KOBATAKE工房を主宰、後進育成の傍ら作家自ら鋳造。モニュメント多数。

小森邦夫（こもりくにお）
大正6年（1917）東京浅草〜平成5年（1993）水戸市。昭和10年構造社彫塑研究所で斎藤素巌に師事。構造社展参加。15年紀元2600年奉祝展初入選。18年〜宮内庁帝室博物館国宝修理職。戦後木下繁に師事。28年日展特選・朝倉賞他特選2、55年文部大臣賞。60年日本藝術院賞、平成元年同会員。2年日展常務理事、日本彫刻会常務理事、4年日展事務局長。

昆野恒（こんのひさし）
大正4年（1915）仙台市〜昭和60年（1985）東京。昭和14年東美校彫刻科卒。23年自由美術家協会彫塑部新設、会員。29年アートクラブ会員（〜52年解散）。30年サンパウロ・ビエンナーレに日本代表として出品。31年日本美術家連盟入会。34年自由美術家協会退会、以後無所属。個展中心に発表。47〜55年日本美術家連盟常任理事。

斎藤素巌（さいとうそがん）
明治22年（1889）東京〜昭和49年（1974）東京。本名知雄。明治45年東美校西洋画科卒後渡英、ロンドンのロイヤル・アカデミーに学び、洋画から彫刻に転向。帰国後の大正6年文展初入選、7年特選、帝展出品を経て、15年日名子実三と共に彫刻団体構造社を創立。建築との融合を目指し浮彫彫刻など建築装飾の彫刻を多数制作。昭和10年帝国美術院会員。19年戦局悪化により構造社を解散、戦後は日展を発表の場とした。

桜井祐一（さくらいゆういち）
大正3年（1914）米沢市〜昭和56年（1981）東京。昭和6年小林芳聰に彫刻を習い、翌年平櫛田中に師事。9年院展初入選、14年新文展入選。戦後は院展出品、21年日本美術院賞。26・27年日本美術院賞・大観賞、30年同人。36年院展彫刻部解散に伴い彫刻家集団S.A.S結成に参加、38年国画会に合流し彫刻部設置。40年現代日本彫刻展宇部市賞、52年長野市野外彫刻賞、54年中原悌二郎賞、55年高村光太郎大賞展優秀賞。戦後具象彫刻を代表するひとり。44年山形美術博物館で回顧展。

佐藤助雄（さとうすけお）
大正8年（1919）山形市〜昭和62年（1987）東京。父は仏師。昭和11年上京、能面彫刻師・後藤良に師事。14年日本美術協会展銅賞。16年新文展初入選、18年特選。23年山形県展市長賞、27年日本彫塑家クラブで奨励賞。29年北村西望、富永直樹に師事。30、31年日展特選、34年会員、39年評議員、51年文部大臣賞、55年日本藝術院賞。日展、日彫展審査員を歴任、56年日展理事、57年日本彫刻会委員長就任、58年紺綬褒章。平成2年東京世田谷に佐藤記念館開館。5年天童市美術館で個展。

佐藤忠良（さとうちゅうりょう）
明治45年（1912）宮城〜平成23年（2011）東京。6歳で北海道夕張に移住、旧制札幌二中卒業後、昭和7年上京。東美校彫刻科在学中の13年国展国画奨励賞受賞、14年卒業の年に新制作派協会彫刻部創設に参加。以後同展に発表。19年応召、シベリア抑留を経て23年帰国。「日本人の顔が初めて日本人の手で彫刻になった」と評された「群馬の人」等一連の代表作で35年高村光太郎賞、49年芸術選奨文部大臣賞、50年中原悌二郎賞、平成元年朝日賞等受賞。昭和56年パリ国立ロダン美術館で個展開催、仏伊の美術アカデミー会員。絵本『おおきなかぶ』などの挿絵も描く。創設に参加した東京造形大学教授として後進を育成。平成2年仙台市の宮城県美術館隣に佐藤忠良記念館開館。10年開館の守山市の佐川美術館でも常設展示。

佐藤朝山（さとうちょうざん）
明治21年（1888）福島〜昭和38年（1963）京都。宮彫師の家に生まれ、本名清蔵。別号玄々（げんげん）、阿吽洞（あうんどう）。幼時より父と伯父に木彫を習う。明治37年山崎朝雲の内弟子となる。大正3年再興第1回院展出品、同人推挙。11年日本美術院派遣留学生として1年半滞仏。ブールデルに師事する傍ら、エジプト、ギリシャなどの古典彫刻を研究。帰国後院展や帝展で、研究の成果と日本の伝統を融合した作品を発表。10年帝国美術院会員、13年同芸術院会員。三越本店「天女像」などが代表作。

澤田政廣（さわだせいこう）
明治27年（1894）熱海市〜昭和63年（1988）東京。本名寅吉、旧号晴広。大正2年木彫家山本瑞雲に師事、7年太平洋画会研究所で学ぶ。朝倉文夫に師事し東美校彫刻科別科卒。10年帝展初入選、昭和2〜4年連続特選。以後新文展、日展出品。26年度芸能選奨文部大臣賞、28年日本藝術院賞、37年会員。45年日本彫塑会初代理事長、48年文化功労者、54年文化勲章。

58年糸魚川市に作品展示館、62年郷里に記念館開館。

鹿田淳史（しかたあつし）
昭和33年（1958）京都市～平成15年（2003）京都市。昭和56年金沢美工大彫刻科卒。56～58年メキシコ国立自治大造形学部大学院で彫刻及び視覚芸術専攻。60年シュー・ボックス国際彫刻展出品作ハワイ大学美術館買上げ。H・ムーア大賞展、神戸須磨離宮公園現代彫刻展等受賞多数、平成元年KAJIMA彫刻コンクール銀賞、3年現代日本彫刻展兵庫県立近代美術館賞、4年長野市野外彫刻賞。3年保谷市に水の彫刻「廻遊―銀の泉」制作。

柴田篤男（しばたあつお）
昭和19年（1944）京都～平成30年（2018）滋賀。金沢美術工芸大学卒業。松田尚之に師事。日展特選、日彫展日彫賞。日展会員、日彫会会員。

志水晴児（しみずせいじ）
昭和3年（1928）東京中野～平成17年（2005）所沢市。昭和29年東京藝大彫刻科卒。31～40年行動展出品、会員。36年第1回丸善石油芸術奨励賞展優秀賞、38年第1回全国彫刻コンクール展（宇部）大賞、39年現代日本美術展最優秀賞。40年中原中也詩碑制作後渡欧、42年から10年間広場の研究・調査に従事。皇居御苑湧水彫刻、イラン大使館外構及び彫刻デザイン、在日トルコ大使館邸内等を手がけ、53年吉田五十八賞受賞。

清水多嘉示（しみずたかし）
明治30年（1897）長野県原村～昭和56年（1981）東京。油彩画を独習し大正8年二科展初入選。12年渡仏、ブールデルに師事。サロン・ドートンヌに絵画、彫刻入選。13年サロン・デ・チュイルリー、15年サロン・デ・アンデパンダン会員。昭和3年帰国。院展、国展、春陽展等出品。昭和18年新文展審査員。28年芸能選奨文部大臣賞、29年日本藝術院賞、40年会員。55年文化功労者。著書に『ドナテルロ』『ブールデル』等。

下田治（しもだおさむ）
大正13年（1924）旧満州～平成12年（2000）NY。立教大学卒業後渡仏。絵を学び、昭和34年渡米。40年代前半から彫刻を手がけ、47～58年米国彫刻家協会会員として同会グループ展出品。平成8年高崎市美術館で個展。9年中原悌二郎賞。鉄板溶接による構成的で躍動的な抽象彫刻を発表。

白井雨山（しらいうざん）
元治元年（1864）愛媛～昭和3年（1928）。本名保次郎。本多錦吉郎に師事し、西洋画法を学ぶ。後彫刻に転じ、明治26年東美校彫刻科卒。31年同校教授。34年渡欧。帰国後東京彫工会彫刻競技会を中心に作品発表。明治40年東京府勧業博覧会出品。同年第1回文展から長く官展審査員を務めた。

新海竹蔵（しんかいたけぞう）
明治30年（1897）山形市～昭和43年（1968）東京。父は仏師。明治45年上京、伯父の新海竹太郎に師事。大正4年文展初入選以後官展出品。13年院展初入選、昭和2年同人推挙。以来、院展で発表。17年五浦に岡倉天心像ブロンズレリーフ制作。戦後は伝統的な木心乾漆による独自のトルソを手がけた。30年芸能選奨文部大臣賞受賞。36年院展彫刻部解散に伴い彫刻家集団S.A.Sの結成に参加、38年国画会に合流し彫刻部を設置、会員。

新海竹太郎（しんかいたけたろう）
慶応4年（1868）山形市～昭和2年（1927）東京。後藤貞行に入門後、浅井忠にデッサン、小倉惣次郎に塑造を学ぶ。明治33年渡独、ベルリン美術学校教授ヘルテルに学ぶ。35年帰国後、太平洋画会彫刻部主宰。明治40年第1回文展以降官展審査員。大正6年帝室技芸員、8年帝国美術院会員。西洋の古典主義的彫塑技法を日本に導入、発展させ、中原悌二郎ら後進を育成。代表作は「ゆあみ」「露営」等。

進藤武松（しんどうたけまつ）
明治42年（1909）東京～平成12年（2000）神奈川。昭和3年東京物理学校中退、翌年構造社彫塑研究所入所（10年修了）、斎藤素巌に師事。5年構造社展初入選、9年構造社賞。11年文展鑑査展から官展出品、13年新文展特選。27・28年日展特選・朝倉賞。42年日展文部大臣賞。48年日本藝術院賞、58年同会員。日展顧問、日本彫刻会常任理事。

鈴木武右衛門（すずきぶえもん）
昭和24年（1949）千葉～平成26年（2014）東京。本名徹（とおる）。昭和48年東京造形大学卒業。49年新制作展新作家賞・50年協会賞。60年現代日本具象彫刻展大賞、61年ロダン大賞展美ヶ原高原美術館賞、平成2年茨城県岩瀬町「石匠のみち」コンクール最優秀賞、3年長野市野外彫刻賞、4年神戸具象彫刻展優秀賞等受賞。63年現代彫刻美術館彫刻シンポジウムの企画・立案・実行委員として参加他、各地のシンポジウムに関わる。平成22年文化庁新進芸術家研修特別派遣でローマ滞在。文教大学教育学部教授。

鈴木政夫（すずきまさお）
大正5年（1916）岡崎市〜平成14年（2002）岡崎市。商業学校卒業後、昭和10年石彫を始める。後召集され、20年復員。6年後岩手で高村光太郎に師事、木内克にも学び石彫の道を歩む。33年銀座で初個展以降全国開催。61〜62年上賀茂愛染倉に石彫園を造る。平成4年岡崎市大樹寺に16体設置。『鈴木政夫彫刻の道』（講談社）等著書・作品集多数。

鈴木実（すずきみのる）
昭和5年（1930）山形県高畠町〜平成14年（2002）取手市。昭和23年県立米沢興譲館高校卒業後彫刻を学び、29年院展初入選、31・34年奨励賞・白寿賞、33年奨励賞。35年彫刻家集団S.A.S結成に参加、38年国画会合流、彫刻部設置、会員。53年平櫛田中賞、60年中原悌二郎賞、平成12年円空賞。「家族の肖像」や自刻像等人間性溢れる木彫を発表、晩年は観念世界を表出した人体を制作。自宅で自殺。平成6年徳島県相生森林美術館、11年いわき市立美術館、没後の14年山形美術館で展覧会。

砂澤ビッキ（すなざわびっき）
昭和6年（1931）旭川市〜平成元年（1989）札幌市（自宅は音威子府村筬島）。本名恒雄。アイヌ伝統文化有数の伝承者・砂澤市太郎の長男。絵と彫刻を独学、20歳で上京。昭和33年モダンアート展新人賞、37年会員。39年退会後は無所属で個展中心に活動。53年北海道の過疎村の廃校をアトリエに制作。アイヌ民族の復権運動に携わり、48・58年「全国アイヌ語る会」代表。平成元年作品集刊行、翌年道立旭川美術館で個展。代表作は「四つの風」、「風に聴く」等。

関根伸夫（せきねのぶお）
昭和17年（1942）埼玉〜令和元年（2019）カリフォルニア。斎藤義重に師事。43年多摩美術大学大学院油画研究科修了、同年神戸須磨離宮公園現代彫刻展で「位相—大地」を発表し「もの派」の先駆けとなった。45年ヴェネチア・ビエンナーレ国際美術展日本館代表。48年環境美術研究所を設立し、美術に留まらない、建築や空間設計などを横断した制作を行った。

関野聖雲（せきのせいうん）
明治22年（1889）神奈川〜昭和22年（1947）東京。本名金太郎。明治38年高村光雲に師事。44年東美校彫刻科選科卒。大正2年東京勧業博技芸褒状、第27回彫刻競技会銅賞、翌年銀賞。4年文展初入選、以後文・帝・新文展出品（13・14年帝展特選）。10年東美校助教授、昭和7〜19年教授。仏教、神話、歴史を題材とした木彫。22年日展審査報告会で第3部主任として報告中に急逝。

関谷光生（せきやみつお）
昭和22年（1947）東京〜平成29年（2017）。昭和45年安宅賞受賞。48年東京藝術大学彫刻科大学院修了。49年〜国展出品、後に会員。52年昭和会展招待。

高田博厚（たかだひろあつ）
明治33年（1900）七尾市〜昭和62年（1987）鎌倉市。大正10年東京外語学校中退。高村光太郎に学ぶ。昭和6年渡仏、ロダン、ブールデルに学び、ロマン・ロラン等当時の仏文化人と交遊し肖像制作。10年国画会会員、12年パリ日本美術家協会設立。日刊『日仏通信』発行、『毎日新聞』特派員を務め、レジスタンス運動を支援。32年帰国。37年新制作協会会員。高村光太郎、川端康成等著名人の詩的な知性美を備えた肖像彫刻多数制作。ロダンはじめ欧州近代彫刻を日本に紹介。文筆にも長じ日本ペンクラブ理事、翻訳他著書多数。

高橋清（たかはしきよし）
大正14年（1925）新潟市〜平成8年（1996）町田市。昭和27年東美校彫刻科卒。32年新制作展新作家賞、42年会員推挙。33〜44年メキシコ滞在、43年五輪モニュメント制作。R・タマヨにも評価された原初的で力強い神秘的作品から幾何学的な明快な作風に移向。48年中原悌二郎賞。63年メキシコ国立国際現代美術館個展、平成元年新潟市新庁舎モニュメント制作、新潟市美術館で個展。6年メキシコ政府よりアギラ・アステカ勲章。

高橋剛（たかはしごう）
大正10年（1921）酒田市〜平成3年（1991）東京。本名剛（たけし）。祖父は宮彫師、父も仏師で旧制中学卒業後、父の下奈良の日本美術院で1年間国宝修理に従事。昭和15年上京、翌年東美校木彫科入学、関野聖雲に師事。応召、20年復学、21年卒業。24年北村西望に師事。22年日展初入選、特選連続3、35年会員、47年評議員、55年文化庁買上げ、56年総理大臣賞、61年日本藝術院賞恩賜賞。62年日展理事、日本彫刻会理事・委員長。37年以降木彫から塑造に移向。29年斎藤茂吉文化賞、44年紺綬褒章。

高村光雲（たかむらこううん）
嘉永5年（1852）江戸〜昭和9年（1934）東京。本名中島光蔵。仏師高村東雲に師事、養子となり高村姓。24年光雲と号す。10年第1回内国勧業博覧会最高賞、20年皇居造営の装飾に従事。23年岡倉天心の勧めで東美校木彫科教授就任（〜大正15年）。山崎朝雲、平櫛田中らを育てる。伝統木彫を新時代に適合させつつ西洋彫刻の写実性を研究、明治彫刻界の重鎮。帝室技芸員、文展審査員、帝国美術院会員。26年シカゴ万博妙技2等賞、33年パリ万博金・銀賞等国内外で受賞。代表作は「老猿」、「西郷隆盛像」等。光太郎は長男、鋳金家豊周は三男。

高村光太郎（たかむらこうたろう）
明治16年（1883）東京～昭和31年（1956）東京。高村光雲の長男。明治35年東美校彫刻科卒後、西洋画科編入。39年渡米、NYアートステューデンツリーグに学ぶ。ロンドン、パリを巡り、ロダンに傾倒。42年帰国、〈パンの会〉に参加。文芸誌等で美術評論や近代美術紹介。大正元年フュウザン会結成、3年詩集『道程』出版、智恵子と結婚。『智恵子抄』で詩人として名声を得るが、自身は彫刻を天職と信じていた。戦災で岩手県に移住、後東京中野に仮寓し十和田公園記念碑の裸婦像「みちのく」等制作。代表作は「手」「鯰」等。岩手県花巻市太田に高村光太郎記念館がある。

竹内久一（たけうちきゅういち）
安政4年（1857）江戸浅草～大正5年（1916）。旧名兼五郎、号久遠。初め象牙彫刻、後木彫転向、奈良で仏像の模刻や彩色研究に従事。明治21年東美校木彫科で教鞭（～大正5年）。代表作は秀吉没後300年を記念制作「豊公」他「韋駄天」「伎芸天」等。

多田美波（ただみなみ）
大正13年（1924）台湾～平成26年（2014）東京。昭和19年女子美専師範科西洋画部卒。23年二科展入選、35年特選。37年多田美波研究所設立・代表。光の反射を生かした抽象的立体造形で知られ、日本芸術大賞、芸術選奨文部大臣賞、紫綬褒章、勲四等宝冠章等顕彰多数。平成24年女子美大名誉博士号。

建畠覚造（たてはたかくぞう）
大正8年（1919）東京～平成18年（2006）。父は建畠大夢。昭和16年東美校卒、新文展特選。25年行動美術協会彫刻部創設に参加、会員。27～29年滞仏。41～48年多摩美大教授。42年高村光太郎賞、56年中原悌二郎賞、57年長野市野外彫刻賞、58年H・ムーア大賞展特別賞、平成2年芸術選奨文部大臣賞、6年勲四等旭日小綬章、17年文化功労者。東京国立近代美術館他全国に収蔵多数。戦後の抽象彫刻を牽引した。長男は彫刻家・日大教授の建畠朔弥、次男は詩人・美術評論家の建畠晢。

建畠大夢（たてはたたいむ）
明治13年（1880）和歌山～昭和17年（1942）東京。本名彌一郎。京美工を経て、明治44年東美校彫刻科選科卒。41年文展3等賞、42・43年褒状他3等賞4回。大正8年第1回帝展から官展審査員を務め、昭和2年から没年まで東美校教授、6年北村西望らと八つ手会、曠原社を結成、門下生と直土会を組織するなど、後進を育成。昭和2年帝国美術院会員。代表作は「ながれ」等。覚造は長男。

千野茂（ちのしげる）
大正2年（1913）新潟県白根～平成14年（2002）東京都練馬区。初め島田美晴に木彫を習う。14年上京、棟方志功の紹介で辻晋堂を介し新海竹蔵に師事、日本美術院で研修。17年院展初入選、日本美術院賞・大観賞、白寿賞、30年同人推挙。36年院展彫刻部解散に伴い、彫刻家集団S.A.Sの結成に参加、38年国画会に合流し彫刻部設置、以来同展で発表。55年高村光太郎賞展優秀賞、56年長野市野外彫刻賞、57年中原悌二郎賞。60年勲四等旭日小綬章。東京藝大教授（61年名誉教授）。

辻晋堂（つじしんどう）
明治43年（1910）鳥取県二部村～昭和56年（1981）京都。本名為吉。21歳で上京。独立美術研究所でデッサン、日本美術院研究所で彫刻を学び、昭和8年院展初入選。14・16年院賞第2席、17年第1席受賞、同人推挙。戦争末期に郷里に疎開、24年京美専教授（51年退職）。ロダンの影響によるイメージ造形から抽象風、キュビスム風、表現主義的作風へ変遷、31年～陶彫制作。32年サンパウロ、33年ヴェネチア両ビエンナーレ出品。大観の死を機に院展脱退、以後数年二紀会に参加。高さ3mの大阪新歌舞伎座の鬼瓦等巨大モニュメント制作。

土谷武（つちたにたけし）
大正15年（1926）京都市～平成16年（2004）東京。生家は清水焼の窯元。京美工を経て、昭和24年東美校彫刻科卒。26年新制作展初入選、新作家賞、28年協会賞、32年会員推挙。36～38年仏留学。40年頃具象から抽象に移向。48年彫刻の森美術館大賞展優秀賞（52年特別賞）、50年現代日本彫刻展大賞、54年H・ムーア大賞展優秀賞、55年平櫛田中賞、平成2年中原悌二郎賞、6年芸術選奨文部大臣賞、7年朝日賞、8年紫綬褒章他受賞。鉄や石を素材に幾何学的な造形と柔らかさを追求。多摩美大や日大芸術学部教授として後進を育成。

戸張孤雁（とばりこがん）
明治15年（1882）東京日本橋～昭和2年（1927）日暮里。本名志村亀吉。母の生家を継ぎ戸張姓となる。明治34年渡米。NYでリチャーズに師事、ナショナル・アカデミー等で油絵と挿絵を学び、滞米中の荻原守衛と出会う。39年帰国後、洋風挿絵の普及に努める。43年守衛夭折を機に彫刻に転じ、太平洋画会研究所彫塑部に通う。同年文展初入選、大正3年褒状を受けるが日本美術院彫刻部に移り、5年院展に出品、6年同人推挙。病弱のため大作はないが、簡潔で生動感のある文学的感興を造形。8年山本鼎らと日本創作版画協会創立、11年『創作版画と版画のつくり方』刊行。

冨永朝堂（とみながちょうどう）
明治30年（1897）福岡市～昭和62年（1987）福岡市（自宅太宰府市）。本名良三郎。同郷の上田鉄耕に日本画を学び上京後大正4年山崎朝雲に入門。8年日本美術協会展初入選。13年帝展初入選、昭和7・8年特選、33年日展会員。仏教や歴史が主題の群像から40年欧州旅行以降直彫りの象徴的作風へ移行。九産大教授、県展審査・運営等、地元の美術振興にも尽力。平成4年福岡市美術館で遺作展開催。

富永直樹（とみながなおき）
大正2年（1913）長崎～平成18年（2006）東京。本名・良雄（昭和25年直樹と改名）。東美校彫刻科在学中の昭和11年文展初入選、15年研究科修了。北村西望に師事。25年～3年連続日展特選、29年会員、37年評議員。43年日展文部大臣賞、47年日本藝術院賞、49年同会員。52～53年日展事務局長、54～58年理事長。日本彫刻会でも長く理事長。59年文化功労者、勲三等瑞宝章、平成元年文化勲章。写実を基とする重厚な作品。

内藤伸（ないとうしん）
明治15年（1882）島根～昭和42年（1967）東京。明治34年上京、高村光雲に師事。37年東美校彫刻科選科卒。41年文展初入選、43・大正2年褒状。大正3年日本美術院再興参加、第1回展から出品、同人（8年退会）。以後帝・新文展出品。3年大正博覧会銅牌。7年東台彫刻会結成。昭和2年帝国美術院会員、21年日本藝術院会員。6年日本木彫会設立。木彫技法を創意工夫、新古典主義的作品を創出。33年松江市名誉市民、日展顧問。歌集『山並』刊行。

長江録弥（ながえろくや）
大正15年（1926）瀬戸市～平成17年（2005）川崎市。昭和23年多摩美術学校彫刻科卒。圓鍔勝三に師事。同年日展初入選、39・40年特選、41年菊華賞、43年会員、55年評議員、61年文部大臣賞。32・34年日彫展奨励賞、33・35年日彫賞、55年運営委員、56年西望賞。59年高村光太郎大賞展優秀賞、川崎市文化賞。平成3年日本藝術院賞、4年日展理事、日本彫刻会委員長。7年日本藝術院会員、8年日展常務理事。10年日本彫刻会理事長。寺社、公共建築等に設置、収蔵多数。

長澤英俊（ながさわひでとし）
昭和15年（1940）満州～平成30年（2018）ミラノ。昭和38年多摩美術大学デザイン科卒業。42年渡欧、以降ミラノ在住。ヴェネチアビエンナーレ、ドクメンタ他世界的に作品を発表。水戸芸術館、埼玉県立近代美術館、神奈川県立近代美術館等で個展。平成21年度芸術選奨文部科学大臣賞受賞。ミラノ国立ブレラ大学・多摩美術大学客員教授。

中島幹夫（なかじまみきお）
昭和8年（1933）岐阜～平成29年（2017）。34年東京藝術大学卒業、翌年卒制大学買上げ、36年専攻科修了。菊池一雄に師事。新制作展新作家賞、箱根彫刻の森美術館ガラスの造形展優秀賞、能登島グラスアートナウ審査員特別賞、現代彫刻美術館野外彫刻シンポジウム参加。新制作協会会員。

長沼守敬（ながぬまもりよし）
安政4年（1857）一関市～昭和17年（1942）館山市。明治7年上京、キヨソーネやラグーザに接し、14年渡伊。ヴェネチア王立美術学校でアカデミックな彫刻を学び、20年帰国。25年明治美術会創設に唯一の彫刻家として参加、同年明治美術学校彫刻科教師となり洋風彫塑を指導。32年東美校彫刻科に塑造部新設、初代教授となるが翌年辞職。33年パリ万博で「老夫」金賞牌受賞。内国勧業博覧会や文展審査員を務めた。大正3年千葉館山で隠棲。

中野素昂（なかのそこう）
明治30年（1897）豊前市～昭和60年（1985）東京。幼名巧（たくみ）、本名昂（こう）。京都で木彫を学んだ次兄松山の影響を受け大正9年上京、東美校教授水谷鉄也に入門。10年東美校木彫専科で関野聖雲に師事、15年卒。塑像を建畠大夢、北村西望に学び、昭和3年帝展初入選、以来日展出品（～54年）。7・8年日本美術協会展奨励賞。15年文展無鑑査、39年日展審査員、40年会員。建畠大夢主宰の直土会に参加。木彫で仏像、極彩色の能彫も制作。豊島区の住居跡が区立の彫刻のある小公園になっている。

中原悌二郎（なかはらていじろう）
明治21年（1888）釧路市～大正10年（1921）東京。明治38年上京、白馬会研究所、太平洋画会研究所で学ぶ。荻原守衛のアトリエを訪ね、影響を受ける。43年守衛夭折後、洋画から彫刻に転向。戸張孤雁、新海竹太郎の指導を受け、太平洋画会展や文展に出品。45年白樺美術展で初めてロダンの実作を見、啓発される。大正5年日本美術院研究所彫刻部に入り、再興第3回院展樗牛賞、院友推挙。6年美術院第3回試作展奨励賞、翌年第5回院展で同人。8年第6回院展出品作「若きカフカス人」は生命感溢れる量塊を表現。肺結核のため夭折。昭和45年業績を記念し旭川市が中原悌二郎賞を設定。旭川市立郷土博物館内に中原悌二郎記念室設置。

中村博直（なかむらひろなお）
大正5年（1916）神奈川～平成3年（1991）国立市。昭和12年澤田政廣に師事。21年日展初入選、23・35年特選、39年会員、51年評議員（後監事）。木彫やブロンズで女性の内側から湧出する生命力を表現。55年日展出品作文化庁買上げ、57年日展文部大臣賞、59年日本藝術院賞。

新妻實（にいづまみのる）
昭和5年（1930）東京～平成10年（1998）NY。昭和30年東京藝大彫刻科（石井鶴三教室）卒。在学中の29年モダンアート展初入選、32年会員。34年渡米（以後NY住）。47年から12年間コロンビア大学講師、49年NY及びスイス・ルガノ国際大学院大学理事兼教授。56年～ポルトガルでも制作。大理石の研磨面と素の部分を組み合わせた独自の抽象を発表。51年西武美術館個展のため一時帰国。

流政之（ながれまさゆき）
大正12年（1923）長崎～平成30年（2018）香川。零戦パイロットを経て戦後全国を放浪後、彫刻の道に入る。38～50年渡米。NY世界貿易センター「雲の砦」（9.11アメリカ同時多発テロに巻き込まれる）他、各地に記念碑を多数手がける。個展（江戸堀画廊、日動画廊他）。日本建築学会賞、日本芸術大賞、中原悌二郎賞、吉田五十八賞。香川県文化功労者。

新納忠之介（にいろちゅうのすけ）
明治元年（1868）鹿児島～昭和29年（1954）。明治27年東美校彫刻科卒。28年助教授（31年東美校事件で免職）。31年日本美術院創立に参加。中尊寺金色堂、高野山の仏像等の修理を担当。日本美術院第2部（奈良）国宝彫刻修理の中心人物。

西村公朝（にしむらこうちょう）
大正4年（1915）大阪～平成15年（2003）。東美校彫刻科卒。昭和34～50年美術院国宝修理所所長を務め、三十三間堂の諸仏等、多くの国宝・重要文化財の修復に従事。49～58年東京藝大教授として保存修復技術研究に携わる（後名誉教授）。平成4年吹田市立博物館館長就任。専門は仏教彫刻。著書に『仏像の再発見』等。

ノグチイサム（のぐちいさむ）
明治37年（1904）LA～昭和63年（1988）NY。詩人野口米次郎と米人作家レオニー・ギルモアの長男。明治39年日本に移住、教育のため大正7年単身渡米。初め医学を学ぶが、彫刻を志し、13年NYのR・ダ・ヴィンチ学校で学ぶ。昭和2年渡仏、パリでブランクーシに師事。13年ロックフェラー センター ビルのレリーフ コンペ1等賞。21年MoMA「14人のアメリカ人展」に選出。26年女優山口淑子と結婚（～31年）。北大路魯山人のもとで陶を素材に制作、27年神奈川県立近代美術館で個展。世界各地を遍歴後、NYと香川県牟礼町にアトリエを構える。舞台美術、照明、家具デザイン、造園など幅広く展開。60年NYにイサム・ノグチ庭園美術館開館。63年勲三等瑞宝章。68年ホイットニー美術館で回顧展。代表作はパリ・ユネスコ本部石庭、牟礼町「イサム・ノグチの庭」等。平成17年最後に設計したモエレ沼公園が北海道にオープン。

野々村一男（ののむらかずお）
明治39年（1906）名古屋市～平成20年（2008）名古屋市。北村西望に師事、昭和6年東美校卒、9年研究科修。4年帝展初入選、13年文展特選、27年日展特選・朝倉賞、33年会員推挙、50年内閣総理大臣賞受賞。10年日本彫刻家協会を同志と設立、後、常務理事。56年日本藝術院賞、63年会員。43年より愛知芸大教授、48年客員教授。

橋本平八（はしもとへいはち）
明治30年（1897）三重～昭和10年（1935）三重。初め郷里の彫刻師三宅正直に学び、大正8年上京、翌年佐藤朝山の内弟子となる。11年院展初入選、13年院友。その後郷里に定住。昭和2年日本美術院同人推挙。6年の岐阜高山への旅行で、円空仏の優れた彫刻性を発見。伝統に触発されつつ近代造形思考に基づく独創的作品を発表。代表作は「花園に遊ぶ天女」等。詩人北園克衛は実弟。

橋本裕臣（はしもとやすおみ）
昭和17年（1942）東京～平成26年（2014）東京。中央

大学法学部を中退し東京藝大彫刻科入学、昭和47年大学院修。47·48年新制作展新作家賞、49年協会賞、50年会員。55年第1回高村光太郎大賞展佳作賞、63年第2回ロダン大賞展彫刻の森美術館賞。平成4年中原悌二郎賞優秀賞。7年長野市野外彫刻賞、12年ケルン・ドーム建設部研究員としてドイツ留学。東久留米市庁舎、群馬県新庁舎他に作品設置。和光大学名誉教授。

長谷川昂（はせがわこう）
明治42年（1909）千葉～平成24年（2012）東京。本名昂（たかし）。日本木彫会に参加、佐々木大樹、内藤伸に師事。昭和11年文展鑑査展入選、18年新文展特選、無鑑査を経て日展会員、平成18年会員賞。昭和37年サイゴン国際美術展金メダル。東京湾観音・釜石大観音等、大作の仏像を制作。千葉県文化功労者、文部大臣表彰（地域文化功労）、鴨川市名誉市民。

土方久功（ひじかたひさかつ）
明治33年（1900）東京麹町～昭和52年（1977）世田谷。大正13年東美校彫刻科塑造部卒。同期に彫刻の小室達や三沢寛、洋画の岡鹿之助らがいた。二科展、院展等出品、昭和2年初個展（日本橋・丸善画廊）で彫刻を発表。4年愛読書『ノアノア』（ゴーギャン）の影響で、単身パラオへ渡り、以降周辺の島で制作の傍ら民族芸術や民族学を調査、公学校で子供たちに木工を教えた。大正6年『パラオの神話伝説』、7年『流木―ミクロネシアの孤島にて』出版。昭和19年帰国、東京に住み、長年の南洋調査研究の集大成となる作品を制作。28年『文化の果てに』出版。56年新宿小田急、平成3年世田谷美術館で回顧展。

平櫛田中（ひらくしでんちゅう）
明治5年（1872）岡山県井原市～昭和54年（1979）小平市。本名倬太郎、旧姓田中。15年平櫛家の養子になる。26年人形師中谷省古に彫刻技術を学び、30年上京、翌年高村光雲に師事。40年第1回文展初入選。同年米原雲海、山崎朝雲らと日本彫刻会結成、41年第1回展で「活人箭」が岡倉天心に推奨され、生涯天心を畏敬した。44年文展3等賞、大正3年日本美術院再興に参加、新設の彫塑部主宰、同人として昭和36年彫塑部解散まで出品。昭和12年帝国美術院会員、19年帝室技芸員。13年以来数多くの試作を経て、33年大作「鏡獅子」完成。29年文化功労者。37年文化勲章。東京藝大教授、40年名誉教授、41年同大付属芸術資料館内に田中記念室開室。44年郷里に井原市立田中美術館開館、46年白寿を記念し、平櫛田中賞設定。旧居は小平市平櫛田中館として公開。

晝間弘（ひるまひろし）
大正5年（1916）東京～昭和59年（1984）東京。昭和15年東美校彫刻科木彫部卒、16年研究科修了（正木記念賞）。14年新文展初入選、16年東邦彫塑院展彫塑院賞。戦後は主に日展に発表、22・24・25・26年特選、39年文部大臣賞。45年日本藝術院賞、55年同会員、日展常務理事。制作の傍ら金沢美術工芸大学等で教え、51～54年筑波大学教授。

藤井浩佑（ふじいこうゆう）
明治15年（1882）東京～昭和33年（1958）。不同舎で西洋画法修業後、明治40年東美校彫刻科本科卒。同年第1回文展初入選。大正5年日本美術院同人となり院展で発表、昭和11年退会、以降官展で活躍。11年帝国美術院会員。

藤川勇造（ふじかわゆうぞう）
明治16年（1883）高松市～昭和10年（1935）東京。漆芸家の長男。明治41年東美校彫刻科本科卒後、渡欧。応用陶器の調査の傍らパリのアカデミー・ジュリアンで学ぶ。43年ロダンに認められ、助手を務める。大正5年病のため帰国。8年二科会新設の彫塑部会員、以後二科展で発表。番衆技塾を開設、後進を指導。昭和10年帝国美術院会員となるが急逝。代表作は「シュザンヌ」、「詩人M」等。

藤田文蔵（ふじたぶんぞう）
文久元年（1861）鳥取～昭和9年（1934）世田谷区。漢学者田中幾之進の3男、藤田家養子。明治7年上京、洋画家国沢新九郎に入門。9年工部美術学校彫刻学科入学、ラグーザに学び、15年卒業。10年洗礼を受け、大正8年からは四谷キリスト教会の牧師となった。明治16年東京牛込に私立の彫刻美術学校設立。文部省図画取調掛、東美校彫刻科講師（33～38年教授）、東京女子美術学校創立校長も務めた。19年ニューオリンズ万国工業博覧会有功賞。代表作は狩野芳崖像、陸奥宗光像等。

舟越直木（ふなこしなおき）
昭和28年（1953）東京～平成29年（2017）。舟越保武の三男。昭和53年東京造形大学絵画科卒業。後に彫刻に転向し、ドローイングと共に個展・グループ展を中心に発表を続けた。

舟越保武（ふなこしやすたけ）
大正元年（1912）岩手県一戸町～平成14年（2002）世田谷。松本竣介は盛岡中学同級生。東美校彫刻科塑造部在学中の昭和12～14年国展連続受賞。14年卒業した新制作派協会彫刻部創立に参加。この頃から大理石の直彫り彫刻を開始。25年カトリックに受洗、崇高な具象彫刻を制作。37年「長崎26殉教者記念像」で第5回高村光太郎賞。47年中原悌二郎賞、48年ローマ法王より大聖グレゴリオ騎士団長勲章、51年長野市野外彫刻賞、53年芸術選奨文部大臣賞等。42～55年東京藝大教授(後名誉教授)、56～58年多摩美大教授。50年代半ば以降砂岩を素材に制作。62年病に倒れた後も左手で制作。平成11年文化功労者。岩手県立美術館に松本竣介・舟越保武展示室がある。息子の桂、直木も彫刻家。

細川宗英 (ほそかわむねひで)
昭和5年(1930)諏訪市～平成6年(1994)東京。東京藝大彫刻科卒。昭和31年新制作展新作家賞、33年会員。40年高村光太郎賞、47年中原悌二郎賞優秀賞、55年高村光太郎大賞展優秀賞等受賞。初期から直付け手法で同時に複数作品を旺盛に創作。モニュメント多数。東京藝大教授、平成6年同大学資料館で遺作展。遺作の殆どは諏訪市に寄贈。

堀内正和 (ほりうちまさかず)
明治44年(1911)京都市～平成13年(2001)東京。昭和3年東京高等工芸学校(現千葉大)彫刻部に入学するが翌年二科展初入選を機に中退、番衆技塾で藤川勇造に師事。11～14年二科展に抽象作出品、後5年間発表を中断、アテネ・フランセで語学を学ぶ。戦後21年新制作展初入選、22年二科会復帰、会員(41年退会)。29年鉄棒を溶接した構成的作品発表後、棒から鉄板、更に曲面表現に移行。40年代から再び抽象的形態表現。38年高村光太郎賞、44年現代国際彫刻展大賞、62年毎日芸術賞等。38年神奈川県立近代美術館、55年東京国立近代美術館、63年渋谷区立松涛美術館等で展覧会。全国各地にモニュメント設置。25～49年京都市立芸大教授(51年名誉教授)。

堀江尚志 (ほりえなおし)
明治30年(1897)盛岡市～昭和10年(1935)練馬区。大正11年東美校彫刻科卒。在学中第2・3回帝展特選、大正13年無鑑査。昭和4年塊人社結成に参加。昭和10年帝展審査員に推されたが肺結核で逝去。

本郷新 (ほんごうしん)
明治38年(1905)札幌市～昭和55年(1980)世田谷。昭和3年東京高等工芸学校(現千葉大)工芸彫刻部卒。高村光太郎に師事。6年国展国画奨学賞、9年会員。14年国画会脱退、新制作派協会彫刻部創設に参加。24年日本美術家連盟創立に参加。戦時中から記念碑的理念に基づく現代彫刻を制作、戦後は平和運動に積極的に参加。28年立命館大学に戦没学生記念像「わだつみのこえ」設置、日本平和文化賞。34年日本国際美術展優秀賞、53年北海道文化賞、54年勲三等瑞宝章等。没後の56年札幌に本郷新記念館開館。58年その業績を記念し公共空間設置の作品を対象とした本郷新賞設定。

眞板雅文 (まいたまさふみ)
昭和19年(1944)奉天～平成21年(2009)神奈川。昭和41年銀座の村松画廊で個展、現代日本美術展出品以降国内外の公募展・個展で発表。46年国際青年美術家展大賞、奨学金で48年まで在仏。60年G・バシュラール生誕100年記念仏文化省企画個展、61年ヴェネツィア・ビエンナーレ出品。H・ムーア大賞展優秀賞、現代日本彫刻展宇部市制70周年・野外彫刻30周年記念賞・宇部市野外彫刻美術館賞・土方定一記念特別賞、平成7年本郷新賞等受賞。

松田尚之 (まつだなおゆき)
明治31年(1898)富山市～平成7年(1995)京都市。北村西望に師事し、大正11年東美校彫刻科塑造部卒。在学中の10年帝展初入選、15・昭和2年連続特選。その後も新文展、日展出品、審査員も歴任。33年日本藝術院賞、43年会員。金沢美術工芸大学教授(後名誉教授)、京都学芸大学教授として長年指導。勲三等瑞宝章、京都市文化功労者。日展顧問、日本彫刻会理事長。

松久宗琳 (まつひさそうりん)
大正15年(1926)京都～平成4年(1992)。仏師朋琳の長男。初め仏画師を志し日本画を学ぶが、昭和16年父の薫陶を受け、仏像彫刻に転進。37年父と京都仏像彫刻研究所創設。39年第1回宗教美術展開催、48年宗教芸術院創設。大阪四天王寺「聖徳太子像」等、京都金閣寺「四天王像」「足利義満像」等、奈良法華寺「十一面観音像」他多数制作。

三木宗策 (みきそうさく)
明治24年(1891)郡山市～昭和20年(1945)郡山市。明治39年上京、山本瑞雲に木彫を学ぶ。大正5年文展初入選、14年帝展特選。以後帝展委員、文展審査員。内藤伸、澤田晴廣らと日本木彫会を結成したが、昭和15年同会を離れ正統木彫家協会創設。代表作に「羅馬少年使節」等。

三木富雄 (みきとみお)
昭和12年(1937)東京～昭和53年(1978)京都市。昭和28年中学卒業後、独学で美術を学ぶ。33年から読売アンデパンダン展等で発表。38年以降取り組んだ「耳」シリーズはアルミ鋳造の独自さも際立ち、40

年代前半の前衛美術を代表する作品。1点を除き全て左耳、同じ形はない。39年現代日本美術展コンクール賞、42年日本国際美術展同振興会賞、パリ青年ビエンナーレ彫刻賞。43年ヴェネチア・ビエンナーレ展等出品、国際的に知られた。

三坂耿一郎（みさかこういちろう）
明治41年（1908）郡山市～平成7年（1995）東京。本名政治（まさじ）。昭和12年東美校彫刻科塑造部首席卒業、卒制「若い女」が文展初入選。14年研究科修了、15年清水多嘉示に師事。22・32・33年日展特選、35年会員。30年代半ば以降デフォルメの強い厳しい構築の中に必要な形態を追求。45年日展桂花賞、47年文部大臣賞、54年日本藝術院賞、61年会員。54年福島県文化功労者・知事褒賞。58年勲四等旭日小綬章。日展顧問、日本彫刻会常務理事。

三坂制（みさかせい）
昭和24年（1949）東京～平成25年（2013）。父は三坂耿一郎。昭和47年立教大学文学部卒。48年Putny Art School（英国公立美術研究所）修了。50年日展初入選、51年日彫展初入選、以後両展出品。53年武蔵野美術学園彫塑科修了。56・62年日展特選。57年日本彫刻会会員。平成6年日展出品作文化庁買上。7年日展会員。9年郡山市特別表彰、紫綬褒章。

水船六洲（みずふねろくしゅう）
明治45年（1912）呉市～昭和55年（1980）東京。本名田中六洲。昭和11年東美校彫刻科卒。同年文展鑑査展初入選。第4回新文展・第2・3・6回日展特選、第10回展内閣総理大臣賞、46年日本藝術院賞。絵画的に賦彩した木彫制作の傍ら木版画も制作、小野忠重らの新版画集団・造形版画協会の運動に参加。後日本版画協会会員、36～37年米ノーザンプトン滞在、マールボロ大学で版画指導。

峯孝（みねたかし）
大正2年（1913）京都市～平成15年（2003）東京。昭和6年京美工彫刻科卒後、東美校彫刻科で建畠大夢に師事するが中退。帰郷して松田尚之主宰の東山研究所に通う。8年清水多嘉示に師事。11年国展に彫刻2点と油絵初入選、14年国画会彫刻部解散まで出品。14～18年建畠大夢主宰の直土会出品。戦後24年自由美術家協会会員、44年自由美術賞。「プリマヴェラ」等、神話に想を得た作品や肖像、公共モニュメント多数。55～59年武蔵野美大教授。

宮脇愛子（みやわきあいこ）
昭和4年（1929）～平成26年（2014）。昭和27年日本女子大学文学部卒業後、阿部展也・斎藤義重に師事。32年サンタモニカシティカレッジ及びカリフォルニア大学ロサンゼルス校に学ぶ。34年～ミラノ、37年～パリ、38年～ＮＹ滞在。41年帰国。42年グッゲンハイム国際彫刻展買上賞。52年現代日本彫刻展北九州市立美術館賞、56年ヘンリー・ムーア大賞展エミリオ・グレコ特別優秀賞等受賞多数。平成4年バルセロナ・五輪広場の作品設置によりカタルーニャ芸術評論家賞受賞。ワイヤーや真鍮パイプ、ガラスなどを用いた抽象彫刻で知られた。

向井良吉（むかいりょうきち）
大正7年（1918）京都市～平成22年（2010）東京。兄は洋画家潤吉。京美工から東美校彫刻科進学、16年繰上げ卒業し応召。25年行動美術創設に参加、翌年会員。36年高村光太郎賞、56年芸術選奨文部大臣賞、59年中原悌二郎賞他受賞多数、サンパウロやヴェネチアビエンナーレ等にも出品。武蔵野美術大学で教鞭を執り63年名誉教授。

村岡三郎（むらおかさぶろう）
昭和3年（1928）大阪府～平成25年（2013）大津市。昭和25年大阪市立美術研究所彫刻部修。40年現代日本彫刻展K氏賞。平成2年ヴェネチア・ビエンナーレ日本館に出品。平成11年毎日芸術賞。

毛利武士郎（もうりぶしろう）
大正12年（1923）東京～平成16年（2004）富山。父は彫刻家毛利教武。昭和18年東美校彫刻科卒。29年読売アンデパンダン展出品作「シーラカンス」で一躍注目を浴びる。33～34年欧州遊学、34年サンパウロ・ビエンナーレ、35年カーネギー国際現代絵画彫刻展出品。戦後彫刻界の代表的作家と目されたが、40年代以降暫く美術界を離れる。晩年富山県に転居、ステンレス等の作品を制作。平成11年富山県立近代美術館で回顧展。

森川杜園（もりかわとえん）
文政3年（1820）奈良～明治27年（1894）。本名友吉。初め鹿絵描の内藤其淵に絵を学ぶ。漆芸家柴田是真と出会い、奈良彫制作を始める。安政3年春日若宮大宿所前絵師職、春日有職奈良人形師に任命。自らも狂言師であり、能、舞楽、動物（春日大社の神鹿等）を題材に制作。刀跡の鋭い無駄のない面取りで、力感溢れる極彩色の作品。内国勧業博覧会で度々受賞、明治26年シカゴ万博銅賞受賞。古彫刻の模作にも長じ、正倉院御物の模造に従事。

森野圓象（もりのえんしょう）
明治36年（1903）横須賀市～平成元年（1989）世田谷区。本名圓蔵。大正11年国民英学館卒。内藤伸に木彫を学び、14年帝展初入選、昭和8・9年特選。戦後日展出品、33年評議員、38年文部大臣賞、55年参与。初期のノミ跡を残す素朴な作風から、躍動する人体を組み合わせた力強い作品に転じ、後年は古来の神話や歴史を主題とした静的な作品を発表。「池田勇人」銅像（広島市）制作。

矢崎虎夫（やざきとらお）
明治37年（1904）茅野市～昭和63年（1988）小平市。東美校卒、平櫛田中に師事。昭和14年渡欧、ザッキンに学ぶ。院展で白寿賞、奨励賞等受賞。36年彫刻部解散後は亜細亜美術交友会に参加、52年内閣総理大臣賞。55・57・59年高村光太郎賞展優秀賞。師風の木彫の他ブロンズ、石膏も手がけ、人体を量塊で捉えた重厚な作風が特色。52年紺綬褒章、57年長野県茅野市名誉市民。陶彫会副会長、亜細亜美術交友会理事等歴任。遺作は茅野市に寄贈。

保田春彦（やすだはるひこ）
昭和5年（1930）和歌山～平成30年（2018）神奈川。保田龍門の長男。27年東京藝術大学卒業。33～35年渡仏、オシップ・ザッキンに師事。35～43年渡伊。神戸須磨離宮公園現代野外彫刻展大賞、サンパウロビエンナーレ受賞、芸術選奨文部大臣新人賞、中原悌二郎賞、平櫛田中賞、和歌山県文化賞、神奈川文化賞、紫綬褒章受章。50～平成11年武蔵野美術大学教授。

保田龍門（やすだりゅうもん）
明治24年（1891）和歌山県龍門村～昭和40年（1965）堺市。本名重右衛門。大正6年東美校西洋画科卒。4年二科展初入選、6年文展特選。卒業後、油絵から彫刻に転向。日本美術院研究所彫刻部入所、石井鶴三を知り研鑽を積む。7年院展樗牛賞、院友推挙、9年同人。同年米国経由で渡仏、グラン・ショミエールでブールデルに師事。12年帰国、院展に滞欧作「クリスチーヌの首」出品後院展に肖像彫刻を発表した。戦後は和歌山を拠点に活動。昭和21年大阪市立美術館附属美術研究所教授、28年から和歌山大学教授。長男の春彦も彫刻家。

柳原義達（やなぎはらよしたつ）
明治43年（1910）神戸市～平成16年（2004）世田谷区。初め日本画を学ぶが、美術全集でロダンやブールデルの作品を見て彫刻家を志す。昭和11年東美校彫刻科卒。在学中の6年帝展初入選、8年国展初出品。12年国展国画賞、同人となるが14年新制作派協会彫刻部新設に参加（38年退会）。27年浜口陽三と渡仏、グラン・ショミエールでE・オリコストに学ぶ。32年帰国後は強靭な構築性をもつ生命感溢れる具象彫刻を発表。33年第1回高村光太郎賞、48年長野市野外彫刻賞、49年中原悌二郎賞、平成6年毎日芸術賞等。8年文化功労者。国際展にも出品。代表作は「犬の唄」、「道標」シリーズ等。昭和58年神奈川県立近代美術館、平成5年東京国立近代美術館、12年世田谷美術館等で回顧展。15年三重県立美術館に柳原義達記念館開館。昭和45～55年日大芸術学部教授。

山口牧生（やまぐちまきお）
昭和2年（1927）広島～平成13年（2001）京都。昭和25年京大文学部哲学科美学美術史専攻卒。28～38年自由美術展、行動展、集団現代彫刻展出品。35年京都で初個展。45年墺ザンクト・マルガレーテン彫刻シンポジウム参加。48年環境造形グループQを結成、小豆島坂手港石彫コンペ企画共同制作で佳作。59年名城公園「水の広場」が名古屋市都市景観大賞、同作品で60年本郷新賞。53年神戸須磨離宮公園現代彫刻展、62年宇部現代日本彫刻展大賞、58年中原悌二郎賞受賞。環境を重視した抽象形態。平成13年西宮市大谷記念美術館で個展。

山﨑猛（やまざきたけし）
昭和5年（1930）高萩市～平成10年（1998）。茨城大学美術科卒。東京藝大にも学ぶ。昭和46年伊政府給費留学生としてローマでファッツィーニに師事。蠟型ブロンズ技法習得。一陽展特待賞、野外彫刻賞、オベリスク賞等受賞（常任委員）。61年ロダン大賞展特別優秀賞（63年優秀賞）、62年現代日本具象彫刻展大賞等。平成6年水戸常陽藝文センター個展、作品集刊行。茨城大学で長年指導（後名誉教授）。7年茨城県岩間町に彫刻館開館。

山崎朝雲（やまざきちょううん）
慶応3年（1867）筑前福岡～昭和29年（1954）東京。号羯摩。父は陶工。初め仏師高田又四郎に入門。明治28年内国勧業博覧会で妙技3等賞。29年上京、高村光雲に師事。33年パリ万博銀賞。40年岡倉天心を会長とし米原雲海らと木彫作家6名で日本彫刻会結成。41年文展3等賞、文・帝展審査員歴任。木彫に洋風彫塑の写実を導入した優れた作品を発表。昭和2年帝国美術院会員、9年帝室技芸員、27年文化功労者。

山田鬼斎（やまだきさい）
元治元年（1864）福井～明治34年（1901）。父は仏師。明治19年上京、21年九鬼隆一、岡倉天心の京都・奈

良地方古美術調査に同行。22年天心の妹と結婚。東美校木彫科教官を務める。奈良で仏像の模造に従事。26年シカゴ万博に「浮彫平治物語図」出品。

山田良定（やまだりょうじょう）
昭和6年（1931）滋賀～平成14年（2002）。昭和29年滋賀大教育学部卒。37年富永直樹に師事。38年日展初入選、以後毎年出品、50・51年連続特選。55年日本彫刻会審査員。56年日展会員。平成元年日展会員賞、6年文部大臣賞。2年浄土宗芸術賞、11年日本藝術院賞受賞。日展、日本彫刻会で理事。

山本常一（やまもとじょういち）
明治43年（1910）神戸市～平成6年（1994）。国展出品。戦後新制作派協会参加、昭和24年会員。特に梟をモティーフに制作、現代日本美術展、日本国際美術展等にも出品。52年長野市野外彫刻賞。代表作に「夜の刻」（文化庁買上げ）、「仁和登利之塔」（神戸市）等。

山本豊市（やまもととよいち）
明治32年（1899）東京新宿～昭和62年（1987）東京。本名豊。豊一、後豊市と称す。大正6年戸張孤雁に師事、7年太平洋画会研究所でデッサンを学ぶ。13年渡仏、マイヨールに師事。昭和3年帰国、7年日本美術院同人。10年以降京都、奈良の仏像の乾漆技法を研究、独特の技法を生んだ。25年新樹会会員。33年芸術選奨文部大臣賞。36年院展彫刻部解散に伴い、彫刻家集団S.A.S結成に参加、38年国画会に合流し彫刻部設置、会員。58年文化功労者。28～42年東京藝大教授。愛知芸大教授（後名誉教授）も務めた。代表作「大船観音」。

陽咸二（ようかんじ）
明治31年（1898）東京～昭和10年（1935）東京。高等小学校卒業後、牙彫を学び、大正4年小倉右一郎に入門。7年文展初入選、後ギリシャ彫刻の影響を受け、11年帝展特選。昭和2年第1回構造社展に客員参加、4年会員。10年帝国美術院改組により無鑑査となるが、病のため逝去。

淀井敏夫（よどいとしお）
明治44年（1911）兵庫県朝来～平成17年（2005）東京。大阪市立工芸学校を経て、昭和8年東美校彫刻科卒。在学中の6年帝展初入選。11年二科展初出品、26年会員。40年東京藝大教授（48～52年学部長、53年名誉教授）、渡欧。47年平櫛田中賞。48年二科展総理大臣賞。52年日本藝術院賞、57年同会員。58年勲三等旭日中綬章。平成6年文化功労者、13年文化勲章。10～12年二科会理事長（以降常務理事）。11年故郷にあさご芸術の森美術館・淀井敏夫記念館開館。石膏を心棒に直付けする独特の技法で重量感をそぎ落とした叙情的作品を創出。

米坂ヒデノリ（よねさかひでのり）
昭和9年（1934）釧路市～平成28年（2016）。本名英範（ひでのり）。昭和32年東京藝術大学卒。33年全道展北海道知事賞。36年自由美術協会会員。46年自由美術展自由賞。52年釧路短期大学教授、同年北海道文化奨励賞。56年自由美術協会退会。57年北海道現代美術展北海道立近代美術館賞。平成17年北海道文化賞、釧新郷土芸術賞特別賞。21年北海道功労賞。

米原雲海（よねはらうんかい）
明治2年（1869）安来市～大正14年（1925）。幼名木山小三郎。初め大工、明治23年上京、高村光雲に師事。25年日本美術協会展銀牌、27年雲海と改名。洋風彫塑にも傾注し、30年比例コンパスの技術を導入。31年東美校助教授。35年頃新海竹太郎らの研究団体三四会に参加。40年山崎朝雲、平櫛田中らと日本彫刻会結成。初期文展でも受賞を重ね、第4回展以降審査員、帝展委員。

若林奮（わかばやしいさむ）
昭和11年（1936）町田市～平成15年（2003）。昭和34年東京藝大彫刻科卒。35～41年二科展出品、37年金賞、38年会員推挙。鉄による彫刻作品を発表。文化庁芸術家在外研修で渡欧。現代日本彫刻展、神戸須磨離宮公園現代彫刻展、現代日本美術展等受賞。53年中原悌二郎賞優秀賞、平成8年中原悌二郎賞、15年芸術選奨文部科学大臣賞等受賞。昭和43年第1回印度トリエンナーレ、44年国際鉄彫刻シンポジウム（大阪）、55・61年ヴェネチア・ビエンナーレ参加。デッサンや版画も制作。東京国立近代美術館、豊田市美術館、川村記念美術館等で展覧会。昭和50年武蔵野美大助教授（50～59年教授）、平成11年～多摩美大教授。

脇田愛二郎（わきたあいじろう）
昭和17年（1942）東京～平成18年（2006）東京。洋画家脇田和の次男。武蔵野美大卒業後、NYに渡る。昭和58年平櫛田中賞、61年東京野外現代彫刻展大賞受賞。NY近代美術館・カーネギー美術館等に作品収蔵。

分部順治（わけべじゅんじ）
明治44年（1911）高崎市～平成7年（1995）豊島区。昭和3～17年建畠大夢に師事、4年より北村西望の指導も受ける。9年東美校彫刻科卒（正木記念賞）、11年研究科修了。7年帝展初入選、以後帝・新文・日展

出品。12・13年新文展連続特選。33年日展会員、34年評議員、43年総理大臣賞。45年日本彫塑会（現日本彫刻会）理事。48年群馬県社会教育功労賞。写実的な生命感漲る男性裸体立像を制作。50年日本藝術院賞。日展参事、日本美術家連盟会員。

渡辺隆根（わたなべたかね）
昭和14年（1939）東京～平成24年（2012）東京。昭和40年東京藝大大学院修了。38年より石彫作品を発表。42年新制作展新作家賞、44年協会賞、45年会員推挙。平成12年文化庁芸術家在外研修特別派遣（伊・仏）。東京造形大学教授となり教鞭をとり、17年～名誉教授。現代彫刻美術館などで個展。

物故作家（工芸）

●明治以降の物故作家を、名前（50音順）・生年～没年・略歴の順で掲載しています。生没地表記が都府県のみの場合、都・府・県は省略。
●本文の数字は元号表記をしています。
京絵専=京都市立絵画専門学校　京美工=京都市立美術工芸学校　東美校=東京美術学校

會田雄亮（あいだゆうすけ）
平成6年（1931）東京～平成27年（2015）。陶芸。昭和31年千葉大学都市計画学科卒。宮之原謙に師事。36年～39年渡米。43年ファエンツァ国際陶芸コンペ金賞、52年吉田五十八賞、平成5年デザイン功労賞。日本デザイナークラフトマン協会理事長、日本クラフトデザイン協会理事長他歴任。東北芸術工科大学名誉教授（10年～14年学長）。

青木清高（あおききよたか）
昭和32年（1957）佐賀県有田町～平成27年（2015）。青木龍山の長男。昭和55年長崎大卒、中村清六に師事。61年日本現代工芸美術展25回記念賞、同展にて平成2年会員賞、9年会長賞、21年内閣総理大臣賞他。3年佐賀県展第1席知事賞。6・9年日展特選。7年佐賀銀行文化財団新人賞。21年紺綬褒章。14年日展会員、20年評議員。18年現代工芸美術家協会理事。他現代工芸九州会会長、佐賀県陶芸協会副会長等歴任。三越本店にて個展。気品高い青磁・天目を中心に作陶。

青木龍山（あおきりゅうざん）
大正15年（1926）～平成20年（2008）。佐賀県有田の窯元に生まれ同地で没。本名久重。多摩美大日本画科卒、高校の美術教師を経て、帰郷後、作陶開始。昭和29年日展初入選、46年特選、57年会員推挙。48・63年日本現代工芸展文部大臣賞、56年特別会員賞。平成3年日本藝術院賞、翌年同会員。11年文化功労者、17年文化勲章。日展常務理事、後顧問、審査員9、現代工芸美術家協会常任顧問。有田焼には珍しい天目釉で大らかで気品高い独自の作風を展開。

赤地友哉（あかじゆうさい）
明治39年（1906）金沢市～昭和59年（1984）。漆芸。本名外次。生家は檜物師。金沢の塗師新保幸次郎に髹漆（きゅうしつ）を学び、上京後渡辺喜三郎に師事。昭和5年独立、31年～日本伝統工芸展出品、34・35年奨励賞、36年優秀賞、鑑査委員、日本工芸会理事、常任理事。41年芸術選奨文部大臣賞、47年紫綬褒章、49年「髹漆」で重要無形文化財保持者（人間国宝）認定。日本漆工協会常任理事、日本文化財漆協会会長。曲輪造による簡潔な器形と巧みな塗りで高評を得た。

秋山逸生（あきやまいっせい）
明治34年（1901）東京～昭和63年（1988）市川市。木竹工。本名清。大正8年島田逸山に師事、芝山象嵌技術修業後、次兄秋山聴古に木画技法を、桂光春に彫金技法を学ぶ。昭和17年新文展初入選、41年～日本伝統工芸展出品、56年NHK会長賞。62年「木象嵌」で重要無形文化財保持者（人間国宝）認定。63年勲四等瑞宝章。象嵌技法に古典木画技法を融合。

浅蔵五十吉（あさくらいそきち）
大正2年（1913）石川県寺井町～平成10年（1998）金沢市。陶芸。本名与作。父先代五十吉に学ぶ傍ら昭和3年初代徳田八十吉に、21年～色絵の北出塔次郎に師事。21年日展初入選、27・30・32年北斗賞、52年総理大臣賞。56年日本藝術院賞、59年同会員。平成4年文化功労者。5年寺井町九谷焼美術館・浅蔵五十吉美術館開館。8年文化勲章。伝統的九谷焼技法に上絵加飾技法を加え、格調高い現代的作品を創作。

浅野陽（あさのあきら）
大正12年（1923）東京～平成9年（1997）。陶芸。昭和20年東美校工芸科卒。磯矢阿伎良に漆工を学ぶが、22年同校工芸技術講習所に勤め、富本憲吉、加藤土師萌らの影響を受け陶芸の道に入る。鉄絵、赤絵、染付の食器制作の傍ら、料理研究家としても著名。陶芸技術入門書、随筆等著書多数。日本工芸会正会員。日本伝統工芸展、朝日陶芸展、バロリス陶芸ビエンナーレ展等受賞。東京藝大名誉教授。

浅見隆三（あさみりゅうぞう）
明治37年（1904）京都市～昭和62年（1987）京都市。陶芸。本名柳三。3代浅見五郎助の次男。大正12年京美工図案科卒、翌年関西美術院で洋画を学ぶ。陶技は祖父の2代五郎助に学ぶ。昭和4年帝展初入選。20年楠部彌弌に師事。戦後は日展出品、21・26年特選、39年文部大臣賞。42年日本藝術院賞。

安部榮四郎（あべえいしろう）
明治35年（1902）島根県八雲村～昭和59年（1984）。手漉和紙。幼少から家業の紙漉きを手伝い、大正5年出雲国製紙伝習所で学ぶ。昭和6年松江で柳宗悦に激賞され、民芸運動に参加。9年東京資生堂で紙漉きとして初の個展。43年「雁皮紙」で重要無形文化財保持者（人間国宝）認定。パリ、アメリカ、北京で和紙展開催。58年八雲村に安部榮四郎記念館。

荒川豊蔵（あらかわとよぞう）
明治27年（1894）多治見市 ～昭和60年（1985）多治見市。陶芸。明治39年高等小学校卒業後、神戸や多治見の陶磁貿易商に勤務。大正8年名古屋で絵付を学び、11年京都の宮永東山窯の工場長、後北大路魯山人の星岡窯の窯場主任。昭和5年美濃大萱で桃山時代の古窯趾を発見、8年からこの近くに当時同様の窯を築き、桃山の志野・瀬戸黒の復興に尽力。30年「志野」「瀬戸黒」の重要無形文化財保持者（人間国宝）認定。46年文化勲章。

飯塚小玕斎（いいづかしょうかんさい）
大正8年（1919）東京本郷黒門町～平成16年（2004）群馬。竹工芸。本名成年（しげとし）。飯塚琅玕斎の次男、祖父鳳斎も竹工芸家。昭和17年東美校油画科（藤島武二教室）卒。22年日展初入選、28年北斗賞、29年特選、35年菊華賞、37年会員（～41年）。49年日本伝統工芸展初出品、文部大臣賞、50年朝日新聞社賞。49年迎賓館日本館大広間の花籠制作。現代竹芸界の第一人者として57年「竹工芸」重要無形文化財保持者（人間国宝）認定。59年紫綬褒章、平成元年勲四等旭日小綬章。日本工芸会理事・木竹工部会長。

飯塚琅玕斎（いいづかろうかんさい）
明治23年（1890）栃木市～昭和33年（1958）東京。竹工芸。本名弥之助。鳳斎の7男。父から竹工技術を学び、唐物竹製品の修理等により唐物風の竹編技術を習得。昭和6年帝展初入選、7年特選。拭漆を施さない晒竹素地の白錆籃、竹刺編等の新手法を考案、格調高い作品を制作。芸術としての竹芸を確立した。戦後は日展審査員、日本工芸会理事等歴任。息子の飯塚小玕斎（人間国宝）が仕事を継承。

伊砂利彦（いさとしひこ）
大正13年（1924）京都市～平成22年（2010）京都市。昭和16年京美工彫刻科卒、20年京絵専図案科卒後、家業の染色に従事。28年新匠会（50年新匠工芸会に改称）公募展初入選、34年会員、富本賞・40回記念大賞等受賞、後同会代表。平成元年京都府文化賞功労賞、京都美術文化賞、沖縄県立芸術大学教授。2年仏芸術文化勲章シュバリエ受章、4年京都市文化功労者、22年日本文化藝術振興財団第1回創造する伝統賞受賞。11・15年フランスにて個展。17年東京国立近代美術館工芸館他個展グループ展多数。

石井康治（いしいこうじ）
昭和21年（1946）千葉市～平成8年（1996）千葉市。ガラス工芸。昭和46年東京藝大工芸科（鍛金）卒後、東洋ガラス㈱入社、52年独立。53年鎌倉・一翠堂画廊で初個展。金沢国際ガラス工芸展、NYアートエクスポ等出品。60年西武工芸大賞展特別賞。自然からイメージした柔らかな形態の手吹きガラスを創作。平成3年青森に工房設開。日本ガラス工芸協会会員、千葉美術工芸会会員。

石黒宗麿（いしぐろむねまろ）
明治26年（1892）富山県新湊～昭和43年（1968）京都。陶芸。明治45年慶応義塾普通部中退、中越汽船に勤務。大正5年郷里の家で楽焼を始める。8年上京、渋谷に石炭窯を築く。後福島県白河、埼玉県小川町、金沢、京都市今熊野、八瀬に開窯。唐・宋及び李朝の作陶技術を研究。昭和12年パリ万博銀賞。15年中国、朝鮮を巡歴。木の葉天目の焼成に成功。22年日本陶磁振興会設立。30年「鉄釉陶器」で重要無形文化財保持者（人間国宝）認定。同年日本工芸会結成に参加、理事就任。楽焼から唐津、志野等幅広く作陶、中国宋磁の品格をもつ天目釉を現代に再現した。

伊勢﨑満（いせざきみつる）
昭和9年（1934）～平成23年（2011）。備前市伊部生まれ。伊勢﨑陽山の長男。父に陶技を学び、父の大作を手伝うため岡山大学特設美術科彫塑を中退、作陶に専念。弟淳と共に姑耶山古窯跡に中世の半地下式穴窯を復元、昭和59年には登り窯を築窯。39年日本工芸会正会員。47年備前陶心会会長。49年金重陶陽賞。平成10年「茶の湯の造形展」大賞、岡山県重要無形文化財認定。藤原雄、金重道明等と共に戦後第一世代として備前焼を牽引、鮮烈な緋襷など風格の高い作風で人気があった。

磯井如真（いそいじょしん）
明治16年（1883）高松～昭和39年（1964）。漆芸。本名雪枝。香川県立工芸学校漆工科で学び、明治36年大阪で中国漆器等の修理に従事。42年帰郷、大正8年香川県立工芸学校教諭、工会結成。戦前は帝展等に出品。彫漆に蒟醤（きんま）を併用し、新技法と新意匠を開拓、特選受賞を重ねる。昭和28年岡山大学教授。31年「蒟醤」で重要無形文化財保持者（人間国宝）認定。36年紫綬褒章、39年勲四等旭日小綬章。

板谷波山（いたやはざん）
明治5年（1872）下館市～昭和38年（1963）東京。陶芸。本名嘉七。明治27年東美校彫刻科卒。29年石川県工業学校彫刻科主任教諭として金沢赴任、31年彫刻科廃止で陶磁科を担当、窯業技術研究を開始。36年退職、東京・田端に築窯。40年東京勧業博覧会3等。昭和2年帝展工芸部設置に尽力、審査員。同年東陶会主宰、近代陶芸の指導者。3年帝展帝国美術院賞、4年会員、9年帝室技芸員。28年香取秀真と共に工芸界初の文化勲章。35年重要無形文化財保持者（人間国宝）に認定されるが辞退。葆光彩磁等新しい釉法の工夫、特色ある彫刻模様で格調高い名作を遺す。

伊東陶山（いとうとうざん）
弘化3年（1846）山城愛宕郡粟田口～大正9年（1920）京都。陶芸。幼名重次郎、後、幸兵衛門。文久3年絵から転向し京焼他各地の窯業を研究。慶応3年京都白河畔で開窯。明治6年山城朝日焼復興に尽力。29年京都陶磁器同業組合頭取就任、陶磁器試験場と伝習所を設立。大正6年帝室技芸員。9年滋賀県膳所焼を復興。陶土研究や本焼釉料改良の功績大。大胆で独自な意匠で粟田口焼に新風を吹き込んだ。

稲垣稔次郎（いながきとしじろう）
明治35年（1902）京都市～昭和38年（1963）京都市。染色。父竹埓、兄仲静は日本画家。大正11年京美工図案科卒後、三越本店図案部、京都松坂屋で和服の意匠や捺染友禅の図案研究・制作。昭和6年独立、染色家として創作。14年国展初出品・国画賞。15年文展初入選・特選、17年新文展、戦時特別文展、21年第1回日展特選。21年国画会を離れ、新匠美術工芸会結成に参加。26年日展審査員となるが、後離脱。33年京都市立美大教授。37年「型絵染」で重要無形文化財保持者（人間国宝）認定。

井上良斎（いのうえりょうさい）
明治21年（1888）横浜市～昭和46年（1971）東京。陶芸。江戸末期、浅草橋場町で開窯した初代良斎を継ぎ3代良斎を襲名。板谷波山に師事。昭和35年日本藝術院賞、40年同会員。現代工芸美術家協会副会長、日展顧問等務め、工芸界の発展に尽力すると共に後進を指導。格調高い青磁や白磁作品で知られた。

今泉今右衛門（12代）（いまいずみいまえもん）
明治30年（1897）佐賀県有田町～昭和50年（1975）佐賀県有田町。陶芸。大正5年有田工業学校窯業科卒。父11代今右衛門の指導を受け、昭和23年12代を襲名。釉薬、上絵具の調合、絵付を自ら行い、職方を指導。27年色鍋島の技法により無形文化財に選定。29年～日本伝統工芸展出品。30年日本工芸会正会員。33年ブリュッセル万博グランプリ。45年色鍋島技術保存会結成、46年同保存会重要無形文化財総合指定。色鍋島の復活再興に尽力、華麗な伊万里磁器を制作。息子は13代今右衛門。

今泉今右衛門（13代）（いまいずみいまえもん）
大正15年（1926）佐賀県有田町～平成13年（2001）佐賀県有田町。陶芸。12代今右衛門の長男。有田工業学校を経て、昭和24年東美校工芸科卒後、父の下で修業。37年日本伝統工芸展初入選、40年日本工芸会会長賞（正会員）、54年優秀賞・NHK会長賞。38年一水会陶芸展一水会会長賞。50年13代を襲名、51年色鍋島技術保存会（重要無形文化財総合指定）代表。吹墨技法を鍋島に取り入れ、薄墨技法を開拓、新たに“吹重ね”技法も加え独自の創作を展開。51年日本陶磁協会賞（平成元年金賞）、56年日本陶芸展最優秀作品賞・秩父宮賜杯、61年紫綬褒章、63年毎日芸術賞、第1回MOA岡田茂吉賞大賞。平成元年「色絵磁器」で重要無形文化財保持者（人間国宝）認定。5年佐賀県立窯業大学校長、11年勲四等旭日小綬章。9年今右衛門古陶磁美術館開館。

岩田糸子（いわたいとこ）
大正11年（1922）大連～平成20年（2008）。ガラス。昭和元年～4年をロンドン、以降東京に住む。10年有島生馬に師事。24年ガラス工芸家・岩田久利と結婚、33年からガラス制作を始める。家具・室内装飾品の他、大壁面を数十ヶ所設置。平成元年Japan Shop日本経済新聞社社長賞、6年米国グラス・アート・ソサエティ最高栄誉賞。昭和50年～平成8年岩田工芸硝子㈱代表取締役社長、他日本ガラス工芸協会事務局長、米コーニングガラス美術館理事、デンバー美術館デザインと建築国際委員会委員、日本ガラス工芸協会功労会員、倉敷芸術科学大学客員教授他歴任。作品制作、教育など幅広く活動した。

岩田藤七（いわたとうしち）
明治26年（1893）東京～昭和55年（1980）東京。ガラス工芸。生家は日本橋の呉服問屋。大正7年東美校金工科、12年西洋画科卒。昭和3年～帝展連続3回特選。4年岩田工芸硝子会社設立、花器、茶器等製作。26年日本藝術院賞、29年同会員。43年新宮殿ガラス壁画を完成。45年文化功労者。色ガラスを研究し日本のガラス工芸に新分野を確立。流動感と色彩を生かした表現。息子の久利もガラス作家。

岩田久利（いわたひさとし）
大正14年（1925）東京新宿～平成6年（1994）東京新宿。ガラス工芸。藤七の長男。小寺健吉に洋画、和田三造にデッサンと図案を学ぶ。昭和25年東美校工芸部図案科卒、東京工業大学窯業硝子研究室で研修。24年日展初入選、30・31年特選、51年文部大臣賞。47年日本ガラス工芸協会創立、初代会長。54年紺綬褒章、56年毎日芸術賞、57年日本藝術院賞。鮮烈な色彩調和の作品から黒と白を基調とした作風に変遷。日本のガラス工芸界を指導する傍らセラミック等新素材を研究。妻糸子、長女ルリもガラス作家。

岩野市兵衛（8代）（いわのいちべえ）
明治34年（1901）福井～昭和51年（1976）。手漉和紙。幼名栄一。尋常小学校高等科卒業後、家業の越前奉書を漉く。名匠初代岩野平三郎に生漉奉書を学ぶ。大正末期より版画家吉田博らと浮世絵木版研究・復元を図り強靭で見事な奉書紙を完成。昭和16年8代目襲名。35年桂離宮松琴亭の襖壁紙を漉く。ピカソをはじめ世界的に愛用者は多く、和紙の最高峰と称された。戦後は福井県手漉紙工業協同組合や全国手漉和紙連合会幹部として後進指導。43年「越前奉書」で重要無形文化財保持者（人間国宝）認定。

上野為二（うえのためじ）
明治34年（1901）京都～昭和35年（1960）。染織。父は京友禅の名匠上野清江。大正3年西村五雲に日本画を、9年関西美術院で洋画を学び、友禅の基礎となる描写力を習得。友禅染は父の指導の下修業、研究を積み、細緻な作品を創出。昭和5年頃から加賀友禅の研究・展示会を開き、10年図案集刊行、京友禅の代表的作家と見なされた。30年「友禅」で重要無形文化財保持者（人間国宝）認定。日本伝統工芸展等で活躍、審査委員も務めた。

魚住為楽（うおずみいらく）
明治19年（1886）小松市～昭和39年（1964）。金工。本名安太郎。明治37年仏具師山口徳蔵に師事、鳴物の研究・鋳造に没頭。金属工業を学ぶため大阪の久保田鉄工所に勤務。後銅鑼研究を始め、昭和10年より香取秀真、正木直彦に師事、砂張鋳造を研究。13年法隆寺夢殿厨子の修理に参加。24年現代美術展最高賞、27年金沢市文化賞、北国文化賞。銅鑼作りの各工程を独力で開拓。30年「銅鑼」で重要無形文化財保持者（人間国宝）認定。39年勲四等旭日小綬章。

海野清（うんのきよし）
明治17年（1884）東京～昭和31年（1956）。彫金。父海野勝珉に彫金を学び、明治44年東美校金工科卒。鏨を鋭く使う家業の水戸彫金技法を継承。昭和3年帝展特選、4年審査員。7年仏留学。22年帝国芸術院会員、日展審査員。24年東京藝大教授、日展運営会常任理事。26年文化財専門審議会専門委員、文化財保護行政に寄与。全日本工芸美術家協会会長、日本彫金会会長等歴任。古典技法に精通し、彫金技法の近代化と後進の育成に貢献。30年「彫金」で重要無形文化財保持者（人間国宝）認定。

永樂即全（16代善五郎）（えいらくそくぜん）
大正6年（1917）京都東山～平成10年（1998）京都東山。陶芸。本名茂一（しげいち）。正全（15代善五郎）の長男。永樂家は代々続く千家十職の土風炉師。江戸寛政期、10代の了全、11代の保全が伝統的京焼と中国・朝鮮の技法を融合し、京焼風茶陶を確立。昭和5年京美工図案科入学。7年父が没し、10年16代善五郎を襲名。翌年三井高棟の大磯城山荘内に城山窯築窯。33年大阪髙島屋で「源氏物語五十四帖」による作品を発表。61年京都市文化功労者。平成10年長男紘一が17代襲名。以後、即全と称す。京都伝統陶芸家協会会長。

永樂和全（12代善五郎）（えいらくわぜん）
文政6年（1823）京都〜明治29年（1896）。陶芸。天保14年12代善五郎を襲名。嘉永5年御室の仁清窯跡に登窯開窯。慶応2年〜明治3年加賀大聖寺藩に招かれ、山代九谷本窯で金襴手、赤絵、染付等の技法指導。4年隠居、和全と称す。6〜9年愛知県岡崎で作陶。赤絵、祥瑞、金襴手等中国古陶磁の写しに妙技を発揮する一方、仁清、乾山風の京焼色絵にも名品を残す。晩年は京都東山に菊渓窯を開窯。

江里佐代子（えりさよこ）
昭和20年（1945）京都〜平成19年（2007）。截金。昭和41年成安女子短大意匠科卒。53年北村起祥に師事。57年京都府工芸美術展大賞・平成2年優秀賞、平成3年日本伝統工芸展日本工芸会総裁賞、61〜平成9年京展（市長賞・毎日放送賞他受賞）出品。6年正倉院宝物模造制作に参加。12年京都美術文化賞受賞。14年重要無形文化財「截金」保持者（人間国宝）認定、伝統文化ポーラ賞、民族衣装文化功労者・特別伝統文化賞。15年京都府文化賞功労賞。17年江里佐代子・截金の世界展（全国5ヶ所巡回）他グループ展。19年訪問先の仏アミアン市で客死。

大角勲（おおかどいさお）
昭和15年（1940）高岡市〜平成22年（2010）高岡市。金工。県立高岡工芸高校金属工芸美術科卒、蓮田修吾郎に師事。高岡市金属指導所勤務を経て45年大角造形研究所開設。39年日展初入選、49・58年特選。42年日本現代工芸展初入選、平成7年内閣総理大臣賞、13年文部科学大臣賞。15年日本藝術院賞、他富山新聞文化賞、高岡市市民功労者顕彰等。日展理事、現代工芸美術家協会常務理事、日本金属造型振興会評議員。

大久保婦久子（おおくぼふくこ）
大正8年（1919）下田市〜平成12年（2000）東京。皮革工芸。本名ふく。夫は洋画家大久保作次郎。昭和14年女子美専師範科西洋画部卒。26年山崎覚太郎に師事。27年日展初入選、30年北斗賞、36年特選、39年菊華賞、41年会員。36年現代工芸美術家協会結成、56年総理大臣賞、60年副会長。58年日本藝術院賞恩賜賞、60年同会員。平成元年勲三等瑞宝章、7年文化功労者、12年文化勲章。金唐皮による皮特有の柔らかで暖か味ある質感を生かした多彩な形象。晩年は古代神話を主題に独自の芸術を確立。62年皮革造形美術グループ結成。モンゴル芸術大学名誉教授、日展顧問。

太田熊雄（おおたくまお）
明治45年（1912）福岡県小石原村〜平成4年（1992）。陶芸。柳宗悦の民芸論に共鳴、九州民芸協会を牽引。日本民芸館展、西部工芸展等で受賞。昭和34年ブリュッセル万博グランプリ。地元の民窯小石原焼の第一人者（伝統工芸士）として伝統的なスタイルを基に豪快で大らかな作品を制作。長男孝宏との父子展も開催。日本民芸協会会員、福岡県美術協会顧問。

大野昭和斎（おおのしょうわさい）
明治45年（1912）岡山県総社市〜平成8年（1996）。木竹工。本名片岡誠喜男。片岡斎三郎の長男。小学校卒業後、父に指物や象嵌、彫刻等を学ぶ。昭和10年文人画家柚木玉邨より昭和斎と命名。43年日本伝統工芸展会長賞。49年木創会結成。52年岡山県重要無形文化財に指定。59年「木工芸」で重要無形文化財保持者（人間国宝）認定。62年勲四等旭日小綬章。指物特有の直線が美しい品のよい華やかさが特色。

大場松魚（おおばしょうぎょ）
大正5年（1916）石川〜平成24年（2012）石川。漆芸。本名勝雄。父宗秀、後に松田権六に師事。昭和23年日展特選。伊勢神宮式年遷宮御神宝制作や中尊寺金色堂修理に携わる。平文技法に優れ、57年「蒔絵」で重要無形文化財保持者認定。62年日本工芸会副理事長、63年石川県立輪島漆芸技術研究所所長就任。

大樋長左衛門（9代）（おおひちょうざえもん）
明治34年（1901）金沢市〜昭和61年（1986）金沢市。陶芸。父8代長左衛門（本名奈良理吉）が明治30年に大樋焼復活。大正6年石川県立工業学校窯業科卒。14年9代長左衛門を襲名。昭和5年宮中及び大宮御所の茶道具の用命を受けた。15年紀元2600年に総理大臣近衛文麿より長左衛門の金印拝受。33年日本伝統工芸展入選、日本工芸会正会員。46年〜日本現代陶芸展招待。黒楽や飴釉茶碗等、雅趣に富んだ茶陶。

岡部嶺男（おかべみねお）
大正8年（1919）瀬戸市〜平成2年（1990）名古屋市。陶芸。陶芸家加藤唐九郎の長男。愛知県窯業校に学ぶ。早くから志野・織部・古瀬戸の名手として頭角を表し、日展北斗賞、プラハ国際陶芸展グランプリ等受賞。後年青磁作品は当代一と称された。昭和35年“永仁の壺”事件（重要文化財に指定された永仁銘を施した古陶に対し、父唐九郎と嶺男双方が自身の作だと発言）が起こった。当事者たちの死により真相は藪の中。晩年妻方の姓・岡部に改名。

小川善三郎（おがわぜんざぶろう）
明治33年（1900）福岡市～昭和58年（1983）。染織。幼少より父小川熊吉の下で伝統的博多織の制作に従事。昭和27年独立。大正初めより伝承の献上博多織の研究・制作に尽力。35年福岡県知事賞、38年全国織物物産地競技大会賞等、各種展覧会で受賞。43年福岡県無形文化財「博多織」保持者認定、46年「献上博多織」で重要無形文化財保持者（人間国宝）認定。48年勲四等旭日小綬章。格調高い地合で固く締まってしなやかな献上博多の帯地で高く評価された。

小川文齋（5代）（おがわぶんさい）
昭和元年（1926）京都市～平成24年（2012）京都市。4代文齋の次男、本名欣二。昭和34年現代日本陶芸展第1席。37年日展特選・北斗賞、48年審査員。49年ヴァロリス国際陶芸展グランプリ。平成元年5代文齋襲名。3～7年京都芸術短大（現・京都造形芸術大）学長。4年日本新工芸展文部大臣賞、19年内閣総理大臣賞。21年市芸術功労賞、22年府文化賞功労賞。日展参与、日本新工芸理事相談役、京都工芸美術作家協会理事長。

小口正二（おぐちまさじ）
明治40年（1907）諏訪市～平成12年（2000）諏訪市。彫漆。本名政次（まさじ）。昭和21年日展特選、34年特選・北斗賞、38年会員、57年評議員、59年参与。57年日本現代工芸展文部大臣賞、59年現代工芸美術家協会参与。54年紺綬褒章。56年現代工芸美術家協会長野会結成、会長、後顧問。59年長野県芸術文化功労者、61年勲四等瑞宝章、平成3年諏訪市名誉市民。諏訪市美術館他に作品収蔵。

音丸耕堂（おとまるこうどう）
明治31年（1898）高松市～平成9年（1997）高松市。漆芸。本名芳雄。小学校卒業後、讃岐彫石井磬堂に師事、16歳で独立。玉楮象谷の彫漆を研究。昭和12年上京、17年文展・24年日展特選。色彩の断層面を露わに平行縞模様を表出。彫りの立体感を強調した作風で彫漆に現代的息吹を与えた。30年「彫漆」で重要無形文化財保持者（人間国宝）認定。42年紫綬褒章、48年勲四等旭日小綬章。日本工芸会創立参加、日本伝統工芸展出品。長男韃、三男淳も彫漆作家。

小野光敬（おのこうけい）
大正2年（1913）盛岡市～平成6年（1994）。金工。本名清之助。昭和4年本阿弥流の研師加藤勇之助に師事、日本刀の差し込み研ぎの技法を学ぶ。上京し本阿弥光遜のもとで修練。22年～東京国立博物館美術工芸課刀剣室勤務。23年日本美術刀剣保存協会主催研磨技術発表会最高優秀賞、以後7年連続受賞、無鑑査。27～52年正倉院御物148口を研磨。44年～研磨技術研修会講師、後進を指導。45年美術刀剣研磨技術保存会副幹事長。国宝等、貴重な刀剣類を研磨。50年「刀剣研磨」で重要無形文化財保持者（人間国宝）認定。54年紫綬褒章。59年勲四等旭日小綬章。

小野珀子（おのはくこ）
大正14年（1925）福島～平成8年（1996）佐賀県嬉野町。陶芸。本名信子。昭和43年釉裏金彩に成功。釉上に金箔で文様を描く金襴手でも評価を得る。45年日本伝統工芸展初入選、48年日本陶芸展優秀作品賞、56年日本陶磁協会賞。日本工芸会正会員。

各務鑛三（かがみこうぞう）
明治29年（1896）岐阜県笠原町～昭和60年（1985）藤沢市。ガラス工芸。大正5年東京高等工芸図案科卒。9年南満州鉄道会社付属中央試験所入所、後R・イーナの下でグラヴィール技術習得。昭和2年独シュトゥットガルト工芸学校留学。帰国後、9年東京蒲田に各務クリスタル製作所設立、日本初のクリスタルガラスの本格的生産開始。日展等で作品発表。パリ、NY、ブラッセル各万博で金賞、グランプリ等。28年芸術選奨文部大臣賞、35年日本藝術院賞。

角谷一圭（かくたにいっけい）
明治37年（1904）大阪～平成11年（1999）。金工。本名辰治郎。大正6年より父巳之助に茶の湯釜の制作技法を学ぶ。昭和33年日本伝統工芸展高松宮総裁賞、36年朝日新聞社賞、37年～鑑査委員歴任。48年伊勢神宮式年遷宮用の御神宝鏡制作。51年勲四等瑞宝章。53年「茶の湯釜」で重要無形文化財保持者（人間国宝）認定。和銑釜の研究、制作に成果を上げ、優美な造形と卓抜な意匠で知られる。

鹿児島寿蔵（かごしまじゅぞう）
明治31年（1898）福岡市～昭和57年（1982）。人形。大正2年博多人形師有岡米次郎に師事、人形彫刻・彩色・原型製作技法を習得。昭和7年楮繊維を主とする紙塑を開発。9年野口光彦、堀柳女らと甲戌会結成。30年日本工芸会設立・正会員。日本伝統工芸展鑑査委員、人形部会長、副理事長等歴任。36年「紙塑人形」で重要無形文化財保持者（人間国宝）認定。42年文化財保護審議会専門委員、同年紫綬褒章。48年勲三等瑞宝章。

鹿島一谷（かしまいっこく）
明治31年（1898）東京下谷〜平成8年（1996）台東区。金工。布目象嵌、彫金業の家に生まれる。本名榮一。彫金家関口一也・真也父子に師事。昭和4年帝展初入選。祖父一谷斎光敬に布目象嵌を学び、海野清、北原千鹿に近代彫金を学ぶ。19年帝展無鑑査。30年日本工芸会創立参加。32年無形文化財「布目象嵌」技術者。33年日本工芸会理事。40年唐招提寺蔵国宝金亀舎利塔の修理に従事。42年紫綬褒章、48年勲四等瑞宝章。54年「彫金」で重要無形文化財保持者（人間国宝）認定。研出し象嵌を活用し、朧銀に動物や幾何文様を施した優雅で洗練された作品を制作。

月山貞一（2代）（がっさんさだいち）
明治40年（1907）大阪市〜平成7年（1995）。金工。本名昇。刀匠の家系に生まれ、父貞勝、帝室技芸員の祖父貞一の下伝統的作刀法修得。大正13年上京、中央刀剣会入会、日本刀全般の研究・制作に専念。昭和4年以降伊勢神宮式年遷宮使用の御料太刀、御神宝太刀制作担当。18年大阪陸軍造兵廠軍刀鍛錬所責任者。41年2代貞一襲名。42年新作名刀展文化財保護委員会委員長賞・正宗賞、以後3年連続。45年〜無鑑査、審査委員歴任。50年〜全日本刀匠会幹事長。46年「日本刀」で重要無形文化財保持者（人間国宝）認定。48年紫綬褒章。53年全日本刀匠会理事長。

角偉三郎（かどいさぶろう）
昭和15年（1940）輪島市〜平成17年（2005）。漆芸。沈金師橋本哲四郎に師事、昭和37年日本現代工芸美術展に初出品し初入選。39年日展初入選、以来入選17回、53年特選。平成元年合鹿椀等パリ民俗学博物館買上げ。形にこだわり、木と漆に向き合ってつくられる独特の器で知られた。

加藤溪山（2代）（かとうけいざん）
大正2年（1913）京都市〜平成7年（1995）京都市。陶芸。本名武二。初代溪山の長男。昭和4年京都第二工業陶磁科、後京都国立陶磁試験所修了。父に青磁作陶を学ぶ。6年5代清水六兵衞（六和）主宰の新興工芸会設立会員、7〜15年六和に師事。15年商工省認定技術保存の指定。30年京都伝統陶芸家協会設立、会員。38年2代溪山を襲名、大山天王山山麓に青瓷溪山窯を築窯。39年紺綬褒章。南宋龍泉窯系の青磁を追求、意欲的に作陶活動。平成2年日本橋髙島屋で喜寿記念展。

加藤舜陶（かとうしゅんとう）
大正5年（1916）瀬戸市〜平成17年（2005）瀬戸市。陶芸。別号龍窯。昭和8年愛知県立瀬戸窯業学校卒。板谷波山に師事。黄瀬戸、瀬戸黒、御深井等瀬戸の伝統的技法を全て修得、灰釉技法に優れ、後年は青灰釉手を主に発表。25年日展初入選、35年特選・北斗賞、41年会員、57年評議員、平成3年総理大臣賞、9年参与。昭和30年日本陶芸展文部大臣賞、34年ブリュッセル万博グランプリ、62年勲四等瑞宝章、平成2年新工芸展内閣総理大臣賞。5年愛知県無形文化財。日展、新工芸展、朝日陶芸展等審査員歴任。

加藤鈔（かとうしょう）
昭和2年（1927）瀬戸市〜平成13年（2001）瀬戸市。陶芸。瀬戸、赤津で代々丈助を名乗る名家の21代目。昭和23年東京工業大学専門部窯業科卒。36年日展初入選、39年特選・北斗賞、57年会員賞。光風会評議員も務め、57年辻永記念賞（60年退会）。61年日本新工芸展総理大臣賞。蒼釉・白釉を主に金彩を施す作品。56年愛知県芸術選奨文化賞、60年愛知県教育文化功労賞。日展評議員、瀬戸陶芸協会会長等。

加藤卓男（かとうたくお）
大正6年（1917）〜平成17年（2005）。陶芸。多治見市市之倉で江戸時代より代々幸兵衛を名乗る窯元に生まれる。太平洋戦争従軍、昭和20年広島で被爆、10年間闘病生活。29年日展初入選。36年フィンランド工芸美術学校留学。ペルシャ三彩、青釉、ラスター彩陶に接して方向性を決定。38・40年日展特選・北斗賞。53年外務省委嘱「ラスター彩鶏冠壺」制作。55年宮内庁正倉院委嘱で正倉院三彩の鼓胴・二彩鉢復元。61年トルコ国立トプカプ宮殿博物館で個展。63年新工芸展文部大臣賞、同年紫綬褒章。平成7年「三彩」で重要無形文化財保持者（人間国宝）認定。

加藤唐九郎（かとうとうくろう）
明治31年（1898）瀬戸市〜昭和60年（1985）名古屋市。陶芸。息子は岡部嶺男。少年時代より家業の製陶に従事。大正3年築窯、作陶の傍ら瀬戸古窯址を調査、伝統的陶技を研究。昭和4年瀬戸古窯調査保存会設立、理事長。22年日本陶芸協会設立、25年日本陶磁協会設立に参加。32年織部写しで技術保存、記録作成の選定。昭和35年“永仁の壺”事件（重要文化財に指定された永仁銘を施した古陶に対し、唐九郎と息子の嶺男双方が自身の作だと発言）を期にすべての公職を辞す。40年毎日芸術賞。古瀬戸から桃山期の黄瀬戸、志野、織部等、作域の広さと技術は現代陶芸に多大な影響を与えた。陶芸研究家としても第一人者で『原色陶器大辞典』等編纂。

加藤土師萌（かとうはじめ）
明治33年（1900）瀬戸市〜昭和43年（1968）東京。陶

芸。本名一。日野厚に師事、陶芸図案を学ぶ。愛知県窯業学校助手、岐阜県陶磁器試験場技師を経て、昭和15年横浜市日吉に築窯、独立。2年帝展工芸部創設以来、帝展・文展・日展出品。30年東京藝大教授、32年無形文化財「上絵付」に選定。金襴手技法に成功、29年頃から発表。技法的にも難しい萌葱金襴手の高雅で華やかな作調で知られる。36年「色絵磁器」で重要無形文化財保持者（人間国宝）認定。文化財保護審議会専門委員、日本工芸会理事長等歴任。

香取秀真（かとりほずま）
明治7年（1874）佐倉市〜昭和29年（1954）東京。金工。本名秀治郎。東美校鋳金科卒。岡崎雪声、大島如雪に師事。昭和9年帝室技芸員、後日本藝術院会員。28年板谷波山と共に工芸界初の文化勲章。古典的で品格の高い鋳金作品を創作。古代金工史研究に業績を残し、歌人としても知られる。長男正彦は梵鐘の人間国宝。

香取正彦（かとりまさひこ）
明治32年（1899）東京〜昭和63年（1988）。金工。香取秀真の長男。大正14年東美校鋳金科卒。初め結城素明に師事するが、後に古典的な金工品を研究、仏像・仏具修理従事。戦後は供出された釣鐘の復元に父と従事。昭和5年帝展初入選・特選、以後3年連続。父の喜寿を機に梵鐘を制作して以来、伝統的な鋳金制作の傍ら梵鐘も制作。28年日本藝術院賞。44年勲四等旭日小綬章。52年「梵鐘」で重要無形文化財保持者（人間国宝）認定。文化財専門審議会専門委員、鋳金家協会委員長、日本工芸会常任理事。

金重素山（かねしげそざん）
明治42年（1909）岡山県伊部〜平成7年（1995）山陽町。陶芸。本名七郎左衛門。備前焼人間国宝・金重陶陽の弟。長年兄と共に作陶していたが、昭和26年大本教教祖に招かれ、京都亀山市に花明窯築窯、陶技指導。石黒宗麿に油滴天目を学ぶ。57年郷里の備前に戻り、牛神下窯を築窯。電気窯による桃山期の鮮やかな緋襷を完成。56歳で初個展、平成2年日本橋三越で80歳記念個展。49年山陽新聞文化賞、58年岡山県無形文化財認定。平成2年文化庁長官表彰。

金重陶陽（かねしげとうよう）
明治29年（1896）岡山県伊部〜昭和42年（1967）岡山市。陶芸。本名勇。弟は素山。幼少から父楳陽に人物、動物、花鳥等細工物の指導を受ける。大正10年ドイツ式マップ窯を築窯。桃山時代の備前陶の土味や緋襷を出すことに成功。昭和7年轆轤による制作を始め、古備前の茶器を復興。備前焼中興の祖と仰がれる。14年川喜田半泥子を中心に「からひね会」結成。荒川豊蔵、石黒宗麿らと日本工芸会設立に尽力。17年技術保存資格者に認定。19年日本美術及び工芸統制協会代議員、22年生活用品芸術陶磁器認定委員等務めた。27年無形文化財に選定、31年「備前焼」で重要無形文化財保持者（人間国宝）認定。

金重道明（かねしげみちあき）
昭和9年（1934）岡山県伊部〜平成7年（1995）岡山市。陶芸。父は人間国宝の金重陶陽。金沢美術工芸大学卒業後、父の下で陶技を習得。昭和35年渡米。39年日本伝統工芸展初入選、44年日本工芸会正会員。一水会展（常任委員）、国際展等出品。古備前に対する深い理解と鋭い感性で気品あるモダンな造形を発表。45年金重陶陽賞、55年日本陶磁協会賞、平成2年岡山県重要無形文化財認定。弟晃介も陶芸家。

鎌倉芳太郎（かまくらよしたろう）
明治31年（1898）香川県三木町〜昭和58年（1983）。染織。大正10年東美校図画師範科卒。13年琉球芸術の研究に着手、長年古琉球紅型を調査・資料収集、多大な成果をあげた（平成17年国の重要文化財指定）。昭和17年より東美校助教授。紺屋の宗家沢岻家の型置き、色挿し等紅型技法を学んだ後、日本伝統工芸展初出品、47年日本工芸会総裁賞、後日本工芸会理事。47年勲四等瑞宝章。48年「型絵染」で重要無形文化財保持者（人間国宝）認定。息子は日本画家鎌倉秀雄（日本美術院同人）。

加守田章二（かもだしょうじ）
昭和8年（1933）大阪〜昭和58年（1983）栃木県益子町。陶芸。昭和31年京都市立美大工芸科陶磁器専攻卒。在学中は富本憲吉、近藤悠三らに師事、30年新匠会展佳作賞。卒業と同時に茨城県日立市の大甕窯設立に参加、2年間技術員として研修。後益子で独立。36年日本伝統工芸展初入選、39年日本工芸会正会員。41年日本陶磁協会賞、42年高村光太郎賞。43年日本工芸会退会、翌年より岩手県遠野市で作陶。斬新な作風で、陶芸界に新風をもたらし続けた。49年芸術選奨文部大臣賞。62年東京国立近代美術館で回顧展。民芸的な益子焼で自己表現した作品は現代的な諸要素を含みつつ、品位と格調を併せもつ。

河井寛次郎（かわいかんじろう）
明治23年（1890）島根県安来〜昭和41年（1966）京都。陶芸。大正3年東京高等工業学校窯業科卒業後、京都市立陶磁器試験所に勤務し、研究。9年5代清水六兵衛（六和）の窯を譲り受け、独立。中国・朝鮮の古陶磁をヒントに、自らの造形感覚を生かした斬新な作風を示した。13年浜田庄司を介し柳宗悦を知り、民芸運動を推進、「用の美」を追求。重厚で変化に富んだ器形、辰砂釉の用法が特色。日本近代の陶芸界に大きな足跡を残した。京都の河井寛次郎記念館で遺作と蒐集品を公開。

河合誓徳（かわいせいとく）
昭和2年（1927）大分～平成22年（2010）京都市。陶芸。昭和26年京都陶芸家クラブに加入、6代清水六兵衛に師事。27年日展初入選、以後連続。37年特選・北斗賞、43年菊華賞、54年会員賞、平成元年内閣総理大臣賞。昭和46年日本現代工芸美術展会員賞。54年日本新工芸家連盟結成、58年・平成3年内閣総理大臣賞。9年日本藝術院賞受賞、17年同会員。15年日本新工芸家連盟会長に就任。日展常務理事。

川喜田半泥子（かわきたはんでいし）
明治11年（1878）～昭和38年（1963）。陶芸。津市の素封家に生まれる。本名久太夫。明治32年早稲田大学商学部卒業。早くから陶芸に親しみ、大正元年楽焼を試作。昭和4年自宅庭内に石炭窯を、9年自身の設計で登り窯を築窯。12年東京星岡茶寮で作陶展開催。14年金重陶陽、三輪休雪、荒川豊蔵らと「からひね会」結成。20年百五銀行会長。三重県議会議員も務め、実業家・政治家としても著名。21年広永陶苑設立。22年春日大社、28年伊勢神宮に茶碗献納。茶陶を究め、爽やかで大らかな作風を展開。著書に『泥仏堂日録』『乾山孝』など。

川尻一寛（かわじりいっかん）
昭和5年（1930）京都市～平成20年（2008）京都市。陶芸。本名宗裕（むねひろ）。京美専（現京都市立芸大）卒。清水六兵衛に師事、日展にて特選2、文部大臣賞受賞、審査員5、理事。日本現代工芸展受賞3、審査員5、理事。京都工芸美術作家協会理事。平成13年日本藝術院賞受賞。気品に富む白磁の器や立体造形等で知られた。

河村蜻山（かわむらせいざん）
明治23年（1890）京都市～昭和42年（1967）鎌倉市。陶芸。本名川村半次郎。明治41年京都市立陶磁器試験所修了後、粟田口の父の陶業を継ぐ傍ら、近代的表現を目指して作陶。農商務工芸展以来、商工省工芸展、帝展等出品。昭和13年千葉県我孫子市に築窯、29年北鎌倉に移り、明日窯開窯。38年日本藝術院賞恩賜賞。染付、青・白磁、金襴手の妙手。

北大路魯山人（きたおおじろさんじん）
明治16年（1883）京都市～昭和34年（1959）北鎌倉。陶芸。本名房次郎。生家は上賀茂神社の社家。生後すぐ養子に出され、後明治22年木版職人福田武造の養子。10歳頃竹内栖鳳に傾倒、画家を志す。篆刻、書に優れた天分を発揮。21歳で上京、37年日本美術展書の部1等賞。38年岡本可亭の内弟子。40年独立、福田蘭亭（後大観）と号す。43～大正元年朝鮮で印刷局勤務。8年大雅堂美術店開業、10年会員制美食倶楽部開設。13年宮永東山に青磁等を学ぶ。14年東京麹町に星岡茶寮開業、料理や食器を演出。同年第1回魯山人習作展開催。15年北鎌倉に星岡窯開窯。昭和11年星岡茶寮を去り、鎌倉の山荘で創作。29年渡米、帰途欧州巡遊、各地で作陶展開催。30年重要無形文化財保持者に推されたが辞退。傲岸不遜、強烈な個性で反感も浴びたが、芸術に関する認識は鋭く的確。美濃、備前、信楽、染付、赤絵等多彩で創造性に富んだ食器類を中心に個性的な作風を展開。

喜多川平朗（きたがわへいろう）
明治31年（1898）京都市～昭和63年（1988）京都市。染織。有職織物をつくる西陣の老舗俵屋の17代目。大正10年京絵専日本画科卒。家業の傍ら古代染織を研究、昭和6年正倉院裂23種を復元。31年「羅」で、35年「有職織物」で重要無形文化財保持者（人間国宝）認定。皇室の宮中衣装、鶴岡八幡宮の神宝装束等神社の儀式用装束を多く手がける。42年紫綬褒章。45年京都市文化功労者。48年勲四等旭日小綬章。58年京都府文化特別賞。60年伝統文化ポーラ大賞。

北出不二雄（きたでふじお）
大正８年（1919）兵庫～平成26年（2014）石川。陶芸。9歳の時、叔父で九谷焼窯元・北出塔次郎の養子になる。県立工業学校卒業後京都国立陶磁試験場で修業。戦後金沢美術工芸専門学校に進み、昭和25年卒業。同年日展初入選、40年特選・北斗賞、46年審査員。九谷焼工芸展で52年優秀賞、53･54年大賞受賞。62年日展、平成5年日本新工芸展でそれぞれ内閣総理大臣賞。昭和54年金沢美術工芸大学教授、平成3～9年同大学長就任。平成8年勲四等旭日小綬章、22年日本陶磁協会特別賞受賞。日展評議員、参与、九谷焼技術保存会会長も務めた。

北原千鹿（きたはらせんろく）
明治20年（1887）香川県～昭和26年（1951）。金工。香川県立高松工芸学校金属彫刻科を経て、東美校金工科卒。新時代の工芸を模索する工芸団体「无型」に参加、アール・デコ様式の影響を受けたモダンな造形を巧みに表現。昭和2年「工人社」結成。

木村雨山（きむらうざん）
明治24年（1891）金沢市～昭和52年（1977）。染織。本名文二。石川県立工業補習学校自在画図案科卒後、大西金陽に日本画を、上村松太郎に加賀友禅を学ぶ。大正13年友禅職人として独立、雨山と号す。後帝展出品、昭和9年特選。12年パリ万博銀賞。29年第1回以来日本伝統工芸展出品。30年「友禅」で重要無形文化財保持者（人間国宝）認定。同年日本工芸会理事。51年勲三等瑞宝章。日本画の技法を駆使し、伝統的な美意識を写生調の図案に託し新境地を展開。

清水六兵衛（3代）（きよみずろくべえ）
文政3年（1820）京都～明治16年（1883）京都。陶芸。幼名栗太郎。号は祥雲。南画家小田海僊に絵画を、陶法は2代六兵衛に学ぶ。天保9年3代を襲名。明治～平成に及ぶ清水家の発展の基礎を築き、豪放大胆な個性溢れる大作を多数発表、六兵衛様式を完成。明治8年第4回京都博覧会銅牌、10年第1回内国勧業博覧会鳳紋賞銀牌、11年パリ万博銅牌、12年シドニー万博銅牌、16年アムステルダム万博銀牌等受賞。

清水六兵衛（4代）（六居）（きよみずろくべえ）
嘉永元年（1848）京都～大正9年（1920）京都。陶芸。幼名正次郎。塩川文麟に絵画を学び、祥麟とも号す。幸野楳嶺、富岡鉄斎と親交。明治16年4代を襲名。17年清水五条坂の陶器組合巽会に参加、委員・副組合長。36年遊陶園、40年佳都美会結成。温和な作風で伊賀や信楽、色絵、楽焼等を手がけ、蟹の造形等彫塑的なものにも優れた。大正2年隠居、六居と号した。

清水六兵衛（5代）（六和）（きよみずろくべえ）
明治8年（1875）京都～昭和34年（1959）京都。陶芸。4代六兵衛の長男。幼名栗太郎。大正2年5代を襲名。幼少より幸野楳嶺に学び、京都府立画学校に通う。陶芸は祖父や父に師事。明治28年内国勧業博覧会初入選。京都市陶磁試験場でマジョリカの製法等研究。32年職工奨励会、40年佳都美会結成。大正2年第1回農商務省展3等賞他受賞多数。8年日本工芸会結成に参加、昭和2年帝展第4部（美術工芸）設置に尽力。5年帝国美術院会員、五条会を組織、後進を指導。大正青磁と呼ばれる青磁釉や天目釉等新技法を研究・開発、京焼の復興に貢献。21年隠退、六和と号。

清水六兵衛（6代）（きよみずろくべえ）
明治34年（1901）京都～昭和55年（1980）東京。陶芸。本名正太郎。5代六兵衛（六和）の長男。京美工を経て、大正12年美専卒。父に作陶を学ぶ。14年商工展入選、昭和2年帝展初入選、以降新文展、日展出品、審査員歴任。20年6代を襲名。23年京都陶芸家クラブ結成、後進を指導。25年全国陶芸展文部大臣奨励賞、31年日本藝術院賞、34年ベルギー博グランプリ。37年日本藝術院会員、44年日展常務理事、47年勲三等旭日中綬章、51年文化功労者。釉薬や発色を研究、独創的な新技法・意匠を創出。代々の六兵衛中、傑出した力量を評価される。55年「清水六兵衛歴代名陶展」開催祝賀会の席上、挨拶中に急逝。

金城次郎（きんじょうじろう）
大正元年（1912）那覇市～平成16年（2004）。陶芸。大正13年壺屋の新垣栄徳の製陶所で修業。濱田庄司、河井寛次郎らと親交、沖縄独特の作風と伝統技術を追究。昭和21年壺屋で築窯、独立。32年国展国画賞、42年沖縄タイムス芸術選奨大賞。47年読谷村字座喜味に登窯築窯。同年沖縄県指定無形文化財保持者。以降琉球陶器の保存・発展に尽力。60年「琉球陶器」で重要無形文化財保持者（人間国宝）認定。平成5年勲四等瑞宝章。

楠部彌弌（くすべやいち）
明治30年（1897）京都市～昭和59年（1984）京都市。陶芸。本名彌一。生家は陶磁器貿易商。大正2年京都市立陶磁器試験場特別科に学び、5年赤土社結成に参加。13年、昭和11年パリ万博で受賞。2年新設の帝展工芸部に初入選（7年特選）、以降帝・新文・日展出品。12年独創的な新技法「彩埏」による優美な作品を発表。伝統を現代に生かし、近代陶芸確立に貢献。29年日本藝術院賞、37年同会員、44年日展常務理事。47年毎日芸術賞、同年文化功労者、53年文化勲章。57年日本新工芸家連盟会長。

久保田一竹（くぼたいっちく）
大正6年（1917）東京神田～平成15年（2003）小平市。染色。昭和6年友禅師小林清に入門。9年大橋月皎に人物画を、11年北川春耕に日本画（山水・水墨画）を学ぶ。32年以降辻が花を研究、36年独自の染色法を創出、52年「一竹辻が花」を完成、第1回個展開催。以降国内外で個展。平成2年仏芸術文化勲章シュヴァリエ章、5年文化庁長官賞。6年山梨県河口湖畔に久保田一竹記念館開館。

熊倉順吉（くまくらじゅんきち）
大正9年（1920）京都市～昭和60年（1985）京都市。陶芸。建築業界の名家の長男。京都高等工芸学校図案科在学中、近代的インテリア思考に開眼。昭和17年召集、復員後陶芸を志望。京都陶磁器試験所伝習生を経て松斎陶苑で徒弟修業、富本憲吉に学ぶ。新匠工芸会出品、受賞。モダンアート協会生活美術部門設立に参加。32年走泥社同人、以降同グループの中心メンバー。モニュメンタルな重量感あるオブジェを制作。晩年は水金を用いた単色のイメージ世界を展開。平成元年東京国立近代美術館工芸館で初回顧展、3年池袋西武アート・フォーラムで遺作展。

黒田正玄（13代）（くろだしょうげん）
昭和11年（1936）京都市～平成29年（2017）京都市。竹工芸。千家十職の竹細工柄杓師。本名正春。14代に家督を譲った後は玄督と称す。早稲田大学第一文学部卒業後、先代に師事。昭和41年13代を襲名。竹文化振興協会理事長、京都府竹産業振興連合会会長、京都竹工芸品協同組合理事長等歴任。

黒田辰秋（くろだたつあき）
明治37年（1904）京都～昭和57年（1982）京都。木工。漆匠の父・亀吉のもと木工や漆工技術を習得。河井寛次郎や柳宗悦を知り、昭和2年上賀茂民芸協団設立、後柳宗悦の推薦で国画会工芸部出品。30年～日本伝統工芸展出品。日本民芸展でも発表。43年皇居新宮殿に拭漆樟大飾棚等調度品制作。45年「木工芸」で重要無形文化財保持者（人間国宝）認定。46年紫綬褒章。47年日本工芸会木竹工部会長。53年勲四等旭日小綬章。刳物、指物等の木工技法主体に、螺鈿や朱塗、拭漆等漆芸技法を駆使した重厚な作風。

甲田栄佑（こうだえいすけ）
明治35年（1902）仙台市～昭和45年（1970）。染織。生家は祖父の代から仙台平の製織業。大正9年八王子織染工業学校専門科卒業後、父隆三郎や佐山万次郎に師事、精好仙台平の技術を習得。大正12年甲田機業場継承。昭和24年仙台織物協同組合理事長、26年仙台平機業協同組合理事長。31年「精好仙台平」で重要無形文化財保持者（人間国宝）認定。42年精好仙台平保存館建設。経糸に練糸、緯糸に生糸を濡らして打ち込む緻密な精好地の伝統技術に熟達、植物染料による染色にも精通。

児玉博（こだまひろし）
明治42年（1909）鈴鹿市～平成4年（1992）。染織。大正10年小学校卒業後父房吉に就いて型紙彫刻を修業。14年父の死後上京、浅草の伊藤宗三郎に師事。昭和4年独立、型紙彫刻、特に縞彫の修得に専念。小宮康助との縁で上物の小紋型の研究・制作に従事。30年「伊勢型紙縞彫」で重要無形文化財保持者（人間国宝）認定。38年鈴鹿市伊勢型紙伝承者養成事業で講師を務め、後進を指導。縞彫の第一人者として注目された。49年紫綬褒章、55年勲五等双光旭日章。

小宮康助（こみやこうすけ）
明治15年（1882）東京～昭和36年（1961）。染色。本名定吉。幼少期から浅草若松屋小紋染の名人・浅野茂十郎のもとで修業。明治40年浅草千束で独立。43年頃、近代染料を使う「シゴキ」技法による地染を採用。古い型紙の収集・保存に努める傍ら、新しい型彫技術者を育成。裃小紋以来の色合、生地の艶を品よく抑えた一色染を制作。昭和30年「江戸小紋」で重要無形文化財保持者（人間国宝）認定。

小宮康孝（こみややすたか）
大正14年（1925）東京浅草～平成29年（2017）東京。染色。人間国宝であった父・小宮康助のもとで修行。昭和53年「江戸小紋」で重要無形文化財保持者（人間国宝）認定。60年東京都文化賞、63年紫綬褒章、平成10年勲四等旭日小授章。古型紙の収集・研究を行い伝統的な小紋型の復元に努めたほか、後進の育成にも尽力した。

小山冨士夫（こやまふじお）
明治33年（1900）岡山県玉島町～昭和50年（1975）土岐市。陶芸。大正12年東京商科大中退後、瀬戸、京都で作陶を修業。14年京都で独立。昭和5年東洋陶磁研究所所員として古陶磁調査・研究に専念。16年東京帝室博物館勤務。文化財保護委員会発足以降、美術工芸課、無形文化課で文化庁技官として文化財指定の任にあたる。日本陶磁協会、日本工芸会設立に尽力。39年作陶活動を再開、47年土岐に花の木窯築窯。42年日本工芸会理事長、48年東洋陶磁学会発足、委員長。陶磁研究で多大な功績を残すと共に独自の作風で創作。著書に『東洋古陶磁』等。

近藤悠三（こんどうゆうぞう）
明治35年（1902）京都市清水～昭和60年（1985）。陶芸。本名雄三。大正3年京都市立陶磁器試験場付属伝習所卒、富本憲吉の助手を務める。昭和初期より帝・文展等に植物模様の染付他、多様な技法による作品発表。30年日本工芸会所属、染付磁器制作に専念。日本工芸会常任理事、陶芸部会長を歴任。31年京都市立美大教授、40年学長。45年紫綬褒章、48年勲三等瑞宝章。52年「染付」で重要無形文化財保持者（人間国宝）認定。晩年は呉須を主調とする作風から染付に金彩や赤絵等の多彩な特色を加えた。

斎田梅亭（さいだばいてい）
明治33年（1900）～昭和56年（1981）。截金。京都西本願寺専属の截金仏画を家業とする4代萬次郎の五男。本名右五郎。大正9年京美工図案科卒。兄晨三郎の下截金技術を修業、昭和20年兄の死により6代目継承。京都在住の技術者らと截光会結成、截金の保存振興に尽力。戦前は京都市展、新文展等、戦後は日展、日本伝統工芸展出品。34・36年日本伝統工芸展奨励賞。56年「截金」で重要無形文化財保持者（人間国宝）認定、1月程後逝去。桐や桑材の白木地に繊細典雅な截金で精緻な幾何文様を表現。

齋藤明（さいとうあきら）
大正9年（1920）東京～平成25年（2013）東京。鋳金。父・鏡明に師事し伝統的な金属鋳造技術修得。後、高村豊周に技法・造形表現上の指導を受ける。平成5年「鋳金」にて重要無形文化財保持者。「吹分」技法で独自の境地をひらいた。7年公開の記録映画「鋳金　齋藤明のわざ」は教育映画祭最優秀作品賞・文部大臣賞を受賞。日本工芸会参与。

坂高麗左衛門（11代）（さかこうらいざえもん）
明治45年（1912）山口県豊浦郡～昭和56年（1981）萩市。陶芸。本名信夫。昭和16年帝国美術学校卒。23年10代高麗左衛門の次女と結婚、岳父に師事。28年山口県美術展初入選、31年知事賞。31年～朝日現代陶芸展連続入選。33年11代襲名。40年萩市文化財審議会委員委嘱。41年日本伝統工芸展初入選。45年東大寺晋山式に茶碗400個献納。46年日本工芸会正会員。48年山口県芸術文化振興奨励賞。50年山口県指定文化財萩焼保持者に認定。

坂高麗左衛門（12代）（さかこうらいざえもん）
昭和24年（1949）東京新宿～平成16年（2004）。陶芸。本名達雄。53年東京藝大大学院修了。観心寺如意輪観音像（国宝）復元に参加。京都市工業試験場窯業科で学び、63年12代襲名。平成4年日本工芸会正会員。伝統を生かした絵付けで独自の表現を探究。

酒井田柿右衛門（13代）（さかいだかきえもん）
明治39年（1906）佐賀県有田町～昭和57年（1982）佐賀県有田町。陶芸。大正13年佐賀県立有田工業学校図案科卒。江戸中期に途絶えた乳白手素地（にごしで）の研究を重ね、昭和28年復活に成功。30年無形文化財有資格者の記録選択を受ける。38年13代柿右衛門を襲名。同年日本伝統工芸展入選（以後連続）。39年日本工芸会正会員。45年佐賀県陶芸協会会長。46年重要無形文化財の総合指定。50年西日本文化賞。

酒井田柿右衛門（14代）（さかいだかきえもん）
昭和9年（1934）佐賀県有田町～平成25年（2013）。陶芸。昭和33年多摩美大日本画科卒。12代、13代酒井田柿右衛門に師事。46年日本工芸会正会員。57年14代襲名。同年日本工芸会理事、重要無形文化財保持団体（総合指定）代表就任。59年陶磁協会賞。61年、平成4年日本工芸会奨励賞。13年重要無形文化財保持者認定。17年旭日中綬賞。18年日本工芸会副理事長。

坂倉新兵衛（14代）（さかくらしんべい）
大正6年（1917）長門市～昭和50年（1975）長門市。陶芸。本名治平。昭和9年山口県立萩商業学校卒業。10年父12代新兵衛を手伝う。21年長兄（13代）が戦死、家業を継承。34年日本現代陶芸展入選。35年14代新兵衛を襲名。36年西日本工芸展奨励賞。同年日本伝統工芸展初入選（以後連続）。39年欧州、中近東、インドを視察旅行。41年日本工芸会正会員。42年山口県芸術文化振興奨励賞、47年山口県無形文化財保持者認定。

坂田泥珠（14代泥華）（さかたでいじゅ）
大正4年（1915）山口県長門深川～平成22年（2010）長門市。陶芸。本名一平。先代泥華に師事。11年出征、21年復員。25年13代泥華を襲名（後に文献により14代に改める）。47年山口県指定文化財保持者。51年日本工芸会理事。56年紫綬褒章受章、62年勲四等旭日小綬章。平成16年早逝した長男慶造に15代泥華を追贈、天耳庵泥珠を名乗る。

佐々木象堂（ささきしょうどう）
明治15年（1882）新潟県佐渡～昭和36年（1961）佐渡。金工。本名文蔵。小学校卒業後、明治34年宮田藍堂に入門、蠟型鋳金を学ぶ。独立後、日本美術協会展、東京鋳金会展等出品。大正14年香取秀真、板谷波山らと工芸済々会参加、伝統的な蠟型鋳造を研究・制作。大正15年工芸団体「无型」創立参加。2・4年帝展特選、6年～審査員。戦後、文・日展出品。33年日本伝統工芸展文化財保護委員長賞、34年高松宮総裁賞。鋳銅置物「瑞鳥」は後の新宮殿正殿棟飾りの意匠の原型。35年「蠟型鋳造」で重要無形文化財保持者（人間国宝）認定。36年勲四等瑞宝章。

佐治賢使（さじただし）
大正3年（1914）岐阜～平成11年（1999）市川市。漆芸。本名正。昭和13年東美校工芸科漆工部卒。在学中の11年文展初入選、18年新文展・21・22年日展特選、33年文部大臣賞。36年日本藝術院賞。53年日本新工芸家連盟創立参加、56年日本藝術院会員。60年日工会設立。平成元年文化功労者、7年文化勲章。色漆や金蒔絵、螺鈿等多彩な技法を現代感覚で駆使、新境地を拓く。現代美術家協会理事、日本新工芸家連盟副会長、日展顧問等。勲三等瑞宝章。

佐野猛夫（さのたけお）
大正2年（1913）滋賀～平成7年（1995）京都。染織。昭和7年京美工図案科卒。稲垣稔次郎らとグループ「母由良荘」結成。8年帝展初入選、以後新文・日展出品、21・29年特選、31年会員、44年文部大臣賞。49年日本藝術院賞。41年中国訪問、42年インドネシアでジャワ更紗調査。36年現代工芸美術家協会結成参加、46年常務理事となるが、53年日本新工芸家連盟発足に参加（後退会）。臈纈を研鑽、単彩を生かした象徴的表現。京都市立芸大名誉教授、京都府美術工芸功労者、京都市文化功労者、日展参事。

塩多慶四郎（しおだけいしろう）
大正15年（1926）輪島市～平成18年（2006）。漆芸。養父の塩多政と蒔絵作家勝田静璋に漆芸・輪島塗を師事。昭和40年日本伝統工芸展初入選、51年会長賞、52年朝日新聞社賞、以後鑑査委員等歴任。61年日本文化財漆協会理事、62年紫綬褒章、平成2年日本工芸会理事、7年参与。同年髹漆で重要無形文化財保持者（人間国宝）認定。髹漆技法を追求し、近代的造形美の作品を発表。

島岡達三（しまおかたつぞう）
大正8年（1919）東京～平成19年（2007）。組紐師の家に生まれる。昭和16年東京工業大学窯業学科卒。21年濱田庄司に師事。28年益子に築窯。37年日本民芸館新作展で日本民芸館賞受賞。組紐で縄文を象嵌する「縄文象嵌」技法を確立。他に赤絵、窯変等多彩な技法を用い、風格ある器を制作。平成6年日本陶磁協会金賞受賞、8年民芸陶器（縄文象嵌）で重要無形文化財保持者（人間国宝）認定。11年勲四等旭日小綬章。東京国立近代美術館、ボストン美術館他国内外に作品収蔵。

清水卯一（しみずういち）
大正15年（1926）京都市～平成16年（2004）滋賀県志賀町。陶芸。生家は陶磁器問屋。昭和15年石黒宗麿に入門、陶技や中国陶磁を学ぶ。京都市立工業研究所窯業部等助手を務める。22年四耕会結成。26年日展初入選。30年日本工芸会設立に参加以後連続出品。28年現代陶芸展朝日賞、30年日本陶磁協会より最優秀作家賞、33年ブリュッセル万博グランプリ、35年日本伝統工芸展日本工芸会総裁賞、37年プラハ国際陶芸展金賞、38年ワシントン国際陶磁器展最高賞等受賞。45年滋賀県湖西の蓬莱山麓に築窯。蓬莱山の土で黄蓬莱、蓬莱磁、鉄燿等の作品を創出。60年「鉄釉陶器」で重要無形文化財保持者（人間国宝）認定、61年紫綬褒章、平成10年勲四等旭日小綬章。

清水幸太郎（しみずこうたろう）
明治30年（1897）東京本所～昭和63年（1988）。染織。小学校卒業後、父吉五郎に型付け、型染技術を学ぶ。昭和11年父の死により家業を継承。27年長板中形協会技術競技会金賞・銀賞。30年「長板中形」で重要無形文化財保持者（人間国宝）認定。貴重な伝統技法の保存に貢献した。

生野祥雲斎（しょうのしょううんさい）
明治37年（1904）大分県石城川村～昭和49年（1974）。竹工。本名秋平。大正12年佐藤竹邑斎に師事、14年独立。祥雲斎泰山の号を受ける。昭和13年大分県工業試験場別府工芸指導所で後進を指導（～21年）。18年文展特選、31年日展北斗賞、32年特選・北斗賞。波の3部作「怒濤」、「風炉先屛風・波」、「手付盛籠・うねり」は戦後工芸界の傑作。42年「竹芸」で重要無形文化財保持者（人間国宝）認定。44年紫綬褒章。49年勲四等旭日小綬章。

杉田禾堂（すぎたかどう）
明治19年（1886）長野～昭和30年（1955）。鋳金。本名精二。東美校鋳造科で学び、大正15年工芸団体「无型」創立に参加、同人。昭和12年欧米各国を歴訪、工芸品の輸出振興に尽力。戦後は日展で審査員、参事。

鈴木治（すずきおさむ）
大正15年（1926）京都市～平成13年（2001）。陶芸。幼時より作陶に親しむ。昭和18年京都市立第二工業学校窯業科卒。21年青年作陶家集団に参加、22年日展初入選。23年八木一夫らと「走泥社」結成。純粋に創造的な作品を創作、戦後の革新的なリーダーの一人。35年日本陶磁協会賞（59年金賞）、37年プラハ国際陶芸展金賞、45年ヴァロリス国際陶芸ビエンナーレ金賞、46年ファエンツァ国際陶芸展貿易大臣賞、58年日本陶芸展展賞、59年藤原啓記念賞、60年毎日芸術賞、62年京都府文化賞功労賞、平成5年京都市文化功労者、6年京都美術文化賞、10年日本芸術大賞、11年朝日賞（陶芸界初）受賞。昭和54～平成4年京都市立芸大教授（後名誉教授）、6年紫綬褒章。

鈴木長吉（すずきちょうきち）
嘉永元年（1848）武蔵国入間郡～大正8年（1919）。金工。岡野東龍斎に蠟型鋳造を学ぶ。明治7年起立工商会社金工部監督。11年パリ万博（出品作「香炉」は現在V＆A美術館所蔵）、26年シカゴ万博出品。29年帝室技芸員。代表作は「十二の鷹」等。

鈴田照次（すずたてるじ）
大正5年（1916）佐賀～昭和56年（1981）。染織。昭和25年稲垣稔次郎に師事、型絵染を学ぶ。44年より鍋島更紗の復元に尽力、72年木版摺更紗を発表。リズミカルな型紙による染め模様の繰り返しは、染織史に新境地を開いた。

隅谷正峯（すみたにまさみね）
大正10年（1921）石川～平成10年（1998）。金工。本名與一郎。昭和16年立命館大学理工学部卒、立命館日本刀鍛錬研究所所長で刀匠の桜井正幸に師事。17年独立、独学で五ヶ伝の伝統的作刀法を習得。特に鎌倉中期の備前伝の研究・伝承に努めた。32年作刀技術発表会優秀賞、39年伊勢神宮式年遷宮御神宝玉纏御太刀制作。40・41・49年新作名刀展特賞、正宗賞、47年第1回薫山賞。56年「日本刀」で重要無形文化財保持者（人間国宝）認定。59年紫綬褒章、全日本刀匠会理事長。平成4年日本美術刀剣保存協会理事。5年勲四等旭日小綬章。

関谷四郎（せきやしろう）
明治40年（1907）秋田市～平成6年（1994）。金工。昭和3年上京、河内宗明に師事、初め銀器の鍛造を修業。後日本鍛金協会展入賞。昭和37年日本伝統工芸展初出品、43年日本工芸会総裁賞、44年より鑑査委員歴任、48年20周年記念特別賞。伝統的な接合法を駆使して現代にマッチした清新な作風を展開。49年紫綬褒章、52年「鍛金」で重要無形文化財保持者（人間国宝）認定。

瀬戸浩（せとひろし）
昭和16年（1941）徳島市～平成6年（1994）栃木県益子町。陶芸。昭和39年京都市立美大陶器専攻卒。在学中に新匠工芸展で受賞、日本伝統工芸展初入選。39年益子に築窯、40～46年伝統工芸新作展連続入選。42年韓国利川窯元で作陶、48年米国インディアン居留地で黒陶試作、53年国際交流基金よりアジア各地派遣。米インディアナ大学、豪ベンディゴ大学で教鞭をとる。平成元年ファエンツァ国際陶芸展入選。昭和58年日本陶芸展外務大臣賞。東北新幹線宇都宮駅、自治医科大学等に陶壁、平成3年JR宇都宮駅前広場にオブジェ制作。

芹沢銈介（せりざわけいすけ）
明治28年（1895）静岡～昭和59年（1984）東京。染織。大正4年東京高等工業学校図案科卒。5年静岡県立工業試験場で工芸品図案指導。琉球紅型の影響を受け独自の型染を完成。昭和6年雑誌『工芸』創刊号の表紙装幀を担当、柳宗悦らと民芸運動に参加。9年東京蒲田に転居、国展を中心に発表。24年女子美大教授。31年「型絵染」で重要無形文化財保持者（人間国宝）認定。51年文化功労者。58年仏政府芸術功労勲章。装丁や挿絵等デザインの仕事にも型絵染めの特色を生かした。

高野松山（たかのしょうざん）
明治22年（1889）熊本県飽託郡～昭和51年（1976）東京。漆工。本名重人。京美工を経て大正8年東美校漆工研究科修了。白山松哉に師事。2代目橋本市蔵に学び、鞘塗技術を継承。昭和2年帝展初入選、7・8年特選。日本漆芸会、新綜工芸会主宰。30年「蒔絵」で重要無形文化財保持者（人間国宝）認定。40年紫綬褒章、50年勲三等瑞宝章。白山派の技巧を現代化し、細緻な技法で気品高い木地蒔絵を制作。

高橋貞次（たかはしさだつぐ）
明治35年（1902）西条市～昭和43年（1968）。金工。本名金市。大正6年月山貞一、貞勝父子のもとで刀剣制作を修業。中央刀剣会養成工課程修了後、帰郷し独立。昭和10年新作日本刀展総理大臣賞。11年松山市道後に鍛刀場を築く。15年鎌倉八幡宮御神宝刀、16年水無瀬神宮寄進用御神宝刀を鍛造。26年伊勢神宮式年遷宮用御神宝刀剣類八口の研磨に着手。30・31年作刀技術発表会特選。30年「日本刀」で重要無形文化財保持者（人間国宝）認定。

髙橋節郎（たかはしせつろう）
大正3年（1914）長野～平成19年（2007）東京。漆芸。昭和8年東美校工芸科入学、15年研究科修了。15年以降文・日展出品、特選2回、朝倉賞、文部大臣賞。40年日本藝術院賞。51～57年東京藝大教授（後名誉教授）、53年現代工芸美術家協会理事長、56年日本藝術院会員就任。黒漆と精緻な鎗金が調和する独自の様式美を創造、伝統技法でモダンな絵画的表現を展開。平成2年文化功労者、9年文化勲章。7年豊田市美術館・髙橋節郎館、15年安曇野髙橋節郎記念美術館開館。大江戸線汐留駅、中部国際空港他に陶製レリーフ制作。日展顧問、現代工芸美術家協会常任顧問、信州美術会会長、日本漆工協会副会長。

高村豊周（たかむらとよちか）
明治23年（1890）東京谷中～昭和47年（1972）東京。鋳金。父は彫刻家光雲、兄は光太郎。鋳金家津田信夫に師事。大正4年東美校鋳金科卒。15年東美校助教授（昭和8年教授）、「无型」創立。2～4年帝展特選。22年鋳金家協会会長。25年日本藝術院会員。36年文化財専門審議会専門委員。39年「鋳金」で重要無形文化財保持者（人間国宝）認定。伝統的鋳金技法を駆

使し、古典的な題材を基にモダンな作品を発表。歌人としても著名。

瀧一夫（たきかずお）
明治43年（1910）福岡～昭和48年（1973）京都。陶芸。昭和13年東美校彫刻科卒。在学中に国展、文展入選。卒業後、商工省陶磁器試験所瀬戸試験場勤務。彫塑的表現で日展他、海外の展覧会等で発表。19年～京都を中心に制作、31年～佐賀大学で教える。

田口善国（たぐちよしくに）
大正12年（1923）東京麻布～平成10年（1998）。漆工。本名善次郎。16歳で松田権六に蒔絵、奥村土牛に日本画、吉野富雄に古美術、前田氏實に大和絵を学ぶ。昭和21年～日展入選4。35年日光東照宮拝殿蒔絵大扉、39年中尊寺金色堂の保存修理。36年日本伝統工芸展初出品、受賞多。60年紫綬褒章。63年MOA岡田茂吉賞優秀賞。平成元年「蒔絵」で重要無形文化財保持者（人間国宝）認定。10年勲四等旭日小綬章。螺鈿等の高度な技術で斬新な意匠を展開。日本工芸会漆部会理事、日本漆工協会理事、日本文化財漆協会副会長、漆工史学会会員、東京藝大名誉教授。

田島比呂子（たじまひろし）
大正11年（1922）東京～平成26年（2014）神奈川。染織。本名博。高村樵耕・柳治、中村勝馬に師事。日本伝統工芸展にて昭和41年総裁賞受賞。62年紫綬褒章、平成5年勲四等旭日小綬章。11年「友禅」で重要無形文化財保持者。茶屋染帷子復元事業で中心的役割を果たした。

龍村平蔵（初代）（たつむらへいぞう）
明治9年（1876）大阪～昭和37年（1962）兵庫宝塚。染織。明治27年独力で織物業を始め、西陣織を研究。自ら意匠図案を手がけ、“龍村の帯”で名を馳す。織物技術の改良に力を注ぎ、数十種の発明改良、特許・登録。大正4年農商務省展1等賞。古代織物、名物裂等復元を試み、13年正倉院御物裂を研究、経錦や漢代錦等再現に成功。昭和6年～文展審査員歴任、帝展でも発表。13年宝塚に龍村織物美術研究所創設。日本織物美術の海外発展や後進の育成に尽力。日本の工芸染織界の先覚者。31年日本藝術院賞恩賜賞。

田村耕一（たむらこういち）
大正7年（1918）佐野市～昭和62年（1987）佐野市。陶芸。昭和16年東美校工芸科図案部卒後、大阪府の南海商業学校教諭。21年松風研究所で富本憲吉に師事。23年栃木県芸術祭賞。25年栃木県窯業指導所技官、28年自宅に登窯築窯。31・33年日本現代陶芸展朝日新聞社賞、33年日本陶磁協会賞、35・36年日本伝統工芸展奨励賞、37年日本工芸会正会員（後副会長・陶芸部会長）。42年イスタンブール国際陶芸展グランプリ金賞。52年東京藝大教授（後名誉教授）。61年「鉄絵」で初の重要無形文化財保持者（人間国宝）認定。鉄絵を基本に銅彩や青磁釉を併用、独自の温雅な境地を展開。

千葉あやの（ちばあやの）
明治22年（1889）宮城県栗駒町～昭和55年（1980）。染織。大正12年嫁ぎ先の千葉家で藍染技法を伝授。栗駒地方伝来の素朴な染織品の制作に従事。昭和30年「正藍染」で重要無形文化財保持者（人間国宝）認定。38年河北文化賞受賞。

帖佐美行（ちょうさよしゆき）
大正4年（1915）鹿児島～平成14年（2002）東京。彫金。本名良行。昭和5年彫金家小林照雲、15年海野清に師事。29・30年日展特選、37年文部大臣賞、40年日本藝術院賞。31年光風会会員（常務理事を経て61年退会）、36年現代工芸美術家協会創設に参加（53年退会）。49年日本藝術院会員。53年日本新工芸家連盟結成、57年会長。53年紺綬褒章（以降6回）、62年文化功労者、平成10年文化勲章。溶接鍛造等の技術を採り入れ空間を優美に装飾。東京・京都国立近代美術館、迎賓館、皇居新宮殿等収蔵。

塚本快示（つかもとかいじ）
大正元年（1912）岐阜県土岐市～平成2年（1990）。陶芸。父は7代目源右衛門。本名快児。戦後、陶芸デザイナー日根野作三に師事、クラフト風磁器焼造の傍ら、小山冨士夫を識り、中国陶磁を研究・制作。昭和40年日本伝統工芸展奨励賞、42年NHK会長賞、47年日本工芸会会長賞等受賞。52年紫綬褒章。58年「白磁・青白磁」で重要無形文化財保持者（人間国宝）認定。59年勲四等旭日小綬章。「快山窯」で日用品も制作。日本工芸会理事、美濃陶芸協会副会長。弟快正、次男満も陶芸家。

月形那比古（つきがたなひこ）
大正12年（1923）新潟～平成18年（2006）。工芸の他彫刻・洋画でも活動。斗陶会会長。日大芸術学部卒業後、荒川豊蔵に傾倒。鬼志野を創造・研究、国内外で個展を開く他、舞台芸術、絵画、写真、墨跡、建築等多彩に活動。27年文部大臣賞、60年国際芸術文化賞、63年パリ芸術大賞他。「炎の陶人」「東洋のピカソ」と論評され、昭和陶芸界に衝撃を与えた。

辻清明（つじせいめい）
昭和2年（1927）東京世田谷～平成20年（2008）。本名清明（きよはる）。10代から独学で陶芸を始め、昭和15年新匠工芸展出品。16年姉と辻陶器研究所設立、倒焔式窯で焼成。30年多摩丘陵に登窯を築き、辻陶器工房設立。信楽の土と赤松の薪で焼き締めた自然釉の雄勁ながら寂びのある斬新な作品。39年日本陶磁協会賞、58年同会金賞、平成2年藤原啓記念賞受賞。

辻毅彦（つじたけひこ）
昭和11年（1936）佐賀県有田町～平成16年（2004）。陶芸。30年県立佐賀工業高校卒業後、理研光学東京本社（現リコー）入社。32年横浜造型研究所で洋画家島田章三、林敬二に師事。35年父一堂の下作陶修業。36年日展初入選、特選2、審査員2、平成11年会員。昭和56年日本現代工芸美術展会員賞、平成6年NHK会長賞、審査員歴任、14年理事。昭和57年佐賀県芸術文化賞、平成3年佐賀県芸術文化功労表彰。

津田信夫（つだしのぶ）
明治8年（1875）佐倉～昭和21年（1946）東京。鋳金。号は大寿。明治33年東美校鋳金科卒、後欧州遊学。昭和2年帝展工芸部門新設に際し、審査員。東美校教授として教鞭を執り近代工芸の先駆者として活躍。10年帝国美術院会員。日本橋装飾の獅子と麒麟等動物置物の制作を得意とした。

坪島土平（つぼしまどへい）
昭和4年（1929）大阪～平成25年（2013）三重。陶芸家。昭和21年川喜田半泥子に師事。38年半泥子没後、師の精神と共に廣永陶苑継承。大阪・東京・横浜・名古屋の髙島屋にて連年個展開催。

寺井直次（てらいなおじ）
大正2年（1913）金沢市～平成10年（1998）金沢市。漆芸。石川県立工業学校漆工科を経て、東美校工芸科漆工部で六角紫水、松田権六、山崎覚太郎に師事。昭和10年卒業、理化学研究所でアルミを用いた金胎漆器研究。21年～日展13回連続入選。29年帰郷。30年日本伝統工芸展入選、後同展で発表。35年母校工業学校塗装科主任教諭、47年石川県立輪島漆芸技術研修所長。58年勲四等瑞宝章。60年「蒔絵」で重要無形文化財保持者（人間国宝）認定。従来の平面的な卵殻技法に量感や遠近感、ぼかし等の表現を加えた。

徳田百吉（2代八十吉）（とくだももきち）
明治40年（1907）大阪～平成9年（1997）小松市。陶芸。本名外次（そとじ）。義父初代八十吉、安達陶仙、富本憲吉に師事。15歳で商工省工芸展初入選。昭和21年～日展連続入選、26年特選、29年北斗賞。31年2代八十吉を襲名。63年長男が3代八十吉を襲名後、百吉と称す。練込みに色絵と金砂子を用いた涌象技法を創案、初代八十吉から継承した様々な上絵付技法に独自の金襴手技法を加味し、新しい世界を開拓。石川県指定無形文化財保持者。九谷焼技術保存会会長、陶芸協会会長等歴任。

徳田八十吉（初代）（とくだやそきち）
明治6年（1873）石川～昭和32年（1957）石川。陶芸。明治23年荒木探令に絵画を、松本佐平門で陶画を学ぶ。顔料釉薬の改良と創製に苦労を重ね、青九谷釉を基調とした新鮮で明朗さを加味した釉薬を発明、深厚釉と称した。昭和28年「九谷焼」で重要無形文化財保持者（人間国宝）認定。

徳田八十吉（3代）（とくだやそきち）
昭和8年（1933）石川～平成21年（2009）。陶芸。2代八十吉の長男、本名正彦。昭和29年頃から祖父初代に九谷焼上絵具調製や絵付を、父に現代陶芸を学ぶ。38年～日展入選6。46年日本伝統工芸展初出品・NHK会長賞、52年日本工芸会総裁賞受賞。古九谷の美を求め、58年～釉薬を研究開発、'燿彩'と命名し、色釉薬による抽象表現を展開。61年県重要無形文化財保持者、63年藤原啓賞。同年3代八十吉襲名。平成3年日本陶芸展グランプリ。5年紫綬褒章。9年MOA岡田茂吉賞大賞、「彩釉磁器」で重要無形文化財保持者（人間国宝）認定。大英博物館、メトロポリタン美術館、国立博物館他収蔵多数。

富本憲吉（とみもとけんきち）
明治19年（1886）奈良県安堵村～昭和38年（1963）大阪。陶芸。明治42年東美校図案科卒。44年B・リーチと出会い、陶芸家を志す。大正初め郷里に築窯。昭和2年東京祖師谷に窯を移す。19年東美校教授。戦前は国展・帝展・文展に発表、戦後は主に京都で活躍。22年新匠美術工芸会結成。24年京美専教授（38年同美大学長）。30年「色絵磁器」で重要無形文化財保持者（人間国宝）認定。36年文化勲章。色絵に金・銀彩を焼き付けた華麗で気品高い作風を展開。郷里に富本憲吉記念館がある。

豊田勝秋（とよだかつあき）
明治30年（1897）福岡～昭和47年（1972）。鋳金。初め油絵志望だったが、東美校鋳造科で津田信夫に学ぶ。大正12年卒。高村豊周らと共に大正15年工芸団体「无型」を、昭和10年実在工芸美術会を結成。6年帝展特選。28年佐賀大学教授（後名誉教授）。アール・デコ様式の幾何学的形態で重厚な作風を確立。

内藤四郎（ないとうしろう）
明治40年（1907）東京～昭和63年（1988）埼玉県浦和。金工。昭和6年東美校金工科卒。在学中、清水亀蔵、海野清、深瀬嘉臣に彫金を学ぶ。4年帝展初入選、国画会会員、国立工芸技術講習所助教授。36年日本工芸会正会員、41年副理事長。45年正倉院蔵の金工品調査に参加。東宮御所や新宮殿の建築装飾金具を制作。49年東京藝大名誉教授。銀・真鍮等の素地に蹴彫で幾何学文様を刻み、鍍金や象嵌等独自の手法で引き締めた色調が特色。53年「彫金」で重要無形文化財保持者（人間国宝）認定。

内藤春治（ないとうはるじ）
明治28年（1895）岩手～昭和54年（1979）。金工。盛岡に伝わる南部鋳金を修得。大正8年上京、香取秀真の内弟子、東京美校鋳造科で学ぶ。工芸団体「无型」同人。アール・デコ調の幾何学的形態の作品。

中里逢庵（13代中里太郎右衛門）
（なかざとほうあん）
大正12年（1923）佐賀県唐津～平成21年（2009）。陶芸。本名忠夫。父は12代太郎右衛門（無庵）。昭和18年東京高等工芸図案科卒。21年加藤土師萌に師事。26年日展初入選、31年北斗賞、33年特選、42年会員、56年総理大臣賞。44年13代襲名。36年日本陶磁協会賞。59年日本藝術院賞。平成3年県重要無形文化財。19年日本藝術院会員。古唐津の伝統技法叩き復元に努め、象嵌を併用した秀作の他、独自の絞りや天目も制作。魚の壺が特に人気が高い。講談社、淡交社刊の作品集の他、『陶磁大系』（平凡社）等、古唐津関連の著作多数。京都造形大学博士号。

中里無庵（12代中里太郎右衛門）
（なかざとむあん）
明治28年（1895）佐賀県唐津～昭和60年（1985）佐賀県唐津。陶芸。本名重雄。11代太郎右衛門（天祐）の次男。大正3年有田工業学校別科修。昭和2年旧唐津藩御用窯の御茶盌窯継承、12代を襲名。古唐津古窯趾を調査・研究、復興に尽力。13年最古の帆柱窯で斑唐津の釉法を再現。30年唐津焼無形文化財。同年～日本伝統工芸展出品。40年唐津焼初期の割竹式登窯復元。34年名跡を長男に譲り、無庵と号し作陶。42年紫綬褒章、44年勲四等瑞宝章。51年「唐津焼」で重要無形文化財保持者（人間国宝）認定。

中島秀吉（なかじまひできち）
明治16年（1883）鈴鹿市～昭和43年（1968）。染色。中学校中退後、豊田喜蔵の下で型彫を修業。明治41年頃上阪、修業、大正5年帰郷し独立、道具彫に専念。昭和30年「伊勢型紙道具彫」で重要無形文化財保持者（人間国宝）認定。36年黄綬褒章。38年～鈴鹿市伊勢型紙伝承者養成事業講師として後進指導。

中島宏（なかしまひろし）
昭和16年（1941）佐賀～平成30年（2018）佐賀。青磁。伝統工芸展NHK会長賞・奨励賞、日本陶磁協会賞・同金賞、MOA岡田茂吉賞大賞、藤原啓記念賞受賞。平成19年重要無形文化財「青磁」保持者（人間国宝）認定。日本工芸会副理事長、佐賀県陶芸協会会長、武雄市名誉市民。

長野垤志（ながのてつし）
明治33年（1900）名古屋市～昭和52年（1977）。金工。本名松蔵。初め洋画家を志したが、大正12年山本安曇に師事、鋳金工芸を学ぶ。昭和3年香取秀真の七日会に入門。6年頃伊藤一正の知遇を得、茶の湯釜の研究に専念。8年帝展特選、日展出品後、日本伝統工芸展等出品、34年NHK会長賞。38年「茶の湯釜」で重要無形文化財保持者（人間国宝）認定。古釜鋳造技術の研究を重ね、和銑釜鋳造法を復元。48～50年『茶の湯釜全集』刊行。

中村勝馬（なかむらかつま）
明治27年（1894）函館市～昭和57年（1982）。染色。上京後、川端画学校で日本画を学び、染色家増山隆方に師事、友禅技法を習得。三越百貨店「懸賞裾模様図案」3等賞。名古屋松坂屋を経て、昭和4年三越考案部専属。戦後二科会工芸部審査員。24年国指定工芸技術保存資格者。30年日本工芸会設立に参加、染織部会長、理事歴任。30年「友禅」で重要無形文化財保持者（人間国宝）認定。41年紫綬褒章。45年勲四等瑞宝章。糸目糊、無線、叩き糊等の友禅技法が効果的な落ち着いた風格。

中村光哉（なかむらこうや）
大正11年（1922）東京青山～平成14年（2002）。染色。父は人間国宝中村勝馬。東美校日本画科入学、学徒動員により仮卒業。戦後父に手描友禅の伝統技法を学ぶ。昭和21年日展初入選、31年北斗賞、34年特選、40年会員（後評議員）。36年現代工芸美術家協会設立に参加、平成元年総理大臣賞。33年国際工芸美術家協会理事長、53年～東京藝大教授（平成2年名誉教授）、後文星芸大美術学部長。平成2年紺綬褒章、7年勲三等瑞宝章。初期の黒の時代から抽象を経て、多彩な技術と表現でロマンチックな作品を創出。

中村勇二郎（なかむらゆうじろう）
明治35年（1902）鈴鹿市～昭和60年（1985）。染色。

大正7年白子町立乙種工業学校卒業。父兼松に型紙彫刻を学ぶ。中村家4代目として制作に専念。昭和29年白子町伊勢型紙彫刻組合組合長(32年顧問)。30年「伊勢型紙道具彫」で重要無形文化財保持者(人間国宝)認定。38年鈴鹿市伊勢型紙伝承者養成事業講師、後進を指導。47年勲五等瑞宝章。

南部芳松(なんぶよしまつ)
明治27年(1894)鈴鹿市～昭和51年(1976)。染色。幼年期から父に伊勢型紙突彫を、明治42年山梨県谷村で甲斐絹型を学ぶ。44年東京日本橋の小林勇蔵の下で中形彫刻修業。大正2年独立、昭和14年～母校の白子町立工業学校教諭。18年京都で最新のスクリーン型を研究、型紙彫刻の調査・研修。21年伊勢型紙彫刻組合結成、初代組合長。30年「伊勢型紙突彫」で重要無形文化財保持者(人間国宝)認定。34年紫綬褒章。38年鈴鹿市伊勢型紙伝承者養成事業講師。

西嶋武司(にしじまたけし)
昭和4年(1929)京都市～平成15年(2003)京都市。染色。型染屋の長男。昭和28年京都市立美大工芸科染織卒。50·55年日展特選。54年～日本新工芸展出品、57·60年会員賞、平成10年総理大学賞。日展評議員、日本新工芸家連盟理事。日本古来の型糊防染でドイツの染料を用い制作。京都市立芸大名誉教授。

西出大三(にしでだいぞう)
大正2年(1913)石川県橋立～平成7年(1995)。截金。昭和12年東美校彫刻科木彫部卒。彫刻家として活動する傍ら截金技法を研究。30年記録作成等の措置を講ずべき無形文化財「截金」技術者選定、31年截金技術の記録と歴史を収めた『截金技術記録』作成。45年日本工芸会人形部会長、49年その他工芸部会長。53年紫綬褒章。59年勲四等瑞宝章。60年「截金」で重要無形文化財保持者(人間国宝)認定。平成7年勲四等旭日小綬章。

沼田一雅(ぬまたいちが)
明治6年(1873)福井～昭和29年(1954)茅ヶ崎市。陶芸。竹内久一に木彫を学ぶ。明治36年渡仏、パリで絵画、彫刻、陶彫等研修。40年東美校教授。大正14年再渡仏、セーブル製陶所で陶彫を研究。帰国後、官展に陶彫作品を出品、陶芸界に新分野を開く。京都国立陶磁器試験場で後進を指導。昭和6年仏政府よりシュバリエ勲章。21～25年瀬戸市オリエンタル陶彫研究所所長。29年日本藝術院賞恩賜賞。

野口園生(のぐちそのお)
明治40年(1907)～平成8年(1996)。人形。昭和12年堀柳女に入門。14年～日展、現代人形美術展、日本伝統工芸展等出品。25年野口園生人形塾を開設。同年現代人形美術展朝日新聞社賞。42年日本伝統工芸展鑑査委員、53年日本工芸会理事、人形部会長。54年勲四等瑞宝章。61年「衣裳人形」で重要無形文化財保持者(人間国宝)認定。平成2年勲四等宝冠章。詩情溢れる衣裳人形を発表。

灰外達夫(はいそとたつお)
昭和16年(1941)石川～平成27年(2015)。昭和31年から木工建具修業。46年～建具店自営。52年～木工創作を始め、56年日本伝統工芸展、60年日本伝統工芸木竹展初入選。平成元年日本工芸会正会員。4年日本伝統工芸展奨励賞、12年文化庁長官賞、15年NHK会長賞、19年保持者賞受賞。石川県立輪島漆芸技術研修所講師、日本伝統工芸展鑑査委員等を務める。24年第1回茶の湯の現代－用と形－展大賞、同年挽曲技法で木工芸の重要無形文化財(人間国宝)認定。

蓮田修吾郎(はすだしゅうごろう)
大正4年(1915)金沢市～平成22年(2010)鎌倉市。金工〈鋳金〉。石川県立工業学校図案絵画科卒業後、東美校工芸科鋳金部に進み、高村豊周に師事。昭和13年卒制の白銅浮彫でＳ氏賞。24年日展初入選、26年特選・白寿賞、34年文部大臣賞。37年日本藝術院賞、50年同会員。36年現代工芸美術家協会設立に参画、56年会長。51年日本金属造型研究所を創立、理事長就任。50年東京藝大教授。伝統的な鋳金技術から脱却した金属造型に新分野を開き、後進を育成。昭和62年文化功労者、平成3年文化勲章。独連邦共和国功労勲章1等功労十字章受章。

羽田登喜男(はたときお)
明治44年(1911)金沢市～平成20年(2008)京都。14歳で加賀友禅を南野耕月に学び、20歳で京都の曲子光峰の下で京友禅の修業を積む。精緻で写実的な加賀友禅と優美で華麗な意匠の京友禅を融合させ、花鳥風月を題材に独自の境地を開いた。昭和51年日本伝統工芸展都教育委員会賞、藍綬褒章。57年勲四等瑞宝章、技法を伝世すべく祇園祭の山鉾の一つ蟷螂山の胴掛を制作、57年「瑞祥鶴浴図」前掛完成。63年友禅で重要無形文化財保持者(人間国宝)認定。

濱田庄司(はまだしょうじ)
明治27年(1894)川崎市～昭和53年(1978)栃木県益子。陶芸。本名象二。大正5年東京高等工業学校窯業科卒業後、河井寛次郎のいる京都市立陶磁器試験場勤務、研究を重ねる。大正9年Ｂ・リーチに同行し渡英、St.アイヴスで英国の伝統的陶技を学ぶ。大正13年帰国、益子で作陶を続け、民芸運動に参加。沖縄を初め各地の民窯を訪ね、民芸雑器の素朴で逞しい美と伝統的技法を吸収、重厚で力感漲る作風を確立。日本民芸館館長、日本民芸協会会長歴任。昭和30年「民芸陶器」で重要無形文化財保持者（人間国宝）認定。39年紫綬褒章、43年文化勲章。

早川尚古齋（5世）（はやかわしょうこさい）
昭和7年（1932）大阪～平成23年（2011）。竹工芸。本名修平。父4世尚古齋に師事。昭和52年5世尚古齋襲名。平成15年「竹工芸」重要無形文化財保持者認定。日本工芸会参与他、日本煎茶工芸協会理事を務めた。

原正樹（はらまさき）
昭和10年（1935）新潟～平成23年（2011）東京。鋳金造形。東京で育ち、昭和33年東京藝大工芸科卒。平成13年定年退官まで東京藝大教授。昭和43年日本現代工芸大賞、45年日展特選、58年芸術選奨文部大臣新人賞等受賞。東京国立近代美術館所蔵「はにかむ王とその王妃」、東京藝大所蔵「独歩」など。

番浦省吾（ばんうらしょうご）
明治34年（1901）七尾市～昭和57年（1982）京都。漆工。輪島で蒔絵を、後京都で漆芸を修業。昭和5年帝展初入選、11年文展選奨、12年パリ万博名誉賞。23年東都漆芸創人社（翌年より朱玄会）創立、主宰。金属板の使用等、漆芸における伝統と現代性を一体化、漆パネルと平面作品に独自の作風を打ち立てた。38年日本藝術院賞。日展評議員・審査員、京都府工芸展運営委員・審査員、京展や大阪市展等審査員。

氷見晃堂（ひみこうどう）
明治39年（1906）金沢市～昭和50年（1975）。木工。本名與三治。商家に生まれ、小学校卒業後、指物師北島伊三郎に、大正13年～木工作家池田作美に師事。昭和元年石川県工芸奨励会美術工芸展入選、砂磨き法の研究・復興に尽力。18年晃堂と号す。戦後は松田権六の指導を受け、金銀線縮れ象嵌を創案。34年～日本伝統工芸展出品。45年「木工芸」で重要無形文化財保持者（人間国宝）認定。49年日本工芸会木竹部会長。

平田郷陽（2代）（ひらたごうよう）
明治36年（1903）東京～昭和56年（1981）。人形。本名恒雄。父初代郷陽に人形技法を学ぶ。大正13年父の死により2代郷陽襲名。昭和3年岡本玉水、久保佐四郎らと創作人形研究団体「白沢会」結成。帝・文・日展出品、受賞。29年～日本伝統工芸展出品。30年「衣裳人形」で重要無形文化財保持者（人間国宝）認定。日本工芸会理事、人形部会長、伝統工芸展鑑査委員歴任。49年勲四等瑞宝章。木目込み法による独自の無邪気な童児の表現で人気が高い。

深見重助（13代）（ふかみじゅうすけ）
明治18年（1885）京都～昭和49年（1974）。染織。幼少より父12代の下、組紐・唐組技術を習得。昭和5年父の死により、松葉屋13代を襲名。明治42・昭和4・28・48年伊勢神宮式年遷宮で御神宝太刀の平緒制作。正倉院宝物の修理・復元、厳島神社の平家納経や中尊寺の紺紙金字一切経付属の復元に従事、文化財保護に寄与。昭和31年「唐組」で重要無形文化財保持者（人間国宝）認定。35年紫綬褒章。42年勲四等瑞宝章。多彩な色糸による高貴な平緒を制作。

藤田喬平（ふじたきょうへい）
大正10年（1921）東京都新宿区～平成16年（2004）。ガラス。昭和19年東美校工芸科彫金部卒。昭和21年第1回日展に鉄のオブジェ初入選。22年岩田工芸硝子入社。24年独立。伝統美と現代的感性を融合した独創的作風を確立。優美な飾筥は国際的にも評価が高い。52年～ヴェネチアでも制作。61年現代日本工芸美術展招待、文部大臣賞。平成元年日本藝術院賞恩賜賞、同年同会員。9年文化功労者、14年文化勲章。8年宮城県松島町に藤田喬平美術館開館。東京国立近代美術館、ルーヴル装飾美術館他国内外の美術館に収蔵多数。日本ガラス工芸協会名誉会長。

藤平伸（ふじひらしん）
大正11年（1922）京都～平成24年（2012）京都。陶芸。日展にて特選・北斗賞・菊花賞、日本陶磁協会賞・同金賞、毎日芸術賞、京都府文化賞特別功労賞他受賞多数。日展参与、日工会常務理事、京芸大名誉教授。

藤本能道（ふじもとよしみち）
大正8年（1919）東京～平成4年（1992）。陶芸。昭和16年東美校工芸科図案部卒。19年光風工芸賞。加藤土師萌、富本憲吉に師事。戦後新匠美術工芸会で色絵磁器を発表。昭和30年頃モダンアート協会や走泥社に参加、前衛的作品を出品、39年頃から再び赤絵（陶器）を制作。31年日本陶磁協会賞、ジュネーブ国際陶芸展銀賞。39年～日本伝統工芸展出品。48年東京青梅市梅郷に築窯。45年東京藝大教授（60年学長。のち名誉教授）。56年日本陶磁協会金賞、紺綬褒章。61年「色絵磁器」で重要無形文化財保持者（人間国宝）認定。平成3年勲二等旭重光章。新技法釉描加彩を創出。写生を基にした絵画的な花鳥モチーフが特色。

日本工芸会常任理事、日本陶磁協会理事、東京国立近代美術館評議員歴任。

藤原啓（ふじわらけい）
明治32年（1899）岡山県伊里村～昭和58年（1983）岡山市。陶芸。本名敬二。初め文学を志し、社会主義運動にも参加したが、強度の神経衰弱のため昭和12年文学を断念、帰郷。三村梅景、金重陶陽に陶技を学ぶ。桃山期の古備前や鎌倉備前の雑器の素朴さを融合、簡素で深味のある作風で備前焼に新風をもたらした。33年日本工芸会理事、37年プラハ国際陶芸展受賞。45年「備前焼」で重要無形文化財保持者（人間国宝）認定。47年勲四等旭日小綬章、58年勲三等瑞宝章。52年備前に藤原啓記念館開館。長男雄も人間国宝備前焼作家。

藤原雄（ふじわらゆう）
昭和7年（1932）岡山県備前～平成13年（2001）。陶芸。藤原啓の長男。昭和30年明治大学日本文学科卒業後、父の下で作陶。33年日本伝統工芸展、現代日本陶芸展初入選。35年一水会展一水会賞、会員。36年日本工芸会正会員。38年バルセロナ国際陶芸展グランプリ。海外の大学で講師として国際文化交流に寄与。42年備前市穂浪に築窯、同年日本陶磁協会賞、48年金重陶陽賞。55年岡山県重要無形文化財指定。平成2年芸術選奨文部大臣賞、8年「備前焼」で重要無形文化財保持者（人間国宝）認定。10年紫綬褒章。米ダートマス大学客員教授、倉敷芸術科学大学教授、日本工芸会理事。

藤原楽山（2代）（ふじわららくざん）
明治43年（1910）岡山県備前～平成8年（1996）岡山県備前。陶芸。本名六治。初代藤原楽山の三男。20歳頃から陶技を習い、父の死により2代楽山を継承、初代から継承した塩青焼きを完成。昭和29年岡山県重要無形文化財指定。抹茶碗の現代名匠の一人。

細見華岳（ほそみかがく）
大正11年（1922）兵庫～平成24年（2012）京都。染織。本名房雄。15歳で京都西陣織職人となり、綴織など各種製織技術を学び、喜多川平朗、森口華弘に師事。各種工芸展で受賞。平成3年沖縄県立芸大教授。9年「綴織」の重要無形文化財保持者認定。

堀柳女（ほりりゅうじょ）
明治30年（1897）東京～昭和59年（1984）。人形。本名山田松枝。竹久夢二に感化を受け、人形制作を始める。大阪清水谷高等女学校中退。建畠大夢に彫刻を学び、鹿児島寿蔵の影響を受け制作。昭和9年鹿児島寿蔵、野口光彦らと甲戌会結成。11年帝展初入選、以降帝・新文・日展出品。24年日展特選、26年初の女性審査員となる。30年第1回日本伝統工芸展出品、同年「衣裳人形」で重要無形文化財保持者（人間国宝）認定。41年日本工芸会理事、42年紫綬褒章、48年勲四等瑞宝章。伝統に芸術性を加味した気品ある人形を制作。細螺会等主宰、後進を指導。

前大峰（まえたいほう）
明治23年（1890）石川県町野村～昭和52年（1977）。漆芸。本名得二。小学校卒業後、沈金師3代橋本佐助の内弟子となり、大正元年独立。昭和4年帝展初入選、5年特選。30年「沈金」で重要無形文化財保持者（人間国宝）認定。日本工芸会創設に参加、以降日本伝統工芸展出品。39年紫綬褒章、41年勲四等瑞宝章。42年設立の輪島漆芸技術研修所で指導に尽力、52年輪島塗技術保存会会長。従来の線彫り中心の沈金から点彫り技法を開発。近代沈金中興の祖。

増田三男（ますだみつお）
明治42年（1909）埼玉～平成21年（2009）。彫金。東美校金工科彫金部卒後、昭和11年研究科修了。8年帝展初入選。民芸運動に関心を抱き、富本憲吉から造形等を学び、23年新匠工芸展出品、会員。37年日本伝統工芸展初出品・都教育委員会賞、同年正会員、40年～監査委員、44年朝日新聞社賞。他51年紫綬褒章、57年勲四等瑞宝章、平成3年「彫金」で重要無形文化財保持者（人間国宝）認定。古典的造形を基に文様や造形等独自の造形感覚で季節感を表現。

増村益城（ますむらましき）
明治43年（1910）熊本県益城町～平成8年（1996）東京豊島区。漆芸。本名成雄。昭和2年熊本市立商工学校漆工科卒業後、奈良の辻永斉に、上京して赤地友哉に師事。12年独立、乾漆の技法と堅実な研ぎ出し仕上げによる髹漆（きゅうしつ）で独自の創作活動を展開。戦前は新文展、戦後は日展、日本伝統工芸展に出品、33年日本伝統工芸展日本工芸会総裁賞等受賞。53年「髹漆」で重要無形文化財保持者（人間国宝）認定。55年勲四等瑞宝章。日本文化財漆協会会長、日本工芸会参与、国立近代美術館評議員歴任。

松井康成（まついこうせい）
昭和2年（1927）長野県望月町～平成15年（2003）。陶芸。本名美明。昭和27年明治大学文学部卒業後、茨城県笠間の浄土宗月崇寺住職を継ぎ、35年寺内に築窯、田村耕一に師事。44年日本伝統工芸展初入選、46年日本工芸会総裁賞、50年NHK会長賞。48年日本陶芸展秩父宮賜杯、49年日本陶磁協会賞（平成2年

金賞）、61年藤原啓記念賞、63年紫綬褒章、平成3年MOA岡田茂吉賞大賞等受賞。日本工芸会常任理事。5年「練上手」で重要無形文化財保持者（人間国宝）認定。11年勲四等旭日小綬章。独創的な練上嘯裂文をはじめ、高度な技術で生まれる独特の練上作品を創出。11年笠間工芸の丘に松井康成作品室、12年茨城県陶芸美術館に展示室開設。

松田権六（まつだごんろく）
明治29年（1896）金沢市～昭和61年（1986）東京文京区。漆芸。7歳から蒔絵を修業、県立工業学校漆工科を経て、大正8年東美校漆工科卒。昭和4年帝展特選。2年～東美校（後芸大）で長年後進を指導（38年名誉教授）。24～33年日展常務理事、35～41年日本工芸会理事長。朝鮮楽浪遺跡出土漆器、日光東照宮、正倉院御物等文化財調査や修理に従事。22年帝国芸術院会員、30年「蒔絵」で初の重要無形文化財保持者（人間国宝）認定。38年文化功労者、42年勲三等旭日中綬章、49年勲二等瑞宝章、51年文化勲章。高度な技術と幅広い知識で格調高い作風。

三浦景生（みうらかげお）
大正5年（1916）京都～平成27年（2015）京都。染色。本名景雄（かげお）。小合友之助に師事。昭和22年日展初入選、34年特選・北斗賞。平成7年京都府文化賞特別功労賞、11年芸術選奨文部大臣賞、16年円空大賞、19年日展内閣総理大臣賞。日展参与、京都市立芸術大学名誉教授。

三浦小平二（みうらこへいじ）
昭和8年（1933）新潟～平成18年（2006）東京。陶芸。佐渡の無名異焼窯元に生まれる。祖父は3代常山、父は三浦小平。昭和30年東京藝大彫刻科卒、在学中加藤土師萌に師事。36年日展初入選、37年現代日本陶芸展朝日新聞社賞、42年伝統工芸新作展優秀賞。51年日本伝統工芸展文部大臣賞・文化庁買上げ、平成5年特待者、7年日本工芸会保持者賞、鑑査委員5回。昭和52年日本陶磁協会賞、平成5年同金賞、6年MOA岡田茂吉賞大賞、新潟日報文化賞、8年紫綬褒章、9年青磁で重要無形文化財保持者（人間国宝）認定、15年勲四等旭日小綬章。東京国立近代美術館、V&A美術館、ギメ美術館他収蔵。2～12年東京藝大教授、後名誉教授。

三谷吾一（みたにごいち）
大正8年（1919）石川～平成29年（2017）石川。漆芸。本名伍市。昭和17年文展初入選。41年・45年日展特選受賞。50年日展会員。59年北国文化賞受賞。63年日本藝術院賞受賞。平成3年石川県文化功労賞受賞。11年重要無形文化財輪島塗技術保存会会長、14年日本藝術院会員、27年文化功労者。15年日展顧問、現代工芸美術家協会常任顧問。輪島塗の沈金職人として独自の点彫り技法や彩色法などで評価された。

宮川香山（初代）（みやがわこうざん）
天保13年（1842）京都～大正5年（1916）東京。陶芸。本名虎之助。父の真葛長造に陶技を学ぶ。万延元年家名を継ぐ。暫く備前虫明焼に従事。明治4年横浜に開窯。花瓶の肩の辺の凹みに文様を彫り出したような、繊細な一種の磁器を創出。のち和漢古陶磁を模した酒茶器を作陶、その多才な作風で人々を驚かせた。29年帝室技芸員。

宮下善爾（みやしたぜんじ）
昭和14年（1939）京都～平成24年（2012）京都。陶芸。本名善次。京美大専攻科修。日本現代工芸美術展外務大臣賞・現代工芸賞、日展特選・文部科学大臣賞等受賞。日展評議員、日工会常務理事。

宮田藍堂（3代）（みやたらんどう）
大正15年（1926）新潟県佐渡郡～平成19年（2007）。金工。昭和24年東美校工芸科鋳金部卒、在学中21年日展初入選、翌年特選。33年世界12ヶ国米国加州博覧会最高デザイン賞・金賞。34年日ソ展出品作ソ連文化省買上。38年日本現代工芸展会員賞、41年日展菊花賞。44年日展会員、51年現代工芸美術家協会常務理事、53年日展評議員。55・61年紺綬褒章、57年日本現代工芸展内閣総理大臣賞、平成6年新潟日報文化賞、新潟県知事褒賞受賞。15年新潟県立近代美術館、東京国立近代美術館にて「三代藍堂・宮田宏平展」開催。新潟県指定無形文化財。

宮之原謙（みやのはらけん）
明治31年（1898）鹿児島～昭和52年（1977）千葉。陶芸。大正5年早稲田大学理工学部建築科中退。大正末より陶芸を志し2代宮川香山に師事。後板谷波山主宰の東陶会に参加。昭和4年帝展初入選、6・7年特選。8年新潟に新潟陶苑創設。戦後茨城県筑波山麓に築窯、23年松戸市に移築、日展出品、44年日展理事就任。東京教育大学、早稲田大学附属工芸研究所で陶芸を指導。32年日本藝術院賞。

三輪栄造（みわえいぞう）
昭和21年（1946）萩市～平成11年（1999）。陶芸。人間国宝の11代三輪休雪の次男、兄は龍作。昭和43年武蔵野美大彫刻科卒、翌年同学園版画科卒。45年伯父休和（10代休雪）の養子になり、三輪窯の陶芸修業。後日本伝統工芸展入選、日本工芸会西部支部展・山

口支部展で受賞を重ね、61年田部美術館茶の湯の造形展大賞、62年山口県芸術文化振興奨励賞等受賞。萩焼の伝統の上に彫刻の素養を生かした躍動感溢れる造形性を発揮。日本工芸会正会員。

三輪休和（10代休雪）（みわきゅうわ）
明治28年（1895）萩市～昭和56年（1981）萩市。陶芸。本名邦広。祖父雪山、父雪堂の下陶芸修業。昭和2年萩焼三輪窯10代休雪継承。19年大阪美術倶楽部で初個展。26年～現代日本陶芸展招待。31年日本伝統工芸展初入選。36年萩焼陶芸作家協会会長、39年山口県文化功労者。42年弟節夫に11代休雪を譲り、休和と号す。45年「萩焼」で重要無形文化財保持者（人間国宝）認定。48年勲四等旭日小綬章。高麗茶碗に日本風の作行きを融合。「休雪白」と呼ばれる純白の藁灰釉を用い、独自の温雅な趣の作風。

宗廣力三（むねひろりきぞう）
大正3年（1914）岐阜県八幡町～平成元年（1989）。染織。戦後、奥美濃地方の手織り郡上紬の復興に尽力。昭和22年浅井修吉京都市染織試験場長の下で紬織を研究。28年郡上工芸研究所創設。40年日本伝統工芸展初出品、受賞多数。糸束を染め液に浸ける独自の「どぼんこ染」は、絵絣とは異色の面白さを表現。57年「紬縞織」「絣織」で重要無形文化財保持者（人間国宝）認定。59年紫綬褒章。平成元年勲四等旭日小綬章。晩年は神奈川県で足柄紬を研究。

森口華弘（もりぐちかこう）
明治42年（1909）滋賀～平成20年（2008）京都。本名平七郎。大正13年京友禅師3代中川華邨に入門、日本画を疋田芳沼に師事。漆の蒔絵技法を参考に点描画のように色を重ねる蒔糊技法を完成。30年日本伝統工芸展朝日新聞社賞、31年文化財保護委員会委員長賞他受賞多数。42年友禅で重要無形文化財保持者（人間国宝）認定。35年日本工芸会理事、45年～63年同会副理事長を歴任。後継者育成・指導に努めた。

森野嘉光（もりのかこう）
明治32年（1899）京都～昭和62年（1987）。陶芸。本名嘉一郎。生家は五条坂で陶業を営む。京美工を経て、大正10年京絵専卒。同年・昭和元年帝展に日本画で入選。大正12年雑誌「白樺」李朝陶磁特集に感動して陶芸を始め、昭和2年工芸部新設の第8回帝展初入選。6年～清水六和に師事。16年新文展特選。戦後は日展で審査員歴任、38年日本藝術院賞。塩釉と緑釉窯変の二つの独創的な釉法で本質を追求。

八木一夫（やぎかずお）
大正7年（1918）京都～昭和54年（1979）京都。陶芸。父は五条坂の陶工八木一艸。昭和12年京美工彫刻科卒後、商工省陶磁器試験所伝習生として沼田一雅に学ぶ。同年日本陶彫協会入会。21年青年作陶家集団結成、22年日展初入選。同年京展市長賞。23年山田光、鈴木治らと前衛陶芸家グループ「走泥社」設立。29年「ザムザ氏の散歩」を発表、非実用的オブジェ表現を確立。豊かな造形力に基づく先鋭的作品で日本陶芸界に影響を及ぼした。34年オステンド（ベルギー）、37年プラハの国際陶芸展グランプリ。46年京都市立芸大陶芸科教授。48年日本陶磁協会金賞。

安原喜明（やすはらきめい）
明治39年（1906）東京目黒～昭和55年（1980）東京目黒。陶芸。大正7年成蹊中学中退、2代宮川香山に、昭和15年香山没後は板谷波山に師事。2年東陶会結成に参加、3年自宅に紅椿窯を築窯。5年帝展初入選、14年新文展・23年日展特選。翌年～日展審査員歴任、29年～現代日本陶芸展審査員出品。36年土窯グループ主宰。40年日展文部大臣賞、43年日本藝術院賞。炻器の古代技術に独自の解釈で近代的感覚を融合し新炻器を開拓。

山鹿清華（やまがせいか）
明治17年（1884）京都～昭和56年（1981）京都。織物。本名健吉。明治33～43年西田竹雪に織物図案を、35～40年河辺華挙に日本画を学ぶ。44年文展に日本画で初入選。大正8年新工芸院結成。14年パリ万国装飾美術工芸博覧会大賞。昭和2年帝展特選、27年日本藝術院賞、32年同会員。33年日展常務理事、40年勲三等瑞宝章、44年文化功労者、45年京都市名誉市民、49年勲二等瑞宝章。華麗な手織綴錦（綴織）で新境地を展開。

山崎覚太郎（やまざきかくたろう）
明治32年（1899）富山市～昭和59年（1984）東京世田谷。漆芸。大正13年東美校漆工科卒。14年パリ万国装飾美術工芸博覧会金賞。昭和18～21年工業技術講習所兼東美校教授。2年工芸部門新設の第8回帝展出品、翌年～特選連続受賞。14年～新文展・日展審査員歴任。29年日本藝術院賞、32年同会員。41年文化功労者。40年現代工芸美術家協会創立、会長。33年日展事務局長、44年理事長、49年会長。45年勲二等瑞宝章、52年勲二等旭日重光章。

山下恒雄（やましたつねお）
大正13年（1924）神奈川～平成10年（1998）。鍛金。昭和24年東美校金工科卒。在学中の23年日展初入選、

後評議員。東京藝大教授（後名誉教授）、広島市立大学デザイン工芸科教授として長年指導。素材を科学的に把握し優美でしなやかな表現性を金属で獲得。

山田栄一（やまだえいいち）
明治33年（1900）京都市～昭和31年（1956）。染色。大正3年三越京都支店染工場入社、友禅技法を修業（6年退職）。8年吉川与三郎（竹翁）に師事、糊置きを研究。8年京呉服問屋「千総」で友禅部長。昭和21年疎開先の愛知県鳴海町で独立。明治末に絶えた楊子糊技法を独力で復興。30年「友禅楊子糊」で重要無形文化財保持者（人間国宝）に認定、翌年逝去。

山田常山（3代）（やまだじょうざん）
大正13年（1924）常滑市～平成17年（2005）。陶芸。本名稔。祖父の初代、父の2代常山に師事。常滑焼の朱泥急須等、伝統的な急須作りの第一人者。昭和36年3代常山襲名。48年仏国際陶芸展名誉最高大賞、平成5年日本陶磁協会賞受賞、10年常滑焼（急須）で重要無形文化財保持者（人間国宝）認定、16年旭日小綬章受章。

山田光（やまだひかる）
大正13年（1924）岐阜～平成13年（2001）京都。陶芸。陶芸家山田喆の長男。昭和20年京都高等工芸学校（現京都工芸繊維大学）窯業科卒業後、京都で父の下制作活動を始める。21年青年作陶家集団結成、23年八木一夫らと「走泥社」結成。23年京展市長賞、新匠賞、36年日本陶磁協会賞、平成7年同金賞。先鋭的なオブジェ、インスタレーション等現代陶芸を発表。平成2年大阪芸大工芸学科長、国際陶芸アカデミー会員、日本クラフトデザイン協会名誉会員。

山本陶秀（やまもととうしゅう）
明治39年（1906）備前市～平成6年（1994）。陶芸。本名政雄。地元の窯元黄薇堂や桃渓堂で技術習得、昭和8年独立。23年丸技保存認定、29年岡山県重要無形文化財保持者。34年日本工芸会正会員、45年理事。34年ブリュッセル万博グランプリ金賞、51年紫綬褒章、52年毎日芸術賞、57年勲四等瑞宝章、62年「備前焼」で3人目の重要無形文化財保持者（人間国宝）認定。備前陶芸界の長老として活躍。平成3年備前市名誉市民。6年勲四等旭日小綬章。長男雄一、三男矢部篤郎、四男出も備前焼作家。

横山一夢（よこやまいちむ）
明治44年（1911）富山県井波町～平成12年（2000）。木芸。本名善作。昭和16年文展初入選、28年日展北斗賞、33年特選、38年会員（46年評議員、平成4年参与）。39年現代工芸美術家協会会員。平成2年富山県指定無形文化財保持者認定、紺綬褒章。富山県美術連合会名誉顧問等歴任。昭和54年井波町に横山一夢工芸美術館開館。神代杉、神代欅等を素材に木目を活かした端正な作品を制作。

與那嶺貞（よなみねさだ）
明治42年（1909）沖縄県読谷村～平成16年（2004）。染織。昭和39年～読谷山花織の復興に尽力。50年沖縄県指定無形文化財「読谷山花織」保持者認定。52年日本伝統工芸展初入選。54年西部工芸展朝日新聞社金賞。57年勲六等瑞宝章。平成2年日本工芸会正会員、沖縄県文化功労賞。7年伝統文化ポーラ特賞。11年「読谷村花織」で重要無形文化財保持者（人間国宝）認定。

米光光正（よねみつみつまさ）
明治21年（1888）熊本市～昭和55年（1980）。金工。本名太平。高等小学校卒業後、祖父田辺保平、叔父田辺吉太郎に師事、肥後象嵌、透の技法を習得。昭和3年京都大博覧会銅牌、34年熊本県無形文化財認定。38年記録作成等の措置を講ずべき無形文化財技術者。二重唐草文様等の肥後象嵌技術と九曜桜等の意匠を色付けした鉄鐔に彫り透す技術が秀逸。40年「肥後象嵌・透」で重要無形文化財保持者（人間国宝）認定。55年勲四等瑞宝章。

樂吉左衛門（14代）（覚入）（らくきちざえもん）
大正7年（1918）京都市～昭和55年（1980）京都市。陶芸。昭和15年東美校彫刻科卒。21年14代を襲名。35年京都伝統工芸家協会結成に参加。赤楽、黒楽、白楽等の伝統を継ぎ、また楽焼の研究・鑑識に業績。

六谷梅軒（ろくたにばいけん）
明治40年（1907）鈴鹿市～昭和48年（1973）。染色。本名紀久男。大正8年父芳蔵に就いて伊勢型紙錐彫を修業。昭和8年京都で兄に錐彫技術を学ぶ、14年独立。17年小宮康助の助言で極鮫小紋の型彫に挑戦。30年「伊勢型紙錐彫」で重要無形文化財保持者（人間国宝）認定。38年鈴鹿市伊勢型紙伝承者養成事業講師。47年鈴鹿市文化功労者。錐彫の中でも特に細かい鮫小紋等を得意とし、高く評価された。

六角紫水（ろっかくしすい）
慶応3年（1867）広島～昭和25年（1950）東京。漆工。本姓藤岡、幼名注太郎、のち注多良と改名。明治21年上京、結城正明に日本画を学ぶ。26年東美校専修科美術工芸科漆工部卒。六角広道の婿養子となり、紫水と改号。31年日本美術院創立参加、正員。37年海外伝習生として天心に随行し渡米。37年セントルイス万博金賞。37〜41年ボストン美術館、メトロポリタン美術館で漆工芸の整理と修理従事。大正5年東美校で教える(13年教授)。帝展出品、審査員歴任。16年帝国藝術院会員。朝鮮楽浪遺跡発掘に参加。

和太守卑良（わだもりひろ）
昭和19年(1944)兵庫〜平成20年(2008)東京。陶芸。本名和田守弘。昭和42年京都市立美大(現京都市立芸大)卒、高知県安芸市で窯を復興。52年茨城県笠間市に築窯、手捻りの造形と「杉文」「雲花文」等装飾文様が一体となった独自の作風で注目された。50年〜日本陶芸展、55年以降日本伝統工芸展入選、58年日本工芸会正会員(平成2年退会)。55年ファエンツァ国際陶芸展金賞、63年日本陶磁協会賞等、国内外で評価が高い。

年齢早見表

元号	西暦	満年齢	干支	元号	西暦	満年齢	干支
令和 2	2020	0	庚子	昭和 38	1963	57	癸卯
平成31/令和元	2019	1	己亥	〃 37	1962	58	壬寅
平成30	2018	2	戊戌	〃 36	1961	59	辛丑
〃 29	2017	3	丁酉	〃 35	1960	60	庚子
〃 28	2016	4	丙申	〃 34	1959	61	己亥
〃 27	2015	5	乙未	〃 33	1958	62	戊戌
〃 26	2014	6	甲午	〃 32	1957	63	丁酉
〃 25	2013	7	癸巳	〃 31	1956	64	丙申
〃 24	2012	8	壬辰	〃 30	1955	65	乙未
〃 23	2011	9	辛卯	〃 29	1954	66	甲午
〃 22	2010	10	庚寅	〃 28	1953	67	癸巳
〃 21	2009	11	己丑	〃 27	1952	68	壬辰
〃 20	2008	12	戊子	〃 26	1951	69	辛卯
〃 19	2007	13	丁亥	〃 25	1950	70	庚寅
〃 18	2006	14	丙戌	〃 24	1949	71	己丑
〃 17	2005	15	乙酉	〃 23	1948	72	戊子
〃 16	2004	16	甲申	〃 22	1947	73	丁亥
〃 15	2003	17	癸未	〃 21	1946	74	丙戌
〃 14	2002	18	壬午	〃 20	1945	75	乙酉
〃 13	2001	19	辛巳	〃 19	1944	76	甲申
〃 12	2000	20	庚辰	〃 18	1943	77	癸未
〃 11	1999	21	己卯	〃 17	1942	78	壬午
〃 10	1998	22	戊寅	〃 16	1941	79	辛巳
〃 9	1997	23	丁丑	〃 15	1940	80	庚辰
〃 8	1996	24	丙子	〃 14	1939	81	己卯
〃 7	1995	25	乙亥	〃 13	1938	82	戊寅
〃 6	1994	26	甲戌	〃 12	1937	83	丁丑
〃 5	1993	27	癸酉	〃 11	1936	84	丙子
〃 4	1992	28	壬申	〃 10	1935	85	乙亥
〃 3	1991	29	辛未	〃 9	1934	86	甲戌
平成 2	1990	30	庚午	〃 8	1933	87	癸酉
昭和64/平成元	1989	31	己巳	〃 7	1932	88	壬申
昭和63	1988	32	戊辰	〃 6	1931	89	辛未
〃 62	1987	33	丁卯	〃 5	1930	90	庚午
〃 61	1986	34	丙寅	〃 4	1929	91	己巳
〃 60	1985	35	乙丑	〃 3	1928	92	戊辰
〃 59	1984	36	甲子	昭和 2	1927	93	丁卯
〃 58	1983	37	癸亥	大正15/昭和元	1926	94	丙寅
〃 57	1982	38	壬戌	大正14	1925	95	乙丑
〃 56	1981	39	辛酉	〃 13	1924	96	甲子
〃 55	1980	40	庚申	〃 12	1923	97	癸亥
〃 54	1979	41	己未	〃 11	1922	98	壬戌
〃 53	1978	42	戊午	〃 10	1921	99	辛酉
〃 52	1977	43	丁巳	〃 9	1920	100	庚申
〃 51	1976	44	丙辰	〃 8	1919	101	己未
〃 50	1975	45	乙卯	〃 7	1918	102	戊午
〃 49	1974	46	甲寅	〃 6	1917	103	丁巳
〃 48	1973	47	癸丑	〃 5	1916	104	丙辰
〃 47	1972	48	壬子	〃 4	1915	105	乙卯
〃 46	1971	49	辛亥	〃 3	1914	106	甲寅
〃 45	1970	50	庚戌	大正 2	1913	107	癸丑
〃 44	1969	51	己酉	明治45/大正元	1912	108	壬子
〃 43	1968	52	戊申	明治44	1911	109	辛亥
〃 42	1967	53	丁未	〃 43	1910	110	庚戌
〃 41	1966	54	丙午	〃 42	1909	111	己酉
〃 40	1965	55	乙巳	〃 41	1908	112	戊申
〃 39	1964	56	甲辰	〃 40	1907	113	丁未

名簿 1

美術団体事務所一覧

●団体名・郵便番号・住所・電話番号の順で50音順に掲載しています。

[あ行]

アート未来	〒177-0032	練馬区谷原6-23-4　石川清一方	03-3922-5921
亜細亜美術協会	〒110-0011	台東区三ノ輪2-15-5　モナークマンション三ノ輪302	03-5604-3431
AJAC	〒359-1142	所沢市上新井1-32-28　佐藤ひろみ方	090-4426-6486
一陽会	〒920-1161	金沢市鈴見台3-19-25　バルデザイングループ　大場吉美方	076-222-2231
一期会	〒379-2313	みどり市笠懸町鹿4741-3　田村哲男方	0277-76-4589
一水会	〒192-0364	八王子市南大沢2-224-3-502　玉虫良次方	042-674-6922
一線美術会	〒355-0221	埼玉県比企郡嵐山町菅谷95-1　根岸富夫方	0493-62-2215
一創会	〒232-0061	横浜市南区大岡4-19A-107　佐野久子方	045-713-9158
旺玄会	〒110-0015	台東区東上野3-33-9　戸辺ビル7階A号室	080-5382-1933 (事務局長直通)

[か行]

神奈川美術協会	〒194-0004	町田市鶴間239-1　南町田ハイタウン402　広田圭子方	042-796-9198
京都水彩画会	〒600-8263	京都市下京区下魚棚通猪熊東入356-1　中村光伸方	075-371-7797
近代水墨会	〒350-1255	日高市武蔵台5-29-12	042-982-0704
近代日本美術協会	〒162-0814	新宿区新小川町6-27-1101	090-8286-3517
近代美術協会	〒261-0004	千葉市美浜区高洲2-5-12-108　堀江進方	043-301-4676
現創会	〒411-0943	静岡県駿東郡長泉町下土狩800-1-3　大庭修二方	055-988-6122
現代工芸美術家協会	〒110-0005	台東区上野7-9-15　車坂ビル502	03-3841-8314
現代水墨画協会	〒206-0033	多摩市落合6-11-1　鶴本方	042-400-1115
現代童画会	〒113-0033	文京区本郷4-5-10　ライオンズマンション本郷402	03-3816-5281
現代日本彫刻作家連盟	〒340-0003	草加市稲荷4-3-23　麦倉忠彦方	048-931-5011
現代パステル協会	〒230-0017	横浜市鶴見区東寺尾中台20-3-203	070-1466-8880
現代美術家協会	〒389-0111	長野県北佐久郡軽井沢町長倉三井の森412　渡辺泰史方	0267-45-6252

元陽会	〒112-0014	文京区関口1-45-15-1204　大門正忠方	03-5229-4031
行動美術協会	〒130-0012	墨田区太平4-17-13　シティーハイム太平303	03-3624-8420
光風会	〒171-0043	豊島区要町1-3-4　光風会館内	03-3957-8009
光陽会	〒183-0042	府中市武蔵台3-6-2　大野起生方	080-6634-8323
国画院	〒116-0002	荒川区荒川7-20-1-511　古城和明方	03-3805-4353
国画会	〒105-0013	港区浜松町2-1-16　北田ビル4F	03-3438-1470
国際水墨芸術促進会	〒201-0004	狛江市岩戸北3-8-11-205	03-5497-4771
齣展	〒277-0085	柏市中原1-24-39　森川宗則方	04-7172-4557

［さ行］

朔日会	〒110-0001	台東区谷中2-3-9　羽藤恒郎方	03-3824-0023
サロン・ブラン美術協会	〒143-0026	大田区西馬込1-10-19	03-3714-0867
三軌会	〒164-0001	中野区中野2-29-15　サンハイツ中野201号	03-3380-3911
示現会	〒114-0015	北区中里1-17-4　示現会館内	03-3824-9128
JAG（日本芸術家協会）	〒337-0016	さいたま市見沼区東門前1-1-724　山崎方	048-686-5679
写実画壇	〒251-0033	藤沢市片瀬山5-30-11　山内滋夫方	0466-26-0345
秋耕会	〒157-0073	世田谷区砧5-21-17　鳰川宏方	03-3416-9249
秀彩会	〒487-0035	春日井市藤山台3-1-7-308-502　溝渕泰史方	0568-94-3133
自由美術協会	〒207-0031	東大和市奈良橋3-572-1　田中秀樹方	042-561-1152
主体美術協会	〒302-0001	取手市小文間4401-1　福田玲子方	0297-85-6665
朱葉会	〒164-0001	中野区中野3-20-8　内手マンション101	03-5340-4636
春陽会	〒102-0085	千代田区六番町1　番町一番館	03-6380-9145
美術協会 純展	〒273-0105	鎌ケ谷市鎌ケ谷9-5-34　白戸昭方	047-444-1424
女流画家協会	〒210-0024	川崎市川崎区日進町1-2-307　中村智恵美方	044-272-5200
新槐樹社	〒178-0064	練馬区南大泉4-29-35　照山ひさ子方	03-3922-1112
新協美術会	〒348-0002	羽生市名779　斎藤栄一方	048-565-0235
新芸術協会	〒350-1136	川越市下新河岸90-17　後藤環方	049-242-6411
新構造社	〒111-0032	台東区浅草5-33-1	03-5808-9976
新興美術院	〒174-0064	板橋区中台3-11-10-411　藤咲億桜方	03-3935-1060
新作家美術協会	〒191-0043	日野市平山2-22-9　本田久一郎方	042-591-0073
新匠工芸会	〒636-0915	奈良県生駒郡平群町春日丘2-10-17　杉瀬公美方	0745-45-4359
新象作家協会	〒271-0064	松戸市上本郷1416-9　岩崎方	090-8444-3176
新成会	〒141-0031	品川区西五反田3-6-38-211　麗主水加瀬方	03-3493-2084
新世紀美術協会	〒191-0012	日野市日野937-30　佐藤忠弘方	042-585-0693
新制作協会	〒160-0022	新宿区新宿6-28-10　大阪屋ビル202	03-6233-7008
新生美術会	〒410-2114	伊豆の国市南條773-1　杉山敏治方	055-949-4349
新日本美術院	〒104-0061	中央区銀座1-13-12　銀友ビル8F	03-6264-4377
新日本美術協会	〒234-0054	横浜市港南区港南台1-39-5　鈴木忠義方	045-832-0504
新美術協会	〒276-0033	八千代市八千代台南2-6-12　野口泰延方	047-483-4757
新平成美術会	〒120-0026	足立区千住旭町7-20　中村孝一方	03-3881-7514
水彩人	〒270-0164	流山市流山6-562　秋元由美子方	0471-58-1109
水彩連盟	〒169-0075	新宿区高田馬場2-12-1　さかえビル101	03-6661-4451
青枢会	〒277-0042	柏市逆井3-25-8-110　滝澤照茂方	04-7176-4843
青藍水墨画協会	〒205-0013	羽村市富士見平1-14-36	042-555-6622
全日本美術協会	〒215-0017	川崎市麻生区王禅寺西7-11-7	044-988-7457
創画会	〒110-0008	台東区池之端4-23-2-410	03-3823-2710

蒼騎会	〒350-0016	川越市木野目361-3　萩田栄二方	049-235-4654
創型会	〒343-0806	越谷市宮本町5-12-1　大田英男方	048-964-6029
創元会	〒170-0005	豊島区南大塚1-50-7	03-5976-4386
創彩会	〒334-0056	川口市峯1168-1　田中君子方	048-298-5670
創展 創作画人協会	〒195-0063	町田市野津田町3464-20　木村巴方	042-860-3717
蒼樹会	〒125-0031	葛飾区西水元4-16-14　青木勉武方	03-3627-7788
双樹会	〒274-0072	船橋市三山5-55-1　今村由美方	047-475-5408
創造美術会	〒359-1151	所沢市若狭2-1675-24　谷中方	04-2949-5277

［た行］

第一美術協会	〒366-0801	深谷市上野台3314-2　富澤啓子方	048-501-6223
大潮会	〒110-0005	台東区上野3-10-8　柏原ビル2F　浦崎武彦方	03-3836-3470
大調和会	〒146-0083	大田区千鳥3-16-7-1003　早川雅信方	090-3221-0456
太平洋美術会	〒116-0013	荒川区西日暮里3-7-29	03-3821-4100
大洋会	〒306-0624	坂東市矢作3493-1　直井照美方	0297-38-2888
太陽美術協会	〒346-0115	久喜市菖蒲町小林4502　清水源方	0480-85-7380
たぶろう美術協会	〒252-0802	藤沢市高倉2656-2　春名方	0466-43-0226
中央美術協会	〒251-0046	藤沢市辻堂西海岸1-9-7　加藤賢亮方	0466-33-3647
等迦会	〒241-0814	横浜市旭区中沢1-13-8 中込伊喜夫方	045-366-2236
東京湘南絵画会	〒141-0031	品川区西五反田8-4-13-5F　ゆうぽうとカルチャープラザ内	03-3494-8507
東京展	〒349-0218	白岡市白岡1133-4　青柳芳夫方	090-3045-7927
東京都民美術展運営会	〒161-0033	新宿区下落合2-6-10　武田雪枝方	03-3952-2983
東光会	〒113-0021	文京区本駒込5-60-16　セボンアダージオ文京101　東光会美術会館内	03-5834-8221
東方美術協会	〒146-0082	大田区池上4-31-10-904　高頭信子方	03-3751-8741
独立美術協会	〒141-0031	品川区西五反田2-13-8　山崎ビル507号	03-3490-5881
土日会	〒181-0001	三鷹市井の頭5-7-1　三浦裕之方	0422-48-1007

［な行］

二科会	〒160-0022	新宿区新宿4-3-15　レイフラット新宿501	03-3354-6646
二紀会	〒114-0014	北区田端3-13-2　谷中田美術第2ビル3F	03-5685-6791
二元会	〒545-0021	大阪市阿倍野区阪南町1-9-27　向井武志方	06-6623-8676
日洋会	〒102-0074	千代田区九段南4-6-14　九段YMビル3F	03-6388-9858
日輝会美術協会	〒113-0021	文京区本駒込2-1-10　黒坂方	03-3941-7834
日展	〒110-0002	台東区上野桜木2-4-1	03-3821-0453
日本画院	〒110-0004	台東区下谷2-21-8　河野ビル2F	03-6458-1219
日本画府	〒176-0023	練馬区中村北1-13-18　練馬スカイホーム7F	03-3970-2230
日本工芸会	〒110-0007	台東区上野公園13-9　東京国立博物館内	03-3828-9789
日本彩美会	〒371-0024	前橋市表町2-22-9	027-221-2084
日本自由画壇	〒166-0015	杉並区成田東2-27-15　橋本不双人方	03-5306-5146
日本新工芸家連盟	〒114-0014	北区田端3-13-2　谷中田美術第2ビル4F	03-3828-5470
日本新水墨派	〒197-0022	福生市本町78　今里方	042-552-2127
日本人物画協会	〒632-0078	天理市杉本町270-4　中村孝之方	0743-63-2578
日本水彩画会	〒110-0015	台東区東上野4-6-7-206	03-5828-1616
日本水墨院	〒154-0002	世田谷区下馬2-3-20　村山華鳳方	03-3410-5828
日本清興美術協会	〒206-0021	多摩市連光寺1-28-2　佐々木孝子方	080-1626-1332
日本彫刻会	〒169-0075	新宿区高田馬場1-29-18　レジョン・ド・諏訪202	03-3209-1861

日本南画院	〒602-0853	京都市上京区河原町通荒神口上る西側宮垣町83	075-252-6675
日本板画院	〒247-0006	横浜市栄区笠間2-23-11-103　林眞方	080-6744-8843
日本版画会	〒355-0374	埼玉県秩父郡東秩父村安戸87　工房かみぐら　貝瀬利一方	090-6229-1160
日本版画協会	〒166-0003	杉並区高円寺南4-51-1-2F	044-966-7291
日本美術院	〒110-0001	台東区谷中4-2-8	03-3821-4510
日本美術会	〒113-0034	文京区湯島2-4-4　平和と労働センター内	03-5842-5665
日本表現派	〒466-0064	名古屋市昭和区鶴舞4-10-7　サンシャイン鶴舞101　吉田清隆方	052-559-8280
日本表象美術協会	〒181-0011	三鷹市井口4-14-32　足立健一方	0422-31-1356
日本文人画府	〒270-2241	松戸市松戸新田534-8　中里方	047-364-9303

［は行］

白亜美術協会	〒143-0024	大田区中央6-29-4-503　酒井俊幸方	03-3754-7726
白士会	〒445-0063	西尾市今川町上新田32-1　鈴木喜家方	0563-56-8476
白日会	〒104-0032	中央区八丁堀4-2-8　月村マンション202号	03-6280-5218
汎美術協会	〒168-0063	杉並区和泉3-52-26　大辻敏成方	03-5938-6485
美術文化協会	〒146-0085	大田区久が原2-9-6　伊藤行子方	03-3754-6913
从会	〒359-1131	所沢市久米1386-9　尾藤敏彦方	04-2922-6773
風子会	〒125-0033	葛飾区東水元5-33-12　並木友之方	03-5660-3055
風土会	〒960-0602	伊達市久保40-11　岡崎忠夫方	024-575-4226
富士美術協会	〒277-0883	柏市伊勢原1-4-33　楽山正幸方	04-7131-4591

［ま行］

モダンアート協会	〒331-0065	さいたま市西区二ツ宮55-31　都築邦春方	048-622-2967

［ら行］

立軌会	〒347-0107	加須市正能493-26　遊馬賢一方	0480-73-6828
流形美術会	〒242-0024	大和市福田7-25-2　伊勢良助方	046-268-7750

美術評論家・関係者住所録

●名前、［専門］肩書、出身、生年、最終学歴、主な著書、郵便番号、住所、電話番号、FAX番号、E-mailアドレスの順で50音順に掲載しています。
●美術評論家連盟所属の場合、★がついています。

美術評論家連盟事務局
〒102-8322　千代田区北の丸公園3-1　東京国立近代美術館内
TEL.090-7635-1370　FAX.03-3690-6394
aicajpn@gmail.com

青木　茂　［日本近代美術史］
明治美術学会理事、季刊「一寸」同人　岐阜県　昭7生　早稲田大学卒　「高橋由一油画史料」「油画初学」「自然を描く」
〒171-0052　豊島区南長崎4-43-7
TEL.03-3952-1725

青木　正弘　★　［実践博物館学、現代美術、現代工芸］
岐阜県　昭22生　京都市立芸術大学卒　「芸術／葛藤の現場」（共著）／「ミューゼオロジー 実践編／ミュージアムの世界へ」（共著）
〒501-1171　岐阜市御望38-3
TEL./FAX.058-239-8401
sao-pai@tune.ocn.ne.jp

青柳　正規　［古代考古美術史］
山梨県立美術館館長、橿原考古学研究所所長、多摩美術大学理事長、元文化庁長官　大連　昭19生　東京大学大学院修、ローマ大学留学　「エウローパの舟の家」「古代都市ローマ」「ローマ帝国」
〒400-0065　甲府市貢川1-4-27　山梨県立美術館
TEL.055-228-3322

赤津　侃　★　［団体美術展論、現代日本美術、画壇構造論、東欧・中欧・ロシア・メキシコの現代美術］
元朝日新聞記者　神奈川県　昭14生　慶應義塾大学経済学部卒　「もう一つのヨーロッパ—東欧の美術と政治」「版画の見方、買い方、推薦作家100人」
〒236-0058　横浜市金沢区能見台東8番C-208号
TEL.045-788-2449　FAX.045-788-2478
akatsu@r7.dion.ne.jp

秋田　由利（菊地　健三）　★　［芸術学、近・現代哲学］
専修大学名誉教授　秋田県　昭21生　専修大学大学院博士後期課程修　「ジル・ドゥルーズの試み」（共著 北樹出版）／「性差についてのカントの見解」（訳 U.P.ヤウヒ著 専修大学出版局）／「西洋の美術—造形表現の歴史と思想」（共著 晶文社）／「カントと動力学の問題」（晶文社）他
〒214-0033　川崎市多摩区東三田2-5-5
TEL.044-922-6205

秋元　雄史　［現代美術、現代工芸］
東京藝術大学大学美術館館長・教授、練馬区立美術館館長　東京都　昭30生　東京藝術大学卒　「工芸未来派—アート化する新しい工芸」（六耀社）／「武器になる知的教養 西洋美術鑑賞」（大和書房）／「一目置かれる知的教養 日本美術鑑賞」（大和書房）他
〒110-8714　台東区上野公園12-8　東京藝術大学大学美術館

安黒　正流　★
兵庫県　昭12生　京都大学文学部卒
〒663-8177　西宮市甲子園七番町14-23-703
TEL.0798-40-0020
ag1210masaru@ck2.so-net.ne.jp

浅田　彰　［現代思想･批評］
京都造形芸術大学教授　兵庫県　昭32生　京都大学大学院経済学研究科博士課程中退　「構造と力」「ヘルメスの音楽」「20世紀文化の臨界」
〒603-8345　京都市北区平野八丁柳町25-2
asdakr@nifty.com

浅野　徹　★　［日本近代美術史］
名古屋芸術大学名誉教授　東京都　昭12生　東京教育大学教育学部芸術学科卒　「原色現代日本の美術8　前衛絵画」「近代の美術27　中村彝」「北川民次画集」
〒202-0011　西東京市泉町3-2-2
TEL.042-422-6461

阿部　信雄　［日欧近代美術、ミューゼオロジー］
美術評論家、キュレーター　兵庫県　昭23生　慶應義塾大学大学院修　「ルドン」「青木繁」「ムンク」
〒389-0102　長野県北佐久郡軽井沢町軽井沢1068-57-A
TEL.0267-31-6086　FAX.0267-31-6087
nobuoabe.k@gmail.com

天沢　退二郎　［フランス文学］
詩人、作家、明治学院大学名誉教授　東京都　昭11生　東京大学大学院人文科学研究科フランス語フランス文学専攻博士課程満期退学　「幽明偶輪歌」（詩集）／「人間の運命」（詩集）／「ヴィヨン詩集成」（訳）／「少年と川」アンリ・ボスコ（訳）／「宮沢賢治の彼方へ」／「校本宮澤賢治全集」（共編著）／「オレンジ党と黒い釜」（少年小説）他
〒263-0021　千葉市稲毛区轟町5-1-27
TEL./FAX.043-251-7869

天野　一夫　★　［近･現代美術史、映像表現史］
豊田市文化振興課　埼玉県　昭34生　学習院大学博士前期課程修　「復刻 書の美」（監修）／「日本画の誕生」（共著）／「日本画　内と外の間で」（共著）／「美術史の余白に」（共著）他
〒471-0034　豊田市小坂本町1-15-8-704
TEL.0565-34-6631（勤務先）　FAX.0565-34-6766（勤務先）
kazuo-amano@city.toyota.aichi.jp

天野　太郎　★
横浜市民ギャラリーあざみ野主席学芸員　大阪府　同志社大学文学部美学・芸術専攻卒
〒241-0801　横浜市旭区若葉台4-14-1003
TEL.045-921-6076

有賀　祥隆
東北大学名誉教授、東京藝術大学客員教授　岐阜県　昭15生　東北大学文学部東洋芸術史科卒　「仏画の鑑賞基礎知識」（至文堂）／「平安絵画」（『日本の美術』第205号、至文堂）／「日本絵画史論攷—紺丹緑紫抄」（中央公論美術出版）他
201-0003　狛江市和泉本町1-7-5-602
TEL./FAX.03-3488-3926

粟津　則雄　［フランス文学、文芸、美術］
日本藝術院会員　愛知県　昭2生　東京大学文学部フランス文学科卒　「日本美術の光と影」「聖性の絵画」「自画像は語る」「粟津則雄著作集」「私の空想美術館」「美との対話」「ピカソ—二十世紀美術断想」「西行覚書」
〒177-0045　練馬区石神井台5-10-25
TEL.03-3929-0302　FAX.03-6321-8119

飯沢　耕太郎　★　［写真評論、写真史］
写真評論家　宮城県　昭29生　日本大学芸術学部写真科卒、筑波大学大学院博士課程修　「きのこ文学名作選」「深読み！日本写真の超名作100」「現代日本写真アーカイブ」「きのこ漫画名作選」「キーワードで読む現代日本写真」
〒150-0011　渋谷区東3-2-7
TEL./FAX.03-3797-3481
iizawa-k@ta3.so-net.ne.jp

五十嵐　太郎　★　［建築批評、建築史］
東北大学教授　パリ　昭42生　東京大学大学院建築学専攻修士課程修、博士（工学）　「建築と音楽」（NTT出版）／「被災地を歩きながら考えたこと」（みすず書房）／「モダニズム崩壊後の建築」（青土社）／「現代日本建築家列伝」（河出書房新社）／「日本建築入門」（ちくま新書）
〒980-8579　仙台市青葉区荒巻字青葉6-6-06　東北大学大学院工学研究科
TEL.022-795-7880　FAX.022-795-7853
iga-taro@momo.so-net.ne.jp

五十嵐　卓　★　［近現代美術、美術館学、美術評論］
SOMPO美術館学芸課長、美術評論家連盟常任委員　ニューヨーク市立大学大学院　「世界美術館の旅」（共著 小学館）／「マイ・グランパパ、ピカソ」（共訳 小学館）／「ゴッホと浮世絵」（図録原稿）
〒164-0012　中野区本町6-5-1-210
masaigara@gmail.com

池上　英洋　［西洋美術史･文化史］
東京造形大学教授、日本文藝家協会会員　広島県　昭42生　東京藝術大学大学院美術研究科修士課程修　「レオナルド・ダ・ヴィンチ 生涯と芸術のすべて」（筑摩書房）／「恋する西洋美術史」（光文社）／「西洋美術史入門」（筑摩書房）他
ikegami@zokei.ac.jp

石川　翠　★
art&books ばんどり舎/思川書房代表　茨城県　昭35生　アテネ・フランセに学ぶ「空の臨書 松澤宥論序説」／「内的な庭 有賀和郎画集」／「金光紀美子オフィシャル・ポストカード第1集」（刊行）他
〒323-0827　小山市神鳥谷881-13
midoli2009@yahoo.co.jp

市川　政憲　★
東京都　昭21生「近さと隔たり／存在する、美術」
〒338-0001　さいたま市中央区上落合1-9-1-1901
TEL.048-854-7363

市原　研太郎　★　［現代美術評論］
神奈川県　昭24生　京都大学卒「ゲルハルト・リヒター／光と仮象の絵画」「アフター・ザ・リアリティ―〈9・11〉以降のアート」
〒230-0051　横浜市鶴見区鶴見中央2-16-1　グリーンコーポ鶴見706
TEL./FAX.045-504-5954

伊東　順二　★　［現代美術］
東京藝術大学特任教授　長崎県　昭28生　早稲田大学仏文科大学院修「現在美術」「アートランナー9.79」「新しい茶のかたち」
〒154-0016　世田谷区弦巻5-21-22-A
TEL.03-5450-0072　FAX.03-5450-0062
info@junjiito.com

伊藤　俊治　［美術史］
東京藝術大学教授　東京都　昭28生　東京大学大学院修「機械美術論」「写真都市」「ジオラマ論」
〒194-0005　町田市南町田3-11-11
TEL.042-799-3811　FAX.042-799-3981

巖谷　國士　［フランス文学、美術、写真、映画、旅、庭園、植物、絵本］
明治学院大学名誉教授　東京都　昭18生　東京大学仏文科大学院修「シュルレアリスムとは何か」「森と芸術」「旅と芸術」
〒156-0043　世田谷区松原1-16-3
TEL./FAX.03-3323-1038

上野　憲示　★　［日本美術史、美術評論］
文星芸術大学理事長　大阪府　昭23生　東京大学卒「鳥獣人物戯画」「伴大納言絵巻」「渡辺崋山の写生帖」「KAKIEMON おもしろ日本美術Ⅱ」他
〒320-0032　宇都宮市昭和2-5-10
TEL.028-622-2536　FAX.028-621-2929
satoko@art.bunsei.ac.jp

歌田　眞介
東京藝術大学名誉教授　東京都　昭9生　東京藝術大学「高橋由一 油画の研究」（編著）／「油絵を解剖する」
〒193-0844　八王子市高尾町2035-22
TEL./FAX.0426-65-2044

宇波　彰　［哲学］
明治学院大学名誉教授　静岡県　昭8生　東京大学大学院修「記号的理性批判」「力としての現代思想」「書評の思想」「ラカン的思考」
〒189-0026　東村山市多摩湖町3-8-21
TEL./FAX.042-394-0339
akira.unami@gmail.com

漆原　美代子　★　［比較文化、汎動物学(Zoobiquity)］
IATSS 国際交通安全学会顧問 他　東京都　Pratt Institute of Arts (N.Y.)「インテリア アーキテクチャー―環境構成の基礎」（訳 彰国社）／「都市環境の美学」（NHKブックス）／「愛の美学」（海竜社）他
〒389-0103　長野県北佐久郡軽井沢町軽井沢旧軽井沢愛宕845-26
TEL.0267-41-0017
daphnis.chloe@icloud.com

海野　弘
東京都　昭14生　早稲田大学文学部卒「日本のアール・ヌーヴォー」「1920年代の画家たち」「美術館感傷旅行 45通の手紙」「グスタフ・クリムトの世界 女たちの黄金迷宮」
〒182-0024　調布市布田4-17-10　セントラルレジデンス調布1107
TEL.042-445-2269

遠藤　水城　★
一般社団法人HAPS代表理事、ヴィンコム現代芸術センター芸術監督　北海道　昭50生　九州大学博士後期課程満期退学「ルーツ―20世紀後期の旅と翻訳」（共訳著）／「アメリカまで」／「陸の果て、自己への配慮」
〒605-0841　京都市東山区大和大路通五条上る山崎町339　HAPSオフィス
TEL.075-525-7525　FAX.075-525-7522
endomizuki@hotmail.com

大井　健地　［美術史］
広島市立大学名誉教授、元芸術資料館長　岡山県　昭22生　東京藝術大学美術学部芸術学科卒「絵のまえ本のうしろ」「大井健地の美術図書館」「靉光デッサン集」
〒734-0024　広島市南区仁保新町2-9-29-501
TEL./FAX.082-288-2767

大倉　宏　★　［日本近代美術史（洋画）］
砂丘館（旧日本銀行新潟支店長役宅）館長　新潟県

昭32生　東京藝術大学美術学部芸術学科卒　「東京ノイズ」「越佐の埋み火」
〒950-2064　新潟市西区寺尾西2-9-29
TEL./FAX.025-260-4342
h-ookura@agate.plala.or.jp

逢坂　恵理子　★　[現代美術、アートマネジメント]
国立新美術館館長、横浜美術館館長、元水戸芸術館現代美術センター芸術監督、元森美術館アーティスティック・ディレクター　東京都　学習院大学文学部哲学科　「アネット・メサジェ：聖と俗の使者たち」（淡交社 2008）／「蔡國強展：帰去来」（モ・クシュラ株式会社 2015）／「石内都 肌理と写真」（求龍堂 2017）
〒106-8558　港区六本木7-22-2　国立新美術館
TEL.03-6812-9900

太田　泰人　★　[近現代美術史]
東京都　昭26生　東京大学大学院人文科学専修課程修　「美術館は生まれ変わる―21世紀の現代美術館」（共著）
〒212-0054　川崎市幸区小倉1-1-E816
TEL./FAX.044-541-5436

太田垣　實　★　[近代・現代美術]
兵庫県　昭22生　大阪外国語大学（現・大阪大学外国語学部）卒　「京都美術の新・古・今」（淡交社）／「美術家の墓標」（共著 京都新聞社）／「京洛の四季―近代名画100選」（共著 京都新聞社）
〒621-0008　京都府亀岡市馬路町市場56
TEL./FAX.0771-24-3670

大谷　省吾　★　[哲学、美学・美術史]
東京国立近代美術館美術課長　昭44生　筑波大学大学院芸術学研究科修　「昭和期美術展覧会の研究 戦前篇」（共著 東京文化財研究所）／「コレクション・日本シュールレアリスム第10巻 阿部金剛・イリュージョンの歩行者」（本の友社）／「クラシックモダン 1930年代日本の芸術」（共著 せりか書房）／「激動期のアヴァンギャルド シュルレアリスムと日本の絵画 1928-1953」（国書刊行会）
〒102-8322　千代田区北の丸公園3-1　東京国立近代美術館
TEL.03-3214-2565　FAX.03-3214-2576

大坪　健二　★　[近・現代美術、ミュージオロジー]
長崎県　昭24生　京都大学文学部哲学科美学美術史専攻卒　「私をよぎった現代美術」／「続・私をよぎった現代美術」／「結・私をよぎった現代美術」／「アルフレッド・バーとニューヨーク近代美術館の誕生」（三元社）
〒939-8141　富山市月岡東緑町2-15
TEL./FAX.076-429-2951
k2-ozubo@pc.ctt.ne.jp

大矢　鞆音　★
津和野町立安野光雅美術館館長　東京都　昭13生　早稲田大学卒　「画家たちの夏」／「田中一村―豊饒の奄美」／「もっと知りたい田中一村」／「増補改訂版 田中一村作品集」／「評伝 田中一村」（生活の友社）
〒215-0021　川崎市麻生区上麻生7-33-8
TEL./FAX.044-988-1503
tohya@d2.dion.ne.jp

岡　泰正　[日欧文化交流史、近世絵画、工芸史]
神戸市立小磯記念美術館、神戸ゆかりの美術館館長　京都府　昭29生　関西大学大学院博士課程前期（美学美術史）修　「めがね絵新考」「身辺図像学入門」「日欧美術交流史論」
〒655-0033　神戸市垂水区旭が丘1-10-27

岡﨑　乾二郎　★
武蔵野美術大学客員教授、造形作家、批評家　東京都　昭30生　多摩美術大学中退、Bゼミスクーリングシステム修了　「ルネサンス 経験の条件」「抽象の力 近代芸術の解析」
〒185-0011　国分寺市本多5-10-3　郵便局ビル2F　urizen気付
okazakipark@gmail.com

岡部　あおみ　★　[現代美術]
東京都　パリ・ソルボンヌ大学修士課程、ルーヴル学院研究論文課程修　「アートと女性と映像」「アートが知りたい 本音のミュゼオロジー」
bd5sonet@gmail.com

岡部　昌幸　[ジャポニスム、アメリカ美術、印象派、近代日本美術、写真史]
群馬県立近代美術館館長、帝京大学文学部教授　神奈川県　昭32生　早稲田大学大学院修　「近代美術の都モスクワ」「21の日本の名画を愉しむ」「写真で見る江戸東京」「ゴッホの正しい鑑賞法」
〒140-0015　品川区西大井5-2-2
TEL./FAX.03-5709-1117
okabe-tomoko@msg.biglobe.ne.jp

岡村　多佳夫　★　[近現代美術史、風俗史]
元東京造形大学教授　東京都　昭24生　早稲田大学大学院文学研究科博士課程修了　「バルセロナ―自由の風が吹く街」／「ヨーロッパの家、フランス、スペイン篇」（共著）／「スペイン美術鑑賞紀行 1・2」
〒162-0803　新宿区赤城下町28
TEL./FAX.03-3260-0865

奥岡　茂雄　★　[近・現代日本美術]
北海道　昭16生　中央大学・仏教大学卒　「岩橋英

美術評論家・関係者▼お

遠」「片岡球子」「北の美のこころ」
〒060-0008　札幌市中央区北8条西15丁目28-169-1001
TEL./FAX.011-613-6688
okuoka7619@outlook.jp

小倉　正史　★　[現代美術]
千葉県　昭9生　「現代美術＝アール・ヌーヴォーからポストモダンまで」（共著）
〒709-0827　赤磐市山陽7-1-8-104
ogr@sannet.ne.jp

翁長　直樹　★　[沖縄戦後美術、アメリカ現代美術]
沖縄県　昭26生　琉球大学卒　「すぐわかる沖縄美術」（共著 東京書籍）／「沖縄文化の軌跡1872-2007」県立美術館開館記念展図録
〒903-0811　那覇市首里赤平町1-50-16
TEL./FAX.098-885-4197

尾野　正晴　★　[近・現代美術]
静岡文化芸術大学名誉教授　兵庫県　昭23生　京都大学経済学部卒
〒525-0057　草津市桜ヶ丘4-3-17
TEL./FAX.077-564-6103

帯金　章郎　[現代美術]
東京都　昭27生　東京大学文学部卒　「現代美術―ウォーホル以後」（共著）
〒135-0044　江東区越中島1-3-1-421
TEL./FAX.03-3630-5947

笠原　美智子　★　[写真]
石橋財団アーティゾン美術館副館長　長野県　昭32生　シカゴ・コロンビアカレッジ修士課程　「ヌードのポリティクス 女性写真家の仕事」「写真、時代に抗するもの」「ジェンダー写真論1991-2017」
〒104-0031　中央区京橋1-7-2　ミュージアムタワー京橋　アーティゾン美術館
TEL.03-3563-0241

加治屋　健司　★　[現代美術史]
東京大学准教授　ニューヨーク大学大学院　「旧中工場アートプロジェクト」（共編著 広島アートプロジェクト）／「大発明物語 芸術と科学的思考」（共編著 現代企画室＋BankART出版）／「『見ることの神話』から アイディアの自立と芸術の変容」（共編著 現代企画室＋BankART出版）
〒153-8902　目黒区駒場3-8-1　東京大学大学院総合文化研究科
kajiya@chora.c.u-tokyo.ac.jp

柏木　博　[近代デザイン史、デザイン評論]
武蔵野美術大学名誉教授、英国王立芸術大学院大学（RCA）名誉フェロー　兵庫県　昭21生　武蔵野美術大学卒　「デザインの20世紀」「家事の政治学」「日用品の文化誌」「モダンデザイン批判」「探偵小説の室内」「わたしの家」「デザインの教科書」「日記で読む文豪の部屋」「視覚の生命力」
〒185-0035　国分寺市西町2-13-13
TEL.042-575-5432　FAX.042-572-8849
k-hiro55@nifty.com

加須屋　明子　★　[美学・芸術学]
京都市立芸術大学教授　兵庫県　昭38生　京都大学大学院博士後期課程満期退学　「美術史をつくった女性たち―モダニズムの歩みのなかで―」（共著）／「ポーランド学を学ぶ人のために」（共著）／「コンフリクトのなかの芸術と表現 文化的ダイナミズムの地平」（共著）／「中欧の現代美術」（共著）／「ポーランドの前衛美術」
〒610-1197　京都市西京区大枝沓掛町13-6　京都市立芸術大学
TEL.075-334-2220　FAX.075-334-2345
kasuya@kcua.ac.jp

片岡　真実　★
森美術館館長、国際美術館会議会長、京都造形芸術大学教授　愛知県　昭40生　愛知教育大学卒
〒153-0052　港区六本木6-10-1　六本木ヒルズ森タワー 53F　森美術館
TEL.03-6406-6124　FAX.03-6406-9351

加藤　義夫　★　[現代美術、美術評論、アートマネジメント]
加藤義夫芸術計画室主宰、大阪芸術大学客員教授、宝塚市立文化芸術センター・庭園開設準備室館長　大阪府　昭29生　大阪市立都島工業高等学校卒・大阪デザインスクール（現・創造社デザイン専門学校）卒　「ヨッチャンの部屋 加藤義夫芸術計画室10年全仕事」／「アートマネージメントを学ぶ」（共著）／「川俣正―アーティストの個人的公共事業」（共著）
〒661-0033　尼崎市南武庫之荘5-4-17
TEL.090-7349-9751
yoshiokatoh1997@s7.dion.ne.jp

加藤　類子　★　[近代日本画]
京都府伝統と文化のものづくり産業振興審議会表彰等専門委員、染・清流館館長　京都府　昭13生　同志社女子大学卒　「虹を見る―松園とその時代」「京都日本画の回想」「もっと知りたい上村松園」
〒616-8361　京都市右京区嵯峨中通町6-14
TEL./FAX.075-861-3913

金澤　毅　★　[現代美術、ラテンアメリカ美術、芸術計画]
成安造形大学名誉教授　旧満州国長春市　昭10生　上智大学外国語学部

〒234-0054　横浜市港南区港南台8-32-33
TEL./FAX.045-832-1996
montekana@ac.auone-net.jp

金子　隆一　［日本近代写真史］
写真史家、日本写真芸術学会理事　東京都　昭23生　立正大学文学部地理学科卒　「The History of Japanese Photography」（共著）／「植田正治：私の写真の作法」（編著）／「日本写真集史1956-1986」（共著）／「JAPANESE PHOTOBOOK 1912-1990」（共著）
〒110-0001　台東区谷中4-1-6
TEL.03-3821-5787　FAX.03-3827-8796
shogyoin@jcom.home.ne.jp

狩野　博幸　［日本近世美術史］
美術史家、元同志社大学教授　福岡県　昭22生　九州大学大学院博士課程中退　「曾我蕭白」「目をみはる伊藤若冲の『動植綵絵』」「伊藤若冲大全」
〒610-0394　京田辺市多々羅都谷 同志社大学 夢告館個人研究室609
TEL.0774-65-7679

樺山　紘一　［西洋中世史］
印刷博物館館長、東京大学名誉教授　昭16生　東京大学大学院修士課程修　「歴史の歴史」（千倉書房）他
〒112-0001　文京区白山4-19-2

河村　錠一郎　［美術史、比較芸術、文学］
一橋大学名誉教授、元帝京大学教授　東京都　昭11生　東京大学大学院博士課程修　「ビアズリーと世紀末」「ワーグナーと世紀末の画家たち」「マニエリスムとバロック」
〒183-0046　府中市西原町4-17-37
TEL./FAX.042-575-2157

木島　俊介　★　［西洋美術史］
ポーラ美術館館長、Bunkamura ザ・ミュージアムプロデューサー　鳥取県　昭14生　ニューヨーク大学大学院修　「名画が愛した女たち」「ヨーロッパ中世の四季」「ヨーロッパの装飾美術」
〒168-0073　杉並区下高井戸1-33-1
TEL.03-3304-5776
shuning@cool.odn.ne.jp

北澤　憲昭　★　［日本近現代美術史］
武蔵野美術大学客員教授、女子美術大学名誉教授　東京都　昭26生　「眼の神殿―『美術』受容史ノート」「境界の美術史」「アヴァンギャルド以後の工芸」「美術のポリティクス」「〈列島〉の絵画―『日本画』のレイト・スタイル」
kitazawa0508@gmail.com

木下　直之
静岡県立美術館館長　静岡県　昭29生　東京藝術大学大学院修士課程中退　「美術という見世物」（平凡社）／「世の途中から隠されていること」（晶文社）／「木下直之を全ぶ集めた」（晶文社）他
〒422-8002　静岡市駿河区谷田53-2　静岡県立美術館
TEL.054-263-5755　FAX.054-263-5767

桐島　敬子　★　［近・現代美術］
Archive Ugoディレクター　奉天　昭16生　ルーヴァン大学　「民族の仮面」（岩崎美術社）／「アフリカ彫刻」（岩崎美術社）／「ジョルジュ・ノエル」画集監修（Eds de la Différence, Paris）／“Una doppia esperienza:fra pittura giapponese e pittura in stile occidentale”（「日本画と西洋画の間で」）in「Kiyohara Tama, La collezione dipinta」, Sellerio, Palermo,2009
〒161-0031　新宿区下落合2-25-7　ルミエール目白305　横手方（8 bis, Rue Blomet,75015 Paris, FRANCE）
TEL.in France　33(0)140569419
issima@club-internet.fr

金原　宏行　★　［近世・近代絵画史］
横井照子ひなげし美術館顧問　静岡県　昭20生　早稲田大学大学院修　「定本崋山」（郷土出版社）／「曽宮一念画集」（日動出版）／「写実の系譜」（沖積舎）他
〒432-8023　浜松市中区鴨江3-15-25
TEL./FAX.053-453-5963
k.hiro.31525@rx.tnc.ne.jp

草薙　奈津子　★　［近代・現代日本画史］
平塚市美術館館長　神奈川県　慶應義塾大学　「東山魁夷全集4」／「美術館へ行こう」（岩波ジュニア新書）／「日本画の歴史 近代篇」（中公新書）／「日本画の歴史 現代篇」（中公新書）
〒104-0051　中央区佃1-11-7-1808
TEL./FAX.03-3532-1448、090-4386-8308
nkusanagi@au.wakwak.com

熊谷　伊佐子　★　［日本と中国の現代美術］
〒161-0034　新宿区上落合1-27-1
TEL.03-3360-1531

倉石　信乃　★　［近現代美術史、写真史］
明治大学教授　長野県　昭38生　多摩美術大学　「反写真論」／「スナップショット―写真の輝き」／「失楽園：風景表現の近代1870-1945」（共著）
〒214-8571　川崎市多摩区東三田1-1-1　明治大学理工学部総合文化教室
TEL.044-934-7267　FAX.044-934-7908

kuraishi@meiji.ac.jp

倉林　靖　★　[現代美術]
多摩美術大学・東京造形大学・武蔵野美術大学・桑沢デザイン研究所非常勤講師　群馬県　昭35生　青山学院大学文学部史学科卒　「現代アートを聴く―20世紀音楽と今日の美術」「岡本太郎と横尾忠則―モダンと反モダンの逆説」「澁澤・三島・六〇年代」
〒185-0032　国分寺市日吉町3-30-9
TEL./FAX.042-502-7931
2kurarin@jcom.home.ne.jp

栗田　勇　★　[仏文学、評論、小説、詩、劇作、日欧比較文化、日本精神文化史、美術・建築評論]
早稲田大学・慶應義塾大学元講師、元NHK中央番組審議会委員長　東京都　昭4生　東京大学大学院修　芸術選奨文部大臣賞受賞、紫綬褒章受章　「一遍上人―旅の思索者」／「最澄 1～3」／「西行から最澄へ」／「栗田勇著作集」(全12巻)
〒156-0044　世田谷区赤堤5-11-27
TEL.03-3321-9031　FAX.03-3328-9610

暮沢　剛巳　★
東京工科大学デザイン学部教授
〒174-0071　板橋区常盤台3-16-12-401
TEL./FAX.03-5918-8063
UGI55688@nifty.com

黒江　光彦　[絵画修復]
山形県　昭10生　東京大学大学院修　「美を守る」「フランス中世美術の旅」「モネ」
〒227-0046　横浜市青葉区たちばな台2-16-17
TEL./FAX.045-961-6568

黒田　亮子　★
元群馬県立館林美術館館長
〒372-0812　伊勢崎市連取町1428
TEL./FAX.0270-24-0221

小池　寿子　[中世末期の死の図像]
國學院大学教授　群馬県　お茶の水女子大学大学院修　「『死の舞踏』への旅」
〒150-8440　渋谷区東4-10-28　國學院大学
TEL.03-5466-6268

小池　賢博　★　[近代日本美術史]
東京都　昭12生　東京大学文学部美学美術史学科卒　「菱田春草」「岸田劉生」「髙山辰雄」「速水御舟」
〒285-0855　佐倉市井野1503-2
TEL.043-489-8892

河野　元昭　[日本近世美術史]
秋田県立近代美術館名誉館長、静嘉堂文庫美術館長　東京都　昭18生　東京大学大学院博士課程退学　「光悦と本阿弥流の人々」「与謝蕪村」「琳派 響きあう美」「文人画 往還する美」
〒104-0045　中央区築地5-3-3　築地浜離宮ビル3F　國華社気付
TEL.03-5550-5015　FAX.03-5540-7651
kokkasha@yahoo.co.jp

小林　忠　[日本美術史(江戸絵画史)]
岡田美術館館長、「國華」主幹　東京都　昭16生　東京大学大学院修士課程(美術史学専攻)修　「江戸絵画史論」「江戸の浮世絵」「江戸の絵画」
〒183-0004　府中市紅葉丘3-27-1-102
TEL./FAX.042-336-7553
chuu.kobayashi@gmail.com

小林　利延　★　[美術評論]
文星芸術大学名誉教授　栃木県　昭10生　早稲田大学大学院博士課程修　「評伝・川上澄生」／「ゴッホは殺されたのか―伝説の情報操作」(朝日新書)／「ゴッホ死す」
〒320-0812　宇都宮市一番町1-9
TEL.028-635-2727　FAX.028-633-7490

小林　英樹
愛知県立芸術大学名誉教授　埼玉県　昭22生　東京藝術大学油画専攻卒　「ゴッホの遺言」／「ゴッホの証明」／「ゴッホの復活」／「ゴッホの宇宙」／「『ゴッホ』にいつまでだまされ続けるのか」／「フェルメールの仮面」(小説)／「先駆者ゴッホ」
〒355-0315　埼玉県比企郡小川町みどりが丘2-6-7
TEL.0493-72-0353

小林　頼子　[17世紀オランダ美術研究、日蘭美術交流]
目白大学名誉教授、金沢美術工芸大学客員教授　昭23生　慶應義塾大学大学院博士課程修了　「フェルメールの世界」／「ヤン・ライケン『西洋職人図集』」／「花と果実の美術館」／「フェルメール全作品集」／「庭園のコスモロジー」／「グローバル時代の夜明け」(共著)／「移ろう形象と越境する芸術」(共著)
〒212-0054　川崎市幸区小倉1-1-F312

小松﨑　拓男　★　[近現代美術]
美術評論家　千葉県　昭28生　学習院大学大学院人文科学研究科博士後期課程中退　「バベルの図書館」(共著 NTT出版)他
〒214-0005　川崎市多摩区寺尾台1-1-13
takuokart@db3.so-net.ne.jp

斉藤　泰嘉　★　[近現代美術]
筑波大学名誉教授、齊藤惇日本画美術館(星のおじさま美術館)館長　山口県　昭26生　慶應義塾大学大学院文学研究科修　「佐藤慶太郎伝」／「佐伯祐三」／「東京府美術館史の研究」(博士論文)／「いきいきホスピタル」
〒305-0881　つくば市みどりの1-32-8　エクセレントシティつくばみどりの108号
TEL./FAX.029-895-4518
wooly123_0807@yahoo.co.jp

酒井　忠康　★　［美術評論］
世田谷美術館館長　北海道　昭16生　慶應義塾大学卒　「鞄に入れた本の話」「芸術の海をゆく人―回想の土方定一」「覚書 幕末・明治の美術」「展覧会の挨拶」他
〒249-0008　逗子市小坪7-15-1
TEL./FAX.0467-24-3915

坂本　満　★　［近世美術交流史、版画史］
お茶の水女子大学・国立歴史民俗博物館名誉教授、元うらわ美術館館長、元ジャポニスム学会会長、日仏美術学会会長　東京都　昭7生　東京大学人文科学研究科修士課程修了　「世界版画大系」「版画散歩」「黄金とクルス：安土・桃山時代」
〒270-2261　松戸市常盤平2-31-1
TEL./FAX.047-386-7709

笹木　繁男　［美術資料編纂・著述(戦争期の美術・藤田嗣治・中村正義)］
山形県　昭6生　明治学院大学中退　「ドキュメント 時代と差し違えた画家 中村正義の生涯」「ドキュメント 戦後美術の断面 作家の足跡から」「藤田嗣治―その実像と時代」(上・下)
〒165-0021　中野区丸山2-12-12
TEL./FAX.03-3339-0050
sasaki-azuma@tbz.t-com.ne.jp

佐藤　友哉　★
札幌芸術の森美術館館長
〒064-0915　札幌市中央区南15条西14丁目3-25
TEL./FAX.011-551-9433

佐藤　康宏　［日本美術史(絵画史)］
東京大学教授　宮崎県　昭30生　東京大学大学院修士課程修　「若冲・蕭白」「湯女図」「日本美術史」「絵は語り始めるだろうか」「若冲伝」
〒113-0033　文京区本郷7-3-1　東京大学文学部美術史学研究室
TEL.03-5841-3800　FAX.03-5841-8961

佐野　敬彦　★　［工芸論・西洋工芸史］
愛知県　昭10生　東京藝術大学専攻科修　「都市の楽しみ、イタリア丘の町」「アール・デコ悦楽の意匠」
〒179-0075　練馬区高松5-6-3-303
TEL.03-5372-5618

椹木　野衣　★　［現代美術］
「シミュレーショニズム」「日本・現代・美術」「後美術論」「震芸術論」「感性は感動しない」他
〒192-0394　八王子市鑓水2-1723 多摩美術大学
TEL.042-679-5628
sawaragi@tamabi.ac.jp

潮江　宏三　★　［西洋美術史］
香川県　昭22生　「シャガール」「ブレイク」「銅版画師 ウィリアム・ブレイク」
〒615-8084　京都市西京区桂坤町23-7
TEL.075-392-9107　FAX.075-392-9108

塩田　純一　★　［現代美術］
元新潟市美術館館長　東京都　昭25生　「イギリス美術の風景」
〒177-0045　練馬区石神井台6-10-17

篠田　達美　［20世紀美術］
東京都　昭26生　「現代美術の感情」
〒215-0003　川崎市麻生区高石4-17-1-211
TEL./FAX.044-954-6128

篠原　資明　★　［美学・哲学］
京都大学名誉教授、高松市美術館館長　香川県　昭25生　京都大学大学院修　「空海と日本思想」「まず美にたずねよ」「差異の王国―美学講義」「あいだ哲学者は語る―どんな問いにも交通論」
〒520-0528　大津市和邇高城363-16
TEL./FAX.077-594-1356
mabusabi@xf6.so-net.ne.jp

柴辻　政彦　★　［陶芸、現代日本画］
美術工芸研究所主宰　京都府　昭10生　立命館大学法学部卒　「冒険する造形作家たち」(共著)／「芸術の摂理」／「アートに学ぶ」／「塼塔」
〒606-8156　京都市左京区一乗寺松原町94
TEL.075-721-1388　FAX.075-791-7226

島　敦彦　★
金沢21世紀美術館館長　富山県　昭31生
〒920-8509　金沢市広坂1-2-1　金沢21世紀美術館
TEL.076-220-2800　FAX.076-220-2802

島尾　新　［日本中世美術史］
学習院大学教授　東京都　昭28生　東京大学大学院美術史学専門課修士課程修了　「禅林画賛」(共著)／「日本美術史」(共著)／「能阿弥から狩野派へ」／「瓢鮎図―ひょうたんなまずのイコノロジー」
〒171-8588　豊島区目白1-5-1　学習院大学文学部哲学科
TEL.03-3986-0221

島田　紀夫　［西洋美術史］
実践女子大学名誉教授　山梨県　昭15生
〒106-0032　港区西麻布1-2-17-303
TEL.03-3402-3580

島田　康寛　★　［近代日本美術史］
奈良県　昭20生　関西学院大学文学部美学科卒
「京都の日本画—近代の揺籃」「変容する美意識—日本洋画の展開」「村上華岳」
〒631-0846　奈良市平松2-12-20
TEL./FAX.0742-51-1714
kqkp30458@maia.eonet.ne.jp

清水　哲朗　★　［現代美術］
東京造形大学教授
〒249-0001　逗子市久木3-12-9

清水　敏男　★　［現代美術（中国、フランス、アジア、アフリカ）、博物館学、アートマネジメント］
学習院女子大学教授、TOSHIO SHIMIZU ART OFFICE 代表取締役　東京都　昭28生　エコール・ド・ルーヴル（ルーヴル美術館大学）卒　「東京ミッドタウンのアートとデザイン」（監修）／「『THE MIRROR』クリエイティヴ・ミュージアムの提案」（編・著）／「藤田嗣治画集 素晴らしき乳白色」（編）／「藤田嗣治作品集」（著）
〒169-0051　新宿区西早稲田2-14-15　松川BOX A棟
TEL.03-5155-2511　FAX.03-5155-2512
info@shimizuoffice.com

清水　眞澄　［仏教美術史］
三井記念美術館館長、成城大学名誉教授（元学長）　神奈川県　東北大学文学部史学科東洋芸術史科卒　「中世彫刻史の研究」（有隣堂）／「よくわかる仏像のすべて」（講談社）／「仏像の顔 形と表情をよむ」（岩波書店）他
103-0022　中央区日本橋室町2-1-1　三井本館7F　三井記念美術館

清水　穰　★　［現代芸術論、美術史、ドイツ哲学・思想］
同志社大学教授　昭38生　東京大学大学院　「プルラモン 単数にして複数の存在」「日々是写真」「写真と日々」（すべて現代思潮新社）
〒602-0898　京都市上京区烏丸通上立売上ル　同志社大学志高館研究室370号室
TEL.075-251-2661
mshimizu@mail.doshisha.ac.jp

清水　康友　★　［日本近現代美術］
東京都　昭29生　早稲田大学卒
〒101-0032　千代田区岩本町2-12-8-604
TEL./FAX.03-3865-3110

新川　貴詩　［現代美術、舞台芸術］
美術ジャーナリスト、多摩美術大学非常勤講師　兵庫県　昭42生　早稲田大学大学院修士課程修　「残像にインストール 舞台美術という表現」（光琳社出版）／「蓬莱山 蔡國強と大地の芸術祭の15年」（編 現代企画室）
shinkawa-t@nifty.com

末永　蒼生　［色彩心理］
「色彩学校」青山本校代表　長崎県　昭19生　長崎県立長崎東高等学校卒　「色彩自由自在」「青の時代へ」「色彩学校へようこそ」
〒151-0063　渋谷区富ヶ谷2-35-15
TEL./FAX.03-5453-5287
supercolor@h5.dion.ne.jp

末永　照和　★
桜美林大学名誉教授　北海道　昭6生　東北大学美学美術史学科卒　「ジェームズ・アンソール」「ピカソの道化師たち」「評伝ジャン・デュビュッフェ」
〒130-0011　墨田区石原3-27-11
TEL./FAX.03-3622-4339

菅　章　★　［現代美術］
大分市美術館館長　大分県　昭28生　鳴門教育大学大学院修　「ZOKEI」（共著）／「美術鑑賞宣言」（共著）／「彫刻評論集」（共著）
〒870-0885　大分市南太平寺17
TEL./FAX.097-546-3880
a-suga@oct-net.ne.jp

菅原　猛　★　［現代美術］
色彩美術館館長　東京都　昭14生　早稲田大学大学院文学研究科修　「小野木学作品集・風景」「難波田史男画集」「現代美術への招待」
〒150-0001　渋谷区神宮前6-34-6-310
TEL.03-6427-7476　FAX.03-6427-7480

鈴木　芳雄
美術ジャーナリスト、愛知県立芸術大学・明治学院大学非常勤講師、東京都庭園美術館外部評価委員　東京都　昭33生　慶應義塾大学法学部政治学科卒　「村上隆のスーパーフラット・コレクション」（Kaikai Kiki Co.,Ltd.）／「光琳ART 光琳と現代美術」（KADOKAWA／角川学芸出版）／「カルティエ、時の結晶」（日本経済新聞社）他
info@bijutsupress.com

千足　伸行　［西洋近代美術］
成城大学名誉教授、広島県立美術館館長　東京都　昭15生　東京大学文学部卒　「ロマン主義芸術」「クリムトとウィーン世紀末」「新西洋美術史」「アール・ヌーヴォーとアール・デコ：蘇る黄金時代」「交

響する美術」「ゴッホを旅する」
〒110-0008　台東区池之端4-19-8
TEL.03-3824-4757

高階　秀爾　★　［西洋美術史］
大原美術館館長、日本藝術院会員、文化勲章　東京都　昭7生　東京大学教養学部卒　「美の思索家たち」「名画を見る眼」他
〒161-0032　新宿区中落合1-12-13-502

高島　直之　★
武蔵野美術大学教授　宮城県　昭26生　武蔵野美術短期大学卒　「中井正一とその時代」／「芸術の不可能性」／「日本近現代美術史事典」（共著）
〒153-0062　目黒区三田1-4-4-718
TEL./FAX.03-5424-0028

高橋　亨　★
大阪芸術大学名誉教授　兵庫県　昭2生　東京大学文学部美学美術史学科卒
〒567-0048　茨木市北春日丘4-4-35
TEL./FAX.072-622-5200

髙橋　利郎　［日本書道史］
大東文化大学教授　静岡県　昭47生　大東文化大学大学院博士課程後期課程修　「近代日本における書への眼差し―日本書道史形成の軌跡」（思文閣出版）／「江戸の書」（二玄社）／「日本の書 維新～昭和初期」（二玄社）他
〒175-8571　板橋区高島平1-9-1　大東文化大学

高橋　睦郎
詩人　福岡県　昭12生　福岡教育大学卒　「柵のむこう」「虚音集」「遊行」
〒249-0005　逗子市桜山8-14-11
TEL.046-873-4413

宝木　範義　★
東京都　昭19生　早稲田大学大学院修　「梅原龍三郎」／「20世紀美術」（訳）／「ウィーン物語」
〒201-0003　狛江市和泉本町1-36-1-406
TEL./FAX.03-5497-5418

瀧　悌三　［近・現代美術］
東京都　昭6生　東京大学文学部美学美術史学科卒　「一期は夢よ 鴨居玲」「日本近代美術事件史」「芸苑雑事記」「日本の洋画界七十年」「澪標記」
〒165-0032　中野区鷺宮5-20-10
TEL./FAX.03-3998-8556

竹澤　雄三　★　［近・現代美術、博物館学］
書のこころ太陽社代表、元広島市現代美術館副館長　広島県　昭18生　武蔵野美術大学、ポートランド・ミュージアム・アート・スクール（米）卒　「ガラスの美（アール・ヌーボーから現代）」／「概説『博物館学概論』」（共著）／「朝のささやき」
〒731-3167　広島市安佐南区大塚西3-3-45-714
TEL./FAX.082-830-1725
yuso_t@mtg.biglobe.ne.jp

武田　昭彦　★　［ジャコメッティ研究］
北海道　昭27生　法政大学大学院修　「ジャコメッティ」（編）／「矢内原伊作 ジャコメッティ手帖Ⅰ・Ⅱ」（編）／「ジャコメッティ 彫刻と絵画」
〒981-0911　仙台市青葉区台原3-25-30
TEL./FAX.022-274-4555

武田　厚　★　［近・現代美術、現代ガラス］
多摩美術大学客員教授、富山ガラス造形研究所顧問　北海道　昭16生　東京学芸大学卒　「現代ガラスの表現」（有隣堂）／「彫刻家の現場から」（生活の友社）／「パスキン」（岩崎美術社）／「美術でさぐる現代の書」（生活の友社）他
〒240-0025　横浜市保土ヶ谷区狩場町26-1、C-308
TEL./FAX.045-712-3614
takeart.oak@orange.zero.jp

竹山　博彦　★　［近・現代美術史］
東京都　昭21生　東京教育大院修士　「川上澄生全集」（共著）／「文化の街づくり」
〒156-0055　世田谷区船橋1-41-18
TEL.03-3482-5630

立入　正之　★　［ヨーロッパ絵画］
静岡文化芸術大学教授　栃木県　昭43生　慶應義塾大学大学院　「美術史への旅」「ミレーと出会う」「アメリカ文化入門」
〒152-0022　目黒区柿の木坂2-8-9
TEL./FAX.03-3718-7816

建畠　晢　★
多摩美術大学学長、埼玉県立近代美術館館長　京都府　昭22生　早稲田大学文学部仏文科卒　「問いなき回答」「未完の過去」「詩集・零度の犬」
〒216-0007　川崎市宮前区小台1-7-5-504
TEL.080-3095-2231
tate9701@ba.mbn.or.jp

田中　久和　★　［日本近世絵画史］
大阪教育大学名誉教授　東京都　昭21生　東京藝術大学　「アメデオ・モディリアーニ」「美術の見かた」「ブランクーシ―祈りの造形」
〒573-0084　枚方市香里ヶ丘5-4-1-206
TEL./FAX.072-854-5789

田中　英道　［美学、西洋美術史、文化史］
東北大学名誉教授、ボローニャ大学・ローマ大学講師　東京都　昭17生　東京大学文学部卒、ストラスブール大学博士号　「レオナルド・ダ・ヴィンチ」「日本美術全史」「天平のミケランジェロ」
〒150-0022　目黒区柿の木坂1-33-11
TEL./FAX.03-6906-8817
tanahide@s3.dion.ne.jp

谷　新　★
元宇都宮美術館館長　長野県　昭22生　「回転する表象 現代美術・脱ポストモダンの視角」「北上する南風―東南アジアの現代美術」
〒325-0303　栃木県那須郡那須町高久乙600-42
TEL./FAX.0287-78-6336

谷川　渥　［美学・美術］
東京都　昭23生　東京大学大学院博士課程修　「形象と時間」「鏡と皮膚」「肉体の迷宮」
〒166-0014　杉並区松ノ木2-32-5
TEL.03-3311-6825　FAX.03-3317-1270
eccehomo17@yahoo.co.jp

田原　由紀雄　★　［グタイなど関西を拠点とする近現代美術・現代陶芸］
日本ペンクラブ会員、毎日新聞終身名誉職員　京都府　昭21生　同志社大学
〒610-0341　京田辺市薪畠27-3
TEL.0774-65-1313　FAX.0774-65-1063
yukio_tahara@nike.eonet.ne.jp

千葉　成夫　★　［近・現代美術］
岩手県　昭21生　早稲田大学大学院博士課程修了、パリ第1大学博士課程（大学博士号）　「現代美術逸脱史」／「奇蹟の器　デルフトのフェルメール」／「美術の現在地点」／「未生の日本美術史」／「絵画の近代の始まり　カラヴァッジオ、フェルメール、ゴヤ」／「カラヴァッジオからの旅」／「マン・レイ セルフポートレイト」（訳）／ 個人美術批評誌「徘徊巷」（2002年より刊行、17号まで既刊）
〒351-0114　和光市本町31-3-1102
TEL./FAX.048-463-1868

佃　堅輔　★　［近代絵画］
法政大学名誉教授　広島県　昭11生　早稲田大学卒　「絵の証言」「状況と自己」「画家ヤウレンスキー」「触れ合う造形」
〒207-0013　東大和市向原1-12-9
TEL./FAX.042-562-2143

辻　惟雄　［日本美術史］
文化功労者、前MIHO MUSEUM館長、東京大学・多摩美術大学名誉教授　愛知県　昭7生　「日本美術の見方」「奇想の系譜」
〒247-0063　鎌倉市梶原3-34-21
TEL.0467-45-4743

鶴岡　真弓　★　［ケルト美術史、ヨーロッパ美術史、装飾美術史］
多摩美術大学教授　茨城県　昭27生　早稲田大学大学院修了、ダブリン大学留学　「ケルト／装飾的思考」「ケルトの歴史」「装飾する魂」「阿修羅のジュエリー」「ケルト再生の思想」「ケルトの想像力」「すぐわかるヨーロッパの装飾文様」
〒192-0394　八王子市鑓水2-1723　多摩美術大学
TEL.042-679-5627（勤務先）
FAX.042-679-5649（勤務先）

勅使河原　純　★　［明治絵画史、近現代美術史］
JT-ART-OFFICE代表、三鷹市スポーツと文化財団アドバイザー、川崎市文化芸術振興会議施設部会長、川崎市市民ミュージアム指定管理者選考委員、日本板画院理事、中央美術学園評議員、相模原市美術品収集委員、相模原市美術館構想委員　岐阜県　昭23生　東北大学美学美術史学科　「ひまわり落札」「アンリ・ルソーにみるアートフルな暮らし」「花のピカソと呼ばれ」「暴力と芸術」
〒180-0006　武蔵野市中町1-17-7　三興ビル401
TEL./FAX.0422-38-9308
info@jt-art-office.com

利光　功　［美学］
日本アートマネジメント学会顧問　東京都　昭9生　東京大学大学院修　「バウハウス―歴史と理念―」「美と芸術のプロムナード」「美と芸術のフェイズ」
〒167-0041　杉並区善福寺1-19-21
TEL./FAX.03-3390-4777
BRB14645@nifty.ne.jp

冨田　章　［フランス・ベルギー・日本の近現代美術史］
東京ステーションギャラリー館長、美術史家　新潟県　昭33生　成城大学大学院博後　「ビアズリー怪奇幻想名品集」（東京美術）／「偽装された自画像―画家はこうして嘘をつく」（祥伝社）／「印象派BOX」（講談社）他
〒100-0005　千代田区丸の内1-9-1　東京ステーションギャラリー
TEL.03-3212-2485

永井　隆則　★　［フランス近代美術史、デザイン史］
京都工芸繊維大学准教授　鳥取県　昭31生　文学博士（京都大学）　「モダン・アート論再考―制作の論理から」／「セザンヌ受容の研究」／「越境する造形―近代の美術とデザインの十字路」（編著）／「フランス近代美術史の現在―ニュー・アート・ヒスト

リー以後の視座から」(編著)／「デザインの力」(編著)／「もっと知りたいセザンヌ」／「探求と方法 フランス近現代美術史を解剖する」(編著)／「〈場所〉で読み解くフランス近代美術」(編著)／「セザンヌ—近代絵画の父、とは何か」(編著)
〒606-8314　京都市左京区吉田下大路町45-72
TEL./FAX.075-771-9534

中井　康之　★　[近現代美術]
国立国際美術館副館長兼学芸課長　東京都　昭34生　京都市立芸術大学大学院　「『もの派―再考』展カタログ」(国立国際美術館)／「楽園創造―芸術と日常の新地平」(武蔵野美術大学)／「日本の20世紀美術」(共著 平凡社)
〒530-0005　大阪市北区中之島4-2-55　国立国際美術館
TEL.06-6447-4680　FAX.06-6447-4698
nakai@nmao.go.jp

中川　健造　★
中川美術館館長　広島県　昭11生　学習院大学卒　「中華人民共和国現代絵画名作集」「中華人民共和国現代書法名作集」
〒720-0042　福山市御船町1-13-4
TEL.084-925-3369　FAX.084-922-2091

中塚　宏行　★　[近・現代美術]
大阪府府民文化部文化課研究員　大阪府　昭29生　大阪大学文学部　「美術／漂流」(上・下)
〒565-0854　吹田市桃山台2-8-A1-511
TEL.06-6872-1583
nakatsuka@grace.ocn.ne.jp

中野　中
長野県　昭18生　明治大学商学部卒　「名画と出会う美術館」(共著 全10巻)／「なかのなかまで」／「巨匠たちのふくわらひ」／「なかのなかの〈眼〉」
〒363-0012　桶川市末広1-4-13
TEL.048-775-5543　FAX.048-776-7446

中村　隆夫　★　[西洋美術史、フランス文学]
多摩美術大学教授　東京都　昭29生　慶應義塾大学大学院修士課程修　「絵画の見方・オルセー美術館」(訳)／「象徴主義―モダニズムへの警鐘」(著)／「キュビスム」(訳)／「ピカソの世紀」(訳)／「続 ピカソの世紀」(訳)／「象徴主義と世紀末世界」(著)
〒191-0042　日野市程久保1-21-6
TEL.080-5699-1954
peladan@mac.com

中村　英樹　★
名古屋造形大学名誉教授　愛知県　昭15生　名古屋大学文学部卒　「日本美術の基軸」／「ハイブリッド・アートの誕生」／「アート・ジャングル」／「新・北斎万華鏡」／「最深のアート／心の居場所」／「生体から飛翔するアート」／「〈人型〉の美術史」／「いきのびるアート」／「増補新装カラー版 20世紀の美術」(共著)他
〒222-0032　横浜市港北区大豆戸町891-2　大倉山ハイム5-806
TEL./FAX.045-542-3012

南條　史生　★　[近・現代美術]
森美術館特別顧問　東京都　昭24生　慶應義塾大経済学部・文学部哲学科美学美術史学専攻　「美術から都市へ―インディペンデントキュレーター15年の軌跡―」「疾走するアジア―現代アートの今を見る」「アートを生きる」
〒106-6150　港区六本木6-10-1　六本木ヒルズ森タワー 53F　森美術館
TEL.03-6406-6100　FAX.03-6406-9351
info@mori.art.museum

難波　英夫　★
セゾン現代美術館名誉館長
〒185-0024　国分寺市泉町3-5-4-106
TEL./FAX.042-326-1224

西嶋　慎一
書道文化研究家　東京都　昭11生　早稲田大学卒　「五十年の回顧―ある書道編集者の軌跡」(芸術新聞社)／「風姿花伝―書をとりまく100の回想」(芸術新聞社)
〒171-0031　豊島区目白2-27-5
TEL./FAX.03-3971-5272

仁科　又亮　[日本近世美術史]
田中本家博物館顧問、昭和館運営専門委員会元委員、元東京工芸大学芸術学部教授、野島寿三郎ペーパーコレクション研究所顧問　東京都　昭9生　法政大学文学部日本文学科卒　「江戸美術考現学」「万祝」
〒299-0242　袖ヶ浦市久保田2582
TEL./FAX.0438-63-9802
yusuke_n@jcom.home.ne.jp

西野　嘉章　★　[美術史学・博物館工学]
東京大学総合研究博物館インターメディアテク館長　昭27生　「二十一世紀博物館」「チェコ・アヴァンギャルド」「西洋美術書誌考」「浮遊的前衛」「モバイルミュージアム」「前衛誌」「装釘考」
〒100-7003　千代田区丸の内2-7-2　JPタワー2/3F　インターメディアテク
TEL.03-6269-9400

西村　智弘　★　[現代美術、映像]
東京造形大学、東京工芸大学非常勤教員　茨城県　昭38生　「日本のアニメーションはいかにして成立したのか」
〒167-0042　杉並区西荻北2-19-7　コーポ市川105
TEL./FAX.03-3394-4270
aoitesuri@yahoo.co.jp

芳賀　徹　[近代日本比較文化史]
静岡県立美術館名誉館長、東京大学名誉教授、日本藝術院会員　山形県　昭6生　東京大学大学院比較文学比較文化修、文学博士　「絵画の領分」「藝術の国日本—画文交響」「桃源の水脈—東アジア詩画の比較文化史」
〒113-0021　文京区本駒込1-17-16
TEL.03-3946-5041　FAX.03-3946-0215

長谷川　栄　★　[美術館学、現代彫刻、加納夏雄研究]
東京国立博物館名誉館員、フランス政府芸術文芸騎士勲章叙勲、行動展彫刻部会員　東京都　昭5生　東京藝術大学卒、エコール・デュ・ルーヴル仏国政府招聘留学　「新しい美術館学」「新しいソフト・ミュージアム」「美術館都市への旅」「進化するエコ・ミューゼ」
〒330-0073　さいたま市浦和区元町1-27-16
TEL.048-886-2402　FAX.048-886-2469
sakae-museum@hb.tpl.jp

長谷川　祐子　★　[近・現代美術史]
東京都現代美術館参事、東京藝術大学大学院国際芸術創造研究科教授　東京藝術大学美術研究科修士課程修　「21世紀の出会い—共鳴、ここ・から」／「女の子のための現代アート入門」(淡交社)／「『なぜ？』から始める現代アート」(NHK出版)／「キュレーション 知と感度をゆさぶる力」(集英社)
〒135-0022　江東区三好4-1-1　東京都現代美術館
TEL.03-5245-4111　FAX.03-5245-1141
〒110-8714　台東区上野公園12-8　東京藝術大学大学院国際芸術創造研究科
TEL.050-5525-2725　FAX.03-6846-8685

馬場　駿吉　[現・近代美術]
元名古屋ボストン美術館館長、名古屋市立大学名誉教授、芸術批評誌「REAR」編集同人　愛知県　昭7生　名古屋市立大学医学部卒　美術論集「液晶の虹彩」／「加納光於とともに」／句集「耳海岸」
〒464-0039　名古屋市千種区日和町1-1-4
TEL.052-763-0765　FAX.052-761-1307

早見　堯　★　[近・現代美術]
広島県　昭20生　早稲田大学第一文学部美術専修　共著「現代芸術事典」「エクラン世界の美術18・アメリカの現代美術」「増補新装 カラー版20世紀の美術」
〒157-0065　世田谷区上祖師谷4-32-4
44hayami@gmail.com

原田　光
元岩手県立美術館館長　愛知県　昭21生
〒238-0042　横須賀市汐入町2-56-7
TEL.0468-24-8926

原田　平作　★　[近代美術]
大阪大学名誉教授、頴川美術館理事長、醍醐書房代表　東京都　昭8生　京都大学大学院文学研究科修「コロー／クールベ」「浅井忠」「竹内栖鳳」
〒601-1316　京都市伏見区醍醐古道町20-2
TEL.075-575-3515　FAX.075-575-3525
cbc23180@pop21.odn.ne.jp

樋口　昌樹　★
ザ・ギンザ スペース ディレクター　昭36生　慶應義塾大学経済学部卒
〒215-0027　川崎市麻生区岡上1458-3
TEL./FAX.044-987-8936
masaki.higuchi@to.shiseido.co.jp

土方　明司　★　[日本近・現代美術]
平塚市美術館館長代理、武蔵野美術大学客員教授　東京都　昭35生　学習院大学卒　「長谷川潾二郎」(企画・監修)／「画家たちの20歳の原点」(企画・監修)／「リアルのゆくえ 高橋由一、岸田劉生、そして現代につなぐもの」(企画・監修)／「水彩画の魅力」(企画・監修)／「彫刻家のデッサン」(企画・監修)
〒254-0073　平塚市西八幡1-3-3　平塚市美術館
TEL.0463-35-2111　FAX.0463-35-2741
hijikata-m@city.hiratsuka.kanagawa.jp

日夏　露彦　★　[近・現代美術]
美術評論家　神奈川県　昭14生　早稲田大学卒「中島清之画集」「日本美術・負の現在」
〒227-0061　横浜市青葉区桜台26-24
TEL.045-983-2639
hinatsu@b06.itscom.net

平井　亮一　★
長野県　昭6生　早稲田大学文学部卒　「詩集・予感」「指示する表出—現代美術の周辺で」
〒189-0022　東村山市野口町2-27-32
TEL./FAX.042-391-4144
r-hirai@lapis.plala.or.jp

福永　治　★
広島市現代美術館館長　広島県　昭30生
〒732-0815　広島市南区比治山公園1-1　広島市現代美術館

TEL.082-264-1121　FAX.082-264-1198

藤嶋　俊會　★　［現代彫刻、現代工芸］
福島県　昭18生　中央大学法学部卒　「かながわの野外彫刻」／「昭和の美術(彫刻編)」(共著)
〒245-0002　横浜市泉区緑園2-1-2-405
TEL./FAX.045-513-9432

藤原　えりみ　［西洋美術史〜現代美術］
美術ジャーナリスト、女子美術大学・國學院大学・東京藝術大学非常勤講師　山梨県　昭31生　東京藝術大学大学院修士課程修　「西洋絵画のひみつ」(朝日出版社)／「現代アート事典」(共著 美術出版社)／「ヌードの美術史」(共著 美術出版社)
〒152-0033　目黒区大岡山1-34-6　メゾーネ大岡山104

二見　史郎
愛知県立芸術大学名誉教授　神奈川県　昭3生　東京大学大学院(旧制)修　「ファン・ゴッホ書簡全集」「アルルのファン・ゴッホ」「ファン・ゴッホとミレー」「ファン・ゴッホの手紙」「ファン・ゴッホ詳伝」他
〒168-0065　杉並区浜田山2-13-21
TEL.03-3304-2982

古田　亮　★　［近代日本美術史］
東京藝術大学大学美術館准教授　東京都　昭39生　東京藝術大学大学院　「俵屋宗達」(平凡社)／「特講 漱石の美術世界」(岩波書店)／「視覚と心象の日本美術史」(ミネルヴァ書房)
〒110-8714　台東区上野公園12-8　東京藝術大学大学美術館

星　雅彦　★　［戦後沖縄美術史］
詩人、美術評論家、沖縄県文化協会顧問　沖縄県　昭7生　「沖縄の美術」／詩集「パナリ幻想」／「艦砲ぬ喰え残さー」／「霊魂(マブイ)の力」
〒901-2132　浦添市伊祖1-3-6
TEL.098-975-7333　FAX.098-975-7332
h.ma7941@au.com

前田　富士男　［西洋美術史、芸術学］
慶應義塾大学名誉教授・中部大学教授　神奈川県　昭19生　慶應義塾大学大学院博士課程修　「伝統と象徴」「パウル・クレー 造形の宇宙」「色彩からみる近代美術」
〒222-0021　横浜市港北区篠原北2-17-6
TEL./FAX.045-433-3239

牧　陽一　★　［現代中国の文学・芸術］
中国文学者、埼玉大学教授　富山県　昭34生　一橋大学博士課程満期退学　「アイ・ウェイウェイ スタイル」「艾未未 アイ・ウェイウェイ読本」「中国現代アート 自由を希求する表現」
〒183-0042　府中市武蔵台3-25-39
TEL./FAX.042-328-4772
muyang@syd.odn.ne.jp

松井　みどり　★
〒231-0837　横浜市中区滝之上60
TEL./FAX.045-624-0412

松浦　寿夫　★　［美術史］
東京外国語大学教授　東京都　昭29生　「記号の生成論」
〒206-0013　多摩市桜ヶ丘1-34-3
TEL.042-330-5238

松枝　到　［アジア文化史、想像力論］
和光大学教授　神奈川県　昭28生　和光大卒、早稲田大学大学院修　「イメージの産出」(著)／「アジアとはなにか」(著)／「アジア言遊記」(著)／「アジア文化のラビリンス」(著)／「密語のゆくえ」(著)／「ヴァールブルク学派」(編著)／「笑う人間／笑いの現在」(共著)他
〒252-0001　座間市相模が丘2-33-6
itar@wako.ac.jp

松本　透　★　［近現代美術史］
長野県信濃美術館館長、元東京国立近代美術館特任研究員　東京都　昭30生　京都大学大学院修　「芸術の理論と歴史」
〒380-0801　長野市箱清水1-4-4　長野県信濃美術館

真鍋　俊照　★　［仏教美術史］
四国大学教授　東京都　昭14生　東北大学大学院修　「マンダラは何を語っているか」「チベット・ネパールの仏画」「密教美術大観」
〒171-0051　豊島区長崎6-23-1
TEL./FAX.03-3959-4035

三浦　篤　［西洋美術史］
東京大学教授　島根県　昭32生　東京大学大学院修士課程修、パリ第4大学美術考古学研究所修　「エドゥアール・マネ 西洋絵画史の革命」(KADOKAWA)／「自画像の美術史」(編著 東京大学出版会)／「近代芸術家の表象—マネ、ファンタン=ラトゥールと1860年代のフランス絵画」(東京大学出版会)／「西洋絵画の歴史3：近代から現代へと続く問いかけ」(小学館)他
〒153-8902　目黒区駒場3-8-1　東京大学
TEL.03-5454-6330

水尾　比呂志　[日本造形史]
武蔵野美術大学名誉教授・元学長、日本民芸館理事　大阪府　昭5生　東京大学大学院美術史学科修　「日本造形史」「評伝 柳宗悦」他
〒181-0015　三鷹市大沢5-19-23
TEL./FAX.0422-31-4333

水沢　勉　★　[日独の近現代美術]
神奈川県立近代美術館館長　神奈川県　昭27生　慶應義塾大学大学院修　「この終わりのときにも」
〒240-0112　神奈川県三浦郡葉山町堀内582-14
TEL./FAX.046-877-4525

三頭谷　鷹史　★　[近現代芸術]
名古屋造形大学名誉教授　愛知県　昭22生　同志社大学卒　「前衛いけばなの時代」（美学出版）／「宿命の画天使たち 山下清・沼祐一・他」（美学出版）
〒484-0072　犬山市丸山天白町204
TEL.0568-62-7761

光田　由里　★
DIC川村記念美術館学芸部マネージャー　兵庫県　京都大学文学部卒　「写真、芸術との界面に」「高松次郎 言葉ともの」
〒285-0078　佐倉市坂戸631　DIC川村記念美術館
TEL.043-498-2672　FAX.043-498-2139

南　雄介　★　[近現代美術]
愛知県美術館館長、元国立新美術館副館長・学芸課長　鳥取県　昭34生　東京藝術大学大学院　「もっと知りたいマグリット 生涯と作品」（共著 東京美術）
〒461-8525　名古屋市東区東桜1-13-2　愛知県美術館
TEL.052-971-5511　FAX.052-971-5604

峯村　敏明　★　[美術評論]
多摩美術大学名誉教授　長野県　昭11生　東京大学仏文科卒　「平行芸術展の80年代」「モノ派」「彫刻の呼び声」
〒272-0135　市川市日之出22-1　ソフトタウン行徳B-113
TEL./FAX.047-395-8953
minemura@gaea.ocn.ne.jp

蓑　豊　[中国陶磁]
兵庫県立美術館館長、横尾忠則現代美術館館長、あべのハルカス美術館名誉館長、金沢21世紀美術館特任館長、大阪市立美術館名誉館長　石川県　昭16生　米国ハーバード大学大学院美術史学部博士課程修、同大文学博士号取得　「超・美術館革命—金沢21世紀美術館の挑戦」／「超〈集客力〉革命」（角川書店）
〒651-0073　神戸市中央区脇浜海岸通1-1-1　兵庫県立美術館
TEL.078-262-0901

宮下　規久朗　[西洋美術史、日本近代美術史]
神戸大学大学院教授　愛知県　昭38生　「カラヴァッジョ—聖性とヴィジョン」「刺青とヌードの美術史」「ウォーホルの芸術」「聖と俗 分断と架橋の美術史」
〒657-8501　神戸市灘区六甲台町1-1　神戸大学大学院人文学研究科
TEL.078-803-5510
kikuro@kobe-u.ac.jp

村山　鎮雄
山形県　昭8生　東京藝術大学芸術学科卒　「史料画家正宗得三郎の生涯」「山形の近代美術」「画家・狩野探令の足跡」
〒203-0051　東久留米市小山5-2-18
TEL./FAX.042-471-5727

森　洋子　[フランドル絵画]
明治大学名誉教授、国際基督教大学博士課程学術博士、ベルギー王立考古学アカデミー外国人会員　新潟県　昭11生　「ブリューゲル全作品」「ブリューゲルの諺の世界」「シャボン玉の図像学」「図説 ベルギー美術と歴史の旅」「ブリューゲルの世界」
〒158-0093　世田谷区上野毛3-16-3-501
TEL.03-3704-3020　FAX.03-3704-3002
yoko-m@cyber66.jp

森口　陽
昭11生　多摩美術大学油絵科　「バルテュス」（白水社）／「世界の美術館」（丸善ライブラリー）／「展覧会の絵」（美術出版社）／「ニコ・ピロスマニ 孤高の星」（共著 文遊社）他
〒191-0043　日野市平山5-3-19
TEL./FAX.042-591-2541

八重樫　春樹　[西洋美術史]
岩手県　昭14生　東京大学大学院修　「反逆する絵画」／「キュビスム」（訳）／「ピカソ—生涯と作品」（共訳）
〒285-0867　佐倉市八幡台2-2-7
ottetto-hy@kib.biglobe.ne.jp

安村　敏信　[日本近世絵画史]
北斎館館長　富山県　昭28生　東北大学大学院修士課程修　「江戸絵画の非常識—近世絵画の定説をくつがえす」（敬文舎）／「もっと知りたい狩野派—探幽と江戸狩野派」（東京美術）／「くらべてわかる 若冲VS応挙」（敬文舎）他

〒170-0002　豊島区巣鴨3-24-7
ys-edotan@nifty.com

矢内　みどり［近・現代美術、デザイン、博物館学］
美術史家　東京都　昭27生　慶應義塾大学文学部(美学美術史学／フランス文学)卒　「藤田嗣治とは誰か―作品と手紙から読み解く美の闘争史」(求龍堂)／「日本の近代美術8 日本からパリ・ニューヨークへ(藤田嗣治 他)」(共著)／「近代日本デザイン史(山名文夫 他)」(共著)
〒108-0071　港区白金台2-3-14

山梨　俊夫　★
国立国際美術館館長　神奈川県　昭23生　「絵画の身振り」「現代絵画入門」「描かれた歴史」
〒241-0822　横浜市旭区さちが丘25-38
TEL.045-361-7337

山本　育夫
特定非営利活動法人つなぐ理事長、アート・マガジンLRR編集長　山梨県　昭23生　東京藝術大学美術学部卒　「詩集 新しい人」／「詩集 ボイスの印象」／「ガイドブック」(米美術館で使用)
〒400-0031　甲府市丸の内1-1-11　ポレスターステーションシティ甲府1207号
yamaiku@msi.biglobe.ne.jp

山本　和弘　★［現代美術］
栃木県立美術館シニア・キュレーター、美術評論家連盟常任委員長　山形県　昭33生　東北大学文学部哲学科美学専攻卒　「評伝ヨーゼフ・ボイス」「なぜアーティストは貧乏なのか」
〒325-0303　栃木県那須郡那須町高久乙1880-134
TEL.028-621-3566

山脇　一夫　★［近・現代美術］
東京大学卒　「芸術と療法」(共著)
〒464-0844　名古屋市千種区日進通4-9　三旺マンション覚王山A303
TEL./FAX.052-763-3336
yamawaki303@kiu.biglobe.ne.jp

萬木　康博　★［日本近代美術史、現代美術］
東京都　昭22生　東京藝術大学大学院修
〒311-4143　水戸市大塚町1769-24
TEL./FAX.029-254-6531

横江　文憲　★［写真史］
写真史家　香川県　昭24生　日本大学芸術研究所　「ヨーロッパの写真史」
〒213-0011　川崎市高津区久本3-6-1-704
TEL.044-813-0474

横山　秀樹　★［近現代日本画］
新潟市新津美術館館長　新潟県　昭24生　國學院大学文学部卒
〒951-8167　新潟市中央区関屋金衛町1-242
TEL.090-2259-1044　FAX.025-233-3542
yy14yy14@outlook.jp

吉田　豪介
北海道　昭10生　北海道大学卒　「北海道の美術史」「道展・全道展・新道展 創造への軌跡」
〒069-0843　江別市大麻扇町9-4
TEL./FAX.011-386-5095

吉田　耕三［近代日本陶芸史］
元東京国立近代美術館総括主任研究官　神奈川県　大4生　東京美術学校日本画科卒　「速水御舟」「加守田章二の芸術」「速水御舟大成」
〒253-0061　茅ヶ崎市南湖4-22-35
TEL.0467-85-3628　FAX.0467-85-9558

吉増　剛造［文学、映像］
詩人、日本藝術院会員　東京都　昭14生　慶應義塾大学卒　「出発」「黄金詩篇」「表紙(おもてがみ)」「怪物君」
〒104-0051　中央区佃2-2-6-1203
TEL.090-9326-3631　FAX.03-3531-3151

吉村　良夫　★
新潟県　昭14生　京都大学文学部卒　「美術批評の現在」(共著)
〒572-0003　寝屋川市成田南町2-2
TEL./FAX.072-832-2159

米田　耕司　★［近代日本美術史］
長崎県美術館館長　大阪府　昭20生　國學院大学文学部卒　「不破章」(編著)／「風景画全集・美しい日本」(共著)／「浅井忠『筑波日記』考」
〒299-0117　市原市青葉台7-4-14
TEL./FAX.0436-62-5853
yoneda@nagasaki-museum.jp

関連団体・組織一覧

●団体名（組織名）・郵便番号・住所・電話番号（またはE-mailアドレス）の順で掲載しています。

●官庁関係・その他

文部科学省外局文化庁	〒100-8959	千代田区霞が関3-2-2	03-5253-4111
日本ユネスコ国内委員会		（国際統括官付）	内線　2557
外務省	〒100-8919	千代田区霞が関2-2-1	03-3580-3311
国際文化交流審議官	広報文化外交戦略課		内線　5610
	文化交流・海外広報課		内線　2381
	国際文化協力室		内線　3677
	人物交流室		内線　2391
日本藝術院	〒110-0007	台東区上野公園1-30	03-3821-7191
日本ユネスコ協会連盟	〒150-0013	渋谷区恵比寿1-3-1　朝日生命恵比寿ビル12F	03-5424-1121
ユネスコ・アジア文化センター	〒101-0051	千代田区神田神保町1-32　出版クラブビル7F	03-5577-2851
（独）国際交流基金			
本部	〒160-0004	新宿区四谷4-4-1	03-5369-6075
文化事業部	企画調整チーム		03-5369-6060
	美術チーム		03-5369-6061
	舞台芸術チーム		03-5369-6063
（独）国立美術館	〒102-8322	千代田区北の丸公園3-1 東京国立近代美術館内	03-3214-2561
（独）国立文化財機構	〒110-8712	台東区上野公園13-9	03-3822-1196
東京文化財研究所	〒110-8713	台東区上野公園13-43	03-3823-2241
奈良文化財研究所	〒630-8577	奈良市二条町2-9-1	0742-30-6733
（独）日本芸術文化振興会	〒102-8656	千代田区隼町4-1	03-3265-7411

●職能団体・著作権団体・その他

フジ・メディア・テクノロジー AMF アジャンス・デ・ミュゼ・フランセ	〒135-0064	江東区青海1-1-20　ダイバーシティ東京オフィスタワー17F	03-5500-5763
企業メセナ協議会	〒108-0014	港区芝5-3-2　アイセ芝ビル8F	03-5439-4520
国宝修理装潢師連盟	〒604-8187	京都市中京区東洞院通御池下る笹屋町445 日宝烏丸ビル2F　1・2号	075-211-2609

コンピュータソフトウェア著作権協会	〒112-0012	文京区大塚5-40-18　友成フォーサイトビル5F	03-5976-5175
修復研究所21	〒171-0021	豊島区西池袋4-8-20　東急産業ビル3F	03-3986-5091
全国美術館会議	〒110-0007	台東区上野公園7-7　国立西洋美術館内	03-3828-0290
著作権情報センター	〒164-0012	中野区本町1-32-2　ハーモニータワー 22F	03-5309-2421
ディヴォート 絵画保存修復事業部	〒108-0014	港区芝5-23-1　MITA3Kビル2F	03-3452-7718
東京修復保存センター	〒198-0063	青梅市梅郷4-655	0428-76-2301
東京美術倶楽部	〒105-0004	港区新橋6-19-15	03-3432-0191
日本音楽著作権協会(JASRAC)	〒151-8540	渋谷区上原3-6-12	03-3481-2121
日本脚本家連盟 著作権部	〒106-0032	港区六本木6-1-20　六本木電気ビル3F	03-3401-2304
日本グラフィックデザイナー協会（JAGDA）	〒107-6205	港区赤坂9-7-1　ミッドタウン・タワー 5F	03-5770-7509
日本雑誌協会	〒101-0051	千代田区神田神保町1-32　出版クラブビル5F	03-3291-0775
日本写真著作権協会	〒102-0082	千代田区一番町25　JCIIビル403	03-3221-6655
日本書籍出版協会	〒101-0051	千代田区神田神保町1-32　出版クラブビル5F	03-6273-7061
日本デザイン振興会	〒107-6205	港区赤坂9-7-1　ミッドタウン・タワー 5F	03-6743-3772
日本美術家連盟	〒104-0061	中央区銀座3-10-19　美術家会館5F	03-3542-2581
日本美術著作権協会(JASPAR)	〒104-0061	中央区銀座3-10-19　美術家会館604号室	info@jaspar.or.jp
日本美術著作権連合	〒104-0061	中央区銀座3-10-19　美術家会館5F 日本美術家連盟内	03-3542-2686
美術院 国宝修理所	〒600-8146	京都市下京区七条通高倉東入ル材木町476-1	075-371-3533
文化財建造物保存技術協会	〒116-0013	荒川区西日暮里2-32-15	03-6458-3611
文化財建造物保存修理研究会	〒116-0013	荒川区西日暮里2-17-10　アクセスキクヤビル6F	03-6806-8975
日本複製権センター	〒107-0061	港区北青山3-3-7　第一青山ビル3F	03-3401-2382
日本文藝家協会	〒102-8559	千代田区紀尾井町3-23　文藝春秋ビル新館5F	03-3265-9658
日本ペンクラブ	〒103-0026	中央区日本橋兜町20-3	03-5614-5391
美術館連絡協議会	〒100-8055	千代田区大手町1-7-1　読売新聞東京本社事業局内	
フランス著作権事務所(BCF)	〒113-0033	文京区本郷3-26-4-903	03-3815-8558

文化財保存支援機構	〒110-0008	台東区池之端4-14-8　ビューハイツ池之端102号室	03-3821-3264

●美術研究団体・学会

意匠学会	〒610-1197	京都市西京区大枝沓掛町13-6　京都市立芸術大学 美術研究科 ビジュアルデザイン研究室 滝口洋子研究室内	075-334-2315
屋外彫刻調査保存研究会	〒187-8505	小平市小川町1-736　武蔵野美術大学　彫刻学科研究室　黒川弘毅方	042-342-6055
国際浮世絵学会	〒104-0031	中央区京橋2-12-2　京橋三貴ビル4F	03-6271-0824
ジャポニスム学会	〒160-0007	新宿区荒木町5-14　ネオ荒木町ビル2F（株）ワールドミーティング内	03-3350-0363
地中海学会	〒106-0046	港区元麻布3-12-3　麻布聖徳ビル2F	03-6804-6791
東洋陶磁学会	〒102-0074	千代田区九段南1-5-6　りそな九段ビル5F　KSフロア	03-3239-1277
日仏美術学会	〒150-0013	渋谷区恵比寿3-9-25　日仏会館504号室	03-3440-1686
日本アートマネジメント学会	〒430-8533	浜松市中区中央2-1-1　静岡文化芸術大学　文化政策学部芸術文化学科・912研究室	053-457-6192
日本オリエント学会	〒101-0052	千代田区神田小川町3-22　タイメイビル5FA	03-3291-7519
JIAS日本国際美術家協会	〒103-0022	中央区日本橋室町1-6-12　周方社ビル5F　欧美内	03-3279-3101
日本色彩学会	〒166-0004	杉並区阿佐谷南1-16-9　平野ビル3F	03-5913-7079
日本デザイン学会	〒167-0042	杉並区西荻北3-21-15　ベルフォート西荻703	03-3301-9318
日本陶磁協会	〒101-0062	千代田区神田駿河台2-9	03-3292-7124
日本美術刀剣保存協会	〒130-0015	墨田区横網1-12-9　刀剣博物館内	03-6284-1000
日本フェノロサ学会	〒520-0862	大津市平津2-5-1　滋賀大学教育学部 新関伸也研究室	info@fenollosa-japan.com
日本文化人類学会	〒108-0073	港区三田2-1-1-813	03-5232-0920
日本民藝協会	〒153-0041	目黒区駒場4-3-33　日本民藝館内	03-3467-5911
美学会	〒606-8501	京都市左京区吉田下阿達町46　稲盛財団記念館内 こころの未来研究センター　吉岡研究室	office@bigakukai.jp
美術科教育学会	〒772-8502	鳴門市鳴門町高島字中島748　鳴門教育大学教職大学院 山木朝彦方	088-687-6485
美術史學會	〒113-0033	文京区本郷7-3-1　東京大学文学部美術史学研究室気付	
問い合わせ先	〒100-0003	千代田区一ツ橋1-1-1　パレスサイドビル9F（株）毎日学術フォーラム内 美術史学会係	03-6267-4550

関連団体・組織一覧

仏教芸術学会	〒353-0004	志木市本町4-14-1　慶應義塾志木高等学校内 butsugei@gmail.com
文化財保存修復学会	〒110-0008	台東区池之端4-14-8　ビューハイツ池之端102号室 NPO文化財保存支援機構気付　03-6661-2982
密教図像学会	〒600-8268	京都市下京区七条通大宮東入大工町125-1　龍谷大学 文学部　入澤崇研究室気付　075-343-3311

名簿2

全国美術館・博物館・文学館・記念館一覧

●都道府県別50音順に、館名・郵便番号・住所・電話番号・館長（もしくは代表者）・H.P.アドレスの順で掲載しています。

●北海道

相原求一朗美術館
〒089-1366　河西郡中札内村栄東5線「中札内美術村」内
0155-68-3003　高橋玄洋
http://www.rokkatei.co.jp

旭川市博物館
〒070-8003　旭川市神楽3条7丁目
0166-69-2004　杉山一彦
https://www.city.asahikawa.hokkaido.jp/hakubutukan/

網走市立美術館
〒093-0016　網走市南6条西1丁目
0152-44-5045　古道谷朝生
http://www.city.abashiri.hokkaido.jp/270kyoiku/040bizyutukan/

(一財)荒井記念美術館
〒045-0024　岩内郡岩内町字野東505
0135-63-1111　荒井高志
http://www.iwanai-h.com/art/

有島記念館
〒048-1531　蛇田郡ニセコ町字有島57
0136-44-3245

井上靖記念館
〒070-0875　旭川市春光5条7丁目
0166-51-1188　荒川美智
http://inoue.abs-tomonokai.jp/

江別市セラミックアートセンター
〒069-0832　江別市西野幌114-5
011-385-1004　櫛田智幸
http://www.city.ebetsu.hokkaido.jp/site/ceramic/

小樽芸術村 OTARU ART BASE
〒047-0031　小樽市色内1-3-1
0134-31-1033　支配人 高橋学
http://www.nitorihd.co.jp/otaru-art-base/

小樽市総合博物館
〒047-0041　小樽市手宮1-3-6
0134-33-2523　石川直章
http://www.city.otaru.lg.jp/simin/sisetu/museum

金田心象書道美術館
〒098-3221　天塩郡幌延町字幌延102-1
01632-5-2720　戸川誠二

神田日勝記念美術館
〒081-0292　河東郡鹿追町東町3-2
0156-66-1555　小林潤
http://kandanissho.com/

神田美術館
〒070-0821　旭川市高砂台5-6-3
0166-61-6976　神田一明

(一財)北一ヴェネツィア美術館
〒047-0027　小樽市堺町5-27
0134-33-1717

釧路市立美術館
〒085-0836　釧路市幣舞町4-28　釧路市生涯学習センター 3F
0154-42-6116　永井久哉
https://k-bijutsukan.net

国立アイヌ民族博物館（2020年4月24日オープン）
〒059-0902　白老郡白老町若草町2-3-4
https://ainu-upopoy.jp/

後藤純男美術館
〒071-0524　空知郡上富良野町東4線北26号
0167-45-6181　後藤洋子
http://www.gotosumiomuseum.com

札幌芸術の森美術館（札幌芸術の森）
〒005-0864　札幌市南区芸術の森2丁目75

011-591-0090　佐藤友哉
https://artpark.or.jp/

札幌市民ギャラリー
〒060-0052　札幌市中央区南2条東6丁目
011-271-5471　石川雅章
http://www.sapporo-shimin-gallery.jp/

サッポロビール博物館
〒065-8633　札幌市東区北7条東9-1-1
011-748-1876

定山渓美術館
〒061-2303　札幌市南区定山渓温泉西4-340
庄司孝英

市立小樽美術館
〒047-0031　小樽市色内1-9-5
0134-34-0035　新明英仁

市立小樽文学館
〒047-0031　小樽市色内1-9-5
0134-32-2388　玉川薫
http://otarubungakusha.com/yakata

市立函館博物館
〒040-0044　函館市青柳町17-1
0138-23-5480　斉藤総一

滝川市美術自然史館
〒073-0033　滝川市新町2-5-30
0125-23-0502　中塚智勝
http://www.city.takikawa.hokkaido.jp/260kyouiku/05bijyutsu/sizensi.html

啄木文庫
〒040-0001　函館市五稜郭町26-1　函館市中央図書館内
0138-35-5500　丹羽秀人
https://hakodate-lib.jp

伊達市アートビレッジ文化館
〒052-0031　伊達市館山町21-5
0142-21-5050
http://www.funkawan.org/

苫小牧市美術博物館
〒053-0011　苫小牧市末広町3-9-7
0144-35-2550　長谷川文作
http://www.city.tomakomai.hokkaido.jp/hakubutukan/

中原悌二郎記念旭川市彫刻美術館
〒070-0875　旭川市春光5条7丁目
0166-46-6277　大木啓
http://www.city.asahikawa.hokkaido.jp/sculpture

中原悌二郎記念旭川市彫刻美術館ステーションギャラリー
〒070-0030　旭川市宮下通8丁目3番1号（JR旭川駅東口）
0166-46-6277　大木啓
http://www.city.asahikawa.hokkaido.jp/sculpture

函館市文学館
〒040-0053　函館市末広町22-5
0138-22-9014　藤井良江

北海道大学総合博物館
〒060-0810　札幌市北区北10条西8丁目
011-706-2658　小澤丈夫
http://www.museum.hokudai.ac.jp/

北海道博物館
〒004-0006　札幌市厚別区厚別町小野幌53-2
011-898-0456　石森秀三
http://www.hm.pref.hokkaido.lg.jp/

北海道立旭川美術館
〒070-0044　旭川市常磐公園内
0166-25-2577　梶浦仁
http://www.dokyoi.pref.hokkaido.lg.jp/hk/abj/top.htm

北海道立帯広美術館
〒080-0846　帯広市緑ヶ丘2番地
0155-22-6963　野﨑弘幸
http://www.dokyoi.pref.hokkaido.lg.jp/hk/obj/

北海道立近代美術館
〒060-0001　札幌市中央区北1条西17丁目
011-644-6881　嵐田昇
http://www.dokyoi.pref.hokkaido.lg.jp/hk/knb/

北海道立釧路芸術館
〒085-0017　釧路市幸町4-1-5
0154-23-2381　中田幸吉
http://www.kushiro-artmu.jp

北海道立函館美術館
〒040-0001　函館市五稜郭町37-6
0138-56-6311　原光宏
http://www.dokyoi.pref.hokkaido.lg.jp/hk/hbj

北海道立文学館
〒064-0931　札幌市中央区中島公園1-4
011-511-7655　工藤正廣
http://www.h-bungaku.or.jp

mima 北海道立三岸好太郎美術館
〒060-0002　札幌市中央区北2条西15丁目
011-644-8901　齊藤和利
http://www.dokyoi.pref.hokkaido.lg.jp/hk/mkb

本郷新記念札幌彫刻美術館
〒064-0954　札幌市中央区宮の森4条12丁目
011-642-5709　寺嶋弘道
http://www.hongoshin-smos.jp/

前田真三写真ギャラリー拓真館
〒071-0474　上川郡美瑛町字拓進
0166-92-3355　大谷時男

三浦綾子記念文学館
〒070-8007　旭川市神楽7条8-2-15
0166-69-2626　田中綾
http://www.hyouten.com/

森ヒロコ・スタシス美術館
〒047-0034　小樽市緑1-16-33
0134-22-3772　長谷川洋行
http://morihiroko-stasys-museum.com/

●青森県

青森県近代文学館
〒030-0184　青森市荒川字藤戸119-7　青森県立図書館内
017-739-2575　西谷寿彦
https://www.plib.pref.aomori.lg.jp/viewer/info.html?id=30

青森県立郷土館
〒030-0802　青森市本町2-8-14
017-777-1585　西谷寿彦
http://www.kyodokan.com

青森県立美術館
〒038-0021　青森市安田字近野185
017-783-3000　杉本康雄
http://www.aomori-museum.jp

青森公立大学国際芸術センター青森
〒030-0134　青森市大字合子沢字山崎152-6
017-764-5200
http://www.acac-aomori.jp/

秋田雨雀記念館
〒036-0377　黒石市中町5　津軽こみせ駅2F
090-2959-0480　伊藤英俊

田舎館村博物館
〒038-1111　南津軽郡田舎館村大字高樋字大曲63番地
0172-43-8555　田澤郁夫

七戸町立鷹山宇一記念美術館
〒039-2501　上北郡七戸町字荒熊内67-94
0176-62-5858　鷹山ひばり
http://www.takayamamuseum.jp/

太宰治記念館「斜陽館」
〒037-0202　五所川原市金木町朝日山412-1
0173-53-2020　伊藤一弘
http://www.kanagi-gc.net/

寺山修司記念館
〒033-0022　三沢市大字三沢字淋代平116-2955
0176-59-3434　佐々木英明
http://www.terayamaworld.com/museum

十和田市現代美術館
〒034-0082　十和田市西二番町10-9
0176-20-1127　小池一子
http://www.towadaartcenter.com

弘前市立郷土文学館
〒036-8356　弘前市下白銀町2-1
0172-37-5505　山谷英雄
http://www.city.hirosaki.aomori.jp/bungakukan/

弘前市立博物館
〒036-8356　弘前市下白銀町1-6
0172-35-0700　成田正彦
http://www.city.hirosaki.aomori.jp/hakubutsukan/

棟方志功記念館
〒030-0813　青森市松原2-1-2
017-777-4567　小野次郎
http://munakatashiko-museum.jp

●岩手県

一関市博物館
〒021-0101　一関市厳美町字沖野々215-1
0191-29-3180　菊池勇夫
https://www.city.ichinoseki.iwate.jp/museum/

岩手県立博物館
〒020-0102　盛岡市上田字松屋敷34
019-661-2831　髙橋廣至
http://www2.pref.iwate.jp/~hp0910/

岩手県立美術館
〒020-0866　盛岡市本宮字松幅12-3
019-658-1711　藁谷収
http://www.ima.or.jp

岩手町立石神の丘美術館
〒028-4307　岩手郡岩手町大字五日市10-121-21
0195-62-1453　佐々木光司
http://museum.ishigami-iwate.jp/

桜地人館
〒025-0084　花巻市桜町4-14
0198-23-6591　佐藤進

高村光太郎記念館
〒025-0037　花巻市太田3-85-1
0198-28-3012　市川清志
http://www.hanamaki-takamura-kotaro.jp/

西和賀町立川村デッサン館
〒029-5511　和賀郡西和賀町上野々39-142-1
0197-82-3240　佐藤敦士

西和賀町立川村美術館
〒029-5511　和賀郡西和賀町上野々39-190-2
0197-82-3240　佐藤敦士

日本現代詩歌文学館
〒024-8503　北上市本石町2-5-60
0197-65-1728　篠弘
https://www.shiikabun.jp

野村胡堂・あらえびす記念館
〒028-3315　紫波郡紫波町彦部字暮坪193-1
019-676-6896　杉本勉
http://kodo-araebisu.jp/

深沢紅子野の花美術館
〒020-0885　盛岡市紺屋町4-8
019-625-6541　石田紘子
http://www.nonohana.hs.plala.or.jp/

宮沢賢治記念館
〒025-0011　花巻市矢沢1-1-36
0198-31-2319　鈴森早織
http://www.city.hanamaki.iwate.jp/

萬鉄五郎記念美術館
〒028-0114　花巻市東和町土沢5区135
0198-42-4402　中村光紀
https://www.city.hanamaki.iwate.jp/bunkasports/bunka/yorozutetsugoro/1002101.html

●宮城県

観慶丸本店丸寿美術館
〒986-0822　石巻市中央2-8-1

0225-22-0151　須田佑
http://homepage3.nifty.com/kankeimaru/

塩竈市杉村惇美術館
〒985-0052　塩竈市本町8-1
022-362-2555　岩澤克輔
http://sugimurajun.shiomo.jp/

島川美術館
〒980-8407　仙台市青葉区本町2-14-24
022-214-7080
http://shimakawa-museum.jp/

芹沢長介記念東北陶磁文化館
〒981-4261　加美郡加美町字町裏64
0229-63-3577　遠藤肇

仙台市博物館
〒980-0862　仙台市青葉区川内26番地（仙台城三の丸跡）
022-225-3074　高橋泰
https://www.city.sendai.jp/museum/

せんだいメディアテーク
〒980-0821　仙台市青葉区春日町2-1
022-713-3171　鷲田清一
https://www.smt.jp

漱石文庫
〒980-8576　仙台市青葉区川内27-1　東北大学附属図書館内
022-795-5911　大隅典子

藤田喬平ガラス美術館
〒981-0215　宮城郡松島町高城字浜1-4
022-353-3322　髙橋征太郎
https://www.ichinobo.com/museum/

宮城県美術館
〒980-0861　仙台市青葉区川内元支倉34-1
022-221-2111　河端章好
http://www.pref.miyagi.jp/site/mmoa/

リアス・アーク美術館
〒988-0171　気仙沼市赤岩牧沢138-5
0226-24-1611　佐藤光一
http://www.riasark.com

●秋田県

秋田県立近代美術館
〒013-0064　横手市赤坂字富ケ沢62-46
0182-33-8855　仲町啓子
http://www.pref.akita.jp/gakusyu/public_html

秋田県立博物館
〒010-0124　秋田市金足鳰崎字後山52
018-873-4121　佐々木人美
http://www.akihaku.jp

秋田県立美術館（平野政吉コレクション）
〒010-0001　秋田市中通1-4-2
018-853-8686　渋谷重弘
https://www.akita-museum-of-art.jp/

秋田市立千秋美術館
〒010-0001　秋田市中通2-3-8（アトリオン）
018-836-7860　小松大秀
https://www.city.akita.lg.jp/kanko/kanrenshisetsu/1003643/index.html

石川達三記念室
〒010-0875　秋田市千秋明徳町4-4　中央図書館明徳館内
018-832-9220　田口光宏
https://www.city.akita.lg.jp/kurashi/shakai-shogai/1008469/1008846/1008587.html

石坂洋次郎文学記念館
〒013-0005　横手市幸町2-10
0182-33-5052　森田博範
https://www.city.yokote.lg.jp/shogai/page000349.html

大村美術館
〒014-0326　仙北市角館町山根町39-1
0187-55-5111　大村美智子
http://www007.upp.so-net.ne.jp/lalique/museum/

鎌鼬美術館
〒012-1241　雄勝郡羽後町田代字梺67-3
0183-62-5009

仙北市立角館町平福記念美術館
〒014-0334　仙北市角館町表町上丁4-4
0187-54-3888　冨木弘一
https://www.city.semboku.akita.jp/sightseeing/hirafuku/

天馬美術舘
〒012-1125　雄勝郡羽後町野中字水無19-1
0183-62-0008　藤野一茂
www.tenma-art.jp/

●山形県

上杉神社稽照殿
〒992-0052　米沢市丸の内1-4-13
0238-22-3189　大乗寺健

掬粋巧芸館
〒999-0122　東置賜郡川西町中小松2911-5
0238-42-3101　井上京七
http://www.taruhei.co.jp

斎藤茂吉記念館
〒999-3101　上山市北町字弁天1421
023-672-7227　秋葉四郎
http://www.mokichi.or.jp/

酒田市美術館
〒998-0055　酒田市飯森山3-17-95
0234-31-0095　石川好
http://www.sakata-art-museum.jp

致道博物館
〒997-0036　鶴岡市家中新町10-18
0235-22-1199　酒井忠久
https://www.chido.jp/

鶴岡アートフォーラム
〒997-0035　鶴岡市馬場町13-3
0235-29-0260　平井鉄寛
http://www.t-artforum.net

(公財)出羽桜美術館
〒994-0044　天童市一日町1-4-1
023-654-5050　理事長 仲野益美／館長 加藤千明
http://www.dewazakura.co.jp/

天童市美術館
〒994-0013　天童市老野森1-2-2
023-654-6300　池田良平
http://tendocity-museum.jp/

土門拳記念館
〒998-0055　酒田市飯森山2-13(飯森山公園内)
0234-31-0028　池田真魚
http://www.domonken-kinenkan.jp/

博物館蟹仙洞
〒999-3134　上山市矢来4-6-8
023-672-0155　長谷川浩一
http://www6.ocn.ne.jp/~kaisendo/

広重美術館
〒994-0025　天童市鎌田本町1-2-1
023-654-6555　山口元
http://www.hiroshige-tendo.jp/

(公財)本間美術館
〒998-0024　酒田市御成町7-7
0234-24-4311　田中章夫
http://www.homma-museum.or.jp

松山文化伝承館
〒999-6832　酒田市新屋敷36-2
0234-62-2632　榎本和介

丸山薫記念館
〒990-0743　西村山郡西川町岩根沢454-15
0237-74-2965　工藤健一

(公財)山形美術館
〒990-0046　山形市大手町1-63
023-622-3090　菅野滋
http://www.yamagata-art-museum.or.jp

山寺芭蕉記念館
〒999-3301　山形市大字山寺字南院4223
023-695-2221　江川隆
http://yamadera-basho.jp

米沢市上杉博物館
〒992-0052　米沢市丸の内1-2-1
0238-26-8001　島津眞一
http://www.denkoku-no-mori.yonezawa.yamagata.jp

●福島県

いわき市立草野心平記念文学館
〒979-3122　いわき市小川町高萩字下夕道1-39
0246-83-0005　草野正道
http://www.k-shimpei.jp/

いわき市立美術館
〒970-8026　いわき市平字堂根町4-4
0246-25-1111　佐々木吉晴
http://www.city.iwaki.lg.jp/artmuseum.html

喜多方市美術館
〒966-0094　喜多方市字押切2-2
0241-23-0404　山口隆夫
http://www.kcmofa.com/

郡山市立美術館
〒963-0666　郡山市安原町字大谷地130-2
024-956-2200　佐治ゆかり
https://www.city.koriyama.lg.jp/bijutsukan/

斎藤清美術館
〒969-7201　河沼郡柳津町大字柳津字下平乙187
0241-42-3630　目黒健一郎
https://www.town.yanaizu.fukushima.jp/bijutsu/

CCGA現代グラフィックアートセンター
〒962-0711　須賀川市塩田宮田1
0248-79-4811　神山俊一
http://www.dnp.co.jp/foundation/

白河集古苑
〒961-0074　白河市郭内1-73　城山公園内
0248-24-5050　鈴木隆之

白河市歴史民俗資料館
〒961-0053　白河市中田7-1
0248-27-2310　井上健一
http://www.city.shirakawa.fukushima.jp/page/dir000501.html

須賀川市立博物館
〒962-0843　須賀川市池上町6
0248-75-3239　安藤清美
http://www.city.sukagawa.fukushima.jp/

伊達市梁川美術館
〒960-0782　伊達市梁川町字中町10
024-527-2656
https://www.city.fukushima-date.lg.jp/

中山義秀記念文学館
〒969-0309　白河市大信町屋字沢田25
0248-46-3614　佐川庄司

福島県立美術館
〒960-8003　福島市森合字西養山1
024-531-5511　早川博明
https://art-museum.fcs.ed.jp

福島市民ギャラリー
〒960-8034　福島市置賜町4-20
024-524-2330　主任 紺野昌夫

三春町歴史民俗資料館
〒963-7758　田村郡三春町字桜谷5
0247-62-5263　平田禎文
http://www.town.miharu.fukushima.jp/site/rekishi/

諸橋近代美術館
〒969-2701　耶麻郡北塩原村大字桧原字剣ヶ峯1093番23
0241-37-1088　諸橋英二
http://dali.jp

●茨城県

板谷波山記念館
〒308-0021　筑西市甲866-1
0296-25-3830　理事長 板谷駿一

茨城県近代美術館
〒310-0851　水戸市千波町東久保666-1
029-243-5111　尾﨑正明
http://www.modernart.museum.ibk.ed.jp/

茨城県つくば美術館
〒305-0031　つくば市吾妻2-8
029-856-3711　辺田晴基
http://www.tsukuba.museum.ibk.ed.jp/

茨城県天心記念五浦美術館
〒319-1703　北茨城市大津町椿2083
0293-46-5311　関弘和
http://www.tenshin.museum.ibk.ed.jp/

茨城県陶芸美術館
〒309-1611　笠間市笠間2345
0296-70-0011　金子賢治
http://www.tougei.museum.ibk.ed.jp/

笠間稲荷美術館
〒309-1611　笠間市笠間1
0296-73-0001　塙東男
http://www.kasama.or.jp/

笠間日動美術館
〒309-1611　笠間市笠間978-4
0296-72-2160　長谷川徳七
http://www.nichido-museum.or.jp/museum/

古河街角美術館
〒306-0033　古河市中央町2-6-60
0280-22-5911　植竹正美
https://www.city.ibaraki-koga.lg.jp/lifetop/soshiki/machikado/top.html

古河歴史博物館
〒306-0033　古河市中央町3-10-56
0280-22-5211　立石尚之
https://www.city.ibaraki-koga.lg.jp/lifetop/kogameguri/art/3/3874.html

しもだて美術館
〒308-0031　筑西市丙372　アルテリオ3F
0296-23-1601　柏木登
https://www.city.chikusei.lg.jp/museum/

春風萬里荘(笠間日動美術館分館)
〒309-1626　笠間市下市毛　芸術の村内
0296-72-0958　長谷川徳七
http://www.nichido-garo.co.jp/museum/

篆刻美術館
〒306-0033　古河市中央町2-4-18
0280-22-5611　植竹正美
https://www.city.ibaraki-koga.lg.jp/lifetop/soshiki/tenkoku/top.html

野口雨情記念館
〒319-1541　北茨城市磯原町磯原130-1
0293-43-4160
http://www.ujokinenkan.jp

水戸芸術館現代美術センター
〒310-0063　水戸市五軒町1-6-8
029-227-8111　小澤征爾
https://www.arttowermito.or.jp/

水戸市立博物館
〒310-0062　水戸市大町3-3-20
029-226-6521　坂本京子
http://shihaku1.hs.plala.or.jp/

●栃木県

足利市立美術館
〒326-0814　足利市通2-14-7
0284-43-3131　片柳孝夫
http://www.watv.ne.jp/~ashi-bi

石の美術館 STONE PLAZA
〒329-3443　那須郡那須町芦野2717-5
0287-74-0228
http://www.stone-plaza.com

宇都宮美術館
〒320-0004　宇都宮市長岡町1077
028-643-0100　佐々木吉晴
http://u-moa.jp

鹿沼市立川上澄生美術館
〒322-0031　鹿沼市睦町287-14
0289-62-8272　青木理
http://kawakamisumio-bijutsukan.jp/

ガラスの芸術 エミール ガレ 美術館
〒325-0302　那須郡那須町高久丙132
0287-78-6030　田口東孝
http://www.emile-galle-museum.co.jp/

栗田美術館
〒329-4217　足利市駒場町1542
0284-91-1026　栗田俊英
http://www.kurita.or.jp/

小杉放菴記念日光美術館
〒321-1431　日光市山内2388-3
0288-50-1200　新部千代子
http://www.khmoan.jp/

さくら市ミュージアム―荒井寛方記念館―
〒329-1311　さくら市氏家1297
028-682-7123　小竹弘則
http://www.city.tochigi-sakura.lg.jp/site/sakura-museum/

佐野市立吉澤記念美術館
〒327-0501　佐野市葛生東1-14-30
0283-86-2008　関口一也
http://www.city.sano.lg.jp/museum/

サンバレーアートミュージアム 人間国宝 島岡達三陶芸美術館
〒325-0392　那須郡那須町湯本203　ホテルサンバレー那須内
0287-76-6600　新田昭代

草雲美術館
〒326-0816　足利市緑町2-3768
0284-21-3808　片柳孝夫
http://www1.ocn.ne.jp/~souun/

ダイアナガーデン エンジェル美術館
〒325-0303　那須郡那須町高久乙3392
0287-62-8820　下河原朋子

http://diana-garden.com

とちぎ蔵の街美術館
〒328-0015　栃木市万町3-23
0282-20-8228　青木一忠
https://www.city.tochigi.lg.jp/site/museum/

栃木県立美術館
〒320-0043　宇都宮市桜4-2-7
028-621-3566　井澤晃太郎
http://www.art.pref.tochigi.lg.jp/

那珂川町馬頭広重美術館
〒324-0613　那須郡那珂川町馬頭116-9
0287-92-1199　田村正水
http://www.hiroshige.bato.tochigi.jp/

那須高原 私の美術館
〒325-0304　那須郡那須町高久甲西山6039-4
0287-62-6522　米井和子
http://watasi-museum.jimdo.com

那須歴史探訪館
〒329-3443　那須郡那須町大字芦野2893
0287-74-7007
https://www.town.nasu.lg.jp/0227/info-0000000578-1.html

濱田庄司記念 益子参考館
〒321-4217　芳賀郡益子町大字益子3388
0285-72-5300　濱田友緒
http://www.mashiko-sankokan.net/

藤城清治美術館
〒325-0301　那須郡那須町湯本203
0287-74-2581
http://www.fujishiro-seiji-museum.jp/

益子陶芸美術館／陶芸メッセ・益子
〒321-4217　芳賀郡益子町大字益子3021
0285-72-7555　横田清泰
http://www.mashiko-museum.jp/

三好記念館
〒327-0317　佐野市田沼町362
0283-62-5497　蓼沼恒男
http://www.miyoshikinenkan.jp/

もうひとつの美術館
〒324-0618　那須郡那珂川町小口1181-2
0287-92-8088　梶原紀子
http://www.mobmuseum.org

●群馬県

アーツ前橋
〒371-0022　前橋市千代田町5-1-16
027-230-1144　住友文彦
http://artsmaebashi.jp/

赤城高原・青春の美術館
〒371-0241　前橋市苗ヶ島2331
0272-83-1900　広瀬毅郎

伊香保・保科美術館
〒377-0102　渋川市伊香保町伊香保211-1
0279-72-3226　保科久夫
http://www.hoshina-museum.com

生方記念文庫
〒378-0047　沼田市上之町199-1
0278-22-3110
http://www.city.numata.gunma.jp/kanko/bunka/1006877/1001838.html

大川美術館
〒376-0043　桐生市小曾根町3-69
0277-46-3300　田中淳
http://www.okawamuseum.jp

太田市美術館・図書館
〒373-0026　太田市東本町16-30
0276-55-3036
http://www.artmuseumlibraryota.jp/

草津片岡鶴太郎美術館
〒377-1711　吾妻郡草津町草津479
0279-88-1011　黒岩透
http://www.kusatsuhotel.com/tsuru/

群馬県立近代美術館
〒370-1293　高崎市綿貫町992-1
027-346-5560　岡部昌幸
http://mmag.pref.gunma.jp/

群馬県立館林美術館
〒374-0076　館林市日向町2003
0276-72-8188　佐々木正直
http://www.gmat.pref.gunma.jp/

群馬県立土屋文明記念文学館
〒370-3533　高崎市保渡田町2000
027-373-7721　篠木れい子
http://www.bungaku.pref.gunma.jp

群馬県立歴史博物館
〒370-1293　高崎市綿貫町992-1
027-346-5522　高橋栄樹
http://grekisi.pref.gunma.jp/

渋川市美術館・桑原巨守彫刻美術館
〒377-0008　渋川市渋川1901-24
0279-25-3215　石井博
http://www.city.shibukawa.lg.jp

高崎市タワー美術館
〒370-0841　高崎市栄町3-23　高崎タワー21
027-330-3773　塚越潤
http://www.city.takasaki.gunma.jp/docs/2014021900025/

高崎市美術館
〒370-0849　高崎市八島町110-27
027-324-6125　塚越潤
http://www.city.takasaki.gunma.jp/docs/2014011000353/

高崎市山田かまち美術館
〒370-0862　高崎市片岡町3-23-5
027-321-0077　塚越潤
http://www.city.takasaki.gunma.jp/docs/2014040100192/

(公財)竹久夢二伊香保記念館
〒377-0102　渋川市伊香保町544-119
0279-72-4788　木暮享

http://www.yumeji.or.jp

田山花袋記念文学館
〒374-0018　館林市城町1-3
0276-74-5100　戸叶俊文
http://www.city.tatebayashi.gunma.jp/bunka/

天一美術館
〒379-1619　利根郡みなかみ町谷川
0278-20-4111　矢吹潤一
http://tenichi-museum.com

徳冨蘆花記念文学館
〒377-0102　渋川市伊香保町伊香保614-8
0279-72-2237　関泰代

富岡市立美術博物館・福沢一郎記念美術館
〒370-2344　富岡市黒川351-1
0274-62-6200　桜井豪樹
https://www.city.tomioka.lg.jp/www/genre/0000000000000/1387242529968/index.html

富岡市立妙義ふるさと美術館
〒379-0201　富岡市妙義町妙義1-5
0274-73-2585　染谷滋

富弘美術館
〒376-0302　みどり市東町草木86
0277-95-6333　聖生清重
http://www.city.midori.gunma.jp/tomihiro/

「日本の湖」榛名山版画美術館
〒370-3341　群馬郡榛名町榛名山847
027-374-9030　町田美津子

ハラ ミュージアム アーク
〒377-0027　渋川市金井2855-1
0279-24-6585　青野和子
https://www.haramuseum.or.jp

広瀬川美術館
〒371-0022　前橋市千代田町3-3-10
027-231-7825　近藤浩通
http://www31.ocn.ne.jp/~hirosegawa

萩原朔太郎記念・水と緑と詩のまち 前橋文学館
〒371-0022　前橋市千代田町3-12-10
027-235-8011　萩原朔美
http://www.maebashibungakukan.jp/

妙義山麓美術館
〒379-0226　碓氷郡松井田町行田822-1
027-393-5500　稲川庫太郎

●埼玉県

入間市博物館 ALIT(アリット)
〒358-0015　入間市大字二本木100
04-2934-7711　加藤保夫
http://www.alit.city.iruma.saitama.jp/

うらわ美術館
〒330-0062　さいたま市浦和区仲町2-5-1　浦和センチュリーシティ 3F
048-827-3215　稲葉康久
https://www.city.saitama.jp/urawa-art-museum/

川越市立博物館
〒350-0053　川越市郭町2-30-1
049-222-5539
museum.city.kawagoe.saitama.jp

川越市立美術館
〒350-0053　川越市郭町2-30-1
049-228-8080　岡部秀子
https://www.city.kawagoe.saitama.jp/artmuseum/

(公財)河鍋暁斎記念美術館
〒335-0003　蕨市南町4-36-4
048-441-9780　河鍋楠美
http://kyosai-museum.jp/

原爆の図丸木美術館
〒355-0076　東松山市下唐子1401
0493-22-3266　小寺隆幸
http://www.aya.or.jp/~marukimsn/

埼玉県立近代美術館
〒330-0061　さいたま市浦和区常盤9-30-1
048-824-0111　建畠晢
http://www.pref.spec.ed.jp/momas/

埼玉県立歴史と民俗の博物館
〒330-0803　さいたま市大宮区高鼻町4-219
048-645-8171　小澤健史
http://www.saitama-rekimin.spec.ed.jp/

さいたま市大宮盆栽美術館
〒331-0804　さいたま市北区土呂町2-24-3
048-780-2091
https://www.bonsai-art-museum.jp

さいたま文学館
〒363-0022　桶川市若宮1-5-9
048-789-1515
http://www.saitama-bungakukan.org/

(公財)サトエ記念21世紀美術館
〒347-0022　加須市水深大立野2067
0480-66-3806　加藤豊
http://www.satoe-museum.or.jp

(公財)遠山記念館
〒350-0128　比企郡川島町白井沼675
049-297-0007　鈴木廣之
http://www.e-kinenkan.com

野口冨士男文庫
〒343-0023　越谷市東越谷4-9-1　越谷市立図書館内
048-965-2655　横山みどり
http://lib.city.koshigaya.saitama.jp/

丸沼芸術の森 展示室
〒351-0001　朝霞市上内間木493-1
048-456-2533
http://marunuma-artpark.co.jp

武者小路実篤記念 新しき村美術館・生活文化館
〒350-0445　入間郡毛呂山町葛貫423
049-295-4081　森田哲郎

●千葉県

池田栄児童美術館
〒289-2241　香取郡多古町多古2750
0479-76-3390　池田正人

市川市東山魁夷記念館
〒272-0813　市川市中山1-16-2
047-333-2011　中澤彰
http://www.city.ichikawa.lg.jp/higashiyama/

市原湖畔美術館
〒290-0554　市原市不入75-1
0436-98-1525
http://lsm-ichihara.jp

柏わたくし美術館(休館中)
〒277-0871　柏市若柴1-358
04-7134-8293　堀良慶
http://www.inoha.co.jp

鴨川市郷土資料館
〒296-0001　鴨川市横渚1401-6
04-7093-3800

木更津わたくし美術館
〒292-0833　木更津市貝渕4-11-7
0438-38-3003　中村儀介
http://www.kisarazu-art.com/

鋸南美術館
〒299-1903　安房郡鋸南町大帷子418-1
090-3435-2090　三瓶繁男

国立歴史民俗博物館
〒285-8502　佐倉市城内町117
043-486-0123　久留島浩
https://www.rekihaku.ac.jp

佐倉市立美術館
〒285-0023　佐倉市新町210
043-485-7851　宍戸信
http://www.city.sakura.lg.jp/sakura/museum/

山武市歴史民俗資料館
〒289-1324　山武市殿台343-2
0475-82-2842　山口直人

城西国際大学水田美術館
〒283-8555　東金市求名1番地
0475-53-2562　杉林堅次
https://www.jiu.ac.jp/museum/

千葉県立美術館
〒260-0024　千葉市中央区中央港1-10-1
043-242-8311　渡辺絹代
http://www2.chiba-muse.or.jp/ART/

千葉市美術館
〒260-0013　千葉市中央区中央3-10-8
043-221-2311　河合正朝
http://www.ccma-net.jp

DIC川村記念美術館
〒285-8505　佐倉市坂戸631
043-498-2672　大熊雅美
http://kawamura-museum.dic.co.jp

田園の美術館 いすみ市郷土資料館
〒298-0124　いすみ市弥正93-1
0470-86-3708　田邉和幸

成田山書道美術館
〒286-0023　成田市成田640番地
0476-24-0774　工藤照淳
http://www.naritashodo.jp/

鋸山美術館
〒299-1861　富津市金谷2146-1
0439-69-8111　鈴木裕士
http://nokogiriyama.com

野田市郷土博物館
〒278-0037　野田市野田370-8
04-7124-6851　関根一男
http://noda-muse.or.jp/

菱川師宣記念館
〒299-1908　安房郡鋸南町吉浜516
0470-55-4061　笹生浩樹
http://www.town.kyonan.chiba.jp/kyonan/pages/gp/shiryoukan

房総浮世絵美術館
〒297-0222　長生郡長柄町大庭172
090-2240-2690　津島寿夫

ホキ美術館
〒267-0067　千葉市緑区あすみが丘東3-15
043-205-1500　保木博子
http://www.hoki-museum.jp/

松戸市立博物館
〒270-2252　松戸市千駄堀671
047-384-8181　望月幹夫
http://www.city.matsudo.chiba.jp/m_muse.html

松山庭園美術館
〒289-2152　匝瑳市松山630
0479-79-0091　此木紀子
http://matuyamaartmuseum.web.fc2.com/

森の美術館
〒270-0122　流山市大字大畔315
04-7136-2207　森忠行
http://morino-bijutsukan.com/

●東京都

アーティゾン美術館
〒104-0031　中央区京橋1-7-2
03-3563-0241　石橋寛
https://www.artizon.museum

相田みつを美術館
〒100-0005　千代田区丸の内3-5-1　東京国際フォーラム地下1F
03-6212-3200　相田一人
http://www.mitsuo.co.jp/

飯田弥生美術館
〒102-0085　千代田区六番町5-5　飯田ビル
03-3261-5074　飯田孝弘
http://iidayayoi.sakura.ne.jp/wp/

板橋区立美術館
〒175-0092　板橋区赤塚5-34-27
03-3979-3251　池田雄史
http://www.itabashiartmuseum.jp/

一誠堂美術館
〒152-0035　目黒区自由が丘1-25-9　セザーム自

由が丘ビルB1F
03-3718-7183　川辺忠俊

出光美術館
〒100-0005　千代田区丸の内3-1-1　帝劇ビル9F
03-5777-8600（ﾊﾛｰﾀﾞｲﾔﾙ）　出光佐千子
http://idemitsu-museum.or.jp/

入江一子シルクロード記念館
〒166-0001　杉並区阿佐谷北2-8-19
03-3338-0239　入江一子

印刷博物館
〒112-8531　文京区水道1-3-3　トッパン小石川ビル
03-5840-2300　樺山紘一
https://www.printing-museum.org

上野の森美術館
〒110-0007　台東区上野公園1-2
03-3833-4191　水野政一
http://www.ueno-mori.org/

宇宙ミュージアムTeNQ（ﾃﾝｷｭｰ）
〒112-8575　文京区後楽1-3-61　東京ドームシティ 黄色いビル6F
03-3814-0109
https://www.tokyo-dome.co.jp/tenq/

宇フォーラム美術館
〒186-0002　国立市東4-21-10
042-580-1557　平松朝彦
http://kunstverein.jp/

永青文庫
〒112-0015　文京区目白台1-1-1
03-3941-0850　小松大秀

NTTインターコミュニケーション・センター ［ICC］
〒163-1404　新宿区西新宿3-20-2　東京オペラシティタワー4F
0120-144-199（ﾌﾘｰﾀﾞｲﾔﾙ）
http://www.ntticc.or.jp

エマーユ七宝美術館
〒150-0011　渋谷区東3-1-5
03-3407-3227　梶光夫
http://emaux.jp/

青梅赤塚不二夫会館
〒198-0084　青梅市住江町66
0428-20-0355　横川秀利
http://akatsuka-hall.omjk.jp/

青梅市立美術館
〒198-0085　青梅市滝ノ上町1346-1
0428-24-1195　北村和寛
http://www.ome-tky.ed.jp/shakai/bijutsu/index.html

大倉集古館
〒105-0001　港区虎ノ門2-10-3
03-5575-5711　大倉喜彦
https://www.shukokan.org/

太田記念美術館
〒150-0001　渋谷区神宮前1-10-10
03-3403-0880　太田順子
http://www.ukiyoe-ota-muse.jp

大田区立郷土博物館
〒143-0025　大田区南馬込5-11-13
03-3777-1070
http://www.city.ota.tokyo.jp/seikatsu/manabu/hakubutsukan/index.html

大田区立龍子記念館
〒143-0024　大田区中央4-2-1
03-3772-0680　西ヶ谷順一
https://www.ota-bunka.or.jp/ryushi

O美術館
〒141-0032　品川区大崎1-6-2　大崎ニューシティ2号館2F
03-3495-4040　鳥山玲
http://www.shinagawa-culture.or.jp/

（公財）大宅壮一文庫
〒156-0056　世田谷区八幡山3-10-20
03-3303-2000　枝廣映子
https://www.oya-bunko.or.jp/

岡本太郎記念館
〒107-0062　港区南青山6-1-19
03-3406-0801　平野暁臣
http://www.taro-okamoto.or.jp/

科学技術館
〒102-0091　千代田区北の丸公園2-1
03-3212-8544　野依良治
http://www.jsf.or.jp/

賀川豊彦記念・松沢資料館
〒156-0057　世田谷区上北沢3-8-19
03-3302-2855　金井新二
http://zaidan.unchusha.com/

家具の博物館
〒196-0022　昭島市中神町1148
042-500-0636　伊東和彦
http://kaguhaku.or.jp

紙の博物館
〒114-0002　北区王子1-1-3（飛鳥山公園内）
03-3916-2320　東剛
http://www.papermuseum.jp

菊池寛実記念 智美術館
〒105-0001　港区虎ノ門4-1-35　西久保ビルB1F
03-5733-5131　菊池節
http://www.musee-tomo.or.jp/

切手の博物館
〒171-0031　豊島区目白1-4-23
03-5951-3331　本山芳尚
https://kitte-museum.jp/

玉堂美術館
〒198-0174　青梅市御岳1-75
0428-78-8335　小澤萬里子
https://www.gyokudo.jp

草間彌生美術館
〒162-0851　新宿区弁天町107
03-5273-1778　建畠哲
http://www.yayoikusamamuseum.jp/

宮内庁三の丸尚蔵館
〒100-8111　千代田区千代田1-1
03-5208-1063(テレフォンサービス)
http://www.kunaicho.go.jp/

くにたち郷土文化館
〒186-0011　国立市谷保6231
042-576-0211　平林正夫
http://www.kuzaidan.com/province/

久米美術館
〒141-0021　品川区上大崎2-25-5　久米ビル8F
03-3491-1510　久米邦貞
http://www.kume-museum.com

建築倉庫ミュージアム
〒140-0002　品川区東品川2-6-10
03-5769-2133
https://archi-depot.com

江東区芭蕉記念館
〒135-0006　江東区常盤1-6-3
03-3631-1448　田口好次
http://www.kcf.or.jp/basyo/

国文学研究資料館
〒190-0014　立川市緑町10-3
050-5533-2900　ロバート キャンベル
https://www.nijl.ac.jp/

国立映画アーカイブ
〒104-0031　中央区京橋3-7-6
03-3561-0823　岡島尚志
www.nfaj.go.jp/

国立科学博物館
〒110-8718　台東区上野公園7-20
03-3822-0111　林良博
http://www.kahaku.go.jp/

国立近現代建築資料館
〒113-8553　文京区湯島4-6-15
03-3812-3401
http://nama.bunka.go.jp/

国立公文書館
〒102-0091　千代田区北の丸公園3-2
03-3214-0621　加藤丈夫
http://www.archives.go.jp

国立国会図書館
〒100-8924　千代田区永田町1-10-1
03-3581-2331　羽入佐和子
https://www.ndl.go.jp/

国立新美術館
〒106-8558　港区六本木7-22-2
03-6812-9900　逢坂恵理子
https://www.nact.jp

国立西洋美術館
〒110-0007　台東区上野公園7-7
03-3828-5131　馬渕明子
https://www.nmwa.go.jp/

古代オリエント博物館
〒170-8630　豊島区東池袋3-1-4　サンシャインシティ文化会館7F
03-3989-3491　月本昭男
http://aom-tokyo.com

小平市平櫛田中彫刻美術館
〒187-0045　小平市学園西町1-7-5
042-341-0098　平櫛弘子
http://denchu-museum.jp

五島美術館
〒158-8510　世田谷区上野毛3-9-25
03-3703-0662　高木仁
https://www.gotoh-museum.or.jp/

齋田記念館
〒155-0033　世田谷区代田3-23-35
03-3414-1006　齋田友紀子
http://saita-museum.jp

佐藤美術館
〒160-0015　新宿区大京町31-10
03-3358-6021　佐藤俊行
http://homepage3.nifty.com/sato-museum/

郷さくら美術館
〒153-0051　目黒区上目黒1-7-13
03-3496-1771
http://www.satosakura.jp

サントリー美術館
〒107-8643　港区赤坂9-7-4　東京ミッドタウンガレリア3F
03-3479-8600　鳥井信吾
http://suntory.jp/SMA/

ＪＰタワー学術文化総合ミュージアム「インターメディアテク」
〒100-7003　千代田区丸の内2-7-2 KITTE2・3F
03-6269-9400　西野嘉章
http://www.intermediatheque.jp

色彩美術館
〒150-0001　渋谷区神宮前6-25-8-810
03-3406-9166　菅原猛
http://www.color-museum.co.jp

渋谷区立松濤美術館
〒150-0046　渋谷区松濤2-14-14
03-3465-9421　西岡康宏
http://www.shoto-museum.jp/

ジャンセン美術館
〒104-0061　中央区銀座6-3-2　ギャラリーセンタービル4F
03-3573-1271　向田耕介
http://www.jansem.info/

宗教法人長泉院附属現代彫刻美術館
〒153-0061　目黒区中目黒4-12-18
03-3792-5858　渡辺良子
http://www.museum-of-sculpture.org

昭和女子大学光葉博物館
〒154-8533　世田谷区太子堂1-7-57
03-3411-5099
https://museum.swu.ac.jp/

昭和女子大学図書館
〒154-8533　世田谷区太子堂1-7-57

03-3411-5128　吉田昌志
https://library.swu.ac.jp/

白根記念 渋谷区郷土博物館・文学館
〒150-0011　渋谷区東4-9-1
03-3486-2791　田中吉泰

新宿区立新宿歴史博物館
〒160-0008　新宿区四谷三栄町12-16
03-3359-2131
https://www.regasu-shinjuku.or.jp/rekihaku/

新宿区立林芙美子記念館
〒161-0035　新宿区中井2-20-1
03-5996-9207
https://www.regasu-shinjuku.or.jp/rekihaku/fumiko/12/

杉野学園衣裳博物館
〒141-8652　品川区上大崎4-6-19
03-6910-4413　安部智子
https://www.costumemuseum.jp/

すみだ北斎美術館
〒130-0014　墨田区亀沢2-7-2
03-6658-8931　橋本光明
http://hokusai-museum.jp/

静嘉堂文庫美術館
〒157-0076　世田谷区岡本2-23-1
03-5777-8600(ﾊﾛｰﾀﾞｲﾔﾙ)　河野元昭
http://www.seikado.or.jp

関口美術館
〒134-0083　江戸川区中葛西6-7-12　アルトジャルダン1F
03-3869-1992　関口雄三
http://www.bbcc.co.jp/museum/

関口美術館・東館
〒134-0083　江戸川区中葛西6-15-7
03-3687-6595　関口雄三
http://www.sekiguchi-sekkei.co.jp/museum/

せせらぎの里美術館
〒198-0102　西多摩郡奥多摩町川井字丹縄53
0428-85-1109　古屋勤

世田谷区立郷土資料館
〒154-0017　世田谷区世田谷1-29-18
03-3429-4237　大沢修

世田谷美術館
〒157-0075　世田谷区砧公園1-2
03-3415-6011　酒井忠康
https://www.setagayaartmuseum.or.jp/

世田谷美術館分館 清川泰次記念ギャラリー
〒157-0066　世田谷区成城2-22-17
03-3416-1202
http://www.kiyokawataiji-annex.jp

世田谷美術館分館 宮本三郎記念美術館
〒158-0083　世田谷区奥沢5-38-13
03-5483-3836
http://www.miyamotosaburo-annex.jp

世田谷美術館分館 向井潤吉アトリエ館
〒154-0016　世田谷区弦巻2-5-1
03-5450-9581
http://www.mukaijunkichi-annex.jp

世田谷文学館
〒157-0062　世田谷区南烏山1-10-10
03-5374-9111　菅野昭正
http://www.setabun.or.jp

泉屋博古館分館(2020年1月～　約2年休館)
〒106-0032　港区六本木1-5-1
03-3584-8136　野地耕一郎
http://www.sen-oku.or.jp

千秋文庫
〒102-0074　千代田区九段南2-1-32
03-3261-0075　髙橋宏
http://www.senshu-bunko.or.jp/

台東区立朝倉彫塑館
〒110-0001　台東区谷中7-18-10
03-3821-4549　渡邉俊二
http://www.taitocity.net/zaidan/asakura/

台東区立一葉記念館
〒110-0012　台東区竜泉3-18-4
03-3873-0004
http://www.taitocity.net/zaidan/ichiyo

台東区立書道博物館
〒110-0003　台東区根岸2-10-4
03-3872-2645　姫野薫
http://www.taitocity.net/taito/shodou/

大名時計博物館
〒110-0001　台東区谷中2-1-27
03-3821-6913　上口翠

竹久夢二美術館
〒113-0032　文京区弥生2-4-2
03-5689-0462　服部聖子
http://www.yayoi-yumeji-museum.jp

凧の博物館
〒103-0027　中央区日本橋1-12-10　たいめいけんビル5F
03-3271-2465　茂出木雅章
http://www.tako.gr.jp

たばこと塩の博物館
〒130-0003　墨田区横川1-16-3
03-3622-8801　千々岩良二
https://www.jti.co.jp/Culture/museum/

田端文士村記念館
〒114-0014　北区田端6-1-2
03-5685-5171　田草川昭夫
http://www.kitabunka.or.jp/tabata/

玉川大学教育博物館
〒194-8610　町田市玉川学園6-1-1
042-739-8656　大西珠枝
http://www.tamagawa.jp/campus/museum/

たましん歴史・美術館
〒186-8686　国立市中1-9-52
042-574-1360　綿引康司

http://www.tamashin.or.jp

多摩美術大学美術館
〒206-0033　多摩市落合1-33-1
042-357-1251
http://www.tamabi.ac.jp/museum/

ちひろ美術館・東京
〒177-0042　練馬区下石神井4-7-2
03-3995-0612　黒柳徹子
chihiro.jp

中近東文化センター
〒181-0015　三鷹市大沢3-10-31
0422-32-7111　阿部知之
http://www.meccj.or.jp

(一財)調布市武者小路実篤記念館
〒182-0003　調布市若葉町1-8-30
03-3326-0648　理事長 武者小路知行
http://www.mushakoji.org

トーキョーアーツアンドスペース
〒113-0033　文京区本郷2-4-16
03-5689-5331
https://www.tokyoartsandspace.jp/

東京アートミュージアム
〒182-0002　調布市仙川町1-25-1
03-3305-8686
http://www.tokyoartmuseum.com/

東京オペラシティアートギャラリー
〒163-1403　新宿区西新宿3-20-2
03-5777-8600(ﾊﾛｰﾀﾞｲﾔﾙ)　武田嘉和
http://www.operacity.jp/ag/

東京藝術大学大学美術館
〒110-8714　台東区上野公園12-8
050-5525-2200　秋元雄史
http://www.geidai.ac.jp/museum/

東京ゲーテ記念館
〒114-0024　北区西ヶ原2-30-1
03-3918-0828　粉川哲夫
https://goethe.jp

東京国立近代美術館
〒102-8322　千代田区北の丸公園3-1
03-3214-2561　神代浩
http://www.momat.go.jp

東京国立近代美術館工芸館(2020年3月8日閉館後、同年夏に金沢に移転)
〒102-0091　千代田区北の丸公園1-1
03-3211-7781　加藤敬
http://www.momat.go.jp/

東京国立博物館
〒110-8712　台東区上野公園13-9
03-3822-1111　銭谷眞美
https://www.tnm.jp/

東京国立博物館黒田記念館
〒110-8712　台東区上野公園13-9
03-3822-1111　銭谷眞美
https://www.tnm.jp/

東京ステーションギャラリー
〒100-0005　千代田区丸の内1-9-1
03-3212-2485　冨田章
http://www.ejrcf.or.jp/gallery/

東京都江戸東京博物館
〒130-0015　墨田区横網1-4-1
03-3626-9974　藤森照信
https://www.edo-tokyo-museum.or.jp

東京都現代美術館
〒135-0022　江東区三好4-1-1
03-5245-4111　岡素之
https://www.mot-art-museum.jp

東京都写真美術館
〒153-0062　目黒区三田1-13-3　恵比寿ガーデンプレイス内
03-3280-0099　伊東信一郎
https://topmuseum.jp

東京都庭園美術館
〒108-0071　港区白金台5-21-9
03-3443-0201　樋田豊次郎
http://www.teien-art-museum.ne.jp

東京都美術館
〒110-0007　台東区上野公園8-36
03-3823-6921　真室佳武
https://www.tobikan.jp

東京富士美術館
〒192-0016　八王子市谷野町492-1
042-691-4511　五木田聡
http://www.fujibi.or.jp

刀剣博物館
〒130-0015　墨田区横網1-12-9
03-6284-1000　酒井忠久
http://www.touken.or.jp

東郷青児記念損保ジャパン日本興亜美術館(休館中、2020年5月28日　SOMPO美術館として開館)
〒160-8338　新宿区西新宿1-26-1
03-3349-3081　中島隆太
https://www.sjnk-museum.org/

東書文庫
〒114-0005　北区栄町48-23
03-3927-3680　北澤清貴
http://www.tosho-bunko.jp/

東洋文庫ミュージアム
〒113-0021　文京区本駒込2-28-21
03-3942-0280　平野健一郎
http://www.toyo-bunko.or.jp/museum/

戸栗美術館
〒150-0046　渋谷区松濤1-11-3
03-3465-0070　戸栗修
http://www.toguri-museum.or.jp

豊島区立熊谷守一美術館
〒171-0044　豊島区千早2-27-6
03-3957-3779　熊谷榧
http://kumagai-morikazu.jp

中村研一記念小金井市立はけの森美術館
〒184-0012　小金井市中町1-11-3
042-384-9800　鈴木遵矢
http://www.city.koganei.lg.jp

中村屋サロン美術館
〒160-0022　新宿区新宿3-26-23　新宿中村屋ビル3F
03-5362-7508　鈴木達也
https://www.nakamuraya.co.jp/museum/

日中友好会館美術館
〒112-0004　文京区後楽1-5-3
03-3815-5085
http://www.jcfc.or.jp

日本オリンピックミュージアム
〒160-0013　新宿区霞ヶ丘町4-2　JAPAN SPORT OLYMPIC SQUARE 1・2F
03-6910-5561
https://japan-olympicmuseum.jp/

日本科学未来館
〒135-0064　江東区青海2-3-6
03-3570-9151　毛利衛
https://www.miraikan.jst.go.jp/

日本銀行金融研究所貨幣博物館
〒103-0021　中央区日本橋本石町1-3-1（日本銀行分館内）
03-3277-3037
http://www.imes.boj.or.jp/cm/

日本近代文学館
〒153-0041　目黒区駒場4-3-55
03-3468-4181　坂上弘
https://www.bungakukan.or.jp/

（公財）日本書道美術館
〒174-8688　板橋区常盤台1-3-1
03-3965-2611　大城章二
http://shodo-bijutsukan.or.jp

日本大学芸術学部芸術資料館
〒176-8525　練馬区旭丘2-42-1
03-5995-8315

日本民藝館
〒153-0041　目黒区駒場4-3-33
03-3467-4527　深澤直人
http://www.mingeikan.or.jp/

根津美術館
〒107-0062　港区南青山6-5-1
03-3400-2536　根津公一
http://www.nezu-muse.or.jp/

練馬区立美術館
〒176-0021　練馬区貫井1-36-16
03-3577-1821　秋元雄史
https://www.neribun.or.jp/museum/

俳句文学館
〒169-8521　新宿区百人町3-28-10
03-3367-6621　鷹羽狩行

長谷川町子美術館
〒154-0015　世田谷区桜新町1-30-6
03-3701-8766　川口淳二
http://www.hasegawamachiko.jp/

はせがわミュージアム
〒104-0061　中央区銀座1-7-6　銀座河合ビル6F
0120-587-676（ﾌﾘｰﾀﾞｲﾔﾙ）

畠山記念館（休館中）
〒108-0071　港区白金台2-20-12
03-3447-5787　理事長 矢後夏之助
http://www.ebara.co.jp/csr/hatakeyama/

八王子市夢美術館
〒192-0071　八王子市八日町8-1　ビュータワー八王子2F
042-621-6777　川俣高人
https://www.yumebi.com

パナソニック汐留美術館
〒105-8301　港区東新橋1-5-1　パナソニック東京汐留ビル4F
03-6218-0078　遠山敬史
http://panasonic.co.jp/es/museum/

原美術館（2020年12月閉館）
〒140-0001　品川区北品川4-7-25
03-3445-0651　内田洋子
https://www.haramuseum.or.jp

半蔵門ミュージアム
〒102-0082　千代田区一番町25
03-3263-1752　西山厚
https://www.hanzomonmuseum.jp/

光が丘美術館
〒179-0073　練馬区田柄5-27-25
03-3577-7041　鳥海勇次
http://www.hikari-m-art.org

美術愛住館
〒160-0005　新宿区愛住町2-5
03-6709-8895
http://aizumikan.com/

府中市美術館
〒183-0001　府中市浅間町1-3
042-336-3371　藪野健
http://www.city.fuchu.tokyo.jp/art

文化学園服飾博物館
〒151-8529　渋谷区代々木3-22-7　新宿文化クイントビル1F
03-3299-2387　大沼淳
https://museum.bunka.ac.jp

Bunkamura ザ・ミュージアム
〒150-8507　渋谷区道玄坂2-24-1
03-3477-9413　中野哲夫
http://www.bunkamura.co.jp

文京区立森鷗外記念館
〒113-0022　文京区千駄木1-23-4
03-3824-5511　高橋唐子
https://moriogai-kinenkan.jp

文京ふるさと歴史館
〒113-0033　文京区本郷4-9-29
03-3818-7221
http://www.city.bunkyo.lg.jp/rekishikan/

町田市立国際版画美術館
〒194-0013　町田市原町田4-28-1
042-726-2771　大久保純一
http://hanga-museum.jp/

町田市立自由民権資料館
〒195-0063　町田市野津田町897
042-734-4508

松岡美術館(休館中)
〒108-0071　港区白金台5-12-6
03-5449-0251　松岡治
http://www.matsuoka-museum.jp

三鷹市美術ギャラリー
〒181-0013　三鷹市下連雀3-35-1　コラル5F
0422-79-0033　馬男木賢一
http://mitaka-sportsandculture.or.jp/

三鷹市山本有三記念館
〒181-0013　三鷹市下連雀2-12-27
0422-42-6233　理事長 内田治
http://mitaka.jpn.org/yuzo

三鷹の森ジブリ美術館(三鷹市立アニメーション美術館　入場予約制)
〒181-0013　三鷹市下連雀1-1-83
0570-055777　安西香月
http://www.ghibli-museum.jp

三井記念美術館
〒103-0022　中央区日本橋室町2-1-1　三井本館7F
清水眞澄
http://www.mitsui-museum.jp

三菱一号館美術館
〒100-0005　千代田区丸の内2-6-2
高橋明也
https://mimt.jp/

ミュゼ浜口陽三・ヤマサコレクション
〒103-0014　中央区日本橋蛎殻町1-35-7
03-3665-0251
https://www.yamasa.com/musee

武蔵野市立吉祥寺美術館
〒180-0004　武蔵野市吉祥寺本町1-8-16　FFビル7F
0422-22-0385
http://www.musashino-culture.or.jp/a_museum/

武蔵野美術大学 美術館・図書館
〒187-8505　小平市小川町1-736
042-342-6003　赤塚祐二
http://mauml.musabi.ac.jp/

村井正誠記念美術館
〒158-0091　世田谷区中町1-6-12
03-3704-9588　村井伊津子
http://www.muraimasanari.com

(公財)村内美術館
〒192-8551　八王子市左入町787　村内ファニチャーアクセス3F
042-691-6301　村内道昌
http://www.murauchi.net/museum

明治新聞雑誌文庫
〒113-0033　文京区本郷7-3-1　東京大学大学院法学政治学研究科附属近代日本法政史料センター内
03-5841-3171
http://www.meiji.j.u-tokyo.ac.jp/

目黒区美術館
〒153-0063　目黒区目黒2-4-36
03-3714-1201　秋山光文
http://www.mmat.jp

森美術館
〒106-6150　港区六本木6-10-1　六本木ヒルズ森タワー 53F
03-5777-8600(ﾊﾛｰﾀﾞｲﾔﾙ)　片岡真実
www.mori.art.museum

森ビル デジタルアート ミュージアム：エプソン チームラボ ボーダレス
〒135-0064　江東区青海1-3-8　お台場パレットタウン2F
03-6368-4292
https://borderless.teamlab.art/jp

八木重吉記念館
〒194-0211　町田市相原町大戸4473
042-783-1877　八木藤雄

山種美術館
〒150-0012　渋谷区広尾3-12-36
03-5777-8600(ﾊﾛｰﾀﾞｲﾔﾙ)　山﨑妙子
http://www.yamatane-museum.jp

弥生美術館
〒113-0032　文京区弥生2-4-3
03-3812-0012　服部聖子
http://www.yayoi-yumeji-museum.jp

(公財)横山大観記念館
〒110-0008　台東区池之端1-4-24
03-3821-1017　横山隆
http://taikan.tokyo/

嫁菜の花美術館
〒165-0027　中野区野方1-25-9
03-3387-7777　田中聖夫
http://www.yomena-no-hana.ne.jp/

ラスキン文庫
〒104-0061　中央区銀座2-4-12　MIKIMOTO GINZA2 B1F
03-3542-7874　秋山康男
http://jruskin.la.coocan.jp/

ルーテル学院大学図書館
〒181-0015　三鷹市大沢3-10-20
0422-31-4814　西原雄次郎
http://luther.opac.jp/

蘆花恒春園
〒157-0063　世田谷区粕谷1-20-1
03-3302-5016
https://www.tokyo-park.or.jp/park/format/index007.html

早稲田大学會津八一記念博物館
〒169-8050　新宿区西早稲田1-6-1
03-5286-3835　肥田路美
https://www.waseda.jp/culture/aizu-museum/

早稲田大学坪内博士記念演劇博物館
〒169-8050　新宿区西早稲田1-6-1
03-5286-1829　岡室美奈子
https://www.waseda.jp/enpaku/

ワタリウム美術館
〒150-0001　渋谷区神宮前3-7-6
03-3402-3001
http://www.watarium.co.jp/

●神奈川県

岩崎博物館(ゲーテ座記念)
〒231-0862　横浜市中区山手町254
045-623-2111　岩崎幸雄
http://www.iwasaki.ac.jp/museum/

(公財)小田原文化財団 江之浦測候所
〒250-0025　小田原市江之浦362-1
0465-42-9170
www.odawara-af.com

岡田美術館
〒250-0406　足柄下郡箱根町小涌谷493-1
0460-87-3931　小林忠
http://www.okada-museum.com/

大佛次郎記念館
〒231-0862　横浜市中区山手町113
045-622-5002　沼尾実
http://osaragi.yafjp.org/

カスヤの森現代美術館
〒238-0032　横須賀市平作7-12-13
046-852-3030　若江栄戽
http://www.museum-haus-kasuya.com

神奈川近代文学館
〒231-0862　横浜市中区山手町110
045-622-6666　辻原登
https://www.kanabun.or.jp

神奈川県立金沢文庫
〒236-0015　横浜市金沢区金沢町142
045-701-9069　湯山賢一
http://www.planet.pref.kanagawa.jp/city/kanazawa/htm

神奈川県立近代美術館 鎌倉別館
〒248-0005　鎌倉市雪ノ下2-8-1
0467-22-5000　水沢勉
http://www.moma.pref.kanagawa.jp/

神奈川県立近代美術館 葉山
〒240-0111　三浦郡葉山町一色2208-1
046-875-2800　水沢勉
http://www.moma.pref.kanagawa.jp/

神奈川県立 生命の星・地球博物館
〒250-0031　小田原市入生田499
0465-21-1515　平田大二
http://nh.kanagawa-museum.jp/

神奈川県立歴史博物館
〒231-0006　横浜市中区南仲通5-60
045-201-0926　薄井和男
http://ch.kanagawa-museum.jp/

鎌倉・吉兆庵美術館
〒248-0006　鎌倉市小町2-9-1
0467-23-2788　岡田拓士
http://www.kitchoan.co.jp/site/museum/

鎌倉虚子立子記念館
〒248-0002　鎌倉市二階堂231-1
0467-61-2688

鎌倉国宝館
〒248-0005　鎌倉市雪ノ下2-1-1
0467-22-0753　鈴木良明
http://www.city.kamakura.kanagawa.jp/kokuhoukan/

鎌倉市鏑木清方記念美術館
〒248-0005　鎌倉市雪ノ下1-5-25
0467-23-6405　真室佳武
http://www.kamakura-arts.or.jp/kaburaki/

鎌倉文華館 鶴岡ミュージアム
〒248-0005　鎌倉市雪ノ下2-1-53
0467-55-9030　吉田茂穂
https://tsurugaokamuseum.jp/

鎌倉文学館
〒248-0016　鎌倉市長谷1-5-3
0467-23-3911　富岡幸一郎
http://www.kamakurabungaku.com

鎌倉彫資料館
〒248-0006　鎌倉市小町2-15-13　鎌倉彫会館3F
0467-25-1502　遠藤英明
http://museum.kamakuraborikaikan.jp

川崎市岡本太郎美術館
〒214-0032　川崎市多摩区枡形7-1-5　生田緑地内
044-900-9898　北條秀衛
http://www.taromuseum.jp

川崎市市民ミュージアム
〒211-0052　川崎市中原区等々力1-2
044-754-4500　大野正勝
http://www.kawasaki-museum.jp/

川崎市 藤子・F・不二雄ミュージアム
〒214-0023　川崎市多摩区長尾2-8-1
0570-055-245
http://fujiko-museum.com/

川崎市立日本民家園
〒214-0032　川崎市多摩区枡形7-1-1
044-922-2181　澁谷卓男
http://www.nihonminkaen.jp/

北鎌倉葉祥明美術館
〒247-0062　鎌倉市山ノ内318-4
0467-24-4860　堀内重見

http://www.yohshomei.com

相模原市民ギャラリー
〒252-0231　相模原市中央区相模原1-1-3　セレオ相模原4F
042-776-1262
http://www.city.sagamihara.kanagawa.jp/bunka/gallery/

相模原市立博物館
〒252-0221　相模原市中央区高根3-1-15
042-750-8030　武田伸彦
http://sagamiharacitymuseum.jp/

三溪園
〒231-0824　横浜市中区本牧三之谷58-1
045-621-0635　加藤祐三
http://www.sankeien.or.jp

女子美アートミュージアム
〒252-8538　相模原市南区麻溝台1900
042-778-6801　稲木吉一
http://www.joshibi.net/museum/

シルク博物館
〒231-0023　横浜市中区山下町1　シルクセンター2F
045-641-0841　慶徳俊哉
http://www.silkcenter-kbkk.jp/museum/

すどう美術館
〒250-0853　小田原市堀之内110-2-103
0465-36-0740　須藤一郎
http://www.sudoh-art.com

そごう美術館
〒220-8510　横浜市西区高島2-18-1　そごう横浜店6F
045-465-5515　篁富夫
http://www.sogo-seibu.jp/common/museum

茅ヶ崎市美術館
〒253-0053　茅ヶ崎市東海岸北1-4-45
0467-88-1177　小川稔
http://www.chigasaki-museum.jp

彫刻の森美術館
〒250-0493　足柄下郡箱根町二ノ平1121
0460-82-1161　森英恵
http://www.hakone-oam.or.jp

町立湯河原美術館
〒259-0314　足柄下郡湯河原町宮上623-1
0465-63-7788　池谷若菜
http://www.town.yugawara.kanagawa.jp/kyoiku/museum/

徳富蘇峰記念館
〒259-0123　中郡二宮町二宮605
0463-71-0266　竹越起一
http://www2.ocn.ne.jp/~tsoho/

中村正義の美術館
〒215-0001　川崎市麻生区細山7-2-8
044-953-4936　中村倫子
http://www.nakamuramasayoshi.com

日本郵船歴史博物館
〒231-0002　横浜市中区海岸通3-9
045-211-1923　大須賀由紀
https://museum.nyk.com/

箱根·芦ノ湖 成川美術館
〒250-0522　足柄下郡箱根町元箱根570
0460-83-6828　成川實
http://www.narukawamuseum.co.jp

箱根ガラスの森美術館
〒250-0631　足柄下郡箱根町仙石原940-48
0460-86-3111　岩田正崔
https://www.hakone-garasunomori.jp/

箱根美術館
〒250-0408　足柄下郡箱根町強羅1300
0460-82-2623　内田篤呉
http://www.moaart.or.jp/hakone/

箱根ラリック美術館
〒250-0631　足柄下郡箱根町仙石原186-1
0460-84-2255
http://www.lalique-museum.com

秦野市立宮永岳彦記念美術館
〒257-0001　秦野市鶴巻北3-1-2
0463-78-9100
http://www.city.hadano.kanagawa.jp/www/genre/1000000000239/index.html

光と緑の美術館
〒229-1122　相模原市横山3-6-18
042-757-7151　鈴木正彦
http://www.hm-museum.com

平塚市美術館
〒254-0073　平塚市西八幡1-3-3
0463-35-2111　草薙奈津子
http://www.city.hiratsuka.kanagawa.jp/art-muse/

藤沢市藤澤浮世絵館
〒251-0041　藤沢市辻堂神台2-2-2　ココテラス湘南7F
0466-33-0111
http://fujisawa-ukiyoekan.net/

ブリキのおもちゃ博物館(トイズクラブ)
〒231-0862　横浜市中区山手町239
045-621-8710　北原照久
http://www.toysclub.co.jp

ポーラ美術館
〒250-0631　足柄下郡箱根町仙石原小塚山1285
0460-84-2111　木島俊介
http://www.polamuseum.or.jp

星の王子さまミュージアム 箱根 サン=テグジュペリ
〒250-0631　足柄下郡箱根町仙石原909
0460-86-3700
http://www.tbs.co.jp/l-prince/

真鶴町立中川一政美術館
〒259-0201　足柄下郡真鶴町真鶴1178-1
0465-68-1128　岩本幹彦
http://www.nakagawamuseum.jp/

山内龍雄芸術館
〒251-0056　藤沢市羽鳥5-8-31
0466-33-2380　須藤一實
http://www.yamauchitatsuo.net/

山口蓬春記念館
〒240-0111　三浦郡葉山町一色2320
046-875-6094　加藤慶輝
http://www.hoshun.jp/

山手資料館
〒231-0862　横浜市中区山手町247
045-622-1188

横須賀市自然・人文博物館
〒238-0016　横須賀市深田台95
046-824-3688　志村恭一
http://www.museum.yokosuka.kanagawa.jp/

横須賀市はまゆう会館
〒238-0031　横須賀市衣笠栄町1-47
046-852-1166　宮﨑孝雄
http://www.yokosuka-bunka.info/culture/index.html

横須賀市文化会館
〒238-0016　横須賀市深田台50番地
046-823-2950　宮﨑孝雄
https://www.yokosuka-bunka.info

横須賀美術館
〒239-0813　横須賀市鴨居4-1
046-845-1211　志村恭一
http://www.yokosuka-moa.jp/

横浜人形の家
〒231-0023　横浜市中区山下町18
045-671-9361　俣田浩昌
http://www.doll-museum.jp/

横浜美術館
〒220-0012　横浜市西区みなとみらい3-4-1
045-221-0300　逢坂恵理子
https://yokohama.art.museum

吉屋信子記念館
〒248-0016　鎌倉市長谷1-3-6
0467-22-0805

●山梨県

上野原美術館
〒409-0112　上野原市上野原4305
0554-63-0031

えほんミュージアム清里
〒407-0301　北杜市高根町清里3545-6079
0551-48-2220
http://www.ehonmuseum.com

河口湖 北原ミュージアム
〒401-0302　南都留郡富士河口湖町小立1204-2　梨宮公園内
0555-83-3220
http://www.kitahara-museum.jp

河口湖木ノ花美術館
〒401-0304　南都留郡富士河口湖町河口字湖辺3033
0555-76-6789　古屋長恵

河口湖美術館
〒401-0304　南都留郡富士河口湖町河口3170
0555-73-2829
http://www.fujisan.ne.jp/kgmuse/

河口湖ミューズ館 与勇輝館
〒401-0302　南都留郡富士河口湖町小立923　八木崎公園
0555-72-5258　相澤利美
http://www.musekan.net

清里フォトアートミュージアム
〒407-0301　北杜市高根町清里3545-1222
0551-48-5599　細江英公
http://www.kmopa.com/

清春白樺美術館
〒408-0036　北杜市長坂町中丸2072
0551-32-4865　岸田夏子

金田一春彦ことばの資料館
〒409-1502　北杜市大泉町谷戸3000
0551-38-1211
http://www.lib.city-hokuto.ed.jp/

近代文学文庫
〒400-8510　甲府市武田4-4-37　山梨大学内
055-220-8178　大木志門

久保田一竹美術館
〒401-0304　南都留郡富士河口湖町河口2255
0555-76-8811
http://www.itchiku-museum.com

クリスタル・ミュージアム
〒400-0065　甲府市貢川1-1-7
055-228-7003　丹沢良治
http://www.tanzawa-net.co.jp

高原イラスト館
〒409-1502　北杜市大泉町谷戸米山7742-2
0551-38-0866　向村春樹

甲州増穂美術庵
〒400-0515　南巨摩郡富士川町春米672
0556-22-4488　深沢登志夫

甲府市藤村記念館
〒400-0024　甲府市北口2-2-1
055-252-2762

嘯月美術館
〒400-0336　南アルプス市十日市場726
055-282-0037　河西宏和

昇仙峡影絵の森美術館
〒400-1214　甲府市高成町1035-2
055-287-2511　平賀元久
http://www.kageenomori.jp/

大菩薩峠介山記念館
〒409-1211　甲州市塩山上萩原2715-23
0553-32-3818

中村キース・ヘリング美術館
〒408-0044　北杜市小淵沢町10249-7
0551-36-8712　中村和男

http://www.nakamura-haring.com/

鳴沢村立なるさわ富士山博物館
〒401-0320　南都留郡鳴沢村字ジラゴンノ8532-63
0555-20-5600
http://www.vill.narusawa.yamanashi.jp/

韮崎大村美術館
〒407-0043　韮崎市神山町鍋山1830-1
0551-23-7775　大村智
http://www.nirasakiomura-artmuseum.com/

平山郁夫シルクロード美術館
〒408-0031　北杜市長坂町小荒間2000-6
0551-32-0225　平山美知子
http://www.silkroad-museum.jp/

フィリア美術館
〒408-0041　北杜市小淵沢町上笹尾3476-76
0551-36-4221
http://www5.ocn.ne.jp/~philia/

笛吹市青楓美術館
〒405-0051　笛吹市一宮町北野呂3-3
0553-47-2122
http://www.city.fuefuki.yamanashi.jp/

ふじさんミュージアム(富士吉田市歴史民俗博物館)
〒403-0005　富士吉田市上吉田2288-1
0555-24-2411　渡辺公彦
http://www.fy-museum.jp/

フジヤマミュージアム
〒403-0017　富士吉田市新西原5-6-1
0555-22-8223　古屋祐子
http://www.fujiyama-museum.com/

南アルプス山岳写真館・白籏史朗記念館
〒409-2701　南巨摩郡早川町奈良田486
0556-48-2552　深沢萬民
http://www.town.hayakawa.yamanashi.jp

南アルプス市立美術館
〒400-0306　南アルプス市小笠原1281
055-282-6600　向山富士雄
https://www.city.minami-alps.yamanashi.jp/docs/1591.html

身延町なかとみ現代工芸美術館
〒409-3301　南巨摩郡身延町西嶋345
0556-20-4555　保坂新一
http://www.town.minobu.lg.jp/washi/

ミュージアム都留
〒402-0053　都留市上谷1-5-1
0554-45-8008･8608
http://www.city.tsuru.yamanashi.jp/forms/info/info.aspx?info_id=5976

山中湖美術館
〒401-0502　南都留郡山中湖村平野493-81
0555-62-0793　竹内泰人

山梨県立考古博物館
〒400-1508　甲府市下曾根町923
055-266-3881
https://www.pref.yamanashi.jp/kouko-hak/

山梨県立博物館
〒406-0801　笛吹市御坂町成田1501-1
055-261-2631　守屋正彦
http://www.museum.pref.yamanashi.jp

山梨県立美術館
〒400-0065　甲府市貢川1-4-27
055-228-3322　青柳正規
http://www.art-museum.pref.yamanashi.jp/

山梨県立文学館
〒400-0065　甲府市貢川1-5-35
055-235-8080　三枝昻之
https://www.bungakukan.pref.yamanashi.jp/

●長野県

アートミュージアム・まど
〒383-0022　中野市中央2-2-2
0269-22-4033

青木村郷土美術館
〒386-1603　小県郡青木村大字当郷2051-1
0268-49-3838　櫻田義文

浅原六朗文学記念館(てるてる坊主の館)
〒399-8601　北安曇郡池田町大字池田3203-5
0261-62-5659　小澤洋治

安曇野山岳美術館
〒399-8301　安曇野市穂高有明・温泉郷内
0263-83-4743　水上久美子
http://azumino.mt-museum.jp/

安曇野市豊科郷土博物館
〒399-8205　安曇野市豊科4289-8
0263-72-5672　原明芳
http://azuminohaku.jp/

安曇野市豊科近代美術館
〒399-8205　安曇野市豊科5609-3
0263-73-5638　荒深重徳
http://www.azumino-museum.com

安曇野ジャンセン美術館
〒399-8301　安曇野市穂高有明4018-6
0263-83-6584　塚原章夫
http://www.musee-de-jansem.jp/

安曇野髙橋節郎記念美術館
〒399-8302　安曇野市穂高北穂高408-1
0263-81-3030　黒岩史成
http://setsuro-museum.com

安曇野ちひろ美術館
〒399-8501　北安曇郡松川村西原3358-24
0261-62-0772　黒柳徹子
chihiro.jp

阿南町美術館
〒399-1504　下伊那郡阿南町西条2333-1
0260-22-2270　勝又慧

有島生馬記念館
〒381-2404　長野市信州新町上条88-3
026-262-3500　河原節子

飯田市川本喜八郎人形美術館
〒395-0044　飯田市本町1-2
0265-23-3594
http://kawamoto-iida.com/

飯田市考古資料館
〒399-2564　飯田市上川路1004-1
0265-26-9009

飯田市美術博物館
〒395-0034　飯田市追手町2-655-7
0265-22-8118　滝沢具幸
http://www.iida-museum.org

飯沼美術館
〒399-8303　安曇野市穂高7690
0263-82-5069　飯沼捷令

飯山市美術館
〒389-2253　飯山市大字飯山1436-1
0269-62-1501　佐藤千明
http://www.city.iiyama.nagano.jp/

池田町立美術館
〒399-8602　北安曇郡池田町大字会染7782
0261-62-6600　倉科智幸
http://navam.jp

石井鶴三美術資料室
〒386-0024　上田市大手2-8-2
0268-24-9620　上小教育会

一茶記念館
〒389-1305　上水内郡信濃町柏原2437-2
026-255-3741　竹内康則
http://www.issakinenkan.com/

伊那市立高遠町歴史博物館
〒396-0213　伊那市高遠町東高遠457
0265-94-4444　笠原千俊

イルフ童画館
〒394-0027　岡谷市中央町2-2-1
0266-24-3319　山岸吉郎
http://www.ilf.jp/

上田市立博物館
〒386-0026　上田市二の丸3-3
0268-22-1274　滝澤正幸
https://www.city.ueda.nagano.jp/hakubutukan/tanoshimu/hakubutsukan/uedashi.html

上田市立美術館
〒386-0025　上田市天神3-15-15
0268-27-2300　清水充久
https://www.santomyuze.com/museum/

臼井吉見文学館
〒399-8211　安曇野市堀金村烏川2701
0263-72-6743　内川美徳

美ヶ原高原美術館
〒386-0507　上田市武石上本入美ヶ原高原
0268-86-2331　森英恵
http://www.utsukushi-oam.jp

絵本美術館森のおうち
〒399-8301　安曇野市穂高有明2215-9
0263-83-5670　酒井倫子
http://www.morinoouchi.com

エルツおもちゃ博物館・軽井沢
〒389-0111　北佐久郡軽井沢町長倉193(塩沢)
0267-48-3340　土屋芳春
http://museen.org/erz/

大熊美術館
〒399-8301　安曇野市穂高有明7403-10
0263-83-6993　大熊智恵子
http://www11.plala.or.jp/okuma-dk/

岡信孝コレクション 須坂クラシック美術館
〒382-0087　須坂市大字須坂371-6
026-246-6474　山崎弘
http://www.culture-suzaka.or.jp/classic/

奥村土牛記念美術館
〒384-0702　南佐久郡佐久穂町穂積1429-1
0267-88-3881　須田芳明
http://www.town.sakuho.nagano.jp/

尾澤木彫美術館
〒386-0016　上田市大字国分580-2
0268-22-4337　尾澤敏春

おぶせミュージアム・中島千波館
〒381-0201　上高井郡小布施町大字小布施595
026-247-6111　池田清人
http://www.town.obuse.nagano.jp

軽井沢絵本の森美術館
〒389-0111　北佐久郡軽井沢町長倉182(塩沢)
0267-48-3340　土屋芳春
http://museen.org/ehon/

軽井沢現代美術館
〒389-0111　北佐久郡軽井沢町大字長倉2052-2
0267-31-5141　谷川美奈子
http://www.moca-karuizawa.jp/

軽井沢高原文庫
〒389-0111　北佐久郡軽井沢町長倉202-3
0267-45-1175　加賀乙彦
http://kogenbunko.jp

軽井沢千住博美術館
〒389-0111　北佐久郡軽井沢町長倉815
0267-46-6565　品川惠保
https://senju-museum.jp/

軽井沢ニューアートミュージアム
〒389-0102　北佐久郡軽井沢町軽井沢1151-5
0267-46-8691　松橋英一
http://knam.jp/

軽井沢 ル ヴァン美術館
〒389-0111　北佐久郡軽井沢町長倉夫婦石957-10
0267-46-1911　西村八知
http://www.levent.or.jp

(財)驥山館
〒388-8007　長野市篠ノ井布施高田380
026-292-0941　川村孝
http://www.kizankan.or.jp

木曽路美術館
〒399-5600　木曽郡上松町寝覚

0264-24-0116　小林夏樹
http://kisoji-artmuseum.jimdo.com/

北相木村考古博物館
〒384-1201　南佐久郡北相木村2744
0267-77-2111
http://vill.kitaaiki.nagano.jp/

北澤美術館
〒392-0027　諏訪市湖岸通1-13-28
0266-58-6000　清水雄輔
http://kitazawamuseum.kitz.co.jp

北野美術館
〒381-0101　長野市若穂綿内7963-2
026-282-3450　北野貴裕
http://www.kitano-museum.or.jp

北野美術館 戸隠館
〒381-4101　長野市戸隠3686-1
026-254-3450　北野貴裕
http://www.kitano-museum.or.jp/

旧軽井沢森ノ美術館
〒389-0102　北佐久郡軽井沢町旧軽井沢809
0267-41-1122　輿田一恵
http://www.art-karuizawa.com/

京都造形芸術大学附属 康耀堂美術館
〒391-0213　茅野市豊平4734-215
0266-71-6811　千住博
http://www.koyodo-museum.com

窪田空穂記念館
〒390-1242　松本市大字和田1715-1
0263-48-3440　勝野恒彦

黒姫童話館
〒389-1303　上水内郡信濃町黒姫高原3807
026-255-2250　北沢彰利
http://douwakan.com/

小池千枝コレクション 世界の民俗人形博物館
〒382-0031　須坂市大字野辺1367-1（須坂アートパーク内）
026-245-2340　臼井和良
http://www.culture-suzaka.or.jp/doll/

小海町高原美術館
〒384-1103　南佐久郡小海町大字豊里5918-2
0267-93-2133　前島孝一
http://www.koumi-town.jp/museum/

心の花美術館
〒386-0012　上田市中央2-7-23
0268-22-0022　加藤泰子
http://kokohana-artmuseum.com/

駒ヶ根市立博物館
〒399-4115　駒ヶ根市上穂栄町23番1号
0265-83-1135　村澤秀樹
http://komagane-bunka.jp/museum/

小諸市立小山敬三美術館
〒384-0804　小諸市丁221　懐古園内
0267-22-3428　清水茂夫
http://www.city.komoro.nagano.jp

小諸市立藤村記念館
〒384-0804　小諸市大字丁315　懐古園内
0267-22-1130　柳澤厚

佐久市川村吾蔵記念館
〒384-0412　佐久市田口3112（五稜郭公園内）
0267-81-5353　金森輝雄

佐久市立近代美術館 油井一二記念館
〒385-0011　佐久市猿久保35-5
0267-67-1055　並木功
https://www.city.saku.nagano.jp/museum/

サンリツ服部美術館
〒392-0027　諏訪市湖岸通り2-1-1
0266-57-3311　服部聡子
http://sunritz-hattori-museum.or.jp/

JIDAデザインミュージアム1号館／信州新町
〒381-2405　長野市信州新町大字新町37-1
http://jida-museum.jp/

しなの山林美術館
〒384-2206　佐久市茂田井2206
0267-53-3100　大澤真

信濃松川美術館
〒399-8501　北安曇郡松川村7008
0261-62-8744

下諏訪町立諏訪湖博物館・赤彦記念館
〒393-0033　諏訪郡下諏訪町西高木10616-111
0266-27-1627　宮坂徹
http://www.town.shimosuwa.lg.jp/

酒蔵美術館・ギャラリー玉村本店
〒381-0401　下高井郡山ノ内町平穏1163
0269-33-2155　佐藤喜惣治

象山記念館
〒381-1231　長野市松代町松代1446-6
026-278-2915
http://www.sanadahoumotsukan.com/

常楽寺美術館
〒386-1431　上田市別所温泉2347
0268-37-1234　半田孝章

市立大町山岳博物館
〒398-0002　大町市大町8056-1
0261-22-0211　鈴木啓助
http://www.omachi-sanpaku.com

市立岡谷美術考古館
〒394-0027　岡谷市中央町1-9-8
0266-22-5854　花岡克行
http://www.okaya-museum.jp/

市立小諸高原美術館・白鳥映雪館
〒384-0041　小諸市大字菱平2805-1
0267-26-2070　清水茂夫
https://www.city.komoro.lg.jp/

信州新町化石博物館
〒381-2404　長野市信州新町上条88-3
026-262-3500　河原節子
http://www.ngn.janis.or.jp/~shinmachi-museum/

信州新町美術館
〒381-2404　長野市信州新町上条88-3
026-262-3500　河原節子
http://www.ngn.janis.or.jp/~shinmachi-museum/

信州高遠美術館
〒396-0213　伊那市高遠町東高遠400
0265-94-3666　武井文一
http://www.inacity.jp/

須坂市立博物館（休館中）
〒382-0028　須坂市臥竜2-4-1
026-245-0407　丸山裕範

須坂版画美術館・平塚運一版画美術館
〒382-0031　須坂市大字野辺1386-8
026-248-6633　臼井和良
http://www.culture-suzaka.or.jp/hanga/

須山計一記念室
〒395-0801　飯田市鼎中平1339-5　鼎公民館内
0265-22-1284　塩澤正義

諏訪湖オルゴール博物館・奏鳴館
〒393-8503　諏訪郡下諏訪町5805
0266-26-7300　井口恒雄
http://www.someikan.com/

諏訪市博物館
〒392-0015　諏訪市中洲171-2
0266-52-7080　小口千穂
https://suwacitymuseum.jp

諏訪市原田泰治美術館
〒392-0010　諏訪市渋崎1792-375
0266-54-1881　久保田要
http://www.taizi-artmuseum.jp

諏訪市美術館
〒392-0027　諏訪市湖岸通り4-1-14
0266-52-1217　小松達也
http://www.city.suwa.lg.jp/scmart/

世界の影絵・きり絵・ガラス・オルゴール美術館
〒391-0321　北佐久郡立科町芦田八ヶ野1526
0266-68-2211　林敬二
https://hotel.ikenotaira-resort.co.jp/art/

（一財）セゾン現代美術館
〒389-0111　北佐久郡軽井沢町長倉芹ヶ沢2140
0267-46-2020　堤たか雄
http://www.smma.or.jp/

竹内徹美術館
〒396-0215　伊那市高遠町小原440
0265-94-2856
http://www.ina.janis.or.jp/~tohru/

田崎美術館
〒389-0111　北佐久郡軽井沢町長倉2141-279
0267-45-1186　坂本佳久
http://www.tasaki-museum.org/

辰野美術館
〒399-0425　上伊那郡辰野町樋口　荒神山公園内
0266-43-0753　宮澤和徳
http://artm.town.tatsuno.nagano.jp/

蓼科高原美術館
〒391-0301　茅野市北山4035　ピラタスロープウェイ正面
0266-67-6171　矢崎英二

田淵行男記念館
〒399-8201　安曇野市豊科南穂高5078-2
0263-72-9964　曽根原豊
http://tabuchi-museum.com/

小さな絵本美術館
〒394-0081　岡谷市長地権現4-6-13
0266-28-9877　武井利喜
http://www.ba-ba.net

千曲市森将軍塚古墳館
〒387-0007　千曲市大字屋代29-1
026-274-3400

茅野市尖石縄文考古館
〒391-0213　茅野市豊平4734-132
0266-76-2270　守矢昌文
http://www.city.chino.lg.jp/www/togariishi/index.html

茅野市美術館
〒391-0002　茅野市塚原1-1-1　茅野市民館内
0266-82-8222　辻野隆之
http://www.chinoshiminkan.jp/

茅野市八ヶ岳総合博物館
〒391-0213　茅野市豊平6983
0266-73-0300　両角徹生
https://www.city.chino.lg.jp

東御市梅野記念絵画館・ふれあい館
〒389-0406　東御市八重原935-1
0268-61-6161　佐藤修
http://www.umenokinen.com

長野県伊那文化会館
〒396-0026　伊那市西町5776　春日公園内
0265-73-8822　北沢理光
http://www.inabun.or.jp/

長野県信濃美術館 東山魁夷館（本館は休館中　2021年春再開予定）
〒380-0801　長野市箱清水1-4-4（善光寺東隣・城山公園内）
〒380-0917
長野市大字稲葉字八幡田沖2413-11　長野県庁南俣庁舎内（仮事務所）
026-232-0052　松本透
http://www.npsam.com

長野県立歴史館
〒387-0007　千曲市屋代260-6　科野の里歴史公園内
026-274-2000　笹本正治
http://www.npmh.net/

中野市立博物館
〒383-0046　中野市大字片塩1221
0269-22-2005
http://www.city.nakano.nagano.jp/city/hakubutsukan/index.htm

長野市立博物館
〒381-2212　長野市小島田町1414（川中島古戦場史跡公園内）
026-284-9011　千野浩
http://www.city.nagano.nagano.jp/museum/

中山晋平記念館
〒383-0034　中野市大字新野76
0269-22-7050　青木和美
http://www.city.nakano.nagano.jp/shinpei/index.htm

南木曽町博物館
〒399-5302　木曽郡南木曽町吾妻2190
0264-57-3322　伊藤信男
http://nagiso-museum.jp/

西尾實記念館
〒399-1504　下伊那郡阿南町西條2334-1
0260-22-2270　勝又慧

日本浮世絵博物館
〒390-0852　松本市島立新切2206-1
0263-47-4440　酒井浩志
http://japan-ukiyoe-museum.com

ハーモ美術館
〒393-0045　諏訪郡下諏訪町10616-540
0266-28-3636　関たか子
http://www.harmo-museum.jp/

白馬三枝美術館
〒399-9301　北安曇郡白馬村大字北城2935
0261-72-4685　三枝久則
http://azumino-artline.net/saegusa/outline.php

白馬美術館
〒399-9301　北安曇郡白馬村北城2965
0261-72-6084

白馬和田野の森美術館
〒399-9301　北安曇郡白馬村和田野の森
0261-72-5048

長谷アルプス・フォトギャラリー
〒396-0401　伊那市長谷非持651-5
0265-98-3016　津野祐次

日夏耿之介記念館・柳田國男館
〒395-0034　飯田市追手町2-655-7　飯田市美術博物館
0265-22-8118　滝沢具幸
http://www.iida-museum.org

平林たい子記念館
〒392-0015　諏訪市中洲福島
0266-58-9262　岩波正幸

深沢紅子野の花美術館
〒389-0111　北佐久郡軽井沢町大字長倉217
0267-45-3662　大藤敏行
http://www.karuizawataliesin.com

ペイネ美術館
〒389-0111　北佐久郡軽井沢町大字長倉217
0267-46-6161　藤巻傑
http://www.karuizawataliesin.com

放浪美術館
〒391-0001　茅野市ちの丁田2764-3
0266-72-9908　千村典弘
http://houro.net/

北斎館
〒381-0201　上高井郡小布施町小布施485
026-247-5206　安村敏信
http://hokusai-kan.com

堀辰雄文学記念館
〒389-0115　北佐久郡軽井沢町大字追分662
0267-45-2050　土屋公志

松本市美術館
〒390-0811　松本市中央4-2-22
0263-39-7400　小川稔
http://matsumoto-artmuse.jp/

松本市立博物館
〒390-0873　松本市丸の内4-1
0263-32-0133　木下守
http://www.matsu-haku.com/

丸山晩霞記念館
〒389-0515　東御市常田505-1　東御市文化会館併設
0268-62-3700
http://www.city.tomi.nagano.jp/kurashi_info/manabu/sunterrace/000381.html

水野美術館
〒380-0928　長野市若里6-2-20
026-229-6333　水野ひろ子
https://mizuno-museum.jp

箕輪町郷土博物館
〒399-4601　上伊那郡箕輪町大字中箕輪10286-3
0265-79-4860　唐澤勝浩

椋鳩十記念館・記念図書館
〒395-1101　下伊那郡喬木村1459-2
0265-33-4569　菅沼利光

(一財)戦没画学生慰霊美術館「無言館」
〒386-1213　上田市古安曾字山王山3462
0268-37-1650　窪島誠一郎
http://www.mugonkan.jp

八ヶ岳小さな絵本美術館
〒391-0115　諏訪郡原村原山17217-3325（八ヶ岳農業大学下）
0266-75-3450　武井利喜
http://www.ba-ba.net

八ヶ岳美術館（原村歴史民俗資料館）
〒391-0115　諏訪郡原村17217-1611
0266-74-2701　小泉悦夫
http://www.lcv.ne.jp/~yatsubi1/

山ノ内町立志賀高原ロマン美術館
〒381-0401　下高井郡山ノ内町大字平穏1465
0269-33-8855　柴草隆
http://www.s-roman.sakura.ne.jp

碌山美術館
〒399-8303　安曇野市穂高5095-1
0263-82-2094　高野博

http://www.rokuzan.jp/

脇田美術館
〒389-0102　北佐久郡軽井沢町旧道1570-4
0267-42-2639　脇田智
http://www.wakita-museum.com/

●新潟県

池田記念美術館
〒949-7302　南魚沼市浦佐5493-3
025-780-4080　高橋良一
http://www.ikedaart.jp

出雲崎町良寛記念館
〒949-4342　三島郡出雲崎町米田1
0258-78-2370　永寶卓
http://www.ryokan-kinenkan.jp/

小林古径記念美術館（休館中　2020年秋再開予定）
〒943-0835　上越市本城町7-7（高田公園内）
025-523-8680　宮崎俊英
http://www.city.joetsu.niigata.jp/site/kokei/

佐渡版画村美術館
〒952-1533　佐渡市相川米屋町38-2
0259-74-3931　高橋保

上越市立歴史博物館
〒943-0835　上越市本城町7-7
025-524-3120　宮崎俊英
https://www.city.joetsu.niigata.jp/site/museum/

雪梁舎美術館
〒950-1101　新潟市西区山田451
025-377-1888　捧実穂
https://www.komeri.bit.or.jp/setsuryosha/

相馬御風記念館
〒941-0056　糸魚川市一の宮1-2-2　糸魚川歴史民俗資料館
025-552-7471　伊藤伸一

谷村美術館
〒941-0054　糸魚川市京ヶ峰2-1-13
025-552-9277　ガーデン・ミュージアム運営協議会
gyokusuien.jp

敦井美術館
〒950-0087　新潟市中央区東大通1-2-23　北陸ビル
025-247-3311　敦井榮一
http://www.tsurui.co.jp/museum/

長岡市栃尾美術館
〒940-0237　長岡市上の原町1-13
0258-53-6300　近藤亜希子
http://www.lib.city.nagaoka.niigata.jp/?page_id=135

長岡市立科学博物館
〒940-0084　長岡市幸町2-1-1　さいわいプラザ内
0258-32-0546　小熊博史
http://www.museum.city.nagaoka.niigata.jp/

新潟県立近代美術館
〒940-2083　長岡市千秋3-278-14
0258-28-4111　木村哲郎
https://kinbi.pref.niigata.lg.jp/

新潟県立万代島美術館
〒950-0078　新潟市中央区万代島5-1　朱鷺メッセ内 万代島ビル5F
025-290-6655　齋藤今日子
https://banbi.pref.niigata.lg.jp

新潟市會津八一記念館
〒950-0088　新潟市中央区万代3-1-1　新潟日報メディアシップ内
025-282-7612　神林恒道
http://aizuyaichi.or.jp

新潟市潟東樋口記念美術館
〒959-0505　新潟市西蒲区三方92
0256-86-3444　中島栄一
http://www.city.niigata.lg.jp/

新潟市北区郷土博物館
〒950-3322　新潟市北区嘉山3452
025-386-1081　木村隆行
http://www.city.niigata.lg.jp/kita/shisetsu/yoka/bunka/kyodo/index.html

新潟市新津美術館
〒956-0846　新潟市秋葉区蒲ヶ沢109-1
0250-25-1300　横山秀樹
http://www.city.niigata.lg.jp/nam/

新潟市美術館
〒951-8556　新潟市中央区西大畑町5191-9
025-223-1622　前山裕司
http://www.ncam.jp/

西脇順三郎記念室
〒947-0031　小千谷市土川1-3-7　小千谷市立図書館内
0258-82-2724　山本肇
http://www.city.ojiya.niigata.jp/site/library/

日本アマチュア秀作美術館
〒952-0604　佐渡市小木町1946-6
0259-86-3191

人間国宝 三浦小平二 小さな美術館 むみょうい 常山小平窯
〒952-1548　佐渡市相川羽田町10番地
0259-74-2064

フォッサマグナミュージアム
〒941-0056　糸魚川市大字一ノ宮1313
025-553-1880

蕗谷虹児記念館
〒957-0053　新発田市中央町4-11-7
0254-23-1013　長谷川靜生

北方文化博物館（豪農の館）
〒950-0205　新潟市江南区沢海2-15-25
025-385-2001
http://hoppou-bunka.com

ミティラー美術館
〒948-0018　十日町市大池265
025-752-2396　長谷川時夫
http://www.mithila-museum.com

南魚沼市トミオカホワイト美術館
〒949-7124　南魚沼市上薬師堂142
025-775-3646　青木博子
http://www.6bun.jp/white/

●富山県

(一財)百河豚美術館
〒939-0723　下新川郡朝日町不動堂6
0765-83-0100　岸岡幸雄
http://ippukumuseum.g2.xrea.com/

井波彫刻総合会館
〒932-0226　南砺市北川733
0763-82-5158　加茂為男
http://inamichoukoku.com/

井波美術館
〒932-0211　南砺市井波3624
0763-82-5523　谷口信夫

宇奈月国際会館・セレネ美術館
〒938-0282　黒部市宇奈月温泉6-3
0765-62-2000　川端康夫
https://www.unazuki-selene.com/

志田文庫
〒930-0115　富山市茶屋町206-3　富山県立図書館内
076-436-0178　広井睦
http://www.lib.pref.toyama.jp/

高岡市美術館
〒933-0056　高岡市中川1-1-30
0766-20-1177　村上隆
https://www.e-tam.info/

高岡市万葉歴史館
〒933-0116　高岡市伏木一宮1-11-11
0766-44-5511　坂本信幸
https://www.manreki.com

砺波市美術館
〒939-1383　砺波市高道145-1
0763-32-1001　山本仁史
http://tonami-art-museum.jp/

富山県水墨美術館
〒930-0887　富山市五福777
076-431-3719　中川美彩緒
http://www.pref.toyama.jp/branches/3044/3044.htm

富山県美術館
〒930-0806　富山市木場町3-20
076-431-2711　雪山行二
http://tad-toyama.jp/

富山県民会館美術館
〒930-0006　富山市新総曲輪4-18
076-432-3113　前田修
http://www.bunka-toyama.jp/kenminkaikan/

富山市ガラス美術館
〒930-0062　富山市西町5-1
076-461-3100
http://toyama-glass-art-museum.jp/

富山市郷土博物館
〒930-0081　富山市本丸1-62
076-432-7911　井村寿恵
https://www.city.toyama.toyama.jp/etc/muse/

富山市佐藤記念美術館
〒930-0081　富山市本丸1-33
076-432-9031　坂森幹浩
https://www.city.toyama.toyama.jp/etc/muse/

富山市篁牛人記念美術館
〒930-0881　富山市安養坊1000
076-433-9215　野入潤
https://www.city.toyama.toyama.jp/etc/minzokumingei/

富山市民俗民芸村 陶芸館
〒930-0881　富山市安養坊50
076-433-8610
https://www.city.toyama.toyama.jp/etc/minzokumingei/

南砺市立福光美術館
〒939-1626　南砺市法林寺2010
0763-52-7576　片岸昭二
http://nanto-museum.com/

難波田龍起・史男記念美術館
〒930-0944　富山市開85
076-422-7722　富山剛

下山芸術の森 発電所美術館
〒939-0631　下新川郡入善町下山364-1
0765-78-0621

西田美術館
〒930-0397　中新川郡上市町郷柿沢1
076-472-4352　山口松蔵
http://www.nishida-museum.com/

森記念秋水美術館
〒930-0066　富山市千石町1-3-6
076-425-5700　浅地豊
http://www.mori-shusui-museum.jp/

横山一夢工芸美術館
〒932-0217　南砺市本町2-3
0763-82-0078　横山一夢(幹)
http://www1.tst.ne.jp/ichimu/

樂翠亭美術館
〒930-0857　富山市奥田新町2-27
076-439-2200　石﨑由則
http://www.rakusuitei.jp

●石川県

石川近代文学館
〒920-0962　金沢市広坂2-2-5　石川四高記念文化交流館内
076-262-5464　森田美恵子
http://www.pref.ishikawa.jp/shiko-kinbun/

石川県七尾美術館
〒926-0855　七尾市小丸山台1-1
0767-53-1500　嶋崎丞
http://nanao-art-museum.jp

石川県能登島ガラス美術館
〒926-0211　七尾市能登島向田町125部10番地

0767-84-1175　觀田健治
http://nanao-af.jp/glass/

石川県立伝統産業工芸館
〒920-0936　金沢市兼六町1-1
076-262-2020　中田文夫
http://www.ishikawa-densankan.jp

石川県立美術館
〒920-0963　金沢市出羽町2-1
076-231-7580　嶋崎丞
http://www.ishibi.pref.ishikawa.jp/

石川県立歴史博物館
〒920-0963　金沢市出羽町3-1
076-262-3236　藤井讓治
http://ishikawa-rekihaku.jp/

石川県輪島漆芸美術館
〒928-0063　輪島市水守町四十苅11番地
0768-22-9788　四柳嘉章
https://www.city.wajima.ishikawa.jp/art/

大樋美術館
〒920-0911　金沢市橋場町2-17
076-221-2397　大樋長左衛門

加賀市美術館
〒922-0423　加賀市作見町リ1-4
0761-72-8787　長谷川清
https://kagabi.kagashi-ss.com/

金沢くらしの博物館
〒920-0938　金沢市飛梅町3-31
076-222-5740　出越茂和
http://www.kanazawa-museum.jp/minzoku/

金沢市立中村記念美術館
〒920-0964　金沢市本多町3-2-29
076-221-0751　山本知行
https://www.kanazawa-museum.jp/nakamura/

金沢市立安江金箔工芸館
〒920-0831　金沢市東山1-3-10
076-251-8950　北川和夫
http://kanazawa-museum.jp/kinpaku/

金沢21世紀美術館
〒920-8509　金沢市広坂1-2-1
076-220-2800　島敦彦
http://www.kanazawa21.jp

金沢ふるさと偉人館
〒920-0993　金沢市下本多町6-18-4
076-220-2474
http://www.kanazawa-museum.jp/ijin/

金沢湯涌夢二館
〒920-1123　金沢市湯涌町イ144-1
076-235-1112
http://www.kanazawa-museum.jp/yumeji/

小松市立本陣記念美術館
〒923-0903　小松市丸の内公園町19
0761-22-3384　二木裕子
http://www.kcm.gr.jp/honjinkinen/

小松市立宮本三郎美術館
〒923-0904　小松市小馬出町5番地
0761-20-3600　二木裕子
http://www.kcm.gr.jp/miyamotosaburo

珠洲市立珠洲焼資料館
〒927-1204　珠洲市蛸島町1-2-563
0768-82-6200　平田天秋
http://www.city.suzu.lg.jp/suzuyaki/

成巽閣
〒920-0936　金沢市兼六町1-2
076-221-0580　吉竹泰雄
http://www.seisonkaku.com

谷口吉郎・吉生記念 金沢建築館
〒921-8033　金沢市寺町5-1-18
076-247-3031
https://www.kanazawa-museum.jp/architecture/

日本折紙博物館
〒922-0241　加賀市加茂町ハ90-1
0761-77-2500

能登町真脇遺跡縄文館
〒927-0562　鳳珠郡能登町真脇48字100
0768-62-4800　高田秀樹

能登町立羽根万象美術館
〒927-0433　鳳珠郡能登町字宇出津イ字112-5
0768-62-3669

能美市九谷焼資料館
〒923-1111　能美市泉台町南56
0761-58-6100
http://www.kutaniyaki.or.jp/

白山市立松任中川一政記念美術館
〒924-0888　白山市旭町61-1
076-275-7532　木田清
http://www.hakusan-museum.jp/nakagawakinen

硲伊之助美術館
〒922-0822　加賀市吸坂町4-3
0761-72-0872　硲紘一
http://inkaga.net/hi/

●福井県

越前市いまだて芸術館
〒915-0242　越前市粟田部町11-1-1
0778-42-2700　竹澤裕史
http://www.city.echizen.lg.jp/

金津創作の森
〒919-0806　あわら市宮谷57-2-19
0776-73-7800　土田ヒロミ
http://sosaku.jp/

佐々木大岳記念館
〒916-0073　鯖江市下野田町38-68
0778-62-1600　佐々木晃一

中野重治文庫記念坂井市立丸岡図書館
〒910-0231　坂井郡丸岡町霞3-10-1
0776-67-1500　木下小幸

福井県陶芸館
〒916-0273　丹生郡越前町小曾原120-61
0778-32-2174　山口正英

福井県立恐竜博物館
〒911-8601　勝山市村岡町寺尾51-11　かつやま恐竜の森内
0779-88-0001　竹内利寿
https://www.dinosaur.pref.fukui.jp/

福井県立美術館
〒910-0017　福井市文京3-16-1
0776-25-0452　山埜浩嗣
http://info.pref.fukui.jp/bunka/bijutukan/bunka1.html

福井県立歴史博物館
〒910-0016　福井市大宮2-19-15
0776-22-4675　阪口浩実
http://www.pref.fukui.jp/muse/Cul-Hist/

福井県立若狭歴史博物館
〒917-0241　小浜市遠敷2-104
0770-56-0525
https://wakahaku.pref.fukui.lg.jp/

福井市美術館［アートラボふくい］
〒918-8112　福井市下馬3-1111
0776-33-2990　石堂裕昭
http://www.art.museum.city.fukui.fukui.jp/

(公財)ふくい藤田美術館
〒910-0004　福井市宝永4-15-12
0776-21-7710　藤田知三

●岐阜県

荒川豊蔵資料館
〒509-0234　可児市久々利柿下入会字牟田ヶ洞352
0574-64-1461　宮地直木
http://www.city.kani.lg.jp/10013.htm

市之倉さかづき美術館
〒507-0814　多治見市市之倉町6-30-1
0572-24-5911　加藤幸兵衛
http://www.sakazuki.or.jp/

大垣市守屋多々志美術館
〒503-0887　大垣市郭町2-12
0584-81-0801　安田正幸
http://www.city.ogaki.lg.jp/0000002019.html

大松美術館
〒501-6019　羽島郡岐南町みやまち4-34-1
058-276-6111　大松節子

合掌造り焔仁美術館
〒501-5627　大野郡白川村大字荻町字小呂2483
05769-6-1967

加藤栄三・東一記念美術館
〒500-8003　岐阜市大宮町1-46　岐阜公園内
058-264-6410　山本真一
http://www.rekihaku.gifu.gifu.jp/

可児郷土歴史館
〒509-0224　可児市久々利1644-1
0574-64-0211　宮地直木
http://www.city.kani.lg.jp/2486.htm

ガラス美術館 駒
〒509-4236　飛騨市古川町三之町1-17
0577-73-6550

岐阜県現代陶芸美術館
〒507-0801　多治見市東町4-2-5
0572-28-3100　高橋秀治
http://www.cpm-gifu.jp/museum

岐阜現代美術館
〒501-3939　岐阜県関市桃紅大地1
0575-23-1210
http://www.gi-co-ma.or.jp/

岐阜県博物館
〒501-3941　関市小屋名1989(岐阜県百年公園内)
0575-28-3111　平井克昭
http://www.gifu-kenpaku.jp/

岐阜県美術館
〒500-8368　岐阜市宇佐4-1-22
058-271-1313　日比野克彦
https://kenbi.pref.gifu.lg.jp/

極小美術館
〒503-2418　揖斐郡池田町草深大谷939-10
090-5853-3766　長澤知明

熊谷榧つけちギャラリー
〒508-0351　中津川市付知町4956-52
0573-82-4911　三尾秀和
http://www.tsukechi.co.jp/

(公財)熊谷守一つけち記念館
〒508-0351　中津川市付知町7713
0573-83-0050　小南佐年
http://morikazu-museum-tsukechi.jp/

神戸町日比野五鳳記念美術館
〒503-2305　安八郡神戸町大字神戸1220-1
0584-27-7320　神戸町長 谷村成基
http://www.town.godo.gifu.jp/

(公財)三甲美術館
〒502-0071　岐阜市長良福土山3535
058-295-3535　後藤奈穂子
http://www.sanko-museum.or.jp

関市立篠田桃紅美術空間
〒501-3894　関市若草通3-1　関市役所北庁舎7F
0575-23-7756
http://www.city.seki.lg.jp/category/2-8-4-0-0.html

セラミックパークMINO
〒507-0801　多治見市東町4-2-5
0572-28-3200
http://www.cpm-gifu.jp/

多治見市美濃焼ミュージアム
〒507-0801　多治見市東町1-9-27
0572-23-1191　岩井利美
http://www.tajimi-bunka.or.jp/minoyaki_museum/

多治見市モザイクタイルミュージアム
〒507-0901　多治見市笠原町2082-5
0572-43-5101　水野雅樹
http://www.mosaictile-museum.jp/

月形大陶坊美術館
〒509-5100　土岐市泉町五斗蒔　土岐市観光協会内
0572-55-3624　青代茂治郎

藤村記念館
〒508-0502　中津川市馬籠4256-1
0573-69-2047　島崎五美雄
http://toson.jp

中垣克久彫刻庭園美術館
〒509-4221　飛騨市古川町若宮2-1-58
0577-73-3288

中山道広重美術館
〒509-7201　恵那市大井町176-1
0573-20-0522　千藤秀明
http://hiroshige-ena.jp

中津川市東山魁夷心の旅路館
〒508-0501　中津川市山口1-15(「道の駅」賤母内)
0573-75-5222　楯弘幸
http://www.city.nakatsugawa.gifu.jp/museum/kaii/

光ミュージアム
〒506-0051　高山市中山町175
0577-34-6511　小林秀明
http://h-am.jp

飛騨市美術館
〒509-4221　飛騨市古川町若宮2-1-58
0577-73-3288

飛騨高山美術館
〒506-0055　高山市岡本町1-124-1
0577-35-3535　向井鉄也
http://www.htm-museum.co.jp

瑞浪市陶磁資料館
〒509-6132　瑞浪市明世町山野内1-6
0572-67-2506　遠藤三知郎
http://www.city.mizunami.lg.jp/docs/2014092923046/

美濃加茂市民ミュージアム
〒505-0004　美濃加茂市蜂屋町上蜂屋3299-1
0574-28-1110　可児光生
http://www.forest.minokamo.gifu.jp/

●静岡県

熱海市立澤田政廣記念美術館
〒413-0032　熱海市梅園町9-46
0557-81-9211
http://www.city.atami.lg.jp/

池田20世紀美術館
〒414-0052　伊東市十足614
0557-45-2211　伊藤康伸
https://www.nichireki.co.jp/ikeda/

伊豆ガラスと工芸美術館
〒413-0235　伊東市大室高原11-300
0557-51-7222　片山劼
http://izuglass.co.jp/

伊豆近代文学博物館
〒410-3206　伊豆市湯ヶ島892-6
0558-85-1110

伊豆テディベア・ミュージアム
〒413-0232　伊東市八幡野1064-2
0557-54-5001　関口芳弘
http://www.teddynet.co.jp

伊豆の長八美術館
〒410-3611　賀茂郡松崎町松崎23
0558-42-2540　長嶋精一
http://www.izu-matsuzaki.com

IZU PHOTO MUSEUM(休館中)
〒411-0931　駿東郡長泉町東野クレマチスの丘347-1
055-989-8780
http://www.izuphoto-museum.jp

伊東市立木下杢太郎記念館
〒414-0002　伊東市湯川2-11-5
0557-36-7454　堀井裕三

(一財)井上靖文学館
〒411-0931　駿東郡長泉町東野クレマチスの丘(スルガ平)515-57
055-986-1771
http://inoue-yasushi-museum.jp/

磐田市香りの博物館
〒438-0821　磐田市立野2019-15
0538-36-8891　富永恵吾
http://www.iwata-kaori.jp

ヴァンジ彫刻庭園美術館
〒411-0931　駿東郡長泉町東野クレマチスの丘347-1
055-989-8787
https://www.clematis-no-oka.co.jp/vangi-museum/

上原美術館
〒413-0715　下田市宇土金341
0558-28-1228
http://www.uehara-museum.or.jp

MOA美術館
〒413-8511　熱海市桃山町26-2
0557-84-2511　内田篤呉
http://www.moaart.or.jp

掛川市ステンドグラス美術館
〒436-0079　掛川市掛川1140-1
0537-29-5680

掛川市二の丸美術館
〒436-0079　掛川市掛川1142-1(掛川城公園内)
0537-62-2061　日比野秀男
http://www.kakegawa-artpark.com

かんなみ仏の里美術館
〒419-0101　田方郡函南町桑原89-1
055-948-9330　矢田長春
http://www.kannami-museum.jp/

グラスマレライミュージアム
〒413-0231　伊東市富戸842-175
0557-33-6355　二見美和子
http://www.glasmalerei.jp

黄金崎クリスタルパーク
〒410-3501　賀茂郡西伊豆町宇久須2204-3

0558-55-1515　星野浄晋
http://www.kuripa.co.jp/

（公財）佐野美術館
〒411-0838　三島市中田町1-43
055-975-7278　坪井則子
http://www.sanobi.or.jp

静岡県立美術館
〒422-8002　静岡市駿河区谷田53-2
054-263-5755　木下直之
http://www.spmoa.shizuoka.shizuoka.jp/

静岡市美術館
〒420-0852　静岡市葵区紺屋町17-1　葵タワー3F
054-273-1515　田中豊稲
http://www.shizubi.jp

静岡市立芹沢銈介美術館
〒422-8033　静岡市駿河区登呂5-10-5
054-282-5522　永田基士
http://www.seribi.jp

資生堂アートハウス
〒436-0025　掛川市下俣751-1
0537-23-6122　大木敏行
https://www.shiseidogroup.jp/art-house/

島田市博物館
〒427-0037　島田市河原1-5-50
0547-37-1000
https://www.city.shimada.shizuoka.jp/shimahaku/

島田市博物館 分館
〒427-0037　島田市河原2-16-5
0547-34-3216　又平剛
https://www.city.shimada.lg.jp/

駿府博物館
〒422-8033　静岡市駿河区登呂3-1-1　静岡 新聞放送会館別館2F
054-284-3216　大村治
http://www.sbs-bunkafukushi.com

創作人形館ミワドール
〒413-0232　伊東市八幡野字萩ヶ洞1069-3
0557-55-1038　三輪輝子
http://www.jade.dti.ne.jp/~miwadoll/

常葉美術館
〒439-0019　菊川市半済1550
0537-35-0775　堀切正人
http://www.tokoha.net/museum/

沼津市芹沢光治良記念館
〒410-0823　沼津市我入道まんだが原517-1
055-932-0255　中村朗
http://www.city.numazu.shizuoka.jp/kurashi/shisetsu/serizawa/

沼津市若山牧水記念館
〒410-0849　沼津市千本郷林1907-11
055-962-0424　榎本篁子
http://web.thn.jp/bokusui

ねむの木こども美術館
〒436-0221　掛川市上垂木あかしあ通り1-1　ねむの木学園内
0537-26-3900　宮城まり子
https://www.nemunoki.or.jp

浜松市秋野不矩美術館
〒431-3314　浜松市天竜区二俣町二俣130
053-922-0315　吉川利行
https://www.city.hamamatsu.shizuoka.jp/akinofuku/index.html

浜松市美術館
〒430-0947　浜松市中区松城町100-1
053-454-6801　飯室仁志
http://www.city.hamamatsu.shizuoka.jp/artmuse/index.htm

浜松文芸館
〒430-0916　浜松市中区早馬町2-1　クリエート浜松4・5F
053-453-3933　下石精子
http://hcf.or.jp

（公財）平野美術館
〒430-0942　浜松市中区元浜町166
053-474-0811　平野弘
http://www.hirano-museum.jp

富士山かぐや姫ミュージアム
〒417-0061　富士市伝法66-2
0545-21-3380　木ノ内義昭
http://museum.city.fuji.shizuoka.jp/

ベルナール・ビュフェ美術館
〒411-0931　駿東郡長泉町東野クレマチスの丘515-57
055-986-1300　岡野喜平太
https://www.clematis-no-oka.co.jp/buffet-museum/

三嶋大社 宝物館
〒411-0035　三島市大宮町2-1-5
055-975-0566　矢田部盛男
http://www.mishimataisha.or.jp

村上康成美術館
〒413-0235　伊東市大室高原5-386
0557-51-8021　川野豊武
http://www.murakami-museum.co.jp/

山本丘人記念館 美術館夢呂土
〒410-1326　駿東郡小山町用沢1373-1
0550-78-1400　山本由美子

●愛知県

愛知県陶磁美術館
〒489-0965　瀬戸市南山口町234
0561-84-7474　上田章博
http://www.pref.aichi.jp/touji

愛知県美術館
〒461-8525　名古屋市東区東桜1-13-2　愛知芸術文化センター 8F/10F
052-971-5511　南雄介
http://www-art.aac.pref.aichi.jp/

愛知県立芸術大学 芸術資料館・法隆寺金堂壁画模写展示館
〒480-1194　長久手市岩作三ケ峯1-114　愛知県立芸術大学内
0561-76-4698　倉地久
http://www.aichi-fam-u.ac.jp/

(公財)荒木集成館
〒468-0014　名古屋市天白区中平5-616
052-802-2531　荒木正直
http://www.arakishuseikan.ecweb.jp/

一宮市博物館
〒491-0922　一宮市大和町妙興寺2390
0586-46-3215　堀尚志
http://www.icm-jp.com/

一宮市三岸節子記念美術館
〒494-0007　一宮市小信中島字郷南3147-1
0586-63-2892　堀尚志
http://s-migishi.com

稲沢市荻須記念美術館
〒492-8217　稲沢市稲沢町前田365-8
0587-23-3300　山田美佐子
http://www.city.inazawa.aichi.jp/museum/

INAXライブミュージアム
〒479-8586　常滑市奥栄町1-130
0569-34-8282　尾之内明美
http://www.livingculture.lixil/ilm/

岡崎市美術館
〒444-0864　岡崎市明大寺町字茶園11-3
0564-51-4280　榊原悟
http://www.city.okazaki.lg.jp/1100/1109/1162/p001946.html

岡崎市美術博物館
〒444-0002　岡崎市高隆寺町峠1　岡崎中央総合公園内
0564-28-5000　榊原悟
http://www.city.okazaki.lg.jp/museum

おかざき世界子ども美術博物館
〒444-0005　岡崎市岡町字鳥居戸1-1
0564-53-3511　榊原悟
http://www.city.okazaki.lg.jp/1200/1251/1242/p010841.html

春日井市道風記念館
〒486-0932　春日井市松河戸町5-9-3
0568-82-6110
https://www.city.kasugai.lg.jp/shisetsu/bunka/tofu/index.html

(公財)かみや美術館
〒475-0017　半田市有脇町10-8-9
0569-29-2626　神谷弘子
http://www.kamiya-muse.or.jp

刈谷市美術館
〒448-0852　刈谷市住吉町4-5
0566-23-1636　安藤誠
https://www.city.kariya.lg.jp/museum/

清須市はるひ美術館
〒452-0961　清須市春日夢の森1
052-401-3881　高北幸矢
http://www.museum-kiyosu.jp/

桑山美術館
〒466-0828　名古屋市昭和区山中町2-12
052-763-5188　桑山信子
http://www.kuwayama-museum.jp

昭和美術館
〒466-0837　名古屋市昭和区汐見町4-1
052-832-5851　栁澤幸輝
http://www.spice.or.jp/~shouwa-museum/

杉本美術館
〒470-3232　知多郡美浜町美浜緑苑1-12-1
0569-88-5171　拝郷寿夫
http://www.meitetsu.co.jp/meitetsu/sugimoto

瀬戸蔵ミュージアム
〒489-0813　瀬戸市蔵所町1-1
0561-97-1555　瀬戸市長 増岡錦也

瀬戸市新世紀工芸館
〒489-0815　瀬戸市南仲之切町81-2
0561-97-1001
http://www.seto-cul.jp/new-century/

瀬戸市美術館
〒489-0884　瀬戸市西茨町113-3　瀬戸市文化センター内
0561-84-1093　服部文孝
http://www.seto-cul.jp/seto-museum/

大一美術館
〒453-0843　名古屋市中村区鴨付町1-22
052-413-6777　市原高明
http://www.daiichi-museum.co.jp

高浜市やきものの里かわら美術館
〒444-1325　高浜市青木町9-6-18
0566-52-3366　若松文人
http://www.takahama-kawara-museum.com/

田原市博物館
〒441-3421　田原市田原町巴江11-1
0531-22-1720　花井隆
http://www.taharamuseum.gr.jp/

(公財)唐九郎陶芸記念館
〒463-0010　名古屋市守山区翠松園1-1710
052-795-2110　雨宮康樹

徳川美術館
〒461-0023　名古屋市東区徳川町1017
052-935-6262　徳川義崇
http://www.tokugawa-art-museum.jp/

とこなめ陶の森 陶芸研究所
〒479-0822　常滑市奥条7-22
0569-35-3970　榊原秀樹
http://www.tokoname-tounomori.jp/

豊川市桜ヶ丘ミュージアム
〒442-0064　豊川市桜ケ丘町79-2
0533-85-3775　大谷美千代
http://www.city.toyokawa.lg.jp/shisetsu/bunkakyoiku/

sakuragaokamuseum/index.html

豊田市美術館
〒471-0034　豊田市小坂本町8-5-1
0565-34-6610　村田眞宏
http://www.museum.toyota.aichi.jp

豊橋市美術博物館
〒440-0801　豊橋市今橋町3-1
0532-51-2882
http://www.toyohashi-bihaku.jp/

名古屋市博物館
〒467-0806　名古屋市瑞穂区瑞穂通1-27-1
052-853-2655　三芳研二
http://www.museum.city.nagoya.jp

名古屋市美術館
〒460-0008　名古屋市中区栄2-17-25
052-212-0001　早瀬弘親
http://www.art-museum.city.nagoya.jp/

ノリタケミュージアム
〒451-8501　名古屋市西区則武新町3-1-36　ノリタケの森クラフトセンター内
052-561-7114　桑山賢二
https://www.noritake.co.jp/mori/

博物館明治村
〒484-0000　犬山市内山1
0568-67-0314　中川武
http://www.meijimura.com

古川美術館／分館 爲三郎記念館
〒464-0066　名古屋市千種区池下町2-50
052-763-1991　古川爲之
http://www.furukawa-museum.or.jp/

碧南市藤井達吉現代美術館
〒447-0847　碧南市音羽町1-1
0566-48-6602　木本文平
http://www.city.hekinan.aichi.jp/tatsukichimuseum/

松坂屋美術館
〒460-8430　名古屋市中区栄3-16-1　松坂屋名古屋店南館7F
052-264-3611　小山真人
https://www.matsuzakaya.co.jp/nagoya/museum/

三菱UFJ銀行貨幣資料館
〒461-0026　名古屋市東区赤塚町25番地
052-933-5151
http://www.bk.mufg.jp/csr/contribution/kids/gallery/

名都美術館
〒480-1116　長久手市杁ケ池301
0561-62-8884　石丸正運
http://www.meito.hayatele.co.jp

メナード美術館
〒485-0041　小牧市小牧5-250
0568-75-5787　相羽規充
https://museum.menard.co.jp

ヤマザキマザック美術館
〒461-0004　名古屋市東区葵1-19-30
052-937-3737　後藤昌功
http://www.mazak-art.com/

●三重県

伊賀・信楽古陶館
〒518-0873　伊賀市上野丸之内57-12
0595-24-0271　古川一司

伊勢現代美術館
〒516-0101　度会郡南伊勢町五ヶ所浦湾場102-8
0599-66-1138　服部志穂
http://www.ise-muse.com/

佐佐木信綱記念館
〒513-0012　鈴鹿市石薬師町1707-3
059-374-3140　新田剛
http://suzuka-bunka.jp/sasaki/

式年遷宮記念 神宮美術館
〒516-0016　伊勢市神田久志本町1754-1(倉田山)
0596-22-5533　白石和己
http://www.isejingu.or.jp/museum/

神宮徴古館・農業館
〒516-0016　伊勢市神田久志本町1754-1(倉田山)
0596-22-1700　吉川竜実
http://www.isejingu.or.jp/museum/

神宮文庫
〒516-0016　伊勢市神田久志本町1711
0596-22-2737　石垣仁久

澄懐堂美術館
〒512-1105　四日市市水沢町2011
059-329-3335
http://chokaido.jp/

丹羽文雄記念室
〒510-0075　四日市市安島1-3-16　四日市市立博物館内
059-355-2700　吉田俊英
http://www.city.yokkaichi.mie.jp/museum/

芭蕉翁記念館
〒518-0873　伊賀市上野丸之内117-13
0595-21-2219
http://www.basho-bp.jp/

paramita museum
〒510-1245　三重郡菰野町大羽根園松ケ枝町21-6
059-391-1088　岡田卓也
http://www.paramitamuseum.com

BANKO archive design museum
〒510-0032　四日市市京町2-13　1F
059-324-7956　内田鋼一
http://www.banko-a-d-museum.com/

マコンデ美術館
〒519-0601　伊勢市二見町松下1799
0596-42-1192　水野恒男
http://www.museum.makonde.jp

三重県総合博物館
〒514-0061　津市一身田上津部田3060
059-228-2283　大野照文
http://www.bunka.pref.mie.lg.jp/MieMu/

三重県立美術館
〒514-0007　津市大谷町11
059-227-2100　速水豊
http://www.bunka.pref.mie.lg.jp/art-museum/

四郷版画館
〒510-0943　四日市市西日野町3421-2
059-322-3228　小原喜夫
http://homepage2.nifty.com/y-hanga/

●滋賀県

近江神宮時計館 宝物館
〒520-0015　大津市神宮町1-1
077-522-3725　佐藤久忠

大津絵美術館
〒520-0036　大津市園城寺町33
077-522-3690

大津市歴史博物館
〒520-0037　大津市御陵町2-2
077-521-2100
http://www.rekihaku.otsu.shiga.jp/

観峰館
〒529-1421　東近江市五個荘竜田町136
0748-48-4141　石原涉
http://www.kampokan.com

(財)木下美術館
〒520-0016　大津市比叡平2-28-21
077-575-1148　木下公一
http://www.kinoshita-museum.com/

甲賀市信楽伝統産業会館
〒529-1851　甲賀市信楽町長野1142
0748-82-2345

佐川美術館
〒524-0102　守山市水保町北川2891
077-585-7800　栗和田榮一
http://www.sagawa-artmuseum.or.jp/

滋賀県立近代美術館(休館中)
〒520-2122　大津市瀬田南大萱町1740-1
〒520-0807　大津市松本1-2-1　大津合同庁舎5F(事務所)
077-522-2111　村田和彦
http://www.shiga-kinbi.jp/

滋賀県立陶芸の森陶芸館
〒529-1804　甲賀市信楽町勅旨2188-7
0748-83-0909　松井利夫
http://www.sccp.jp/

膳所焼美術館
〒520-0837　大津市中庄1-22-28
077-523-1118　岩崎世津
http://zezeyaki.jp/zezemuseum/

東近江市近江商人博物館・中路融人記念館
〒529-1421　東近江市五個荘竜田町583
0748-48-7101　西邦和
https://e-omi-muse.com/omishounin-boy.html

彦根城博物館
〒522-0061　彦根市金亀町1-1
0749-22-6100　井伊岳夫
http://hikone-castle-museum.jp/

日登美美術館
〒527-0231　東近江市山上町2068-2
0748-27-1707　岸本邦臣
http://www.nigoriwine.jp/

比良美術館
〒520-1142　高島市鹿ヶ瀬岩倉75-1
0740-37-0777　萩恭子

舟橋聖一記念文庫
〒522-0001　彦根市尾末町8-1　彦根市立図書館内
0749-22-0649　北村清
https://library.city.hikone.shiga.jp/

MIHO MUSEUM
〒529-1814　甲賀市信楽町田代桃谷300
0748-82-3411　熊倉功夫
http://miho.jp

●京都府

アサヒビール大山崎山荘美術館
〒618-0071　乙訓郡大山崎町銭原5-3
075-957-3123(総合案内)　粟津晶
http://www.asahibeer-oyamazaki.com

朝日焼窯元
〒611-0021　宇治市宇治山田11
0774-23-2511　松林豊斎
http://asahiyaki.com

一燈園資料館「香倉院」
〒607-8025　京都市山科区四ノ宮柳山町8
075-595-2090　境台二
http://www.kosoin.com/

遠藤剛煕美術館
〒600-8353　京都市下京区猪熊通高辻下ル
075-822-7001　遠藤剛煕
http://www.gohki.com/

大西清右衛門美術館
〒604-8241　京都市中京区三条通新町西入ル釜座町18-1
075-221-2881　大西英生
http://www.seiwemon-museum.com

何必館・京都現代美術館
〒605-0073　京都市東山区祇園町北側271
075-525-1311　梶川芳友
http://www.kahitsukan.or.jp

河井寛次郎記念館
〒605-0875　京都市東山区五条坂鐘鋳町569
075-561-3585　河井敏孝
http://www.kanjiro.jp

北村美術館
〒602-0841　京都市上京区河原町今出川南一筋目東入梶井町
075-256-0637　木下收

京都工芸繊維大学美術工芸資料館
〒606-8585　京都市左京区松ヶ崎橋上町

075-724-7924　並木誠士
http://www.museum.kit.ac.jp

京都国際マンガミュージアム
〒604-0846　京都市中京区烏丸通御池上ル
075-254-7414　荒俣宏
http://www.kyotomm.jp/

京都国立近代美術館
〒606-8344　京都市左京区岡崎円勝寺町
075-761-4111　柳原正樹
http://www.momak.go.jp

京都国立博物館
〒605-0931　京都市東山区茶屋町527
075-541-1151　佐々木丞平
https://www.kyohaku.go.jp/

京都市学校歴史博物館
〒600-8044　京都市下京区御幸町通仏光寺下ル橘町437
075-344-1305　上村淳之
http://kyo-gakurehaku.jp/

京都市京セラ美術館（京都市美術館）（2020年3月21日リニューアルオープン）
〒606-8344　京都市左京区岡崎円勝寺町124
075-771-4107　青木淳
www.kyotocity-kyocera.museum

京都鉄道博物館
〒600-8835　京都市下京区観喜寺町
0570-080-462　三浦英之
http://www.kyotorailwaymuseum.jp/

京都府立京都学・歴彩館
〒606-0823　京都市左京区下鴨半木町1-29
075-723-4831
http://www.pref.kyoto.jp/rekisaikan/

京都府立堂本印象美術館
〒603-8355　京都市北区平野上柳町26-3
075-463-0007　三輪晃久
http://insho-domoto.com/

京都文化博物館
〒604-8183　京都市中京区三条高倉
075-222-0888　山田啓二
http://www.bunpaku.or.jp

清水三年坂美術館
〒605-0862　京都市東山区清水寺門前産寧坂北入清水3-337-1
075-532-4270　村田理如
http://www.sannenzaka-museum.co.jp

高麗美術館
〒603-8108　京都市北区紫竹上岸町15
075-491-1192　井上満郎
http://www.koryomuseum.or.jp/

近藤悠三記念館
〒605-0862　京都市東山区清水1-287（茶わん坂）
075-561-2917　近藤高弘
http://www.kondo-kyoto.com/yuzo/

泉屋博古館（住友コレクション）
〒606-8431　京都市左京区鹿ヶ谷下宮ノ前町24
075-771-6411　廣川守
https://www.sen-oku.or.jp/kyoto

茶道資料館
〒602-0073　京都市上京区堀川通寺之内上る寺之内竪町682番地　裏千家センター内
075-431-6474　千玄室
http://www.urasenke.or.jp/textc/gallery/tenji/

野村美術館
〒606-8434　京都市左京区南禅寺下河原町61
075-751-0374　谷晃
http://www.nomura-museum.or.jp/

白沙村荘 橋本関雪記念館
〒606-8406　京都市左京区浄土寺石橋町37
075-751-0446　橋本妙
http://www.hakusasonso.jp/

美術館「えき」KYOTO
〒600-8555　京都市下京区烏丸通塩小路下ル東塩小路町　ジェイアール京都伊勢丹7F隣接
075-352-1111(大代表)
http://kyoto.wjr-isetan.co.jp/museum/

平等院ミュージアム「鳳翔館」
〒611-0021　宇治市宇治蓮華116
0774-21-2861　神居文彰
http://www.byodoin.or.jp

福田美術館
〒616-8385　京都市右京区嵯峨天龍寺芒ノ馬場町3-16
075-863-0606　川畑光佐
https://fukuda-art-museum.jp/

福知山市佐藤太清記念美術館
〒620-0035　福知山市字岡ノ32-64
0773-23-2316　駿河禎克
http://fukuchiyama-artmuseum.jp

藤井斉成会有鄰館
〒606-8344　京都市左京区岡崎円勝寺町44
075-761-0638　藤井善嗣
http://www.yurinkan-museum.jp

（一財）古田織部美術館
〒603-8504　京都市北区上賀茂桜井町107-2-B1
075-707-1800　宮下玄覇
http://www.furutaoribe-museum.com/

細見美術館
〒606-8342　京都市左京区岡崎最勝寺町6-3
075-752-5555　細見良行
http://www.emuseum.or.jp

森の中の家 安野光雅館
〒629-3559　京丹後市久美浜町谷764　和久傳ノ森
0772-84-9901
https://mori.wakuden.kyoto/

与謝野町立江山文庫
〒629-2421　与謝郡与謝野町字金屋1682
0772-43-2180　小西英雄
http://www.kyt-net.ne.jp/kozan/index.html

(公財)樂美術館
〒602-0923　京都市上京区油小路通一条下る
075-414-0304
http://www.raku-yaki.or.jp

龍谷大学 龍谷ミュージアム
〒600-8399　京都市下京区堀川通正面下る（西本願寺前）
075-351-2500　長上深雪
https://museum.ryukoku.ac.jp

●大阪府

あべのハルカス美術館
〒545-6016　大阪市阿倍野区阿倍野筋1-1-43　あべのハルカス16F
06-4399-9050　浅野秀剛
https://www.aham.jp/

安西冬衛文庫
〒590-0801　堺市堺区大仙中町18-1　堺市立中央図書館内
072-244-3811　松井孝
http://www.lib-sakai.jp/

(公財)阪急文化財団 池田文庫
〒563-0058　池田市栄本町12-1
072-751-3185　仙海義之
http://www.hankyu-bunka.or.jp/ikedabunko/

和泉市久保惣記念美術館
〒594-1156　和泉市内田町3-6-12
0725-54-0001　河田昌之
http://www.ikm-art.jp

逸翁美術館
〒563-0058　池田市栄本町12-27
072-751-3865　伊井春樹
http://www.hankyu-bunka.or.jp

茨木市立川端康成文学館
〒567-0881　茨木市上中条2-11-25
072-625-5978　高橋照美
http://www.city.ibaraki.osaka.jp/kikou/shimin/bunka/menu/kawabata/index.html

大阪芸術大学博物館
〒585-8555　南河内郡河南町東山469
0721-93-3781　上原三至
http://www.osaka-geidai.ac.jp/geidai/facilities/museum/

大阪市立東洋陶磁美術館
〒530-0005　大阪市北区中之島1-1-26
06-6223-0055　出川哲朗
http://www.moco.or.jp

大阪市立美術館
〒543-0063　大阪市天王寺区茶臼山町1-82
06-6771-4874　篠雅廣
https://www.osaka-art-museum.jp

大阪日本民芸館
〒565-0826　吹田市千里万博公園10-5　万博公園内
06-6877-1971　饗庭浩二
http://www.mingeikan-osaka.or.jp

大阪府立江之子島文化芸術創造センター
〒550-0006　大阪市西区江之子島2-1-34
06-6441-8050　甲賀雅章
http://www.enokojima-art.jp

大阪府立弥生文化博物館
〒594-0083　和泉市池上町4-8-27
0725-46-2162　禰冝田佳男
http://www.kanku-city.or.jp/yayoi/

大阪歴史博物館
〒540-0008　大阪市中央区大手前4-1-32
06-6946-5728　栄原永遠男
http://www.mus-his.city.osaka.jp/

織田作之助文庫
〒530-0005　大阪市北区中之島1-2-10　大阪府立中之島図書館内
06-6203-0474
https://www.library.pref.osaka.jp/site/nakato

上方浮世絵館
〒542-0076　大阪市中央区難波1-6-4
06-6211-0303　髙野征子
http://www.kamigata.jp

川田順文庫
〒530-0005　大阪市北区中之島1-2-10　大阪府立中之島図書館内
06-6203-0474
https://www.library.pref.osaka.jp/site/nakato

絹谷幸二 天空美術館
〒531-0076　大阪市北区大淀中1-1-30　梅田スカイビルタワーウエスト27F
06-6440-3760　内田隆
http://www.kinutani-tenku.jp

国立国際美術館
〒530-0005　大阪市北区中之島4-2-55
06-6447-4680　山梨俊夫
http://www.nmao.go.jp/

国立民族学博物館
〒565-8511　吹田市千里万博公園10-1
06-6876-2151　吉田憲司
http://www.minpaku.ac.jp/

堺 アルフォンス・ミュシャ館（堺市立文化館）
〒590-0014　堺市堺区田出井町1-2-200　ベルマージュ堺弐番館
072-222-5533
http://mucha.sakai-bunshin.com

堺市立文化館ギャラリー
〒590-0014　堺市堺区田出井町1-2-200　ベルマージュ堺弐番館
072-222-5533
http://sakai-bunshin.com/shisetsu_kihon_bunka.jsp

サクラアートミュージアム
〒540-8508　大阪市中央区森ノ宮中央1-6-20　サクラクレパス本社ビル内
06-6910-8826　西村貞一
http://www.craypas.com

吹田市立博物館
〒564-0001　吹田市岸部北4-10-1
06-6338-5500　中牧弘允
http://www.suita.ed.jp/hak/

造幣博物館
〒530-0043　大阪市北区天満1-1-79　造幣局内
06-6351-8509
http://www.mint.go.jp/

大丸ミュージアム〈梅田〉
〒530-8202　大阪市北区梅田3-1-1　大丸梅田店15F
06-6343-1231
http://www.daimaru.co.jp

髙島屋史料館
〒556-0005　大阪市浪速区日本橋3-5-25　髙島屋東別館
06-6632-9102
http://www.takashimaya.co.jp/archives/

(公財)天門美術館
〒573-0049　枚方市山之上北町3-1
072-841-0006　池田方彩
http://tenmon-museum.com

中之島香雪美術館
〒530-0005　大阪市北区中之島3-2-4　中之島フェスティバルタワー・ウエスト4F
06-6210-3766
http://www.kosetsu-museum.or.jp/nakanoshima/

日本工芸館(休館中　2021年再開予定)
〒556-0011　大阪市浪速区難波中3-7-6
06-6641-6309　三宅清
http://www.nihon-kogeikan.or.jp/

枚方市立御殿山生涯学習美術センター
〒573-1182　枚方市御殿山町10-16
050-7102-3135
http://www.hira-manatsuna.jp/gotenyama/

藤澤桓夫文庫
〒530-0005　大阪市北区中之島1-2-10　大阪府立中之島図書館内
06-6203-0474
https://www.library.pref.osaka.jp/site/nakato

(公財)藤田美術館(休館中　2022年4月再開予定)
〒534-0026　大阪市都島区網島町10-32
06-6351-0582
http://fujita-museum.or.jp

(公財)正木美術館
〒595-0812　泉北郡忠岡町忠岡中2-9-26
0725-21-6000　正木久彦
http://masaki-art-museum.jp

三好達治記念館
〒569-0003　高槻市上牧町2-6-31　本澄寺内
0726-69-1897　三好龍孝

毛利雪舟「書画」記念館
〒578-0945　東大阪市若江北町3-13-3
06-6721-2621

モリムラ@ミュージアム
〒559-0011　大阪市住之江区北加賀屋5-5-36　2F
https://www.morimura-at-museum.org/

湯木美術館
〒541-0046　大阪市中央区平野町3-3-9
06-6203-0188　高畑宗一
http://www.yuki-museum.or.jp/

●兵庫県

明石市立文化博物館
〒673-0846　明石市上ノ丸2-13-1
078-918-5400　森本理
http://www.akashibunpaku.com

(財)あかりの鹿児資料館
〒675-0039　加古川市加古川町粟津803-1
079-421-2191
http://kakolightingmuseum.or.jp/

赤穂市立美術工芸館田淵記念館
〒678-0215　赤穂市御崎314-10
0791-42-0520　長谷川隆彦
http://www.ako-art.jp/

あさご芸術の森美術館(淀井敏夫記念館)
〒679-3423　朝来市多々良木739-3
079-670-4111　赤曾部美鶴
http://www.city.asago.hyogo.jp/category/2-7-1-0-0.html

芦屋市谷崎潤一郎記念館
〒659-0052　芦屋市伊勢町12-15
0797-23-5852
http://www.tanizakikan.com

芦屋市立美術博物館
〒659-0052　芦屋市伊勢町12-25
0797-38-5432　石井茂
http://ashiya-museum.jp

尼崎市総合文化センター
〒660-0881　尼崎市昭和通2-7-16
06-6487-0806　仲野好重
http://www.archaic.or.jp/

淡路市立中浜稔猫美術館
〒656-2305　淡路市浦668-2
0799-75-2011　桂泰昭
http://www.nekobijyutsukan.com/

伊丹市立美術館
〒664-0895　伊丹市宮ノ前2-5-20
072-772-7447　佐藤由紀子
https://www.artmuseum-itami.jp

うろこ美術館
〒650-0002　神戸市中央区北野町2-20-4
078-242-6530
http://www.kobe-ijinkan.net

エンバ中国近代美術館
〒659-0003　芦屋市奥池町12-1
0797-38-0021　門尾賢一
http://embamuseum.ec-net.jp/

柿衞文庫
〒664-0895　伊丹市宮ノ前2-5-20
072-782-0244　岡田麗
http://www.kakimori.jp/

川西市郷土館
〒666-0107　川西市下財町4-1
072-794-3354　柏直行
http://www.kawanishi-hyg.ed.jp/kyodokan/

関西学院大学博物館
〒662-8501　西宮市上ケ原一番町1-155
0798-54-6054　河上繁樹
http://museum.kwansei.ac.jp/

(公財)虚子記念文学館
〒659-0074　芦屋市平田町8-22
0797-21-1036　稲畑汀子
http://www.kyoshi.or.jp/

(公財)香雪美術館
〒658-0048　神戸市東灘区御影郡家2-12-1
078-841-0652　広瀬道貞
http://www.kosetsu-museum.or.jp

神戸市立小磯記念美術館
〒658-0032　神戸市東灘区向洋町中5-7
078-857-5880　岡泰正
http://www.city.kobe.lg.jp/koisomuseum/

神戸市立博物館
〒650-0034　神戸市中央区京町24
078-391-0035　大谷幸正
http://www.city.kobe.lg.jp/museum/

神戸ファッション美術館
〒658-0032　神戸市東灘区向洋町中2-9-1
078-858-0050
http://www.fashionmuseum.or.jp

神戸ゆかりの美術館
〒658-0032　神戸市東灘区向洋町中2-9-1
078-858-1520　岡泰正
http://www.city.kobe.lg.jp/yukarimuseum/

篠山能楽資料館
〒669-2325　丹波篠山市河原町175
079-552-3513　中西薫
http://www.nohgakushiryoukan.jp

白髪一雄記念室
〒660-0881　尼崎市昭和通2-7-16　尼崎市総合文化センター 4F
06-6487-0806
http://www.archaic.or.jp/shiraga/

新宮晋 風のミュージアム
〒669-1313　三田市福島1091-2　有馬富士公園パークセンター
079-562-3040
http://windmuseum.jp/

大丸ミュージアムKOBE
〒650-0037　神戸市中央区明石町40　大丸神戸店9F
078-331-8121
http://www.daimaru.co.jp/museum/

宝塚市立手塚治虫記念館
〒665-0844　宝塚市武庫川町7-65
0797-81-2970　河合晋一
http://www.city.takarazuka.hyogo.jp/tezuka/

竹中大工道具館
〒651-0056　神戸市中央区熊内町7-5-1
078-242-0216　赤尾建藏
http://www.dougukan.jp/

俵美術館
〒659-0084　芦屋市月若町6-1
0797-23-2878

丹波古陶館
〒669-2325　丹波篠山市河原町185
079-552-2524　中西薫
http://www.tanbakotoukan.jp

丹波市立植野記念美術館
〒669-3603　丹波市氷上町西中615-4
0795-82-5945　安田英樹
http://www.city.tamba.lg.jp/site/bijyutukan/

丹波立杭焼伝統産業会館
〒669-2135　丹波篠山市今田町上立杭3
079-597-2034　大西文博
http://www.tanbayaki.com/

滴翠美術館
〒659-0082　芦屋市山芦屋町13-3
0797-22-2228　東野治之
http://tekisui-museum.biz-web.jp/

鉄斎美術館
〒665-0837　宝塚市米谷字清シ1　清荒神清澄寺山内
0797-84-9600　森藤光宣
http://www.kiyoshikojin.or.jp/museum/

豊岡市立美術館—伊藤清永記念館—
〒668-0214　豊岡市出石町内町98
0796-52-5456　羽尻知充
http://www.city.toyooka.lg.jp/kanko/miru/itoh-museum/index.html

西宮市大谷記念美術館
〒662-0952　西宮市中浜町4-38
0798-33-0164　越智裕二郎
http://otanimuseum.jp

西脇市岡之山美術館((公財)西脇市文化・スポーツ振興財団)
〒677-0039　西脇市上比延町345-1
0795-23-6223　笹倉邦好
http://www.nishiwaki-cs.or.jp/okanoyama-museum/

(公財)白鹿記念酒造博物館(酒ミュージアム)
〒662-0926　西宮市鞍掛町8-21
0798-33-0008
https://www.hakushika.co.jp/museum/

白鶴美術館
〒658-0063　神戸市東灘区住吉山手6-1-1
078-851-6001　理事長 嘉納健二
http://www.hakutsuru-museum.org/

BBプラザ美術館
〒657-0845　神戸市灘区岩屋中町4-2-7　BBプラザ2F
078-802-9286　木谷謙介
http://bbpmuseum.jp/

姫路市書写の里・美術工芸館
〒671-2201　姫路市書写1223
079-267-0301　小林直樹
http://www.city.himeji.lg.jp/kougei/

姫路市立美術館
〒670-0012　姫路市本町68-25
079-222-2288　岸野裕人
http://www.city.himeji.lg.jp/art/

姫路文学館
〒670-0021　姫路市山野井町84
079-293-8228　藤原正彦
http://www.himejibungakukan.jp/

兵庫県立美術館
〒651-0073　神戸市中央区脇浜海岸通1-1-1 HAT神戸内
078-262-0901　蓑豊
https://www.artm.pref.hyogo.jp/

兵庫県立歴史博物館
〒670-0012　姫路市本町68
079-288-9011　藪田貫
http://www.hyogo-c.ed.jp/~rekihaku-bo

兵庫陶芸美術館
〒669-2135　丹波篠山市今田町上立杭4
079-597-3961　三木哲夫
http://www.mcart.jp

南あわじ市滝川記念美術館 玉青館
〒656-0314　南あわじ市松帆西路1137-1
0799-36-2314　福田龍八

横尾忠則現代美術館(兵庫県立美術館王子分館)
〒657-0837　神戸市灘区原田通3-8-30
078-855-5602　蓑豊
http://www.ytmoca.jp/

●奈良県

入江泰吉記念 奈良市写真美術館
〒630-8301　奈良市高畑町600-1
0742-22-9811　百々俊二
http://irietaikichi.jp

松伯美術館
〒631-0004　奈良市登美ヶ丘2-1-4
0742-41-6666　上村淳之
http://www.kintetsu-g-hd.co.jp/culture/shohaku/

天理大学附属天理参考館
〒632-8540　天理市守目堂町250
0743-63-8414　春野享
https://www.sankokan.jp/

中野美術館
〒631-0033　奈良市あやめ池南9-946-2
0742-48-1167　中野利昭
http://www.nakano-museum.jp

奈良県立橿原考古学研究所附属博物館
〒634-0065　橿原市畝傍町50-2
0744-24-1185　豊岡卓之
http://www.kashikoken.jp/museum/

奈良県立図書情報館
〒630-8135　奈良市大安寺西1-1000
0742-34-2111
http://www.library.pref.nara.jp/

奈良県立美術館
〒630-8213　奈良市登大路町10-6
0742-23-3968　荒井正吾
http://www.pref.nara.jp/11842.htm

奈良県立万葉文化館
〒634-0103　高市郡明日香村飛鳥10
0744-54-1850　稲村和子
http://www.manyo.jp

奈良県立民俗博物館
〒639-1058　大和郡山市矢田町545
0743-53-3171　東秀好
http://www.pref.nara.jp/1508.htm

奈良国立博物館
〒630-8213　奈良市登大路町50
0742-22-7771　松本伸之
https://www.narahaku.go.jp/

奈良市杉岡華邨書道美術館
〒630-8337　奈良市脇戸町3
0742-24-4111　佐伯華水
http://www3.kcn.ne.jp/~shodou/

奈良市美術館
〒630-8012　奈良市二条大路南1-3-1　イトーヨーカドー奈良店5F
0742-30-1510　事務長 田辺正人
http://www.museum.city.nara.nara.jp/

奈良文化財研究所 飛鳥資料館
〒634-0102　高市郡明日香村奥山601
0744-54-3561　松村恵司
https://www.nabunken.go.jp/asuka/

奈良文化財研究所 藤原宮跡資料室
〒634-0025　橿原市木之本町94-1
0744-24-1122
https://www.nabunken.go.jp/fujiwara/exhibit.html

奈良文化財研究所 平城宮跡資料館
〒630-8577　奈良市佐紀町
0742-30-6753　松村恵司
https://www.nabunken.go.jp/heijo/museum/index.html

(公財)名勝依水園・寧楽美術館
〒630-8208　奈良市水門町74　依水園内
0742-25-0781　田代佳子
http://www.isuien.or.jp

(公財)大和文華館
〒631-0034　奈良市学園南1-11-6
0742-45-0544　浅野秀剛
http://www.kintetsu-g-hd.co.jp/culture/yamato/index.html

ラフカディオ・ハーン文庫
〒632-8577　天理市杣之内町1050　天理大学附属天理図書館内
0743-63-9200　東井光則
http://www.tcl.gr.jp/

●和歌山県

串本応挙芦雪館
〒649-3503　東牟婁郡串本町串本833　無量寺境内
0735-62-6670　八田尚彦

佐藤春夫記念館
〒647-0081　新宮市新宮1　熊野速玉大社境内
0735-21-1755　辻本雄一
http://www.rifnet.or.jp/~haruokan/

田辺市立美術館
〒646-0015　田辺市たきない町24-43
0739-24-3770　糸川一彦
http://www.city.tanabe.lg.jp/bijutsukan/

田辺市立美術館分館 熊野古道なかへち美術館
〒646-1402　田辺市中辺路町近露891
0739-65-0390　糸川一彦
http://www.city.tanabe.lg.jp/nakahechibijutsukan/

和歌山県立近代美術館
〒640-8137　和歌山市吹上1-4-14
073-436-8690　山野英嗣
http://www.momaw.jp/

和歌山県立博物館
〒640-8137　和歌山市吹上1-4-14
073-436-8670　伊東史朗
https://www.hakubutu.wakayama-c.ed.jp

●鳥取県

植田正治写真美術館
〒689-4107　西伯郡伯耆町須村353-3
0859-39-8000　青井洋一
https://www.houki-town.jp/ueda/

亀田正一記念館「樸の家」
〒680-0941　鳥取市湖山町北6丁目(青葉台)448-25
0857-31-1122　亀田純子

倉吉博物館
〒682-0824　倉吉市仲ノ町3445-8
0858-22-4409　根鈴輝雄
http://www1.city.kurayoshi.lg.jp/hakubutsu/

現代工芸美術館
〒689-3106　西伯郡大山町羽田井1419
0858-58-4111　長井幹治

鳥取県立博物館
〒680-0011　鳥取市東町2-124
0857-26-8042　田中規靖
https://www.pref.tottori.lg.jp/museum/

鳥取市歴史博物館 やまびこ館
〒680-0015　鳥取市上町88
0857-23-2140
http://www.tbz.or.jp/yamabikokan/

鳥取民藝美術館
〒680-0831　鳥取市栄町651
0857-26-2367　吉田章二

日南町美術館
〒689-5212　日野郡日南町霞785
0859-77-1113
http://culture.town.nichinan.tottori.jp/

米子市美術館
〒683-0822　米子市中町12
0859-34-2424　中村智至
http://www.yonagobunka.net/y-moa/

(公財)渡辺美術館
〒680-0003　鳥取市覚寺55
0857-24-1152　渡辺憲(代表理事)
http://watart.jp

●島根県

足立美術館
〒692-0064　安来市古川町320
0854-28-7111　足立隆則
http://www.adachi-museum.or.jp/

出雲市立平田本陣記念館
〒691-0001　出雲市平田町515
0853-62-5090　原田豊
http://www9.ocn.ne.jp/~kyuhon/

今井美術館
〒699-4298　江津市桜江町川戸472-1
0855-92-1839　今井大創
http://www.imai-art.jp

桑原史成写真美術館
〒699-5605　鹿足郡津和野町大字後田71-2
0856-72-3171　斎藤誠
http://www.town.tsuwano.lg.jp/kuwabara_photo/

小泉八雲記念館
〒690-0872　松江市奥谷町322
0852-21-2147　小泉凡
www.hearn-museum-matsue.jp

島根県芸術文化センター・島根県立石見美術館
〒698-0022　益田市有明町5-15
0856-31-1860　澄川喜一
http://www.grandtoit.jp

島根県立古代出雲歴史博物館
〒699-0701　出雲市大社町杵築東99-4
0853-53-8600　松本新吾
https://www.izm.ed.jp/

島根県立美術館
〒690-0049　松江市袖師町1-5
0852-55-4700　長谷川三郎
http://www.shimane-art-museum.jp/

田部美術館
〒690-0888　松江市北堀町310-5
0852-26-2211　田部長右衛門
http://www.tanabe-museum.or.jp/

津和野町立安野光雅美術館
〒699-5605　鹿足郡津和野町後田イ60-1

0856-72-4155　大矢鞆音
http://www.town.tsuwano.lg.jp/anbi/anbi.html

浜田市世界こども美術館
〒697-0016　浜田市野原町859-1
0855-23-8451　寺尾堂
http://hamada-kodomo-art.com/

浜田市立石正美術館
〒699-3225　浜田市三隅町古市場589
0855-32-4388　平坂常弘
http://www.sekisho-art-museum.jp

松江北堀美術館
〒690-0888　松江市北堀町333
0852-31-6811

森鷗外記念館
〒699-5611　鹿足郡津和野町町田イ238
0856-72-3210　山崎一穎
http://www.town.tsuwano.lg.jp/shisetsu/ougai.html

杜塾美術館
〒699-5604　鹿足郡津和野町森村イ542
0856-72-3200　支配人 岩本誠

安来市加納美術館
〒692-0623　安来市広瀬町布部345-27
0854-36-0880　神英雄
http://www.art-kano.jp/

●岡山県

井原市立田中美術館
〒715-0019　井原市井原町315
0866-62-8787　伊藤祐二郎
http://www.city.ibara.okayama.jp/denchu_museum/

大原美術館
〒710-8575　倉敷市中央1-1-15
086-422-0005　高階秀爾
https://www.ohara.or.jp

岡山・吉兆庵美術館
〒700-0903　岡山市北区幸町7-28
086-364-1005　岡田拓士
http://www.kitchoan.co.jp/site/museum/

岡山県立博物館
〒703-8257　岡山市北区後楽園1-5
086-272-1149　山田寛人
http://www.pref.okayama.jp/kyoiku/kenhaku/hakubu.htm

岡山県立美術館
〒700-0814　岡山市北区天神町8-48
086-225-4800　守安收
https://okayama-kenbi.info/

岡山市立オリエント美術館
〒700-0814　岡山市北区天神町9-31
086-232-3636　八田健郎
http://www.orientmuseum.jp/

荻野美術館
〒711-0926　倉敷市下津井吹上1-3-9
086-479-9003　荻野孝道

加計美術館
〒710-0046　倉敷市中央1-4-7(美観地区)
086-427-7530　児島塊太郎
http://edu.kake.ac.jp/kakebi/

笠岡市立竹喬美術館
〒714-0087　笠岡市六番町1-17
0865-63-3967　上薗四郎
http://www.city.kasaoka.okayama.jp/site/museum/

吉備考古館
〒719-1163　総社市地頭片山183
0866-92-1521　宮岡齋文

吉備路文学館
〒700-0807　岡山市北区南方3-5-35
086-223-7411　明石英嗣
http://www.kibiji.or.jp

倉敷考古館
〒710-0046　倉敷市中央1-3-13
086-422-1542　香川俊樹
http://www.kurashikikoukokan.com/

倉敷市立美術館
〒710-0046　倉敷市中央2-6-1
086-425-6034　坂田卓司
http://www.city.kurashiki.okayama.jp/kcam/

倉敷民藝館
〒710-0046　倉敷市中央1-4-11
086-422-1637　大原謙一郎
http://kurashiki-mingeikan.com

勝央美術文学館
〒709-4316　勝田郡勝央町勝間田207-4
0868-38-0270　中島章
http://museum.town.shoo.lg.jp

瀬戸内市立美術館
〒701-4302　瀬戸内市牛窓町牛窓4911
0869-34-3130　岸本員臣
http://www.city.setouchi.lg.jp/museum/

高梁市成羽美術館
〒716-0111　高梁市成羽町下原1068-3
0866-42-4455　澤原一志
https://nariwa-museum.or.jp/

奈義町現代美術館
〒708-1323　勝田郡奈義町豊沢441
0868-36-5811　岸本和明
http://www.town.nagi.okayama.jp/moca/

新見美術館
〒718-0017　新見市西方361
0867-72-7851　橋本吉弘
https://www.city.niimi.okayama.jp/usr/art/

華鴒大塚美術館
〒715-0024　井原市高屋町3-11-5
0866-67-2225　大下宣子
http://www.takaya.co.jp/hanatori/museum.html

(一財)林原美術館
〒700-0823　岡山市北区丸の内2-7-15
086-223-1733　谷一尚
http://www.hayashibara-museumofart.jp

備前市立備前焼ミュージアム
〒705-0001　備前市伊部1659-6
0869-64-1400　臼井洋輔

BIZEN中南米美術館
〒701-3204　備前市日生町日生241-10
0869-72-0222　森下矢須之
http://www.latinamerica.jp/

FAN美術館
〒705-0033　備前市穂浪3868
0869-67-0638　保科豊巳
http://fanmuseum.jp/

夢二郷土美術館
〒703-8256　岡山市中区浜2-1-32
086-271-1000　小嶋光信
http://www.yumeji-art-museum.com/

夢二郷土美術館 夢二生家記念館・少年山荘
〒701-4214　瀬戸内市邑久町本庄
0869-22-0622(生家)　小嶋光信
https://www.yumeji-art-museum.com/

妖精の森ガラス美術館
〒708-0601　苫田郡鏡野町上齋原666-5
0868-44-7888
https://fairywood.jp/

●広島県

安芸高田市立八千代の丘美術館
〒731-0302　安芸高田市八千代町勝田494-7
0826-52-3050　槇原慶喜
http://www.akitakata.jp/yachiyonooka/

(公財)泉美術館
〒733-0833　広島市西区商工センター2-3-1　エクセル本店5F
082-276-2600
http://www.izumi-museum.jp/

今井政之展示館
〒729-2313　竹原市高崎町西の谷2027-1
08462-4-1900　今井政之

ウッドワン美術館
〒738-0301　廿日市市吉和4278
0829-40-3001　中村靖富満
http://www.woodone-museum.jp

圓鍔勝三彫刻美術館
〒722-0353　尾道市御調町高尾220
0848-76-2888　宮迫卓督

奥田元宋・小由女美術館
〒728-0023　三次市東酒屋町10453-6
0824-65-0010　植田千佳穂
http://www.genso-sayume.jp/

尾道市立大学美術館
〒722-0045　尾道市久保3-4-11
0848-20-7831
http://www.onomichi-u.ac.jp/center/art_museum/

尾道市立美術館
〒722-0032　尾道市西土堂町17-19　千光寺公園内
0848-23-2281　島谷豊幸
https://www.onomichi-museum.jp/

倉田百三文学館
〒727-0013　庄原市西本町2-20-10　庄原市田園文化センター内
0824-72-1159　松園真
http://www.city.shobara.hiroshima.jp

呉市立美術館
〒737-0028　呉市幸町入船山公園内
0823-25-2007　横山勝彦
http://www.kure-bi.jp/

耕三寺博物館
〒722-2411　尾道市瀬戸田町瀬戸田553-2
0845-27-0800　耕三寺孝三
http://www.kousanji.or.jp

はつかいち美術ギャラリー
〒738-0023　廿日市市下平良1-11-1
0829-20-0222

東広島市立美術館
〒739-0144　東広島市八本松南2-1-3
082-428-5713　松田弘
http://www.city.higashihiroshima.lg.jp/bijutsukan/index.html

平山郁夫美術館
〒722-2413　尾道市瀬戸田町沢200-2
0845-27-3800　平山助成
http://hirayama-museum.or.jp/

広島県立美術館
〒730-0014　広島市中区上幟町2-22
082-221-6246　千足伸行
http://www.hpam.jp/

広島市現代美術館
〒732-0815　広島市南区比治山公園1-1
082-264-1121　福永治
https://www.hiroshima-moca.jp

ひろしま美術館
〒730-0011　広島市中区基町3-2　中央公園内
082-223-2530　池田晃治
https://www.hiroshima-museum.jp

ふくやま美術館
〒720-0067　福山市西町2-4-3
084-932-2345　原田一敏
http://www.city.fukuyama.hiroshima.jp/site/fukuyama-museum/

南薫造記念館
〒737-2519　呉市安浦町内海南2-13-10
0823-84-6421　呉市文化振興課長 多田博

蘭島閣美術館
〒737-0301　呉市下蒲刈町三之瀬200-1
0823-65-3066　海生泰定
http://www.shimokamagari.jp/

●山口県

石井茶碗美術館
〒758-0077　萩市南古萩町33-3

0838-22-1211　戸﨑健一

岩国徴古館
〒741-0081　岩国市横山2-7-19
0827-41-0452　後詳子
http://www.city.iwakuni.lg.jp/site/chokokan/

(公財)岩国美術館
〒741-0081　岩国市横山2-10-27
0827-41-0506　柏原伸二
http://www.iwakuni-art-museum.org

香月泰男美術館
〒759-3802　長門市三隅中226
0837-43-2500　吉祥康文
http://www.city.nagato.yamaguchi.jp/kazukiyasuo/

川崎美術館
〒755-0045　宇部市中央町3-14-23　アンビエンテ1F・2F
0836-38-6000　川崎敦将
http://kawasakiartmuseum.wixsite.com/home/

下関市立美術館
〒752-0986　下関市長府黒門東町1-1
083-245-4131　中村美幸
http://www.city.shimonoseki.yamaguchi.jp/bijutsu/

下関市立歴史博物館
〒752-0979　下関市長府川端2-2-27
083-241-1080　吉川宗利
http://www.shimohaku.jp

周南市美術博物館
〒745-0006　周南市花畠町10-16
0834-22-8880　有田順一
http://s-bunka.jp/bihaku/

中原中也記念館
〒753-0056　山口市湯田温泉1-11-21
083-932-6430　中原豊
http://www.chuyakan.jp/

萩博物館
〒758-0057　萩市大字堀内355
0838-25-6447　清水満幸
http://www.city.hagi.lg.jp/hagihaku/

緑と花と彫刻の博物館(ときわミュージアム)
〒755-0025　宇部市野中3-4-29(ときわ公園内)
0836-37-2888　久保田后子
http://ube-museum.jp

毛利博物館
〒747-0023　防府市多々良1-15-1
0835-22-0001　田中誠二
http://www.c-able.ne.jp/~mouri-m

山口県立萩美術館・浦上記念館
〒758-0074　萩市平安古町586-1
0838-24-2400　岩本龍治
http://www.hum.pref.yamaguchi.lg.jp/

山口県立美術館
〒753-0089　山口市亀山町3-1
083-925-7788　岡田実
http://www.yma-web.jp/

山口県立山口博物館
〒753-0073　山口市春日町8-2
083-922-0294　宮地理
http://www.yamahaku.pref.yamaguchi.lg.jp

山口情報芸術センター［YCAM］
〒753-0075　山口県山口市中園町7-7
083-901-2222　増田肇
https://www.ycam.jp/

●徳島県

相生森林美術館
〒771-5411　那賀郡那賀町横石字大板34
0884-62-1117　岡川雅裕
http://www.whk.ne.jp/~aioiart/

大塚国際美術館
〒772-0053　鳴門市鳴門町土佐泊浦(鳴門公園内)
088-687-3737　大塚一郎
https://www.o-museum.or.jp/

徳島県立近代美術館
〒770-8070　徳島市八万町向寺山　徳島県文化の森総合公園内
088-668-1088　中村章人
https://art.tokushima-ec.ed.jp/

徳島県立博物館
〒770-8070　徳島市八万町向寺山　徳島県文化の森総合公園内
088-668-3636　遠藤佳孝
http://www.museum.tokushima-ec.ed.jp

●香川県

ANDO MUSEUM
〒761-3110　香川郡直島町736-2
087-892-3754(福武財団)
http://www.benesse-artsite.jp/art/ando-museum.html

香川県文化会館
〒760-0017　高松市番町1-10-39
087-831-1806　藤澤満
http://www.pref.kagawa.jp/bunkakaikan

香川県立東山魁夷せとうち美術館
〒762-0066　坂出市沙弥島字南通224-13
0877-44-1333　香川隆彦
http://www.pref.kagawa.lg.jp/higashiyama/

香川県立ミュージアム
〒760-0030　高松市玉藻町5-5
087-822-0002　窪保彦
http://www.pref.kagawa.lg.jp/kmuseum/

菊池寛記念館
〒760-0014　高松市昭和町1-2-20
087-861-4502　川風光弘
http://www.city.takamatsu.kagawa.jp/646.html

灸まん美術館 和田邦坊画業館
〒765-0052　善通寺市大麻町338
0877-75-3000　位野木正
https://kyuman.co.jp/museum/

金刀比羅宮博物館
〒766-8501　仲多度郡琴平町892-1
0877-75-2121　琴陵容世
http://www.konpira.or.jp

坂出市民美術館
〒762-0043　坂出市寿町1-3-35
0877-45-7110　宮内章

小豆島尾崎放哉記念館
〒761-4106　小豆郡土庄町本町甲1082
0879-62-0037　下地芳文
http://ww8.tiki.ne.jp/~kyhosai/index.htm

高松市塩江美術館
〒761-1611　高松市塩江町安原上602
087-893-1800　合田紀子

高松市美術館
〒760-0027　高松市紺屋町10-4
087-823-1711　篠原資明
http://www.city.takamatsu.kagawa.jp/museum/takamatsu/

地中美術館
〒761-3110　香川郡直島町3449-1
087-892-3755　福武總一郎
http://www.benesse-artsite.jp/art/chichu.html

壺井栄文学館
〒761-4424　小豆郡小豆島町田浦甲931　二十四の瞳映画村内
0879-82-5624　大石雅章
http://www.24hitomi.or.jp

豊島美術館
〒761-4662　小豆郡土庄町豊島唐櫃607
0879-68-3555
http://www.benesse-artsite.jp/

豊島横尾館
〒761-4661　小豆郡土庄町豊島家浦2359
0879-68-3555(豊島美術館)
http://www.benesse-artsite.jp/teshima-yokoohouse/

中津万象園・丸亀美術館
〒763-0054　丸亀市中津町25-1
0877-23-6326　真鍋雅彦
http://www.bansyouen.com

NAGARE STUDIO 流政之美術館
〒761-0130　高松市庵治町3183-1
087-871-3011
http://nagarestudio.jp/

ベネッセハウス ミュージアム
〒761-3110　香川郡直島町琴弾地
http://benesse-artsite.jp/art/benessehouse-museum.html

丸亀市猪熊弦一郎現代美術館(休館中　～2020年3月31日予定)
〒763-0022　丸亀市浜町80-1
0877-24-7755　森茂
http://mimoca.org

丸亀平井美術館
〒763-0082　丸亀市土器町東8-538
0877-24-1222　平井卓也
http://www.rnc.co.jp/moto/moto.htm

●愛媛県

今治市伊東豊雄建築ミュージアム
〒794-1308　今治市大三島町浦戸2418
0897-74-7220　山田靖人
http://www.tima-imabari.jp/

今治市岩田健母と子のミュージアム
〒794-1309　今治市大三島町宗方5208-2
0897-83-0383　山田靖人
http://museum.city.imabari.ehime.jp/iwata/

今治市大三島美術館
〒794-1304　今治市大三島町宮浦9099-1
0897-82-1234　山田靖人
http://museum.city.imabari.ehime.jp/omishima/

今治市河野美術館
〒794-0042　今治市旭町1-4-8
0898-23-3810　村上匡
http://museum.city.imabari.ehime.jp/kono/

今治市玉川近代美術館(徳生記念館)
〒794-0102　今治市玉川町大野甲86-4
0898-55-2738　近藤卓郎
http://museum.city.imabari.ehime.jp/tamagawa/

愛媛県総合科学博物館
〒792-0060　新居浜市大生院2133-2
0897-40-4100　上城戸裕子
http://www.i-kahaku.jp/

愛媛県美術館
〒790-0007　松山市堀之内
089-932-0010　俊野忠彦
https://www.ehime-art.jp/

愛媛県歴史文化博物館
〒797-8511　西予市宇和町卯之町4-11-2
0894-62-6222　藤田享
http://www.i-rekihaku.jp

(公財)愛媛文華館
〒794-0037　今治市黄金町2-6-2
0898-32-1063　平山俊博
http://ehimebunkakan.jp

大洲市立博物館
〒795-0054　大洲市中村618-1
0893-24-4107　前野隆裕

西条市立郷土博物館
〒793-0023　西条市明屋敷238-7
0897-56-3199

セキ美術館
〒790-0848　松山市道後喜多町4-42
089-946-5678　関宏成
http://www.seki.co.jp/mus/

高畠華宵大正ロマン館
〒791-0222　東温市下林丙654-1
089-964-7077　高畠澄江
http://www.kasho.org

町立久万美術館
〒791-1205 上浮穴郡久万高原町菅生2-1442-7
0892-21-2881 髙木貞重
http://www.kumakogen.jp/site/muse/

ところミュージアム大三島
〒794-1308 今治市大三島町浦戸2362-3
0897-83-0380 山田靖人
http://museum.city.imabari.ehime.jp/tokoro/

新居浜市美術館(あかがねミュージアム)
〒792-0812 新居浜市坂井町2-8-1
0897-65-3580 阿部義澄
http://ncma-niihama.info/

梅山古陶資料館
〒791-2132 伊予郡砥部町大南1441
089-962-2311 梅野武之助

松山市立子規記念博物館
〒790-0857 松山市道後公園1-30
089-931-5566 竹田美喜
http://sikihaku.lesp.co.jp/

ミウラート・ヴィレッジ(三浦美術館)
〒799-2651 松山市堀江町1165-1
089-978-6838 髙橋祐二
http://www.miuraz.co.jp/miurart

村上三島記念館
〒794-1402 今治市上浦町井口7505
0897-87-4288 野間誠
http://www.city.imabari.ehime.jp/bunka/santou/

●高知県

安芸市立書道美術館
〒784-0042 安芸市土居953番地イ
0887-34-1613 畠中龍雄

安芸市立歴史民俗資料館
〒784-0042 安芸市土居953番地イ
0887-34-3706 畠中龍雄
http://www.city.aki.kochi.jp/rekimin/

香美市立美術館
〒782-0041 香美市土佐山田町262-1 プラザ八王子2F
0887-53-5110

高知県立坂本龍馬記念館
〒781-0262 高知市浦戸城山830
088-841-0001 髙松清之
http://www.ryoma-kinenkan.jp

高知県立美術館
〒781-8123 高知市高須353-2
088-866-8000 藤田直義
http://moak.jp/

高知県立文学館
〒780-0850 高知市丸ノ内1-1-20
088-822-0231 岡﨑順子
http://www.kochi-bungaku.com/

宿毛市立宿毛歴史館
〒788-0001 宿毛市中央2-7-14
0880-63-5496

中岡慎太郎館
〒781-6449 安芸郡北川村柏木140
0887-38-8600 田中勝之
http://www.nakaokashintarokan.net

中土佐町立美術館
〒789-1301 高岡郡中土佐町久礼6584-1
0889-52-4444 市川雅彦
https://www.town.nakatosa.lg.jp/

本山町立大原富枝文学館
〒781-3601 長岡郡本山町本山568-2
0887-76-2837 髙橋清人
https://oohara-tomie-bungakukan.net/

●福岡県

出光美術館(門司)
〒801-0853 北九州市門司区東港町2-3
093-332-0251 出光佐千子
http://s-idemitsu-mm.or.jp/

伊都郷土美術館
〒819-1119 糸島市前原東2-2-8
092-322-5661 中村陽一郎
http://www.city.itoshima.lg.jp/s033/010/030/070/

大川市立清力美術館
〒831-0008 大川市鐘ヶ江77-16
0944-86-6700

嘉麻市立織田廣喜美術館
〒820-0502 嘉麻市上臼井767
0948-62-5173 上野智裕
http://www.city.kama.lg.jp/odahiroki

北九州市立自然史・歴史博物館
〒805-0071 北九州市八幡東区東田2-4-1
093-681-1011 上田恭一郎
http://www.kmnh.jp/

北九州市立美術館 本館
〒804-0024 北九州市戸畑区西鞘ヶ谷町21-1
093-882-7777 西村勇晴
http://www.kmma.jp

北九州市立美術館 分館
〒803-0812 北九州市小倉北区室町1-1-1 リバーウォーク北九州5F
093-562-3215 分館長 永友義夫
http://www.kmma.jp

北原白秋生家・記念館
〒832-0065 柳川市沖端町55-1
0944-72-6773
http://www.hakushu.or.jp/

九州国立博物館
〒818-0118 太宰府市石坂4-7-2
092-918-2807 島谷弘幸
http://www.kyuhaku.jp

九州産業大学美術館
〒813-8503 福岡市東区松香台2-3-1
092-673-5160 北島己佐吉
http://www.kyusan-u.ac.jp/ksumuseum/

九州歴史資料館
〒838-0106　小郡市三沢5208-3
0942-75-9575　杉光誠
http://www.fsg.pref.fukuoka.jp/kyureki/

久我記念館
〒811-2113　糟屋郡須恵町須恵77-1
092-932-4987　荒木照信
http://www.sue-museum.jp

久留米市美術館
〒839-0862　久留米市野中町1015
0942-39-1131　楢原利則
https://www.ishibashi-bunka.jp/kcam/

坂本繁二郎資料室
〒834-0031　八女市本町536-3　八女市立図書館内
0943-22-2504

田川市美術館
〒825-0016　田川市新町11-56
0947-42-6161　片岡覺
https://tagawa-art.jp/

田中丸コレクション
〒812-0016　福岡市博多区博多駅南4-6-3　玉屋リネンサービス内
092-271-1111　田中丸昌宏

直方谷尾美術館
〒822-0017　直方市殿町10-35
0949-22-0038　武内信也
http://yumenity.jp/tanio/

野田宇太郎文学資料館
〒838-0142　小郡市大板井136-1
0942-72-7477　中村良之
http://www.library-ogori.jp/noda/index.html

火野葦平資料館
〒808-0034　北九州市若松区本町3-13-1　若松市民会館内
093-751-8880　坂口博

福岡アジア美術館
〒812-0027　福岡市博多区下川端町3-1　リバレインセンタービル7・8F
092-263-1100　天本俊明
http://faam.city.fukuoka.lg.jp

福岡県立美術館
〒810-0001　福岡市中央区天神5-2-1
092-715-3551　今田義雄
http://fukuoka-kenbi.jp/

福岡市博物館
〒814-0001　福岡市早良区百道浜3-1-1
092-845-5011　有馬学
http://museum.city.fukuoka.jp/

福岡市美術館
〒810-0051　福岡市中央区大濠公園1-6
092-714-6051　中山喜一朗
https://www.fukuoka-art-museum.jp/

松本清張記念館
〒803-0813　北九州市小倉北区城内2-3
093-582-2761　勝原雄一
http://www.kid.ne.jp/seicho

ミュゼ・オダ
〒814-0133　福岡市城南区七隈1-11-50
092-822-8828　末永直行
http://www.suenaga-bunka.or.jp

山本健吉・夢中落花文庫
〒834-0031　八女市本町184　旧木下邸(堺屋内)
0943-23-7611

●佐賀県

有田町歴史民俗資料館 東館
〒844-0001　西松浦郡有田町泉山1-4-1
0955-43-2678　村上伸之
http://www.town.arita.lg.jp/main/1626.html

有田陶磁美術館
〒844-0004　西松浦郡有田町大樽1-4-2
0955-42-3372　村上伸之
http://www.town.arita.lg.jp/main/1626.html

今右衛門古陶磁美術館
〒844-0006　西松浦郡有田町赤絵町2-1-11
0955-42-5550　今泉今右衛門

佐賀県立九州陶磁文化館
〒844-8585　西松浦郡有田町戸杓乙3100-1
0955-43-3681　鈴田由紀夫
https://saga-museum.jp/ceramic/

佐賀県立名護屋城博物館
〒847-0401　唐津市鎮西町名護屋1931-3
0955-82-4905
http://saga-museum.jp/nagoya/

佐賀県立博物館・美術館
〒840-0041　佐賀市城内1-15-23
0952-24-3947　松本誠一
http://saga-museum.jp/museum/

佐賀大学美術館
〒840-8502　佐賀市本庄町本庄1
0952-28-8333　後藤昌昭
https://museum.saga-u.ac.jp/

立石春美記念美術館
〒840-0200　佐賀市大和町大字梅野244-1
0952-62-0012　小池勇

●長崎県

佐世保市博物館島瀬美術センター
〒857-0806　佐世保市島瀬町6-22
0956-22-7213　安田恭子
http://www.city.sasebo.lg.jp/kyouiku/simano/

西望記念館
〒855-0036　島原市城内1-1183-1(島原城内)
0957-62-4766　倉重貴一

長崎県美術館
〒850-0862　長崎市出島町2-1
095-833-2110　米田耕司

http://www.nagasaki-museum.jp

長崎市野口彌太郎記念美術館
〒850-0918　長崎市平野7-8
095-824-8209　松岡英治

長崎歴史文化博物館
〒850-0007　長崎市立山1-1-1
095-818-8366
http://www.nmhc.jp/

ハウステンボス美術館・博物館
〒859-3292　佐世保市ハウステンボス町1-1　ハウステンボス内
0570-064-110（総合案内ﾅﾋﾞﾀﾞｲﾔﾙ）　澤田秀雄
http://www.huistenbosch.co.jp/enjoy/#museum

南島原市西望公園・記念館
〒859-2413　南島原市南有馬町丙393-1
0957-85-2922　南島原市長 松本政博

●熊本県

阿蘇白水郷美術館
〒869-1504　阿蘇郡南阿蘇村一関1247
0967-62-8200　松藤陽子

宇城市不知火美術館
〒869-0552　宇城市不知火町高良2352
0964-32-6222　平岡和徳
http://kumamoto-museum.net/shiranuhi/

熊本県伝統工芸館
〒860-0001　熊本市中央区千葉城町3-35
096-324-4930　山本國雄
http://kumamoto-kougeikan.jp/

熊本県立美術館 本館
〒860-0008　熊本市中央区二の丸2
096-352-2111　田崎龍一
http://www.museum.pref.kumamoto.jp

熊本県立美術館 分館
〒860-0001　熊本市中央区千葉城町2-18
096-351-8411
http://www.museum.pref.kumamoto.jp

（公財）熊本国際民藝館
〒861-8006　熊本市北区瀧田1-5-2
096-338-7504　井上泰秋
https://www.kumamotomingeikan.com/

熊本市現代美術館
〒860-0845　熊本市中央区上通町2-3
096-278-7500
https://www.camk.jp

くまもと文学・歴史館
〒862-8612　熊本市中央区出水2-5-1
096-384-5000　服部英雄
http://www2.library.pref.kumamoto.jp

坂本善三美術館
〒869-2502　阿蘇郡小国町黒渕2877
0967-46-5732　麻生廣文
http://www.sakamotozenzo.com/

徳富記念園
〒862-0971　熊本市中央区大江4-10-33
096-362-0919

水俣市総合もやい直しセンター内ギャラリーもやい館
〒867-0005　水俣市牧ノ内3-1
0966-62-3120

八代市立博物館未来の森ミュージアム
〒866-0863　八代市西松江城町12-35
0965-34-5555　石田泰弘
http://www.city.yatsushiro.kumamoto.jp/museum/

山鹿市立博物館
〒861-0541　山鹿市鍋田2085
0968-43-1145　井上欣也

葉祥明阿蘇高原絵本美術館
〒869-1401　阿蘇郡長陽村河陽5988-20
0967-67-2719

●大分県

朝倉文夫記念館
〒879-6224　豊後大野市朝地町池田1587-11
0974-72-1300　宗像健一
http://www.bungo-ohno.jp/

大分県立美術館
〒870-0036　大分市寿町2-1
097-533-4500　特別顧問 井上洋一
http://www.opam.jp

大分市美術館
〒870-0835　大分市大字上野865番地
097-554-5800　菅章
http://www.city.oita.oita.jp/

佐藤溪美術館
〒874-0902　別府市青山町9-45　聴潮閣内
0977-22-0008　高橋鴿子
http://www.ctb.ne.jp/~info-cho/

二階堂美術館
〒879-1505　速見郡日出町大字川崎837-6
0977-73-1100　二階堂雅士
http://www.nikaidou-bijyutukan.com/

野上弥生子文学記念館
〒875-0041　臼杵市浜町538
0972-63-4803

別府市美術館
〒874-0903　別府市野口原3030-16
0977-75-8710　林淳一郎

由布院空想の森 アルテジオ
〒879-5102　由布市湯布院町川上1272-175
0977-28-8686
http://www.artegio.com

由布院ステンドグラス美術館
〒879-5102　由布市湯布院町川上2461-3
0977-84-5575　宮本知恵子
http://www.yufuin-sg-museum.jp

●宮崎県

都城市立美術館
〒885-0073　都城市姫城町7-18

0986-25-1447　武田浩明
http://www.city.miyakonojo.miyazaki.jp/artmuseum/

宮崎県総合博物館
〒880-0053　宮崎市神宮2-4-4
0985-24-2071　黒木義博

宮崎県立美術館
〒880-0031　宮崎市船塚3-210
0985-20-3792　四本孝
http://www.miyazaki-archive.jp/bijutsu/

若山牧水記念文学館
〒883-0211　日向市東郷町坪谷1271
0982-68-9511　伊藤一彦
http://www.bokusui.jp/

●鹿児島県

岩崎美術館
〒891-0403　指宿市十二町3755
0993-22-4056　岩崎芳太郎
https://www.iwasaki-zaidan.org/artmuseum/

海音寺潮五郎文庫
〒892-0853　鹿児島市城山町7-1　鹿児島県立図書館内
099-224-9511　原口泉
http://www.library.pref.kagoshima.jp

鹿児島県霧島アートの森
〒899-6201　姶良郡湧水町木場6340-220
0995-74-5945　河口洋一郎
http://www.open-air-museum.org/

鹿児島県立博物館
〒892-0853　鹿児島市城山町1-1
099-223-6050　川原裕明

鹿児島市立美術館
〒892-0853　鹿児島市城山町4-36
099-224-3400　大山直幸
http://www.city.kagoshima.lg.jp/artmuseum/

児玉美術館
〒891-0144　鹿児島市下福元町8251-1
099-262-0050　児玉利武
http://www.kodama-art-museum.or.jp

尚古集成館
〒892-0871　鹿児島市吉野町9698-1
099-247-1511　田村省三
http://www.shuseikan.jp/

縄文遺跡ミュージアム
〒899-5117　霧島市隼人町見次1409-1　ホテル京セラ内
0995-43-7111　福永健一
http://www.h-kyocera.co.jp

田中一村記念美術館
〒894-0504　奄美市笠利町節田1834
0997-55-2635　宮崎緑
http://www.amamipark.com/

沈壽官窯伝世品収蔵庫
〒899-2431　日置市東市来町美山1715
099-274-2358
http://www.chin-jukan.co.jp

鶴の来る町ミュージアム
〒899-0435　出水市荘329-1
0996-79-3977　堂前栄二
https://sites.google.com/view/turunokurumatimus/

長島美術館
〒890-0045　鹿児島市武3-42-18
099-250-5400　長島裕子
http://www.ngp.jp/nagashima-museum/

中村晋也美術館
〒899-2701　鹿児島市石谷町2366
099-246-7070　中村晋也
http://www.ne.jp/asahi/musee/nakamura/

(一財)松下美術館
〒899-4501　霧島市福山町福山771
0995-55-3350　松下兼介
http://www2.synapse.ne.jp/matsushita/

(一財)三宅美術館
〒891-0141　鹿児島市谷山中央1-4319-4
099-266-0066　三宅智
http://miyake-art.com

椋鳩十文学記念館
〒899-5231　姶良市加治木町反土2624-1
0995-62-4800　仮屋隆夫
http://www.city.aira.lg.jp/

吉井淳二美術館
〒897-0002　南さつま市加世田武田13877-3
0993-53-6778
http://www5.synapse.ne.jp/j-yoshii/

●沖縄県

石垣市立八重山博物館
〒907-0004　石垣市登野城4-1
0980-82-4712　浅田浩
http://www.city.ishigaki.okinawa.jp/400000/410000/410500/index.html

浦添市美術館
〒901-2103　浦添市仲間1-9-2
098-879-3219　宮里正子
http://museum.city.urasoe.lg.jp/

沖縄県立博物館・美術館(おきみゅー)
〒900-0006　那覇市おもろまち3-1-1
098-941-8200
https://okimu.jp/

佐喜眞美術館
〒901-2204　宜野湾市上原358
098-893-5737　佐喜眞道夫
http://www.sakima.jp

那覇市立壺屋焼物博物館
〒902-0065　那覇市壺屋1-9-32
098-862-3761　末吉正睦
http://www.edu.city.naha.okinawa.jp/tsuboya/

諸見民芸館
〒904-0032　沖縄市諸見里3-11-10
09893-2-0028　伊禮吉信

全国画材関連会社一覧

●会社名(店名)・郵便番号・住所・電話番号の順で掲載しています。

[製造会社] ※企業名50音順

㈱アーテック	〒581-0066	大阪府八尾市北亀井町3-2-21	072-990-5505
アルス色彩工業㈱	〒561-0836	大阪府豊中市庄内宝町1-3-16	06-6331-1957
㈱アルテ	〒358-0032	埼玉県入間市狭山ケ原桜木243	04-2934-1148
㈱伊研	〒236-0004	神奈川県横浜市金沢区福浦2-13-3	045-783-7676
㈱一休園	〒731-4221	広島県安芸郡熊野町出来庭2-2-44	082-854-0019
ヴィックアート販売㈱	〒243-0417	神奈川県海老名市本郷1690	046-239-2871
上羽絵惣㈱	〒600-8401	京都府京都市下京区東洞院高辻下ル燈篭町579	075-351-0693
USUI BRUSH㈱	〒650-0046	兵庫県神戸市中央区港島中町6-2-3	078-306-6552
エヌティー㈱	〒546-0012	大阪府大阪市東住吉区中野4-3-29	06-6702-1551
王冠化学工業所	〒605-0953	京都府京都市東山区今熊野南日吉町148	075-561-4007
㈱オリオン	〒351-0115	埼玉県和光市新倉2-2-40	048-465-2556
㈱オリジン	〒134-0086	東京都江戸川区臨海町3-6-3	03-3877-2323
カランダッシュジャパン㈱	〒107-0062	東京都港区南青山2-6-18　渡邊ビル3F	03-6804-3201
㈱吉祥	〒601-8448	京都府京都市南区西九条豊田町5-2	075-672-4532
㈱クサカベ	〒351-0014	埼玉県朝霞市膝折町3-3-8	048-466-7321
クレサンジャパン㈱	〒243-0033	神奈川県厚木市温水42-1	046-223-0050
㈱彩画堂	〒990-0043	山形県山形市本町1-4-24	023-623-0336
サムトレーディング㈱	〒236-0004	神奈川県横浜市金沢区福浦2-17-10	045-780-3360
新日本造形㈱	〒111-0052	東京都台東区柳橋2-20-16	03-3866-8100
大額㈱	〒540-0005	大阪府大阪市中央区上町1-25-17	06-6768-0121
㈱大日本美術工芸	〒183-0011	東京都府中市白糸台6-11-1	042-358-5544
ターナー色彩㈱	〒532-0032	大阪府大阪市淀川区三津屋北2-15-7	06-6308-1212
㈱田中金華堂	〒110-0016	東京都台東区台東4-9-3	03-3831-1471
㈱谷口松雄堂	〒601-8432	京都府京都市南区札ノ辻通り油小路西入る	075-661-3141
㈱ターレンスジャパン	〒540-8508	大阪府大阪市中央区森ノ宮中央1-6-20	06-6910-8812
チャコペーパー㈱	〒111-0053	東京都台東区浅草橋2-25-10	03-3862-8041
デリーター㈱	〒214-0038	神奈川県川崎市多摩区生田2-4-1	044-819-7431
㈱同志舎	〒350-0856	埼玉県川越市問屋町8-2	049-225-5734
東洋クロス㈱	〒541-0056	大阪府大阪市中央区久太郎町2-4-27 堺筋本町TFビル4F	06-6271-5055

ナカガワ胡粉絵具㈱	〒611-0013	京都府宇治市莵道池山24	0774-23-2266
㈱中里	〒604-0985	京都府京都市中京区麩屋町通竹屋町上る舟屋町411-2	075-241-4178
那須野画材工業㈱	〒399-6201	長野県木曽郡木祖村藪原1199-3	0264-36-2153
㈱名村大成堂	〒171-0032	東京都豊島区雑司が谷2-8-18	03-3983-4261
ニッカー絵具㈱	〒179-0081	東京都練馬区北町2-32-5	03-3931-4211
日本色研事業㈱	〒102-0083	東京都千代田区麹町4-7-5	03-3265-7091
㈱パジコ	〒150-0001	東京都渋谷区神宮前1-11-11-607	03-6804-5171
バニーコルアート㈱	〒134-8576	東京都江戸川区臨海町3-6-3	03-3877-5113
㈴春蔵絵具	〒354-0043	埼玉県入間郡三芳町竹間沢324-6	049-259-4116
バンコ㈱	〒556-0022	大阪府大阪市浪速区桜川1-4-8	06-6562-7000
㈱美術工芸センター	〒175-0083	東京都板橋区徳丸7-3-1	03-3935-8833
福岡工業㈱	〒356-0054	埼玉県ふじみ野市大井武蔵野1351	049-262-1611
㈱文房堂	〒101-0051	東京都千代田区神田神保町1-21-1	03-3291-3441
ぺベオ・ジャポン㈱	〒658-0081	兵庫県神戸市東灘区田中町1-7-21-401	078-414-7267
㈱墨運堂	〒630-8043	奈良県奈良市六条1-5-35	0742-52-0310
ホルベイン画材㈱	〒542-0064	大阪府大阪市中央区上汐2-2-5	0120-941-423
ホルベイン工業㈱	〒542-0064	大阪府大阪市中央区上汐2-2-5	0120-941-423
松田油絵具㈱	〒167-0041	東京都杉並区善福寺2-5-2	03-3399-2177
マルオカ工業㈱	〒399-6201	長野県木曽郡木祖村藪原232-7	0264-36-2137
㈱丸善美術商事	〒142-0064	東京都品川区旗の台5-27-21	03-3788-4800
マルマン㈱	〒164-0011	東京都中野区中央2-36-12	03-5925-6150
道刃物工業㈱	〒673-0452	兵庫県三木市別所町石野945-32	0794-82-3331
㈱ミューズ	〒134-0086	東京都江戸川区臨海町3-6-1	03-3877-0123
安田精工㈱	〒578-0912	大阪府東大阪市角田2-4-3	0729-63-1212
㈱ユナイテッド・カラー・システムズ	〒224-0032	神奈川県横浜市都筑区茅ヶ崎中央45-14 村田ビル7F	045-944-1116
ラーソン・ジュール・ニッポン㈱	〒108-0074	東京都港区高輪3-4-1　高輪偕成ビル301	03-5421-2061

[卸売業社] ※企業名50音順

赤澤屋商事	〒146-0091	東京都大田区鵜の木2-34-17	03-3757-0448
アコ・ブランズ・ジャパン㈱	〒164-8721	東京都中野区本町1-32-2　ハーモニータワー 14F	03-5351-1816
㈱ アムス	〒710-0003	岡山県倉敷市平田837	086-425-1212
㈲ 画箋堂	〒600-8029	京都府京都市下京区河原町通五条上る西橋詰町752	075-341-3288
㈱ こどものかお	〒164-0003	東京都中野区東中野3-12-2	03-3360-9806
㈱ 彩画堂	〒990-0043	山形県山形市本町1-4-24	023-623-0336
サムトレーディング ㈱	〒236-0004	神奈川県横浜市金沢区福浦2-17-10	045-780-3360
㈱ ジンプラ	〒150-0021	東京都渋谷区恵比寿西2-11-11	03-3461-0401
㈾ 瀬尾製額所	〒453-0804	愛知県名古屋市中村区黄金通6-4	052-451-4518
㈱ 大日本美術工芸	〒183-0011	東京都府中市白糸台6-11-1	042-358-5544
大丸 ㈱	〒060-8692	北海道札幌市白石区菊水3条1-8-20	011-818-2111
㈱ 田中金華堂	〒110-0016	東京都台東区台東4-9-3	03-3831-1471
㈱ 同志舎	〒350-0856	埼玉県川越市問屋町8-2	049-225-5734
㈱ ナラセラ	〒630-8325	奈良県奈良市西木辻町121-1	0742-22-8050
㈱ 美術工芸センター	〒175-0083	東京都板橋区徳丸7-3-1	03-3935-8833
㈱ 美術出版エデュケーショナル	〒162-0845	東京都新宿区市ヶ谷本村町2-19	03-3235-5137
㈱ 文房堂	〒101-0051	東京都千代田区神田神保町1-21-1	03-3291-3441
㈱ 丸善美術商事	〒142-0064	東京都品川区旗の台5-27-21	03-3788-4800
㈱ ユナイテッド・カラー・システムズ	〒224-0032	神奈川県横浜市都筑区茅ヶ崎中央45-14　村田ビル7F	045-944-1116
ラーソン・ジュール・ニッポン ㈱	〒108-0074	東京都港区高輪3-4-1　高輪偕成ビル301	03-5421-2061

[全国主要画材店・額縁店]

●東京都

伊東屋	〒104-0061	中央区銀座2-7-15	03-3561-8311
〃 渋谷店	〒150-8319	渋谷区渋谷2-24-1　東急東横店南館3F	03-3780-1108
〃 新宿店	〒160-0023	新宿区西新宿1-1-3　小田急百貨店10F	03-3342-1111
〃 玉川店	〒158-0094	世田谷区玉川3-17-1　玉川髙島屋SC南館3F	03-3709-2222
ウエマツ	〒150-0002	渋谷区渋谷2-20-8	03-3407-9651
画翠藝大店	〒110-0007	台東区上野公園12-8　東京藝術大学内	03-3821-7056
かわだ額装	〒178-0062	練馬区大泉町2-45-3	03-3923-7782
世界堂 新宿本店	〒160-0022	新宿区新宿3-1-1　世界堂ビル	03-5379-1111
〃 新宿西口文具館	〒160-0023	新宿区西新宿1-11-11	03-3346-1515
〃 池袋パルコ店	〒171-0022	豊島区南池袋1-28-2　池袋パルコ6F	03-3989-1515
〃 立川北口店	〒190-0012	立川市曙町2-4-5　クリサス立川5F	042-519-3366
〃 アートマン店	〒206-0011	多摩市関戸1-11-1　聖蹟桜ヶ丘SC・A館　京王アートマン3F	042-337-2583
〃 町田店	〒194-0013	町田市原町田4-2-1	042-710-5252
草土舎	〒101-0052	千代田区神田小川町1-7	03-3294-6411

田中金華堂	〒110-0016	台東区台東4-9-3	03-3831-1471
トゥールズ お茶の水店	〒101-0062	千代田区神田駿河台2-1-30	03-3295-1438
〃 新宿店	〒160-0022	新宿区新宿3-38-1 ルミネエスト6F	03-3352-7437
東美 上野駅前店	〒110-0005	台東区上野7-6-7 橋本ビル3F	03-3843-1885
〃 八王子店	〒192-0081	八王子市横山町8-5	042-644-8216
得應軒	〒110-0001	台東区谷中1-1-22	03-3823-4116
ナビス画材	〒111-0051	台東区蔵前4-36-11	03-5846-9718
びけん 多摩美売店	〒192-0375	八王子市鑓水2-1723	0426-76-6636
PIGMENT	〒140-0002	品川区東品川2-5-5 TERRADA Harbor Oneビル1F	03-5781-9550
文房堂 神田本店	〒101-0051	千代田区神田神保町1-21-1	03-3291-3441
〃 西武池袋店	〒171-8569	豊島区南池袋1-28-1 西武池袋本店7F	03-5949-2826
松吉絵具店	〒101-0052	千代田区神田小川町1-11	03-3294-0941
レモン画翠	〒101-0062	千代田区神田駿河台2-6-12	03-3295-4681

●東京都以外

大丸藤井セントラル	〒060-0061	札幌市中央区南一条西3-2	011-231-1131
青葉画荘	〒984-0015	仙台市若林区卸町2-8-3	022-231-4225
上野文具	〒320-0801	宇都宮市池上町5-2	028-633-6181
〃 インターパーク店	〒321-0118	宇都宮市インターパーク6-1-1 FKDインターパーク店2F	028-657-6301
〃 鹿沼店	〒322-0039	鹿沼市東末広町1073	0289-60-6650
〃 FKD店	〒321-0962	宇都宮市今泉町237 FKD宇都宮店3F	028-623-4481
〃 モラージュ菖蒲店	〒346-0195	久喜市菖蒲町菖蒲6005-1 モラージュ菖蒲3F	0480-53-6481
スズトヨ画材	〒292-0831	木更津市富士見1-7-12	0438-25-2245
東美 柏駅前店	〒277-0852	柏市旭町1-1-12	04-7147-6992
〃 千葉店	〒260-0013	千葉市中央区中央4-4-14	043-224-1298
〃 本八幡店	〒272-0023	市川市南八幡4-4-24	047-379-3288
〃 さいたま店	〒336-0001	さいたま市浦和区常盤9-21-21	048-831-6190
アーチスト・スペース	〒340-0026	草加市両新田東町68-1	048-928-5411
キャンバス青山	〒330-0072	さいたま市浦和区領家4-4-2	048-881-5130
彩光舎	〒330-0064	さいたま市浦和区岸町6-2-1	048-822-9952
世界堂 新所沢パルコ店	〒359-1111	所沢市緑町1-2-1 新所沢パルコLet's館3F	04-2903-6161
〃 ルミネ横浜店	〒220-0011	横浜市西区高島2-16-1 ルミネ横浜8F	045-444-2266
〃 相模大野店	〒252-0370	相模原市南区相模大野3-9-1 相模大野モアーズ4F	042-740-2222
〃 ルミネ藤沢店	〒251-0052	藤沢市藤沢438-1 ルミネ藤沢4F	0466-29-9811
〃 名古屋パルコ店	〒460-0008	名古屋市中区栄3-29-1 名古屋パルコ東館5F	052-251-0404
伊東屋 青葉台店	〒227-0062	横浜市青葉区青葉台2-1-1 青葉台東急スクエア南-1号館2F	045-984-1108
絵具屋三吉	〒231-0032	横浜市中区不老町1-4-12	045-641-9318
トゥールズ 横浜ジョイナス店	〒220-0005	横浜市西区南幸1-5-1 相鉄ジョイナス4F	045-321-6728
〃 大阪梅田店	〒530-0012	大阪市北区芝田1-1-3 阪急三番街B1・B2	06-6372-9272
びけん	〒252-0141	相模原市緑区相原2-30-32	042-776-6446
額縁のタカハシ 川中島本店	〒381-2224	長野市川中島町原1392-10	026-284-7055

〃 松本店	〒390-0827	松本市出川3-10-19	0263-29-5901
芙蓉堂	〒418-0066	富士宮市大宮町13-7	0544-26-5285
〃 バイパス店	〒417-0072	富士宮市矢立町955	0544-27-3336
四葉商会 清水銀座店	〒424-0817	静岡市清水区銀座14-13	054-365-2151
〃 新静岡店	〒420-0858	静岡市葵区伝馬町2-3	054-251-1048
アートウェーブ藤ヶ丘店	〒465-0031	名古屋市名東区富が丘44	052-769-1386
彩交画材	〒462-0032	名古屋市北区辻町1-54-1	052-916-2005
〃 新栄店	〒460-0006	名古屋市中区葵町1-23-12	052-936-5911
シマモト画材 栄店	〒460-0008	名古屋市中区栄3-5-12 森の地下街	052-971-6248
セントラル画材	〒461-0001	名古屋市東区泉1-13-25	052-951-8998
三重額縁 津店	〒514-0032	津市中央18-19	059-225-6588
加藤画材店	〒500-8076	岐阜市司町32	058-262-6579
〃 大垣店	〒503-0903	大垣市林町7-767-1	0584-74-6615
画材たんぽぽ	〒939-1386	砺波市幸町8-1	076-333-3622
〃 高岡店	〒933-0056	高岡市中川1-3-19-2	076-625-7025
かゆう堂	〒921-8033	金沢市寺町5-5-3	076-242-3769
〃 松任店	〒925-0851	白山市美幸町85	076-274-3711
井ザワ画房	〒918-8114	福井市羽水2-720-1	0776-33-5380
gallery風の門 大津店	〒520-0113	大津市坂本7-24-1 平和堂坂本店3F	077-578-2008
〃 くさつ店	〒525-0032	草津市大路1-10-27 草津平和堂3F	077-565-4513
〃 彦根店	〒522-0074	彦根市大東町2-28 アルプラザ彦根3F	0749-26-6786
画箋堂 河原町五条本店	〒600-8029	京都市下京区河原町通五条上る西橋詰町752	075-341-3288
〃 京都精華大学店	〒606-0016	京都市左京区岩倉木野町137-1	075-722-7311
京屋	〒603-8162	京都市北区小山東大野町53	075-441-3509
〃 CUBE店	〒600-8216	京都市下京区烏丸通り塩小路下ル東塩小路町657 京都駅ビル専門店街 The CUBE B2	075-365-8625
バックス画材	〒606-8167	京都市左京区一乗寺樋ノ口町11	075-781-9105
放光堂	〒604-0847	京都市中京区烏丸二条下ル秋野々町525	075-231-0817
松吉画材	〒604-0861	京都市中京区烏丸通丸太町南入 クリスタープラザMビル2F	075-222-1223
カワチ画材 心斎橋店	〒542-0083	大阪市中央区東心斎橋1-18-24 クロスシティ心斎橋ビル2F	06-6252-5800
〃 あべのHoop店	〒545-0052	大阪市阿倍野区阿倍野筋1-2-30 あべのHoop6F	06-6625-1800
〃 阪急三番街店	〒530-0012	大阪市北区芝田1-1-3 阪急三番街北館B1	06-6372-3888
〃 ハンズ三宮店	〒650-0011	神戸市中央区下山手通2-10-1 ハンズ三宮店 5C	078-333-1358
ナガサワ文具センター 本店	〒650-0021	神戸市中央区三宮町1-6-18 ジュンク堂書店3F	078-321-4500
〃 プレンティ店	〒651-2273	神戸市西区糀台5-2-3 プレンティ1番館3F	078-997-9939
〃 パピオス明石店	〒673-0891	明石市大明石町1-6-1 パピオスあかし2F ジュンク堂書店内	078-915-5288
文寶堂 明石店	〒674-0095	明石市二見町西二見駅前1-18 イトーヨーカドー3F	078-943-3401
文寶堂／サン・ナガサワ三田店	〒669-1528	三田市駅前町2-1 キッピーモール4F	079-553-8553

ガレリア・レイノ 本店	〒730-0014	広島市中区上幟町11-46　エクセレント上幟1F	082-221-2305
〃　福山店	〒720-0067	福山市西町1-1-1　リムふくやま2F	084-927-3500
はぶ文泉堂	〒720-0044	福山市笠岡町4-22	084-923-4330
ピカソ画房 本店	〒730-0033	広島市中区堀川町4-7	082-241-3934
〃　井口店	〒733-0842	広島市西区井口5-22-11	082-278-5163
〃　東広島店	〒739-0025	東広島市西条中央8-5-20	082-430-8510
文具のたまおき 本店	〒820-0070	飯塚市堀池179-2	0948-22-2950
〃　宗像店	〒811-4184	宗像市くりえいと1-4-5	0940-38-0215
フォルム画材行橋店	〒824-0003	行橋市大橋3-3-19	0930-23-7193
山本文房堂	〒810-0041	福岡市中央区大名2-4-32	092-751-4342
甲玉堂	〒860-0845	熊本市中央区上通町1-18	096-355-0246
コトブキヤ文具店 本店	〒870-0035	大分市中央町3-5-8	097-534-3933
〃　駅南店	〒870-0831	大分市要町5-24	097-545-3432

美術梱包・運送取扱店一覧

●地域別に、名称・住所・電話番号の順で掲載しています。

[東京都内]

アートライン東京　〒123-0862　足立区皿沼1-12-15　03-5691-1141
阿部運送株式会社　〒176-0021　練馬区貫井5-16-9　03-3990-1916
江口美術　〒154-0012　世田谷区駒沢3-22-10　03-3424-4461
岡村美術運送店　〒114-0014　北区田端2-5-1　03-3821-1817
カトーレック株式会社【美術輸送支店】〒135-0051　江東区枝川2-8-7　03-5632-5555
【同大阪出張所】〒566-0042　摂津市東別府1-5-34　06-6827-0757
川端商会　〒124-0006　葛飾区堀切2-16-2　03-3691-3200
彩美堂株式会社　【上　野　店】〒110-0015　台東区東上野4-1-9　1F　03-5827-5155
【足立営業所】〒121-0062　足立区南花畑4-33-7　03-5242-3701
【広 島 支 店】〒733-0006　広島市西区三篠北町3-48　082-237-1012
山九物流グループ美術イベント係
〒143-0006　大田区平和島3-3-8　山久平和島ロジスティクスセンター7F
03-3765-3931
春馨堂　〒125-0032　葛飾区水元4-15-16　03-5876-9757
TERRADA ART ASSIST株式会社
〒140-0002　品川区東品川1-33-10　TERRADA ART COMPLEX内　03-6433-3120
【オペレーションオフィス】〒140-0002　品川区東品川1-4-8　7F
【京都オフィス】〒604-8241　京都市中京区釜座町28-602
トータルアートサービスHIGUCHI
〒179-0073　練馬区田柄5-7-2　03-6763-5750
東京マルイ美術　〒130-0004　墨田区本所4-29-15　03-3624-2631

東美	〒151-0071　渋谷区本町5-30-12	03-3376-8148
	【上野駅前店】03-3843-1885　【八王子店】042-644-8216	
	【さいたま店】048-831-6190　【千 葉 店】043-224-1298	
	【柏 駅 前 店】04-7147-6992　【本八幡店】047-379-3288	
日本通運株式会社	【関東美術品支店】〒104-0033　中央区新川1-1-5	03-3206-1133
	【中部美術品支店】〒463-0070　名古屋市守山区新守山2502	052-758-5223
	【関西美術品支店】〒601-8325　京都市南区吉祥院八反田町19-2	075-662-0561
日本図書輸送	〒136-8638　江東区新木場1-18-10 東京物流センター 2F	03-5569-7845
日本美術商事株式会社	〒110-0002　台東区上野桜木2-15-2	03-3822-3877
ハート・アンド・アート	【東京営業所】〒135-0053　江東区辰巳2-4-4　TDN潮見センター 5F	03-6457-0961
	【大阪営業所】〒559-0024　大阪市住之江区新北島8-1-32	06-6683-9650
牧野商会	〒110-0016　台東区台東1-3-2　冨英ビル5F	03-3832-7713
ミナト電機リフトサービス	〒187-0022　小平市上水本町1-27-12	042-321-5531
谷中田美術	〒113-0023　文京区向丘2-33-5	03-3823-1539 (代)
ヤマトグローバルロジスティクスジャパン株式会社		
	【東京美術品公募展支店（国内輸送）】	
	〒135-0062　江東区東雲2-2-3　ヤマト東雲ビル2F	03-3527-6683
	【海外美術品支店（海外輸送）】03-3527-5431	
	【東京美術品支店（企画展）】03-3529-0801	
	【北海道】011-867-5317　【東　北】022-706-1579	
	【長　野】0263-31-5120　【中　部】0568-51-3961	
	【京　都】075-602-4193　【関　西】06-6612-8760	
	【中　国】082-831-0027　【九　州】092-629-3111	

[東京都以外]

アートラック	〒241-0814	横浜市旭区中沢3-3-22-101	045-391-3889
アトリエ モネ	〒226-0025	横浜市緑区十日市場町901-3-101	090-7717-2125
マツモト美工芸	〒241-0813	横浜市旭区今宿町2569-128	045-442-8278
美術便 双月	〒248-0027	鎌倉市笛田5-44-61	090-6108-2986
アートン	〒252-0821	藤沢市用田211-4	0466-48-8488
画装 コビトのくつ	〒251-0002	藤沢市大鋸979	0466-22-7518
	〒252-0244	相模原市中央区田名6033-1-A2	0427-13-1430
アートサポート相模原	〒252-0312	相模原市南区相南1-1-12	042-748-3001
長門運輸有限会社	〒252-0201	相模原市中央区上矢部1-12-39	042-752-3141
浅見美術	〒336-0926	さいたま市緑区東浦和7-37-18	048-875-3750
岡宮美術	〒332-0003	川口市東領家4-15-17	048-225-6018
アーチストスペースF	〒340-0026	草加市両新田東町68-1	048-928-4691
ルーブル画材	〒357-0111	飯能市上名栗3179-4	080-5888-6098
アートワークス	〒310-0063	水戸市五軒町1-5-44	029-302-8123
県南運輸	〒328-0011	栃木市大宮町1605-1	0282-27-2241
三宮商店	〒951-8065	新潟市中央区東堀通6-1040	025-222-3625
インプレス	〒921-8802	野々市市押野4-117	076-248-5353

アートワン	〒607-8165	京都市山科区椥辻平田町133	075-501-0315(代)
善信社運送株式会社	〒606-8286	京都市左京区北白川下別当町5	075-721-1185(代)
マルイ美術	〒607-8165	京都市山科区椥辻平田町137	075-502-3901(代)
大宝運輸株式会社	〒533-0003	大阪市東淀川区南江口3-4-48	06-6327-5611
	【東　京】044-276-3041		
富島運輸株式会社	〒553-0003	大阪市福島区福島1-4-2	06-6451-0097(代)
ガレリア・レイノ株式会社	〒730-0014	広島市中区上幟町11-46 1F	082-221-2305

全国主要美術学校一覧

●学校名・[学部名（学科)]・郵便番号・住所・電話番号・代表者名の順で掲載しています。

国公立美術大学

【東京都内】

東京藝術大学　[美術学部]
〒110-8714　台東区上野公園12-8　050-5525-2013
学長 澤和樹／学部長 日比野克彦

【東京都以外】

秋田公立美術大学　[美術学部]
〒010-1632　秋田市新屋大川町12-3　018-888-8100　霜鳥秋則

長岡造形大学　[造形学部]
〒940-2088　長岡市千秋4-197　0258-21-3311　和田裕

金沢美術工芸大学　[美術工芸学部]
〒920-8656　金沢市小立野5-11-1　076-262-3531　山崎剛

情報科学芸術大学院大学（IAMAS）
〒503-0006　大垣市加賀野4-1-7　0584-75-6600　三輪眞弘

愛知県立芸術大学　[美術学部]
〒480-1194　長久手市岩作三ケ峯1-114　0561-76-2851
学長 戸山俊樹／学部長 岡田眞治

京都市立芸術大学　[美術学部]
〒610-1197　京都市西京区大枝沓掛町13-6　075-334-2200　赤松玉女

沖縄県立芸術大学　[美術工芸学部]
〒903-8602　那覇市首里当蔵町1-4　098-882-5000　比嘉康春

私立美術大学

【東京都内】

女子美術大学	[芸術学部(アート・デザイン表現学科)]			
	〒166-8538	杉並区和田1-49-8	03-5340-4500	小倉文子
多摩美術大学	[美術学部]			
	〒158-8558	世田谷区上野毛3-15-34	03-3702-1141	学長 建畠哲
多摩美術大学	[美術学部]			
	〒192-0394	八王子市鑓水2-1723	042-676-8611	学長 建畠哲
東京工芸大学	[芸術学部]			
	〒164-8678	中野区本町2-9-5	03-3372-1321	若尾真一郎
東京造形大学	[造形学部]			
	〒192-0992	八王子市宇津貫町1556	042-637-8111	
武蔵野美術大学	[造形学部/造形構想学部]			
	〒187-8505	小平市小川町1-736	042-342-6021	長澤忠徳
武蔵野美術大学	[造形学部/造形構想学部]			
	〒162-0843	新宿区市谷田町1-4	042-342-6021	長澤忠徳

【東京都以外】

東北芸術工科大学	[芸術学部/デザイン工学部]			
	〒990-9530	山形市上桜田3-4-5	023-627-2000	中山ダイスケ
文星芸術大学	[美術学部]			
	〒320-0058	宇都宮市上戸祭4-8-15	028-625-6888	ちばてつや
女子美術大学	[芸術学部(美術学科/デザイン・工芸学科)]			
	〒252-8538	相模原市南区麻溝台1900	042-778-6111	小倉文子
横浜美術大学	[美術学部(美術・デザイン学科)]			
	〒227-0033	横浜市青葉区鴨志田町1204	045-962-2221	岡本信明
名古屋芸術大学	[芸術学部芸術学科]			
	〒481-8535	北名古屋市徳重西沼65	0568-24-0325	竹本義明
名古屋造形大学	[造形学部]			
	〒485-8563	小牧市大草年上坂6004	0568-79-1111	山本理顕
成安造形大学	[芸術学部]			
	〒520-0248	大津市仰木の里東4-3-1	077-574-2111	岡田修二
京都造形芸術大学	[芸術学部]			
	〒606-8271	京都市左京区北白川瓜生山2-116	075-791-9833	尾池和夫
京都美術工芸大学	[工芸学部]			
	〒622-0041	南丹市園部町小山東町二本松1-1	0771-63-1515	学長 河野元昭
嵯峨美術大学	[芸術学部]			
	〒616-8362	京都市右京区嵯峨五島町1番地	075-864-7858	佐々木正子
大阪芸術大学	[芸術学部]			
	〒585-8555	大阪府南河内郡河南町東山469	0721-93-3781	塚本邦彦
神戸芸術工科大学	[芸術工学部]			
	〒651-2196	神戸市西区学園西町8-1-1	078-794-2112	齊木崇人

公立美術短期大学

大分県立芸術文化短期大学	[美術科]			
	〒870-0833	大分市上野丘東1-11	097-545-0542	中山欽吾

私立美術短期大学

【東京都内】

女子美術大学短期大学部　[造形学科／専攻科]
〒166-8538　杉並区和田1-49-8　03-5340-4500　小倉文子

【東京都以外】

宇都宮文星短期大学　[地域総合文化学科ライフデザインフィールド]
〒320-0058　宇都宮市上戸祭4-8-15　028-625-3737　中山御由

嵯峨美術短期大学　[美術学科]
〒616-8362　京都市右京区嵯峨五島町1番地　075-864-7858　佐々木正子

大阪芸術大学短期大学部　[デザイン美術学科]
〒664-0001　伊丹市荒牧4-8-70　072-777-3353　塚本英邦

奈良芸術短期大学　[美術科]
〒634-0063　橿原市久米町222　0744-27-0625　平田博也

山口芸術短期大学　[芸術表現学科]
〒754-0032　山口市小郡みらい町1-7-1　083-972-2880　三池秀敏

九州産業大学造形短期大学部　[造形芸術学科]
〒813-8503　福岡市東区松香台2-3-1　092-673-5151　小田部黄太

美術系学科のある国公立大学

【東京都内】

東京学芸大学　[教育学部（A類美術／B類美術）]
〒184-8501　小金井市貫井北町4-1-1　042-329-7111　出口利定

【東京都以外】

筑波大学　[芸術専門学群]
〒305-8577　つくば市天王台1-1-1　029-853-2111　永田恭介

上越教育大学　[大学院学校教育研究科 教科・領域教育専攻 芸術系教育実践コース「美術」]
〒943-8512　上越市山屋敷町1　025-521-3542
美術代表　洞谷亜里佐

富山大学　[芸術文化学部]
〒933-8588　高岡市二上町180　0766-25-9111　遠藤俊郎

名古屋市立大学　[芸術工学部]
〒464-0083　名古屋市千種区北千種2-1-10　052-721-1225
芸術工学研究科長 水野みか子

京都工芸繊維大学　[工芸科学部（デザイン・建築学課程）]
〒606-8585　京都市左京区松ヶ崎橋上町　075-724-7014　森迫清貴

大阪教育大学　[教育学部（学校教育教員養成課程小中教育専攻美術・書道コース、中等教育専攻美術・書道コース／教育協働学科芸術表現専攻美術表現コース）]
〒582-8582　柏原市旭ヶ丘4-698-1　072-978-3213　栗林澄夫

岡山県立大学　[デザイン学部]
〒719-1197　総社市窪木111　0866-94-2111　沖陽子

尾道市立大学　[芸術文化学部（美術学科）]
〒722-8506　尾道市久山田町1600-2　0848-22-8311　中谷武

広島市立大学　[芸術学部]
〒731-3194　広島市安佐南区大塚東3-4-1　082-830-1500　青木信之

広島大学　[教育学部（造形芸術系コース）]
〒739-8524　東広島市鏡山1-1-1　082-424-6725　小山正孝

鳴門教育大学　[学校教育学部（図画工作科教育コース／美術科教育コース）]
〒772-8502　鳴門市鳴門町高島字中島748　088-687-6000　山下一夫

九州大学	[芸術工学部]			
	〒815-8540	福岡市南区塩原4-9-1	092-553-4400	久保千春
佐賀大学	[芸術地域デザイン学部]			
	〒840-8502	佐賀市本庄町1	0952-28-8113	宮﨑耕治

美術系学科のある私立大学

【東京都内】

玉川大学	[芸術学部]			
	〒194-8610	町田市玉川学園6-1-1	042-739-8111	小原芳明
東京工科大学	[デザイン学部]			
	〒144-8535	大田区西蒲田5-23-22	03-6424-2111	軽部征夫
日本大学	[芸術学部（美術学科）]			
	〒176-8525	練馬区旭丘2-42-1	03-5995-8201	木村政司
文化学園大学	[造形学部（デザイン・造形学科／建築・インテリア学科）]			
	〒151-8523	渋谷区代々木3-22-1	03-3299-2311	濱田勝宏
和光大学	[表現学部]			
	〒195-8585	町田市金井町2160	044-988-1431	井出健治郎

【東京都以外】

星槎道都大学	[美術学部（デザイン学科）]			
	〒061-1196	北広島市中の沢149	011-372-3111	山本一彦
金沢学院大学	[芸術学部（芸術学科）]			
	〒920-1392	金沢市末町10	076-229-8833	秋山稔
常葉大学	[造形学部（造形学科）]			
	〒420-0911	静岡市葵区瀬名1-22-1	054-263-1125	江藤秀一
京都精華大学	[芸術学部／デザイン学部／マンガ学部／ポピュラーカルチャー学部／人文学部]			
	〒606-8588	京都市左京区岩倉木野町137	075-702-5197	ウスビ・サコ
大阪成蹊大学	[芸術学部]			
	〒533-0007	大阪市東淀川区相川3-10-62	06-6829-2600	石井茂
近畿大学	[文芸学部（芸術学科造形芸術専攻）]			
	〒577-8502	東大阪市小若江3-4-1	06-6721-2332	細井美彦
倉敷芸術科学大学	[芸術学部（デザイン芸術学科／メディア映像学科）]			
	〒712-8505	倉敷市連島町西之浦2640	086-440-1111	河野伊一郎
東亜大学	[芸術学部（アート・デザイン学科／トータルビューティ学科）]			
	〒751-8503	下関市一の宮学園町2-1	083-256-1111	櫛田宏治
九州産業大学	[芸術学部]			
	〒813-8503	福岡市東区松香台2-3-1	092-673-5050	榊泰輔
崇城大学	[芸術学部]			
	〒860-0082	熊本市西区池田4-22-1	096-326-3111	中山峰男

美術系学科のある私立短期大学

札幌大谷大学	[芸術学部（美術学科）]			
	〒065-8567	札幌市東区北16条東9-1-1	011-742-1651	髙橋肇

PRIZE

文化勲章受章者一覧

●美術関係者のみ掲載しています。

○1937年（昭和12年）
岡田三郎助　1869～1939　洋画
竹内栖鳳　1864～1942　日本画
横山大観　1868～1958　日本画
藤島武二　1867～1943　洋画

○1940年（昭和15年）
川合玉堂　1873～1957　日本画

○1943年（昭和18年）
伊東忠太　1867～1954　建築学
和田英作　1874～1959　洋画

○1948年（昭和23年）
安田靫彦　1884～1978　日本画
朝倉文夫　1883～1964　彫塑
上村松園　1875～1949　日本画

○1950年（昭和25年）
小林古径　1883～1957　日本画

○1952年（昭和27年）
梅原龍三郎　1888～1986　洋画
安井曾太郎　1888～1955　洋画

○1953年（昭和28年）
板谷波山　1872～1963　陶芸
香取秀真　1874～1954　鋳金

○1954年（昭和29年）
鏑木清方　1878～1972　日本画

○1955年（昭和30年）
前田青邨　1885～1977　日本画

○1956年（昭和31年）
坂本繁二郎　1882～1969　洋画

○1957年（昭和32年）
西山翠嶂　1879～1958　日本画

○1958年（昭和33年）
北村西望　1884～1987　彫塑
松林桂月　1876～1963　日本画

○1959年（昭和34年）
川端龍子　1885～1966　日本画

○1961年（昭和36年）
堂本印象　1891～1975　日本画
福田平八郎　1892～1974　日本画
富本憲吉　1886～1963　陶芸

○1962年（昭和37年）
平櫛田中　1872～1979　木彫
奥村土牛　1889～1990　日本画
中村岳陵　1890～1969　日本画

○1964年（昭和39年）
吉田五十八　1894～1974　建築

○1965年（昭和40年）
小絲源太郎　1887～1978　洋画
山口蓬春　1893～1971　日本画

○1966年（昭和41年）
徳岡神泉　1896～1972　日本画

○1967年（昭和42年）
林武　1896～1975　洋画
村野藤吾　1891～1984　建築

○1968年（昭和43年）
濱田庄司　1894～1978　陶芸
堅山南風　1887～1980　日本画

○1969年（昭和44年）
東山魁夷　1908～1999　日本画

○1970年（昭和45年）
棟方志功　1903～1975　版画

○1971年（昭和46年）
荒川豊蔵　1894～1985　陶芸

○1972年（昭和47年）
内田祥三　1885～1972　建築学
岡鹿之助　1898～1978　洋画

○1973年（昭和48年）
谷口吉郎　1904～1979　建築

○1974年（昭和49年）
橋本明治　1904～1991　日本画
杉山寧　1909～1993　日本画

○1975年（昭和50年）
小山敬三　1897～1987　洋画
田崎廣助　1893～1984　洋画
中川一政　1893～1991　洋画

○1976年（昭和51年）
小野竹喬　1889～1979　日本画
松田権六　1896～1986　漆芸

○1977年（昭和52年）
山本丘人　1900～1986　日本画

○1978年（昭和53年）
楠部彌弌　1897～1984　陶芸

○1979年（昭和54年）
澤田政廣　1894～1988　木彫

○1980年（昭和55年）
小倉遊亀　1895～2000　日本画
丹下健三　1913～2005　建築

○1981年（昭和56年）
山口華楊　1899～1984　日本画

○1982年（昭和57年）
髙山辰雄　1912～2007　日本画

○1983年（昭和58年）
牛島憲之　1900～1997　洋画
小磯良平　1903～1988　洋画

武藤清　1903～1989　建築構造学

○1984年（昭和59年）
上村松篁　1902～2001　日本画
奥田元宋　1912～2003　日本画

○1985年（昭和60年）
西川寧　1902～1989　書

○1986年（昭和61年）
荻須高徳　1901～1986　洋画

○1987年（昭和62年）
池田遙邨　1895～1988　日本画

○1988年（昭和63年）
圓鍔勝三　1905～2003　彫刻

○1989年（平成元年）
片岡球子　1905～2008　日本画
富永直樹　1913～2006　彫刻
吉井淳二　1904～2004　洋画

○1990年（平成2年）
金子鷗亭　1906～2001　書

○1991年（平成3年）
蓮田修吾郎　1915～2010　鋳金
福沢一郎　1898～1992　洋画

○1992年（平成4年）
青山杉雨　1912～1993　書
佐藤太清　1913～2004　日本画

○1993年（平成5年）
帖佐美行　1915～2002　彫金
森田茂　1907～2009　洋画

○1994年（平成6年）
岩橋英遠　1903～1999　日本画

○1995年（平成7年）
佐治賢使　1914～1999　漆芸

○1996年（平成8年）
浅蔵五十吉　1913～1998　陶芸
伊藤清永　1911～2001　洋画
森英恵　1926～　服飾デザイン

○1997年（平成9年）
髙橋節郎　1914～2007　漆芸

○1998年（平成10年）
芦原義信　1918～2003　建築
平山郁夫　1930～2009　日本画
村上三島　1912～2005　書

○1999年（平成11年）
秋野不矩　1908～2001　日本画

○2000年（平成12年）
大久保婦久子　1919～2000　皮革工芸
杉岡華邨　1913～2012　書・仮名

○2001年（平成13年）
守屋多々志　1912～2003　日本画
淀井敏夫　1911～2005　彫刻

○2002年（平成14年）
藤田喬平　1921～2004　ガラス工芸

○2003年（平成15年）
大岡信　1931～2017　詩・評論
加山又造　1927～2004　日本画

○2004年（平成16年）
小林斗盦　1916～2007　篆刻
福王寺法林　1920～2012　日本画

○2005年（平成17年）
青木龍山　1926～2008　陶芸

○2006年（平成18年）
大山忠作　1922～2009　日本画

○2007年（平成19年）
中村晋也　1926～　彫刻

○2010年（平成22年）
安藤忠雄　1941～　建築
三宅一生　1938～　服飾デザイン

○2011年（平成23年）
大樋年朗　1927～　陶芸

○2012年（平成24年）
高階秀爾　1932～　評論
松尾敏男　1926～2016　日本画

○2013年（平成25年）
高木聖鶴　1923～2017　書

○2014年（平成26年）
野見山暁治　1920～　洋画

○2015年（平成27年）
志村ふくみ　1924～　染織

○2016年（平成28年）
草間彌生　1929～　絵画・彫刻

○2017年（平成29年）
奥谷博　1934～　洋画

○2018年（平成30年）
今井政之　1930～　陶芸

○2019年（令和元年）
田沼武能　1929～　写真

文化功労者一覧

●美術関係者のみ掲載しています。

○1951年（昭和26年）
朝倉文夫　1883～1964　彫塑
伊東忠太　1867～1954　建築学
川合玉堂　1873～1957　日本画
小林古径　1883～1957　日本画
安田靫彦　1884～1978　日本画
横山大観　1868～1958　日本画
和田英作　1874～1959　洋画

○1952年（昭和27年）
梅原龍三郎　1888～1986　洋画
安井曾太郎　1888～1955　洋画
山崎朝雲　1867～1954　木彫

○1953年（昭和28年）
板谷波山　1872～1963　陶芸
香取秀真　1874～1954　鋳金

○1954年（昭和29年）
鏑木清方　1878～1972　日本画
平櫛田中　1872～1979　木彫

○1955年（昭和30年）
前田青邨　1885～1977　日本画
山下新太郎　1881～1966　洋画

○1956年（昭和31年）
坂本繁二郎　1882～1969　洋画

○1957年（昭和32年）
中沢弘光　1874～1964　洋画
西山翠嶂　1879～1958　日本画
柳宗悦　1889～1961　評論

○1958年（昭和33年）
北村西望　1884～1987　彫塑
松林桂月　1876～1963　日本画
和田三造　1883～1967　洋画

○1959年（昭和34年）
上野直昭　1882～1973　美術史
川端龍子　1885～1966　日本画
辻永　1884～1974　洋画

○1961年（昭和36年）
堂本印象　1891～1975　日本画
富本憲吉　1886～1963　陶芸
福田平八郎　1892～1974　日本画

○1962年（昭和37年）
奥村土牛　1889～1990　日本画
内藤多仲　1886～1970　建築学
中村岳陵　1890～1969　日本画

○1963年（昭和38年）
堅山南風　1887～1980　日本画
松田権六　1896～1986　漆芸

○1964年（昭和39年）
有島生馬　1882～1974　洋画
吉田五十八　1894～1974　建築

○1965年（昭和40年）
小絲源太郎　1887～1978　洋画
山口蓬春　1893～1971　日本画

○1966年（昭和41年）
徳岡神泉　1896～1972　日本画
山崎覺太郎　1899～1984　漆芸

○1967年（昭和42年）
林武　1896～1975　洋画
豊道春海　1878～1970　書
村野藤吾　1891～1984　建築

○1968年（昭和43年）
小野竹喬　1889～1979　日本画
鈴木翠軒　1889～1976　書
濱田庄司　1894～1978　陶芸

○1969年（昭和44年）
東山魁夷　1908～1999　日本画
山鹿清華　1885～1981　染織

○1970年（昭和45年）
岩田藤七　1893～1980　ガラス工芸
小山敬三　1897～1987　洋画
棟方志功　1903～1975　版画
矢代幸雄　1890～1975　評論

○1971年（昭和46年）
荒川豊蔵　1894～1985　陶芸

○1972年（昭和47年）
内田祥三　1885～1972　建築学・防災工学
岡鹿之助　1898～1978　洋画
楠部彌弌　1897～1984　陶芸

○1973年（昭和48年）
澤田政廣　1894～1988　木彫
谷口吉郎　1904～1979　建築

○1974年（昭和49年）
石田茂作　1894～1977　文化財保護・仏教考古学
杉山寧　1909～1993　日本画
橋本明治　1904～1991　日本画

○1975年（昭和50年）
田崎廣助　1893～1984　洋画
中川一政　1893～1991　洋画

○1976年（昭和51年）
清水六兵衛(6代)　1901～1980　陶芸
芹沢銈介　1895～1984　染織

○1977年（昭和52年）
西川寧　1902～1989　書
山本丘人　1900～1986　日本画

○1978年（昭和53年）
小倉遊亀　1895～2000　日本画
東郷青児　1897～1978　洋画
福沢一郎　1898～1992　洋画

○1979年（昭和54年）
- 小磯良平　1903～1988　洋画
- 髙山辰雄　1912～2007　日本画
- 丹下健三　1913～2005　建築
- 武藤清　1903～1989　建築構造学

○1980年（昭和55年）
- 安東聖空　1893～1983　書道
- 清水多嘉示　1897～1981　彫塑
- 山口華楊　1899～1984　日本画

○1981年（昭和56年）
- 荻須高徳　1901～1986　洋画
- 奥田元宋　1912～2003　日本画

○1982年（昭和57年）
- 牛島憲之　1900～1997　洋画
- 圓鍔勝三　1905～2003　彫刻
- 手島右卿　1901～1987　書

○1983年（昭和58年）
- 上村松篁　1902～2001　日本画
- 日比野五鳳　1901～1985　書
- 山本豊市　1899～1987　彫刻

○1984年（昭和59年）
- 池田遙邨　1895～1988　日本画
- 富永直樹　1913～2006　彫刻

○1985年（昭和60年）
- 田村孝之介　1903～1986　洋画
- 吉井淳二　1904～2004　洋画

○1986年（昭和61年）
- 片岡球子　1905～2008　日本画
- 小松均　1902～1989　日本画
- 高光一也　1907～1986　洋画

○1987年（昭和62年）
- 金子鷗亭　1906～2001　書
- 髙田誠　1913～1992　洋画
- 帖佐美行　1915～2002　彫金
- 蓮田修吾郎　1915～2010　鋳金

○1988年（昭和63年）
- 青山杉雨　1912～1993　書
- 佐藤太清　1913～2004　日本画
- 鈴木信太郎　1895～1989　洋画

○1989年（平成元年）
- 岩橋英遠　1903～1999　日本画
- 佐治賢使　1914～1999　漆芸
- 森英恵　1926～　服飾デザイン
- 森田茂　1907～2009　洋画

○1990年（平成2年）
- 井手宣通　1912～1993　洋画
- 髙橋節郎　1914～2007　漆芸
- 吉賀大眉　1915～1991　陶芸

○1991年（平成3年）
- 芦原義信　1918～2003　建築
- 秋野不矩　1908～2001　日本画
- 伊藤清永　1911～2001　洋画
- 河北倫明　1914～1995　評論

○1992年（平成4年）
- 浅蔵五十吉　1913～1998　陶芸
- 田村一男　1904～1997　洋画

○1993年（平成5年）
- 志村ふくみ　1924～　染織
- 平山郁夫　1930～2009　日本画
- 村上三島　1912～2005　書

○1994年（平成6年）
- 三岸節子　1905～1999　洋画
- 淀井敏夫　1911～2005　彫刻

○1995年（平成7年）
- 大久保婦久子　1919～2000　皮革工芸
- 加藤東一　1916～1996　日本画
- 齋藤清　1907～1997　版画
- 杉岡華邨　1913～2012　書・仮名

○1996年（平成8年）
- 上條信山　1907～1997　書
- 難波田龍起　1905～1997　洋画
- 守屋多々志　1912～2003　日本画
- 柳原義達　1910～2004　彫刻

○1997年（平成9年）
- 大岡信　1931～2017　詩・評論
- 加山又造　1927～2004　日本画
- 藤田喬平　1921～2004　ガラス工芸

○1998年（平成10年）
- 小林斗盦　1916～2007　篆刻
- 福王寺法林　1920～2012　日本画
- 脇田和　1908～2005　洋画

○1999年（平成11年）
- 青木龍山　1926～2008　陶芸
- 大山忠作　1922～2009　日本画
- 舟越保武　1912～2002　彫刻

○2000年（平成12年）
- 田中一光　1930～2002　デザイン
- 野見山暁治　1920～　洋画
- 松尾敏男　1926～2016　日本画
- 山根有三　1919～2001　美術史

○2001年（平成13年）
- 成瀬映山　1920～2007　書
- 稗田一穂　1920～　日本画

○2002年（平成14年）
- 大平山濤　1916～2007　書
- 郷倉和子　1914～2016　日本画
- 中村晋也　1926～　彫刻
- 柳宗理　1915～2011　デザイン

○2003年（平成15年）
- 安藤忠雄　1941～　建築
- 田沼武能　1929～　写真

○2004年（平成16年）
- 島田章三　1933～2016　洋画
- 大樋年朗　1927～　陶芸

○2005年（平成17年）
- 高階秀爾　1932～　評論
- 建畠覚造　1919～2006　彫刻

○2006年（平成18年）
- 奥谷博　1934～　洋画
- 鈴木竹柏　1918～　日本画
- 堂本尚郎　1928～2013　洋画

○2008年（平成20年）
- 奥田小由女　1936～　工芸
- 澄川喜一　1931～　彫刻

○2009年（平成21年）
- 岩澤重夫　1927～2009　日本画
- 草間彌生　1929～　絵画・彫刻

○2010年（平成22年）
- 古谷蒼韻　1924～2018　書
- 細江英公　1933～　写真
- 水木しげる　1922～2015　漫画

○2011年（平成23年）
- 今井政之　1930～　陶芸
- 橋本堅太郎　1930～　彫刻
- 日比野光鳳　1928～　書

○2012年（平成24年）
- 安野光雅　1926～　デザイン・絵本

中路融人　1933～2017　日本画
宮崎駿　1941～
アニメ-ション映画

○2013年（平成25年）
槇文彦　1928～　建築
上村淳之　1933～
日本画・文化財保護
吉増剛造　1939～　詩・評論

○2014年（平成26年）
絹谷幸二　1943～　洋画

○2015年（平成27年）
三谷吾一　1919～2017　漆芸

○2016年（平成28年）
尾崎邑鵬　1924～　書（漢字）
小山やす子　1924～2019
書（仮名）
辻惟雄　1932～
美術評論・文化振興

○2017年（平成29年）
コシノジュンコ　1939～
デザイン・文化振興
雨宮敬子　1931～2019　彫刻
杉本博司　1948～　写真

○2018年（平成30年）
井茂圭洞　1936～　書
伊東豊雄　1941～　建築
北川フラム　1946～
アートディレクター
福原義春　1931～
文化振興（企業メセナ）

○2019年（令和元年）
田渕俊夫　1941～　日本画

日本藝術院歴代会員

●美術関係者のみ掲載しています。

発令年度	分科	名前	生没年	出身地
○1919年（大正8年）				
	日本画	今尾景年	1845～1924	京都
		川合玉堂	1873～1957	愛知
		小堀鞆音	1864～1931	栃木
		竹内栖鳳	1864～1942	京都
		富岡鉄斎	1836～1924	京都
		中村不折	1866～1943	東京
		松本楓湖	1840～1923	茨城
		山元春挙	1872～1933	滋賀
	洋画	岡田三郎助	1869～1939	佐賀
		黒田清輝	1866～1924	鹿児島
		和田英作	1874～1959	鹿児島
	彫塑	新海竹太郎	1868～1927	山形
		高村光雲	1852～1934	東京
○1924年（大正13年）				
	日本画	荒木十畝	1872～1944	長崎
		小室翠雲	1874～1945	群馬
	洋画	藤島武二	1867～1943	鹿児島
	彫塑	朝倉文夫	1883～1964	大分
○1925年（大正14年）				
	日本画	菊池契月	1879～1955	長野
		都路華香	1870～1931	京都
		結城素明	1875～1957	東京
	洋画	満谷国四郎	1874～1936	岡山
	彫塑	北村西望	1884～1987	長崎
○1927年（昭和2年）				
	洋画	和田三造	1883～1967	兵庫
	彫塑	建畠大夢	1880～1942	和歌山
		内藤伸	1882～1967	島根
		山崎朝雲	1867～1954	福岡
	（辞任）	高村光雲		
○1928年（昭和3年）				
	（辞任）	朝倉文夫		
○1929年（昭和4年）				
	日本画	鏑木清方	1878～1972	東京
		西山翠嶂	1879～1958	京都
	洋画	南薫造	1883～1950	広島
	工芸	板谷波山	1872～1963	茨城
		香取秀真	1874～1954	千葉
○1930年（昭和5年）				
	日本画	平福百穂	1877～1933	秋田
		松岡映丘	1881～1938	兵庫
	洋画	中沢弘光	1874～1964	東京
	工芸	赤塚自得	1871～1936	東京
		清水六和	1875～1959	京都
	（再任）	高村光雲		
○1931年（昭和6年）				
	日本画	川村曼舟	1880～1942	京都
○1932年（昭和7年）				
	日本画	松林桂月	1876～1963	山口
○1933年（昭和8年）				
	日本画	西村五雲	1877～1938	京都
○1934年（昭和9年）				
	日本画	土田麦僊	1887～1936	新潟
○1935年（昭和10年）				
	日本画	川端龍子	1885～1966	和歌山
		小林古径	1883～1957	新潟
		富田溪仙	1879～1936	福岡
		橋本関雪	1883～1945	兵庫
		前田青邨	1885～1977	岐阜
		安田靫彦	1884～1978	東京
		横山大観	1868～1958	茨城
	洋画	有島生馬	1882～1974	神奈川
		石井柏亭	1882～1958	東京
		梅原龍三郎	1888～1986	京都
		小杉放庵	1881～1964	栃木
		安井曾太郎	1888～1955	京都
		山下新太郎	1881～1966	東京
	彫塑	佐藤朝山	1888～1963	福島
		斎藤素巌	1889～1974	東京
		平櫛田中	1872～1979	岡山
		藤川勇造	1883～1935	香川
	工芸	清水南山	1875～1948	広島
		津田信夫	1875～1946	千葉
		富本憲吉	1886～1963	奈良
	（辞任）	小杉放庵		
○1936年（昭和11年）				
	彫塑	藤井浩佑	1882～1958	東京
○1937年（昭和12年）				
	書	尾上柴舟	1876～1957	岡山
		比田井天来	1872～1939	長野
	建築	伊東忠太	1867～1954	山形
		塚本靖	1869～1937	京都
	（再任）	小杉放庵		
	（再任）	朝倉文夫		
○1941年（昭和16年）				
	日本画	上村松園	1875～1949	京都
	洋画	小林萬吾	1870～1947	香川

発令年度	分科	名前	生没年	出身地
		藤田嗣治	1886～1968	東京
	工芸	六角紫水	1867～1950	広島
	建築	大熊喜邦	1877～1952	東京
	（辞任）	川端龍子		
○1946年（昭和21年）				
	（辞任）	富本憲吉		
○1947年（昭和22年）				
	日本画	奥村土牛	1889～1990	東京
		小野竹喬	1889～1979	岡山
		中村岳陵	1890～1969	静岡
		野田九浦	1879～1971	東京
		福田平八郎	1892～1974	京都
	洋画	須田国太郎	1891～1961	京都
		辻永	1884～1974	東京
	工芸	海野清	1884～1956	東京
		松田権六	1896～1986	石川
	書	豊道春海	1878～1970	栃木
○1948年（昭和23年）				
	洋画	川島理一郎	1886～1971	栃木
○1950年（昭和25年）				
	日本画	堂本印象	1891～1975	京都
		山口蓬春	1893～1971	北海道
	洋画	中村研一	1895～1967	福岡
	彫塑	石井鶴三	1887～1973	東京
	工芸	髙村豊周	1890～1972	東京
		堆朱楊成	1880～1952	東京
	（辞任）	横山大観		
○1954年（昭和29年）				
	工芸	岩田藤七	1893～1980	東京
	建築	吉田五十八	1894～1974	神奈川
○1955年（昭和30年）				
	彫塑	吉田三郎	1889～1962	石川
	建築	村野藤吾	1891～1984	兵庫
	（辞任）	藤田嗣治		
○1957年（昭和32年）				
	日本画	徳岡神泉	1896～1972	京都
	洋画	金山平三	1883～1964	兵庫
		長谷川昇	1886～1973	福島
	工芸	山鹿清華	1885～1981	京都
		山崎覚太郎	1899～1984	富山
	（辞任）	梅原龍三郎		
○1958年（昭和33年）				
	日本画	伊東深水	1898～1972	東京
		堅山南風	1887～1980	熊本
	（辞任）	小杉放庵		
○1959年（昭和34年）				
	日本画	金島桂華	1892～1974	広島
		児玉希望	1898～1971	広島
		小絲源太郎	1887～1978	東京
○1960年（昭和35年）				
	洋画	小山敬三	1897～1987	長野
		寺内萬治郎	1890～1964	大阪
		東郷青児	1897～1978	鹿児島
	書	鈴木翠軒	1889～1976	愛知
○1961年（昭和36年）				
	日本画	宇田荻邨	1896～1980	三重
○1962年（昭和37年）				
	彫塑	加藤顕清	1894～1966	愛知
		澤田政廣	1894～1988	静岡
	工芸	清水六兵衛	1901～1980	京都
		楠部彌弌	1897～1984	京都
	書	川村驥山	1882～1969	静岡
	建築	谷口吉郎	1904～1979	東京
○1963年（昭和38年）				
	洋画	大久保作次郎	1890～1973	大阪
		鬼頭鍋三郎	1899～1982	愛知
○1964年（昭和39年）				
	彫塑	雨宮治郎	1889～1970	茨城
○1965年（昭和40年）				
	日本画	東山魁夷	1908～1999	神奈川
	彫塑	清水多嘉示	1897～1981	長野
○1966年（昭和41年）				
	洋画	宮本三郎	1905～1974	石川
	工芸	井上良斎	1888～1971	愛知
○1967年（昭和42年）				
	洋画	田崎廣助	1898～1984	福岡
		耳野卯三郎	1891～1974	大阪
	彫塑	古賀忠雄	1903～1979	佐賀
○1968年（昭和43年）				
	彫塑	松田尚之	1898～1995	富山
○1969年（昭和44年）				
	洋画	井手宣通	1912～1993	熊本
		岡鹿之助	1898～1978	東京
		鈴木信太郎	1895～1989	東京
	彫塑	大内青圃	1898～1981	東京
	書	西川寧	1902～1989	東京
○1970年（昭和45年）				
	日本画	杉山寧	1909～1993	東京
	彫塑	圓鍔勝三	1905～2003	広島
○1971年（昭和46年）				
	日本画	橋本明治	1904～1991	島根
		山口華楊	1899～1984	京都
	書	松本芳翠	1893～1971	愛媛
○1972年（昭和47年）				
	日本画	郷倉千靱	1892～1975	富山
		髙山辰雄	1912～2007	大分
	洋画	鈴木千久馬	1894～1980	福井
	書	安東聖空	1893～1983	兵庫
○1973年（昭和48年）				
	日本画	奥田元宋	1912～2003	広島
○1974年（昭和49年）				
	洋画	小堀進	1904～1975	茨城
	彫塑	富永直樹	1913～2006	長崎
	工芸	帖佐美行	1915～2002	鹿児島

発令年度	分科	名前	生没年	出身地
○1975年（昭和50年）				
	日本画	森田沙伊	1898～1993	北海道
	洋画	野口彌太郎	1899～1976	東京
	工芸	蓮田修吾郎	1915～2010	石川
	建築	中村順平	1887～1977	東京
○1976年（昭和51年）				
	日本画	池田遙邨	1895～1988	岡山
		小倉遊亀	1895～2000	滋賀
	洋画	森田茂	1907～2009	茨城
		吉井淳二	1904～2004	鹿児島
○1977年（昭和52年）				
	日本画	岩田正巳	1893～1988	新潟
	洋画	新道繁	1907～1981	福井
	彫塑	木下繁	1908～1988	和歌山
	書	日比野五鳳	1901～1985	岐阜
○1978年（昭和53年）				
	日本画	森白甫	1898～1980	東京
	洋画	高田誠	1913～1992	埼玉
	建築	今井兼次	1895～1987	東京
○1979年（昭和54年）				
	日本画	三輪晁勢	1901～1983	新潟
	洋画	高光一也	1907～1986	石川
○1980年（昭和55年）				
	日本画	佐藤太清	1913～2004	京都
		西山英雄	1911～1989	京都
	洋画	田村一男	1904～1997	東京
	彫塑	北村治禧	1915～2001	長崎
		晝間弘	1916～1984	東京
	建築	海老原一郎	1905～1990	東京
○1981年（昭和56年）				
	日本画	岩橋英遠	1903～1999	北海道
		上村松篁	1902～2001	京都
	洋画	牛島憲之	1900～1997	熊本
		中村琢二	1897～1988	福岡
	工芸	佐治賢使	1914～1999	岐阜
		髙橋節郎	1914～2007	長野
○1982年（昭和57年）				
	日本画	片岡球子	1905～2008	北海道
	洋画	小磯良平	1903～1988	兵庫
	彫塑	淀井敏夫	1911～2005	兵庫
	工芸	吉賀大眉	1915～1991	山口
○1983年（昭和58年）				
	洋画	田村孝之介	1903～1986	大阪
	彫塑	進藤武松	1909～2000	東京
	書	青山杉雨	1912～1993	愛知
○1984年（昭和59年）				
	日本画	加藤東一	1916～1996	岐阜
		濱田観	1898～1985	兵庫
	洋画	伊藤清永	1911～2001	兵庫
		西山真一	1906～1989	福井
	工芸	浅蔵五十吉	1913～1998	石川
○1985年（昭和60年）				

発令年度	分科	名前	生没年	出身地
	工芸	大久保婦久子	1919～2000	静岡
	書	村上三島	1912～2005	愛媛
	建築	大江宏	1913～1989	秋田
○1986年（昭和61年）				
	日本画	大山忠作	1922～2009	福島
	洋画	菅野矢一	1908～1991	山形
	彫塑	三坂耿一郎	1908～1995	福島
○1987年（昭和62年）				
	洋画	服部正一郎	1907～1995	茨城
	工芸	香取正彦	1899～1988	東京
○1988年（昭和63年）				
	日本画	浦田正夫	1910～1997	熊本
	洋画	楢原健三	1907～1999	東京
		渡邉武夫	1916～2003	東京
	彫塑	野々村一男	1906～2008	愛知
	建築	芦原義信	1918～2003	東京
○1989年（平成元年）				
	日本画	加倉井和夫	1919～1995	茨城
		濱田台児	1916～2010	鳥取
	彫塑	小森邦夫	1917～1993	茨城
		中村晋也	1926～	鹿児島
	工芸	藤田喬平	1921～2004	東京
	書	杉岡華邨	1913～2012	奈良
	建築	池原義郎	1928～2017	東京
○1990年（平成2年）				
	洋画	大内田茂士	1913～1994	福岡
		寺田竹雄	1908～1993	福岡
	建築	吉村順三	1908～1997	東京
○1991年（平成3年）				
	日本画	鈴木竹柏	1918～	神奈川
	洋画	國領經郎	1919～1999	神奈川
		佐竹徳	1897～1998	大阪
○1992年（平成4年）				
	日本画	関主税	1919～2000	千葉
	工芸	青木龍山	1926～2008	佐賀
○1993年（平成5年）				
	洋画	藤本東一良	1913～1998	大阪
	書	小林斗盦	1916～2007	埼玉
○1994年（平成6年）				
	日本画	福王寺法林	1920～2012	山形
		松尾敏男	1926～2016	長崎
	洋画	芝田米三	1926～2006	京都
		鶴岡義雄	1917～2007	茨城
	彫塑	雨宮敬子	1931～2019	東京
○1995年（平成7年）				
	洋画	織田廣喜	1914～2012	福岡
		平松譲	1914～2013	東京
	彫塑	長江録弥	1926～2005	愛知
○1996年（平成8年）				
	洋画	奥谷博	1934～	高知
	彫塑	橋本堅太郎	1930～	東京
○1997年（平成9年）				

発令年度	分科	名前	生没年	出身地
	日本画	郷倉和子	1914～2016	東京
		白鳥映雪	1912～2007	長野
○1998年（平成10年）				
	洋画	寺島龍一	1918～2001	東京
		中山忠彦	1935～	大分
	工芸	奥田小由女	1936～	大阪
	建築	黒川紀章	1934～2007	愛知
○1999年（平成11年）				
	日本画	佐藤圀夫	1922～2006	岩手
		山岸純	1930～2001	滋賀
	洋画	島田章三	1933～2016	神奈川
	工芸	大樋年朗	1927～	石川
○2000年（平成12年）				
	日本画	岩澤重夫	1927～2009	大分
	洋画	庄司栄吉	1917～2015	大阪
○2001年（平成13年）				
	日本画	中路融人	1933～2017	京都
	洋画	絹谷幸二	1943～	奈良
	彫塑	雨宮淳	1937～2010	東京
○2002年（平成14年）				
	日本画	上村淳之	1933～	京都
		那波多目功一	1933～	茨城
	洋画	清原啓一	1927～2008	富山
	工芸	三谷吾一	1919～2017	石川
○2003年（平成15年）				
	洋画	塗師祥一郎	1932～2016	石川
	工芸	今井政之	1930～	大阪
○2004年（平成16年）				
	洋画	山本貞	1934～	東京
	彫塑	川﨑普照	1931～	東京
	彫塑	澄川喜一	1931～	島根
	建築	岡田新一	1928～2014	茨城
○2005年（平成17年）				
	洋画	寺坂公雄	1933～	愛媛
	彫塑	蛭田二郎	1933～	茨城
	工芸	河合誓徳	1927～2010	大分
○2006年（平成18年）				
	日本画	岩倉壽	1936～2018	香川
		川﨑春彦	1929～2018	東京
	洋画	村田省蔵	1929～2018	石川
	彫塑	能島征二	1941～	東京
	書	古谷蒼韻	1924～2018	京都
○2007年（平成19年）				
	洋画	大津英敏	1943～	福岡
	工芸	中里逢庵	1923～2009	佐賀
○2008年（平成20年）				
	日本画	清水達三	1936～	和歌山
	洋画	藤森兼明	1935～	富山
	彫塑	市村緑郎	1936～2014	茨城
		山本眞輔	1939～	愛知
	工芸	中井貞次	1932～	京都
	書	日比野光鳳	1928～	京都
	建築	谷口吉生	1937～	東京
○2009年（平成21年）				
	日本画	土屋禮一	1946～	岐阜
		福田千惠	1946～	東京
	洋画	藪野健	1943～	愛知
○2010年（平成22年）				
	日本画	福王寺一彦	1955～	東京
	洋画	山本文彦	1937～	東京
	工芸	武腰敏昭	1940～	石川
	工芸	森野泰明	1934～	京都
	評論・翻訳			
		粟津則雄	1927～	愛知
○2011年（平成23年）				
	工芸	伊藤裕司	1930～	京都
○2012年（平成24年）				
	日本画	山﨑隆夫	1940～	新潟
	洋画	池口史子	1943～	大連
	彫塑	神部峰男	1944～	岐阜
	書	井茂雅吉	1936～	兵庫
○2015年（平成27年）				
	洋画	佐藤哲	1944～	大分
	建築	槇文彦	1928～	東京
	詩歌	吉増剛造	1939～	東京
	評論・翻訳			
		高階秀爾	1932～	東京
○2017年（平成29年）				
	日本画	西田俊英	1953～	三重
	洋画	根岸右司	1938～	埼玉
	建築	磯崎新	1931～	大分
○2018年（平成30年）				
	洋画	馬越陽子	1934～	東京
	評論・翻訳			
		芳賀徹	1931～	山形
○2019年（令和元年）				
	工芸	春山文典	1945～	長野
	書	黒田賢一	1947～	兵庫

重要無形文化財認定者（人間国宝）一覧

●工芸技術分野のみ掲載しています。

指定・認定年	分野	名前	生没年
○1955年（昭和30年）			
	色絵磁器	富本憲吉	1886～1963
	志野、瀬戸黒	荒川豊蔵	1894～1985
	鉄釉陶器	石黒宗麿	1893～1968
	民芸陶器	濱田庄司	1894～1978
	江戸小紋	小宮康助	1882～1961
	長板中形	松原定吉	1893～1955
	長板中形	清水幸太郎	1897～1988
	伊勢型紙突彫	南部芳松	1894～1976
	伊勢型紙錐彫	六谷梅軒	1907～1973
	伊勢型紙道具彫	中島秀吉	1883～1968
	伊勢型紙道具彫	中村勇二郎	1902～1985
	伊勢型紙縞彫	児玉博	1909～1992
	伊勢型紙糸入れ	城ノ口みゑ	1917～2003
	蒔絵	高野松山	1889～1976
	蒔絵	松田権六	1896～1986
	銅鑼	初代 魚住為楽	1886～1964
	衣裳人形	堀柳女	1897～1984
	衣裳人形	平田郷陽	1903～1981
	友禅	三代 田畑喜八	1877～1956
	友禅	木村雨山	1891～1977
	友禅	中村勝馬	1894～1982
	友禅	上野為二	1901～1960
	友禅楊子糊	山田栄一	1900～1956
	正藍染	千葉あやの	1889～1980
	彫漆	音丸耕堂	1898～1997
	沈金	前大峰	1890～1977
	彫金	海野清	1884～1956
	日本刀	高橋貞次	1902～1968
	小千谷縮・越後上布	越後上布 小千谷縮布 技術保存協会（1976年認定）	
○1956年（昭和31年）			
	備前焼	金重陶陽	1896～1967
	型絵染	芹沢銈介	1895～1984
	精好仙台平	甲田栄佑	1902～1970
	唐組	深見重助	1885～1974
	羅	喜多川平朗	1898～1988
	蒟醤	磯井如真	1883～1964
	結城紬	本場結城紬技術保持会（1976年認定）	
○1957年（昭和32年）			
	久留米絣	重要無形文化財 久留米絣技術保持者会（1976年認定）	
○1960年（昭和35年）			
	有職織物	喜多川平朗	1898～1988
	蠟型鋳造	佐々木象堂	1882～1961
○1961年（昭和36年）			
	色絵磁器	加藤土師萌	1900～1968
	紙塑人形	鹿児島寿蔵	1898～1982
○1962年（昭和37年）			
	型絵染	稲垣稔次郎	1902～1963
○1963年（昭和38年）			
	茶の湯釜	長野垤志	1900～1977
	日本刀	宮入行平	1913～1977
○1964年（昭和39年）			
	鋳金	高村豊周	1890～1972
○1965年（昭和40年）			
	肥後象嵌・透	米光光正	1888～1980
○1967年（昭和42年）			
	友禅	森口華弘	1909～2008
	竹芸	生野祥雲斎	1904～1974
○1968年（昭和43年）			
	越前奉書	八代 岩野市兵衛	1901～1976
	雁皮紙	安部榮四郎	1902～1984
○1969年（昭和44年）			
	本美濃紙	本美濃紙保存会（1976年認定）	
	石州半紙	石州半紙技術者会（1976年認定）	
○1970年（昭和45年）			
	備前焼	藤原啓	1899～1983
	萩焼	三輪休和	1895～1981
	木工芸	黒田辰秋	1904～1982
	木工芸	氷見晃堂	1906～1975
○1971年（昭和46年）			
	献上博多織	小川善三郎	1900～1983
	日本刀	月山貞一	1907～1995
	柿右衛門（濁手）	柿右衛門製陶技術保存会（1976年認定）	
	色鍋島	色鍋島技術保存会	
○1973年（昭和48年）			
	型絵染	鎌倉芳太郎	1898～1983
○1974年（昭和49年）			
	髹漆	赤地友哉	1906～1984
	喜如嘉の芭蕉布	喜如嘉の芭蕉布保存会（1976年認定）	
○1975年（昭和50年）			

指定・認定年	分野	名前	生没年
	刀剣研磨	本阿彌日洲	1908～1996
	刀剣研磨	小野光敬	1913～1994
○1976年（昭和51年）			
	唐津焼	中里無庵	1895～1985
	色鍋島	色鍋島今右衛門技術保存会	
○1977年（昭和52年）			
	染付	近藤悠三	1902～1985
	梵鐘	香取正彦	1899～1988
	鍛金	関谷四郎	1907～1994
	輪島塗	輪島塗技術保存会	
○1978年（昭和53年）			
	江戸小紋	小宮康孝	1925～2017
	髹漆	増村益城	1910～1996
	彫金	内藤四郎	1907～1988
	茶の湯釜	角谷一圭	1904～1999
	宮古上布	宮古上布保持団体	
	細川紙	細川紙技術者協会	
○1979年（昭和54年）			
	彫金	鹿島一谷	1898～1996
○1981年（昭和56年）			
	日本刀	隅谷正峯	1921～1998
	截金	斎田梅亭	1900～1981
○1982年（昭和57年）			
	紬縞織・絣織	宗廣力三	1914～1989
	蒔絵	大場松魚	1916～2012
	竹工芸	飯塚小玕斎	1919～2004
○1983年（昭和58年）			
	白磁・青白磁	塚本快示	1912～1990
	萩焼	三輪壽雪（十一代 三輪休雪）	1910～2012
○1984年（昭和59年）			
	友禅	山田貢	1912～2002
	木工芸	大野昭和斎	1912～1996
	木工芸	中臺瑞真	1912～2002
○1985年（昭和60年）			
	鉄釉陶器	清水卯一	1926～2004
	琉球陶器	金城次郎	1912～2004
	蒔絵	寺井直次	1912～1998
	蒟醤	磯井正美	1926～
	截金	西出大三	1913～1995
	撥鏤	吉田文之	1915～2004
○1986年（昭和61年）			
	色絵磁器	藤本能道	1919～1992
	鉄絵	田村耕一	1918～1987
	衣裳人形	野口園生	1907～1996
○1987年（昭和62年）			
	備前焼	山本陶秀	1906～1994
	木象嵌	秋山逸生	1901～1988
○1988年（昭和63年）			
	友禅	羽田登喜男	1911～2008
○1989年（平成元年）			
	色絵磁器	十三代 今泉今右衛門	1926～2001

指定・認定年	分野	名前	生没年
	蒔絵	田口善国	1923～1998
	彫金	金森映井智	1908～2001
	桐塑人形	市橋とし子	1907～2000
○1990年（平成2年）			
	紬織	志村ふくみ	1924～
○1991年（平成3年）			
	彫金	増田三男	1909～2009
○1993年（平成5年）			
	練上手	松井康成	1927～2003
	伊勢型紙	伊勢型紙技術保存会	
	鋳金	齋藤明	1920～2013
○1994年（平成6年）			
	志野	鈴木藏	1934～
	佐賀錦	古賀フミ	1927～2015
	蒟醤	太田儔	1931～2019
	木工芸	川北良造	1934～
○1995年（平成7年）			
	白磁	井上萬二	1929～
	三彩	加藤卓男	1917～2005
	小鹿田焼	小鹿田焼技術保存会	
	羅	北村武資	1935～
	髹漆	塩多慶四郎	1926～2006
	鍛金	奥山峰石	1937～
	竹工芸	二代 前田竹房斎	1917～2003
○1996年（平成8年）			
	民芸陶器（縄文象嵌）	島岡達三	1919～2007
	備前焼	藤原雄	1932～2001
	紅型	玉那覇有公	1936～
	茶の湯釜	高橋敬典	1920～2009
	刀剣研磨	藤代松雄	1914～2004
	衣裳人形	秋山信子	1928～
○1997年（平成9年）			
	青磁	三浦小平二	1933～2006
	彩釉磁器	三代 徳田八十吉	1933～2009
	綴織	細見華岳	1922～2012
	刺繍	福田喜重	1932～
	日本刀	天田昭次	1927～2013
	日本刀	大隅俊平	1932～2009
	木工芸	大坂弘道	1937～
○1998年（平成10年）			
	常滑焼（急須）	三代 山田常山	1924～2005
	首里の織物	宮平初子	1922～
	刀剣研磨	永山光幹	1920～2010
○1999年（平成11年）			
	友禅	田島比呂子	1922～2014
	有職織物	喜多川俵二	1936～
	読谷山花織	與那嶺貞	1909～2003
	螺鈿	北村昭斎	1938～
	沈金	前史雄	1940～
	彫金	鴨下春明	1915～2001
○2000年（平成12年）			
	芭蕉布	平良敏子	1921～

指定・認定年	分野	名前	生没年
	経錦	北村武資	1935～
	越前奉書	九代 岩野市兵衛	1933～
○2001年（平成13年）			
	色絵磁器	十四代 酒井田柿右衛門	1934～2013
	釉裏金彩	吉田美統	1932～
	木工芸	中川清司	1942～
	土佐典具帖紙	濱田幸雄	1931～2016
○2002年（平成14年）			
	精好仙台平	甲田綏郎	1929～
	髹漆	大西勲	1944～
	銅鑼	三代 魚住為楽	1937～
	桐塑人形	林駒夫	1936～
	名塩雁皮紙	谷野剛惟	1935～
	截金	江里佐代子	1945～2007
○2003年（平成15年）			
	無名異焼	五代 伊藤赤水	1941～
	献上博多織	小川規三郎	1936～
	木工芸	村山明	1944～
	竹工芸	五世 早川尚古齋	1932～2011
○2004年（平成16年）			
	備前焼	伊勢﨑淳	1936～
	久米島紬	久米島紬保存団体	
	彫金	中川衛	1947～
○2005年（平成17年）			
	鉄釉陶器	原清	1936～
	紬織	佐々木苑子	1939～
	鋳金	大澤光民	1941～
	竹工芸	勝城蒼鳳	1934～
○2006年（平成18年）			
	髹漆	小森邦衞	1945～
	鍛金	田口壽恒	1940～
○2007年（平成19年）			
	青磁	中島宏	1941～2018
	友禅	森口邦彦	1940～
○2008年（平成20年）			
	木版摺更沙	鈴田滋人	1954～
	髹漆	増村紀一郎	1941～
	蒔絵	室瀬和美	1950～
	彫金	桂盛仁	1944～
○2010年（平成22年）			
	瀬戸黒	加藤孝造	1935～
	紋紗	土屋順紀	1954～
	友禅	二塚長生	1946～
	蒔絵	中野孝一	1947～
	鍛金	玉川宣夫	1942～
○2012年（平成24年）			
	木工芸	灰外達夫	1941～2015
	竹工芸	藤沼昇	1945～
○2013年（平成25年）			
	白磁	前田昭博	1954～
	蒟醤	山下義人	1951～

指定・認定年	分野	名前	生没年
○2014年（平成26年）			
	色絵磁器	十四代 今泉今右衛門	1962～
	刀剣研磨	本阿弥光洲	1939～
	彫金	山本晃	1944～
	木工芸	須田賢司	1954～
○2015年（平成27年）			
	鍛金	大角幸枝	1945～
○2016年（平成28年）			
	紬織	村上良子	1949～
○2017年（平成29年）			
	小石原焼	福島善三	1959～
○2018年（平成30年）			
	江戸小紋	小宮康正	1956～
	沈金	山岸一男	1954～

主要美術賞歴代受賞作家一覧

日本藝術院賞　主催:日本藝術院　対象:作品　(昭和16、17年は帝国芸術院賞)

西暦	受賞年度	受賞者名	作品タイトル	分野	所属団体(当時)
1941	昭和16	小磯良平	「娘子関を征く」	洋画	新制作派協会
1942	昭和17	島田墨仙	「山鹿素行先生」	日本画	新文展
		宮本三郎	「山下・パーシバル両司令官会見図」	洋画	二科会
		古賀忠雄	「建つ大東亜」	彫塑	新文展
		吉田源十郎	「梅蒔絵飾棚」	工芸(蒔絵)	
1947	昭和22	伊東深水	「鏡」	日本画	日展
1949	昭和24	小場恒吉(恩賜賞)	日本紋様の研究	工芸	
		鍋井克之	「朝の勝浦港」その他風景諸作	洋画	二紀会
		吉田三郎	木彫作品	彫塑(木彫)	
		岸田日出刀	業績	建築	
1950	昭和25	三宅克己(恩賜賞)	業績	洋画(水彩画)	光風会・日本水彩画会
		徳岡神泉	「鯉」その他の諸作	日本画	日展
		寺内萬治郎	「横臥裸婦」その他一連の裸体画	洋画	日展・光風会
		岩田藤七	「光の美」	工芸(ガラス)	日展
		川村驥山	「酔古堂剣掃語」	書(漢字)	日展
1951	昭和26	白滝幾之助(恩賜賞)	日本洋画界に尽くした功績	洋画	日展
		中山巍	「マチス礼讃」	洋画	独立美術協会
		加藤顕清	「人間」	彫塑	
		山鹿清華	「無心壁掛」	工芸(手織錦)	
		吉田五十八	業績	建築	
1952	昭和27	石川寅治(恩賜賞)	永年の画業	洋画	示現会
		児玉希望	「室内」	日本画	日展
		澤田政廣[晴廣]	「三華」	彫塑	日展
		香取正彦	「攀竜壺」	工芸(鋳金)	日本工芸会
		辻本史邑	「白詩七律」	書(漢字)	
		村野藤吾	業績	建築	
1953	昭和28	沼田一雅(恩賜賞)	業績	工芸(陶彫)	
		金島桂華	「冬田」	日本画	
		小絲源太郎	「春雪」その他昭和28年度風景諸作	洋画	光風会
		清水多嘉示	「青年像」	彫塑	新樹会
		山崎覚太郎	「三曲衝立」	工芸(漆芸)	
		楠部彌弌	花瓶「慶夏」	工芸(陶芸)	日展
1954	昭和29	杉浦非水(恩賜賞)	業績	図案	光風会
		橋本明治	「まり千代像」	日本画	日展
		橋本朝秀	「華厳」	彫塑(木彫)	
		内藤春治	「青銅花瓶」	工芸(鋳金)	
		西川寧	「隷書七言聯」	書(漢字)	日本書道連盟
1955	昭和30	龍村平蔵(恩賜賞)	業績	工芸(染織)	
		東山魁夷	「光昏」	日本画	日展
		山口華楊	「仔馬」	日本画	日展
		鬼頭鍋三郎	「アトリエにて」	洋画	光風会
		清水六兵衛	「玄窯叢花瓶」	工芸(陶芸)	京都陶芸家クラブ
		三井義夫	「彫金象嵌花器」	工芸(彫金)	
1956	昭和31	杉山寧	「孔雀」	日本画	日展
		鈴木千久馬	「てっせん」	洋画	創元会
		東郷青児	壁画「創生の歌」	装飾美術(壁画)	二科会
		雨宮治郎	「健人」	彫塑	

西暦	受賞年度	受賞者名	作品タイトル	分野	所属団体（当時）
		宮之原謙	花瓶「空」	工芸（陶芸）	
		鈴木翠軒	「禅牀夢美人」	書（漢字）	回瀾会
		堀口捨巳	業績	建築	
1957	昭和32	菅楯彦（恩賜賞）	長年の日本画活動とその業績	日本画	日展
		森白甫	「花」	日本画	日展
		望月春江	「蓮」	日本画	日本画院
		中野和高	「少女」	洋画	創元会
		松田尚之	「女性」	彫塑	日展
		山室百世	「鋳銅平足扁壺」	工芸（鋳金）	
1958	昭和33	故・木村荘八（恩賜賞）	「東京繁昌記」	美術・文学	春陽会
		加藤栄三	「空」	日本画	日展
		森田沙伊	「少年」	日本画	日展
		小山敬三	「初夏の白鷺城」並びに一連の白鷺城	洋画	一水会
		林武	林武回顧新作展	洋画	独立美術協会
		井上良斎	「丸文平皿」	工芸（陶芸）	
		大須賀喬	「金彩透彫飾皿」	工芸（彫金）	全日本工芸美術協会
		中村順平	業績	建築	
1959	昭和34	田中親美（恩賜賞）	「平家納経33巻」複製及び古美術複製に尽くした業績	書	
		池田遙邨	「波」	日本画	日展
		郷倉千靱	「山霧」	日本画	日本美術院
		髙山辰雄	「白翳」	日本画	日展
		大久保作次郎	「市場の魚店」並びに業績	洋画	新世紀美術協会
		鈴木信太郎	「鈴木信太郎油絵展」並びに一連の風景画	洋画	一陽会
		各務鑛三	「クリスタル硝子鉢」	工芸（ガラス）	現代工芸会
		岸本景春	「湖面の影」	工芸（刺繍）	
		松本芳翠	「談玄観妙」	書（漢字）	書海社
1960	昭和35	川﨑小虎（恩賜賞）	日本画壇に尽くした業績	日本画	日展
		岩田正巳	「石仏」	日本画	日本画院
		西山英雄	「天壇」	日本画	日展
		矢野橋村	「錦楓」	日本画	
		新道繁	「松」及び35年の個展等近年の業績	洋画	光風会
		田崎廣助	「初夏の阿蘇山」「朝やけの大山」他山の連作	洋画	一水会
		堀進二	「人海」	彫塑	太平洋美術会
		佐治正［賢使］	漆工屏風「都会」	工芸（漆芸）	日展
		皆川月華	染彩「濤」	工芸（染彩）	
		安東聖空	「みなそこ」	書（仮名）	
		中村蘭台	「老子語和光同塵」	書（篆刻）	
		谷口吉郎	「東宮御所」設計及びその他の業績	建築	
1961	昭和36	榊原紫峰（恩賜賞）	日本画壇に尽くした業績	日本画	
		小倉遊亀	「母子」	日本画	日本美術院
		三輪晁勢	「朱柱」	日本画	東丘社
		耳野卯三郎	「静物」及び以前に発表した静物の連作	洋画	光風会
		蓮田修吾郎	「森の鳴動」	工芸（鋳金）	日展
		山脇洋二	「游砂」	工芸（彫金）	
		炭山南木	「白楽天詩」	書（漢字）	日本書芸院
		竹腰健造	業績	建築	
1962	昭和37	河村蜻山（恩賜賞）	帝展、文展、日展に出品して工芸界に尽くした業績	工芸（陶芸）	工芸美術作家協会
		奥田元宋	「磐梯」	日本画	日月社
		山田申吾	「嶺」	日本画	
		田村一男	「梅雨高原」及び近年の日展作品	洋画	日展・光風会
		中村琢二	「画室の女」「男の像」	洋画	一水会
		大内青圃	「多羅菩薩」並びに一連の仏教彫刻	彫塑	日本美術院
		中川清	「あるく」並びに近作	彫塑	
		番浦省吾	「象潮」	工芸（漆芸）	現代工芸協会
		森野嘉光	「塩釉三足花瓶」	工芸（陶芸）	
		山崎節堂	「古諺」及び近作	書（漢字）	日本書道連盟
1963	昭和38	中川紀元（恩賜賞）	永年にわたる芸術上の功績	洋画	二紀会
		山本丘人	「異郷落日」及び連年の作	日本画	新制作協会
		岡鹿之助	回顧展作品並びに多年にわたる業績	洋画	春陽会

西暦	受賞年度	受賞者名	作品タイトル	分野	所属団体（当時）
		辻光典	装飾画「クノサス」	工芸（漆芸）	光風会
		松井如流	隷書「杜少陵詩」	書（漢字）	東方書道院
1964	昭和39	麻田辨自	「潮騒」	日本画	日展
		濱田観	「彩池」	日本画	日展
		吉井淳二	「水汲」並びに近作	洋画	二科会
		髙橋節郎	「化石譜」	工芸（漆芸）	現代工芸美術家協会
		日比野五鳳	「清水」	書（仮名）	日本書芸院
		前田健二郎	「妙本寺釈迦堂」並びに建築界に尽くした業績	建築	
1965	昭和40	池部鈞（恩賜賞）	永年にわたり洋画界に尽くした業績	洋画	一水会
		中村貞以	「シャム猫と青衣の女」及び多年の業績	日本画	日本美術院
		山本倉丘	「たそがれ」	日本画	日展
		井手宣通	「千人行列」	洋画	光風会
		圓鍔勝三	「旅情」	彫塑（木彫）	日本彫塑会
		藤野舜正	「光は大空より」	彫塑	日本彫塑家協会
		帖佐美行	「夜光双想」	工芸（彫金）	現代工芸美術家協会
		青山杉雨	「詩経の一節」	書（漢字）	謙慎書道会
		今井兼次	「桃華楽堂」設計及びその他一連の設計作品	建築	
1966	昭和41	上村松篁	「樹下幽禽」並びに業績	日本画	新制作協会
		佐藤太清	「風騒」	日本画	日月社
		島村三七雄	「巽橋」並びに業績	洋画	独立美術協会
		浅見隆三	「爽」並びに一連の作品	工芸（磁器）	現代工芸美術家協会
		金子鷗亭	「兵畚寄懐抱」	書（漢字）	創玄書道会
		佐藤武夫	業績	建築	
1967	昭和42	藤島亥治郎（恩賜賞）	古寺の再現設計による長年の業績	建築	
		伊東万燿	「踊る」	日本画	日展・日月社
		佐竹徳	「オリーブと海」	洋画	
		服部正一郎	「水郷」	洋画	二科会
		北村治禧	「光る波」	彫塑	
		北出塔次郎	「胡砂の旅」	工芸（陶芸）	現代工芸美術家協会
		安原喜明	「炻器花挿」	工芸（陶芸）	現代工芸美術家協会
		村上三島	「杜甫贈高式顔詩」	書（漢字）	日本書芸院
1968	昭和43	黒田重太郎（恩賜賞）	永年にわたり美術界に尽くした功績	洋画	二紀会
		三谷十糸子	「高原の朝」及び多年の業績	日本画	日展
		中村善策	「張碓のカムイコタン」等の諸作	洋画	日展・一水会
		般若侑弘	「青い朝」	工芸（染色）	光風会
		田中塊堂	「平和」	書（仮名）	日本書芸院
1969	昭和44	寺島紫明（恩賜賞）	「舞妓」	日本画	
		小堀進	「初秋」	洋画	白日会
		森田茂	「黒川能」	洋画	東光会
		晝間弘	「穹」	彫塑	
		海野建夫	「雨もよい」	工芸（彫金）	光風会
		桑田笹舟	「母」	書（仮名）	
1970	昭和45	吉岡堅二	「鳥碑（2）」	日本画	新制作協会
		高光一也	「緑の服」	洋画	光風会
		水船六洲	「紡ぎ唄」	彫塑（木彫）	
		吉賀大眉	「連作暁雲」	工芸（陶芸）	現代工芸美術家協会
		大石隆子	「王朝讃歌」	書（仮名）	
		金田心象	「玄覧」	書（漢字）	
		海老原一郎	「尾崎記念館」等一連の建築作品	建築	
1971	昭和46	岩橋英遠	「鳴門」	日本画	日本美術院
		高田誠	「残雪暮色」	洋画	一水会
		富永直樹	「新風」	彫塑	日本彫塑会
		廣津雲仙	「杜甫詩」	書（漢字）	日本書芸院
1972	昭和47	野村守夫（恩賜賞）	「丘にある街」	洋画	二科会
		大山忠作	「五百羅漢」	日本画	
		進藤武松	「薫風」	彫塑	日本彫塑会
		佐野猛夫	「噴煙の島」	工芸（染色）	現代工芸美術家協会
		宮本竹逕	「萬葉歌」	書（仮名）	日本書芸院
1973	昭和48	猪原大華（恩賜賞）	「清明」	日本画	

西暦	受賞年度	受賞者名	作品タイトル	分野	所属団体（当時）
		木下繁	「裸婦」	彫塑	日本彫塑会
		前川國男	「埼玉県立博物館」の設計	建築	
1974	昭和49	片岡球子（恩賜賞）	「面構―鳥文斎栄之」	日本画	日本美術院
		分部順治	「瞭」	彫塑	日本彫塑会
		吉村順三	「奈良国立博物館」の設計	建築	
1975	昭和50	川本末雄（恩賜賞）	「春の流れ」	日本画	日展
		岡田又三郎	「ともしび」	洋画	光風会
		木村知石	禅語「二龍争珠」	書（漢字）	
1976	昭和51	伊藤清永（恩賜賞）	「曙光」	洋画	白日会
		加藤東一	「女人」	日本画	日展
		淀井敏夫	「ローマの公園」	彫塑	二科会
		殿村藍田	「薛逢詩」	書（漢字）	謙慎書道会
1977	昭和52	浦田正夫	「松」	日本画	日展
		上條信山	「汲古」	書（漢字）	謙慎書道会
1978	昭和53	松尾敏男	「サルナート想」	日本画	日本美術院
		宮永岳彦	「鵬」	洋画	二紀会
		三坂耿一郎	「壺中天」	彫塑	日展
1979	昭和54	濵田台児	「女辯護士」	日本画	日展
		西山真一	「六月の頃」	洋画	光風会
		佐藤助雄	「振向く」	彫塑	日本彫塑会
		新開寛山	「玄鳥」	工芸（陶芸）	日本新工芸家連盟
		白井晟一	「親和銀行本店」の建築設計	建築	
1980	昭和55	小坂奇石（恩賜賞）	「寒山詩二首」	書（漢字）	日本書芸院
		加倉井和夫	「青苑」	日本画	日展
		楢原健三	「漁港夜景」	洋画	日展・示現会
		野々村一男	「物とのはざま」	彫塑	日本彫刻会
		浅蔵五十吉	「佐渡の印象」	工芸（陶芸）	現代工芸美術家協会
		大江宏	「丸亀武道館」等建築設計の業績	建築	
1981	昭和56	吉田善彦（恩賜賞）	「春雪妙義」	日本画	日本美術院
		菅野矢一	「くるゝ蔵王」	洋画	日展・一水会
		伊藤五百亀	「渚」	彫塑	日本彫刻会
		岩田久利	「聖華」	工芸（ガラス）	光風会
		高橋靗一	「塚本英世記念館・芸術情報センター」の建築設計	建築	
1982	昭和57	大久保婦久子（恩賜賞）	「神話」	工芸（皮革）	現代工芸美術家協会
		杉岡華邨	「玉藻」	書（仮名）	日展
1983	昭和58	小林斗盦（恩賜賞）	「柔遠能邇」	書（篆刻）	謙慎書道会
		福王寺法林	「ヒマラヤの花」	日本画	日本美術院
		寺田竹雄	「朝の港」	洋画	二科会
		中里太郎右衛門	「叩き唐津手付瓶」	工芸（陶芸）	日展・日工会
		芦原義信	「国立歴史民俗博物館」の建築設計	建築	
1984	昭和59	村山徑（恩賜賞）	「冠」	日本画	日展
		渡邉武夫	「シャンパアニュの丘」	洋画	光風会
		小森邦夫	「青春譜」	彫塑	日展
		大樋年朗	「峙つ」	工芸（陶芸）	日展
		古谷蒼韻	「萬葉・秋雑歌」	書（漢字）	日本書芸院
		西澤文隆	「神宮前の家」等一連の住宅作品に対し	建築	
1985	昭和60	高橋剛（恩賜賞）	「稽古場の踊り子」	彫塑	日展
		関主税	「野」	日本画	日展
		廣瀬功	「高原の秋」	洋画	日展・一水会
		折原久左エ門	「祀跡」	工芸（鋳金）	日展
		浅見筧洞	「曽子語」	書（漢字）	日展
1986	昭和61	今井凌雪（恩賜賞）	「桃花瞼薄」	書（漢字）	日展
		堂本元次	「懸空寺」	日本画	日展
		中村博直	「静秋」	彫塑	日展
		谷口吉生	「土門拳記念館」	建築	
1987	昭和62	大内田茂士（恩賜賞）	「卓上」	洋画	日展・示現会
		鈴木竹柏	「気」	日本画	日展
		中村晋也	「朝の祈り」	彫塑	日展
		三谷吾一	「潮風」	工芸（漆芸）	日展

西暦	受賞年度	受賞者名	作品タイトル	分野	所属団体（当時）
		池原義郎	「早稲田大学所沢キャンパス」	建築	
1988	昭和63	藤田喬平（恩賜賞）	飾筥「春に舞う」	工芸（ガラス）	日本ガラス工芸協会
		佐藤圀夫	「月明」	日本画	日展
		浅香鉄心	「白楽天・城上夜宴詩」	書（漢字）	日展
		内井昭蔵	「世田谷美術館」	建築	
1989	平成元	郷倉和子（恩賜賞）	「静日」	日本画	日本美術院
		鶴岡義雄	「舞妓と見習いさん」	洋画	二科会
		雨宮敬子	「想秋」	彫塑	日展
		奥田小由女	「炎心」	工芸（人形）	日展
		伊藤鳳雲	「三吉野の歌」	書（仮名）	日展
		阪田誠造	東京サレジオ学園「ドンボスコ記念聖堂・小聖堂」	建築	
1990	平成2	稗田一穂（恩賜賞）	「月影の道」	日本画	創画会
		國領經郎	「呼」	洋画	日展・日洋会
		長江錄弥	「砂丘」	彫塑	日展
		青木龍山	「胡沙の舞」	工芸（陶芸）	日展
		近藤摂南	「薛濤詩」	書（漢字）	日展
		中村昌生	「白鳥公園・清羽亭」	建築	
1991	平成3	成瀬映山（恩賜賞）	「杜甫詩」	書（漢字）	日展
		山岸純	「樹歌」	日本画	日展
		平松譲	「TOKYO」	洋画	日展・白日会
		柴田鋼造	「香雲」	彫塑	日展
		永井鐵太郎	「うつわ・その六」	工芸（鋳金）	日展
		黒川紀章	「奈良市写真美術館」	建築	
1992	平成4	藤本東一良（恩賜賞）	「展望台のユーカリ」	洋画	日展・光風会
		岩澤重夫	「溪韻」	日本画	日展
		中井貞次	「原生雨林」	工芸（染色）	日展
		尾崎邑鵬	「杜少陵詩」	書（漢字）	日展
		安藤忠雄	「姫路文学館」などのコンクリート素材を生かした一連の建築設計	建築	
1993	平成5	白鳥映雪（恩賜賞）	「菊慈童」	日本画	日展
		芝田米三	「楽聖讃歌」	洋画	独立美術協会
		吉田鎮雄	「遊憩」	彫塑	日展
		井波唯志	「晴礁」	工芸（漆芸）	日展
		栗原蘆水	「菜根譚一節」	書（漢字）	日展
1994	平成6	織田廣喜（恩賜賞）	「夕やけ空の風景」	洋画	二科会
		上村淳之	「雁金」	日本画	創画会
		高木聖鶴	「春」	書（仮名）	日展
		柳澤孝彦	「郡山市立美術館」及び一連の美術館・記念館の設計に対して	建築	
1995	平成7	岡田新一（恩賜賞）	「宮崎県立美術館」及び一連の建築設計に対して	建築	
		奥谷博	「月露」	洋画	独立美術協会
		橋本堅太郎	「竹園生」	彫塑	日展
		大塩正義	「樹相」	工芸（陶芸）	日展
		榎倉香邨	「流翳」	書（仮名）	日展
1996	平成8	寺島龍一（恩賜賞）	「アンダルシア讃」	洋画	日展・光風会
		中路融人	「映象」	日本画	日展
		雨宮淳	「韻」	彫塑	日展
		河合誓徳	「行雲」	工芸（陶芸）	日展
		甫田鵄川	「菜根譚」	書（漢字）	日展
1997	平成9	松下芝堂（恩賜賞）	「花下酔」	書（漢字）	日展
		中山忠彦	「黒扇」	洋画	日展・白日会
		川崎普照	「大地」	彫塑	日展
		今井政之	「赫窯　雙蟹」	工芸（陶芸）	日展
1998	平成10	西本瑛泉（恩賜賞）	「玄窯縄文譜『黎明』」	工芸（陶芸）	日展
		島田章三	「駅の人たち」	洋画	国画会
		山田良定	「開幕の刻」	彫塑	日展
		日比野光鳳	「花」	書（仮名）	日展
		伊東豊雄	「大館樹海ドーム」設計	建築	
1999	平成11	那波多目功一	「富貴譜」	日本画	日本美術院
		庄司榮吉（恩賜賞）	「聴音」	洋画	日展・光風会
		吉賀將夫	「萩釉広口陶壺『曜 '99・海』」	工芸（陶芸）	日展

西暦	受賞年度	受賞者名	作品タイトル	分野	所属団体（当時）
		梅原清山	「漢鏡歌三章」	書道	
		長谷川逸子	「新潟市民芸術文化会館及び周辺ランドスケープの設計」	建築	
2000	平成12	福王寺一彦	「月の耀く夜に 三」	日本画	日本美術院
		絹谷幸二	「蒼穹夢譚」	洋画	独立美術協会
		川尻一寛	「豊穣」	工芸	日展・現代工芸美術家協会
		津金孝邦（恩賜賞）	「森鷗外の詩」	書（漢字）	日展
		山本理顕	「埼玉県立大学」の建築設計	建築	
2001	平成13	清原啓一（恩賜賞）	「花園の遊鶏」	洋画	日展
		蛭田二郎	「告知―2001―」	彫塑	日展・日本彫刻会
		高階秀爾（恩賜賞）	長年にわたる芸術文化についての評論の業績		
		桑田三舟	「春秋」	書	日展
2002	平成14	澄川喜一（恩賜賞）	「そりのあるかたち2002」	彫塑	新制作協会
		塗師祥一郎	「春を待つ山間」	洋画	日展・日洋会
		大角勲	「天地守道（生）」	工芸	日展・現代工芸美術家協会
		井茂圭洞	「清流」	書	日展
		栗生明	「平等院宝物館」設計	建築	
		岩倉壽	「南の窓」	日本画	日展
2003	平成15	新井光風（恩賜賞）	「明且鮮」	書	日展
		宇佐美江中	「暮れゆく函館」	日本画	日展
		山本貞	「少年のいる夏」	洋画	二紀会
		山本眞輔	「生生流転」	彫塑	日展・日本彫刻会・白日会
		伊藤裕司	「スサノオ聚抄」	工芸	日展・現代工芸美術家協会
		宮本忠長	「松本市美術館」設計	建築	
2004	平成16	川﨑春彦（恩賜賞）	「朝明けの湖」	日本画	日展
		寺坂公雄	「アクロポリスへの道」	洋画	日展・光風会
		能島征二	「慈愛―こもれび―」	彫塑	日展・日本彫刻会
		黒野清宇	「梅の花」	書	日展
2005	平成17	村田省蔵（恩賜賞）	「春耕」	洋画	日展
		福田千惠	「ピアニスト」	日本画	日展
		市村緑郎	「間」	彫塑	日展・日本彫刻会
		原益夫	「エンドレス」	工芸	日展・現代工芸美術家協会
		劉蒼居	「袁枚詩」	書	日展・全国書美術振興会
		香山壽夫	「聖学院大学礼拝堂・講堂」設計	建築	
2006	平成18	池田桂鳳（恩賜賞）	「三諸」	書	日展・水穂会
		土屋禮一	「軍鶏」	日本画	日展
		大津英敏	「朝陽巴里」	洋画	独立美術協会
		瀬戸剛	「エチュード」	彫塑	日展・日本彫刻会
		森野泰明	「扁壺『大地』」	工芸	日展・現代工芸美術家協会
2007	平成19	清水達三（恩賜賞）	「翠響」	日本画	日本美術院
		藤森兼明	「アドレーション　サンビターレ」	洋画	日展・光風会
		神戸峰男	「朝」	彫塑	日展・日本彫刻会
		杭迫柏樹	「送茶」	書	日展
		鈴木了二	「金刀比羅宮プロジェクト」	建築	
2008	平成20	小山やす子（恩賜賞）	「更級日記抄」	書	日展
		藪野健	「ある日アッシジの丘で」	洋画	二紀会
		宮瀬富之	「源氏物語絵巻に想う」	彫塑	日展
2009	平成21	山本文彦（恩賜賞）	「樹想」	洋画	二紀会
		武腰敏昭	「湖畔・彩釉花器」	工芸	日展
		樽本樹邨	「富陽妙庭観董雙成故宅發地得丹鼎」	書	日展
		北川原温	「中村・キース・ヘリング美術館」（07年4月完成）	建築	
		粟津則雄（恩賜賞）	文学を中心にした芸術各分野における長年の活動		
2010	平成22	山﨑隆夫（恩賜賞）	「海煌」	日本画	日展
		黒田賢一	「小倉山」	書	日展
		古谷誠章	「茅野市民館」	建築	
2011	平成23	池口史子（恩賜賞）	「深まる秋」	洋画	立軌会
		吉野毅	「夏の終り'11」	彫塑	二科会
		宮田亮平	「シュプリンゲン『翔』」	工芸	日展
		星弘道	「李頎詩　贈張旭」	書	日展
2012	平成24	槇文彦（恩賜賞）	「名古屋大学豊田講堂」	建築	

西暦	受賞年度	受賞者名	作品タイトル	分野	所属団体（当時）
		能島和明	「鐘巻」（黒川能）	日本画	日展
		佐藤哲	「夏の終りに」	洋画	日展・東光会
		寺池静人	「富貴想」	工芸	日展
2014	平成26	馬越陽子	「人間の大河―いのち舞う・不死の愛―」	洋画	独立美術協会・女流画家協会
		陶器二三雄	「文京区立森鷗外記念館」	建築	
2015	平成27	後藤純男（恩賜賞）	「大和の雪」	日本画	日本美術院
		山田朝彦	「朝の響き」	彫塑	日展・日本彫刻会
		春山文典	「宙の河」	工芸	日展・現代工芸美術家協会
2016	平成28	髙木聖雨（恩賜賞）	「協戮」	書	日展・謙慎書道会
		西田俊英	「森の住人」	日本画	日本美術院
		根岸右司	「古潭風声」	洋画	日展・光風会
2017	平成29	田渕俊夫（恩賜賞）	「渦潮」	日本画	日本美術院
		湯山俊久	「l'Aube（夜明け）」	洋画	日展
		三田村有純	「月の光 その先に」	工芸	日展・現代工芸美術家協会
		土橋靖子	「かつしかの里」	書	日展・日本書芸院
		芳賀徹（恩賜賞）	『文明としての徳川日本 一六〇三―一八五三年』	文芸	
2018	平成30	真神巍堂（恩賜賞）	「碧潯」	書	日展
		池川直	「時の旅人」	彫塑	日展・日本彫刻会・白日会
		並木恒延	「月出ずる」	工芸	日展・現代工芸美術家協会

芸術選奨　**主催：文化庁　対象：作家**

西暦	受賞年度	賞名	受賞者名	作品タイトル	分野	所属団体（当時）
1949	昭和24	文部大臣賞	山本丘人	日本画界の業績	日本画	創造美術
		文部大臣賞	木下義謙	「大平街道」	洋画	一水会
		文部大臣賞	前大峰	「蘭と猫の図」小屏風	工芸（漆器）	
1950	昭和25	文部大臣賞	吉岡堅二	日本画近代化の研究	日本画	創造美術
		文部大臣賞	三岸節子	「静物　山梔」	洋画	新制作派協会
		文部大臣賞	横江嘉純	彫塑界の業績	彫塑	
		文部大臣賞	信田洋	「芙蓉置物」	工芸	
1951	昭和26	文部大臣賞	橋本明治	「赤い椅子」	日本画	日展
		文部大臣賞	岡鹿之助	「遊蝶花」	洋画	春陽会
		文部大臣賞	澤田政廣	「五木の精」	彫塑	日展
		文部大臣賞	楠部彌弌	「四礎四方鶴紋花瓶」	工芸（陶芸）	日展
1952	昭和27	文部大臣賞	金島桂華	「鯉」	日本画	日展・衣笠会
		文部大臣賞	小林和作	「浜辺の丘」	洋画	独立美術協会
		文部大臣賞	清水多嘉示	「裸婦」	彫塑	新樹会
		文部大臣賞	濱田庄司	「壺」と近業	工芸（陶芸）	国画会
1953	昭和28	文部大臣賞	岩橋英遠	「庭石」	日本画	日本美術院
		文部大臣賞	中村琢二	「扇を持つ女」	洋画	一水会
		文部大臣賞	各務鑛三	「クリスタル花器」	工芸（ガラス）	現代工芸会
		文部大臣賞	山田守	「東京厚生年金病院」	建築	
1954	昭和29	文部大臣賞	小倉遊亀	「裸婦」	日本画	日本美術院
		文部大臣賞	新海竹蔵	「少年」	彫塑	日本美術院
		文部大臣賞	松本芳翠	「雄飛」	書（漢字）	書海社
		文部大臣賞	清家清	日本住宅の建築設計	建築	
1955	昭和30	文部大臣賞	鳥海青児	「家並み」	洋画	独立美術協会
		文部大臣賞	木村伊兵衛	海外に取材した作品展などの写真芸術活動	写真	
1956	昭和31	文部大臣賞	福沢一郎	洋画界の業績	洋画	
		文部大臣賞	吉阪隆正	ヴェネチア・ビエンナーレ日本館の建築	建築	
1957	昭和32	文部大臣賞	山本豊市	「裸婦」ほか	彫塑（乾漆）	新樹会
		文部大臣賞	渡辺義雄	写真展「アジア諸国のすがた」	写真	
1958	昭和33	文部大臣賞	上村松篁	「星五位」	日本画	新制作協会
		文部大臣賞	大江宏	法政大学55・58年館	建築	
1959	昭和34	文部大臣賞	山口薫	「矢羽根とぶ」	洋画	モダンアート協会

西暦	受賞年度	賞名	受賞者名	作品タイトル	分野	所属団体（当時）
		文部大臣賞	土門拳	「日本風土記」「古寺巡礼」「民族の美」	写真	
1960	昭和35	文部大臣賞	片岡球子	「渇仰」ほか	日本画	日本美術院
		文部大臣賞	亀倉雄策	日本のデザインを世界的水準に高めた功績	デザイン	
		文部大臣賞	林屋辰三郎	論文「中世芸能史の研究」	評論	
1961	昭和36	文部大臣賞	勅使河原蒼風	海外個展の成果と新しい造形芸術の創造	造形	
		文部大臣賞	山口長男	抽象美術の成果	洋画	二科会
1962	昭和37	文部大臣賞	麻生三郎	「人と雲」ほか	洋画	自由美術家協会
		文部大臣賞	山田喆	「額皿和」「白瓷平水指」と東洋古陶磁の研鑽	工芸（陶芸）	新匠会
1963	昭和38	文部大臣賞	海老原喜之助	「雨の日」ほか	洋画	独立美術協会
		文部大臣賞	菊竹清訓	「出雲大社庁の舎」	建築	
1964	昭和39	文部大臣賞	髙山辰雄	「穹」	日本画	日展
		文部大臣賞	岡村昭彦	「南ヴェトナム戦争従軍記」等ベトナム戦争の写真	写真	
1965	昭和40	文部大臣賞	菅井汲	「朝のオートルート」「ナショナルルート」	洋画	アート・クラブ
		文部大臣賞	圓堂政嘉	京王百貨店新宿本店・山口銀行本店ほか	建築	
1966	昭和41	文部大臣賞	池田満寿夫	「夏の夢」	版画	
		文部大臣賞	赤地友哉	曲輪造り「平棗」ほか	工芸	日本工芸会
1967	昭和42	文部大臣賞	芦原義信	モントリオール万博日本館の設計	建築	
		文部大臣賞	奈良原一高	「ヨーロッパ・静止した時間」	写真	
		文部大臣賞	土方定一	『ドイツルネサンスの画家たち』	評論	
		新人賞	高松次郎	「遠近法による食卓」の連作	洋画	
1968	昭和43	文部大臣賞	牛島憲之	「回顧展」の成果	洋画	立軌会
		文部大臣賞	岩宮武二	「宮廷の庭」	写真	
		新人賞	磯崎新	福岡相互銀行大分支店など	建築	
1969	昭和44	文部大臣賞	大高正人	栃木県議会棟庁舎	建築	
		文部大臣賞	細江英公	『鎌鼬』	写真	
		新人賞	吉原英雄	「女」「プロポーズ」等	版画	日本版画協会
1970	昭和45	文部大臣賞	石本正	「横臥裸婦」	日本画	新制作協会
		文部大臣賞	岡田又三郎	「大地の詩」	洋画	光風会
		新人賞	保田春彦	第2回現代彫刻展出品作	彫塑	
1971	昭和46	文部大臣賞	白川義員	写真集『ヒマラヤ』	写真	
		新人賞	青木香流	ミラノでの第4回個展の成果	書（漢字）	独立書人団
		新人賞	松尾敏男	「海峡」の成果	日本画	日本美術院
1972	昭和47	文部大臣賞	野口彌太郎	「那智の滝」	洋画	独立美術協会
		文部大臣賞	川崎清	栃木県立美術館	建築	
		新人賞	篠山紀信	展覧会「女形・玉三郎」	写真	
1973	昭和48	文部大臣賞	佐藤忠良	「帽子・あぐら」	彫塑	新制作協会
		文部大臣賞	槇文彦	「ヒルサイドテラス」	建築	
		新人賞	加守田章二	「刻文壺」一連の作品	工芸（陶芸）	
1974	昭和49	文部大臣賞	小松均	「春の最上川」	日本画	日本美術院
		文部大臣賞	関野準一郎	「東海道五十三次」	版画	国画会
		新人賞	安野光雅	「ABCの本―へそまがりのアルファベット」	絵本・挿画	
1975	昭和50	文部大臣賞	芳武茂介	第7回個展での成果	工芸（金工）	日展
		文部大臣賞	東松照明	写真集『太陽の鉛筆』	写真	
		新人賞	福田繁雄	グラフィックデザイン発展への寄与	デザイン	
1976	昭和51	文部大臣賞	福王寺法林	「ヒマラヤ連峰」	日本画	日本美術院
		文部大臣賞	鈴田照次	「木版摺更紗とり文着物」	工芸	日本工芸会
		新人賞	象設計集団	今帰仁村中央公民館	建築	
1977	昭和52	文部大臣賞	舟越保武	現代彫刻センターでの個展の成果	彫塑	新制作協会
		文部大臣賞	石元泰博	「曼荼羅」展	写真	
		新人賞	小川東洲	「鶴」による書風	書（漢字）	独立書人団
1978	昭和53	文部大臣賞	守屋多々志	「平家厳島納経」	日本画	日本美術院
		文部大臣賞	高橋靗一	大阪芸術大学建築群	建築	
		新人賞	相笠昌義	「地下鉄を待つ人」などの作品	洋画・版画	日本版画協会
1979	昭和54	文部大臣賞	加山又造	「月光波涛」	日本画	創画会

西暦	受賞年度	賞名	受賞者名	作品タイトル	分野	所属団体（当時）
		文部大臣賞	染川鐵之助	独自の詩情あふれる個展での出品作に対して	工芸（鋳金）	日本新工芸家連盟
		新人賞	田中一光	パンフレット「THE IROHA OF JAPAN」	デザイン	
1980	昭和55	文部大臣賞	杉全直	回顧展「1938-1975杉全直展」の成果に対して	洋画	
		文部大臣賞	向井良吉	個展「楽器の中から……向井良吉彫刻展」の作に対して	彫塑	行動美術協会
		新人賞	富山治夫	写真集『京劇』（1京劇百花・2孫悟空）など	写真	
1981	昭和56	文部大臣賞	小野末	「砂漠の歌」	洋画	
		新人賞	杉浦康平	「変幻する神々―熱きアジアの仮面」展 構成・ポスター・カタログ	デザイン	
1982	昭和57	文部大臣賞	奥谷博	神奈川県立近代美術館「奥谷博展」 及び「十果会」（髙島屋）等の作に対して	洋画	独立美術協会
		文部大臣賞	多田美波	東京画廊・Gユマニテ・スズカワ画廊での個展に対して	彫塑	
		新人賞	原正樹	「鍔のある青銅の器」	工芸	日展
1983	昭和58	文部大臣賞	堀桂琴	「いろは歌」を中心とする諸作品に対して	書道	独立書人団
		文部大臣賞	二川幸夫	「つくばセンタービル」一連の作品	写真	
		新人賞	松本哲男	「大同石仏」	日本画	日本美術院
1984	昭和59	文部大臣賞	下保昭	「水墨黄山」のシリーズ	日本画	日展
		文部大臣賞	須田寿	油彩画「家族」	洋画	立軌会
		新人賞	杉浦範茂	児童のための各種出版物等におけるイラストレーション	デザイン	
1985	昭和60	文部大臣賞	荘司福	「刻」他	日本画	日本美術院
		文部大臣賞	木之下晃	「世界の音楽家」3部作	写真	
		新人賞	安藤忠雄	「中山邸」ほか	建築	
1986	昭和61	文部大臣賞	高橋秀	「高橋秀展」	洋画	
		文部大臣賞	鈴木藏	「炎舞する藏志野展」	工芸	日本工芸会
		新人賞	雑賀雄二	写真集『軍艦島―棄てられた島の風景』	写真	
1987	昭和62	文部大臣賞	工藤甲人	「工藤甲人展」	日本画	創画会
		文部大臣賞	永井一正	富山県立近代美術館の一連のポスター	デザイン	
		新人賞	小清水漸	「小清水漸近作展」	彫塑	
1988	昭和63	文部大臣賞	西村龍介	「西村龍介展 水の抒情詩」	洋画	二科会
		文部大臣賞	篠原一男	「東高工業大学百年記念館」	建築	
		新人賞	草間喆雄	個展「ナイト・ランドスケープ」	工芸（染織）	
1989	平成元	文部大臣賞	建畠覚造	「WAVING FIGURE」	彫塑	行動美術協会
		文部大臣賞	藤原雄	「個展・備前一千年、そして今―藤原雄の世界」	工芸（陶芸）	日本工芸会
		新人賞	野町和嘉	「長征夢現」「ナイル」	写真	
1990	平成2	文部大臣賞	松樹路人	「松樹路人展」	洋画	独立美術協会
		文部大臣賞	平松保城	国際展などで発表した現代感覚にあふれる 装身具の諸作品に対して	工芸	
		新人賞	松永真	ポスター・パッケージなど	デザイン	
1991	平成3	文部大臣賞	野見山暁治	「1991年の夏」「冷たい夏」	洋画	
		文部大臣賞	森口邦彦	「第38回日本伝統工芸展」「森口邦彦の友禅着物展」の諸作品	工芸	日本工芸会
		新人賞	安田侃	「彫刻の道」「15人の日本の現代彫刻家たち」の作品	彫塑	
1992	平成4	文部大臣賞	中島司有	「中島司有書作展―書業60年を記念して」	書道	
		文部大臣賞	勝井三雄	JAGDA平和と環境のポスター展「I'm here.」	グラフィック・デザイン	
		新人賞	内藤廣	「海の博物館」	建築	
1993	平成5	文部大臣賞	土谷武	「土谷武展」「植物空間」シリーズ	彫塑	新制作協会
		文部大臣賞	中村錦平	「東京焼・中村錦平展メタセラミックスで現在をさぐる」	工芸	
		新人賞	大石芳野	『カンボジア苦界転生』	写真	
1994	平成6	文部大臣賞	井上武吉	「my sky hole '94 森」	彫塑	
		文部大臣賞	薗部澄	写真集『冬日本海』『冬北海道』など	写真	
		新人賞	野又穫	集団個展「ニュー目黒名〈画〉座」の中の「野又穫個展」	洋画	
1995	平成7	文部大臣賞	瀧川嘉子	「瀧川嘉子・彫刻個展」	彫塑	
		文部大臣賞	高松伸	「植田正治写真美術館」	建築	
		新人賞	辰野登恵子	個展「辰野登恵子1986-1995」	洋画	
		新人賞	今橋理子	『江戸の花鳥画博物学をめぐる文化とその表象』	評論	
1996	平成8	文部大臣賞	三尾公三	「心象空間への誘い―三尾公三展」	洋画	
		文部大臣賞	江口週	「記憶の解体―忘れられた廃屋から」	彫塑	

西暦	受賞年度	賞名	受賞者名	作品タイトル	分野	所属団体（当時）
		新人賞	村上徹	「香川県庵治町役場」	建築	
1997	平成9	文部大臣賞	宮崎進	個展「森と大地の記憶から」	絵画	
		文部大臣賞	伊東豊雄	「大館樹海ドーム」	建築	
		新人賞	佐藤晃一	コンサート「武満徹—響きの海へ」の告知ポスターなどに対して	グラフィック・デザイン	
1998	平成10	文部大臣賞	小野具定	「記憶の風景　2・26の午後」	日本画	創画会
		文部大臣賞	三浦景生	「染めの詩　三浦景生」展	工芸（染色）	日展・日本新工芸
		新人賞	枡野俊明	麹町会館「青山緑水の庭」など	庭園デザイン	
1999	平成11	文部大臣賞	草間彌生	個展「草間彌生　ニューヨーク／東京」	現代美術	
		文部大臣賞	内田繁	個展「棚のある空間」	デザイン	
		新人賞	青木野枝	個展「Untitled」他	彫刻	
		新人賞	小池寿子	「死を見つめる美術史」	美術史	
2000	平成12	文部科学大臣賞	小嶋悠司	「穢土・希求」	日本画	創画会
		新人賞	野田裕示	「WORK-1316」	洋画	
2001	平成13	文部科学大臣賞	石山修武	「世田谷村」	建築	
		文部科学大臣賞	宇佐美圭司	「宇佐見圭司・絵画宇宙」展	絵画	
		新人賞	野口里佳	作品集「鳥をみる」など	写真	
2002	平成14	文部科学大臣賞	若林奮	個展「若林奮展」	彫刻	
		文部科学大臣賞	榊原悟	『美の架け橋—異国に遣わされた屏風たち』	評論	
		新人賞	遠藤秀平	「筑紫の丘斎場」	建築	
2003	平成15	文部科学大臣賞	戸谷成雄	個展「戸谷成雄展　森の襞の行方」	彫刻	
		文部科学大臣賞	川田喜久治	個展「川田喜久治展　世界劇場」	写真	
		新人賞	岡村桂三郎	「絵画の現在」展	日本画	
		新人賞	本江邦夫	『オディロン・ルドン　光を孕む種子』	評論	
2004	平成16	文部科学大臣賞	中野嘉之	個展「天　空　水」	日本画	
		文部科学大臣賞	宮本隆司	「壊れゆくもの・生まれいずるもの」展	写真	
		新人賞	青木淳	ルイ・ヴィトン施設など	建築	
2005	平成17	文部科学大臣賞	妹島和世	「金沢21世紀美術館」	建築	
		新人賞	西雅秋	「彫刻風土」	彫刻	
		新人賞	村上隆	NYでの「リトルボーイ」展など芸術を越境し続けた国際的な活動	現代美術	
2006	平成18	文部科学大臣賞	遠藤彰子	「見しこと」	洋画	二紀会・女流画家協会
		文部科学大臣賞	遠藤利克	「Trieb—振動（Rain Room）」	彫刻	
		文部科学大臣賞	北川フラム	「大地の芸術祭　越後妻有アートトリエンナーレ2006」	芸術振興	
		新人賞	土橋靖子	「夏目漱石の句」	書道	水穂会
		新人賞	吉岡徳仁	ミラノデザインウイークでの空間デザインなど	空間デザイン	
2007	平成19	文部科学大臣賞	小川待子	「Li_2O-Na_2O-CaO-Al_2O_3-SiO_2：水の破片」	現代工芸	
		文部科学大臣賞	森村泰昌	生きた人間が過去の表象を演じる作品群	現代美術	
		文部科学大臣賞	福武總一郎	「直島スタンダード2」の総合プロデューサーとしての実績	芸術振興	
		文部科学大臣賞	赤坂憲雄	『岡本太郎の見た日本』（岩波書店）	評論等	
		文部科学大臣賞	木下直之	『わたしの城下町　天守閣からみえる戦後の日本』（筑摩書房）	美術評論	
		新人賞	塩田千春	個展「沈黙から」	現代美術	
		新人賞	池田修	BankARTの運営ほか	芸術振興	
2008	平成20	文部科学大臣賞	舟越桂	個展「舟越桂　夏の邸宅」	彫刻	
		文部科学大臣賞	水越武	「知床　残された原始」	写真	
		文部科学大臣賞	加藤種男	「アサヒ・アート・フェスティバル2008」	芸術振興	
		文部科学大臣賞	岩井俊雄	「TENORI-ON」	メディア芸術	
		新人賞	丸山直文	個展「丸山直文展—後ろの正面」	洋画	
		新人賞	山出淳也	文化創造企画「BEPPU PROJECT」	芸術振興	
2009	平成21	文部科学大臣賞	長澤英俊	「オーロラの向かう所」展及び新作展「夢うつつの庭」	彫刻	
		文部科学大臣賞	山本直彰	「M氏の肖像」「DOOR」「PIETA」「IKAROS」等の連作や新作「帰還Ⅲ」	日本画	
		文部科学大臣賞	藤幡正樹	CGアート「Simultaneous Echos 2009・a"Field-work" in Londonderry」他	メディア芸術	
		新人賞	津田直	写真集『SMOKE LINE』と資生堂ギャラリー等での展示	写真	
		新人賞	岩切信一郎	『明治版画史』等 文化史の著作	評論等	
		新人賞	細田守	「時をかける少女」「サマーウォーズ」等のアニメ作品	メディア芸術	
2010	平成22	文部科学大臣賞	オノデラユキ	「オノデラユキ 写真の迷宮へ」展の成果	写真	

西暦	受賞年度	賞名	受賞者名	作品タイトル	分野	所属団体（当時）
		文部科学大臣賞	隈研吾	「梼原・木橋ミュージアム」他の成果	建築	
		新人賞	束芋	「束芋：断面の世代」展の成果	現代美術	
		新人賞	中村政人	「アーツ千代田3331」の開館及びその運営	芸術振興	
		新人賞	黒ダライ児	著作「肉体のアナーキズム」の成果	評論等	
		新人賞	クワクボリョウタ	「10番目の感傷〈点・線・面〉」他の成果	メディア芸術	
2011	平成23	文部科学大臣賞	畠山直哉	「畠山直哉展　Natural Stories ナチュラル・ストーリーズ」展の成果	写真	
		文部科学大臣賞	坂茂	「紙の建築」	建築	
		文部科学大臣賞	鈴木杜幾子	著書「フランス革命の身体表象―ジェンダーからみた200年の遺産」の成果	評論等	
		文部科学大臣賞	佐藤雅彦	テレビ番組「0655」、「2355」の成果	メディア芸術	
		新人賞	小谷元彦	展覧会「幽体の知覚」の成果	現代美術	
		新人賞	甲斐賢治	「3がつ11にちをわすれないためにセンター」他の成果	芸術振興	
		新人賞	佐藤守弘	風景が見る側の文化しだいで変転することを証明した	評論等	
		新人賞	長井龍雪	アニメ作品「あの日見た花の名前を僕達はまだ知らない。」	メディア芸術	
2012	平成24	文部科学大臣賞	川俣正	「川俣正 Expand BankART」展他の成果	美術	
		文部科学大臣賞	奈良美智	「奈良美智:君や 僕に ちょっと似ている」展の成果	美術	
		文部科学大臣賞	玉蟲敏子	「俵屋宗達―金銀の〈かざり〉の系譜」の成果	評論等	
		文部科学大臣賞	河口洋一郎	「河口洋一郎特別展」他の成果	メディア芸術	
		新人賞	川内倫子	「川内倫子展 照度 あめつち 影を見る」の成果	写真	
		新人賞	清水恵美子	「岡倉天心の比較文化史的研究―ボストンでの活動と芸術思想」の成果	評論等	
		新人賞	沖浦啓之	「ももへの手紙」の成果	メディア芸術	
2013	平成25	文部科学大臣賞	大竹伸朗	「大竹伸朗展 ニューニュー」ほかの成果	現代美術	
		文部科学大臣賞	福田美蘭	「福田美蘭展」の成果	洋画	
		新人賞	米田知子	「米田知子 暗なきところで逢えれば」展の成果	写真	
		新人賞	五十嵐太郎	「あいちトリエンナーレ2013 揺れる大地」ほかの成果	建築批評・建築史	
		新人賞	佐藤志乃	「『朦朧』の時代―大観・春草らと近代日本画の成立」の成果	評論等	
2014	平成26	文部科学大臣賞	佐藤時啓	「佐藤時啓 光―呼吸 そこにいる、そこにいない展」の成果	写真	
		文部科学大臣賞	中村一美	「中村一美展」の成果	洋画	
		文部科学大臣賞	山野真悟	「黄金町バザール2014 仮想のコミュニティ・アジア」の成果	芸術振興	
		文部科学大臣賞	野村正人	「諷刺画家グランヴィル テクストとイメージの19世紀」の成果	評論等	
		文部科学大臣賞	高谷史郎	個展「明るい部屋」ほかの成果	メディア芸術	
		新人賞	齊藤正	「HANCHIKU HOUSE」の成果	建築	
		新人賞	上田假奈代	「釜ヶ崎芸術大学 2014」ほかの成果	芸術振興	
		新人賞	前田恭二	「絵のように 明治文学と美術」の成果	評論等	
2015	平成27	文部科学大臣賞	林恭助	「林恭助展」の成果	工芸（陶芸）	日本工芸会
		文部科学大臣賞	村上隆	「村上隆の五百羅漢図展」の成果	現代美術	
		文部科学大臣賞	日比野克彦	「六本木アートナイト 2015」ほかの成果	芸術振興	
		文部科学大臣賞	亀井若菜	「語りだす絵巻―『粉河寺縁起絵巻』『信貴山縁起絵巻』『掃墨物語絵巻』論」の成果	評論等	
		文部科学大臣賞	久保田晃弘	「ARTSAT プロジェクト」の成果	メディア芸術	
		新人賞	皆川明	「1∞ ミナカケル」の成果	ファッションデザイン	
		新人賞	山本聡美	「九相図をよむ 朽ちてゆく死体の美術史」の成果	評論等	
2016	平成 28	文部科学大臣賞	鴻池朋子	個展「根源的暴力 Vol.2」ほかの成果	現代美術	
		文部科学大臣賞	橋本真之	「果実の中の木もれ陽」公開制作ほかの成果	鍛金造形	
		文部科学大臣賞	山梨俊夫	「風景画考 世界への交感と侵犯」（全三部）の成果	評論等	
		新人賞	田根剛	「エストニア国立博物館」の成果	建築	
		新人賞	猪子寿之	「人と共に踊る鯉によって描かれる水面のドローイング-infinity-」ほかの成果	芸術振興	
		新人賞	毛利悠子	個展「Pleated Image」ほかの成果	メディア芸術	
2017	平成 29	文部科学大臣賞	杉戸洋	「杉戸洋 とんぼとのりしろ」展の成果	現代美術	
		文部科学大臣賞	西野達	「西野達 in 別府」展ほかの成果	現代美術	
		文部科学大臣賞	五十殿利治	「非常時のモダニズム」の成果	評論等	
		文部科学大臣賞	椹木野衣	「震美術論」の成果	評論等	
		新人賞	岩崎貴宏	「逆さにすれば、森」展の成果	現代美術	
		新人賞	和田永	「エレクトロニコス・ファンタスティコス！」の成果	メディア芸術	
2018	平成 30	文部科学大臣賞	小沢剛	「不完全―パラレルな美術史」展ほかの成果	現代美術	
		文部科学大臣賞	内藤礼	「内藤礼―明るい地上には あなたの姿が見える」展の成果	現代美術	
		文部科学大臣賞	佐藤卓	「デザインあ展 in TOKYO」ほかの成果	グラフィックデザイン	
		文部科学大臣賞	岡﨑乾二郎	「抽象の力 近代芸術の解析」の成果	評論等	

西暦	受賞年度	賞名	受賞者名	作品タイトル	分野	所属団体（当時）
		新人賞	石上純也	ボタニカルガーデンビオトープ「水庭」の成果	建築	
		新人賞	菅原真弓	「月岡芳年伝 幕末明治のはざまに」の成果	評論等	
		新人賞	蓮沼執太	「蓮沼執太：～ ing」展の成果	メディア芸術	

上野の森美術館大賞展　主催：(財) 日本美術協会・上野の森美術館他　対象：作品

回	西暦	元号	受賞者名	作品タイトル
第1回	1983	昭和58	北村一二三	「赤い服の女」
第2回	1984	昭和59	鶴身幸男	「3人」
第3回	1985	昭和60	鈴木民保	「夕焼け」
第4回	1986	昭和61	広野照臣	「家族」
第5回	1987	昭和62	増田清志	「待望」
第6回	1988	昭和63	川合みち子	「ROOM」
第7回	1989	平成元	末永敏明	「黒い太陽」
第8回	1990	平成2	わたなべゆう	「風土 (5)」
第9回	1991	平成3	佐藤孝義	「幽寂」
第10回	1992	平成4	戸田みどり	「群像 I 」
第11回	1993	平成5	清水正志	「生まれいづる処 II 」
第12回	1994	平成6	今永清玄	「廣1」
第13回	1995	平成7	古川勝紀	「振り返ればピカソ・II」
第14回	1996	平成8	増田直人	「おおきな時間 C―1」
第15回	1997	平成9	丸山敏子	「泥ひかる(代掻きの田)」
第16回	1998	平成10	笹田敬子	「The Sound」
第17回	1999	平成11	小林努	「ザグレブ」
第18回	2000	平成12	福田高治	「作品99」
第19回	2001	平成13	梅澤千絵子	「鳥空間―さまよい―」
第20回	2002	平成14	竹下勝雄	「水色（すいしょく）」
第21回	2003	平成15	小島徳朗	「ねじれ」
第22回	2004	平成16	塙峰夫	「巡礼夜明け前（インド・ベナレスにて）」
第23回	2005	平成17	飯間智美	「馳せる」
第24回	2006	平成18	わたなべみわこ	「冬々雨々（ふゆふゆあめあめ）」
第25回	2007	平成19	真鍋修	「頁（ページ）」
第26回	2008	平成20	福島沙由美	「視点の境界線」
第27回	2009	平成21	眞鍋享子	「疑」
第28回	2010	平成22	根木悟	「TRAVELS #2」
第29回	2011	平成23	瀬島匠	「RUNNER 塔-La Tour-」
第30回	2012	平成24	佐藤英行	「地鳴り」
第31回	2013	平成25	山口由佳子	「Puzzle City」
第32回	2014	平成26	王青	「玄牝」
第33回	2015	平成27	髙木陽	「赤い柵に囲まれた大地球儀」
第34回	2016	平成28	井上舞	「メカ盆栽～流れるカタチ～」
第35回	2017	平成29	千葉美香	「神秘」
第36回	2018	平成30	八嶋洋平	「プラスチックガール」
第37回	2019	令和元	張媛媛	「トト曼荼羅」

VOCA展　主催：(財) 日本美術協会・上野の森美術館他　対象：作品

回	西暦	元号	受賞者名	作品タイトル
第1回	1994	平成6	福田美蘭	「STAINED GLASS」
			世良京子	「BACK OF BLACK No.19, No.20」
第2回	1995	平成7	三輪美津子	「道」「emotional rescue」 「風景としての風景画」
第3回	1996	平成8	東島毅	「BB-007」「BB-008」
第4回	1997	平成9	小池隆英	「undercurrent」
第5回	1998	平成10	湯川雅紀	「無題」
第6回	1999	平成11	やなぎみわ	「案内嬢の部屋 B4」
第7回	2000	平成12	岩尾恵都子	「Oslo」「Cuzco」
第8回	2001	平成13	押江千衣子	「ゆたか」
第9回	2002	平成14	曽谷朝絵	「Bath tub」
第10回	2003	平成15	津上みゆき	「View,Sep-Nov,02」
第11回	2004	平成16	前田朋子	「it overlooks」
第12回	2005	平成17	日野之彦	「あおむけ」「口に両手」
第13回	2006	平成18	小西真奈	「キンカザン1」「キンカザン2」
第14回	2007	平成19	山本太郎	「白梅点字ブロック図屏風」
第15回	2008	平成20	横内賢太郎	「Book-CHRI IMOCE」 「Book-CHRI FFTC」
第16回	2009	平成21	三瀬夏之介	「J」
第17回	2010	平成22	三宅砂織	「内緒話」「ベッド」
第18回	2011	平成23	中山玲佳	「或る惑星」
第19回	2012	平成24	鈴木星亜	「絵が見る世界 11_03」
第20回	2013	平成25	鈴木紗也香	「あの日の眠りは確かに熱を帯びていた」
第21回	2014	平成26	田中望	「ものおくり」
第22回	2015	平成27	小野耕石	「Hundred Layers of Colors」
第23回	2016	平成28	久門剛史	「crossfades #3」
第24回	2017	平成29	幸田千依	「二つの眼を主語にして」
第25回	2018	平成30	碓井ゆい	「our crazy red dots」
第26回	2019	令和元	東城信之介	「アテネ・長野・東京ノ 壁ニアルデアロウ摸写」

MOA岡田茂吉賞　主催：MOA美術館　対象：作家

回	西暦	元号	賞名	受賞者名
第1回	1988	昭和63	絵画部門 大賞	稗田一穂
			絵画部門 優秀賞	平松礼二
			工芸部門 大賞	今泉今右衛門
			工芸部門 優秀賞	田口善国
第2回	1989	平成元	工芸部門 大賞	志村ふくみ
			工芸部門 優秀賞	中野孝一
第3回	1990	平成2	絵画部門 大賞	下保昭
			絵画部門 優秀賞	土屋禮一
			工芸部門 大賞	北村武資
			工芸部門 優秀賞	滝口和男
第4回	1991	平成3	工芸部門 大賞	松井康成
			工芸部門 優秀賞	大角幸枝
第5回	1992	平成4	絵画部門 大賞	岩澤重夫
			絵画部門 優秀賞	中野嘉之

回	西暦	元号	賞名	受賞者名
			工芸部門 大賞	太田儔
			工芸部門 優秀賞	深見陶治
第6回	1993	平成5	工芸部門 大賞	加藤卓男
			工芸部門 優秀賞	樂吉左衞門
第7回	1994	平成6	絵画部門 大賞	川﨑鈴彦
			絵画部門 優秀賞	千住博
			工芸部門 大賞	三浦小平二
			工芸部門 優秀賞	小宮康正
第8回	1995	平成7	工芸部門 大賞	塩多慶四郎
			工芸部門 優秀賞	隠﨑隆一
第9回	1996	平成8	絵画部門 大賞	竹内浩一
			絵画部門 優秀賞	津田一江
			工芸部門 大賞	中島宏
			工芸部門 優秀賞	市島桜魚
第10回	1997	平成9	工芸部門 大賞	徳田八十吉
			工芸部門 優秀賞	前田昭博
第11回	1998	平成10	絵画部門 大賞	田渕俊夫
			絵画部門 優秀賞	菅原健彦
			工芸部門 大賞	音丸淳
			工芸部門 優秀賞	鈴田滋人
第12回	2000	平成12	絵画部門 大賞	平松礼二
			絵画部門 優秀賞	浅野均
			工芸部門 大賞	栗木達介
			工芸部門 優秀賞	八木明
第13回	2002	平成14	絵画部門 大賞	千住博
			絵画部門 優秀賞	小田野尚之
			工芸部門 大賞	中川衛
			工芸部門 優秀賞	田口義明
第14回	2004	平成16	絵画部門 大賞	小泉淳作
			絵画部門 優秀賞	川﨑麻児
			工芸部門 大賞	小森邦衞
			工芸部門 優秀賞	福島善三
第15回	2006	平成18	絵画部門 大賞	中野嘉之
			絵画部門 優秀賞	村上裕二
			工芸部門 大賞	樂吉左衞門
			工芸部門 優秀賞	川北浩彦
第16回	2008	平成20	絵画部門 大賞	松本哲男
			絵画部門 優秀賞	長沢明
			工芸部門 大賞	増村紀一郎
			工芸部門 優秀賞	今泉今右衛門
第17回	2010	平成22	絵画部門 大賞	滝沢具幸
			絵画部門 美術館賞	植田一穂
			工芸部門 大賞	秋山陽
			工芸部門 美術館賞	大角幸
			工芸部門 美術館賞	須田賢司
			工芸部門 美術館賞	前田正博
第18回	2012	平成24	絵画部門 大賞	西田俊英
			絵画部門 美術館賞	岡村桂三郎
			工芸部門 大賞	田中信行
			工芸部門 美術館賞	小椋範彦
			工芸部門 美術館賞	畠山耕治
第19回	2014	平成26	大賞	山本晃
			新人賞	甲斐幸太郎
			新人賞	新里明士
			新人賞	新田源太郎
第20回	2017	平成29	大賞	林曉
第21回	2019	令和元	大賞	相武常雄
			新人賞	青木宏憧
			特別賞	藤沼昇

UBEビエンナーレ（現代日本彫刻展）　主催：宇部市、毎日新聞社、現代日本彫刻展運営委員会　対象：作品

回	西暦	元号	受賞者名	作品タイトル
第1回	1965	昭和40	江口週	「砂上櫓」
第2回	1967	昭和42	岸田克二	「Fiction 風の祭典」
第3回	1969	昭和44	村岡三郎	「自重」
第4回	1971	昭和46	多田美波	「超空間」
第5回	1973	昭和48	山本衛士	「内なる空 73-2 Mountain Scape」
第6回	1975	昭和50	土谷武	「小さなピラミッド」
第7回	1977	昭和52	木村光佑	「孤独の輪郭」
第8回	1979	昭和54	田中薫	「正五角形ピラミッド」
第9回	1981	昭和56	増田正和	「碑 MONUMENT」
第10回	1983	昭和58	岩城信嘉	「風の譜」
第11回	1985	昭和60	田中米吉	「無題 No.95 1985」
第12回	1987	昭和62	山口牧生	「SUN SADDLE '87」
第13回	1989	平成元	山根耕	「つなぎ石―作品3」
第14回	1991	平成3	土屋公雄	「底流」
第15回	1993	平成5	西雅秋	「池溝」
第16回	1995	平成7	井田勝己	「月に向かって進め」
第17回	1997	平成9	内田晴之	「重力空間―赤」
第18回	1999	平成11	國安孝昌	「湖水の竜神」
第19回	2001	平成13	前田哲明	「UNTITLED 01-A」
第20回	2003	平成15	新宮晋	「時のシルエット」
第21回	2005	平成17	長澤英俊	「メリッサの部屋」
第22回	2007	平成19	ピョートル・ツフォルドフスキー	「PERMUTATION」
第23回	2009	平成21	ヨム・サンウク	「Self-consciousness」
第24回	2011	平成23	ジョージ ダン イストラーテ	「UNITY OF OPPOSITES」
第25回	2013	平成25	冨長敦也	「Our Love」
第26回	2015	平成27	竹腰耕平	「宇部の木」
第27回	2017	平成29	キム キョンミン	「リメンバー宇部」
第28回	2019	令和元	三宅之功	「はじまりのはじまり」

小磯良平大賞展　主催：小磯良平大賞展運営委員会、神戸市、読売新聞社他　対象：作品　※第10回をもって休止

回	西暦	元号	受賞者名	作品タイトル
第1回	1992	平成4	久保輝秋	「遊（カンケリーⅠ）」
第2回	1994	平成6	渡部満	「夢みる由希子」
第3回	1996	平成8	椿野浩二	「黙（芽ぶき）」
第4回	1998	平成10	平松賢太郎	「URBAN-Ⅱ」
第5回	2000	平成12	小山佐敏	「生命都市シリーズ 2000 丘の向うⅠ」
第6回	2002	平成14	四宮金一	「密室の中の会談 (1)」
第7回	2004	平成16	橋口徳次	「水哉（みずなるかな）」
第8回	2007	平成19	土屋明智	「壁」

回	西暦	元号	受賞者名	作品タイトル	回	西暦	元号	受賞者名	作品タイトル
第9回	2010	平成22	大槻和浩	「明日」	第10回	2013	平成25	岩間敬悟	「September」

五島記念文化賞　主催：（公財）東急財団（第1～29回は五島記念文化財団）　対象：作家

回	西暦	元号	受賞者名	ジャンル	回	西暦	元号	受賞者名	ジャンル	回	西暦	元号	受賞者名	ジャンル
第1回	1990	平成2	樺山祐和	洋				小林良一	洋	第20回	2009	平成21	梶井照陰	写真
			島剛	彫	第9回	1998	平成10	奥窪聖美	漆				手塚愛子	現代美術
第2回	1991	平成3	柳沢正人	日				武田州左	日	第21回	2010	平成22	上田順平	工芸
			滝口和男	陶	第10回	1999	平成11	石田瑞夫	彫				田口和奈	現代美術
第3回	1992	平成4	松井紫朗	彫				木村太陽	造形	第22回	2011	平成23	澤拓	現代美術
			坂本幸重	日	第11回	2000	平成12	吉田有紀	日				宮永愛子	現代美術
			松本秋則	造形				中村桂子	版	第23回	2012	平成24	大西伸明	現代美術
第4回	1993	平成5	矢延憲司	彫	第12回	2001	平成13	加藤美佳	洋				市川裕司	日
			岡村桂三郎	日	第13回	2002	平成14	束芋	現代美術	第24回	2013	平成25	津上みゆき	絵画
			土屋公雄	彫				清野圭一	日				渡辺豪	現代美術
			神内康年	陶	第14回	2003	平成15	福本双紅	陶	第25回	2014	平成26	谷保玲奈	日
第5回	1994	平成6	袴田京太朗	彫				中田秀人	現代美術				宮本佳美	洋
			菅原健彦	日	第15回	2004	平成16	平田五郎	現代美術	第26回	2015	平成27	堀江栞	日
			扇田克也	ガラス	第16回	2005	平成17	高橋匡太	現代美術				小瀬村真美	映像
第6回	1995	平成7	河合里佳	造形				土田俊介	彫	第27回	2016	平成28	東影智裕	彫
			柳幸典	造形	第17回	2006	平成18	周防絵美子	工芸				川村亘平	影絵
			河嶋淳司	日				三瀬夏之介	日	第28回	2017	平成29	渡辺泰子	現代美術
第7回	1996	平成8	古伏脇司	漆造形	第18回	2007	平成19	石田尚志	現代美術				谷原菜摘子	洋
			東島毅	洋				吉賀伸	彫	第29回	2018	平成30	三田健志	現代美術
第8回	1997	平成9	長沢明	日	第19回	2008	平成20	鬼頭健吾	現代美術	第30回	2019	令和元	木坂美生	写真
			長橋秀樹	洋				塩保朋子	現代美術					

シェル美術賞　主催：昭和シェル石油株式会社　対象：作品

（1957年、1982～1995年、2002年は開催なし。1996～2001年は昭和シェル石油現代美術賞の名称で開催）

開催年	元号	賞名	受賞者名	開催年	元号	賞名	受賞者名	開催年	元号	賞名	受賞者名
1956	昭和31	1等	田中阿喜良	1961	昭和36	1等	馬場彬			2等	大野増穂
		2等	田中岑			2等	勝間田哲朗			3等	岸本清子
		3等	内間安瑆			3等	井上篤			3等	篠原有司男
		3等	江見絹子			3等	大沢一佐志			3等	八田豊
		3等	吉田穂高			3等	浦久保賢樹	1966	昭和41	1等	今井祝雄
		3等	五味秀夫			3等	春日光義			2等	小松豊
		3等	荒井映延	1962	昭和37	1等	石橋行雄			3等	溝渕尚
1958	昭和33	1等	田畔司郎			2等	志賀健蔵			3等	円地茂
		2等	宮城音蔵			3等	梶山俊夫			3等	後藤昭夫
		3等	今野央輔			3等	村上善男	1967	昭和42	1等	菅木志雄
		3等	江見絹子			3等	宮下勝行			2等	山本圭吾
		3等	佐藤一			3等	松本宏			2等	鈴木慶則
		3等	鈴木博			3等	赤瀬川原平			3等	安藤勝康
1959	昭和34	1等	伊藤隆康	1963	昭和38	1等	清水晃			3等	桑原盛行
		2等	小野木学			2等	穴見清			3等	高間夏樹
		3等	上村次敏			3等	重延瓔子	1968	昭和43	1等	桑原盛行
		3等	中井克己			3等	田辺和郎			2等	林潤一
		3等	深澤幸雄			3等	平賀敬			3等	米津絢子
		3等	宮城輝夫			3等	福井信			3等	エリザベス・アンダーソン
1960	昭和35	1等	沢田重隆	1964	昭和39	1等	金子英彦			3等	菊池伶司
		2等	福島秀子			2等	小松豊	1969	昭和44	1等	中沢洋一
		3等	馬場彬			3等	飯塚八朗			2等	久保田和子
		3等	吉村益信			3等	小松章三			3等	中井勝郎
		3等	吉留要			3等	森本紀久子			3等	志野明
		3等	昆野勝	1965	昭和40	1等	高松次郎			3等	小野洋

開催年	元号	賞名	受賞者名	開催年	元号	賞名	受賞者名	開催年	元号	賞名	受賞者名
1970	昭和45	1等	佐々木壮六	1976	昭和51	1等	田所幸一			3等	百瀬寿
		2等	田所幸一			2等	土嶋敏男	1996	平成8	最優秀賞	中川佳宣
		3等	西真			3等	石黒薫	1997	平成9	最優秀賞	金子清美
		3等	黒崎彰			3等	庄田常章	1998	平成10	グランプリ	伴美里
		3等	大塚長栄			3等	松村光秀	1999	平成11	準グランプリ	仁戸部弓彦
1971	昭和46	1等	青山亘幹			3等	宮田保史			準グランプリ	森本由美
		2等	西真	1977	昭和52	1等	畠中光享	2000	平成12	準グランプリ	野津紗恵子
		3等	相笠昌義			2等	松崎寛			準グランプリ	松田圭一郎
		3等	石黒直子			3等	伊庭新太郎			準グランプリ	山岸美恵子
		3等	山岸俊治			3等	岡崎昭夫	2001	平成13	グランプリ	曽谷朝絵
1972	昭和47	1等	林功			3等	西田洋一郎	2003	平成15	準グランプリ	辻由佳里
		2等	中島虎威	1978	昭和53	1等	久保木彦			準グランプリ	カンノサカン
		3等	秋葉杜紫子			2等	石谷一郎	2004	平成16	グランプリ	藤井俊治
		3等	松本文子			3等	鈴池俊児	2005	平成17	グランプリ	鈴木雅明
		3等	橋本龍美			3等	末田光一	2006	平成18	グランプリ	田中洋喜
1973	昭和48	1等	竹内真理			3等	松田松雄	2007	平成19	グランプリ	福島淑子
		2等	林潤一	1979	昭和54	1等	坪井正光	2008	平成20	準グランプリ	笠井麻衣子
		3等	大野俊明			2等	丸山東平			準グランプリ	三宅由希子
		3等	篠原吉人			3等	松本安良	2009	平成21	準グランプリ	吉田晋之介
		3等	野村京子			3等	小山佐敏	2010	平成22	グランプリ	小野さおり
1974	昭和49	1等	高森登志夫			3等	松田松雄	2011	平成23	グランプリ	廣田光司
		2等	斎藤吾朗	1980	昭和55	1等	伊庭新太郎	2012	平成24	グランプリ	横川ヨコ
		3等	大野俊明			2等	松尾裕人	2013	平成25	グランプリ	武藤浩一
		3等	田崎徹			3等	田中純一	2014	平成26	グランプリ	野原健司
		3等	井上澈雄			3等	出口修	2015	平成27	準グランプリ	石井奏子
1975	昭和50	1等	石井精一			3等	山口貞次			準グランプリ	矢島史織
		2等	森本利通	1981	昭和56	1等	菅野昌實	2016	平成28	グランプリ	小川直樹
		3等	川内麻嗣			2等	石川誓	2017	平成29	グランプリ	町田帆実
		3等	藪野健			3等	岡田彌生	2018	平成30	グランプリ	近藤太郎
		3等	栗原一郎			3等	長谷川泰子	2019	令和元	グランプリ	黒坂祐

昭和会賞　主催：日動画廊　対象：作家

回	西暦	元号	賞名	受賞者名	回	西暦	元号	賞名	受賞者名
第1回	1966	昭和41	昭和会賞	奥谷博	第8回	1973	昭和48	昭和会賞	深澤孝哉
			優秀賞	木村賢太郎				林武賞	伊牟田經正
第2回	1967	昭和42	昭和会賞	福本章				優秀賞	佐藤健次郎
			優秀賞	富樫一				優秀賞	山本貞
第3回	1968	昭和43	昭和会賞	浮田克躬	第9回	1974	昭和49	昭和会賞	湯沢正臣
			林武賞	五十嵐芳三				林武賞	峯田義郎
			優秀賞	藤田吉香				優秀賞	桐生照子
第4回	1969	昭和44	昭和会賞	小松崎邦雄				優秀賞	山本亜稀
			林武賞	岩野勇三	第10回	1975	昭和50	昭和会賞	清水良治
			優秀賞	鴨居玲				林武賞	松田松雄
第5回	1970	昭和45	昭和会賞	松樹路人				優秀賞	齋藤研
			林武賞	山本文彦				優秀賞	藪野健
			優秀賞	加藤昭男	第11回	1976	昭和51	昭和会賞	今井信吾
			優秀賞	森本草介				林武賞	石野守一
第6回	1971	昭和46	昭和会賞	麻生蓉子				優秀賞	島田勝吾
			林武賞	一色邦彦				優秀賞	友田智恵
			優秀賞	入江観				特別努力賞	恩田静子
			優秀賞	番浦有爾	第12回	1977	昭和52	昭和会賞	佐藤泰生
第7回	1972	昭和47	昭和会賞	辻司				林武賞	松浦安弘
			林武賞	宗重喜久子				優秀賞	藤井勉
			優秀賞	内田光之助				優秀賞	峯田敏郎

回	西暦	元号	賞名	受賞者名
第13回	1978	昭和53	昭和会賞	奥村光正
			林武賞	遠藤彰子
			優秀賞	川原竜三郎
			優秀賞	黒川晃彦
第14回	1979	昭和54	昭和会賞	西大記
			林武賞	冨樫京子
			優秀賞	川井一彦
第15回	1980	昭和55	昭和会賞	武本春根
			林武賞	山野辺日出男
			優秀賞	櫻井晨正
			優秀賞	小張隆男
第16回	1981	昭和56	昭和会賞	岩戸敏彦
			林武賞	増山俊春
			優秀賞	森下武
			優秀賞	鷹尾俊一
第17回	1982	昭和57	昭和会賞	大矢英雄
			林武賞	中野滋
			優秀賞	田村能里子
			優秀賞	日原康
第18回	1983	昭和58	昭和会賞	堀研
			林武賞	増田常徳
			優秀賞	下川昭宣
			優秀賞	靍田清二
第19回	1984	昭和59	昭和会賞	松井ヨシアキ
			林武賞	高田大
			優秀賞	金森宰司
			優秀賞	杉山惣二
第20回	1985	昭和60	昭和会賞	玉川信一
			林武賞	池田カオル
			優秀賞	桜田晴義
			優秀賞	和田雄之助
第21回	1986	昭和61	昭和会賞	石垣定哉
			林武賞	野崎窮
			優秀賞	茅野吉孝
			優秀賞	前田忠一
第22回	1987	昭和62	昭和会賞	櫻井孝美
			林武賞	片桐克彦
			優秀賞	稲垣考二
			優秀賞	大村富彦
第23回	1988	昭和63	昭和会賞	安達時彦
			林武賞	長江眞弥
			優秀賞	堀晃
			優秀賞	増田浩一
第24回	1989	平成元	昭和会賞	中西良
			林武賞	岡本銕二
			優秀賞	井草裕明
			優秀賞	藤原護
第25回	1990	平成2	昭和会賞	村田睦夫
			笠間日動美術館賞	鷲崎直子
			優秀賞	筧本生
			優秀賞	増田清志
第26回	1991	平成3	昭和会賞	山田修市
			日動火災賞	小口卓也
			笠間日動美術館賞	亀谷政代司
			優秀賞	瀬川富紀男
			優秀賞	山内和則
第27回	1992	平成4	昭和会賞	安元亮祐
			日動火災賞	今永清玄
			日動美術財団賞	笠原鉄明
			優秀賞	小林雅英
			優秀賞	波多野泉
第28回	1993	平成5	昭和会賞	山村博男
			日動火災賞	森田正孝
			日動美術財団賞	七森和昭
			優秀賞	大田文代
			優秀賞	松田憲一
第29回	1994	平成6	昭和会賞	佐藤健吾エリオ
			日動火災賞	久保輝秋
			日動美術財団賞	福島唯史
			優秀賞	藤田英樹
			優秀賞	竹道久
第30回	1995	平成7	昭和会賞	宮崎次郎
			日動火災賞	阿部幸洋
			日動美術財団賞	池田秀俊
			優秀賞	大城章二
			優秀賞	新保甚平
第31回	1996	平成8	昭和会賞	山口高
			日動火災賞	安西大
			日動美術財団賞	笠井正彦
			優秀賞	木津文哉
			優秀賞	佐藤守男
第32回	1997	平成9	昭和会賞	百瀬智宏
			日動火災賞	武宮秀鵬
			日動美術財団賞	弓手研平
			優秀賞	勝野眞言
			優秀賞	中澤小智子
第33回	1998	平成10	昭和会賞	歳嶋洋一朗
			日動火災賞	KINYA
			日動美術財団賞	長岡一豊
			優秀賞	田丸稔
			優秀賞	開光市
第34回	1999	平成11	昭和会賞	該当者なし
			日動火災賞	石黒賢一郎
			日動美術財団賞	今井充俊
			優秀賞	新井浩
			優秀賞	玉虫良次
第35回	2000	平成12	昭和会賞	阿部直昭
			日動火災賞	西房浩二
			日動美術財団賞	澤田志功
			優秀賞	井手尾摂子
			優秀賞	曽根茂
第36回	2001	平成13	昭和会賞	小野月世
			日動火災賞	伊東賢
			日動美術財団賞	浮田麻木
			優秀賞	実石江美子
			優秀賞	陶山充
第37回	2002	平成14	昭和会賞	傍島幹司
			日動火災賞	山本雄三

回	西暦	元号	賞名	受賞者名
			日動美術財団賞	土井宏二
第38回	2003	平成15	昭和会賞	齋正機
			日動火災賞	齋藤将
			日動美術財団賞	柏本龍太
			日動火災賞	増田直人
			日動美術財団賞	中村優子
			優秀賞	池田雅彦
			優秀賞	山本桂右
			優秀賞	吉川龍
第40回	2005	平成17	昭和会賞	蛭田均
			東京海上日動賞	岩岡航路
			日動美術財団賞	三宅一樹
			優秀賞	橋本美智子
第41回	2006	平成18	昭和会賞	小木曽誠
			東京海上日動賞	井上卓也
			日動美術財団賞	高野浩子
			優秀賞	森京子
第42回	2007	平成19	昭和会賞	岡本増吉
			東京海上日動賞	植田努
			日動美術財団賞	片山博詞
			日動画廊創業80周年記念特別賞	山本誠
			日動画廊創業80周年記念特別賞	株田昌彦
第43回	2008	平成20	昭和会賞	立石真希子
			東京海上日動賞	阿部鉄太郎
			日動美術財団賞	吉中裕也
			松村賞	佐藤智子
			優秀賞	足立慎治
第44回	2009	平成21	昭和会賞	美浪恵利
			東京海上日動賞	榎本圭佑
			日動美術財団賞	本郷芳哉
			松村謙三賞	渡辺香奈
			松村謙三特別賞	米田和恵
			優秀賞	渡辺一洋
第45回	2010	平成22	昭和会賞	仁戸田典子
			東京海上日動賞	砂川啓介
			松村謙三賞	角谷心平
			優秀賞	白石恵理
第46回	2011	平成23	昭和会賞	江口美幸
			東京海上日動賞	有吉宏朗
			松村謙三賞	星美加
			松村謙三賞	川本拓
			優秀賞	山本大貴
第47回	2012	平成24	昭和会賞	奥谷太一
			東京海上日動賞	田原迫華
			松村謙三賞	原田圭
			特別賞	福島万里子
			特別賞	平野良光
第48回	2013	平成25	昭和会賞	中原未央
			松村謙三賞	辻本健輝
			東京海上日動賞	山内大介
			昭和会彫刻賞	花田千絵
			松村謙三特別賞	佐藤陽也
第49回	2014	平成26	昭和会賞	該当なし
			松村謙三賞	美浪文
			東京海上日動賞	林晃司
			優秀賞	設楽俊
			昭和会彫刻賞	該当なし
			昭和会彫刻特別賞	松尾大介
			昭和会彫刻特別賞	八十島海斗
第50回	2015	平成27	昭和会賞	土井久幸
			東京海上日動賞	町田結香
			松村謙三賞	鵜飼義丈
			50周年記念松村特別賞	穴畑三千昭
			50周年記念松村特別賞	本間佳子
			昭和会彫刻賞	江村忠彦
第51回	2016	平成28	昭和会賞	吉武弘樹
			東京海上日動賞	美馬匠吾
			ニューヨーク賞	清田悠紀子
			パリ賞	浅岡咲子
第52回	2017	平成29	昭和会賞	該当なし
			東京海上日動賞	樋口健介
			パリ賞	斎藤祐子
			優秀賞	遠藤学
			優秀賞	成田淑恵
			優秀賞	橋本大輔
			ニューヨーク賞	永井祥
第53回	2018	平成30	昭和会賞	佐藤みちる
			東京海上日動賞	壱岐雅信
			パリ賞	大石奈穂
			ニューヨーク賞	原太一
			審査員特別賞	小牟禮雄一
第54回	2019	令和元	昭和会賞	松本亮平
			東京海上日動賞	谷敷謙
			ニューヨーク賞	谷敷謙
			パリ賞	濱元祐佳

菅楯彦大賞　主催：倉吉市、倉吉博物館　対象：作品

回	西暦	元号	受賞者名	作品タイトル
第1回	1990	平成2	松生歩	「やはらかく降りてくるもの」
第2回	1993	平成5	柳沢正人	「刻をみつめて」
第3回	1996	平成8	仲島昭廣	「流れ行く刻」
第4回	1999	平成11	岸本章	「鮫と少年」
第5回	2002	平成14	平山英樹	「楽園残夏」
第6回	2005	平成17	西田眞人	「彩」
第7回	2008	平成20	岩田壮平	「花泥棒」
第8回	2012	平成24	松谷千夏子	「View」
第9回	2016	平成28	熊澤未来子	「世界食紀行」

損保ジャパン東郷青児美術館大賞（第1～25回までの名称は安田火災東郷青児美術館賞）

主催：（財）損保ジャパン東郷青児美術館（第1～25回は安田火災美術財団）　対象：作品　※第32回で終了

回	西暦	元号	受賞者名	作品タイトル
第1回	1978	昭和53	宮永岳彦	「碧」
第2回	1979	昭和54	三尾公三	「空白の時」
第3回	1980	昭和55	島田章三	「炎」
第4回	1981	昭和56	松樹路人	「わが家族の像」
第5回	1982	昭和57	小松崎邦雄	「舞妓誕生」
第6回	1983	昭和58	清川泰次	「Painting No.SE-82」
第7回	1984	昭和59	富岡惣一郎	「White No.1 雪・信濃川」
第8回	1985	昭和60	大沼映夫	「手を組む女」
第9回	1986	昭和61	田中稔之	「円の光景 '85-31（天円地方）」
第10回	1987	昭和62	森秀雄	「偽りの青空—MY DREAM LAND」
第11回	1988	昭和63	堂本尚郎	「臨界：水」
第12回	1989	平成元	渡辺豊重	「風の中の長四角と三角達」
第13回	1990	平成2	後藤よ志子	「白夜の街Ⅰ」
第14回	1991	平成3	野田弘志	「冬瓜図」
第15回	1992	平成4	佐々木豊	「動物祭 '91」
第16回	1993	平成5	前田常作	「瞑想マンダラ図シリーズ 天曜」
第17回	1994	平成6	馬越陽子	「人間の河は開放を求めて流れる」
第18回	1995	平成7	奥谷博	「月露」
第19回	1996	平成8	林敬二	「Triptych Ⅱ—水銀の辺り」
第20回	1997	平成9	島田鮎子	「Aからの伝言」
第21回	1998	平成10	豊島弘尚	「空に播く種子（父の星冠）」
第22回	1999	平成11	山本貞	「水辺の光景」
第23回	2000	平成12	福本章	「朝の光 ムラーノより（ヴェニス）」
第24回	2001	平成13	笠井誠一	「二つの卓上静物」
第25回	2002	平成14	—	
第26回	2003	平成15	佐野ぬい	「二つの青のシネマ」
第27回	2004	平成16	池口史子	「ワイン色のセーター」
第28回	2005	平成17	大津英敏	「天と地と」
第29回	2006	平成18	小杉小二郎	「月・追憶」
第30回	2007	平成19	元永定正	「いろ　いきてる！」
第31回	2008	平成20	相笠昌義	「歩道を歩く人」
第32回	2009	平成21	櫃田伸也	「不確かな風景」

FACE損保ジャパン日本興亜美術賞（第1・2回の名称は損保ジャパン美術賞FACE）

主催：（財）東郷青児記念損保ジャパン日本興亜美術館（第1・2回は損保ジャパン東郷青児美術館）、読売新聞社　対象：作品

回	西暦	元号	受賞者名	作品タイトル
第1回	2013	平成25	堤康将	「嘯く」（うそぶく）
第2回	2014	平成26	川島優	「Toxic」
第3回	2015	平成27	宮里紘規	「WALL」
第4回	2016	平成28	遠藤美香	「水仙」
第5回	2017	平成29	青木恵美子	「INFINITY Red」
第6回	2018	平成30	仙石裕美	「それが来るたびに跳ぶ 降り立つ地面は跳ぶ前のそれとは異なっている」
第7回	2019	令和元	庄司朝美	「18.10.23」

タカシマヤ美術賞

主催：公益信託タカシマヤ文化基金　対象：作家

回	西暦	年度	受賞者名	ジャンル
第1回	1990	平成2	大野俊明	日本画
			舟越桂	彫刻
			小林正和	ファイバーアート
第2回	1991	平成3	小杉小二郎	洋画
			小川待子	陶芸
			北山善夫	造形
第3回	1992	平成4	浅野均	日本画
			木村秀樹	版画
			戸谷成雄	彫刻
第4回	1993	平成5	川端健生	日本画
			室越健美	洋画
			松井紫朗	彫刻
第5回	1994	平成6	箱崎睦昌	日本画
			多和圭三	彫刻
			高橋禎彦	工芸
第6回	1995	平成7	該当者なし	
第7回	1996	平成8	森田りえ子	日本画
			石垣定哉	洋画
			福本潮子	染色
第8回	1997	平成9	宮いつき	日本画
			松田環	洋画
			笹谷晃生	彫刻
第9回	1998	平成10	池田真弓	日本画
			川村悦子	洋画
			清水六兵衞	陶芸
第10回	1999	平成11	鹿見喜陌	日本画
			下川昭宣	彫刻
第11回	2000	平成12	押江千衣子	洋画
			畠山耕治	工芸
第12回	2001	平成13	川﨑麻児	日本画
			深井隆	彫刻
第13回	2002	平成14	磯江毅	洋画
			池田良二	版画
第14回	2003	平成15	海老塚耕一	造形
			岡村桂三郎	日本画
			田中信行	工芸
第15回	2004	平成16	田嶋悦子	陶芸
			三沢厚彦	彫刻
第16回	2005	平成17	伊藤誠	彫刻
			橋本夕紀夫	デザイン
			やなぎみわ	写真・映像
第17回	2006	平成18	中村一美	洋画
			野又穫	洋画
			ひびのこづえ	ファッションデザイン
第18回	2007	平成19	家出隆浩	工芸
			川島清	彫刻
			斉藤典彦	日本画
第19回	2008	平成20	堂本右美	絵画
			青木野枝	彫刻
			束芋	現代美術
第20回	2009	平成21	伊庭靖子	洋画
			棚田康司	彫刻
			八木幾朗	日本画
第21回	2010	平成22	秋山さやか	現代美術
			ヤノベケンジ	現代美術
			王舒野	絵画
第22回	2011	平成23	袴田京太朗	彫刻
			三瀬夏之介	絵画
			森野彰人	陶芸
第23回	2012	平成24	徳丸鏡子	陶芸
			井出創太郎	版画
			原真一	彫刻
第24回	2013	平成25	淺井裕介	絵画

回	西暦	年度	受賞者名	ジャンル
			志賀理江子	写真
			町田久美	絵画
第25回	2014	平成26	池田学	絵画
			小沢剛	現代美術
			笹井史恵	漆芸
第26回	2015	平成27	青野文昭	現代美術
			田辺小竹	竹工業
			藤笠砂都子	陶芸
第27回	2016	平成28	大巻伸嗣	現代美術
			留守玲	金工
			和田的	陶芸
第28回	2017	平成29	伊藤剛俊	陶芸
			目【mé】(南川憲二・荒神明香・増井宏文)	現代美術
			宮永愛子	現代美術
第29回	2018	平成30	稲崎栄利子	陶芸
			金氏徹平	現代美術
			田中功起	現代美術

長野市野外彫刻賞　主催：長野市　対象：作品

回	西暦	元号	受賞者名	作品タイトル
第1回	1973	昭和48	土谷武	「作品 1972」
			矢崎虎夫	「托鉢」
			柳原義達	「道標」
第2回	1974	昭和49	加藤昭男	「母と子」
			高田博厚	「水浴」
			流政之	「雪の肌」
			保田春彦	「ある小さな祠のために」
第3回	1975	昭和50	伊藤隆道	「まわる曲線のリング」
			小田襄	「風景の領域」
			佐藤忠良	「二歳」
			堀内正和	「咬み合う立方体」
第4回	1976	昭和51	一色邦彦	「津舞」
			木村賢太郎	「時の流れ」
			舟越保武	「笛吹き少年」
			向井良吉	「アニマル」
第5回	1977	昭和52	桜井祐一	「あるポーズ」
			佐藤忠良	「少女」
			山本常一	「夜の詩」
			山本正道	「追憶」
			清水九兵衞	「マスク」
第6回	1978	昭和53	豊福知徳	「半円柱２」
			舟越保武	「花持つ少女」
			ミュロン	「円盤投げ」
			淀井敏夫	「ローマの公園」
第7回	1979	昭和54	朝倉響子	「憩う」
			澄川喜一	「やまびこ」
			田中信太郎	「ハート・モビール」
			安田周三郎	「屈む女」
第8回	1980	昭和55	井上玲子	「風よ」
			江口週	「漂流と原形」
			新宮晋	「遙かなリズム」
			柳原義達	「腰かける」
第9回	1981	昭和56	伊東傀	「マントの女」
			岩野勇三	「若い女」
			関正司	「ウィンドダンサー」
			千野茂	「花」
			中原悌二郎	「若きカフカス人」
第10回	1982	昭和57	菊池一雄	「転生」
			建畠覚造	「CLOUD 17（暈）」
			雨宮敬子	「生動」
			松本薫	「From 90° to 90°『T』」
第11回	1983	昭和58	吉田芳夫	「演技者」
			高橋清	「オルメカの微笑」
			城田孝一郎	「蝶幻想」
			黒川晃彦	「柱にもたれてアルトを吹けば…」
第12回	1984	昭和59	掛井五郎	「長い午後」
			山縣壽夫	「紙の塔」
			岩城信嘉	「丸三角四角」
			最上壽之	「ランラランチンチンオトコノコ」
			高田大	「小話」
第13回	1985	昭和60	渡辺豊重	「ピクニック」
			橋本正司	「瑞象」
			瀬戸剛	「少年」
			松本雄治	「家族」
第14回	1986	昭和61	堀口泰造	「こども」
			空充秋	「しなのの木」
			木内岬	「ポーズする踊り子」
			重村三雄	「風景の外側」
			高橋清	「波と貝から与えられたフォルム」
第15回	1987	昭和62	峯田義郎	「明日へ」
			高野佳昌	「若い女」
			田中毅	「江戸三歌人」
			湯村光	「STONE WORK ー双」
			速水史朗	「門」
第16回	1988	昭和63	中垣克久	「雲のロンドーマチス讃歌ー」
			土田隆生	「アルウィン・ニコライの陽（眩驚）」
			武荒信顕	「音の世界へ（目をとじて）」
			八ッ木のぶ	「Eーの音 大きい太陽、小さい太陽」
			岡田憲一	「夜明け」
			日高頼子	「春」
第17回	1989	平成元	二口金一	「北の母子」
			安藤泉	「逆転の確率」
			大成浩	「耀風」
			竹内不忘	「歴史の彼方へ」
			向井良吉	「豊饒の郷」
			松尾光伸	「ARC OF NAGANO」
			黒川晃彦	「長野の門」
第18回	1990	平成2	桑原巨守	「明るい眸（まなざし）」
			池田宗弘	「ドン・キホーテ・シリーズ」
			戸谷成雄	「翼のある塔」
			田中栄作	「歩く人」
第19回	1991	平成3	鈴木徹	「風の夢」
			有賀敬子	「羽化ー飛翔」
			中岡慎太郎	「セレナード」
			細井良雄	「とびたい・ガルダーのように」
			番浦有爾	「風」
			広井力	「風」
第20回	1992	平成4	綿引道郎	「憩う時」
			井上なぎさ	「太陽の子」
			寺田武弘	「ポコッ！」

回	西暦	元号	受賞者名	作品タイトル
			鹿田淳史	「デュエット」
			最上壽之	「トキメキ　フレアイナガノ　ユメ」
第21回	1993	平成5	藤原吉志子	「月を盗む」
			河崎良行	「風のフォルム・TWICE」
			竹屋修	「残像」
			井上麦	「地表より—聖獣伝」
第22回	1994	平成6	圓鍔勝三	「タクト」
			内田晴之	「交差する形 94-1」
			アキホタタ	「楽園の囁き」
			流政之	「TAMAGETA 100BAN」
第23回	1995	平成7	斎藤顯治	「地象」
			下川昭宣	「海の記憶」
			植松奎二	「浮くかたち—赤・軸」
			橋本裕臣	「花の舞い '96-2」
第24回	1996	平成8	渡辺豊重	「Swing Swing」
			齋藤智	「明時 Alba」
			多田美波	「Velocity」
			岡本敦生	「地殻— 120 個・NAGANO」
第25回	1997	平成9	眞板雅文	「連山夢想—長野」
			生形貴春	「輪の仕掛／ピクトワール　オランジェ」
			新宮晋	「太陽の贈りもの」
			山本正道	「こだま '97」
第26回	1998	平成10	笹戸千津子	「女の子」
			曽我孝司	「重力質— Floating Rain '98」
			手塚登久夫	「梟月夜」
第27回	1999	平成11	津久井利彰	「金属と樹液の距離」
			深井隆	「月の庭—山の辺—」
			高嶋文彦	「風船を持つ少女」
第28回	2000	平成12	門脇おさむ	「岩を動かした風」

回	西暦	元号	受賞者名	作品タイトル
			澤田美保	「連」
			中野滋	「きら星とカルナバル」
第29回	2001	平成13	宮脇愛子	「うつろひ」
			前田哲明	「UNTITLED 02-A」
			山根耕	「つなぎ石　作品 -38」
第30回	2002	平成14	西野康造	「気流」
			丸山映	「風を孕む」
			栄利秋	「詩・燦」
第31回	2003	平成15	西雅秋	「Casting —無題—」
			石井厚生	「時空・138 —旅人—」
			長澤英俊	「"稲妻"《LAMPO》」
第32回	2004	平成16	齋藤史門	「記憶の中の風景」
			後藤良二	「柱上の舞」
			峯田敏郎	「記念撮影—夏・安茂里—」
第33回	2006	平成18	速水史朗	「A･UN」
第34回	2007	平成19	牛尾啓三	「オウシ・ゾウケイ 2007」
			三沢厚彦	「ANIMAL2008」
第35回	2008	平成20	原透	「時間塊 7」
第36回	2009	平成21	吾妻兼治郎	「対話　COLLOQUIO」
第37回	2010	平成22	大井秀規	「Gravitation」
第38回	2011	平成23	村中保彦	「工事現場」「希望」
第39回	2012	平成24	西川勝人	「長野の月」
			丸山雅秋	「存在—関係」
			井田勝己	「月に向って進め」
第40回	2013	平成25	田村史郎	「木霊（こだま）」
				「大きいズボン・冬」
			北郷悟	「蒼い山」
第41回	2014	平成26	大成浩	「陽風　No.3 "The Wind of the Sun　No.3"」
			金景曶	「時・空・音」

中原悌二郎賞　主催：旭川市、旭川市教育委員会　対象：作品

回	西暦	元号	受賞者名	作品タイトル
第1回	1970	昭和45	木内克	「婦人誕生」
第2回	1971	昭和46	西常雄	「藤原良江像」
第3回	1972	昭和47	舟越保武	「原の城」
第4回	1973	昭和48	高橋清	「人 No.13」
第5回	1974	昭和49	柳原義達	「道標・鳩」
第6回	1975	昭和50	佐藤忠良	「カンカン帽」
第7回	1976	昭和51	吉田芳夫	「白道」
第8回	1977	昭和52	該当なし	———
第9回	1978	昭和53	流政之	「かくれた恋」
第10回	1979	昭和54	桜井祐一	「レダ」
第11回	1980	昭和55	寒川典美	「ほかい人」
第12回	1981	昭和56	建畠覚造	「CLOUD-4」
第13回	1982	昭和57	千野茂	「皐月」
第14回	1983	昭和58	山口牧生	「15°」
第15回	1984	昭和59	向井良吉	「GARONNEの旅から」
第16回	1985	昭和60	鈴木実	「家族の肖像 II」
第17回	1986	昭和61	岩野勇三	「なほ」
第18回	1987	昭和62	大成浩	「風の塔 No.8」
第19回	1988	昭和63	空充秋	「生きる」
第20回	1989	平成元	池田宗弘	「見果てぬ夢・門出」
第21回	1990	平成2	土谷武	「植物空間」
第22回	1991	平成3	井上武吉	「my sky hole '91-6」
第23回	1992	平成4	掛井五郎	「立つ」
第24回	1993	平成5	江口週	「繋がれたアーチ」
第25回	1994	平成6	加藤昭男	「何処へ」
第26回	1995	平成7	保田春彦	「聚落を囲う壁 I」
第27回	1996	平成8	若林奮	「Daisy III-2」
第28回	1997	平成9	下田治	「かみつくめす犬」
第29回	1998	平成10	清水九兵衞	「PACK-A」
第30回	1999	平成11	吾妻兼治郎	「YU-847」
第31回	2000	平成12	山本正道	「Versilia '99（ベルジリア）」
第32回	2001	平成13	広井力	「海の風」
第33回	2003	平成15	舟越桂	「水の山」
第34回	2005	平成17	該当なし	———
第35回	2007	平成19	鈴木久雄	「距離・Irish Sky」
第36回	2009	平成21	大平實	「家 Casa」
第37回	2011	平成23	小泉俊己	「水脈（図法—1）」
第38回	2013	平成25	植松奎二	「截接—軸・経度・緯度—」
第39回	2015	平成27	戸谷成雄	「漢詩的」
第40回	2017	平成29	青木野枝	「原形質/2015」
第41回	2019	令和元	三沢厚彦	「Animal 2018-01」

東山魁夷記念 日経日本画大賞　主催：ニューオータニ美術館、日本経済新聞社　対象：作家

回	西暦	元号	受賞者名	回	西暦	元号	受賞者名	回	西暦	元号	受賞者名
第1回	2003	平成15	浅野均	第3回	2007	平成19	奥村美佳				濱田樹里
			内田あぐり	第4回	2009	平成21	岡村桂三郎	第6回	2015	平成27	岩田壮平
第2回	2005	平成17	菅原健彦	第5回	2012	平成24	鴻池朋子	第7回	2018	平成30	浅見貴子

日本青年画家展　主催：東邦アート　対象：作家

※第5回で終了

回	西暦	元号	賞名	受賞者名	作品タイトル	回	西暦	元号	賞名	受賞者名	作品タイトル
第 1 回	1984	昭和 59	優秀賞	相笠昌義					優秀賞	北久美子	「ある日」
					「もう無くなってしまった広場（スペインにて）」				優秀賞	小杉小二郎	「卓上の一人芝居」
			優秀賞	有元利夫	「7つの音」	第 4 回	1987	昭和 62	優秀賞	明山応義	「仮眠—C」
			優秀賞	門脇正弘	「野情譜」				優秀賞	金森良泰	「花泰諷詠」
			優秀賞	小杉小二郎	「卓上の一人芝居」				優秀賞	小林一彦	「ACTUAL WOMAN」
			優秀賞	長谷川泰子	「空中生活者」				優秀賞	絹谷幸二	「時の天使」
第 2 回	1985	昭和 60	優秀賞	大矢英雄	「囚われの部屋で」				優秀賞	金子亨	「花風」
			優秀賞	絹谷幸二	「光ふる時」	第 5 回	1988	昭和 63	優秀賞	井澤幸三	「風薫るところ」
			優秀賞	滝純一	「過ぎる光景」				優秀賞	絹谷幸二	「涙するカトリーヌ」
			優秀賞	中野庸二	「Sea Window」				優秀賞	田村能里子	「樹の声」
			優秀賞	薮野健	「春・アラゴン」				優秀賞	智内兄助	「回帰」
第 3 回	1986	昭和 61	大賞	長谷川泰子	「春をまちながら」				優秀賞	藤原護	「otonomie A」

日本陶磁協会賞　主催：（社）日本陶磁協会　対象：作家

回	西暦	受賞年度	賞名	受賞者名	回	西暦	受賞年度	賞名	受賞者名
第1回	1954	昭和29	協会賞	清水卯一	第20回	1973	昭和48	協会賞	松井康成
			協会賞	熊倉順吉	第21回	1974	昭和49	協会賞	高鶴元
第2回	1955	昭和30	協会賞	藤本能道	第22回	1975	昭和50	協会賞	今泉今右衛門
			協会賞	吉賀大眉				協会賞	原清
第3回	1956	昭和31	協会賞	松風栄一				金賞	田村耕一
			協会賞	田村耕一	第23回	1976	昭和51	協会賞	三浦小平二
第4回	1957	昭和32	協会賞	大樋長左衛門				金賞	清水卯一
			協会賞	清水六兵衞（九兵衞）	第24回	1977	昭和52	協会賞	加藤達美
第5回	1958	昭和33	協会賞	船木研兒				協会賞	栗木達介
			協会賞	安田全宏	第25回	1978	昭和53	協会賞	塚本快示
第6回	1959	昭和34	協会賞	河本五郎	第26回	1979	昭和54	協会賞	金重道明
			協会賞	鈴木治				協会賞	玉置保夫
第7回	1960	昭和35	協会賞	篠田義一	第27回	1980	昭和55	協会賞	小野珀子
			協会賞	中里太郎右衛門（逢庵）				協会賞	竹中浩
			協会賞	山田光				金賞	藤本能道
第8回	1961	昭和36	協会賞	谷口良三	第28回	1981	昭和56	協会賞	川瀬忍
			協会賞	藤原建				金賞	鈴木藏
第9回	1962	昭和37		該当者なし	第29回	1982	昭和57	協会賞	小野寺玄
第10回	1963	昭和38	協会賞	辻清明				協会賞	中島宏
			協会賞	木村盛和				金賞	辻清明
第11回	1964	昭和39	協会賞	今井政之	第30回	1983	昭和58	協会賞	酒井田柿右衛門
第12回	1965	昭和40	協会賞	加守田章二				金賞	鈴木治
第13回	1966	昭和41	協会賞	加藤重高	第31回	1984	昭和59	協会賞	江口勝美
			協会賞	近藤豊				協会賞	加藤孝造
			協会賞	藤原雄				協会賞	中里隆
第14回	1967	昭和42	協会賞	鈴木藏				金賞	吉賀大眉
第15回	1968	昭和43	協会賞	森陶岳	第32回	1985	昭和60	協会賞	徳田八十吉
第16回	1969	昭和44	協会賞	加藤清之	第33回	1986	昭和61	協会賞	伊藤赤水
第17回	1970	昭和45	協会賞	辻協				協会賞	小山岑一
第18回	1971	昭和46		該当者なし				協会賞	樂吉左衛門
第19回	1972	昭和47	協会賞	江崎一生	第34回	1987	昭和62	協会賞	和太守卑良
			協会賞	藤平伸	第35回	1988	昭和63	協会賞	三輪龍作（休雪）
			金賞	八木一夫				協会賞	鈴木三成

回	西暦	受賞年度	賞名	受賞者名
			金賞	今泉今右衛門
第36回	1989	平成元	協会賞	若尾利貞
			金賞	松井康成
第37回	1990	平成2	協会賞	滝口和男
			金賞	加藤卓男
第38回	1991	平成3	協会賞	深見陶治
			金賞	樂吉左衞門
第39回	1992	平成4	協会賞	鯉江良二
			金賞	三浦小平二
第40回	1993	平成5	協会賞	山田常山
			協会賞	金重晃介
			金賞	島岡達三
第41回	1994	平成6	協会賞	吉田美統
			金賞	山田光
第42回	1995	平成7	協会賞	隠﨑隆一
第43回	1996	平成8	協会賞	秋山陽
			金賞	荒木高子
第44回	1997	平成9	金賞	藤平伸
第45回	1998	平成10	協会賞	八木明
第46回	1999	平成11	協会賞	原田拾六
			金賞	森正洋
第47回	2000	平成12	協会賞	小川待子
第48回	2001	平成13	協会賞	鈴木五郎
			金賞	森陶岳
第49回	2002	平成14	協会賞	金重有邦
			金賞	柳原睦夫
第50回	2003	平成15	協会賞	前田昭博
			協会賞制定50年記念賞	三輪壽雪
			金賞	坪井明日香
第51回	2004	平成16	協会賞	林邦佳
			協会賞	清水六兵衞
			協会賞	田嶋悦子
第52回	2005	平成17	協会賞	市野雅彦
			金賞	中島宏
第53回	2006	平成18	協会賞	武腰潤
			協会賞	三輪和彦
			金賞	加藤清之
第54回	2007	平成19	協会賞	三原研
			金賞	鯉江良二
第55回	2008	平成20	協会賞	小池頌子
			金賞	加藤孝造
第56回	2009	平成21	協会賞	中島晴美
			金賞	森野泰明
第57回	2010	平成22	協会賞	前田正博
			金賞	三輪休雪
第58回	2011	平成23	協会賞	今泉今右衛門
			金賞	深見陶治
第59回	2012	平成24	協会賞	杉浦康益
			協会賞	加藤委
第60回	2013	平成25	協会賞	福島善三
			金賞	川瀬忍
第61回	2014	平成26	協会賞	神農巖
			金賞	隠﨑隆一
第62回	2015	平成27	協会賞	鈴木徹
			金賞	秋山陽
第63回	2016	平成28	協会賞	重松あゆみ
			金賞	伊藤慶二
第64回	2017	平成29	協会賞	伊藤秀人
			金賞	金重有邦
第65回	2018	平成30	協会賞	内田鋼一
			金賞	小川待子

平櫛田中賞　主催：井原市　対象：作品

回	西暦	元号	受賞者名	作品タイトル
第1回	1972	昭和47	淀井敏夫	これまでの作品に対して
第2回	1973	昭和48	堀川恭	これまでの作品に対して
第3回	1974	昭和49	江口週	これまでの作品に対して
第4回	1975	昭和50	最上壽之	「コテンパン」
第5回	1976	昭和51	山本正道	「追憶」
第6回	1977	昭和52	小畠廣志	「涼炎」
第7回	1978	昭和53	鈴木実	これまでの作品に対して
第8回	1979	昭和54	澄川喜一	「そりのあるかたちI」
第9回	1980	昭和55	土谷武	「蜻蛉と向かい風」
第10回	1981	昭和56	小清水漸	「レリーフ80－3」
第11回	1983	昭和58	脇田愛二郎	「COSMIC VOLUME 3－2」
第12回	1985	昭和60	城田孝一郎	「砂上の女」
第13回	1987	昭和62	米林雄一	「微空音－I」
第14回	1989	平成元	深井隆	「逃れゆく思念」
第15回	1991	平成3	海老塚耕一	「連関作用一水の窓より・夏S-90SE」
第16回	1993	平成5	山縣壽夫	「横たわる三角」
第17回	1995	平成7	戸谷成雄	「境界から(個体・家・皮膚)」
第18回	1997	平成9	舟越桂	「肩で眠る月」
第19回	1999	平成11	峯田敏郎	「記念撮影一地球も私一」
第20回	2001	平成13	三沢厚彦	これまでの作品に対して
第21回	2003	平成15	藪内佐斗司	これまでの作品に対して
第22回	2005	平成17	保田井智之	「質問者」
第23回	2007	平成19	保田春彦	これまでの作品に対して
第24回	2009	平成21	石松豊秋	これまでの作品に対して
第25回	2011	平成23	小谷元彦	これまでの作品に対して
第26回	2013	平成25	大平實	これまでの作品に対して
第27回	2015	平成27	黒蕨壮	これまでの作品に対して
第28回	2017	平成29	安藤榮作	これまでの作品に対して
第29回	2019	令和元	岩間弘	これまでの作品に対して

本郷新記念札幌彫刻賞　主催：札幌市・(公財)札幌市美術文化財団　対象：作品

(～2011年は本郷新賞の名称で開催、推薦の賞。2014年～公募の賞に)

回	西暦	元号	受賞者名	作品タイトル
第1回	1983	昭和58	金子健二・安倍和子・寺田栄・栗原俊明	「風の又三郎群像」
第2回	1985	昭和60	環境造形Q(小林陸一郎・増田正和・山口牧生)	「水の広場」
第3回	1987	昭和62	塚脇淳(協力：サトル・タカダ)	「地上より」

回	西暦	元号	受賞者名	作品タイトル
第4回	1989	平成元	國松明日香	「捷」
第5回	1991	平成3	簑田哲日児	「Commencement and Peace」
第6回	1993	平成5	渡辺行夫	「風待ち」
第7回	1995	平成7	眞板雅文	「連山夢想」
第8回	1997	平成9	豊福知徳	「那の津往還」
第9回	1999	平成11	故 井上武吉	「my sky hole 97—2　水面への回廊、琵琶湖」
第10回	2001	平成13	澄川喜一	「風門」
第11回	2003	平成15	土屋公雄	「時の知層」
第12回	2005	平成17	石井厚生	「時空・140—旅人—」
第13回	2007	平成19	前田哲明	「煌樹（こうじゅ）」
第14回	2009	平成21	江口週	「時を漕ぐ舟」
第15回	2011	平成23	西野康造	「スノーリング」
第1回	2014	平成26	谷口顕一郎	「凹み スタディ—琴似川 北12条西20丁目—」
第2回	2017	平成29	加藤宏子	「improvisation～うけとめるかたち」

前田寛治大賞展　主催：倉吉博物館　対象：作品

回	西暦	元号	受賞者名	作品タイトル	回	西暦	元号	受賞者名	作品タイトル
第1回	1989	平成元	松原政祐	「生きるものたち『誕生』」	第6回	2004	平成16	芳川誠	「収穫」
第2回	1992	平成4	山本明比古	「ガンジスの音船」	第7回	2007	平成19	島村信之	「潮騒」
第3回	1995	平成7	吉岡正人	「幸せな一日」	第8回	2010	平成22	山本雄三	「2010年一七月のある朝」
第4回	1998	平成10	髙橋雅史	「跡」	第9回	2014	平成26	吉中裕也	「Still Life（黄色い水差しのある静物）」
第5回	2001	平成13	西房浩二	「遠い記憶」	第10回	2018	平成30	森吉健	「David」

宮本三郎記念賞　主催：（財）美術文化振興協会、朝日新聞社　対象：作品

※第15回で終了

回	西暦	元号	受賞者名	作品タイトル	回	西暦	元号	受賞者名	作品タイトル
第1回	1981	昭和 56	藤田吉香	「牡丹」	第9回	1991	平成 3	小松崎邦雄	「稲穂のつどい」
第2回	1982	昭和 57	國領經郎	「轍」	第10回	1992	平成 4	山本文彦	「叢岩」
第3回	1984	昭和 59	奥谷博	「詩海」	第11回	1993	平成 5	大津英敏	「宙・そら」
第4回	1986	昭和 61	浮田克躬	「城砦の島」	第12回	1994	平成 6	野田弘志	
第5回	1987	昭和 62	松樹路人	「美術学校・モデルの1日」					「TOKIJIKU（非時）XII Wing」
第6回	1988	昭和 63	大沼映夫	「大和思考 '87 No.2」	第13回	1995	平成 7	麻田浩	「窓・四方」
第7回	1989	平成元	山下充	「エトルタの秋」	第14回	1996	平成 8	入江観	「海辺の丘」
第8回	1990	平成 2	島田章三	「鳥からの啓示」	第15回	1997	平成 9	山本貞	「地の光景」

安井賞展　主催：毎日新聞社、セゾン美術館、（財）安井曽太郎記念会　対象：作品

※第40回で終了

回	西暦	元号（年度）	賞名	受賞者名	作品タイトル	回	西暦	元号（年度）	賞名	受賞者名	作品タイトル
第1回	1957	昭和 32	安井賞	田中岑	「海辺」	第15回	1971	昭和 46	安井賞	中西勝	「大地の聖母子」
第2回	1958	昭和 33	安井賞	野見山暁治	「岩上の人」				佳作賞	後藤よ志子	「寺院のある街I」
第3回	1959	昭和 34	安井賞	中本達也	「群れ」	第16回	1972	昭和 47	安井賞	谷本重義	「二人老人」
第4回	1960	昭和 35	安井賞	深見隆	「風化」				佳作賞	松樹路人	「ドラム罐」
第5回	1961	昭和 36	安井賞	高橋秀	「月と道」	第17回	1973	昭和 48	安井賞	絹谷幸二	「アンセルモ氏の肖像」
第6回	1962	昭和 37	安井賞	近岡善次郎	「巫子」				佳作賞	井上悟	「画室のとなりの部屋」
第7回	1963	昭和 38	安井賞	芝田米三	「樹下群馬」	第18回	1974	昭和 49	安井賞	八島正明	「放課後」
第8回	1964	昭和 39	安井賞	田口安男	「かげとかげり」				佳作賞	麻田浩	「原風景（重い旅）」
第9回	1965	昭和 40	安井賞	西村功	「ベンチの人々」	第19回	1975	昭和 50	安井賞	三栖右嗣	「老いる」
第10回	1966	昭和 41	安井賞	宮崎進	「見世物芸人」				佳作賞	麻生征子	「エリーゼのために『風』」
第11回	1967	昭和 42	安井賞	島田章三	「母と子のスペース」	第20回	1976	昭和 51	安井賞	横尾茂	
第12回	1968	昭和 43	安井賞	鴨居玲	「静止した刻」						「里のひろみとうちのはあちゃん」
第13回	1969	昭和 44	安井賞	藤田吉香	「春木萬華」				佳作賞	石井武夫	「DUMMY」
			佳作賞	市川正三	「無言譜」	第21回	1977	昭和 52	安井賞	上條陽子	「玄黄一兆」
第14回	1970	昭和 45	安井賞	山本文彦	「語り I」				佳作賞	藪野健	「僕の小学校」
			佳作賞	斎藤真一					特別賞	有元利夫	「花降る日」
					「みさお瞽女の悲しみ　越後瞽女日記より」	第22回	1978	昭和 53	安井賞	笹岡信彦	「朝に翔んでいる」

回	西暦	元号(年度)	賞名	受賞者名	作品タイトル
			佳作賞	石川忠一	「The Relations1」
第23回	1979	昭和 54	安井賞	堀江優	「ペテロ」
			佳作賞	馬越陽子	「生命の歩み『遙』」
			特別賞	森秀雄	「偽りの青空―蘇えるヴィーナス」
第24回	1980	昭和 55	安井賞	有元利夫	「室内楽」
			佳作賞	水出陽平	「一列」
第25回	1981	昭和 56	安井賞	相笠昌義	「カラバンチェロの昼さがり」
			佳作賞	堀研	「風の中をゆく」
第26回	1982	昭和 57	安井賞	大津英敏	「KAORI」
			佳作賞	藤井勉	「秋風」
第27回	1983	昭和 58	安井賞	小笠原宣	「行」
			佳作賞	藤崎恒頼	「漁夫」
第28回	1984	昭和 59	安井賞	櫃田伸也	「風景断片」
			佳作賞	玉川信一	「二人の風景」
第29回	1985	昭和 60	安井賞	遠藤彰子	「遠い日」
			佳作賞	福島瑞穂	「タナトス」
第30回	1986	昭和 61	安井賞	小林一彦	「MOVIN' OUT 86-A」
			佳作賞	川口起美雄	「交感(音の抑揚)」
第31回	1987	昭和 62	安井賞	櫻井孝美	「1986年／1987年 夏」
			佳作賞	筧本生	「パリのキャフェ」
第32回	1988	昭和 63	安井賞	福田美蘭	「水曜日」
			佳作賞	瀬川富紀男	「鏡考―あやとり」
第33回	1989	平成元	安井賞	北久美子	「夢想植物園…Y」
			佳作賞	智内兄助	「桜狩遊楽図 I」
第34回	1990	平成 2	安井賞	藤田邦統	「木星で出会う」
			佳作賞	小川恒雄	「田園造化」
第35回	1991	平成 3	安井賞	奥山民枝	「山夢」
			佳作賞	星憲司	「Layer 91038」
第36回	1992	平成 4	安井賞	平岡靖弘	「陸(おか)に上がった舟 Ⅲ」
			佳作賞	鳴剛	「ENOSHIMA higashihama」
第37回	1993	平成 5	安井賞	本田希枝	「漂流者」
			佳作賞	木津文哉	「岐(き)」
第38回	1994	平成 6	安井賞	わたなべゆう	「風土 15」
			佳作賞	三浦泉	「遠い日」
第39回	1995	平成 7	安井賞	小林裕児	「夢酔」
			佳作賞	一居孝明	「GOLD LEGEND(Ⅱ)」
第40回	1996	平成 8	安井賞	柳田昭	「水温む頃」
			佳作賞	上川伸	「THE WALL "Main Stream:type D"」
			特別賞	安達博文	「虹の境界 Ⅵ」

山種美術館賞　主催：山種美術館　対象：作品

※第14回で終了

回	西暦	元号	賞名	受賞者名	作品タイトル
第1回	1971	昭和 46	大賞	下田義寛	「仔馬と少年」
			優秀賞	松尾敏男	「翔」
			優秀賞	近藤弘明	「清夜」
第2回	1973	昭和 48	大賞	石田武	「林」
			優秀賞	小山硬	「天草」
			優秀賞	小嶋悠司	「群像」
第3回	1975	昭和 50	大賞	大森運夫	「山の夜神楽」
			優秀賞	牧進	「叢」
			優秀賞	堀泰明	「童女図」
第4回	1977	昭和 52	大賞	竹内浩一	「猿図」
			優秀賞	丹羽尚子	「ひとりごと」
			優秀賞	小泉淳作	「奥伊豆風景」
第5回	1979	昭和 54	大賞	該当者なし	
			優秀賞	中島千波	「衆生・視」
			優秀賞	中野弘彦	「方丈記」
			優秀賞	田渕俊夫	「輪中の村」
第6回	1981	昭和 56	大賞	仲村進	「西に向う牛群」
			優秀賞	岡村倫行	「砂に」
			優秀賞	林功	「汎」
第7回	1983	昭和 58	大賞	松生歩	「午後の慈光」
			優秀賞	西田俊英	「華鬘」
			優秀賞	関出	「廃園濃紫」
第8回	1985	昭和 60	大賞	岩沢重夫	「古都追想」
			優秀賞	滝沢具幸	「地」
			優秀賞	米谷清和	「暮れてゆく街」
第9回	1987	昭和 62	大賞	浅野均	「静かな地平」
			優秀賞	大野俊明	「東風」
			優秀賞	岡村桂三郎	「オオカミ」
第10回	1989	平成元	大賞	平松礼二	「路―『この道』を唱いながら」
			優秀賞	斉藤典彦	「Shaman Moon」
			優秀賞	中村文子	「刻」
第11回	1991	平成 3	大賞	坂本幸重	「鮭」
			優秀賞	牛尾武	「晨響(銀河と流星の滝)」
			優秀賞	小笠原元	「本島の春」
第12回	1993	平成 5	大賞	内田あぐり	「地への廻廊」
			優秀賞	吉川優	「道」
			優秀賞	村越由子	「秋の暉映」
第13回	1995	平成 7	大賞	北田克己	「ゆふまどひ」
			優秀賞	西久松吉雄	「古墳のある風景」
			優秀賞	猪熊佳子	「太古の森の」
第14回	1997	平成 9	大賞	木村光宏	「兆」
			優秀賞	川﨑麻児	「黄昏」
			優秀賞	西田眞人	「更地」

Seed 山種美術館 日本画アワード　主催：山種美術館　対象：作品

回	西暦	元号	賞名	受賞者名	作品タイトル
第1回	2016	平成28	大賞	京都絵美	「ゆめうつつ」
			優秀賞	長谷川雅也	「唯」
第2回	2019	令和元	大賞	安原成美	「雨後のほほ」
			優秀賞	青木秀明	「鴯鶓ノ図―飛べない鳥―」

倫雅美術奨励賞　主催：公益信託倫雅美術奨励基金　対象：作品

回	西暦	元号	受賞者名	作品タイトル	部門
第1回	1989	平成元	鶴岡真弓	『ケルト／装飾的思考』	美術評論・美術史研究
			菊屋吉生	「日本画・昭和の熱き鼓動」展の企画・図書論文	美術評論・美術史研究
第2回	1990	平成2	山梨俊夫	『絵画の身振り』	美術評論・美術史研究
			田中淳	「写実の系譜 III　明治中期の洋画」展の企画及びカタログ中の論文	美術評論・美術史研究
			深沢軍治	最近の創作活動	創作活動
			傅益瑶	社寺における障壁画	創作活動
第3回	1991	平成3	島田康寛	『京都の日本画　近代の揺籃』	美術評論・美術史研究
			木下直之	「日本美術の19世紀」展の企画及びカタログ中の論文	美術評論・美術史研究
			城下るり子	「欲望シリーズ―野へ―」	創作活動
第4回	1992	平成4	岡泰正	『めがね絵新考―浮世絵師たちがのぞいた西洋―』	美術評論・美術史研究
			大熊敏之・濱本聰	「日本のリアリズム　1920s-50s」展の企画及びカタログ中の論文	美術評論・美術史研究
			服部峻昇	「六曲屏風：季の彩」を含む最近の創作活動	創作活動
			宮崎光二	「青銅の供物」を含む最近の創作活動	創作活動
第5回	1993	平成5	妹尾克己	『国吉康雄の「祭りは終わった」について美術史の六つの断面』	美術評論・美術史研究
			前川公秀	『「水仙の影」浅井忠と京都洋画壇』	美術評論・美術史研究
			池口史子	第45回立軌展1993年「もうすぐ晴れる」を含む最近の創作活動	創作活動
第6回	1994	平成6	佐藤康宏	『絵は語る　湯女図　視線のドラマ』	美術評論・美術史研究
			三浦弘子	「熊倉順吉とその仲間たち―近代思潮とクラフトデザイン」展の企画及びカタログ中の論文	美術評論・美術史研究
			井田彪	「Circulation-93 -air to air-」	創作活動
第7回	1995	平成7	勅使河原純	『美術館からの逃走』	美術評論・美術史研究
			樋田豊次郎	展覧会「素材の領分」の企画及び本文執筆	美術評論・美術史研究
			車季南	染織を通じての最近の創作活動	創作活動
第8回	1996	平成8	内山淳一	『江戸の好奇心―美術と科学の出会い』	美術評論・美術史研究
			高階絵里加	『パリ時代の山本芳翠』	美術評論・美術史研究
			吉澤美香	個展を中心にした最近の創作活動	創作活動
第9回	1997	平成9	稲賀繁美	『絵画の黄昏―エドゥアール・マネ没後の闘争』	美術評論・美術史研究
			猿渡紀代子	「アジアへの眼・外国人の浮世絵師たち」展の企画及びカタログ中の論文	美術評論・美術史研究
			青木野枝	最近の創作活動	創作活動
第10回	1998	平成10	土田真紀	「柳宗悦」展の企画及びカタログ中の論文	美術評論・美術史研究
			水沢勉	「モボ・モガ」展の企画及びカタログ中の論文	美術評論・美術史研究
			重松あゆみ	最近の創作活動	創作活動
第11回	1999	平成11	佐藤道信	「明治国家と近代美術――美の政治学――」の研究論文	美術評論・美術史研究
			沼田英子	「世界を編む」展の企画及びカタログ中の論文	美術評論・美術史研究
第12回	2000	平成12	山野英嗣	「日本の前衛」展の企画及びカタログ中の論文	美術評論
			三浦篤	「ラファエル・コラン」展の企画及びカタログ中の論文	美術史研究
			三谷理華	〃	〃
			山本香瑞子	〃	〃
第13回	2001	平成13	神原正明	『ヒエロニムス・ボスの「快楽の園」を読む』	美術史研究
			佐々木奈美子	「ナビ派と日本」展の企画及びカタログ中の論文	美術評論
第14回	2002	平成14	天野知香	『装飾／芸術―19～20世紀フランスにおける「芸術」の位相』	美術史研究
			滝沢恭司	「極東ロシアのモダニズム 1918-1928 ロシア・アヴァンギャルドと出会った日本」展の企画及びカタログ中の論文	美術史研究
第15回	2003	平成15	小沢節子	『「原爆の図」描かれた〈記憶〉、語られた〈絵画〉』	部門評論
			木村理恵子	「ダンス! 20世紀初頭の美術と舞踏」展の企画	美術史研究
第16回	2004	平成16	大谷省吾	「地平線の夢―昭和10年代の幻想絵画」展の企画及びカタログ中の論文	美術評論
			久保智康	「金色のかざり」展の企画及びカタログ中の論文	美術史研究
第17回	2005	平成17	杉山悦子	「瀧口修造―夢の漂流物」展の企画及びカタログ中の論文	美術評論
			光田由里	「安井仲治―写真のすべて」展の企画及びカタログ中の論文	美術史研究
第18回	2006	平成18	植野健造	『日本近代洋画の成立 白馬会』	美術史研究
			金子信久	「亜欧堂田善の時代」展の企画及びカタログ中の論文	美術史研究
第19回	2007	平成19	瀬尾典昭	「幻想のコレクション芝川照吉」展の企画及びカタログ中の論文	美術史研究
			古田亮	「揺らぐ近代 日本画と洋画のはざまに」展の企画及びカタログ中の論文	美術史研究

回	西暦	元号	受賞者名	作品タイトル	部門
第20回	2008	平成20	西山純子	「日本の版画1941-1950『日本の版画』とは何か」展の企画及びカタログ中の論文	美術史研究
			貝塚健	「岡鹿之助」展の企画及びカタログ中の論文	美術評論
第21回	2009	平成21	角田拓朗	「五姓田のすべて―近代絵画への架け橋―」展の企画及びカタログ中の論文	美術史研究
			速水豊	『シュルレアリスム絵画と日本　イメージの受容と創造』	美術史研究
第22回	2010	平成22	天野一夫	「近代の東アジアイメージ　日本近代美術はどうアジアを描いてきたか」展の企画及びカタログ中の論文	美術史研究
			前村文博	「杉浦非水の眼と手」展の企画及びカタログ中の論文	美術史研究
第23回	2011	平成23	平瀬礼太	『銅像受難の近代』	美術史研究
			山口洋三	「菊畑茂久馬 回顧展 戦後／絵画」展の企画及びカタログ中の論文	美術評論
			野中明	〃	〃
第24回	2012	平成24	蔵谷美香	「ぬぐ絵画　日本のヌード 1880-1945」展の企画及びカタログ中の論文	美術史研究
			成相肇	「石子順造的世界　美術発・マンガ経由・キッチュ行」展の企画及びカタログ中の論文	美術評論
第25回	2013	平成25	桑原規子	『恩地孝四郎研究 版画のモダニズム』	美術史研究
			寺口淳治	「生誕120年 田中恭吉展」の企画及びカタログ中の論文	美術史研究
			井上芳子	〃	美術史研究
第26回	2014	平成26	田中修二	『近代日本彫刻集成』第3巻の監修	美術史研究
			荒木夏実	「ゴー・ビトゥイーンズ展 こどもを通して見る世界」の企画及びカタログ中の論文	美術評論
第27回	2015	平成27	水沼啓和	「赤瀬川原平の芸術原論展―1960年代から現在まで」の企画及びカタログ中の論文	美術史研究
			岩尾徳信	〃	〃
			松岡剛	〃	〃
			江尻潔	「スサノヲの到来―いのち、いかり、いのり」展の企画及びカタログ中の論文	美術評論
第28回	2016	平成28	増渕鏡子	「小川千甕展―縦横無尽に生きる」の企画及びカタログ中の論文	美術史研究
			植田彩芳子	〃	〃
			荒井経	『日本画と材料　近代に創られた伝統』	美術評論
第29回	2017	平成29	塩谷純	『天皇の美術史6　近代皇室イメージの創出　明治・大正時代』	美術史研究
			増野恵子	〃	〃
			恵美千鶴子	〃	〃
			都筑正敏	「蜘蛛の糸」展の企画及びカタログ中の論文	美術評論
第30回	2018	平成30	松川綾子	「没後40年 幻の画家 不染鉄」展の企画及びカタログ中の論文	美術史研究
			喜夛孝臣	「戦後美術の現在形 池田龍雄展―楕円幻想」の企画及びカタログ中の論文	美術評論
第31回	2019	令和元	伊藤佳之	『超現実主義の1937年　福沢一郎「シュールレアリズム」を読み直す』	美術史研究
			片多祐子	「駒井哲郎―煌めく紙上の宇宙」展の企画及びカタログ中の論文	美術評論

美術団体

第106回
光風会展
公募
絵画/工芸

搬入 4月3日［金］・4日［土］
出品料 10,000円（学生は5,000円） 2点以内 大きさ F100号以内。
出品規定は返信切手94円を同封のうえ、光風会へお申し込み下さい。

会期 4月15日［水］〜4月27日［月］
午前10時〜午後6時（最終日午後3時まで）／休館日は4月21日［火］

会場 国立新美術館
巡回展 名古屋・京都・広島

一般社団法人 光風会 http://kofu-kai.jp

〒171-0043 東京都豊島区要町 1-3-4 光風会館 TEL 03-3957-8009 FAX 03-3957-8099

第68回
光陽展
小品部門あり

作品公募▼ 油彩・水彩・パステル・日本画・版画・ペン画・墨絵・漆絵・染色

会期：2020年4月2日（木）〜8日（水） 休館日4月6日（月）
搬　入：3月9日（月）・10日（火） **会場**：東京都美術館 巡回展／広島・京都
出品料：1人3点まで10,000円（サイズ15〜150号、4点以上1点1,000円加算）
小品部門 2点以内5,000円（8号以下サイズフリー） なお、30歳未満はいずれも出品料無料
光陽会事務所 〒183-0042 東京都府中市武蔵台3-6-2 大野起生方
TEL. 080-6634-8323 HP：http://koyokai.jp/

示現会展
Shigenkai Exhibition 2020 73rd.
Oil Painting Watercolor

4月1日㈬〜4月13日㈪
2階展示室 2A〜D 〈7日㈫休館日〉
開催時間10時〜18時（入場は閉会30分前まで）
〈最終日10時〜15時（入場は閉会30分前まで）〉
国立新美術館
東京都港区六本木7-22-2
後　援 文化庁／東京都
観覧料 一般 700円
一般社団法人 示現会

公募
搬　入
3月21日㈯
22日㈰

事務所
東京都北区中里1-17-4 示現会館内
http://www.shigenkai.jp
TEL・FAX(03)3824-9128

第108回展　　**作品公募**

日本水彩展

水彩・版画・素描・パステル

●会期　6月6日（土）～6月13日（土）
（会期中無休）
●会場　東京都美術館

【搬入日】5月下旬
【出品料】10,000円（1人1点）学生は5,000円
高校生・15歳～18歳は無料

出品規定は葉書またはFAXで下記にご請求下さい。

公益社団法人 日本水彩画会　〒110-0015　東京都台東区東上野4-6-7-206　tel.03-5828-1616　fax.03-5828-1619

第70回
版画　公募

板院展

●会期　2020年6月16日（火）～6月21日（日）　●搬入日　5月19日（火）
●会場　東京都美術館　●後援　文化庁他　●出品料　2点まで10,000円

《賞》棟方志功賞・文部科学大臣賞・東京都知事賞・日本板画院賞・新人賞・他多数申請中
※出品規定は94円切手を1枚同封して下記事務局までご請求下さい。
●板院展受賞者作品展 開催……2020年7月10日（金）～7月12日（日）／岐阜県 高山市民文化会館

一般社団法人 日本板画院　http://www.nipponhangain.com
事務局　〒247-0006　横浜市栄区笠間2-23-11-103
林 眞 方　TEL.080-6744-8843

搬入　3月8日（日）・9日（月）
会期　3月18日（水）～3月30日（月）
会場　国立新美術館【火曜日休館】
巡回　名古屋・大阪
特別巡回　豊岡市立美術館―伊藤清永記念館―

◆点数1人2点まで ◆大きさ制限なし
◆出品料2点まで10,000円
◆絵画（油彩・水彩・パステル・版画・他）・彫刻
出品規定は下記事務所までご請求下さい

〈会期中のイベント〉※予定
公開クロッキー講座Vol.5
3月26日（木）　第1部 11時～13時　第2部 13時半～15時半
要入場券・参加無料
※当日午前10時より2A入口にて整理券を配布
※状況により変更の可能性があるためHPや事務所にて
ご確認ください

白日会公開動画
YouTubeにて配信中

令和2年　2020

公募

見えるものを通して見えないものを描く、写実の王道

白日会

大正十三年創立　絵画と彫刻の研究団体　美術公募展

絵画・彫刻

白日会事務所
〒104-0032 東京都中央区八丁堀4-2-8-202　TEL/FAX 03（6280）5218　E-MAIL：hakujitsu-mail@trad.ocn.ne.jp　HP：http://www.hakujitsu.com

INDEX SEAL

日本画・水墨画	オークション会社	関連団体・組織	日本藝術院会員
洋画・水彩・版画・他平面	物故作家（日本画）	美術館・博物館他	人間国宝
彫刻・他立体	物故作家（洋画）	画材関連会社	美術賞受賞作家
工芸	物故作家（彫刻）	美術梱包・運送	
デパート	物故作家（工芸）	美術学校	
画廊・画商	美術団体事務所	文化勲章受章者	
美術鑑定人	美術評論家・関係者	文化功労者	

掲載画廊・画商索引

［き］

[く]

[け]

[こ]

[さ]

［し］

［す］

［せ］

[そ]

[た]

[ち]

[つ]

[て]

画廊・画商索引▼ろ〜わ

[ろ]

[わ]

掲載美術館・博物館・文学館・記念館索引

[か]

[き]

［く］

［け］

［こ］

【に】

【ぬ】

【ね】

【の】

【は】

【ひ】

【ふ】

【へ】

美術界データブック 2020
THE FINE ARTS & CONTEMPORARY ARTS

発 行 日　2020年 1月 17日
本体 1,524円＋税
発　　行　株式会社 生活の友社
〒104-0061 東京都中央区銀座 1-13-12 銀友ビル 4 階
TEL.03-3564-6900 FAX.03-3564-6901
https://www.tomosha.com/
発 行 人　一井義寛
印 刷 所　株式会社サンニチ印刷
装　　丁　河北秀也、坂倉 実

ISBN 978-4-908429-25-5 C0070 ¥1524E